소아신경학
Pediatric Neurology

3rd Edition

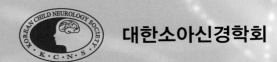

대한소아신경학회

소아신경학 (셋째판)

PEDIATRIC NEUROLOGY

첫째판 1쇄 발행 | 2007년 10월 10일
둘째판 1쇄 발행 | 2013년 11월 1일
셋째판 1쇄 인쇄 | 2021년 4월 26일
셋째판 1쇄 발행 | 2021년 5월 10일

지 은 이 대한소아신경학회
발 행 인 장주연
출 판 기 획 조형석
책 임 편 집 이예제
편집디자인 조원배
표지디자인 김재욱
일 러 스 트 김경열
발 행 처 군자출판사(주)
         등록 제4-139호(1991. 6. 24)
         본사 (10881) **파주출판단지** 경기도 파주시 회동길 338(서패동 474-1)
         전화 (031) 943-1888   팩스 (031) 955-9545
         홈페이지 | www.koonja.co.kr

ISBN 979-11-5955-701-9

정가 90,000원

소아신경학
Pediatric Neurology

3rd Edition

집필진 (가나다순)

편집위원장

김영훈	가톨릭의대

편집위원

강훈철	연세의대	이건희	한림의대
김성구	한림의대	이지훈	성균관의대
김원섭	충북의대	임병찬	서울의대
문진화	한양의대	정다은	아주의대
엄태훈	가톨릭의대	채규영	차의대
염미선	울산의대	채종희	서울의대
은소희	고려의대	최지은	서울의대

집필진 (가나다순)

집필자

강훈철	연세의대	김헌민	서울의대	이윤진	부산의대
고아라	부산의대	김흥동	연세의대	이인구	가톨릭의대
고태성	울산의대	남상욱	부산의대	이정호	순천향의대
권순학	경북의대	노병호	강원의대	이종화	원광의대
권영세	인하의대	문진화	한양의대	이준수	연세의대
권혜은	관동가톨릭의대	빈중현	가톨릭의대	이준화	성균관의대
김기중	서울의대	서은숙	순천향의대	이지훈	성균관의대
김동욱	인제의대	서주희	AventHealth Orlando	이진숙	가천의대
김두권	동국의대	엄태훈	가톨릭의대	이창우	원광의대
김선준	전북의대	염미선	울산의대	임병찬	서울의대
김성구	한림의대	유수정	인제의대	정고운	성애병원
김세희	연세의대	유일한	가톨릭의대	정다은	아주의대
김승수	순천향의대	유지숙	단국의대	정승연	가톨릭의대
김영훈	가톨릭의대	유희준	한림의대	정희정	일산병원
김원섭	충북의대	은백린	고려의대	조성민	동국의대
김은영	광주기독병원	은소희	고려의대	차병호	연세원주의대
김은희	충남의대	이건희	한림의대	채규영	차의대
김정아	시카고의대	이란	건국의대	채수안	중앙의대
김준식	계명의대	이선경	차의대	채종희	서울의대
김진경	대구가톨릭의대	이영목	연세의대	최지은	서울의대

머리말

　"소아신경학"이 2007년 처음 발간된 이후 2013년에 제2판이 개정되었었는데 소아신경학의 발전과 함께 병인은 물론 진단과 치료 면에서 급속도로 발전하는 의학에 발맞추어, 2018년 6월 이준수 전임 회장님의 의견에 따라 제3판 개정을 소아신경학 교과서편찬 TFT(위원장: 김영훈, 위원: 강훈철, 김성구, 김원섭, 문진화, 염미선, 은소희, 이건희, 이지훈, 정다은, 채규영, 채종희, 최지은, 간사: 엄태훈)가 구성되어, 새로운 내용을 충분히 수록할 수 있도록 하였습니다. 이전 교과서에서 미진한 부분을 보완하여 총 17장으로 이전 판 524쪽에서 680쪽으로 증보하였습니다. 새로운 3판은 뇌영상 검사 내용을 추가하였고, 수면평가 부분을 강화하였으며 신경계 염증/자가면역 질환에 대한 내용도 증보하였습니다. 추가된 세부내용을 포함해서 55명의 대한소아신경학회 회원이 집필에 참여하였습니다. 또한 각 세부 장에 집필자를 넣어 원고의 책임을 강화하였습니다. 제3판에 실린 사진이나 그림은 저작권법에 위반되지 않도록 재가공하였습니다.

　제3판 소아신경학 교과에서 사용한 용어는 가능한 한 대한의사협회에서 편찬한 "의학용어집 제5판(수정판)"(2015년)을 기준으로 하였고, 대한의사협회 홈페이지에 있는 의학용어검색 사이트(http://term.kma.org/)를 참고하였습니다. 다만 일부 거의 쓰지 않는 용어는 홍창의 소아과학 교과서 12판의 용어와 연동하였습니다.

　많은 대한소아신경과학회 회원들이 환자 진료와 연구의 바쁜 일정 속에서도 각자의 개인 시간을 아낌없이 할애하여 이 교과서를 만들었습니다. 학회에 대한 사랑과 열정이 없이는 이루어지기 어렵다고 생각됩니다.

　이 책을 발간하기 위해 좋은 원고를 써 주신 집필진들과 많은 노력과 시간을 기울여 이를 수정 보완해주신 엄태훈 간사, 편집위원들, 그리고 물심양면으로 도움을 주신 현 대한소아신경학회 남상욱 회장님과 이영목 총무위원장에게 감사의 말씀을 드립니다.

　물론 이 책이 급속도로 발전하는 모든 소아신경 분야를 담지는 못했기 때문에 앞으로도 계속 부족한 부분을 보완한다면 좀 더 우리 실정에 맞는 훌륭한 교과서가 나올 수 있을 것으로 기대합니다.

　아무쪼록 이 책이 소아신경 분야에 관심을 가진 모든 분들에게 도움이 되며, 학문 발전의 소중한 밑거름이 되기를 바랍니다.

2021년 4월
교과서편찬위원장 김 영 훈

소 아 신 경 학
PEDIATRIC NEUROLOGY

목차

제 14 장　뇌혈관질환

제 15 장　신경근질환

제 16 장　말초신경계 질환

제 **17** 장 신경질환을 앓는 소아의 돌봄

소 아 신 경 학
PEDIATRIC NEUROLOGY

제 1 장

임상적 평가

Clinical Evaluation

01

신경계진찰

Neurological Examination

| 이인구 |

신경계 진단은 병력청취와 진찰을 통하여 이상이 있는 신경계 부위와 원인을 밝혀내는 과정이다. 소아나 영아의 신경계진찰에서는 성장발달 과정을 항상 고려하여 원인을 분석하는 것이 중요하다.

1. 병력청취

신경계 병력청취는 최첨단의 진단 기법이 개발된 현재에도 여전히 중요한 부분이며 논리적 추론에 의하여 유도되어야 한다. 3-4세 이후의 정상적인 소아들에게는 친근한 태도로 물어보면 상당히 정확하고 믿을만한 병력을 알아낼 수 있는 경우가 많다. 질병 발생의 속도가 급성, 아급성 혹은 만성인지, 진행경과가 정체성인지 진행성인지 밝히는 것은 아주 중요하다. 또한 환자가 발달 과정에서 이미 습득한 기술을 잃어버렸는지 혹은 처음부터 특정 기술의 습득이 되지 않았는지 여부, 분만 전 어머니의 질환, 흡연, 음주, 약물 사용, 재태기간, 출생체중, 출산 당시의 문제, 분만 후 수유문제, 수면, 발달 지표 등을 정확히 알아내는 것도 중요하다. 신경계 질환의 진단에는 가족력뿐 아니라 학업성적, 생활태도 및 성격변화 등의 정보도 진단에 큰 도움을 줄 수 있다.

표 1-1. 발달 지연을 감별하기 위한 선별적인 연령 별 발달 단계: 상위 범위

나이(개월)	조대운동	미세운동	사회적 기능	언어
3	엎드린 자세에서 아래팔로 받쳐 상체를 든다.	자연스럽게 손을 편다.	적절히 미소 짓는다.	"아–"소리를 내고, 웃는다.
6	잠깐 혼자 앉는다.	다른 손으로 물건을 옮겨 쥔다.	좋아하는 것과 싫어하는 것을 나타낸다.	의미 없이 재잘 거린다.
9	붙잡고 선다.	작은 물체를 엄지손가락과 집게손가락 또는 가운데 손가락으로 집는다.	짝짜꿍, 까꿍 놀이를 한다.	소리를 흉내낸다.
12	혼자 걷는다.	손에 쥐고 있던 물건을 의도적으로 놓는다.	부르면 온다.	1-2개의 의미있는 단어를 말한다.
18	손잡고 층계를 올라간다.	숟가락으로 혼자 먹는다.	다른 사람의 행동을 흉내 낸다.	최소 6개 이상의 단어를 말한다.
24	잘 뛴다.	6개의 입방체를 쌓아 올린다.	다른 사람과 잘 논다.	2 – 3개의 단어로 이루어진 문장을 말한다.

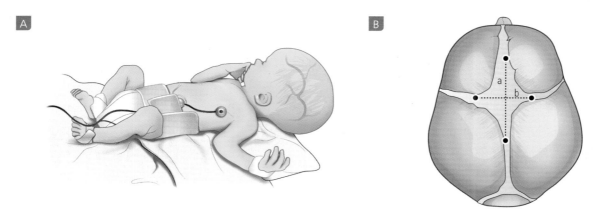

■ 그림 1-1. 머리 진찰
(A) 선천성 수두증: 머리가 크고 두피 정맥이 두드러진다. **(B)** 대천문 크기 측정: (a+b)/2

발달 평가는 신경학적 병력 청취의 주요한 구성 요소인데, 소아의 사회성, 인지 발달, 언어 발달, 그리고 미세운동과 조대운동에 대한 조심스러운 분석은 정상 발달과 발달 지연을 감별하는데 필요하다. 발달이 출생 시부터 계속 느린 경우는 선천성, 자궁 내, 또는 주산기의 원인을 암시하지만, 시간이 지나면서 가지고 있던 기능이 퇴화되는 경우는 선천성 대사 이상과 같은 중추신경계의 퇴행성 질환을 강력히 암시한다. 표 1-1는 정상아의 연령별 발달 단계 이다.

2. 일반진찰

신체 계측 시 환자의 키, 몸무게, 머리둘레 등은 항상 측정해야 한다. 얼굴 및 전신 모습에서 형태이상 유무, 피부의 다양한 반점 유무와 그 위치, 목뒤나 등의 중앙에 털이나 함몰 부위, 혹은 작은 구멍이 있는지를 살피고 손금이상, 손가락이나 발가락 모양, 특이한 몸 냄새도 진단의 단서가 될 수 있다.

(1) 머리둘레

정확한 머리둘레 측정은 중요하며, 3세 이하의 어린이는 매 방문 때마다 확인하여 머리 성장 도표에 기록해야 한다. 측정 시에는 늘어나지 않는 줄자로 이마 중간 부위와 후두부의 가장 튀어나온 부위를 연결하여 측정한다. 환자의 머리둘레가 비정상이라면, 부모와 형제들의 머리둘레를 재보는 것도 중요하다. 두피 부종이 있거나 두개 봉합선들이 겹치는 경우, 그리고 두개 혈종이 있는 신생아의 경우에는 머리둘레 측정이 잘못될 수 있다.

건강한 미숙아는 머리 성장의 평균 비율이 첫 2주 동안에 0.5 cm, 3주에 0.75 cm, 4주에 1 cm이며 그 이후 40주가 될 때까지 매주 1 cm 씩 성장한다. 만삭아로 출생한 영아의 평균 머리 둘레는 출생 시 34-35 cm, 6개월 때 44 cm, 1세 때 47 cm이다.

뇌가 성장하지 않는다면 두개골 역시 자라지 않으므로 머리가 작은 것은 소두증(microcephaly)을 의미한다. 역으로 머리가 큰 경우는 대두증(macrocephaly)과 연관될 수 있으며, 가족력이 있는 경우가 많고 성장장애, 신경피부 질환(예, 신경섬유종증), 염색체 이상(예, Kleinfelter 증후군), 또는 대사이상 질환 등에 의한 경우도 있다. 이외에도 머리둘레는 이차 수두증 또는 만성 경막하출혈에 의해서도 커질 수 있다. 후자의 경우는 경막하 공간에 체액이 오랫동안 고여 있기 때문에 중두개의 크기가 증가하게 되어 두개골이 네모 또는 박스 같은 모양으로 변하는 경향이 있다. 머리의 모양 역시 주의 깊게 살펴야 하는데, 사두증(plagiocephaly) 또는 두개골이 평평한 경우는 정상 영아에서도 볼 수 있지만 근육긴장저하 또는 허약한 영아에서 두드러진다. 여러 종류의 비정상적인 머리 모양은 유전성의 두개골조기유합증과 같이 두개 봉합선들이 너무 이르게 봉합되었을 때도 볼 수 있다(그림 1-1).

(2) 숫구멍

영아는 출생 시 2개의 숫구멍을 가지고 있다. 이마와 두정뼈가 만나는 부위에 있는 다이아몬드 모양의 앞숫구멍은 출생 시 열려 있으나 두정뼈와 뒤통수뼈가 만나는 부위에 있는 삼각형 모양의 뒤숫구멍은 출생 시 손가락 끝 만하거나 닫혀 있을 수 있다. 만약 출생 시 뒤숫구멍이 열려 있는 경우에도 생후 6-8주까지는 닫히게 된다. 이것이 지속적으로 열려 있는 경우는 수두증이나 선천적 갑상샘기능저하증을 생각해 보아야 한다. 앞숫구멍은 크기가 다양하며, 보통 약 2×2 cm 정도 이다. 평균 닫히는 시기는 18개월이지만, 정상적으로 9개월 만에 닫힐 수도 있다. 출생 시 앞숫구멍이 아주 작거나 또는 없는 경우에는 두개골조기유합증 또는 소두증일 수 있으며, 반대로 숫구멍이 너무 큰 경우도 여러 문제가 있을 수 있다. 숫구멍은 정상적으로 약간 함몰되어 있고 박동성이며, 영아가 자고 있거나 먹는 동안에 영아의 머리를 높이 들고 똑바른 자세에서 가장 잘 만질 수 있다. 숫구멍이 불거져 나온 경우는 뇌압 항진의 믿을만한 지표이지만 정상 영아에서도 심하게 울면 숫구멍이 융기될 수 있다.

(3) 머리 부위 시진

머리 부위의 시진 시에는 두피 부위 정맥 모양을 관찰해야하는데, 뇌압이 항진되거나 상시상정맥동(superior sagittal sinus)에 혈전증이 있는 경우는 정맥의 현저한 팽창을 관찰할 수 있다. 얼굴 모양이 이상한 경우는 신경발달 이상을 나타내는 것일 수 있고, 피부 무형성증이나 비정상적인 가마와 같은 피부 이상은 뇌 기형이나 유전적 질환을 암시하는 징후일 수도 있다.

(4) 봉합선

신생아 두개골을 촉진하면 봉합선의 겹침이 있는 두개골 주조 형성이 특징적인데, 산도를 내려오는 동안 두개골에 미치는 압력 때문에 발생한다. 조기 신생아 시기가 지나도록 봉합선의 현저한 주조 현상이 계속되면 근원적인 뇌 이상을 암시하기 때문에 주의를 해야 한다. 두개골 조기유합증, 두개골 결함, 또는 미숙아의 경우 두개골 연화증 등을 촉진을 통해 발견할 수 있다.

(5) 두개골 청진

두개골의 청진을 통해 앞숫구멍, 측두 부위, 또는 안구에서 두개 잡음을 들을 수 있는데, 부드럽고 대칭적인 잡음은 4세 이하 정상 어린이에서 또는 열성 질환이 있는 경우에 들을 수 있다. 큰 잡음이 들리거나 국한된 부위에서만 잡음이 들리는 경우에는 심한 빈혈, 뇌압 항진, 또는 중뇌동맥이나 Galen 정맥의 동정맥기형과 연관되어 있을 수 있어 자세한 검사가 필요하다. 그러나 심장이나 또는 큰 혈관에서 발생하여 두개골로 전달되는 잡음과 잘 감별해야 한다.

3. 신경계진찰

신경계진찰은 면담에서부터 시작되며, 어린이의 외모와 움직임을 잘 관찰하면 어린이가 가지고 있는 근원적 질환에 관한 중요한 정보를 얻을 수 있는데, 예로서 어린이의 얼굴 모양이 이상하거나, 특이한 자세를 취하거나, 편마비 또는 보행장애가 있어 운동 능력이 떨어지는 경우 등이다.

부모와 소통하는 동안 어린이가 놀거나 하는 행동이 정보를 제공해 줄 수 있다. 정상적인 어린이는 보통 처음 만났을 때 처음에는 혼자 놀려고 하지만 빠르게 면담 과정에 관심을 갖게 된다. 그러나 주의력 결핍 및 과잉행동 장애 어린이는 검사실에서 충동적 행동을 보일 수 있고, 신경학적 이상이 있는 어린이는 주위 환경을 잘 인식하지 못할 수도 있다. 또한 대사 이상 질환 중 일부는 특징적인 체취(페닐케톤뇨증은 퀴퀴한 냄새, 이소발레르산혈증은 발에서 나는 땀 냄새)를 내기 때문에 환자의 몸에서 나는 특이한 냄새에 주목해야 한다. 그리고 이러한 냄새가 난다면 이것이 일시적인 것인지 또는 영구적인 것인지, 질환이 있는 경우에만 나는 것인지 알아보는 것이 중요하다.

검사는 어린이가 편하고 우호적인 상태에서 진행해야 한다. 따라서 부모의 무릎이든 검사실 바닥이든 어린이가 편하게 생각하는 곳에서 시행한다. 의사는 시술을 천천히 시행하며, 침습적 또는 통증이 유발되는 검사(예, 머리 둘레를 재거나 또는 구역반사 등)는 맨 나중에 시행한다. 끝으로 검사가 게임처럼 보이면 보일수록 어린이는 더 잘 협조를 하게 된다.

1) 정신 상태(Mental status) 및 정신운동 발달

(1) 각성 상태

각성 상태 정도 및 주위 환경과의 상호작용을 통해 환자의 정신 상태를 평가하는 것은 신경계진찰에 있어 중요한 부분이다. 재태기간 28주 미만의 미숙아는 오랫동안 깨어 있을 수 없지만 28주 이상에서는 부드러운 신체 자극 시 잠에서 깨어나며, 만삭아인 경우 수면-각성 패턴이 잘 유지된다. 그리고 신생아의 각성 정도는 마지막 수유 시기, 방 온도, 재태기간 등을 포함하는 여러 인자에 달려 있기 때문에 신경 기능의 변화를 판정할 때는 여러 차례의 검사가 중요하다. 연장아의 정신 상태는 아이들이 노는 것을 봄으로써 판정할 수 있다. 아이들에게 이야기를 들려주거나 그림을 그리게 하거나 또는 퍼즐을 맞추게 하는 것 등은 인지 기능을 판정하는데 도움을 줄 수 있다. 기억력은 어린이들의 개인 정보를 이야기하게 하거나, 기재하도록 하거나, 세 개의 물체를 보여준 후 이를 기억하는지 알아보거나, 숫자 폭(숫자들을 잠깐 동안 보여 준 다음 평균 몇 개까지 기억해 낼 수 있는가를 측정한 단기 기억 능력) 등을 시행해 평가할 수 있다.

(2) 의식장애

의식은 각성 상태가 유지되면서 외부 자극에 대해 자신과 주변 환경을 적절히 인지할 수 있는 능력이 원활히 지속되는 상태를 지칭한다. 의식장애는 급성 혹은 만성 뇌기능장애에서 나타나며, 의식 상태의 연속적 평가는 환자의 경과를 파악하는데 도움이 된다. 일반적으로 의식 저하의 정도에 따라 혼돈(confusion), 섬망(delirium), 기면(drowsy), 둔감(obtundation), 혼미(stupor) 및 혼수(coma)로 의식 상태를 분류한다. 혼돈은 각성 상태를 유지할 수 있으나 지남력 장애로 인해 사고나 이해에 결함을 보이는 상태를 말한다. 불안, 초조, 공포 및 환시 같은 과민 반응을 보이는 착란 상태를 섬망으로 정의한다. 기면은 외부 자극에 대해서 간단한 인지 반응을 보이다 외부 자극이 없으면 각성 상태를 유지할 수 없는 상태를 지칭하며, 의식이 더 저하되어서 유해 자극에 대해서만 잠깐 반응을 보이다 이내 무의식 상태로 빠지는 것을 둔감이라고 한다. 혼미는 심한 유해 자극을 지속적으로 주어야만 잠시 깨어나다 자극을 멈추면 이

내 무의식으로 빠지는 상태를 말한다. 의식이 더 나빠져 어떠한 종류의 지속적인 강한 유해 자극을 주어도 각성 반응을 보이지 않는 상태를 혼수라고 한다. 때로 겉질제거경직 자세 또는 대뇌제거경직 자세를 보이기도 한다. 그러나 앞서 기술한 의식 수준의 정의는 다분히 주관적이어서 검사자에 따라 차이가 날 수 있고, 검사자마다 다른 의식 수준의 분류법을 사용할 수 있기 때문에 객관적인 평가법으로 Glasgow 혼수 척도가 임상에서 가장 많이 사용되고 있다 (표 1-2).

2) 뇌신경(Cranial nerve)

(1) 후각신경(CN I, Olfactory nerve)

무후각증(anosmia)은 대부분 상기도 감염이나 알레르기 등에 의해 일시적으로 나타나지만, 체모양판(cribriform plate)을 지나가는 사골뼈(ethmoid bone)에 손상을 주는 두부 외상이나 후각신경 섬유들의 엇갈림, 전두엽의 종양, 코안에 약제를 사용하거나 acrylate, methacrylate, cadmium 등의 독소에 노출되는 경우 등은 영구적 무후각증의 원인이 된다. 때로는 화농성 뇌수막염에서 회복되거나 또는 수두증의 발생이 냄새 맡는 감각을 떨어뜨리기도 한다. 드물게는 선천적으로 냄새를 맡지 못할 수도 있다.

태생 32주부터 검사가 가능하며 커피나 페퍼민트와 같은 친숙한 냄새로 검사를 한다. 검사 시에는 한쪽 콧구멍을

표 1-2. Glasgow 혼수 척도

Eye opening (4점)
Spontaneous: 4, To voice: 3, To pain: 2, None: 1

Verbal response (5점)	
소아, 청소년	**영, 유아**
Oriented: 5	Age appropriate verbalization: 5
Confused: 4	Consolable crying: 4
Inappropriate: 3	Persistently irritable: 3
Incomprehensible: 2	Restless, agitated: 2
None: 1	None: 1

Motor response (6점)
Obeying: 6, Localizing pain: 5, Withdrawal: 4, Flexion: 3, Extension: 2, None: 1

총점 15; 7점 이하일 때 혼수라고 정의한다. 8점일 때는 50% 정도가 혼수이다.

■ 그림 1-2. 후각신경검사
한쪽 콧구멍을 막고 냄새가 나지만 자극이 없는 물질을 사용한다(예: 커피, 박하, 비누).

막고 다른 쪽 콧구멍을 검사하는 방법으로 양쪽 콧구멍을 다 검사한다(그림 1-2).

(2) 시신경(CN II, Optic nerve)

시신경 원반과 망막 검사는 신경학적 검사의 중요한 부분이다. 망막을 보기 위해서는 동공 확대 약물을 사용하여 동공을 확장시킨 후 보는 것이 좋지만, 대부분의 의사에게는 준비가 용이하지 않으며, 대광반사가 지표인 뇌 탈출이 임박한 환자나 백내장 또는 녹내장이 있는 환자에게 사용해서는 안 된다(그림 1-3).

태생 28주인 미숙아도 밝은 빛에 반응하여 눈을 깜빡

거리며, 32주에는 불빛이 없어질 때까지 눈을 감고 있을 수 있다. 37주 신생아는 부드러운 불빛 쪽으로 머리와 눈을 돌릴 수 있으며, 만삭아는 시술자의 얼굴 같은 목표물에 눈을 고정하거나 따라 갈 수 있다.

눈운동안진(optokinetic nystagmus)은 빠르게 움직이는 물체를 고정된 시선으로 보게 하면 발생하는 생리적인 접합 안진으로 영아에서 시각계를 대략 판정하는데 사용될 수 있다. 신생아에서도 한 쪽 눈에서 나타날 수 있지만 생후 4-6개월까지는 대칭으로 나타나지 않는다.

시야는 영아나 유아기 아이의 머리 뒤에서부터 시야의 주변으로 밝은 빛깔의 물체를 나타나게 하며 아이가 물체를 처음 보는 때를 기록한다.

만삭아에서 시력은 20/150으로 약 6개월 정도가 되어야 성인 수준의 20/20에 도달한다. 2.5세에서 3세 정도의 어린이는 4.5-6 m 거리에서 소아용 시력검사표(Allen chart)에 있는 물체를 구분할 수 있다.

동공은 태생 29-32주에 빛에 반응 하지만 미숙아는 눈을 잘 감지 않고 색소가 있는 홍채를 가지고 있지 않아 대광반사를 판정하기 어려운 경우가 자주 있다. 동공의 크기, 대칭성, 반응성 등은 약제, 종괴 병변, 대사이상, 시신경과 중뇌의 이상 소견 등에 의해 영향을 받을 수 있다(그림 1-4).

디스크 부종(Disc edema)은 시각 신경 원반의 부종을 말하며, 시각 신경 유두 부종(papilledema)은 두개 내압의 증가에 따른 이차적인 부종을 의미한다. 시각 신경 유두 부종은 드물게 영아의 뇌가 커짐에 따라 두개골 봉합이 분리되면서 발생할 수 있다. 디스크 부종이 있는 경우 유두염

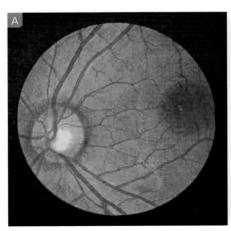

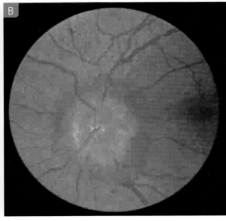

■ 그림 1-3. 시신경 원반과 망막소견
(A) 정상: 시신경 유두의 중심은 흐린 색을 보이고 속이 움푹 둘어가 있으며 경계가 분명하다. 망막은 분홍빛이다. **(B)** 시신경 유두 부종: 시신경 유두의 중심은 진한 색을 보이고 속이 약간 올라가 있으며 경계가 불분명하다.

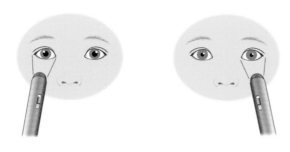

■ 그림 1-4. 오른쪽 시신경에 병변이 있는 경우의 동공반사
(A) 병변 측 동공에 빛을 비추면 병변 측 및 정상 측 모두에서 동공반사가 없다.
(B) 정상 동공에 빛을 비추면 반대편 병변 측의 동공도 정상적으로 수축한다.

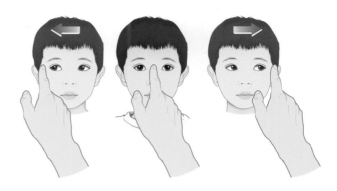

■ 그림 1-5. 외안 근육 운동 검사
환자가 시술자의 손가락을 따라 보게 한다.

(papillitis)과 시신경 염증을 감별해야 하는데, 두 질환 모두에서 맹점(blind spot)이 커지는 반면 조기 시각 신경 유두 부종에서는 시력과 색각이 유지되는 경향이 있으나 시각 신경염에서는 이와 대조되는 현상이 발생한다. 망막출혈은 만삭으로 출생한 영아의 30-40%에서 발생하지만 분만 손상이나 신경학적 합병증과 연관된 것은 아니며, 생후 1-2주까지 저절로 사라지게 된다. 그러나 조기 신생아기 이후에 발생하는 망막 출혈은 우연히 발생한 외상에 의한 것이 아닐 수 있어 주의해야 한다.

(3) 동안신경, 활차신경, 외전신경(CN III, IV, VI, Oculomotor, Trochlear and Abducens nerves)

눈은 6개의 외안근에 의해 움직이며 동안신경, 활차신경, 그리고 외전신경의 지배를 받는다. 이러한 근육들과 신경들은 환자가 관심을 가지는 장난감이나 시술자의 손가락을 따라 여섯 방향을 쳐다보게 함으로써 판정할 수 있다. 의사는 눈 움직임의 범위와 성질(접합 대 비접합, 매끄러운 움직임 대 고르지 못한 움직임 또는 경련적인 움직임)을 관찰한다. 특히 비정상적인 눈 움직임의 유무와 방향을 기록한다(그림 1-5).

재태기간 25주 미만의 미숙아와 혼수 환자는 반사적인 눈 움직임을 유발시키기 위하여 환자의 머리를 빠르게 회전시키는 눈머리(oculocephalic) 반사를 사용하여 판정한다. 뇌간이 온전하다면, 환자의 머리가 우측으로 회전할 때 눈은 왼쪽으로 움직이게 되며, 반대의 경우도 마찬가지다. 이와 비슷하게 머리를 빠르게 굽히거나 또는 신전되는 경

우에는 수직의 눈 움직임이 발생한다.

비접합 시선(disconjugate gaze)은 뇌신경 3, 4, 또는 6 마비, 또는 안쪽세로다발(medial longitudinal fasciculus)의 진행을 방해하는 뇌간의 병변 등에 의한 외안근 쇠약으로 인해 발생할 수 있다. 2개월 이하의 영아는 쉬고 있을 때 약간 비접합 시선을 보일 수 있다. 그러나 어떠한 경우에도 눈이 수직으로 움직이는 경우는 항상 비정상이며 검사가 필요하다.

동안신경은 위, 아래, 그리고 안쪽 직근 뿐 아니라 아래빗근(inferior oblique)과 눈꺼풀올림근(levator palpebrae superioris) 등을 지배한다. 동안신경의 완전한 마비는 안검하수, 동공의 확대, 눈이 밖으로 향하는 움직임과 아래쪽으로 내려가는 움직임의 장애 뿐 아니라 내전과 올림의 장애를 일으킨다(그림 1-6).

활차신경은 위빗근육을 지배하며, 책을 읽거나 계단을 내려가는 동안에 눈이 아래쪽의 안쪽을 향하게 한다. 활차신경에만 마비가 있는 환자는 복시를 약하게 만들기 위하여 환측으로부터 먼 쪽으로 머리를 기울이는 보정 작용을 하게 된다.

외전신경은 외측 직근을 지배 한다. 마비가 오면 눈이 안쪽으로 치우치며 정중선 이상 외전 되지 않는다. 뇌압이 증가된 환자는 부분적인 외전신경 마비로 인하여 복시가 생기며 외측을 쳐다볼 때 눈이 불완전한 외전을 보인다. 외전신경은 두개 내에서 경로가 길고 당김 현상에 약하기 때문에 거짓 국소화 징후를 만들 수 있다. 활차신경과 동안신경에 연결되어 기능적으로 접합 시선을 담당하는 뇌간

■ 그림 1-6. 왼쪽 동안신경 마비
정면을 응시하도록 하면, 병변이 있는 쪽 눈은 바깥쪽 아래 방향으로 치우친다.

■ 그림 1-7. 오른쪽 외전신경 마비
정면을 응시하도록 할 때 병변이 있는 쪽의 눈은 가운데로 치우친다.

의 안쪽세로다발에 병변이 있는 경우에 핵사이눈근육마비(internuclear ophthalmoplegia)가 발생하며, 내전된 눈에서는 안쪽 직근 기능마비가 발생하고 외전된 눈에서는 안진을 일으킨다(그림 1-7).

비정상적인 미묘한 눈 움직임이 있을 때에는 red glass test가 병변을 국소화하는데 도움이 된다. 붉은 유리를 환자의 한쪽 눈에 씌운 후 흰 빛을 따라 여러 방향을 보게 한다. 아이는 정상 근육 기능이 있는 방향에서는 한 개의 붉은/흰 빛을 보지만, 이환된 근육의 움직이는 면에서는 붉은 영상과 흰 영상이 분리된다.

안진은 눈의 불수의적, 빠른 움직임으로 시계추 유형은 안진의 진폭과 속도가 동일하지만, 격동(jerk) 유형에서는 빠른 단계와 느린 단계가 있다. 반사 안진은 빠른 단계의 방향이 특징으로, 좌측, 우측, 위 또는 아래로 안진이 있을 수 있다. 이외에도 회전성 또는 혼합형이 있다. 많은 환자들이 맨 바깥쪽을 쳐다 볼 때 약간의 안진이 보이지만(end-gaze nystagmus) 병적인 것은 아니다. 병적인 수평 안진은 대부분 선천성, 약제에 의한(예, alcohol, 항뇌전증약), 또는 전정계 기능장애에 의해 발생한다. 반면에 수직 안진은 뇌간과 소뇌의 구조적 이상과 연관되어 발생하는 경우가 많다. Ocular bobbing은 아래쪽을 향한 빠른 움직임에 이어 원래의 위치로 천천히 되돌아가는 움직임을 보이며 뇌교의 병변과 연관이 있다. 눈 간대경련(opsoclonus)은 눈의 불수의적, 혼돈된 진동으로 신경모세포종이나 바이러스 감염에서 자주 관찰 된다.

(4) 삼차신경(CN V, Trigeminal nerve)

눈, 상악, 하악으로 가는 3개의 분지가 안면의 원발(통증, 온도) 감각과 식별 감각(진동, 자기 수용 감각)에 관한 정보를 전달한다. 얼굴에서 좌 우 양측을 대칭적으로 검사하여 비교한다. 협조가 안 되거나 혼수 상태인 환자에서 삼차신경의 상태는 각막반사로 판정할 수 있는데, 이 반사는 탈지면의 끝을 가늘게 한 후 각막을 가볍게 자극하여 양안이 감기는가를 관찰한다. 이 반사가 없다면 삼차신경의 감각 기능 장애가 있거나 또는 안면신경의 운동 기능에 이상이 있을 수 있다. 삼차신경의 운동 기능 분지는 저작 시 저작근, 익상근, 그리고 측두 근육의 검사 뿐 아니라 턱반사 검사로 알 수 있다.

(5) 안면신경(CN VII, Facial nerve)

안면 신경은 대부분 운동 신경으로 안면의 표정, 협근(buccinator), 활경근(platysm), 등골근(stapedius), 경상돌기설골(stylohyoid), 그리고 아래턱에 있는 이복근(digastric)을 지배한다. 이 신경은 고실끈신경(chorda tympani)이라 불리는 분리된 분지를 가지고 있어, 감각 기능, 특수 감각(맛) 등을 담당하고, 부교감 신경 섬유가 포함되어 있다. 안면신경 핵 부분이 대뇌 겉질로부터의 자극을 양측으로 받는 얼굴 윗부분을 지배하기 때문에 운동 겉질이나 겉질 연수 길에 병변이 있으면 얼굴 윗부분 근력에는 거의 영향을 주지 않는다. 오히려 그러한 병변은 반대편 코 입술 주름이 편평하게 되거나 입 모서리가 늘어지게 된다. 역으로, 하부 운동신경세포 또는 안면 신경에 병변이 있는 경우는 위쪽과 아래쪽 얼굴 근육을 동등하게 침범하게 된다. 안면 근력

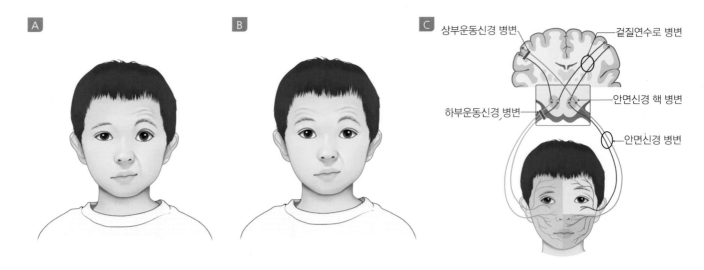

■ 그림 1-8. 오른쪽 안면신경 마비
(A) 말초성: 이마에 주름을 잡아보도록 하면 병변쪽은 이마에 주름이 잡히지 않고 입가가 정상 쪽으로 치우친다. **(B)** 중추성: 이마에 주름을 잡아보도록 하면 병변쪽이나 정상쪽 모두 이마에 주름이 잡히며, 입가는 정상 쪽으로 치우친다. **(C)** 말초성, 중추성의 병변을 일으킬 수 있는 병변위치

은 환자의 자연스러운 움직임을 관찰함으로써 그리고 얼굴을 움직이게 시킴으로써(웃기, 눈꺼풀 올리기, 볼 부풀리기) 판정할 수 있다. 안면 신경 마비는 선천성; 특발성(bell palsy); 또는 외상, 수초 탈락(Guillain-Barre 증후군), 감염(Lyme 병, herpes simplex virus), 육아종 질환, 종양, 또는 뇌수막염 또는 침윤에 의해 이차적으로 발생할 수 있다. 안면신경 병변이 고실끈신경이 합류되는 부분 앞쪽에 생기면 혀의 앞쪽 2/3에서 맛을 느낄 수가 없다. 혀를 내밀게 한 후 한쪽에 식염수나 포도당 용액을 묻혀 맛을 검사할 수 있다. 정상 어린이는 10초 안에 검사 물질을 감별할 수 있다. 안면 신경 마비와 연관된 다른 증상으로는 등골근이 영향을 받아 생기는 청각과민 현상과 눈물을 흘리지 못하는 증상 등이 있다(그림 1-8).

(6) 전정와우신경(CN VIII, Vestibulocochlear nerve)

2개의 신경으로 이루어져 있고, ① 전정신경은 내이의 반고리관을 지배하며 평형, 조화, 공간에서의 방향에 관여하고, ② 와우신경은 와우를 지배하며 듣는 것을 돕는다.

전정계에 이상이 오면 현기증이 생기며, 전정신경 이상은 이환된 쪽 반대편으로 빠른 움직임을 보이는 전형적인 안진을 일으킨다. 눈을 감은 상태에서 팔을 쭉 뻗게 하면, 병변이 있는 쪽 팔이 아래로 떨어지며, 평지를 걷게 하면

서서히 병변 쪽으로 움직인다(Fukuda stepping test). Romberg 검사와 일자 보행(tandem gait) 검사에서는 비정상적인 귀 쪽으로 쓰러지게 된다.

전정기능은 caloric 검사로도 검사할 수 있는데, 검사 전에 고막이 온전하고 외이도가 막히지 않았는지 확인해야 한다. 의식이 둔감 상태 이거나 혼수인 환자의 머리를 30도 정도 거상시킨 상태에서 30-50 mL 얼음물을 주사기를 통해 외이도로 넣는다. 뇌간이 온전하다면 눈은 물을 넣어준 쪽으로 움직이게 된다. 의식이 명료한 환자에서는 유발되는 구역질을 피하기 위해 2 mL의 얼음물을 사용한다. 정상인에서는 얼음물을 넣으면 자극받는 미로 쪽으로 눈이 움직이며 이어서 빠른 움직임이 자극받은 미로 반대쪽으로 나타나는 안진이 발생한다(그림 1-9).

청력은 언어 발달에 필수적이며, 의사는 청력 문제에 관하여 직접적으로 물어보아야 한다. 부모들의 걱정이 자주 청력 장애의 지표가 되며, 청력검사 또는 뇌간 청력 전위 유발 검사가 도움이 된다. 어릴 때부터의 청력 장애의 가족력이 있거나, 미숙아로 출생한 경우, 심한 가사, 내이 신경 독성의 약제에 노출된 경우, 고빌리루빈 혈증, 머리와 목의 선천적 이상, 세균성 뇌수막염, 선천성 TORCH (toxoplasmosis, rubella, cytomegalovirus, herpes simplex virus) 감염이 있는 경우는 생후 1개월 안에 검사를 시행한다. 모든 영

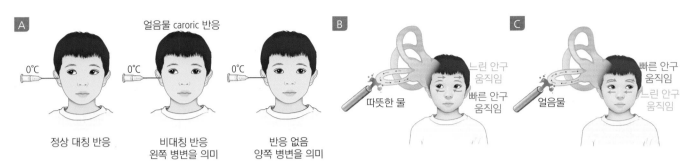

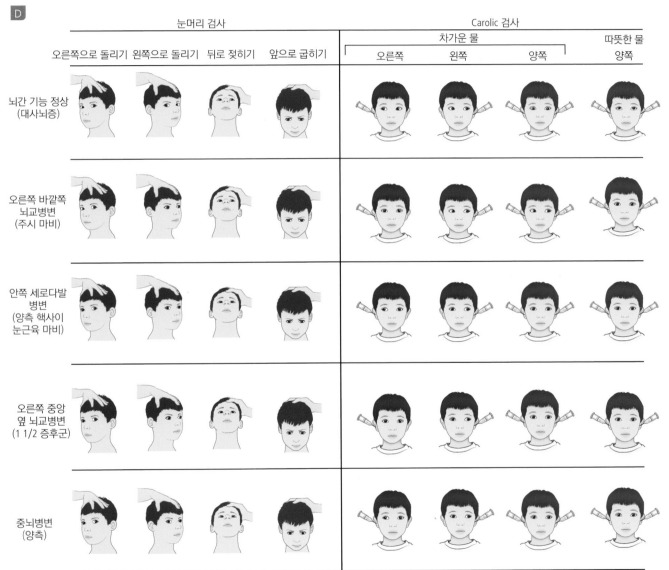

■ 그림 1-9. Caloric 검사

(A) Caloric 검사; 환자의 머리를 30도 정도 거상시킨 상태에서 얼음물을 주사기를 통해 외이도로 넣는다. 뇌간이 온전하다면 눈은 물을 넣어준 쪽으로 움직이게 된다. **(B)** Ocular nystgmus; 따뜻한 물을 오른쪽 귀에 넣으면 왼쪽으로 안구가 느리게 움직이고 이어서 빠른 움직임이 오른쪽으로 생긴다. **(C)** Ocular nystgmus; 얼음물을 오른쪽 귀에 넣으면 오른쪽으로 안구가 느리게 움직이고 이어서 빠른 움직임이 왼쪽으로 생긴다. **(D)** 병변의 위치에 따른 눈머리 검사 (doll's eye test)와 claroic 검사결과

아나 어린이에서는 청력검사를 쉽게 시행할 수 있으며, 신생아는 청각 자극을 주는 경우 호흡의 변화, 움직임의 정지, 또는 눈이나 입을 벌리는 등의 놀래는 반응을 일으킨다. 같은 자극이 반복되는 경우는 정상 신생아는 반응을 하지 않는데, 이러한 현상을 습관화라고 한다. 생후 3-4개월부터 영아는 소리가 나는 위치를 알기 시작한다. 청력 장애가 있는 어린 아이는 겉으로 봐서는 의식이 명료하고 신체적 자극에 잘 반응하지만 분노 발작과 비정상적인 언어발달을 갖게 되는 경우가 흔하다.

(7) 설인신경(CN IX, Glossopharyngeal nerve)

설인신경은 붓인두근에는 운동 섬유를, 그리고 혀의 후방 1/3, 인두, 편도선, 고막의 안쪽 표면, 그리고 외이의 피부에는 감각 섬유를 보낸다.

설압자로 외측 입인두 또는 연구개의 한쪽 면을 자극한 후 입천장이 대칭적으로 거상되는 것을 관찰하여 검사할 수 있다(구역반사). 설인신경은 미주신경과 아주 근접하여 있기 때문에 병변이 설인신경에 국한되는 경우는 거의 없다. 분만 외상, 허혈, 종괴병변, 운동신경질환, 인두 뒤 농양, Guillain-Barre 증후군 등이 설인신경의 이상을 일으킬 수 있다.

(8) 미주신경(CN X, Vagus nerve)

미주신경은 수막, 귀, 인두, 경동맥 소체, 상 후두, 반회 후두, 심장, 폐, 식도, 그리고 위장관과 같은 10개의 종말 분지를 가지고 있다. 인두, 상 후두, 반회 후두 가지들은 운동섬유를 가지고 있으며 붓인두(CN 9)와 입천장긴장근(tensor veli palatini) (CN 5)을 제외한 인두와 후두부의 모든 근육을 지배한다. 따라서 미주신경의 편측 손상은 동측 연구개의 약화와 쉰 소리를 내게 된다. 그리고 양측의 손상은 성대의 마비로 인한 호흡 부전을 만들 뿐 아니라 체액을 코로 역류하게 하거나, 분비물의 저류, 연구개가 움직이지 못하면서 낮게 위치하는 이상을 만든다. 개흉의 합병증이나 제2형 Chiari 기형이 있는 신생아에서는 미주신경에만 국한된 병소가 있을 수 있다. 따라서 그러한 병변이 의심된다면 성대를 검사하는 것이 중요하다. 미주신경은 이러한 운동 기능 외에도 인두, 후두, 외이, 고막의 외부 표면, 그리고 후두와(posterior fossa)의 막으로부터 몸 구심(somatic

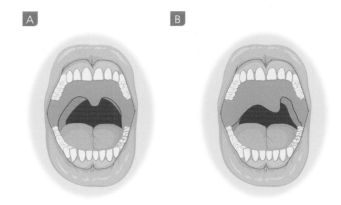

■ 그림 1-10. 오른쪽 구개마비
(A) 정상(B) 오른쪽 구개마비는 정상에 비해 목젖은 왼쪽으로 휘어진다.

afferent), 내장 구심, 후방 인두로부터의 미각 섬유, 그리고 신경절 이전 부교감신경이 수반된다(그림 1-10).

(9) 척수부신경(CN XI, Spinal accessory nerve)

척수부신경은 목빗근과 등세모근을 지배한다. 좌측 목빗근은 머리를 우측으로 돌릴 때 작용하며, 우측 근육은 좌측으로 돌릴 때 작용하고, 고개를 숙일 때는 양측의 근육이 같이 작용한다. 등세모근은 어깨를 올릴 때에 작용한다. 척수부신경의 병변은 동측 목빗근과 등세모근의 위축과 마비를 일으켜 어깨를 아래로 떨어뜨린다. 여러 경부 근육이 머리를 돌리는데 관여하기 때문에 편측의 목빗근에 불완전 마비가 있는 경우에는 저항이 있는 상태에서 머리를 돌릴 때까지는 명확하지 않을 수 있다. 머리 바닥의 골절이나 병변, 운동신경 질환, 근긴장 퇴행위축, 그리고 중증 근무력증에서는 이러한 근육들이 보통 위축과 허약 상태를 보이며, 사경은 목빗근의 비대와 연관되어 있다.

(10) 설하신경(CN XII, Hypoglossal nerve)

설하신경은 혀를 지배한다. 혀를 검사할 때에는 혀의 근육 양이나 힘을 검사할 뿐 아니라 자연스런 상황 하에서 혀의 우발적인 움직임 등을 관찰한다. 설하신경핵이나 신경의 기능 이상은 혀의 위축, 허약, 그리고 근섬유다발수축(fasciculations) 등을 일으킨다. 손상이 편측에 있다면 혀는 손상 받은 쪽으로 편향된다. 양측에 손상을 받은 경우는

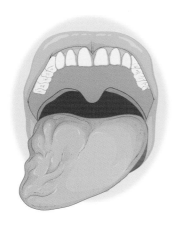

■ 그림 1-11. 오른쪽 설하신경 손상
병변이 마비측으로 휘어진다.

혀를 입 밖으로 내밀 수가 없으며 환자는 삼키기가 어렵다 (dysphagia). Werdnig-Hoffmann 병(영아 척수근위축증, 또는 제1형 척수근위축증)과 큰 구멍 부위의 선천성 이상은 설하신경 기능 이상의 주된 원인이다(그림 1-11).

3) 운동기능(Motor function)

운동기능 검사에는 근육의 양, 긴장도, 근력 뿐 아니라 중추와 말초 신경계의 이상을 나타낼 수 있는 불수의 운동의 관찰도 포함한다.

(1) 근육 양(bulk)

근육 양의 위축은 근육을 사용하지 않거나 하위 운동 신경원, 신경 근, 말초신경, 또는 근육의 질환으로 인하여 이차적으로 발생할 수 있다. 대부분의 경우에 신경성 위축이 근육성 위축보다 증상이 더 심하다.

근육 양의 비대는 보통 생리적(예, 보디빌더)이지만, 거짓비대는 근육 조직이 지방이나 결합 조직으로 대치되는 것으로 Duchenne 근육퇴행위축처럼 근력은 감소하지만 근육의 모습은 부피가 더 커 보인다.

(2) 근육 긴장도(tone)

근긴장도는 근육의 무의식적, 지속적, 근육의 부분 수축, 관절의 피동적 움직임에 대한 저항 등에 의해서 만들어지며, 환자의 나이와 상태에 따라 다양하게 나타난다. 재태

기간 28주에는 사지가 뻗어있고 피동적 운동에 대하여 저항이 거의 없다. 굴곡근의 긴장도는 32주에 하지에서 관찰되며 36주에 상지에서 촉지할 수 있다. 정상 만삭아의 자세는 사지의 굴곡이 특징이다.

(3) 신생아에서 근육긴장도 검사

신생아에서 자세의 긴장도를 검사할 수 있는 중요한 3가지 검사로 견인반응, 수직 걸기(vertical suspension), 그리고 수평 걸기(horizontal suspension)가 있다.

견인반응은 의사가 누워 있는 신생아의 양손을 잡은 후 앉는 자세까지 천천히 영아를 당긴다. 정상적으로 영아의 머리는 약간 몸 뒤로 처지는 듯 하다가 앉는 자세에 도달하면 앞쪽으로 떨어지게 된다. 수직 걸기는 의사가 영아의 겨드랑이를 잡고 들어 올리는데(가슴을 잡으면 안 된다), 영아의 하지는 굴곡 된 채로 있지만 긴장 저하가 있는 영아는 의사의 손을 빠져 나가는 것처럼 늘어지게 된다. 수평 걸기는 의사가 손을 영아의 복부 아래에 위치하게 하여 영아를 들어 올렸을 때 고개를 들고 사지는 굴곡 되어야 한다. 그러나 긴장 저하가 있는 영아는 의사의 손위로 몸이 처지면서 U 모양을 이루게 된다.

사지에서 근긴장도를 알기 위해서는 영아가 쉴 때의 자세를 관찰하던지 피동적으로 영아의 사지를 움직이게 하면 알 수 있다. 정상적인 만삭 영아의 상지를 가슴 쪽으로 천천히 당겼을 때 팔꿈치는 흉골 중간 부위에 도달하지 않지만(scarf sign), 근긴장도가 떨어진 환자의 팔꿈치는 쉽게 흉골의 중간 부위를 지나가게 된다. 오금 각의 측정은 하지의 근긴장도를 알아보는데 유용한 방법으로 시술자가 고관절을 굴곡 시키고 무릎을 펴도록 하면, 정상 만삭 영아는 80도까지 무릎이 펴진다. 유사한 방법으로 고관절과 무릎을 90도까지 굴곡시킨 후 하지를 안쪽으로 회전시켰을 때 발꿈치가 배꼽을 지나가지 않는 것이 정상인데 이런 방법을 통해서도 근긴장도를 검사할 수 있다(그림 1-12).

(4) 비정상적인 근긴장도

비정상적인 근긴장도에는 강직(spasticity), 경직(rigidity), 그리고 근긴장저하(hypotonia)가 있다.

강직은 피동적 움직임에 대하여 처음에는 저항이 크지만 갑자기 저항이 없어져 마치 접칼 모양과 같은 현상을 나

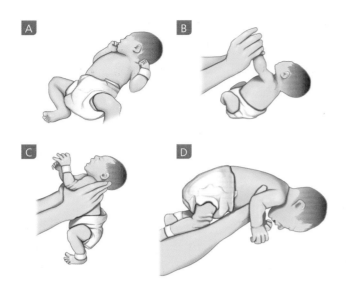

■ 그림 1-12. 신생아의 근 긴장도검사
(A) 휴식 상태의 정상 자세(B) 견인 반응(C) 수직 걸기(D) 수평 걸기

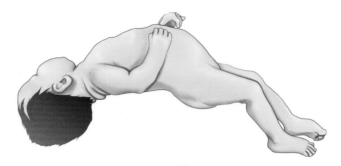

■ 그림 1-13. 활모양강직
척추 옆근육의 근육긴장항진으로 인하여 척추의 심한 과신전을 보인다.

■ 그림 1-14. 긴장 저하가 있는 영아의 견인 반응

타낸다. 강직은 상위 운동 신경원의 기능 부전으로 인하여 발생하며, 불균형하게 상지 굴곡근과 하지의 신전근에 영향을 주어 불용 위축, 심부건반사 증가, 그리고 신전근 발바닥 반사(Babinski 징후)가 생기게 된다. 영아에서 하지의 강직은 수직 걸기 시 하지가 가위와 같은 모습(scissoring)을 만들게 되며, 큰 어린이들은 오랫동안 네발기기(crawling)를 하거나 발가락 걷기(toe-walking)를 할 수 있다. 경직은 기저핵에 병변이 있는 경우 관찰되는데 피동적 움직임에 대한 저항이 움직임의 속도에 관계없이 굴곡근과 신전근 모두에서 균등하게 나타난다(lead pipe). 강직이나 경축이 있는 환자는 척추 옆 근육의 근육 긴장 항진으로 인하여 척추의 심한 과신전으로 정의되는 활모양강직(opisthotonus)을 보일 수 있다(그림 1-13). 유사한 자세를 Sandifer 증후군(위식도 역류 또는 틈새 탈장과 연관된 회선 근육 긴장 이상)에서 볼 수 있다.

근긴장저하는 근긴장도가 비정상적으로 떨어진 경우로 신경학적으로 손상을 받은 신생아에서 흔하다(그림 1-14). 근긴장저하 영아는 안정 시 개구리 다리 자세를 보이는 경우가 많고, 대뇌 반구, 소뇌, 척수, 앞뿔 세포, 말초신경, 신경근 이음부, 또는 근육의 병적 이상이 있을 때 나타난다.

(5) 근력(strength)

나이가 든 어린이는 전형적인 근력 검사를 수행할 수 있는데, 근력은 아래와 같이 0-5 척도로 나눌 수 있다.

0 = 근수축이 없음
1 = 중력이 배제된 상태에서 관절의 움직임은 불가능하지만 근수축을 관찰할 수 있음
2 = 중력이 배제된 상태에서 관절의 움직임이 가능함
3 = 중력에 저항하여 관절의 움직임이 가능함
4 = 중력과 저항에 대하여 관절의 운동은 가능하지만 근력은 정상보다 약함
5 = 정상적인 근력

(6) 근력 검사

근력의 시험은 목의 굴곡근과 신전근 그리고 호흡에 사용되는 근육 뿐 아니라 모든 근육군이 해당되며, 각각의 근육군에 대한 판정 뿐 아니라 허약의 양상(근위 대 원위, 분

절 대 국소)을 알아보는 것 역시 중요하다. 회내근 변이에 대한 검사는 근육의 허약함이 있는 환자에서 병변을 국소화 하는데 도움을 줄 수 있다. 이 검사는 환자의 팔을 손바닥이 위로 가게 하여 앞으로 뻗게 하고 눈을 감게 하면 허약함이 있는 팔이 회내(pronation)되면서 아래로 떨어지게 되는데(Barre 징후), 이는 반대편 겉질 척수로의 병변을 암시한다.

영아나 어린 어린이에서는 전형적인 근력 검사를 시행할 수 없기 때문에 기능적 방법으로 판정하는 것이 좋다. 상지의 근위와 원위 근력은 머리 위에 있는 장난감이나 작은 물체를 잡는 것을 관찰하여 판정할 수 있다. 2개월 이상 된 영아에서는 손바닥 쥐기 반사를 통해 원위부 근력을, 그리고 모로반사를 통해 근위부 근력을 측정할 수 있다. 하지의 근력이 떨어진 영아는 다리의 자연적 움직임이 감소하며 붙잡아 똑바로 세웠을 때 몸무게를 유지할 수 없고, 6-8세 이상의 소아 또는 연장아는 기어서 올라가거나 또는 내려갈 때, 도약할 때, 또는 깡충 뛰는데 어려움이 있다. 그리고 엎드린 자세에서 일어나려고 할 때 양손으로 다리를 기어오르듯이 짚고 일어나게 되는데 이를 Gower 징후라고 한다(제15장, 신경근 질환 참조).

(7) 불수의적 움직임(involuntary movements)

하위 운동 신경원 또는 말초 신경계 병변이 있는 환자는 근섬유다발수축(fasciculations) 현상이 있을 수 있는데, 이는 단일 운동 단위의 자연적인 방전 때문에 발생하는 작고, 불수의적 근육 수축으로 피부 아래에서 벌레가 움직이는 듯한 모양을 만든다. 대부분의 영아는 지방질이 많아 근섬유다발수축이 혀 이외에서는 잘 관찰되지 않는다.

틱, 근 긴장이상, 무도병, 그리고 아테토시스를 포함하는 대부분의 다른 불수의적 움직임은 기저핵 질환에서 기인한다. 진전은 예외적으로 소뇌의 이상에 의한 것으로 생각된다(제9장, 운동장애 참조).

4) 감각 기능

감각 기능 검사는 영아나 협조가 안 되는 아이에서 시행하기는 어려워, 이 검사를 통해 많은 정보를 얻기는 힘들다. 아이가 흥미를 보이는 장난감을 가지고 놀게 한 후 면봉으로 여러 부분을 건드려 봄으로써 감각 기능의 전체적인 판정을 할 수 있다(그림 1-15). 정상적인 영아나 아이는 자극을 인식하고 울거나, 사지를 빼거나, 또는 하던 일을 멈추게 되지만, 검사가 반복되면 자극에 흥미를 잃고 시술

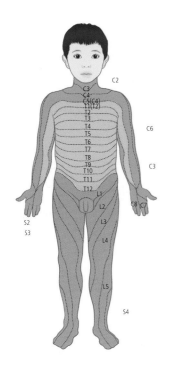
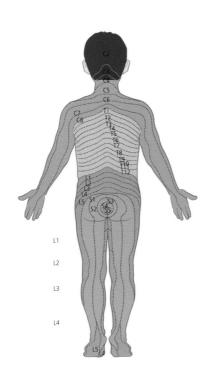
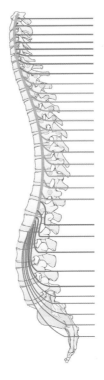

■ 그림 1-15. 피부분절의 분포를 나타낸 모식도

자를 무시하게 된다. 그러므로 의심스러운 부분이 있는 경우에는 이를 효과적으로 검사해야 하며 필요하다면 적당한 시기에 다시 검사하는 것이 중요하다.

다행히도 매우 어린 소아에서는 감각계에만 선택적으로 이상이 오는 경우는 성인보다 드물기 때문에 자세한 감각 기능 검사가 필요한 경우는 드물다. 더욱이 감각 기능의 이상을 호소할 수 있는 아이의 대부분은 가벼운 촉진, 통증, 온도, 진동, 고유 감각, 그리고 겉질 감각(예, 입체 감각 인식, 두 점 식별, 중복 동시 자극의 소거)의 전형적인 검사에 충분히 협조할 수 있다. 그러나 영아나 어린 아이에서 척수의 병변이 의심되는 경우는 감각 기능의 정도를 자세히 검사할 필요가 있기 때문에 피부색, 체온, 또는 땀 흘리는 차이를 잘 관찰해야 하며, 손상된 부위 아래는 피부가 차고 건조하다. 병변 부위 위쪽 피부의 가벼운 촉지는 꼼지락거리는 움직임이나 또는 신체적 회피 현상을 유발할 수 있다. 척수 손상의 다른 징후로는 항문 괄약근 긴장도와 근력의 감소, 표재 복부 반사, 항문 반사, 그리고 고환 거근 반사의 소실 등이 있다.

5) 반사(Reflexes)

(1) 심부건반사(deep tendon reflex (DTR))

심부건반사는 대부분의 영아나 아이에서 시행할 수 있는데, 영아에서는 반사를 검사할 때 머리가 한 쪽으로 돌아가 있으면 반사 긴장도를 변하게 할 수 있기 때문에 머리를 중앙에 위치하도록 하고 검사하는 것이 중요하다.

반사는 0(소실)에서 4+(매우 활동적)까지 등급이 매겨지며, 2+가 정상이다. 반사가 1+ 또는 3+가 대칭적으로 나타나는 경우는 정상일 수 있다. 간대 현상이 나타나면 항상 병적인 것이지만, 3개월 미만의 영아는 5-10회 정도의 간대 현상이 있을 수 있고, 나이든 어린이에서는 대칭적인 경우 1-2회 정도 나타날 수 있다.

발목 반사는(S1-2) 유발시키기가 어렵지만 피동적으로 발을 후방 굽힘을 시키고 나서 아킬레스건이나 발 덩이 부분을 가볍게 쳐서 일으킬 수 있다. 무릎 반사는(L3-4) 슬개골 건을 가볍게 두드려서 유발시킬 수 있는데, 반사가 과장된 경우 무릎이 신전될 때 반대편 내전근(교차 내전근 반사)의 수축이 동반 될 수 있다. 반사가 저하된 경우는 하위 운동 신경원 또는 소뇌의 기능부전을 나타내는 것이고, 반사가 항진된 경우는 상위 운동 신경원 질환을 의미한다. 두 갈래근 반사는 C5-6, 세갈래근 반사는 C6-8 위치의 병변을 시사한다(그림 1-16).

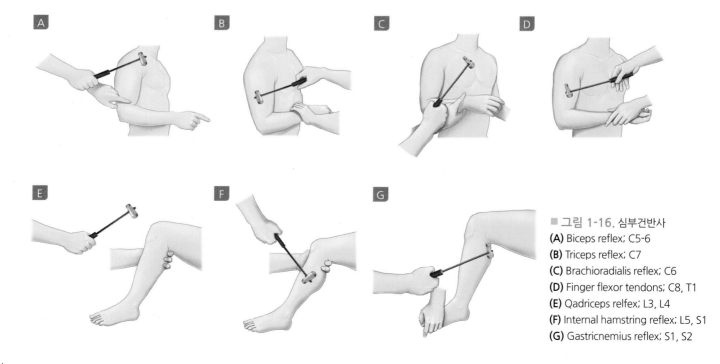

■ 그림 1-16. 심부건반사
(A) Biceps reflex; C5-6
(B) Triceps reflex; C7
(C) Brachioradialis reflex; C6
(D) Finger flexor tendons; C8, T1
(E) Qadriceps relfex; L3, L4
(F) Internal hamstring reflex; L5, S1
(G) Gastricnemius reflex; S1, S2

(2) 발바닥 반사

발바닥 반사는 발바닥의 발꿈치에서부터 발가락까지 외측면을 자극하여 생기는데, 상위 운동 신경원 질환을 나타내는 Babinski 징후는 엄지발가락의 신전과 함께 나머지 발가락이 부채꼴 모양으로 펴지는 것이 특징이다. 발바닥 반사는 생후 1-2개월에 나타나는 경우가 많아 신생아에서 진단적으로 사용하기에는 제한이 있으나, 반사가 비대칭인 경우는 영아나 어린 소아에서도 유용한 편측화 징후이다.

(3) 원시 반사(primitive reflex)

원시 반사는 발달 과정동안 특정한 시기에 나타났다가 사라진다. 따라서 이러한 반사가 있어야 될 시기에 없다거나 소실되어야 할 시기 이상에서 나타나는 경우는 중추신경계의 기능 이상을 의미할 수 있다(표 1-3). 원시 반사 중에서는 모로반사, 손바닥 쥐기 반사, 긴장목 반사 그리고 낙하산 반사가 임상적으로 가장 의미가 있는 반사이다.

모로 반사는 반 직립성 자세에서 영아를 받치고 있다가 시술자 손위로 머리를 뒤로 떨어뜨렸을 때 유발된다. 정상 반사는 손가락과 상지가 대칭으로 신전과 외전된 후 상지가 굴곡되면서 운다. 비대칭 반사는 쇄골 골절, 팔 신경 얼기 손상, 또는 편마비로 인해 발생할 수 있으며, 만삭으로 출생한 영아에서 모로 반사가 없는 경우는 중추신경계의 현저한 기능 이상을 암시한다.

손바닥 쥐기 반사는 재태기간 37주면 나타나며, 시술자의 손가락을 영아의 각 손 바닥 위에 놓으면 나타나며, 부드럽게 당기는 경우에 시술자가 영아를 침대에서 들어 올릴 수 있을 정도로 강력하다.

긴장목 반사는 시술자 손으로 영아의 머리를 한 쪽 방향으로 돌리면 특징적인 펜싱할 때의 자세를 취한다(얼굴을 돌린 쪽 팔은 신전 되고 반대편은 굴곡됨). 그러나 이러한 자세를 항상 취하고 있는 경우는 비정상이며 중추신경계 질환을 의미한다. 낙하산 반사는 약간 큰 영아에서 나타나며, 몸통을 잡고 갑자기 떨어뜨리는 것처럼 몸통을 아래로 향하게 하면 유발된다. 양팔은 떨어지는 것을 멈추게 하는 것처럼 저절로 신전되는데, 이 반사는 걷기 위한 전제 조건이다.

6) 협동(Coordination)

조화운동불능은 수의 운동을 매끄럽게 수행할 수 없는 상태로서, 보통 소뇌의 기능 이상의 결과로 나타난다. 소뇌 충부의 병변이 있는 경우 앉거나 서있을 때 불안정하며 몸통 조화운동불능이 나타난다. 이환된 환자는 발 사이의 간격이 넓은(wide-based) 보행을 하며 일자 보행(tandem gait) 검사를 수행할 수 없다. 소뇌 반구의 병변은 사지 조화운동 불능의 원인이며, 환자의 손이 목적하고 있는 물체에 도달할 때나 finger-to-nose 검사와 heel-to-shin 검사 시에 명확히 나타난다.

소뇌 기능 이상의 다른 양상으로는 거리 측정 이상(dysmetria), 반동현상(rebound phenomenon), 빠른 교대 움직임 장애(상반 운동 반복 장애)(dysdiadochokinesia), 활동 떨림(intention tremor), 안진, 조음장애, 근 긴장저하, 그리고 심부건반사의 저하 등이 있다. 급성 조화운동불능은 감염 또는 감염 후, 내분비, 독성, 외상성, 혈관성, 또는 정신과적 문제들을 암시하며, 만성 증상은 대사, 종양, 또는 퇴행성 질환을 암시한다.

7) 정지와 보행(Station and Gait)

아이의 정지 상태와 보행을 관찰하는 것은 신경 진찰에 있어 매우 중요하다. 정상 아이들은 흔들리지 않고 양발로 서 있지만, 불안정한 어린이는 흔들리거나 쓰러진다. 걸음걸이 검사에서 발꿈치는 가상선에서 양쪽이 맞닿아야 하지만, 평형에 문제가 있는 아이는 안정적으로 걷기 위하여 양발이 떨어진 채로 걷게 된다.

비정상적인 걸음걸이는 다양하며, 특별한 선행 원인과 연관되어 있다. 강직 보행을 하는 환자는 군인처럼 하지가

표 1-3. 원시반사 출현과 소실 시기

반사	발생시기	소실시기 (만삭기준 출생후)
손바닥 쥐기 반사 (palmar grasp)	재태연령 28주	1-2개월
먹이찾기 반사(rooting)	재태연령 32주	1개월
모로 반사(Moro)	재태연령 28-32주	5-6개월
긴장목 반사 (tonic neck)	재태연령 35주	6-7개월
낙하산 반사(parachute)	출생 후 7-8개월	평생

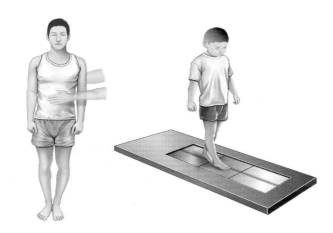

■ 그림 1-17. 소뇌 기능검사(cerebellar function test)
(A) Romberg test : 환자가 눈을 감고 서있을 때 균형을 잃거나 자세가 흔들리면 양성이다. **(B)** Tandem gait : 일자로 발을 붙여서 직선으로 걸어갈 수 있다.

뻣뻣하며 아킬레스건이 견고하거나 또는 구축 때문에 발끝으로 걷는 걸음을 하며, 양 다리가 걸을 때 가위처럼 엇갈릴 수 있다. 반신 불완전 마비 보행은 하지의 강직과 휘돌림 걸음 뿐 아니라 이환된 쪽의 팔 흔들기가 감소한다. 소뇌 조화운동불능은 양발이 떨어진 채로, 술이 취한 사람처럼 갈짓자 걸음이 발생하지만, 감각 조화운동불능은 양발이 떨어진 채로 발 처짐 걸음을 보이며, 환자는 걸을 때 보통보다 발을 더 높게 들어 올리고 발을 바닥에 내던지듯 탁 놓게 된다. 근병증 걸음 또는 오리걸음은 고관절 이음 구조의 허약과 연관되어 있으며, 이환된 어린이는 보상성 척추전만증이 자주 발생하며, 계단을 오르기 힘든 것과 같은 근위근 허약의 다른 징후를 가지고 있다.

보행 검사 동안 시술자는 하지의 근 긴장 저하 또는 허약, 근 긴장 이상 또는 무도병과 같은 추체외로 운동, 골반 기울임, 전반슬, 무릎의 내반 또는 외반 변형, 오목발 또는 편평발, 그리고 척주측만증과 같은 정형외과적인 이상 등을 기재해야 한다(그림 1-17).

02

진단적 특수검사

Neurodiagnostic Testing

| 엄태훈 |

병력청취와 신경계진찰을 통하여 감별 진단이 필요한 질병들을 유추한 이후에는 원인과 병변의 위치를 확인하기 위하여 신경 진단검사들을 이용하게 된다. 각각의 신경 진단검사들의 특징과 적응증은 다음과 같다.

1. 요추천자(Lumbar puncture)

이 검사법은 수막염, 지주막하출혈 등과 같은 신경 질환 진단에 필수적으로 방법이 비교적 간단하다.

(1) 적응증

크게 진단 목적과 치료 목적으로 구분할 수 있다.

진단 목적으로 주로 시행되며, 뇌척수액을 얻어 세포수, 생화학 및 세균학적 분석을 해서 신경 질환을 진단한다. 치료 목적으로는 과거에는 뇌압 강하를 목적으로 했으나 최근에는 척추강 내에 약물을 투여하여 통증을 치료한다든지, 항암제를 투여하는 경로로 이용된다.

(2) 금기

요추천자 검사는 완전한 신경계진찰을 한 후 진단 및 치료에 도움이 되는 정보를 얻기 위해 하기 때문에 검사에 따른 불필요한 합병증을 예방하기 위해 다음과 같은 금기 사항이 있는지 확인하는 것이 중요하다.

- 뇌압 증가 증상이나 징후 : 뇌종양, 특히 후두와(posterior fossa) 종양인 경우 검사 시 뇌탈출이 발생할 수 있다.
- 심한 혈액 응고 장애 : 혈수판수가 20,000 이하인 경우 출혈 위험이 있다.
- 전신 상태가 매우 불량하여 검사 도중에 심장 또는 호흡 정지의 가능성이 있는 환자
- 천자 부위의 피부 감염

이상의 경우를 피하기 위해서는 검사 전에 피부 감염 여부를 확인해야 하고, 특히 중요한 것은 뇌압 증가 소견이 있는가를 판단하는 것으로 대뇌제거(decerebrated) 또는 피질제거(decorticated) 자세 유무, 시신경의 유두부종 소견, 강직성 경련이 있으면서 비대칭성 동공 소견 등이 있는지를 확인해야 한다. 신경계진찰을 해도 확실하지 않을 때는 검사 전에 CT촬영을 하는 것이 좋다.

전신 상태가 나쁜 패혈증 환자인 경우 요추천자의 득실을 고려하여 시행하는 편이 좋다.

(3) 방법

영아와 소아는 척수가 제 3 요추체(lumber vertebral body)까지 내려와 있어 가장 좋은 천자 위치는 제 3, 4 요추 사이로 좌우 엉덩이뼈 능선(iliac crest)을 연결하는 선에 해당하며, 제 4, 5 요추 사이를 이용하기도 한다(그림 1-18).

검사 자세는 옆으로 눕힌 다음 목과 다리를 굽혀서 요추

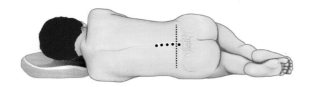

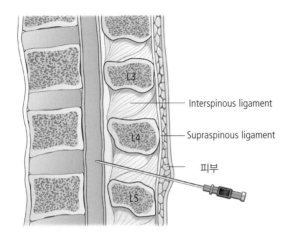

표 1-4. 미숙아, 만삭 신생아, 소아의 뇌척수액 정상치 표

	미숙아	만삭 신생아	소아
백혈구 수 (/mm³)	5-15	5-15	< 5
단백 (mg/dL)	65-150	20-120	10-40
당 (mg/dL)	24-63	34-119	45-80
당비율(뇌척수액: 혈액)	0.74	0.81	0.60

(4) 부작용

금기를 피하면 심각한 부작용은 별로 없으나, 흔히 발생하는 증상으로는 요통과 검사 후 두통으로 요통은 수일 내소실되고 두통은 검사 후 1, 2시간에서 2주 사이에 발생할수 있는데, 주로 후두부 두통과 목과 어깨가 뻣뻣함을 호소하며 시간이 지나면 소실된다. 그 외 척추의 골수염 등이보고된 바 있다.

(5) 뇌척수액 소견

색깔은 정상인 경우 투명하나, 신생아 시기에는 황색변색(xanthochromic)하기도 한다. 색이 탁하거나 붉으면 백혈구나 적혈구 수 증가를 의미한다(표 1-4).

백혈구

신생아에서는 5-15개까지 정상으로 볼 수 있고 영아와 소아에서는 5개까지는 정상으로 볼 수 있는데, 다형핵(polymorphonuclear) 백혈구인 경우는 비정상이다.

다형핵 백혈구 증가는 세균성 수막염이나 무균 수막염초기에 나타날 수 있다. 림프구 증가는 무균, 결핵성, 또는진균 수막염에 주로 나타나지만 말이집탈락 질환, 뇌종양,면역질환 등에서도 나타날 수 있다.

적혈구

정상적으로 보이지는 않는데 검사 도중 혈관을 건드린경우나 지주막하출혈이 있는 경우 나타난다. 뇌척수액을원심분리해서 상층액이 맑으면 바늘에 의한 외상을, 황색변색이면 지주막하출혈을 의미한다. 또한 백혈구와 적혈구의 비는 일반적으로 1 대 600-700으로 이 한도가 넘으면지주막하출혈에 의한 경우로 판단할 수 있다.

■ 그림 1-18. 요추 천자
제 3, 4 요추 사이, 또는 제 4, 5 요추 사이로 좌우 엉덩이뼈 능선(iliac crest)을 연결하는 선보다 아래 부위이며, 검사 자세는 옆으로 눕힌 다음 목과 다리를 굽혀서 요추 간격이 벌어지도록 한다.

간격이 벌어지도록 한다. 이때 환자의 호흡 상태에 유의해야 하는데 미숙아, 신생아인 경우 호흡 정지를 예방하기 위해 세운 자세(upright position)를 이용하기도 한다.

검사부분을 소독을 하고 소독포를 덮은 뒤에 국소마취주사 또는 부착포(patch)를 이용하여 국소마취를 한다. 바늘은 소침(stylet)이 있는 18-22 게이지를 이용하여 배꼽 방향으로 바늘을 삽입하는데 창호지 뚫는 느낌이 들면 척수강 내 도달한 것으로 척수액이 배출되는 것을 확인하고 압력을 측정한 뒤 검체를 수집한다. 압력은 연령에 따라서 조금 다르나 일반적으로 60-120(최대 180) mmH₂O로 울고보채는 경우 증가된다. 검체에 혈액이 포함된 경우 한 레벨위에서 다시 검사를 한다. 검사 바늘에 의한 상처로 혈액이섞여 나오는 경우 처음 나오는 척수액은 버리거나 나중에나오는 척수액을 이용해서 세포수 검사를 한다. 검체를 충분히 받은 후에는 다시 압력을 측정한 후 바늘을 빼고 감염이 안 되도록 하고 검사 후 약 2시간 정도는 누운 자세로 안정을 취하도록 한다.

단백, 당

단백의 정상치는 10-40 mg/dL이며 신생아는 120 mg까지 정상이다. 출혈성 천자에 의해서 단백이 증가될 수 있는데 1,000개당 약 1 mg/dL 정도 증가된다. Guillain-Barre 증후군인 경우 세포 수에 비해 단백이 증가되는 소견이 특징적이다. 당은 혈당의 60%로 50-65 mg/dL가 정상이다.

2. 경막하 천자(Subdural tap)

경막하 삼출물(subdural effusion) 또는 혈종(hematoma)을 진단하기 위해 시행한다.

앞숫구멍의 외측 가장자리와 관상 봉합이 만나는 위치로 머리 정중선에서 약 2-3 cm 외측 또는 동측 동공을 지나게 선을 그어 만나는 곳이 검사 부위이다. 검사 위치를 정한 뒤에 면도로 깨끗이 한 후 소독을 하고 18-20 게이지 바늘을 삽입하고 경막하 공간에 들어간 것이 느껴지면(피부로부터 약 5-10 mm) 바늘이 움직이지 않도록 고정시킨 뒤 검체를 채취하는데 한번에 20 mL 이상 뽑지 않아야 한다. 일반적으로 양측에서 실시한다. 부작용으로는 검사부위

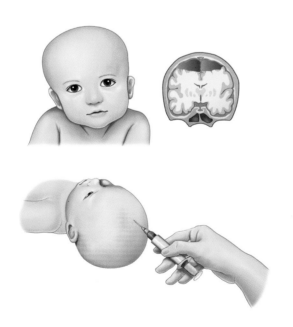

■ 그림 1-19. 경막하 천자
앞숫구멍의 외측 가장자리와 관상 봉합이 만나는 위치로 머리 정중선에서 약 2-3 cm 외측 또는 동측 동공을 지나게 선을 그어 만나는 곳이 검사 부위이다.

감염, 뇌 좌상 또는 출혈 등이 생길 수 있다(그림 1-19).

CT 검사가 보편화된 이후로는 진단적 목적으로는 별로 시행하지 않으며 수막염 후유증으로 경막하 삼출물이 과량으로 발생하여 뇌 압박 증상이 있는 경우에 시행한다.

3. 유발전위(Evoked potential) 검사

이 검사법은 중추신경계의 특정한 감각(sensory) 또는 운동(motor) 경로(pathway)의 기능을 평가하여 중추신경계 질환의 경과와 치료에 대한 반응을 추적 관찰하는데 유용하다. 청력은 신생아나 어린 영아에서 정확하게 측정할 수 없으나 이 검사법을 이용하면 가능하기 때문에 소아 연령에 유용하다.

임상에서 흔히 사용되는 방법은 청각(auditory), 시각(visual)과 몸감각(somatosensory) 유발 검사로 적응증 및 의미는 다음과 같다.

(1) 뇌간청각유발전위(brain stem auditory evoked potential; BAEP)

한쪽 귀를 딱딱 소리(click sound)로 여러 번 자극하면 소리 자극이 청신경을 통해 중추신경계로 전달되면서 몇 개의 파(wave)가 만들어지게 되는데, 이 중 뚜렷하게 기록되는 첫 번째부터 다섯째 파가 의미가 있으며 각 파가 나타나는 최고점 잠복기(peak latency; PL)와 최고점간 잠복기(interpeak latency; IPL)를 측정해서 이상 여부를 진단한다.

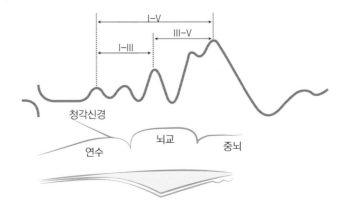

■ 그림 1-20. 뇌간청각 유발전위
이어폰을 통해 청각자극을 주고 머리 표피에서 전위를 기록하면 파형 I, II, III, IV, V 등이 관찰된다.

표 1-5 BAEP 검사소견의 의미

편측 자극시 소견	병변
모든 파가 안 나타남	동측 원위(distal) 청신경 병변, 말 청력 소실
I 파는 보이나 다음 파부터 안보임	동측 근위 청신경 또는 뇌교연수 병변
I 파 포함 모든 파의 최고점 잠복기 증가	청력 소실 또는 청신경 병변
V 파가 안 나타남	동측 상 또는 하부 뇌간 병변
I-III / III-V 모두 증가	동측 상하 뇌간 병변
I-III 증가/ III-V 정상	동측 청신경과 하부 뇌교 사이 병변
III-V 증가/ I-III 정상	동측 하부 뇌교와 중뇌 사이 병변

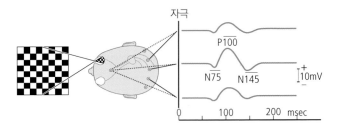

■ 그림 1-21. 시각 유발전위검사
한쪽에 패턴 모양의 시각 자극을 가하고 대뇌 후두부에서 전위를 기록하면 P100 전위가 나타난다. 시각회로에 탈수초 병변등이 있을 경우 P100 전위의 잠복기가 정상인과 비교하여 지연된다.

병변의 국소화에 도움이 되는 파는 I, II, V로 형성되는 해부학적 위치로는 I 파는 청신경, III 파는 하부 뇌간(lower brainstem), V 파는 하부 중간뇌로 각 파의 자세한 발생 위치는 그림과 같다(그림 1-20).

BAEP 검사 결과에 따른 임상적 의미는 표 1-5와 같으며, 유발 전위파의 진폭과 최고점 잠복기는 태어나서 3세까지는 정상치가 다르다. 신생아는 I, III, V 만이 주로 나타나며, 성인에 비해 진폭이 낮고, 최고점 잠복기(PL)와 최고점간 잠복기(IPL)도 연장되어 있으며, 2, 3세가 되면 성인과 비슷해지는데, 2세 이후부터는 남녀 간에 차이가 있어 판독에 유의해야 한다. 여아가 남아에 비해서 진폭이 높고 PL과 IPL치가 짧다. 그 외에 체온도 영향을 미쳐 체온이 떨어지면 PL이 연장되며, 30주 미만의 미숙아에서는 정상적으로 모든 파가 나타나지 않는다. 우리나라의 미숙아, 신생아 및 영아, 그리고 전 소아 연령을 대상으로 한 정상치가 있으나, 결과에 영향을 미치는 인자가 많아 각 검사실에 따라서 정상치를 정해서 참고하는 것이 좋다.

이 검사는 청력 장애가 의심되는 경우, 고빌리루빈혈증, 또는 저산소증이 있었던 미숙아나 신생아에서 뇌간 병변 유무의 진단, 청신경 종양(acoustic nerve tumor)이나 뇌간 신경아교종(brainstem glioma)과 같은 뇌간에 발생하는 종양의 진단이 필요한 경우 도움이 될 수 있다.

(2) 시각유발전위(visual evoked potential; VEP)

자극 방법은 빛자극과 바둑판형(checkerboard) 자극이 있는데, 바닥 황반을 자극하는 바둑판형 자극이 오차가 상대적으로 적다. 빛자극인 경우 빛 밝기에 따라서 그리고 바둑판형자극은 밝기에 따라서 결과가 다를 수 있으므로, 검사실에 따라 기준치를 정하는 것이 좋다. 연령에 따라 반응이 다른데 첫 6개월 이내에는 작은 바둑판 모양에는 반응이 나타나지 않으며, 6-8 개월이 되면 크기가 큰 바둑판형 자극에 대해 성인과 비슷한 모양이 나타난다. 작은 바둑판형에 대한 반응이 성인과 비슷하게 나오려면 몇 년이 걸린다.

자극 후 기록되는 파형은 처음에는 음성 파(negative wave)가 나타난 뒤에 커다란 양성 파(positive wave)가 나타나고 다시 음성 파가 나타난다. 처음 두 개의 파는 시각피질(visual cortex)에서 발생한다고 추측되며, 임상적으로 중요한 파형은 큰 양성 파다. 그러나 어린 소아들은 시선 집중이 안 되므로 전형적인 파형이 안 나타날 수 있다(그림 1-21).

임상적 적응증은 시력 평가, 약시(amblyopia)의 진단 및 치료 후 반응 측정, 뇌 손상 또는 질환에 의한 겉질 시각상실(cortical blindness), 시각신경 종양, 그리고 다발성 경화증(multiple sclerosis) 진단 시 필요하다.

(3) 몸감각유발전위(somatosensory evoked potential; SSEP)

말초 신경을 자극해서 신경 주행 경로 부위 또는 두피에서 유발전위를 얻는 방법이다.

임상에서는 뒤정강신경(posterior tibial nerve) 또는 정중신경(median nerve)을 무릎 또는 손목 부위에서 자극하는데, 후 경골신경 자극 시에는 1번 요추 부위, 5번 경추와 두

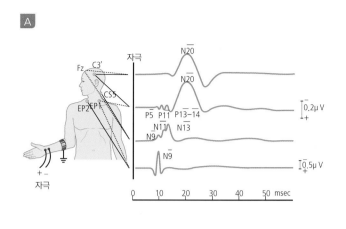

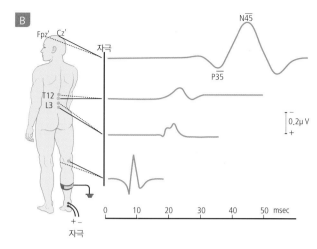

■ 그림 1-22. 몸감각유발전위검사

(A) 정중신경 자극 몸감각유발전위 : 정중신경을 자극하고 Erb 부위, 5번 경추와 반대 측 두정부에서 각각 기록한다

(B) 경골신경 자극 몸감각유발전위 : 경골신경을 자극하고 1번 요추 부위, 5번 경추와 두피에서 파형을 기록한다.

피에서 파형을 기록하고, 정중신경 자극 시에는 Erb 부위, 5번 경추와 반대측 두정부에서 각각 기록한다(그림 1-22). 각 파의 의미는 Erb부파는 팔신경얼기(brachial plexus)를 통과하면서 생기는 복합신경 활동 전위, 5번 경추부파는 경추 척수의 연접후(postsynaptic) 활동 전위, 반대측 두정부파는 몸감각 대뇌 겉질의 활동 전위이다.

소아는 성장함에 따라서 신장 증가에 의해서 잠복기가 증가되지만, 신경 성숙이 됨에 따라서는 잠복시기가 감소되므로 결과적으로는 출생 직후에는 전달 속도가 늘어나며, 생후 1-2년 사이에 점차적으로 줄어들어 5-8세 사이에 성인과 비슷해진다. 신장이 검사 결과에 영향을 미치므로 같은 나이라도 신장에 따른 기준치를 적용해야 한다.

임상적 적응증은 퇴행 신경병, 탈수초병, 압박 척수병 등에 의한 척수 기능 이상 유무 검사, 척추측만증, 척수 종양 또는 정맥 기형 수술 시 감시 등이다.

4. 뇌파검사(Electroencepthalograpy, EEG)

뇌파검사는 기저 질환의 성상에 대한 명확한 정보는 제공하지 못한다는 단점이 있지만 중추신경계의 기능을 평가하고 중추신경계 질환의 경과와 신경학적 예후를 판단할 수 있는 대표적인 뇌 기능 검사 방법이다. 검사자는 뇌파를 통해 뇌전증을 진단하고 뇌사나 마취의 깊이 등을 판정할 수 있다. 특히 비운동성 경련 질환이나 신생아기 경련 질환의 경우처럼 비전형적으로 경련이 진행되는 경우에는 뇌파검사가 유일한 진단 방법이다. 최근에는 두피 뇌파 외에 grid, strip, depth 전극 등을 이용한 electrocorticography, intracerebral depth recording 등 침습적 뇌파의 사용도 점차 확대되고 있다. 이처럼 다양한 뇌파검사는 정확한 진단을 가능하게 하고, 발작 발생 위치를 명확히 할 수 있어, 뇌전증의 명확한 진단은 물론 뇌전증 수술 치료 성공률 증가에 중요한 역할을 하고 있다.

최근 미숙아를 비롯한 소아청소년기 중환자들에 대한 적극적인 치료로 중환자의 치료율 및 생존율이 지속적으로 증가하고 있다. 이러한 중환자 치료의 궁극적인 목표인 대뇌 기능 보전을 이루기 위해서는 뇌파를 이용한 뇌 기능의 평가가 원활히 이뤄져야 한다. 이처럼 뇌파의 활용은 뇌전증 진단은 물론, 소아기에 비교적 흔한 이차적인 뇌증 진단 및 예후 평가, 뇌염, 뇌혈관 질환 등에 의한 뇌 손상 진단 등, 고위험도 소아에서의 신경계 질환의 진단 및 장기적인 신경학적인 기능 평가와 예후 판정에 많은 기여를 하고 있다.

소아청소년을 대상으로 뇌파를 제대로 활용하기 위해서는 뇌 성장에 따른 뇌파의 발달 과정을 이해해야 한다. 소아청소년기의 뇌는 지속적인 성장과 발달 과정을 거치기 때문에 연령 증가에 따른 정상 뇌파의 형태와 기준이 계속해서 변하게 된다. 특히 미숙아를 포함한 신생아기에는 주령에 따라 뇌 성숙도의 차이가 매우 크기 때문에 뇌파를 판독할 때는 반드시 재태연령에 역연령(chronologic age)을 더한 수태연령(conceptional age)을 사용하여야 한다. 같은 수태연령의 미숙아와 만삭아의 뇌파는 서로간의 사소한 차이점이 있지만 진단적 의미가 없어 동일한 연령으로 간주하여 사용한다.

소아기 뇌파의 또 다른 특징은 초점 뇌전증모양 방전은 물론 고부정뇌파, 3 Hz 극서파복합, Rolandic 극파 등과 같은 진단적 특이도가 높은 뇌전증 파형이 발현될 확률이 높아 뇌전증 진단에 높은 진단적 가치를 가진다.

1) 소아청소년에서 뇌파 기록 방법 및 판독

생후 2-3개월 이후 영유아에서는 국제 표준인 10-20 system을 이용한 뇌파검사를 시행하지만, 1-2개월 이전의 신생아에서는 변형 10-20 system (Fp1 와 Fp2 와 F3, F4 사이의 Fp3 와 Fp4를 이용)을 이용하여 뇌파검사를 시행한다. 정확한 뇌기능 평가를 위해서는 호흡 운동, 안구 운동, 근전도 및 심전도 다른 생리적인 지표를 포함한 32채널 뇌파 사용을 추천한다. 뇌파를 기록할 때는 단극 유도(referential)와 쌍극 유도(bipolar longitudinal, transverse) 등 다양한 전자쌍(montage)을 포함하여야 하며 과호흡, 빛 자극, 안 개폐, 소리 자극 등 유발 검사를 포함하여 시행해야 한다. 특별한 경우를 제외하고 복용중인 항뇌전증약을 갑자기 중단해서는 안 된다. 수면 유도를 위하여 수면 박탈, 약물 유도(예: chloral hydrate 0.5 mL/kg, 최대 10 mL PO) 등

표 1-6. 뇌파검사 방법

전극 : 3개월 이상 영아부터는 국제공통인 10–20 system 법으로, 신생아나 어린 영아인 경우 머리가 작기 때문에 적은 수의 전극(최소 9개)을 부착 후 단극 또는 양극 전자쌍(montage)으로부터 전위차를 이용하여 기록
민감도(sensitivity): 7 μV/mm
High frequency filter: 70 Hz
Time constant; 0.3
기록지 속도(paper speed):　< 3개월 영아　15 mm/sec
　　　　　　　　　　　　 > 3개월　　　30 mm/sec
검사 시간: 30–60분
유발검사법: 빛자극 및 과호흡
기타: 심전도, 근전도, 호흡감시 및 EOG 전극 부착

표 1-7. 뇌파 판독의 일반적인 원칙

① 의식 상태(각성, 수면) 확인
② 각성 뇌파인 경우 뇌파 발달이 나이에 합당한가?
　 수면 뇌파인 경우 수면 단계에 합당한가?
③ 전반적 배경파의 지속적 비대칭 소견이나 국소 서파가 있는가?
　 수면 뇌파인 경우 특징적인 수면 뇌파 소견이 있는가?
④ 뇌전증모양파(epileptiform discharge)가 있는가?
⑤ 각성 뇌파인 경우 빛자극이나 과호흡에 의한 뇌전증모양파 유발 여부

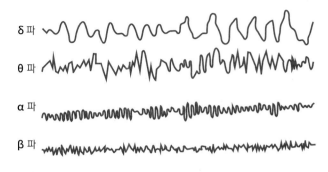

■ 그림 1-23. 뇌파의 파형
β(beta)파 : > 13 Hz　α(alpha)파 : 8-12 Hz
θ(theta)파 : 4-7 Hz　δ(delta)파 : < 4 Hz

을 이용할 수 있다. 뇌파 기록 속도는 초당 30 mm, 시상수(time constant)는 0.3초, 진폭은 7.5-10 mm/50 μV으로 적어도 20분 이상 기록한다(표 1-6).

뇌파검사는 각성 시와 수면 시에 각각 시행하는데 어린 소아의 경우 검사 시 협조가 되지 않으므로 주로 수면 뇌파를 시행하는 경우가 많다. 소아의 뇌파는 연령 및 수면 또는 각성 상태에 따라서 다른 소견을 보여 판독이 쉽지 않다. 뇌파 판독하는 요령을 정리하면 다음 표와 같다(표 1-7).

뇌파 상 기록되는 파형은 주파수(frequency)에 따라서 다음 네 가지로 구분된다(그림 1-23).

2) 대뇌 성숙에 따른 뇌파 변화(Ontogenesis of EEG in children)

(1) 각성기 뇌파

후두부 파(posterior rhythm)

각성기 양측 눈을 감았을 때 후두부 영역에서는, 생후 첫 2개월에는 4 Hz, 생후 12개월에는 6 Hz, 생후 24개월에

표 1-8. 연령에 따른 정상 후두부 뇌파 주파수

연령	주파수(Hz)
3개월	3-4
12개월	6-7
2세	7-8
3세	8
7세	9
>15세	10

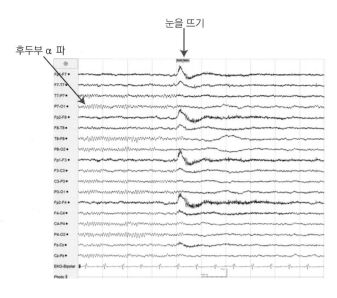

■ 그림 1-24. 정상 각성뇌파(15세)

각성기 양측 눈을 감았을 때 후두부 영역에서는 후두부 파가 나타나며 성숙되면 알파영역 파형으로 후두부 α파(posterior alpha rhythm)라 한다. 후두부 α파는 뇌 혈류와 밀접한 상관관계를 가지며 수면 시작 또는 눈을 뜰 때 소실된다.

는 6-7 Hz, 생후 36개월에는 7-8 Hz의 중등도 전압으로 수 초(sec)의 주기를 갖는 waxing and waning 형태의 규칙적인 파형이 관찰된다. 이를 후두부 파, 또는 성숙되면 알파영역 파형으로 후두부 α파(posterior alpha rhythm)라 한다(그림 1-24). 후두부 α파는 뇌 혈류와 밀접한 상관관계를 가지며 수면 시작 또는 눈을 뜰 때 소실된다. 8세 경 가장 발달하며 50대 후반 이후 다시 주파수가 감소한다. 1세 미만의 경우 눈을 뜰 때 α파 소실이 나타나지 않을 수도 있다. 소아기에는 후두부에서 95% 이상 관찰되지만, 성인에서는 70% 정도에서만 후두부에서 관찰되고 측두엽 및 중심부에서도 관찰될 수 있다. 보통 50-60 μV 정도의 전위를 보이며 우측이 좌측보다 더 높은 전위를 보이는데 이는 뇌 전위 자체의 차이라고 하기 보다는 두개골 두께의 차이에 의한 현상으로 설명된다. 좌우의 전위차가 50% 이상 차이가 나거나, 양측 간에 1-1.5 Hz 차이가 나면 비정상으로 간주한다. 약 25세까지 posterior slow wave of youth와 혼합하여 나타나기도 한다(표 1-8).

Low voltage fast activity

각성 시 전두엽의 기본 파형으로 20 μV 이하의 18-25 Hz를 보인다. Barbiturate 등 약물 투여 시 β파가 증가하며, 입면기, 경 수면기, REM 수면 시 역시 β파가 증가한다. 25 μV 이상이거나, 좌우 전위차가 35% 이상 차이가 있으면 비정상으로 간주한다. 뇌 겉질 손상, 경막하 수액 저류, 경련 직후 등에서 관찰될 수 있다.

Posterior slowing

중등도 전위의 서파로 후두부 α파와 혼재하여 나타난다. 2세 이하에서는 드물고 10대 전후에서 가장 활발히 나타난다. Posterior slow wave of youth라고도 한다.

Hemispheric dissociation

좌우 대칭성과 동기성은 1개월 무렵부터 각성기에 중심영역에서 관찰되기 시작한다. 4개월경에는 두정엽과 전두엽에서도 발생하지만, 측두엽에서는 4-5세까지도 비 동기성이 관찰될 수도 있다.

(2) 수면기 뇌파

Vertex sharp waves

뇌 중심영역에서 phase reverse되는 음성(negative) 파형으로 비REM 수면 1-2기 때 나타나며, 생후 3-4개월 이후부터 관찰되고, 대부분 5-6개월 이내에 대칭성을 보인다. 성인에 비하여 높은 진폭과 좀 더 예리한 형태를 보인다. 뇌 중심부에서 가장 높고 반복적으로 나타날 수 있으며 수면 방추파와 혼재하여 발생하기도 한다. 대부분 좌우 동조를 이루며 대칭적으로 나타난다. 20% 이상의 좌우 비대칭성을 보이는 경우, 낮은 쪽을 비정상으로 판단한다(그림 1-25).

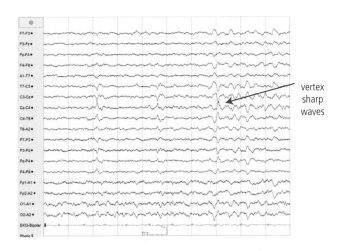

vertex
sharp
waves

■ 그림 1-25. Vertex sharp waves

뇌 중심영역에서 phase reverse되는 음성(negative) 파형으로 비REM 수면 1-2기 때 나타나며, 생후 3-4개월 이후부터 관찰되고, 대부분 5-6개월 이내에 대칭성을 보인다.

수면 방추파(sleep spindle)

비REM 수면 2-4기 때, 특히 2기 때, 전두엽과 중심부 영역에서 보통 1-4초 정도의 12 Hz 또는 14 Hz의 20-40 μV 전위의 규칙적인 파형이 나타나는데, 이를 수면 방추파라 한다. 수면 방추파는 생후 4주 무렵부터 미숙한 형태로 발생하며 생후 8주 무렵부터 성숙한 형태로 나타난다. 생후 4-6개월 경에 가장 크고 활발하게 관찰되며 5세 이후로는 감소하게 된다. 생후 3개월 내에 발생하지 않으면 비정상적인 비REM 수면 장애나 뇌 성숙 이상을 시사한다. 정신지연 소아, 주산기 뇌 손상, 선천성 갑상샘기능저하증, 자폐아 등에서 수면 방추파의 이상 소견이 보고되고 있으며 신경 성숙도의 지표로 이용되기도 한다. 생후 18개월 이후 좌우 동조가 시작되며 대칭적으로 나타난다. 하지만 수면 방추파는 비대칭 양상으로 나타날 수 있으며 2세 이전의 좌우 비대칭을 비정상으로 판단할 수 없다. 50% 이상의 비대칭성을 보일 때는 전위가 낮은 쪽을 비정상으로 판단한다(그림 1-26).

K-complexes

비REM수면 2, 3, 4기에 주로 빛이나 소리 자극 등 외적인 자극에 의해 2-3기의 고진폭 서파(surfacepositive transient followed by a slower surface negative component)를 Kcomplex라 하며, 뇌 중심부에서 발생하고 방추파가

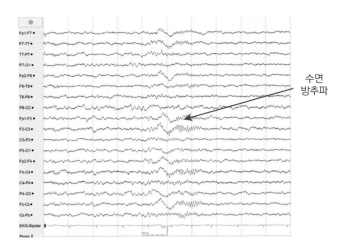

수면
방추파

■ 그림 1-26. 수면 방추파

비REM 수면 2-4기 때, 특히 2기 때, 전두엽과 중심부 영역에서 나타나는 1-4초 정도의 12 Hz 또는 14 Hz의 20-40 μV 전위의 규칙적인 파형이다.

Kcomplex 앞 또는 뒤에서 자주 동반하여 나타난다. 생후 4-6개월 경부터 관찰이 가능하지만, 전형적인 형태는 2세 이후에 관찰이 가능하다.

Hypnagogic hypersynchrony

소아기의 특징적인 소견 중의 하나로 입면기 또는 졸린 상태에서 4-5 Hz의 중등도 또는 고 진폭의 동조화 파형이 나타나는데 이를 hypnagogic hypersynchrony라 하며 두정엽, 후두부에서 잘 나타난다. 이는 생후 5개월 이후부터 관찰되며 1-5세 경 가장 특징적으로 나타나며 10대 중반 이후 소실하게 된다. 정상 소아의 약 8%에서는 서파에 일부 극파가 섞인 형태(pseudoepiletiform pattern)를 보이기도 한다.

14 and 6 positive spikes

양측, 또는 편측으로 6 Hz와 14 Hz의 혼합된 양성파로 수면파의 일종으로 생각되며, 10대 소아의 20-50%에서 관찰된다. 주변파에 영향을 받지 않으며 정상 파형으로 취급한다.

Positive occipital sharp transients of sleep (POSTs)

20-75 μV 정도 전위에 4-5 Hz의 체크 마크 양상의 양성 파형으로 모든 비REM수면에서 관찰되나 2, 3기 사이 후

두부에서 가장 활발하게 발생한다. 흔히 비대칭적으로 나타나며 정상의 파형이다. 맹인 환자에서는 발생하지 않으며, 5세 이후 발생하여 10대 중반 이후 소실된다.

(3) 소아 수면 주기의 특징

인간은 각성과 수면의 일정한 주기를 가지는 생체 리듬을 갖고 있다. 이런 생체 리듬은 나이에 따라, 질병 유무에 따라 많은 차이를 보인다. 뇌파는 수면-각성 주기에 따라 뇌파 형태가 전혀 다르기 때문에, 정확한 뇌파 판독을 위해서는 나이에 따른 소아의 정상적인 수면 발달 과정과 각 수면주기를 이해해야 한다. 사람의 뇌는 수태연령(conceptional age; CA) 28주에서 CA 40주 사이에 약 4배 이상의 급속한 성장을 하며, 뇌 성장과 더불어 뇌파의 성숙 또한 진행된다. CA 24주 미만에서는 뇌 발육이 미숙하여 특별한 뇌파 형성을 기대할 수 없고, 일반적으로 CA 28주 이후 중요 뇌고랑 및 이랑이 발생하기 시작하여 대뇌 특유의 복잡한 형태를 이루기 시작한다. 수면 주기는 CA 28주면 비로소 구별이 가능해지고, CA 35주 이후부터는 명확한 수면 주기를 관찰할 수 있게 된다. 뇌파의 양상은 각성기 뇌파와 수면기 뇌파로 나눌 수 있으며 수면기 뇌파는 동 수면기(active sleep, rapid eye movement; REM), 정 수면기(quite sleep, non-REM), 이행 수면기(transitional sleep) 등으로 구별할 수 있다. 정상 수면은 70-120분 주기로 non-REM 수면과 REM 수면이 교대로 반복되며 총 3-5 주기의 수면 리듬을 형성한다.

(4) 소아기 수면기와 각성기 뇌파 특성

대뇌 발육은 출생 후에도 지속적인 성장을 보여 출생 후 첫 1년 동안 약 두 배로 성장한다. 뇌 말이집형성도 대단히 활발하게 진행되어 만 2세 경에 말이집형성이 완성된다. 뇌 성장에 따른 뇌파의 성숙도 이 시기에 이루어져 좌우 동기성을 이루고 대칭적인 안정된 뇌파가 완성되기 시작한다.

각성기 뇌파의 특징

각성 뇌파의 특징은 폐안 시 관찰되는 후두부 α파의 출현이다. 2-3세 경 8-9 Hz의 완성되며 성인에 비하여 진폭이 높다. α파는 후두부에서 가장 높은 진폭을 보이며 두정엽과 중심부까지 α파가 전파되어 기록될 수 있지만 전두부

까지는 나타나지는 않는다. 생후 첫 수개월에는 정상 소아에서 후두부의 고 진폭 서파에 이은 눈 깜빡임 현상이 동반되어 나타나는 λ파가 관찰될 수 있다. 이는 빛자극 유발검사, 특히 낮은 주파수 영역으로 자극할 때에 나타나며, 6개월에서 10세 사이에서 관찰된다. 각성 시 전두부에서는 20 μV 이하의 저 진폭 속파와 후두부에는 후두부 α파가 대칭적으로 발생한다. 따라서 뇌 후방에서 전방으로 주파수는 높아지고, 진폭은 낮아지는 일정한 형태를 보이는데 이를 frequency-amplitude gradient 또는 anterior-posterior gradient라 하며 기본적인 배경파를 형성한다.

수면기 뇌파의 특성

입면기에 접어들면 후두부 α파가 소실되면서 전체적으로 배경파의 파형이 느려지고 고진폭 양상을 보인다. 생후 4-6개월경부터 입면기 때 특징적인 소견으로 hypnagogic hypersynchrony 현상을 보인다. 이는 100-200 μV의 고진폭 θ영역의 전반적인 돌출파의 형태로 때로는 극파나 예파가 혼재하여 나타나기도 한다. 대부분 10대 중반에 소실되며 전형적인 소아기 뇌파의 특징 중 하나이다.

출생 후 6주경부터 비REM 수면기가 분화가 시작되며 12주 이후에는 각각의 수면 단계를 구별할 수 있게 된다. 생후 3-4세 이후 소아는 성인 수면과 비슷한 형태를 취하며 생리학적인 지표 및 행동 양상이 전혀 다른 비REM 수면(slow wave sleep)과 REM 수면(paradoxical sleep)으로 구성된다. 수면 시작은 생후 2-3개월까지는 동 수면기 형태로 나타나지만 그 이후 점차 정 수면기, 즉 비REM으로 수면이 시작된다.

뇌전증은 대부분 수면 1-2기 사이에서 자주 발생하며 뇌파검사를 통해 이 시기에 뇌전증파의 활발한 활동을 관찰할수 있다. 반면 사건수면(parasomnia)은 깊은 수면기 즉 비REM 수면 3-4기 또는 REM 수면 시기에 관찰된다.

수면기의 특징적인 정상 뇌파 소견
○ 비REM 수면 1기
입면기 뇌파의 가장 큰 특징은 후두부 α파의 소실이다. α파가 없는 경우 전반적으로 산재해서 나타나는 θ영역의 파형이 발생한다.

수면 1기는 입면기(ripple wave phase)와 경 수면기로 나

뉘며 입면기 특징으로는 고 진폭 전위 활동이나 잡파의 혼입이 적기 때문에 뇌전증파 등 이상 소견 관찰이 용이하다. 입면기 이후 중심부에서 고 진폭의 예파가 발생하는데 이를 vertical hump라 하며 이때부터 경 수면기로 분류한다. Vertical hump는 2개월 이후로는 중심부, 두정부에서 항상 양측에서 대칭성으로 나타난다. 비대칭을 보이거나 한쪽만 나타날 때는 소실된 쪽을 병측으로 판독한다. 1기 수면기는 전체 수면의 약 2-5%를 차지한다.

○ 비REM수면 2기

Hump 출현 빈도는 줄어들고, 중심부, 전두부에 2-4초 정도의 12-14 Hz의 수면 방추파와 K-complex가 나타나는 시기로 서파의 발생이 증가하는 소견이 관찰된다. 수면의 가장 많은 부분을 차지하며 전체 수면의 약 45%를 차지한다. 생후 6-8주 경부터 발생하고 1세 전후 동조화가 일어나 대칭적으로 발생한다. 하지만 만 2세 이후에도 좌우 비대칭적인 방추파는 비정상으로 판단한다.

○ 비REM 수면 3기

Hump는 소실되고 수면 방추파와 혼합하여 전반적인 불규칙한 75 μV 이상의 고 진폭 서파(2 Hz 이하)가 20-50% 정도의 배경파를 이루는 시기를 말한다. 전체 수면의 약 7% 정도를 차지한다.

○ 비REM 수면 4기

수면 방추파도 거의 소실되고 고 진폭 서파가 50% 이상의 배경파를 이루는 시기로 전체 수면의 약 13%를 차지한다. 비REM 4기는 뇌파로서 진단기능이 많이 감소되어 뇌전증 진단에 적합하지 않다. Benzodiazepine 약물 사용시 깊은 수면기간이 감소된다.

○ REM 수면기

잠들고 난 뒤 60-90분경에 REM 수면에 도달하며 수면 초기보다는 새벽에 가까울수록 REM 수면 기간이 점차 길어진다. 신생아 시기에는 REM 수면이 전체 수면의 50%까지 차지하지만 나이를 먹을수록 점차 줄어 성인에서는 20-30% 정도 차지한다. REM 수면은 하루 3-5회 정도 나타나며 이 시기에 뇌파의 양상은 입면기 시기와 비슷한 저

표 1-9 수면단계에 따르는 뇌파소견

수면단계	비율(%)	특징적 소견	뇌파 소견
Awake	5		posterior α rhythm
NREM	2-5	눈을 굴린다.	ripple wave, vertical humps
stage 1	45	동공수축, 땀 흘림	humps, sleep spindle, k-complex
stage 2	7	심박수 혈압 증가	increased big δ (25-50%)
stage 3	13	심박수 혈압 감소	over 50% of high voltage δ wave
stage 4			
REM sleep	30	빠른 눈운동 근긴장 소실 심박수 호흡수 불규칙	low voltage fast β or θ waves

진폭의 다양한 주파수의 뇌파 양상을 보인다. 하지만 vertical hump는 관찰되지 않으며, 빠른 안구 운동이 관찰되고, 체온이 상승되며, 근전도상 근긴장도의 소실이 특징적으로 나타나며 뇌파에서 saw tooth wave가 관찰된다(표 1-9).

(5) 유발 검사법

뇌파는 뇌의 상태에 따라 변하기 때문에 환자의 대뇌에 이상 소견이 내재된 경우에서도 환자가 충분히 안정을 취하거나 특정한 수면-각성 주기에 뇌파검사를 실시하게 되면 정상 뇌파로 기록되기도 한다. 따라서 여러 자극을 통해 환자의 뇌를 자극하여 이상 뇌파 소견의 발현율을 높이는 방법이 필요할 수 있다. 이러한 자극방법을 유발 검사법이라 하며 과호흡, 빛자극, 수면박탈, 약물유도 등의 방법이 이용된다. 일반적으로 유발 검사는 뇌파검사 후반기에 단극유도에서 시행하는 것을 추천하는데 환자의 순응도나 수면상태에 따라 탄력적으로 시행하는 것이 좋다.

과호흡

뇌파검사 후반기에 주로 이용하는 대표적인 유발 검사 방법으로 폐안 상태에서 1분에 20-30회 정도의 깊은 호흡을 약 3분간 실시한다. 결신 발작은 물론 부분 뇌전증 환자 진단에 유용하게 사용할 수 있다. 소아에서는 성인과는 다르게 과호흡시 고진폭 서파의 군발파가 발생하는데 이를 build up 현상이라고 한다. 이는 어린 나이에서 더 잘 발생하며 과호흡을 멈추면 보통 60초 이내에 정상 배경파로 되돌아간다. 과호흡을 멈춘 뒤 build up 현상이 1분 이상 지속되거나 좌우 비대칭을 보이는 경우 비정상으로 판독할 수 있다. 또한 정상 배경파로 이행 후 또 다시 서파의 군발파

가 나타나는 경우를 rebuild up 현상이라 하는데, 이때도 비정상으로 간주하며 모야모야병 등의 뇌혈관 질환을 의심할 수 있다. 결신 발작이 의심스러운 경우에도 2차례에 걸친 과호흡 유발 검사 시도에도 음성인 경우는 임상적으로 결신 발작 진단을 제외 할 수도 있다. 부분 발작의 경우에도 약 5분 정도 과호흡을 지속하면 부분 뇌전증파 활동이 증가될 수 있다. 과호흡 유발 검사는 어지러움과 혼미 등을 동반할 수 있으며 심한 심장 질환이나 뇌출혈이나 뇌혈관 질환이 있는 경우에는 추천되지 않는다.

빛자극

빛자극 유발 검사는 수면 또는 각성 상태, 개안 또는 폐안상태에 관계없이 시행할 수 있는 검사 방법으로 광과민성 뇌전증이나 일부 퇴행성 질환의 진단에 중요한 역할을 한다.

빛의 자극은 알파 영역 대의 빛자극이 가장 자극적이지만, 광과민성 뇌전증 환자나 neuronal ceroid lipofuscinosis 같은 질환이 의심스러울 때는 반드시 저 주파수 즉, 2 Hz부터 모든 주파수대를 시행하도록 추천하고 있다. 빛자극은 눈 앞 약 30 cm에서 주파수별로 약 10초 정도 실시하는 것이 좋으며 자극과 자극 사이에 10초 정도 간격을 둔다. 빛자극에 따른 뇌파 반응으로는 ① 광 구동 반응(photic driving response) - 빛자극에 따라 후두 부위에 빛자극 주파수에 일치하는 파형이 관찰된다. 빛 주파수에 따라 양측 후두부에 나타나지 않은 경우도 있지만 좌우 비대칭 반응을 보이는 경우에는 광 구동 반응이 나타나지 않은 쪽을 이상 소견이라 할 수 있다. 광 구동 반응이 보이면 visual pathway가 정상 소견임을 시사한다. ② photomyoclonic response - 빛자극으로 인해 안면 근육의 수축으로 인해 나타나는 소견으로 주로 전두엽에서 관찰 되며 정상적인 소견이다. ③ photoconvulsive response - 일부 정상인에서도 나타날 수도 있지만 비정상적인 반응으로, 빛자극에 따라 뇌전증파가 발생되는 경우를 말한다. ④ 빛자극 시 뇌전증파 발생은 물론 뇌전증 발작이 유발되는 경우를 광과민성 뇌전증이라 칭한다. 최근 전자 오락기와 컴퓨터의 광범위한 보급으로 광과민성 뇌전증의 중요성이 강조 되고 있는 시점에서 중요한 유발 검사로 생각된다.

수면 박탈에 의한 수면 유발 검사

환자의 수면기 또는 각성기에 따라 뇌전증파 형태의 변화나 빈도가 변화하고 환자의 전신 상태에 따라 뇌전증파의 발생 빈도가 달라질 수 있다. 따라서 뇌파검사 시 수면-각성기를 고려하지 않으면 뇌전증 진단에 혼선이 올 수 있다. 정확한 뇌파검사를 위해서는 각성기와 수면기 모두를 포함하는 뇌파가 필요하다. 또한 뇌전증파 발생률을 높이기 위해서 수면 박탈을 유도한 뒤 각성 뇌파에서 시작하여 자연 수면으로 유도되는 뇌파 기록이 가장 이상적인 뇌파이다. 대부분 뇌전증파 발생은 수면 박탈 자극에 민감하며 환자의 수면 상태에 따라 많은 차이점이 관찰된다. 특히 양성 Rolandic 뇌전증인 경우 각성기 뇌파는 때로 거의 정상 소견을 나타날 수도 있지만 수면기에는 많은 양의 뇌전증파를 관찰할 수 있다. 반면 결신 발작인 경우 각성기 뇌파 시 전형적인 3 Hz spike wave complex를 나타내지만 수면 상태에서는 파형이 느려져 오히려 비정형 결신 발작을 의심하는 소견이 관찰된다.

(6) 소아기 비정상 뇌파 소견

비정상 뇌파는 크게 배경파의 이상과 돌발파 발생으로 나눌 수 있다. 배경파의 이상은 좌우 대칭성의 결여, 부분 또는 전반적인 서파 혹은 속파의 증가, 나이에 비해 미숙한 배경파 등으로 나눌 수 있으며 이는 겉질하 이상을 시사한다. 돌발파에는 극파나 예파를 포함한 뇌전증파는 물론이고 부분적 또는 전반적으로 발생하는 반복적이며 율동적인 파형을 말하며 이는 뇌전증 또는 뇌 병변을 시사한다.

배경파 이상

뇌파의 기본 구조는 각성/수면 상태, 수면의 깊이에 따라 일정한 형태의 파형들이 좌우 대칭적으로 연속성을 가지며 구성되는데 이를 배경파라 한다. 이는 뇌 겉질 활동과 뇌간, 시상 등의 기타 여러 겉질하 구조들의 상호 작용에 의해 만들어지며 뇌의 기본 활동을 의미한다. 따라서 배경파의 이상은 뇌파 형성의 기본 구조물들의 구조적 또는 기능적 이상이 있음을 시사한다.

미성숙 뇌파

소아 뇌파는 발달 과정의 뇌 기능을 검사하기 때문에 발달 연령에 따라 그 정상 기준이 다르다. 특히 신생아기를 포함한 생후 첫 2년간은 뇌성장이 매우 빠른 시기로 이 기간 동안 뇌파 또한 급속하게 성숙되며 대부분 완성된다. 하지만 정상 발달 범위가 넓어 연령별로 아주 세분해서 성숙도를 확정할 수는 없다. 따라서 각 파형의 정상 발달 연령과 대부분 소실하는 연령 등을 고려하여 수태연령에 합당한 배경파 성숙여부를 판단한다.

대칭성 결여

정상적인 뇌파는, 비록 일부 파형들이 만2세 이전에 비동기형태를 보일 수 있으나, 전체적으로는 대부분 좌우 대칭적으로 나타난다. 후두부 α파나 수면에 관련된 파형과 같이 정상적으로 대칭을 이뤄야 할 파형에서 비대칭성을 보이거나, 약물이나 빛자극 등의 유발 검사 시 좌우차가 뚜렷하거나 한쪽이 결여될 때에는 반응이 낮은 쪽을 비정상으로 판단한다.

서파 증가

θ및 δ영역의 파를 서파라 하며 배경파 중 어느 부분 또는 전반적인 서파의 증가는 동측의 겉질하 기능장애를 시사한다. 특히 서파의 형태가 일정하지 않고, 진폭이나 주파수가 서로 다른 δ영역의 서파를 polymorphic delta activity라 하며 이는 대뇌의 종괴 같은 병변이나 겉질 또는 겉질하 기능이상을 의미한다.

등전위 형태(isoelectrical pattern)

전체 뇌파가 2 μV/mm의 민감도에도 2 μV 이하인 경우를 말하며 심한 가사상태, 수막염, 뇌기형, 뇌사 상태를 시사하며 예후가 매우 불량한 뇌파이다.

돌발-억제 형태(burst-suppression pattern)

저진폭의 배경파와 θ, δ영역의 고진폭 서파에 극파, 속파가 섞여 있는 돌발파가 교대로 나타나는 배경파를 말하며 매우 불량한 예후를 시사한다. 돌발파는 율동성을 보이며 연령에 관계없이 동기성을 보이며, 외적 자극이나 수면-각성 주기에 관계없이 나타난다(6장 뇌전증 참조).

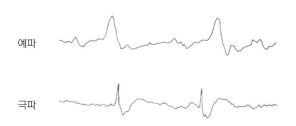

예파

극파

■ 그림 1-27. 극파 및 예파
단극유도에서는 위로 향하는 음성파가 뇌전증 활동을 나타내며 70 msec 이하를 극파, 200 msec 이하를 예파라 한다.

삼상파(triphasic waves)

Pseudo-paroxysmal spike and waves에 극파 같은 파형이 붙어있는 형태, 즉 고진폭의 양전위-음전위-양전위의 형태이다. 주로 전두부에서 규칙적으로 반복 발생되며 대사성 뇌증의 특성으로 알려져 있으나 여러 원인의 미만성 대뇌장애 질환에서도 발견된다.

돌발파

돌발파란 뇌파를 구성하는 기본 구조에서 주위 뇌파와는 전혀 다른 형태의 파가 갑자기 발생되는 것으로 뇌전증성 및 비 뇌전증성 돌발파로 나눌 수 있다.

극파(spike) 및 예파(sharp waves)

단극유도에서는 위로 향하는 음성파가 뇌전증 활동을 나타내며 70 msec 이하를 극파 200 msec 이하를 예파라 한다(그림 1-27). 전반적 또는 부분적으로 발생하며, 뇌전증 형태에 따라 발생부위가 관련이 있을 수 있다. 수면, 각성 주기에 영향을 받지 않으나 수면 중에 더 자주 발생한다. 정상에서도 1.5% 정도 발생가능하며 뇌 기질적 장애, 특히 뇌 겉질 침범 질환에서도 발생한다. 양측 대뇌반구를 포함한 3곳 이상에서 발생하는 경우를 다국소 극파라고 하며 불량한 예후를 시사한다. 2개 이상의 극파가 동시에 발생시는 다극파(polyspike)라 하며 간대근경련뇌전증에서 동반된다.

극서파 복합(spike-wave complex)

극파와 서파가 유기적으로 발생하는 경우를 말하며 발생되는 주기에 따라 시사하는 질환이 다르다. 즉 3 Hz 주기의 전반적인 극서파 복합을 보이는 경우 전형적인 결신 발작 때 관찰되나, 0.5-2.5 Hz를 보이는 경우는 Lennox-Gastaut 증후군 같은 예후가 불량한 질환들에서 보일 수 있다(6장 뇌전증 참조).

주기적인 파형들(periodic discharges)

기존 배경파와는 다르게 일정한 주기를 가지는 파형은 비정상파로 판정한다. 뇌의 일부 부위에서 100-200 μV 고 진폭의 100-200 msec 정도의 예파가 1-2초 간격의 주기로 나타나는 파형을 주기성 편측 뇌전증모양방전(periodic lateralized epileptiform discharges; PLEDs)라 하는데, 이는 해당 뇌 부위에 심각한 급성 뇌병증을 시사한다(6장 뇌전증 참조). 대뇌 양측으로 비대칭적인 경우, 특히 측두엽에서 발생할 때는 반드시 herpes 뇌염을 감별 진단해야 한다. 주로 질병의 급성기 때 발생하며 수일에서 수주가 지나면 서파(polymorphic delta activity)로 바뀐다. 뇌의 어느 한 부위 또는 전반적인 돌발성 속파(generalized paroxysmal fast activity; GPFA)를 보일 수 있다. 이는 흥분성 뇌파가 뇌의 해당 부위에 발생하는 파형을 말하며, 발생 부위의 뇌가 높은 뇌전증 성향을 가지고 있다는 것을 시사한다. 소아연령에서 5-6초 간격으로 전반적인 sharp-wave 복합체를 반복적으로 보이는 경우는 아급성 경화 범뇌염(subacute scle-rosing panencephalitis; SSPE)를 의심할 수 있다.

고부정뇌파(hypsarrhythmia)

발달 중인 뇌에서 다양한 원인에 의한 심한 미만성 뇌 손상이 있을 때 발생하며 주로 생후 첫 해에 나타난다. 뇌파는 비반복성 고진폭 서파가 불규칙하게 나타나며, 여기에 다초점극파, 예파가 뒤섞여 있는 형태를 보인다. 수면 중 non-REM 수면에서 가장 잘 나타난다. 임상적으로 영아 연축을 시사하나 미만성 뇌병변, 저산소허혈뇌증, 또는 다른 형태의 뇌전증 등에서도 관찰될 수 있고 대부분 불량한 예후를 시사한다(6장 뇌전증 참조).

(7) 잡파(Artifacts)

뇌파를 검사하는 동안 뇌 활동 이외의 원인에 의하여 기록되는 모든 전기적인 활동을 말하며 신체적인 잡파 및 비신체적인 잡파로 구별된다. 신체적인 원인으로는 근전도,

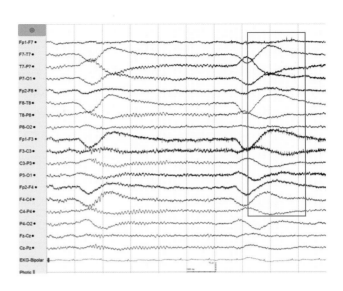

■ 그림 1-28. 잡파
발한에 의해서 큰 진폭과 지나치게 느린 서파가 관찰된다.

심전도, 맥박, 안구 운동, 몸의 움직임, 호흡, 발한 등에 의한 피부 반응 등이 있으며, 비신체적인 원인으로는 전극의 접촉 불량, 정전기, 환자 주변 기계의 잡음 혼입 등이 있다. 이중 심전도, 근육 운동, 안구 운동에 의한 잡파가 가장 많이 발견된다. 뇌파는 심전도와는 다르게 뇌파는 매우 낮은 전위를 증폭하여 기록하기 때문에 정확한 뇌파 판독을 위해서는 잡파의 발생을 억제하고 뇌파 판독 시 잡파를 가려내는 일 또한 매우 중요하다(그림 1-28).

(8) 뇌파 판독

소아청소년의 뇌파 판독은 ① 환자 연령에 적절한 뇌파의 성숙여부 ② 뇌의 좌우 및 전후부의 배경파 발달 정도 및 균형 여부 ③ 뇌전증파 존재 유무 ④ 전반적이거나 부분적인 서파 또는 속파의 출현 여부 ⑤ 유발 검사에 대한 반응 ⑥ 잡파 여부 등을 반드시 고려하고 판독해야 한다. 또한 소아의 뇌파검사에서는 첫 검사와 추적 검사가 일치하지 않는 경우가 많으므로 판독할 때 임상양상을 고려해야 한다.

진폭통합뇌파(aEEG, amplitude-integrated electroencephalogram)

발작의 정확한 진단을 위해서는 일반적인 뇌파분석 나아가 비디오 감시 뇌파 분석을 통한 진단이 이상적이지만,

진폭통합뇌파(aEEG, amplitude-integrated electroencepha-logram)와 같이 간략한 뇌파의 패턴을 감시하기 위한 장비도 신생아 또는 소아 중환자실의 집중 감시에 이용될 수 있다. 진폭통합뇌파는 시간경과에 따른 약물 또는 시술에 의한 효과를 감시하고 발작을 발견하는 데에도 이용될 수 있다. 최근의 장비들은 이러한 일반적인 뇌파와 진폭통합뇌파를 모두 측정할 수 있도록 고안되어 있어, 필요에 따라 서로 보완적으로 적용이 가능하다. 진폭통합뇌파는 일반적인 뇌파 분석을 위한 정규 교육을 받은 소아신경전문의가 아니더라도 비교적 쉽게 판독이 가능한 장점이 있으며, 배경뇌파의 변화에 의한 뇌병증 뿐만 아니라 발작파의 발견에서도 유용성을 인정받고 있다. 연구에 따라 발작의 발견율이 25%에서 85%까지 보고되고 있으며 발작파의 진폭이나 빈도, 발작파의 위치, 사용한 전극의 수에 따라 차이를 보일 수 있다. 또한 진폭통합뇌파는 일반적인 뇌파분석에 비해 잡파의 영향을 확인하기 어려운 단점이 있어, 이

러한 진폭통합뇌파의 장단점을 잘 이해해야 할 필요가 있다. 진폭통합뇌파의 가장 큰 장점은 소아신경전문의의 도움 없이 중환자실 담당 의사 또는 간호사에 의해 발작을 실시간으로 발견하는 데에 있으며, 따라서 소아신경전문의에 의해 뇌파의 확인이 추가로 이루어질 필요가 있다. 특히 신생아의 저산소성 허혈성 뇌병증의 감시와 예후를 판단하는 데에 중요한 정보를 제공할 수 있는데 저체온치료를 시행하지 않은 출생 후 3-6시간과 24-48시간 측정된 진폭통합뇌파는 예후 예측에 높은 상관성을 보이지만, 저체온치료를 시행한 경우에는 출생 후 3-6시간 측정된 진폭통합뇌파의 예후 예측에는 상관성이 떨어지는 것으로 보고되고 있다.

03

뇌영상 검사

Neuroimaging

| 고아라, 권혜은, 정다은, 이준수 |

1. 소아 영상 검사를 위한 방법

(1) 진정요법(Sedation)

정확한 영상 검사의 결과를 위해서 8세 미만 연령의 MRI 촬영 시에는 대부분 진정 요법이 필요하다. 연령에 따른 진정 방법에는 차이가 있지만 6-8세 연령을 대상으로는 영화 등의 시청각 시스템을 이용해 진정제를 사용하지 않는 방법도 성공적으로 시도되고 있다. 진정에 사용되는 약물은 경구, 항문, 근육, 정맥 등의 여러 경로를 통해 사용가능하며 chloral hydrate는 경구 약물 중 안정성과 효과로 널리 사용되어 왔으나 잠재적인 암 발생 가능성으로 인해 현재 일부 국가에서 그 사용이 제한되고 있다. 정맥 주입 방법은 약물의 빠른 발현, 용량 조절 및 추가적인 약물 투여가 쉬운 장점이 있고 효과적으로 사용되는 약물은 pentobarbital 등이 있다. 진정제를 투여한 모든 영유아의 활력 징후는 측정하도록 권고되며 특히 MR 촬영 시 자기장으로 인해 의료 기기의 사용 제한이 생길 수 있어 주의가 필요하다. 미숙아의 경우 초음파 검사가 주로 사용되나 MRI 검사가 필요한 경우 체온 유지 및 활력징후 감시가 필요하며 신생아 전문 의료인과의 협업이 권고된다.

(2) 조영제

소아에서 CT, MRI 촬영 시 비조영증강 촬영이 권장되나 검사에서 이상이 있는 경우에는 조영제 사용이 필요할 수 있다. 특히 MRI gadolinium 조영제 사용 시 신기능이 저하된 소아에서는 신장 조직의 경화를 유발하는 nephrogenic systemic fibrosis가 발생할 수 있어 주의가 필요하다.

(3) 초음파의 적용 및 방법

초음파는 방사선을 사용하지 않으며 비침습적이며 진정제 사용이 필요하지 않아 신생아에게 가장 우선적으로 시행할 수 있는 영상학적 방법이다. 초음파 기술의 발달로 일부 제한이 있으나 뇌의 전 영역에서 MRI와 견줄만한 영상 정보를 얻을 수 있다. 숙련된 검사자를 통해 다양한 종류의 탐촉자의 사용이 가능하며 도플러 초음파를 이용하여 동맥과 정맥에서 관련된 정보도 얻을 수 있다.

(4) CT Scan의 적용 및 방법

연령이 어릴수록 방사선 관련 질환의 위험성이 높다. CT 검사는 방사선 노출을 최소화 하기 위해 조사되는 방사선량을 검사 목적에 맞게 설정하는 것이 중요하다. 예를 들어, 수두증 환자처럼 수년에 걸쳐 반복적인 CT 검사가 필요한 경우에는 누적 방사선량에 대한 고려가 필요하다. 또한 두개안면기형이나 조기두개유합증의 경우에는 CT slice의 두께가 2.5 mm 미만이어야 하며 3D Reconstruction 기술을 통해 두개골을 구체적이고 3차원적으로 평가해야 한다.

2. 신생아 영유아 뇌 두개골 및 척추 발달

뇌는 신생아나 영아의 각 발달 단계의 기능에 발 맞추어 체계적으로 성숙한다. 신경영상기법이 발달되기 이전에는 이러한 정상적인 뇌 성숙단계를 생체 내에서 관찰하는 것이 불가능하였으나, 현대 여러 신경영상기법, 특히 뇌 자기공명영상(magnetic resonance imaging, MRI) 기법의 발달로 뇌 성숙의 여러 측면의 관찰, 분석이 가능해졌다.

(1) 태아/미숙아 뇌 발달

영상 기법에 따라 평가할 수 있는 뇌 발달 특질이 다르다. 만약 앞숫구멍이 충분히 넓다면, 뇌초음파를 통해 뇌 이랑과 고랑의 발달은 전산화단층촬영(computed tomography, CT)과 MRI와 거의 비슷한 수준으로 평가할 수 있으나, 뇌 말이집형성(myelination)에 대한 정보는 얻을 수 없다. CT 또한 뇌 고랑 발달 평가에는 유용하나 말이집 발달 평가에는 적합하지 않다. MRI는 말이집형성, 뇌 고랑 발달, 화학적 성숙 모든 평가에 적합하다. 따라서 CT는 전리 방사선을 사용하는데 반해 뇌초음파나 MRI에 비해 얻는 정보에서 이득이 없기 때문에 태아나 미숙아 뇌영상기법으로는 추천되지 않는다.

태아의 뇌 고랑(sulcus)은 규칙적인 순서에 따라 나타난다. 가장 먼저 나타나는 태아 뇌 고랑인 원시 실비우스 틈새(primitive Sylvian fissure)는 임신연령(gestational age) 4개월째부터 태아 영상에서 확인된다. 그 다음에는 새발톱(calcarine), 마루뒤통수(parietooccipital), 띠(cingulate) 고랑이 임신나이 5개월(20-22주)에 나타나고, 이후 중심(central), 마루엽속(intraparietal), 위관자(superior temporal) 고랑이 임신나이 6개월 말(25주)에, 중심앞(precentral), 중심뒤(postcentral), 위이마(superior frontal), 중간관자(middle temporal) 고랑이 임신나이 7개월(24-28주)에 나타난다.

뇌 이랑(gyrus)은 감각운동 및 시각경로에서 가장 먼저 발달되며, 이 영역에서 말이집형성, 포도당 섭취(glucose intake) 증가, 뇌 관류(cerebral perfusion) 증가, 뇌겉질 미세구조(cortical microstructure) 성숙도 가장 먼저 일어난다. 뇌 이랑 발달은 뇌바닥이마(frontobasal), 이마극(frontopolar), 앞관자(anterior temporal) 영역에서 가장 천천히 일어나며, 이 영역에서 말이집형성 및 다른 대사적 성숙도 가장

늦게 일어난다.

요약하자면 임신 24주 이전에는 넓게 수직으로 있는 실비우스 틈새 외에는 기본적으로 뇌는 이랑이 없는(agyric) 상태이다가 발달이 진행되어 임신 38-40주에는 거의 정상 성인과 같은 고랑 패턴을 가지게 된다. 이러한 뇌 고랑의 형성이 임신 후반기에 일어나기 때문에, 미숙아의 뇌 영상은 깊이가 얕고 개수가 적은 뇌 고랑을 보인다. 따라서 환아의 뇌 고랑 패턴을 분석하기에 앞서 정확한 수태후연령(postconceptional age)을 아는 것이 중요하다. 또한 미숙아에서 같은 수태후연령의 태아와 비교했을 때, 뇌 고랑 형성, 말이집형성, 뇌량(corpus callosum) 발달이 더 더디게 지연되어 진행된다는 점 또한 고려 대상이 되어야 한다.

(2) 출생 후 뇌 발달

영상학적으로 본다면, 출생 후의 뇌 발달은 말이집형성에 따른 신호강도(signal intensity)의 변화가 주가 된다. 뇌 말이집형성은 태아기에 5개월째에 시작되어, 뇌신경(cranial nerve)의 말이집형성은 평생 계속된다. 기본적으로 말이집형성은 꼬리에서 머리쪽으로, 등쪽에서 배쪽으로 진행하며, 뇌의 한 특정 영역에서는 뒤쪽 부분이 먼저 말이집형성이 되는 경향이 있다. 따라서 뇌간(brainstem), 소뇌 및 기저핵(basal ganglia), 대뇌반구 순으로 말이집형성이 진행하며, 등쪽 뇌간이 배쪽 뇌간보다 먼저 말이집형성이 되고, 후두엽(occipital lobe)이 전전두엽(prefrontal)보다 먼저 말이집형성이 진행된다. 말이집형성은 또한 생후 초기에 쓰여지는 기능 영역이 나이가 더 들어서 쓰여지는 기능 영역보다 더 빨리 진행되는 경향이 있다. 따라서 뇌줄기에서는 평형감각, 청각, 촉각, 고유감각을 전달하는 안쪽세로다발(medial longitudinal fasciculus), 가쪽 및 안쪽섬유띠(lateral and medial lemnisci), 아래 및 위소뇌다리(inferior and superior cerebellar peduncles)는 출생 시 말이집형성이 되어있는 반면, 소뇌로 운동 신호를 전달하는 중간소뇌다리(middle cerebellar peduncle)는 더 나중에 천천히 말이집형성이 진행된다. 같은 이유로, 대뇌에서는 무릎(geniculate) 및 새발톱(calcarine) 영역(시각), 중심뒤(postcentral) 영역(몸감각), 중심앞(precentral) 영역(고유-운동감각)에서 감각 경험을 통합하는 연합영역인 뒤쪽 마루(posterior parietal), 관자(temporal), 이마(frontal) 영역보다 더 먼저 말이집형성이

표 1-10. 말이집형성이 나타나는 시기

해부학적 위치	T1 강조영상	T2 강조영상
안쪽세로다발(medial longitudinal fasciculus)	25주	29주
가쪽섬유띠(lateral lemniscus)	26주	27주
안쪽섬유띠(medial lemniscus)	27주	30주
위소뇌다리(superior cerebellar peduncles)	28주	27주
중간소뇌다리(middle cerebellar peduncle)	출생 시	출생-2개월
대뇌 백질(cerebral white matter)	출생-4개월	3-5개월
속섬유막뒤다리(posterior limb of internal capsule) 앞부분(anterior portion) 뒷부분(posterior portion)	 출생-1개월 36주	 4-7개월 40주
속섬유막앞다리(anterior limb of internal capsule)	2-3개월	7-11개월
뇌들보팽대(splenium of corpus callosum)	3-4개월	4-6개월
뒤통수 백질(occipital white matter) 심부(deep) 겉질밑(subcortical)	 3-5개월 4-7개월	 9-14개월 11-15개월
중간이마 백질(midfrontal white matter) 심부(deep) 겉질밑(subcortical)	 3-6개월 7-11개월	 11-16개월 14-18개월
앞이마 백질(anterior frontal white matter) 심부(deep) 겉질밑(subcortical)	 5-8개월 10-15개월	 12-18개월 24-30개월
반란원중심(centrum semiovale)	2-4개월	7-11개월

이루어지게 된다. 이러한 말이집형성은 생후 첫 2년간 빠르게 진행되다가, 생후 2년이 지난 후에는 뚜렷이 그 속도가 느려진다.

말이집형성에 따른 변화는 생후 6-8개월까지는 T1 강조영상에서 잘 보이며, 생후 6-18개월에는 T2 강조영상에서 잘 관찰된다. 뇌간과 소뇌의 성숙 평가에는 T2 강조영상이 더 민감하다. 이완율을 측정하면 지속적인 말이집형성과 이로 인한 수분 감소에 따른 이차적인 백질과 회백질의 T1 감소가 청소년기까지 지속되는 것이 확인되나, 회백질과 백질의 이완율이 비례해서 변화하므로 이는 통상적인 MRI에서 감지되지 않는다. 따라서 통상적인 MRI 상에서 백질의 신호강도의 변화는 생후 2세까지 진행되고 멈춘다. 뇌의 각 부위에서 말이집형성이 나타나는 시기는 표 1-10에 요약되어 있다.

(3) 뇌량 발달과 자기공명영상

뇌량의 MR 상 모습은 태아와 미숙아, 만삭 신생아와 영아, 성인에서 각기 다르다. 성인과 같은 뇌량의 모습으로의 발달은 출생 후 8-10개월 동안 천천히 이루어진다. 태아와 미숙아에서 뇌량은 T1 강조영상에서 겉질 회백질보다 저신호강도로, T2 강조영상에서 주변 뇌구조물과 동일한 신호강도로 보이며, 아주 얇고 굵기가 일정하여 특히 임신나이 24주 미만에서 통상적인 시상영상에서 확인하기 어려울 수 있다. 만삭아에서는 보통 뇌량이 MRI 상 확인이 되며 신호강도는 T1 강조영상에서 겉질 회백질의 신호강도에 가까워지고, 뇌량의 모양은 얇고 납작하다. 출생 후 개인차는 있으나 보통 빠르면 생후 2-3개월부터 뇌량무릎(genu)이 두꺼워지며 커진다. 뇌량팽대(splenium)는 생후 4-5개월까지는 천천히 커지다가 이후 급속도로 커져 생후

7개월 말이 되면 무릎과 크기가 비슷해지고 이후에는 무릎과 비례하여 커져 생후 9-10개월에는 성인과 비슷한 뇌량의 모습을 갖추게 된다.

(4) 뇌하수체 발달과 자기공명영상

태아와 신생아에서 뇌하수체는 볼록한 위쪽 면을 가지며 T1 강조영상에서 나머지 뇌에 비해 고신호강도로 보인다. 신호강도와 크기는 출생 후 약 2개월 동안 감소하여, 편평하거나 약간 오목한 위쪽 면을 가지며 T1 강조영상에서 정상 회백질의 신호강도를 갖는 정상 소아의 뇌하수체의 모양을 갖추게 된다. 이러한 변화는 만삭아와 미숙아에서 출생 후 비슷하게 나타나므로, 이러한 변화가 영아의 발달 단계보다는 자궁 외 생활의 적응 과정 중 나타나는 변화임을 시사한다. 소아기 동안 뇌하수체는 모양은 그대로 유지하며 아주 천천히 자란다. 그러다가 사춘기가 도래하며 뇌하수체는 급속도로 커지며, 여성에서는 위가 볼록해지는 모양으로 변화한다. 이후에는 성인의 뇌하수체 모양으로 5-8년에 걸쳐 천천히 발달한다.

(5) 머리 숫구멍과 봉합

신생아에서 두개골은 여러 작은 뼈로 이루어져 있으며, 이러한 작은 뼈는 결합조직으로 이루어진 봉합(suture, 2개의 뼈가 만나는 면) 또는 숫구멍(fontanelle, 3개 이상의 뼈가 만나는 면)으로 구분되어 있다. 신생아에서는 6개의 주요 봉합(이마(metopic)봉합, 양쪽 관상(coronal)봉합, 양쪽 시옷(lambdoid)봉합, 시상(sagittal)봉합), 1개의 주요 숫구멍(앞숫구멍) 및 5개의 작은 숫구멍(양쪽 앞가쪽숫구멍, 뒷숫구멍, 양쪽 뒤가쪽숫구멍)이 관찰된다. 봉합과 숫구멍이 조기에 닫히는 것은 수술적 처치가 필요하거나 기저 증후군이나 대사질환의 징후일 수 있으므로, 봉합과 숫구멍 폐쇄의 정상 시기는 임상적으로 의의가 있다. 숫구멍이 먼저 닫혀 뒷숫구멍이 8주, 앞가쪽숫구멍이 3개월, 앞숫구멍이 15-18개월, 뒤가쪽숫구멍이 24개월에 닫힌다. 가장 먼저 닫히는 봉합은 이마봉합으로, 빠르면 3개월부터 닫히기 시작하여 9개월에 완전히 닫힌다. 다른 봉합은 성인기에 완전히 닫히며 정확한 시기는 정립되어 있지 않다. 그러나 생후 첫 1년 동안은 시상봉합, 관상봉합, 시옷봉합의 어느 부분도 닫힌 것으로 보여서는 안되는 것이 일반적인 원칙이다.

(6) 부비동의 발달

부비동은 안구의 내측과 접한 상태로 공기화(pneumatization)가 완료되지 않은 상태로 출생하며 이중 상악동이 가장 먼저 발달한다. 유년기에는 매년 수직 방향으로 2 mm, 수평 방향으로 3 mm 속도로 공기화가 빠르게 진행되며 얼굴 성장이 멈추는 사춘기가 끝나는 시기까지 성장이 지속된다. 출생 후 1년 동안에는 부비동의 외측 벽이 안구의 내측 벽까지 확장되고 4세 경까지는 측면이 더욱 확장되어 안와하관(infraorbital canal)까지 확장되며 9세에는 상악골과 경구개(hard plate)에 도달하게 된다.

(7) 뇌의 철 농도의 정상 발달(Normal development of brain iron)

성인에서 뇌의 특정 부위에서, 특히 고해상도의 T2 강조영상에서 저음영으로 표시되는 부분이 확인되고 있는데 이러한 현상은 선후관계에 대한 논란이 있으나 그 부위에 상대적으로 높은 농도의 철(iron)로 인해 영상학적 소견으로 추정된다. 이러한 철의 침착이 뚜렷한 곳은 기저핵의 창백핵(globus pallidus), 흑질(substantia nigra), 적색핵(red nuclei)과 소뇌의 치상핵(dentate nuclei) 등으로 아직 뇌가 미성숙한 소아에서는 백질에 비해 고음영으로 확인되지만 9-10세 경이 되면 백질과 비슷하거나 저음영으로 신호강도가 변하게 되며 이는 3T MRI 등의 고해상도 영상에서 더욱 잘 확인된다.

(8) 척수의 정상 발달 과정(Normal development of spine)

척추의 발달 과정은 CT를 통해서 골핵(ossification center) 사이에 위치한 연골 결합의 골화 과정을 확인할 수 있다. 영아와 소아 연령에서는 연골 결합이 지속될 수 있어 이를 CT 판독에서 골절로 잘못 판독할 수 있고 이를 방지하기 위해서는 소아 연령에서 정상적으로 연골 결합이 골화되는 순서를 알고 있어야 한다. 또한 척추체의 신경 고리(neural arch)와 척추체(vertebral body) 사이의 연골 결합은 MRI의 T1, T2 강조영상에서도 저음영의 linear band 소견으로 확인되며 그 소실 시기는 연령에 따라 차이가 있다. MRI 검사를 통해서는 척추체, 추간판(intervertebral disc), 연골 말단판(cartilageous endplates) 등의 성장에 따른 변화를 확인할 수 있고 크게 3단계의 시기 [Stage 1(출생 시-생후 1개월), Stage 2(생후 1-6개월), Stage 3(생후 7개월 이후)] 로 구분하여 영상 소견이 변한다. 척추체는 T1 영상 소견에서 Stage 1 기간에는 볼록한 모양으로 가장 중심부에는 골핵으로 추정되는 저음영 소견이 관찰되며 Stage 2 기간에는 Stage 1에서 확인했던 척추체 중심부의 저음영의 면적이 줄고 그 위, 아래쪽이 고음영 소견으로 변하기 시작하여 Stage III에 도달하면 전체 척추체가 고음영으로 관찰된다. 반면 추간판은 소아 연령 동안에 특별한 변화없이 T1 강조영상에는 저음영, T2 강조영상에는 고음영의 신호강도로 관찰되며 조영 증강은 거의 안된다. 연골 말단판(cartilageous endplates)은 척추체의 양끝에 위치하고 있는데 Stage 1에서는 척추체 osseous body의 약 절반 크기에 해당하나 Stage 3에서는 골화되어 척추에 합쳐지게 되며 약 2세 경에 직사각형 모양이 된다.

3. 자기공명영상

MR은 CT에 비해 연부조직의 대조도가 매우 뛰어나고, 횡단영상뿐만 아니라 관상영상과 시상영상 등 원하는 어떤 단면의 영상도 얻을 수 있는 장점 때문에 거의 모든 신경계질환의 영상진단에서 CT를 이미 대치하였다. 인체를 강력한 자장 속에 넣은 후 수소가 흡수할 수 있는, 즉 공명시킬 수 있는 고주파 에너지(pulse)를 가하면 인체 내의 수소는 이 에너지를 흡수하여 높은 에너지 준위가 된다. 이후 수소는 흡수했던 고주파 에너지를 다시 방출하면서 원래의 낮은 에너지 준위로 가려고 한다. 이때 방출되는 고주파 에너지(MR신호)를 수집하여 MR영상이 만들어진다. 신호의 크기는 각 조직의 고유한 수소 밀도, T1 이완시간과 T2 이완시간에 좌우된다. T1 및 T2 이완시간은 조직의 물리적 성질에 따라 다르며 이 차이가 MR영상에 반영된다.

(1) 기본적인 MR촬영 기법: 스핀에코와 경사에코 기법

일반적으로 MR영상을 얻기 위해서는 고주파 펄스의 발사와 신호획득을 일정한 간격으로 수십 내지 수백 번 반복한다. 조직의 T1, T2 정보를 극대화한 영상을 얻기 위해 고주파의 종류, 고주파의 발사 간격(반복시간 repetition time; TR)과 신호의 포착시간(에코시간echo time; TE)을 적절히 선택한 후, 수십 내지 수백 번의 신호 발사 및 포착

과정을 되풀이 하는데, 이렇게 고주파 펄스를 가하는 일련의 과정을 펄스 시퀀스(pulse sequence) 라고 한다. 가장 기본적인 영상기법으로서 스핀에코(spin echo; SE) 기법과 경사에코(gradient echo; GE) 기법이 있다.

(2) 스핀에코 기법

스핀에코 기법은 먼저 90도 고주파 펄스를 가한 후 이어서 180도 고주파 펄스를 가하여 신호를 받는 기법이다. 180도 고주파를 가함으로써 발생하는 신호를 스핀에코라고 한다. 스핀에코 기법에는 T1 강조영상(T1-weighted image)과 T2 강조영상(T2-weighted image)이 속한다. T1 강조영상은 TR과 TE를 짧게 하여 얻으며, T2 강조영상은 TR과 TE를 모두 길게 하여 얻는다.

T1 강조영상에서 조직의 신호강도

TR과 TE가 짧은 T1 강조영상에서 T1 이완시간이 짧은 조직은 희게 고신호강도로 보이고, T1 이완시간이 긴 조직은 검게 저신호강도로 보인다. 정상 뇌조직의 T1 강조영상의 신호강도를 보면 지방조직이 가장 높은 신호를 보이며 뇌백질, 뇌회백질, 뇌척수액 순으로 강도가 낮아진다. 병변은 대부분 T1 강조영상에서 저신호로, T2 강조영상에서는 고신호로 보인다. 예외적으로 T1 강조영상에서 고신호로 보이는 것은 지방조직, 아급성 출혈, 점액낭종과 같은 고단백질 함유 병소 등이다.

T2 강조영상에서 조직의 신호강도

TR과 TE이 긴 T2 강조영상에서는 T2가 짧은 조직이 저신호로 보이고 T2가 긴 조직은 고신호로 보인다. 정상 뇌조직의 T2 강조영상 신호강도를 보면 T2 이완시간이 가장 긴 뇌척수액이 가장 고신호로 보이고 뇌회백질, 뇌백질의 순으로 강도가 낮아진다. 각종 병변들은 대부분 T2 이완시간이 길어 T2 강조영상에서 고신호로 보이며 뇌부종, 탈수초병변, 경색, 종양 등이 대표적이다. 예외적으로 T2 강조영상에서 저신호로 보이는 것은 급성출혈, 만성출혈, 석회화, 섬유화, 고단백질 함유 병소, 혈액과 같은 흐르는 물질 등이다.

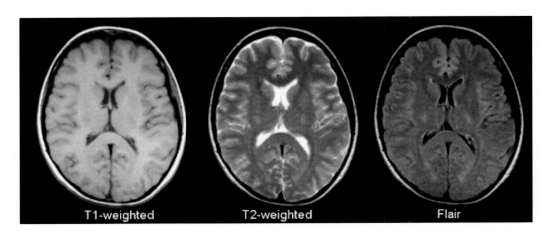

■ 그림 1-29. T1-weighted, T2-weighted and FLAIR imaging

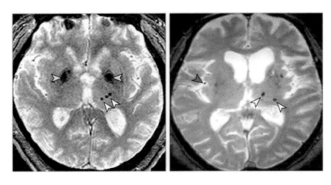

■ 그림 1-30. 미세출혈을 나타내는 T2-Weighted Gradient Echo Imaging

(3) 경사에코 기법

스핀에코 기법의 긴 촬영시간을 줄이기 위해 경사에코 기법이 출현하였다. 경사에코 영상은 스핀에코 영상에 비해 신호대잡음비와 조직대조도가 나쁘며 국소적 자기장 교란으로 자화율인공물(susceptibility artifact)이 크게 나타난다. 따라서 신호대잡음비가 나쁨에도 자화율 효과에 예민한 병변들 즉 출혈, 석회화, 철분침착 등의 진단에 매우 유용하게 사용된다. 또 3차원 영상획득 기법을 접목하면 다양한 목적의 고해상도 영상들을 얻을 수 있는데 뇌용적 측정을 위한 미세절편영상, MR혈관조영술, 뇌신경영상(cranial nerve imaging) 등이 대표적이다.

(4) 반전회복 inversion recovery 기법

FLAIR (Fluid Attenuated Inversion Recover)기법은 반전시간(inversion time; T1)을 길게하여 뇌척수액과 같은 물의 신호를 억제한 스핀에코 T2 강조영상기법이며 T1, T2 강조영상과 함께 임상에서 가장 널리 사용되는 기법이다. 물의 신호가 검게 억제되어 뇌실 주변부나 뇌이랑 등 뇌척수액과 인접한 부위의 병변을 발견하는데 매우 유용하다. 해마경화증, 지주막하출혈 등의 진단에도 유용하게 쓰인다(그림 1-29)(그림 1-30).

(5) 고속영상

고속영상기법에는 크게 경사에코 기법, 고속 스핀에코 기법, 에코평면영상(echo-planar imaging;EPI) 기법이 있다.

고속 스핀에코 영상

기존의 T2 강조영상에 비해 촬영시간을 수십 배까지 줄일 수 있으며 최근 대부분의 신경계 MR에서 고전적인 스핀에코 T2 강조영상을 대치하였다. 기존의 스핀에코영상이 한번의 90도 펄스와 180도 펄스 후에 1개의 신호를 받는 방식인 데 비해, 고속 스핀에코 영상에서는 한 번의 90도 펄수 후 180도 펄스를 수십 번 가하여 그 수만큼 신호를 받는 것이다. 고속 스핀에코 영상은 180도 고주파를 이용하므로 기존의 스핀에코 영상과 비슷한 조직 대조도를 보이나 T2 강조영상은 지방이 고신호로 보이고 자화율 효과가 적어 점상출혈을 발견하기 어려운 점 등이 단점이다.

경사에코 영상

180도 펄스 대신 주파수부호화 경사자장을 역전시킴으로써 붕괴되는 FID신호를 재초점화하는 경사에코 기법은 TR과 TE를 매우 짧게 할 수 있다. 고전적인 2차원 경사에코 영상은 TR을 500-800 msec 정도로 유지하므로 촬영 시간이 수분 정도 소요되나 TR을 수십 msec로 낮추어 단일 절편 기법을 적용하면 한 단면을 1초 정도에 얻을 수도 있다. 이러한 고속영상 기법은 EPI가 실용화되기 전에 관류영상 기법으로서 많이 사용되었다. 관류영상 기법이 EPI 기법으로 대치된 요즘 경사에코 기법은 고속촬영을 목적으로 하기보다는 3차원 기법과 접목하여 MR 혈관촬영술이나 고해상도의 영상을 얻는 데에 주로 사용되고 있다.

에코평면 영상

90도 고주파를 한 번 가한 후 짧은 시간 동안 위상부호화 경사자장과 주파수부호화 경사자장을 총 64-128회 반복하여 걸어주면서 총 64-128개의 신호를 얻는 기법이다. 수십 내지 수백 msec 내에 한 단면의 영상을 얻을 수 있다. 90도 고주파 직후 180도 펄스를 가하는 스핀에코 EPI와 가하지 않는 경사에코 EPI로 나눌 수 있다. 스핀에코 EPI는 확산강조영상에 이용되고, 경사에코 EPI는 관류영상과 기능적 영상에 이용된다.

(6) MR혈관 조영술

TOF (time of flight) 기법

TOF 기법은 움직이는 수소원자핵이 정지해 있는 수소에 비해 더 큰 신호를 낸다는 유입효과에 근거를 두고 있다. 이 기법은 20-30 msec의 매우 짧은 TR을 사용하므로 정지 수소는 짧은 간격의 반복적인 펄스에 의해 포화되는 반면, 움직이는 혈액의 수소는 펄스를 맞지 않은 새로운 수소들이 심장으로부터 계속 유입되므로 강한 신호를 낼 수 있다. 얻어진 source 영상은 MIP 기법으로 후처리를 하며 이때 일정 수준 이상의 신호강도를 보이는 화소들만 선택하여 다양한 투사 방향으로 영상을 재구성한다. 혈류속도가 늦거나 와류(turbulence)가 발생하는 곳에서도 신호가 감소하므로 진단에 유의해야 한다. 대표적인 예로 혈류의 속도가 느린 내경동맥 팽만부의 신호가 감소하여 마치 협착처럼 보이거나 실제 협착이 과장되어 보일 수 있다. 한편 고단백의 점액, 지방, 아급성기 출혈처럼 T1 이완시간이 짧은 조직이 고신호로 보이는 단점도 있다.

PC (phase contrast) 기법

자기장의 경사가 가해진 상태에서 혈류처럼 움직이는 수소는 조금씩 다른 강도의 자기장으로 이동하게 되며 따라서 세차 주파수도 조금씩 변해나간다. 세차 주파수가 변한 만큼 수소는 위상차이를 가지게 되며 이는 신호 감소로 반영된다는 것이 PC 기법의 원리이다. PC 기법은 고단백 점액, 지방, 아급성기 출혈들이 고신호로 보이지 않는 것은 물론 배경신호가 완전히 검게 보이는 장점이 있고 정맥처럼 느린 혈류도 잘 포착할 수 있다. 또한 위상차이를 이용하기 때문에 어느 한쪽 방향의 혈류는 고신호로, 반대 방향은 저신호로 보이게 할 수 있고, 혈류의 속도도 측정할 수 있다.

조영증강 혈관조영술

최근에는 조영제를 급속 주입한 후 동맥기나 정맥기에 국한된 혈관조영술을 얻는 기법이 개발되어 경동맥뿐만 아니라 대동맥, 복부동맥, 폐동맥, 말초동맥 등의 평가에 이용되고 있다. 조영제 주입으로 혈액의 T1 이완시간이 매우 짧아진 상태이므로 짧은 TR의 반복적인 펄스에도 혈액이 포화되지 않고 강한 신호를 낼 수 있다. 조영제를 사용하므로 TOF 기법과 달리 느린 혈류나 와류에 의한 신호감소가 발생하지 않으며, TE가 매우 짧아 보철 등의 이물질로 인한 자화율 인공물도 매우 적다. 아직 공간해상도는 3차원 TOF 기법에 미치지 못한다.

(7) 특수영상기법

장비의 성능이 개선되고 여러 가지 영상기법이 개발되면서 뇌의 기능적, 생리적, 생화학적 정보를 얻을 수 있는 기법이 등장하게 되었다.

확산강조영상
확산텐서영상
관류영상

관류영상(perfusion imaging)은 Gadolinium 같은 조영제를 사용하는 일차통과기법과 180도 반전펄스를 가해 혈액 내의 수소를 내부표지자로 이용하는 스핀표지(spin labeling) 기법이 있다.

정맥으로 급속 주입한 조영제가 뇌혈관을 처음 통과할

때 혈관 내의 높은 조영제 농도에 의해 국소 자기장의 비균질성이 발생하며 이로 인해 주변 뇌조직의 신호가 크게 감소한다. 이때를 전후로 약 1분 동안 경사에코 기법을 역동적으로 1-2초 간격으로 시행한다. 이렇게 얻은 일련의 source 영상으로부터 화소별로 시간에 따른 신호강도 변화를 측정하고, 소프트웨어를 이용하여 CBF (cerebral blood flow), MTT (mean transit time), CBV (cerebral blood volume), TTP (time to peak) 등 혈역학적 변수를 계산한다. 스핀표지 기법은 180도 반전펄스를 이용하여 동맥 내 수소를 자화시킨 표지영상과 비표지영상을 감산하여 관류영상을 얻는 기법이다. 조영제를 사용하지 않아 얼마든지 검사를 반복할 수 있고 CBF의 절대량을 측정할 수 있는 장점이 있으나 신호대잡음비가 낮고 스캔시간이 긴 단점이 있다. 또 혈관 협착이나 폐쇄 등으로 혈류의 통과시간이 지연되거나 우회하는 경우에는 CBF값이 과소 측정될 수 있다. 관류영상은 허혈성 뇌졸중과 뇌종양이 주 적응증이다. 또 확산강조영상을 함께 시행하여 허혈성 경계부위(ischemic penumbra, 관류영상에서는 결손으로 나타나고 확산강조영상에서는 정상으로 보이는 부위)가 있는지 확인함으로써 혈전용해술의 적응증을 결정하는 데 도움을 주고 있다. 뇌종양에서는 주로 종양의 혈관상태를 평가하기 위하여 시행되어 왔다. 가장 널리 연구된 분야는 교종(glioma)에서 조직학적 등급의 예측이다. 재발된 악성종양과 방사선 괴사의 감별에도 이용이 가능하다.

뇌활성화 기능영상

손발을 움직이게 하거나 감각자극 또는 시각자극을 주거나 고위 대뇌기능을 수행하게 하면, 이를 관장하는 대뇌겉질의 혈류 및 대사가 국소적으로 증가한다. 이러한 생리적 변화를 이용하여 활성화된 부분을 영상화하는 것이 기능영상이다. 기능영상의 기법에는 BOLD (blood oxygen level dependent) 기법과 스핀표지 기법이 있으며, 사용하기 쉬운 BOLD 기법이 주로 이용되고 있다. 뇌의 활성에 따른 국소적 혈류 증가는 곧 조직으로 공급되는 산소량의 증가를 의미하는데 이때 증가한 산소량은 활성화된 뇌조직이 실제 필요로 하는 양보다 많다. 따라서 사용되지 못한 과잉의 산소는 활성화된 뇌조직의 유출정맥으로 흘러나가 정맥 내 옥시헤모글로빈 농도를 증가시켜 상대적으로 정맥

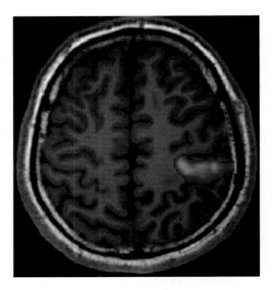

■ 그림 1-31. 우측 손가락을 움직이면서 시행한 기능영상으로 좌측중심전이랑(precentral gyrus)에서 활성화 신호가 보인다.

내 옥시헤모글로빈의 농도는 감소하게 된다. 디옥시헤모글로빈은 조직의 T2 이완시간을 감소시키는 상자성 물질이므로 활성화된 뇌조직은 T2 강조영상에서 신호가 증가한다. 이러한 기능영상은 국소적인 병소를 제거하는 뇌수술을 할 때 중요한 뇌기능의 위치를 미리 파악함으로써 절제 범위를 결정하는 데에 도움을 주고 있으며, 수술로 인한 기능손상을 예측하는 데에 이용할 수 있다. 또한 침습적인 와다검사를 대신하여 우세 대뇌반구의 결정에도 활용되고 있다(그림 1-31).

자기공명분광법(MR spectroscopy; MRS)

자기공명분광법은 비침습적으로 생체조직의 생화학적 정보를 알아내는 방법이다. MRS에서 대사물질의 공명주파수는 스펙트럼 형태로 결과가 제공되며 자장의 세기가 변하더라도 공명주파수를 일정한 값으로 표시하기 위하여 각 물질과 TMS (tetramethysilane)라는 참고물질과의 공명주파수 차이를 상대적인 비율인 ppm (part per million)으로 표시하고 있다. MRS의 결과로 제공된 스펙트럼에서 각 peak의 면적은 그 물질의 농도에 비례하게 된다. 각 대사물질의 의미를 알아보면, NAA는 뇌손상을 초래하는 대부분의 질환에서 감소한다. Cho은 세포막의 유지와 합성에 관계되는 물질이므로 종양, 교종, 세포막 파괴 등 많은 질환

에서 증가한다. Cr은 여러 질환에서 큰 변화가 없어 내부참고물질로 이용된다. Lac은 무산소 대사 때 증가하는 물질로서 뇌경색, 염증, 미토콘드리아 질환, 악성종양 등 많은 질환에서 증가한다. Myo-inositol은 알츠하이머병에서 증가할 수 있으며, Glu complex는 간성 뇌병증에서 증가한다. 임상적인 적용 측면을 보면, 양성종양에서는 Cho/NAA비율이 경미하게 증가하고 Lac농도가 약간 상승하는 반면 악성종양에서는 Cho/NAA이 크게 증가하고 Lac도 크게 상승한다. 방사선 괴사에서는 Lac가 높게 상승하는 반면 재발 종양에서는 Cho의 상승이 매우 높아 이들의 감별에 도움이 된다. 낭성 종양과 농양을 감별하는 데에도 도움을 준다. 즉 낭성 종양의 낭액은 대부분 Lac만을 보이는 경우가 많으나, 농양에서는 발효의 산물인 acetate, succinate, 아미노산 등이 발견된다는 점으로 구별할 수 있다. 그 외 치료 경과의 관찰 및 추적검사에도 이용할 수 있다.

4. 소아 뇌전증의 수술 전 평가에서 다중 신경영상

뇌전증 수술은 항뇌전증 약물 관리에 내성이 있는 뇌전증 소아의 치료에 중요한 옵션으로 등장했다. 치료가 힘든 소아 뇌전증의 원인은 매우 다양하며, 소아 뇌전증 수술의 후보군 중에서 국소 겉질 이형성증이 주요 원인으로 알려져 있다. 수술 전 평가는 구조적 이상을 평가하기 위해, 정확한 발작 병력, 신체 및 신경학적 검사, 비디오 EEG 모니터링 및 뇌의 고해상도 자기공명영상(MRI)를 평가하는 것으로부터 시작한다. 이러한 연구는 발작간기 및 발작기 SPECT, 발작간기 18F-fluorodeoxyglucose (FDG)-PET 및 신경 심리학적 검사로 보완된다. 성공적인 수술의 초석은 발작의 뇌 영역의 정확한 국소화이다. 따라서, 현대 영상 기술은 종종 2차적 전신 뇌전증 뇌병증으로 발전할 수 있는 뇌전증 병변의 검출을 위해 개선되었다.

(1) 구조적 신경영상(Structural Neuroimaging)

MRI는 뇌전증 기질의 확인을 돕는 필수 신경 영상 도구이다. 국소 겉질 이형성증(Focal Cortical Dysplasia, FCD)은 외과적 치료를 받을 수 있는 약물 난치성 뇌전증의 흔

한 원인이다. 자기 공명 영상(MRI)에 의한 구조적 FCD의 식별은 뇌전증 발생 영역의 검출에 기여하고 뇌전증 수술의 결과를 개선할 수 있다. 특정 T1 및 T2 강조 및 FLAIR (fluid-attenuated inversion recovery) 시퀀스를 포함하는 MR 뇌전증 프로토콜은 FCD의 특징적인 영상 특징(focal cortical thickening, blurring of the gray-white junction, high FLAIR signal, and gyral anatomical abnormalities)에 대한 보완 정보를 제공한다. 기존의 스핀밀도(spin-density) 또는 빠른 다중 평면 반전회복(fast multiplanar inversion-recovery) 영상은 gray-white interface를 더 잘 묘사할 수 있다. T2 강조 FLAIR (Fluid attenuated inversion recovery) 시퀀스는 CSF 신호의 억제로 인해 superficial cortical, subcortical, 그리고 periventricular regions에서 더 미묘한 신호 이상을 감지할 수 있다. FLAIR 기술의 한계에는 basilar cisterns에서의 CSF pulsation artifact, 회백질과 백질의 대비의 상대적 억제 및 2세 미만의 어린이에서 유용성 제한이 있다(정상적인 백질 내에서 고밀도의 고르지 않은 부분이 나타날 수 있음). Gadolinium diethylenetriamine-pentaacetic acid (Gd-DTPA) 조영제의 사용은 FCD 평가에 추가 정보를 제공하지 않는다. 환자의 병력 및 비디오-EEG 모니터링에서 파생된 정보는 이미징 연구의 해석에 종종 사용되며, 이 정보는 MRI 프로토콜을 수정하는 데 사용될 수 있다. 그러나 국소 겉질 이형성증의 존재 하에서, 눈에 보이는 병변의 제거만으로 seizure free로 이어지는 것은 아니며, 뇌전증 영역이 현재의 구조적 영상 방식으로 시각화 될 수 있는 것 이상으로 확장된다는 것을 암시한다. 이러한 이유로, 겉질 이형성증의 미묘한 병변을 식별하는 능력을 향상시키기 위해 새로운 고급 자기 공명 영상(MRI) 기술을 이용하는 것에 대한 관심이 계속되고 있다. 다중 채널 코일(32상 배열 이상) 및 높은 전계 강도(3T, 7T 이상)와 같은 기술 이득은 진단률을 증가시킬 수 있다. 3T 스캔은 1.5T와 다른 병변을 나타냈다. 겉질 이형성증이 의심되는 경우 환자는 3T 스캔의 잇점을 가장 많이 누릴 수 있다. 3T와 특정 위상 배열 헤드 코일을 사용하면 수술 전 뇌전증 평가에서 MRI 이상에 대한 진단률이 추가로 상승한다.

(2) 기능적 신경영상(Functional Neuroimaging)

기능적 영상화(imaging)는 발작기 또는 발작간기 상

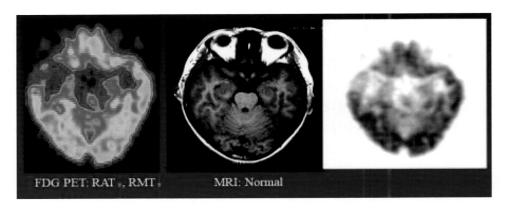

■ 그림 1-32. 우측 해마경화증 환자의 Positron-emission tomography (PET)

태에서 뇌 대사 또는 뇌 관류의 변화를 검출한다. 핵의학은 난치성 뇌전증 환자의 수술 전 평가에서 중요한 역할을 한다. SPECT 또는 PET를 사용하여 발작기 발병 구역의 올바른 국소화는 더 나은 수술 결과와 관련이 있다. 구조적 MR 데이터의 정량 처리 및 diffusion tensor imaging 및 MR spectroscopy 과 같은 고급 MR 영상은 미묘한 병변을 식별할 가능성이 있다.

Positron-emission tomography (PET)

난치성 뇌전증 환자에서의 뇌전증 수술은 뇌전증 병소를 국소화하여 제거하는 것이 목적이다. 특히 소아에서는 적시의 뇌전증의 수술적 치료가 뇌발달을 촉진하고 지능 저하를 예방할 수 있기 때문에 중요하다. 수술 전 검사에 대한 표준화된 프로토콜은 없지만 전세계적으로 많이 사용되어지는 방식은 난치성 뇌전증 환자의 선택 후 뇌파검사상 뇌전증 발작 기시부의 국소화 또는 편측화가 뇌전증 발작의 semiology와 일치하는지 검증하고 MRI, SPECT, PET 등과 같은 신경영상 검사상 병변과 일치하는지 규명하여 정확한 뇌전증 병소를 절제하고자 하는 데 Engel 등은 FDG-PET의 당대사 감소부위와 뇌파검사상 이상 부위가 일치 시 90% 이상에서 뇌전증 병소부위를 규명할 수 있다고 하였다. 즉 뇌파검사는 뇌전증 발작 병소(epileptogenic focus)를 나타내고, FDG-PET의 당대사 저하 부위는 뇌파의 뇌전증 초점부위가 실제 병변인지 아니면 원거리에서 온 병변인지를 감별해 줄 수 있으므로 상호 보완적으로 사용되어야 한다고 주장하였다.

최근들어 PET을 이용한 측두엽 뇌전증 수술결과는

70%에서 뇌전증이 없어지고 90%에서 발작이 상당히 호전되었으나 측두엽외 부위에서의 뇌전증 수술결과는 50%에서만 뇌전증 발작 소실을 가져왔다. 최근에 새로운 tracers의 개발로, 최근에 이를 이용한 난치성 뇌전증에 대한 새로운 접근, 평가가 가능해졌으며 결과적으로 난치성 뇌전증의 진단과 치료에 획기적 진전을 가져왔다. 그러나 최근 10년간의 MRI의 비약적인 발전은 뇌전증 병소를 규명하는 데 있어 PET 역할의 상대적인 축소를 가져 왔으며 또한 FDG-PET에서의 당대사 감소부위가 실질적 뇌전증 병소 부위보다 통상 넓게 나타나는 점은 뇌전증 병소의 정확한 부위를 절제해야 하는 뇌전증 수술에 있어서 문제점이 되어 왔다. 그럼에도 불구하고 MRI negative인 측두엽 뇌전증 환자와 neocortical extratemporal lobe epilepsy 환자에서, 난치성 소아 뇌전증 증후군에서 뇌전증 병소 규명에 있어, 더욱이 뇌신경 발달이 완성되지 않은 2세 이하의 소아에서 MRI만으로 진단이 어려울 때 PET는 유용한 진단 수단이다(그림 1-32).

발작기 SPECT는 전형적으로 발작의 발병 또는 전파에 관여하는 뇌 일부의 상대적인 대사를 반영하는 국소 고 관류 영역을 보여준다. 발작기와 발작간기의 SPECT의 차이와 MRI 영상을 함께 이용한 SISCOM (Substraction Ictal SPECT Coregistered to MRI) 기법을 이용하면 검사의 해석이 향상된다. SISCOM은 시각적 평가와 비교하여 더 민감하며 이는 구체적으로 입증되어 왔다. 발작이 시작된 후 tracer의 조기 주입의 중요성은 특히 중요하다. 20초 이내의 tracer의 조기 주입은 정확한 국소화와 유의한 상관 관계가 있는 것으로 나타났다. 초기 주입 후 가장 크고 가장 강한 클러스터는 발작의 전파가 아니라 발작 시작 영역을 나타낼 가능성이 높다. 자동 생성된 SISCOM 데이터의 해석은 쉽고 간단한 경우가 많다. SISCOM 분석의 결과는 발작기와 발작간기 영상의 시각적 비교 결과와 수술 전 평가의 다른 데이터들과 일치해야 한다. 또한, SISCOM은 발작간기 SPECT 영상의 tracer 주사 순간에 불현성 발작 활동 때문에 위음성일 수 있다. 따라서, tracer 주입 동안 뇌파 모니터링이 일상적으로 수행되어야 한다. PET 결과는 측두엽 뇌전증 부위의 편측화에서 신뢰할 수 있는 반면, 측두엽외 뇌전증의 경우에는 유용성이 더 낮았다. SISCOM은 측두엽외 뇌전증의 경우에 병변을 효과적으로 국소화했지만, 측두엽 뇌전증에서는 그 효능이 낮았다.

자기공명분광법(Magnetic resonance spectroscopy, MRS)

감소된 1H-MRS N-acetyl aspartate over choline (NAA/Cho)과 N-acetyl aspartate over creatine (NAA/Cr)는 국소 겉질 이형성증을 시사한다. GABA, 알라닌, 티로신, 아세테이트, 이노시톨, 포도당 및 젖산염의 큰 증가와 NAA의 감소는 "약한" 겉질 이형성증을 가진 4명의 환자 그룹에서 발견되었다. 이러한 결과는 기존 MRI 해상도에서 발견될 수 있는 국소적인 구조 이상을 반영하는 것일 수 있다. 또는 N-acetyl aspartate의 감소가 신경세포(neuron)나 아교세포(glial cell)의 기능 장애를 반영하는 것일 수 있다. FCD 평가에서 MRS의 임상적 유용성은 확실하지 않다. 이는 MRS의 결과가 공간 샘플링에 의해 제한되고, 상기의 결과들이 FCD에 대해 비특이적이기 때문이다. 뇌전증 발작 병소 부위(epileptogenic region) 이외의 감소된 NAA/Cho 비율은 측두엽 뇌전증에서 보고되었으며 수술 후 발작이 없는 결과와 상관 관계가 있었다. 하지만 FCD 환자에서 이를 뒷받침할 데이터는 아직 없다. FCD의 확인을 위한 MRS의 민감도 및 특이도는 체계적으로 연구되지 않았다. 다른 연구에서, 수술 전 측두엽에서 NAA/Cr 비율의 감소 또는 수술을 계획한 반대쪽 측두엽에서 높은 대사율의 존재는 수술 실패와 관련이 있다. 내측 측두엽 뇌전증(mesial temporal lobe epilepsy, MTLE)에서 1H-MRS 절대 대사 산물 농도의 예측값(predictive value)에 대해서는 추가 연구가 필요하다.

확산텐서영상(Diffusion tensor image, DTI)

확산텐서영상(DTI)은 뇌 조직 내에서 물의 분자 운동을 측정한다. 확산성(확산 움직임의 진폭의 측정) 및 이방성(동작의 방향성 측정)은 DTI 시퀀스로부터 계산할 수 있다. 생리학적 상태에서, 물의 확산은 세포막에 의해 제한된다. 백질에서, 물 확산은 전형적으로 이방성이 높다; 이것은 tractography를 사용하여 백질 신경로(white matter tracts)를 재건하는 데 사용된다. 검사할 뇌 구조의 주요 확산 방향은 컬러 코딩되어 컬러 코딩된 지도 또는 방향 인코딩된(directionally encoded, DEC) 분할비등방도(fractional anisotropy, FA) 지도가 될 수 있다. 이들에서 섬유는 확산 방향에 따라 다른 색상(위쪽-아래쪽 열은 파란색, 앞뒤는 녹색, 왼쪽에서 오른쪽은 빨간색)으로 표시된다. DTI는 또한 물의 이방성 확산의 차이에 기초하여 병리 조직을 정상 조직과 구별하는 데 사용하기 위해 연구되어 왔다. DTI를 사용한 여러 연구들에서 기존 MRI에서 정상으로 보이

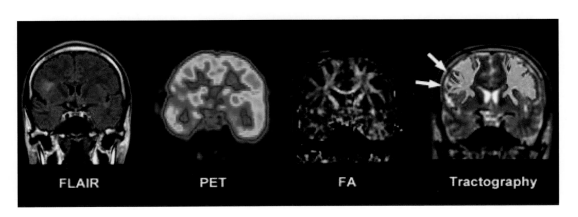

■ 그림 1-33. 겉질 이형성증 환자의 Diffusion tensor imaging (DTI)

는 국소 겉질 이형성(FCD) 영역과 그 주변 뇌에서 높은 확산성과 낮은 이방성을 확인할 수 있었다. 뇌전증의 수술 전 평가에서 DTI에 대한 임상 경험은 제한적이지만, 지금까지 수술에서 DTI의 이상소견으로 도움을 받은 2가지 사례가 발표되었다. DTI는 뇌전증 발작 병소를 확인하고 외과적 절제를 위한 병변의 범위를 보다 최적으로 정의하는데 유용할 수 있다. 또한 물 분자의 확산은 white matter tract에서 전형적으로 비등방성이며, 이러한 특징은 tractography를 이용한 fiber tract reconstruction에 이용될 수 있다. FCD 환자의 첫 데이터에서 FCD 영역에 인접한 섬유 다발 밀도가 감소한 것으로 나타났다. Fiber tractography는 뇌 병리에 대한 이해, 특히 백질 이상에 대한 이해를 향상시킨다. Fiber tracking은 기능적 MRI와 함께 진단 목적 및 수술 전 계획을 위한 해부학적 연결과 기능적 경로를 분석하는데 이용될 수 있다. FCD를 포함한 다양한 신경병리에서 DTI 및 tractography의 유용성은 구조적 이상을 탐지하고 이를 정확히 묘사하고, 주어진 겉질 영역의 기능적 연결성, 그리고 병변과 중요한 white matter tracts 사이의 공간적 관계를 결정하는 데 있다. 이 정보는 기능적 이환율을 감소시키기 위한 절제 수술 계획에 중요한 정보를 제공할 수 있다. 그

러나, 임상 적용에서 DTI의 유용성을 증가시키기 위해서는 기술의 개선 및 안정적인 후처리 분석이 필요하다(그림 1-33).

기능적 자기공명영상 (Functional MRI, fMRI)

기능적 MRI (fMRI)를 사용하여 외과적 절제 계획을 수립할 때 언어, 운동 및 시각 기능을 담당하는 대뇌 겉질의 영역을 비침습적으로 확인할 수 있다. 기능적 MRI는 옥시헤모글로빈과 디오시헤로글로빈 간의 MRI 대비 차이를 측정하여 뇌 혈류의 변화를 식별한다. 증가된 뇌 혈류는 주변 겉질의 기능적 활성화를 나타내는 것으로 생각된다. 일차 감각 운동 영역은 fMRI에 의해 비침습적으로 쉽게 식별될 수 있으며, 그 결과는 겉질 자극 및 유발전위의 결과와 상관 관계가 있지만 완벽하지는 않다. 뇌전증 수술 워크업에서 fMRI 영상의 주요 역할은 동맥 내 amobarbital 검사를 보완하거나 대체하기 위한 수단으로서 언어기능을 편측화하는 것이다. 언어적 유창성과 언어 이해력을 포함한 검사 패널이 fMRI의 신뢰성을 높이기 위해 함께 사용되어 왔다. 이러한 검사들은 또한 뇌전증 수술 후 언어장애를 예측하고 수술을 계획하는 데 영향을 줄 수 있다. fMRI와

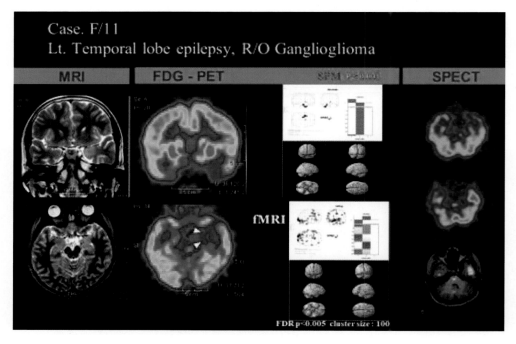

■ 그림 1-34. 측두엽 뇌전증 환자의 Functional MRI (fMRI)

다양한 신경정신의학적 검사 및 측두엽 절제술 후 기억 감소를 예측하고 언어 우성 반구를 결정하기 위한 와다검사(Wada test)와의 상관 관계가 연구되었다. fMRI의 주요 한계는 특이성의 부족이다. fMRI 검사 동안 "활성화된" 겉질 영역의 상당 부분이 특정 기능에 필수적이지는 않다. 따라서 겉질의 국소화에서 fMRI의 역할을 명확하게 하기 위해서는 추가 연구가 필요하다. 현재로서는 뇌전증 수술을 받는 환자의 일상적인 진단 워크업이 아니라 연구의 도구로 간주되어야 한다.

결론적으로 절제된 뇌 영역에 대해 더 많은 영상 검사들의 국소화가 일치하는 경우, 외과적 치료로부터 이익을 얻을 가능성이 상당히 높다. 영상화 기술 및 디지털 후처리의 발달은 뇌전증 병변을 확인하고 뇌전증 환자에서 뇌 안의 연결성을 특성화하기 위한 영상연구의 효율을 증가시킬 수 있다. 구조적 및 기능적 신경영상 데이터를 더 폭넓게 이해하고 이를 일치시킬 수 있으면 뇌전증 수술에 새로운 접근 방식이 생길 수 있으며 난치성 뇌전증으로 고통받는 많은 환자의 수술 관리가 향상될 수 있다(그림 1-34).

참고문헌

1. Aasly J, Silfvenius H, Aas TC, et al. Proton magnetic resonance spectroscopy of brain biopsies from patients with intractable epilepsy. Epilepsy Res 1999;35:211-7.

2. American Academy of Pediatrics Committee on Drugs. Guidelines for monitoring and management of pediatric patients during and after sedation for diagnostic and therapeutic procedure: addendum. Pediatrics 2002;110:836－8.

3. Arfanakis K, Hermann BP, Rogers BP, Carew JD, Seidenberg M, Meyerand ME. Diffusion tensor MRI in temporal lobe epilepsy. Magn Reson Imaging 2002;20:511-9.

4. Barkovich AJ, Kjos BO, Jackson DE Jr, Norman D. Normal maturation of the neonatal and infant brain: MR imaging at 1.5 T. Radiology 1988;166:173-80.

5. Barkovich AJ, Kuzniecky RI. Neuroimaging of focal malformations of cortical development. J Clin Neurophysiol 1996;13:481-94.

6. Barkovich AJ, Raybaud C. Pediatric Neuroimaging, 5th ed. Wolters Kluwer/Lippincott Williams & Wilkns, 2012.

7. Belliveau JW, Kennedy DN, Mckinstry RC. Functional mapping of the human visual cortex by magnetic resonance imaging. Science 1991;254:716-9.

8. Collidge TA, Thomson PC, Mark PB, et al. Gadolinium-enhanced MR imaging and nephrogenic systemic fibrosis: retrospective study of a renal replacement therapy cohort. Radiology 2007;2451070353.

9. De Coene B, Hajnal JV, Gatehouse P, et al. MR of the brain using fluid-attenuated inversion recovery (FLAIR) pulse sequences. Am J Neuroradiol 1992;13:1555-64.

10. Edelman RR, Mattle HP, Atkinson DJ, Hoogewoud HM. MR angiography. AM J Roentgenol 1990;154:937-46.

11. Engel J Jr, Kuhl DE, Phelps ME, Crandall PH. Comparative localization of epileptic foci in partial epilepsy by PCT and EEG. Ann Neurol 1982;12:529-37.

12. Engel J Jr, Henry TR, Risinger MW, et al. Presurgical evaluation for partial epilepsy: relative contributions of chronic depth-electrode recordings versus FDG-PET and scalp-sphenoidal ictal EEG. Neurology 1990;40:1670-7.

13. Gaillard WD. Functional MR imaging of language, memory, and sensorimotor cortex. Neuroimaging Clin N Am 2004;14:471-85.

14. Gaillard WD, Balsamo L, Xu B, et al. Language dominance in partial epilepsy patients identified with an fMRI reading task. Neurology 2002;59:256-65.

15. Garel C, Chantrel E, Elmaleh M, Brisse H, Sebag G. Fetal MRI: normal gestational landmarks for cerebral biometry, gyration, and myelination. Childs Nervous System 2003;19:422-5.

16. Grossman RI, yousem DM. Techniques in neuroimaging. In: Neuroradiology. Mosby-Year Books; 1994. p.1-23.

17. Hammeke TA, Yetkin FZ, Mueller WM, et al. Functional magnetic resonance imaging of somatosensory stimulation. Neurosurgery 1994;35:677-81.

18. Harned II RK, Strain JD. MRI compatible audio/visual system: impact on pediatric sedation. Pediatr Radiol 2001;31:247－50.

19. Henry TR, Chugani HT, Abou-Khalil BW, Theodore WH, Swartz BE. Positron emission tomography. In: Engel J Jr, editor. Surgical treatment of the epilepsies. 2nd ed. Raven press; 1993. p.211-43.

20. Holmedal LJ, Friberg EG, Børretzen I, Olerud H, Lægreid L, Rosendahl K. Radiation doses to children with shunt-treated hydrocephalus. Pediatr Radiol 2007;37:1209－15.

21. Jack CR Jr, Thompson RM, Butts RK, et al. Sensory motor cortex: correlation of presurgical mapping with functional MR imaging and invasive cortical mapping. Radiology 1994;190:85-92.

22. Kanal E, Barkovich AJ, Bell C, et al. ACR guidance document for safe MR practices: 2007. Am J Roentgenol 2007;188:1447－74.

23. Kim JT, Bai SJ, Choi KO, et al. Comparison of various imaging modalities in localization of epileptogenic lesion using epilepsy surgery outcome in pediatric patients. Seizure 2009;18:504-10.

24. Kliegman, St. Geme, Nelson Textbook of Pediatrics, 21st ed. Elsevier, 2019

25. Knake S, Triantafyllou C, Wald LL, et al. 3T phased array MRI improves the presurgical evaluation in focal epilepsies: a prospective study. Neurology 2005;65:1026-31.

26. Kuzniecky R, Palmer C, Hugg J, et al. Magnetic resonance spectroscopic imaging in temporal lobe epilepsy: neuronal dysfunction or cell loss? Arch Neurol 2001;58:2048-53.

27. Kuzniecky R, Hugg J, Hetherington H, et al. Predictive value of 1H MRSI for outcome in temporal lobectomy. Neurology 1999;53:694-8.

28. Lee SK, Kim DI, Mori S, et al. Diffusion tensor MRI visualizes decreased subcortical fiber connectivity in focal cortical dysplasia. Neuroimage 2004;22:1826-9.

29. Lee SK, Lee SY, Yun CH, Lee HY, Lee JS, Lee DS. Ictal SPECT in neocortical epilepsies: clinical usefulness and factors affecting the pattern of hyperperfusion. Neuroradiology 2006;48:678-84.

30. Li LM, Fish DR, Sisodiya SM, Shorvon SD, Alsanjari N, Stevens JM. High resolution magnetic resonance imaging in adults with partial or secondary generalised epilepsy attending a tertiary referral unit. J Neurol Neurosurg Psychiatry 1995;59:384-7.

31. Lindsay, Bone, General approach to history and examination, Neurology & neurosurgery illustrated. Churchill livingstone, 1987

32. Lori NF, Akbudak E, Shimony JS, et al. Diffusion tensor fiber tracking of human brain connectivity: aquisition methods, reliability analysis and biological results. NMR in Biomedicine 2002;15:494-515.

33. Melhem ER, Mori S, Mukundan G. Diffusion tensor MR imaging of the brain and white matter tractography. AM J Roentgenol 2002;178:3-16.

34. O'Brien TJ, So EL, Mullan BP, et al. Subtraction ictal SPECT co-registered to MRI improves clinical usefulness of SPECT in localizing the surgical seizure focus. Neurology 1998;50:445-54.

35. Okumura A, Fukatsu H, Kato K, Ikuta T, Watanabe K. Diffusion tensor imaging in frontal lobe epilepsy. Pediatr Neurol 2004;31:203-6.

36. Ott D, Hennig J, Earnst T. Human brain tumors: Assessment with in vivo proton MR spectroscopy. Radiology 1993;186:745-52.

37. Pierpaoli C, Jezzard P, Basser PJ, Barnett A, Di Chiro G. Diffusion tensor MR imaging of the human brain. Radiology 1996;201:637-48.

38. Rabin ML, Narayan VM, Kimberg DY, et al. Functional MRI predicts post-surgical memory following temporal lobectomy. Brain 2004;127:2286-98.

39. Rao SM, Binder JR, Bandettini PA, et al. Functional magnetic resonance imaging of complex human movements. Neurology 1993;43:2311-8.

40. Rugg-Gunn FJ, Eriksson SH, Symms MR, Barker GJ, Duncan JS. Diffusion tensor imaging of cryptogenic and acquired partial epilepsies. Brain 2001;124:627-36.

41. Rugg-Gunn FJ, Eriksson SH, Symms MR, et al. Diffusion tensor imaging in refractory epilepsy. Lancet 2002;359:1748-51.

42. Ruggieri PM, Najn IM. MR imaging in epilepsy. Neurol Clin 2001;19:477-89.

43. Sabsevitz DS, Swanson SJ, Hammeke TA, et al. Use of preoperative functional neuroimaging to predict language deficits from epilepsy surgery. Neurology 2003;60:1788-92.

44. Sargent MA, Poskitt KJ. Fast fluid-attenuated inversion recovery (FLAIR) magnetic resonance imaging of the brain: a comparison of multi-shot echo planar and fast spin-echo techniques. Pediatr Radiol 1997;27:545-9.

45. Schor NF. Neurologic Evaluation. In: Kliegman RM, St. Geme Ⅲ JW, editor. Nelson Textbook of Pediatrics. 21th ed. Elsevier; 2019. p.3053-63.

46. Sundgren PC, Dong Q, Gomez-Hassan D, Mukherji SK, Maly P, Welsh R. Diffusion tensor imaging of the brain: review of clinical applications. Neuroradiology 2004;46:339-50.

47. Swaiman K, Ashwal S, Pediatric Neurology principles & practice, 6th ed. Elsevier, 2017

48. Swartz BE, Halgren E, Delgado-Escueta AV, et al. Neuroimaging in patients with seizures of probable frontal lobe origin. Epilepsia 1989;30:547-58.

49. Van Paesschen W. Ictal SPECT. Epilepsia 2004;45:35-40.

50. Wakana S, Jiang H, Nagae-Poetscher LM, van Zijl PC, Mori S. Fiber tract-based atlas of human white matter anatomy. Radiology 2004;230:77-87.

51. Wehner T, Luders H. Role of Neuroimaging in the presurgical evaluation of epilepsy. J Clin Neurol 2008;4:1-16.

52. Widdess-Walsh P, Diehl B, Najm I. Neuroimaging of focal cortical dysplasia. J Neuroimaging 2006;16:185-96.

53. Willig DS, Turski PA, Frayne R. contrast-enhanced 3D MR DSA of the carotid artery bifurcation: preliminary study of comparison with unenhanced 2D and 3D time of flight MR angiography. Radiology 1998;208:447-51.

54. Wyllie E, Comair YG, Kotagal P, Bulacio J, Bingaman W, Ruggieri P. Seizure outcome after epilepsy surgery in children and adolescents. Ann Neurol 1998;44:740-8.

55. Yetkin FZ, Mueller WM, Morris GL, et al. Functional MR activation correlated with intraoperative cortical mapping. Am J Neuroradiol 1997;18:1311-5.

56. Zijlmans M, de Kort GA, Witkamp TD, et al. 3T versus 1.5T phased-array MRI in the presurgical work-up of patients with partial epilepsy of uncertain focus. Journal of Magnetic Resonance Imaging 2009;30:256-62.

57. 안효섭, 신희영, 홍창의 소아과학, 11판. (주)미래엔, 2016

소 아 신 경 학
PEDIATRIC NEUROLOGY

제 2 장

의식장애

Disorders of Consciousness

01

의식장애 및 혼수

Impaired Consciousness and Coma

| 김영훈 |

의식이란 외부 자극에 대해 자신과 주변 환경을 적절히 인지하고 반응하는 상태를 의미한다. 인간의 의식적인 행동에는 대뇌 겉질과, 간뇌, 중뇌, 상부 뇌교 등과 같은 겉질하 구조물과의 상호 작용이 필요하다. 의식이 있기 위해서는 각성과 인지 및 정동성(affective) 정신 활동이 필요하다. 각성 상태를 유지하기 위해 하부 연수에서 상부 중뇌에 걸쳐 있는 상행 망상 활성계(ascending reticular activating system, ARAS)가 정상적인 기능을 하고 있어야 한다. 그와 반대로 혼수는 아주 심하게 자극을 주어도 주위 환경과 자신에 대하여 전혀 인지하지 못하는 상태를 의미한다. 혼수는 각성 장애로써 미만성 대뇌 반구의 이상 혹은 뇌간에 병변이 있을 경우에 나타난다. 외부 자극에 대한 인지능력은 대뇌 반구 겉질이 정상인 경우에 가능하며, 인지 및 정동성 정신 활동의 장애는 치매와 망상, 착란, 집중의 장애 등으로 나타나며 각성 그 자체는 영향을 받지 않는다. 미만성 대뇌 반구의 병변일 경우, 인지 및 정동성 정신 활동의 장애를 유발할 수도 있다.

1. 의식장애의 원인

소아 연령에서 의식의 장애의 원인에 대한 분류는 3가지의 명백한 영역으로 나눌 수 있다. 1) 감염이나 염증성 질환, 2) 구조적 질환, 3) 대사, 중독이나 영양질환 등으로

나눌 수 있다. 의식장애의 원인은 중추 신경계 감염(뇌염, 수막염), 감염과 연관된 급성 뇌병증, 두부 외상, 뇌종양 및 뇌혈관 질환, 저산소 허혈 뇌병증, 대사성 질환(저혈당증, 저나트륨혈증, 간성 혼수, 요독증, Reye 증후군 등), 선천성 대사 질환, 약물 중독(salicylate, barbiturate, alcohol), 등 다양한 원인에 의해 발생한다(표 2-1). 두부 외상에 의한 혼수가 가장 흔하며, 비외상성 원인으로 저산소 허혈 뇌병증, 약물 중독, 뇌염 및 세균성 수막염과 대사성 질환이 흔하다. 중독이나 대사성 질환이나 감염, 감염과 연관된 병변에 의한 의식장애는 대개 대뇌 반구의 미만성 장애로 나타난다. 뇌간의 병변에 의한 의식장애는 뇌출혈이나 종괴와 같은 국소성, 구조적 장애에 의한 경우가 많고 신속한 진단과 신경외과적인 응급처치가 필요하다.

2. 의식장애의 정도

일반적으로 기면이나 둔감은 대뇌 반구의 경한 기능 장애에 의해 발생한다. 혼미와 혼수는 광범위한 대뇌 반구 기능의 장애, 혹은 간뇌나 상부 뇌간의 침범을 의미한다. 우성 반구의 손상이 우성이 아닌 반구의 손상보다 의식장애의 정도가 심하다.

표 2-1. 의식장애와 혼수의 원인

Infectious or Inflammatory
A. Infectious
- Bacterial meningitis
- Viral encephalitis
- Rickettsial infection
- Protozoan infection
- Helminth infestation

B. Inflammatory
- Sepsis-associated encephalopathy
- Vasculitis, collagen vascular disorders
- Demyelination
- Acute disseminated encephalomyelitis
- Multiple sclerosis

Structural
A. Traumatic
- Concussion
- Cerebral contusion
- Epidural hematoma or effusion
- Intracerebral hematoma
- Diffuse axonal injury
- Abusive head trauma

B. neoplasms
C. Vascular Disease
- Cerebral infarction
  » Thrombosis
  » Embolism
  » Venous sinus thrombosis
- Cerebral hemorrhage
  » Subarachnoid hemorrhage
  » Arteriovenous malformation
  » Aneurysm
- Congenital abnomality or dysplasia of vascular supply
- trauma to carotid or vertebral arteries in the neck

D. Focal Infection
- Abscess
- Cerebritis

E. Hydrocephalus
Metabolic, Nutritiona, or Toxic
A. Hypoxic-Ischemic encephalopathy
- Shock
- Cardiac or pulmonary failure

- Near-drowning
- Carbon monoxide poisoning
- Cyanide poisoning
- Strangulation

B. Metabolic Disorders
- Sarcoidosis
- Hypoglycemia
- Fluid and ecectrolyte imbalance
- Endocrine disorders
- With acidosis
  » Diabetic ketoacidosis
  » Aminoacidemias
  » Organic acidemias
- With hyperammonemia
  » Hepatic encephalopathy
  » urea cycle disorders
  » Disorders of fatty acid metaolism
  » Reye's syndrome
  » Valproic acid encephalopathy
- Uremia
- Porphyria
- Mitochondrial disorders
- Leigh's syndrome

C. Nutritional
- Thiamine deficiency
- Niacin or nicotinic acid deficiency
- Pyridoxine dependency
- Folate and B_{12} deficiency

D. Exogenous toxins and Poisons
- Alcohol intoxication
- Over-the-counter medications
- Prescription medications (oral and ophthalmic)
- Herbal treatments
- Heavy-metal poisoning
- Mushroom and plant intoxication
- Illegal drugs
- Industrial agents

E. Hypertensive Encephalopathy
F. Burn Encephalopathy

1) 기면(lethargy)

각성(arousal) 상태가 유지되지 않는 상태로 아주 졸려하고 집중하지 못하며, 기억력은 있으나 정확하지 않다. 말이나 몸짓으로 어느 정도의 의사 전달이 가능하다. 각성이 감소하여 외부 자극이 없이는 각성 상태를 유지하기가 어렵다. 때로 기면은 섬망(delirium)의 상태와 교대로 나타나기도 한다. 섬망은 지남력 장애(disorientation), 공포, 자극에 대한 비정상적인 반응을 보이며, 환청이나 환시와 같은 착란 상태와 비정상인 정신 상태를 보이며 초조와 떨림이 아타난다. 주로 대뇌 반구를 침범하는 중독이나 대사성 질

환에서 잘 나타난다.

2) 둔감(obtundation)

통증이 아닌 자극에도 각성이 되지만 그 반응이 둔한 상태이고 의사 소통의 능력은 있지만 느리고 명료함이 저하된 상태이다.

3) 혼미(stupor)

생리적인 깊은 수면에 비할 수 있으며 겉보기에는 혼수 상태와 비슷하다. 강하고 반복적인 자극에만 부분적, 일시적으로 각성이 가능한 상태를 말하며 의사 소통은 되지 않거나 아주 미미한 정도로만 가능하다. 자극이 중지되면 다시 무반응의 상태로 된다.

4) 혼수(coma)

자발적인 움직임이 없이 눈을 감고 있는 상태이며, 심한 통증 자극을 주어도 눈을 뜨거나 말을 하지 못하고, 의미있는 방법으로 반응하지 못하는 상태를 말한다. 통증 자극에 회피 반응이 관찰되기도 하지만 자극을 주는 검사자의 손을 떼려는 것과 같은 방어적인 반응은 가능하지 않다.

소아에서 의식장애의 정도는 대광반사와 소아에서 사용되는 표준점수를 사용하여 빠르게 측정할 수 있다. 대표적으로 사용하는 것은 Alert, Verbal, Pain, Unresponsive (AVPU) Pediatric Response Scale과 Glasgow Coma Scale (GCS)(표-2, 표-3). 소아에서 의식저하의 원인은 여러 가지인데 저산소증이나 과탄산가스혈증을 동반한 호흡부전, 저혈당증, 중독 이나 약물과용, 외상, 경련발작, 감염 및 쇼크 등이 포함된다.

AVPU scale은 소아의 의식수준과 대뇌겉질 기능을 평가하는데 사용된다. 소아는 말을 이해하지 못하거나, 지시에 따르지 못하거나 단순히 자극에 반응하는 정도로 평가한다. 소아는 반응에 필요한 자극의 정도에 따라 점수화 한다. 각성(자극이 필요 없고, 이미 깨어있으며 상호작용하는 소아)부터 무반응(어떤 자극에도 반응하지 않은 소아)으로 판정한다(표 2-2).

Glasgow Coma Scale (GCS); Glasgow Coma Scale은 의식장애를 객관적이고 연속적인 개념으로 판단하기 위하여 사용되며, 어느 상황에서 개안(eye open)할 수 있는 지, 자극에 대한 언어적 표현(best verbal response)은 어느 정도로 가능한지와 운동(best motor response)의 기능 정도를 수치화한 평가법이다. 세밀한 변화를 파악하는 데는 한계가 있으나 혼수 환자에서 의식장애의 정도를 수치로 연속적인 평가를 하는데 유용하다. 외상 후 의식의 장애 여부를 추적 관찰하기 위하여 사용된 원본에는 언어적 표현에 대한 평가 항목이 포함되어 있으나 소아, 특히 영아에서 실제적인

표 2-2. AVPU 신경학적 평가

A	소아가 깨어있고, 의식이 명료하며, 보호자나 보육자와 상호작용함
V	보육자나 부모가 아이의 이름을 부르거나 크게 말할 때만 소아가 반응함
P	손톱이나 발톱을 강하게 자극하는 통증자극에 대해서만 소아가 반응함
U	소아가 모든 자극에 반응하지 않음

표 2-3 Glasgow 혼수척도

눈뜨기(총 가능점수 4)			
자발적으로	4		
말로 지시할 때	3		
통증자극을 줄 때	2		
전혀 없음	1		

언어반응(총 가능점수 5)			
나이든 소아		**영아와 나이어린 소아**	
지남력이 유지된	5	적절한 단어; 미소, 주먹쥠, 지시에 따름	5
혼돈	4	진정될 수 있는 울음	4
부적절한	3	끊임없이 보챔	3
이해가 불가능한	2	가만히 있지 못하고 불안함	2
전혀 없음	1	전혀없음	1

운동반응(총 가능점수 6)			
시키는대로 따름	6		
자극부위에 손이 감	5		
회피하려고 함	4		
이상굽힘반응	3		
이상펴기반응	2		
전혀 움직이지 않음	1		

적용이 힘들기 때문에 원본에서 변형된 검사가 사용된다
(표 2–3). 정상적인 의식을 가진 소아의 GCS 점수는 15점이
며 12-14점은 경도의 의식장애를, 9-11점은 중등도의 혼수
를, 그리고 8점 미만은 중증의 혼수를 의미한다.

3. 혼수 환자의 평가

1) 병력의 청취

의식장애가 있으면 환아로부터 필요한 정보를 얻을 수
없기 때문에 혼수가 발생할 당시에 환아와 같이 있었던 보
호자나 목격자로부터 환아에 대한 정보를 얻어야 한다. 의
식장애가 외상 후 발생했는지, 기왕력으로 당뇨, 요독증,
뇌전증과 같은 질병을 가졌는지, 혼수상태로 발견된 장소
에서 약물이나 중독성 물질이 있었는지 또는 수 일전부터
감염을 시사하는 발열과 동반된 두통이나 구토는 없었는
지 등에 대해 자세히 병력을 청취해야 한다.

2) 일반적인 진찰

일반적인 진찰은 혼수의 원인을 추정하는 데 많은 단
서를 제공한다. 탈수의 소견 여부, 부종의 소견, 외상의 증
거 등을 찾아보아야 하며, 간성 혼수 시 관찰되는 호흡 시
의 이상한 냄새나 중독성 물질의 특이한 냄새를 살펴야 한
다. 출혈성 경향을 나타내는 반점과(meningococcemia, ITP
등), 바이러스성 감염을 시사하는 발진의 유무를 살펴야 한
다.

3) 신경학적 진찰

신경학적 진찰은 첫째, 의식의 장애를 초래한 질환이 해
부학적으로 어느 부위의 질환인지 즉 양측성 대뇌 반구의
이상에 의한 것인지 혹은 뇌간의 병변에 의한 것인지를 국
소화하기 위하여 이루어져야 한다. 둘째, 연속적인 진찰을
통해 의식의 장애가 점점 악화하고 있는 과정인지를 파악
해야 한다. 예를 들어 경천막 뇌탈출이 간뇌 수준에서 뇌간
의 수준으로 진행 중인지를 알아야 한다. 셋째, 의식장애의
원인이 대사성 질환인지, 종괴나 출혈과 같은 구조적인 병
변에 의한 것인지에 대한 정보를 얻는 데 필요하다.

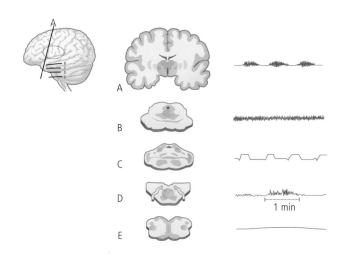

■ 그림 2-1. 병변 위치에 따른 호흡양상
(A) Cheyne-stokes 호흡 (B) 중추신경성 과호흡 (C) 지속흡식호흡 (D)
실조호흡 (E) 무호흡

호흡의 양상, 동공의 크기와 대광반사, 안구의 움직임
그리고 운동 반응 등을 중점적으로 관찰하고 나타난 소견
들을 연속적으로 분석하면 병변의 국소화와 진행성 여부
및 원인의 추론이 가능하다. 안저 검사에서 두개 내압의 항
진 시 망막중심정맥 박동의 소실, disc margin blurring, 유
두 부종의 소견이 관찰된다. 유두 부종은 대개 두개 내압
항진 후 24-48시간 내에 관찰된다. 고혈압에 의한 뇌증의
경우에 호발하는 유리체밑출혈(subhyaloid hemorrhage) 유
무도 확인해야 한다.

(1) 호흡의 양상

호흡은 뇌교 및 연수의 호흡 중추의 조절을 받는다. 병
변의 위치에 따라 호흡의 양상이 달라진다(그림 2-1).

1) Cheyne-Stokes 호흡은 빠른 호흡과 무호흡의 시기가 교
   대로 나타나는 것으로 대개 양측 대뇌 반구 혹은 간뇌에
   손상이 있는 경우에 나타나지만, 앞뇌(forebrain)에서 상
   부 뇌교에 이르는 하행성 통로(descending pathway)의
   어느 부위에서라도 양측성 손상이 있는 경우에는 나타
   날 수 있다.

2) 중추신경성 과호흡(central neurogenic hyperventilation)
   은 빠르고 규칙적인 호흡을 말하며 호흡성 알칼리증 혹
   은 대사성 산혈증과 같은 대사성 이상이 있는 경우와 중

뇌(rostral brainstem, tegmentum)의 기능 이상 시 나타난다.

3) 군발 호흡(cluster breathing)은 과호흡과 무호흡이 교대로 나타나지만 불규칙적이며 중간 혹은 하부 뇌교의 호흡 중추의 이상에 의한다.

4) 지속적 흡입 호흡(apneustic breathing)은 분당 1-1.5 회의 정도로 긴 흡기의 호흡 후 호기 시 무호흡을 보이는 호흡의 양상을 말하며 대개 뇌교의 기능 장애를 의미한다.

5) 조화운동불능 호흡(ataxic breathing)은 호흡의 주기와 진폭이 아주 불규칙한 것을 의미하며 뇌교-연수의 기능 장애를 시사하며 곧 무호흡이 임박함을 예고하는 소견이다.

(2) 동공의 크기와 대광반사

동공의 크기와 대광반사는 시상과 뇌교 사이에 손상이 있을 때 이상 소견이 관찰된다(그림 2-2). 중뇌의 기능이 정상이면 대광반사는 정상이며, 시상 상부와 뇌교 하부에 병변이 있는 경우에도 대광반사의 이상은 나타나지 않는다. 대광반사는 대개 대사성 장애의 경우에서는 유지가 되므로 의식 소실 환자에서 대광반사가 소실되었다는 것은 구조적인 병변이 있음을 시사한다. 통증 자극을 가했을 때 동공이 확대되는 현상(ciliospinal reflex)이 관찰된다면 하부

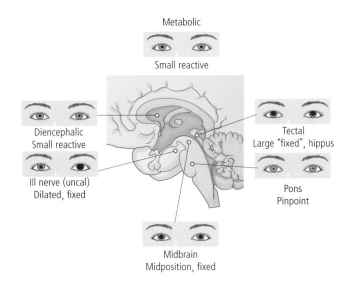

중뇌의 기능이 정상임을 의미한다.

시상에 병변이 있는 경우 동공은 작지만 대광반사는 존재한다(diencephalic pupil). 이와 유사한 소견이 여러 가지 중독/대사성 장애에서 관찰되며 organophosphate, pheno-thiazine, opiate 중독의 경우 직경 2 mm 이하의 작은 동공이 관찰된다. 안구 운동은 소실되었으나 대광반사가 보존되어 있다면 저혈당 혹은 과량의 barbiturate 중독을 의심해 보아야 한다.

중뇌의 병변이 있을 경우, 어느 부위인가에 따라 동공의 소견은 다르게 나타난다. 배면 중뇌 덮개 병변(dorsal tectal lesion)의 경우 동공은 중간위(midposition, 동공이 3.5 mm 크기 정도)의 크기에 대광반사는 소실된다. 중뇌에서, 뇌신경의 핵이 위치한 곳에 병변이 있을 경우 대광반사는 소실되며, 고정되고 불규칙한 중간위의 동공을 관찰할 수 있고 때로 좌우 동공의 크기가 다른 경우도 있다. 동안신경의 핵이 위치하는 중뇌 부위 혹은 뇌간을 떠나 주행하는 동안신경에 병변이 있는 경우에는 동공이 확대되고 대광반사는 소실된다.

뇌교에 병변이 있는 경우 교감 신경계가 차단됨으로 아주 작은 동공 소위 점상 동공(pinpoint pupil)이 관찰되고 대광반사는 존재하지만 확대경으로 관찰해야 알 수 있을 정도이다.

동공 확대의 소견이 나타나는 동안신경의 마비는 중뇌에 발생한 신경교종(glioma)나 뇌경색, 동안신경을 압박하는 구탈출, 혹은 후교통 동맥류(posterior communicating artery aneurysm)가 원인이 된다. 경련으로 인한 일과성의 비대칭적인 동공이 관찰되는 경우도 있다.

(3) 안구 운동(Ocular motility)의 관찰

안구의 움직임은 첫째 검사자가 안검을 올렸을 때 안구의 위치, 둘째, 자발적인 안구의 움직임 그리고 셋째, 검사자가 인위적으로 조작하였을 때 나타나는 반사적 안구 운동을 관찰하여 평가할 수 있다.

검사자가 안검을 올렸을 때 환아의 안구가 한 방향으로 편위(conjugate lateral eye deviation)되어 있다면 대개의 경우 안구가 향하고 있는 쪽의 대뇌 반구의 전두 안구 영역(frontal eye field)을 침범하는 병변을 의심해야 한다. 대뇌 반구에서 기원하는 경련이 발생한 경우, 경련이 발생한 쪽

■ 그림 2-2. 병변 위치에 따른 동공의 크기와 대광반사

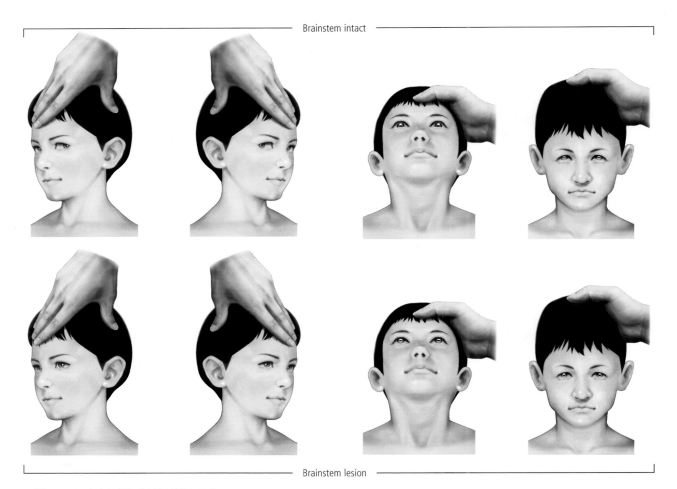

Brainstem intact

Brainstem lesion

■ 그림 2-3. 눈머리반사를 이용한 인형눈 검사

의 대뇌 병변과는 반대쪽으로 안구가 편위된다.

비공액 측방응시(dysconjugate lateral gaze)는 외전신경의 마비, 안구를 내전하는 동안신경의 마비 혹은 intranuclear ophthalmoplegia의 경우에서 관찰된다.

안구가 아랫 쪽으로 편위되어 있는 경우 뇌간의 병변(흔히는 중뇌 덮개의 압박이 있을 경우)에서 나타나지만 간성 혼수와 같은 대사성 질환에서도 보일 수 있다. 안구가 위쪽으로 편위되어 있는 것은 수면, 경련, 실신, Cheyne Stokes 호흡의 무호흡기, 소뇌 충부의 출혈, 뇌간의 허혈, 뇌염 등 다양한 경우에서 관찰되므로 국소화에 도움은 되지 않는다.

시상 혹은 시상하부에 병변이 있을 경우 안구는 아랫쪽 그리고 안쪽으로 향하여 마치 환아 자신의 코끝을 보고 있는 듯한 모습을 보인다. 일측성 동안신경의 마비의 경우 안구는 바깥쪽 그리고 아랫쪽으로 향한다.

검사자가 환아의 안검을 올렸을 때 두 개의 안구가 동시에 같은 방향으로 좌우로 천천히 움직이고 있다면(conjugate, roving eye movement) 뇌간 기능은 보존되어 있다는 것을 의미하며, 중독 및 대사성 장애 혹은 뇌간 상부의 양측성 병변의 가능성이 크다. 혼수 환자에서 안구 진탕(nystagmus)이 관찰되는 것은 천막 상부에 자극성(irritative) 혹은 뇌전증성(epileptogenic) 병변의 존재를 시사한다

안구의 자발적인 움직임이 관찰되지 않을 때, 검사자는 인위적인 조작으로 반사적 안구 운동을 관찰해야 한다. 흔히 이용되는 두 가지 검사법은 눈머리반사(oculocephalic reflex, doll's eye phenomenon)를 이용한 인형눈 검사법(doll's eye maneuver)과 눈전정반사(vestibulo-oculogyric reflex)를 이용한 caloric test가 있다.

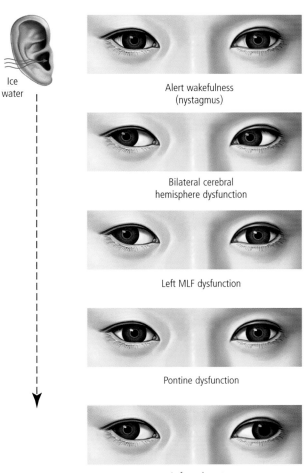

Ice water

Alert wakefulness (nystagmus)

Bilateral cerebral hemisphere dysfunction

Left MLF dysfunction

Pontine dysfunction

Left oculomotor nerve dysfunction

■ 그림 2-4. caloric test

를 주입한다. 자극을 준 쪽으로 안구가 편위(자극 준 쪽으로 안구가 천천히 움직여 왔다가 빠른 속도로 자극의 반대쪽으로 움직여 감)가 관찰된다면 이것은 뇌간 기능이 정상이며 혼수는 대뇌의 병변에 의한 것임을 시사한다. 만일 오른쪽 안구는 바깥쪽으로 움직이는데(abduction), 왼쪽 안구가 안쪽으로 움직이지 않는다면 안쪽세로다발(medial longitudinal fasciculus)에 병변이 있음을 의미한다. 눈전정반사가 비대칭적인 반응을 보이거나 소실되어 있다면 구조적/대사성 장애로 인해 뇌간이 침범되었음을 의미한다.

혼수의 정도가 심해지면 배회 안구 운동이 먼저 소실되고 다음은 눈머리반사 그리고 마지막으로 눈전정반사가 소실된다.

(4) 체간과 사지의 운동(Motor response of the body and limbs)

자발적인 움직임과 자극을 주었을 때의 자세를 관찰함으로 병변의 국소화에 대한 정보를 얻을 수 있다(그림 2-5). 사지를 자발적으로 움직인다는 것은 구조적인 병변없이 대뇌의 기능이 경도로 저하된 것을 의미한다. 발작 후가 아닌 상태에서 단마비(monoplegia)나 편마비(hemiplegia)가 관찰된다는 것은 마비의 반대 쪽 대뇌의 구조적인 병변이 있다는 것을 의미한다. 어느 한 쪽으로 두부와 안구가 편위

인형눈 검사법은 안검을 열고 머리를 좌우로 빠르게 회전시키거나 상하로 움직여 머리 움직임과 반대 방향으로 양측 안구가 공동 편위(conjugate deviation)되는 지를 관찰하는 것이다. 머리 움직임과 반대 방향으로 양측 안구가 공동 편위된다면 눈머리반사가 존재하는 것이며 뇌간 기능은 정상이고 혼수는 대뇌 병변에 의한 것으로 유추할 수 있다. barbiturate 중독이나 뇌교/중뇌의 손상시 안구의 공동 편위는 관찰되지 않는다(그림 2-3). 눈머리반사는 경추부 척추 손상이 없는 것을 확인 후 시행해야만 한다.

눈머리반사가 잘 나타나지 않으면 caloric test로서 눈전정반사를 관찰한다(그림 2-4). 고막의 이상이 없음을 확인한 후 환아의 머리를 수평에서 30도 정도로 세우고 외이도를 통해 고막 근처까지 카테타로 차가운 생리식염수 50 mL

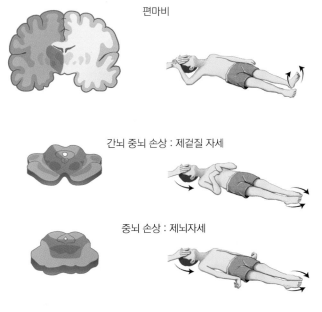

편마비

간뇌 중뇌 손상 : 제겉질 자세

중뇌 손상 : 제뇌자세

■ 그림 2-5. 뇌병변에 따른 자극을 주었을 때의 자세반응

되어 있고, 두부와 안구의 편위 방향과는 반대쪽의 편마비가 관찰된다면 천막상부의 병변을 의심할 수 있다. 반면 두부 및 안구가 편위된 방향과 같은 쪽 사지의 편마비가 관찰된다면 뇌간에 병변이 있을 가능성이 크다.

흉골이나 안와 상연(supraorbital ridge)을 압박하여 통증 자극을 주었을 때 환아가 자극의 위치를 찾아 떼려는 듯한 목적적인 움직임을 보인다면 뇌 기능은 그리 나쁘지 않음을 의미한다. 통증 자극으로 인해 겉질제거경직 자세(decorticate posture, 주먹을 쥔 채 두 팔을 구부리고 하지는 쭉 뻗은 자세)를 보이면 대개 뇌간 상방의 병변, 즉 시상이나 대뇌에 병변이 있음을 시사한다. 이러한 자세는 한 쪽에만 나타나기도 하며 통증을 수반한 자극 없이 자발적으로 나타나는 수도 있으며, 환아 자신의 호흡 자체가 자극이 되어 나타나는 수도 있다.

대뇌제거경직 자세(decerebrate posture)는 환아에게 통증을 유발하는 자극을 가했을 때 양측 상지를 모두 쭉 뻗은 자세가 되는 것을 말하며, 이의 가장 심한 형태가 반궁긴장(opisthotonus)의 자세이다. 이를 악물고 목은 과신전되고 상지는 내전, 과신전, 과회 내(hyperpronated)되며, 발목과 하지도 과신전된 양상을 보인다. 제뇌 자세는 뇌간 압박을 의미하며 뇌간 탈출에 앞서 나타나는 소견일 수가 있으므로 자발적이거나 통증 자극에 의해 유발되거나 간에 위험한 소견으로 인식해야 한다. 중뇌나 뇌교의 병변 시 나타날 수 있다.

뇌교-연수의 병변에는 통증에 대한 반응 없이 사지가 이완된 마비 상태를 보인다.

4) Glasgow Coma Scale (GCS)

Glasgow Coma Scale은 의식장애를 객관적이고 연속적인 개념으로 판단하기 위하여 사용되며, 어느 상황에서 개안(eye open)할 수 있는지, 자극에 대한 언어적 표현(best verbal response)은 어느 정도로 가능한지와 운동(best motor response)의 기능 정도를 수치화한 평가법이다. 세밀한 변화를 파악하는 데는 한계가 있으나 혼수 환자에서 의식장애의 정도를 수치로 연속적인 평가를 하는 데 유용하다. 외상 후 의식의 장애 여부를 추적 관찰하기 위하여 사용된 원본에는 언어적 표현에 대한 평가 항목이 포함되어 있으나 소아, 특히 영아에서 실제적인 적용이 힘들기 때문에 원

본에서 변형된 검사가 사용된다(표 2-3). 정상적인 의식을 가진 소아의 GCS 점수는 15점이며 12-14점은 경도의 의식장애를, 9-11점은 중등도의 혼수를, 그리고 8점 미만은 중증의 혼수를 의미한다.

4. 의식 소실의 양상

1) 뇌탈출 증후군(Herniation syndrome)

두개 내압의 증가는 뇌의 한 부분을 원래 있던 정상적인 위치에서 두개 내 다른 구획(compartment)으로 이동시킴으로 이미 그 자리에 있던 구조물들에 압박을 가할 수 있다. 이러한 뇌탈출의 현상은 대뇌겸(falx cerebri) 하단으로, 혹은 천막 절흔(tentorial notch)이나 큰구멍(foramen magnum)을 통해서 발생한다. 상태를 연속적으로 모니터링을 하고 급속히 뇌탈출이 진행되고 있는 상황이 아닌지를 신속하게 파악하여 적절한 처치가 이루어져야만 한다.

(1) 경천막 뇌탈출, 중심탈출(Transtentorial, central herniation)

경천막 뇌탈출은 대뇌 반구 양측에 비슷한 정도로 두개 내압이 상승되었을 때 발생한다. 외상 후 혹은 중독/대사성 질환에 의한 전반적 뇌부종, 3 뇌실이나 수도관(aqueduct)의 폐쇄로 인한 수두증, 혹은 양측성 대뇌 반구의 종괴가 있을 때 발생할 수 있다. 양쪽 대뇌 반구가 아랫 쪽으로 전위되면서 시상 및 시상하부로 이루어진 간뇌와 중뇌가 천막 절흔을 통해 하방으로 밀려 후두와(posterior fossa)로 전

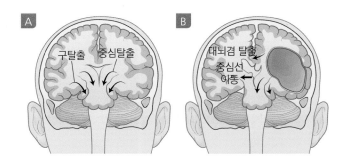

■ 그림 2-6. 중심탈출과 구탈출
(A) 대뇌 전반적 부종이나 양측성 병변이 있을때에 간뇌와 중뇌가 천막절흔을 통해 탈출하게 된다. **(B)** 대뇌의 일측성 병변이 있을 때, 같은쪽의 구뇌회가 탈출하게 되고 중앙선이 반대쪽으로 압력을 받아 밀리게 된다.

위되고 점진적으로 두미 압박(rostral-caudal compression)이 나타난다(그림 2-6).

대뇌 반구의 한 쪽에 발생한 종괴의 경우에도 처음에는 대뇌겸의 하연을 통해 같은 쪽의 대상회(cingulate gyrus)가 반대편으로 변위되지만 결국에는 압력이 가해지는 방향이 하방으로 향하게 되며 간뇌, 중뇌와 뇌교 그리고 연수의 순서로 점진적인 두미황폐(rostrocaudal deterioration)의 소견이 나타난다. 경천막 뇌탈출은 다음의 3단계로 진행한다.

① 간뇌기(Diencephalic stage); 규칙적인 호흡 혹은 Cheyne Stokes 호흡이 나타나고, 동공의 크기는 작지만 대광반사가 존재한다. 반사에 의한 안구 운동은 보존되어 있으며 근긴장도의 증가와 겉질제거경직 자세를 보인다(그림 2-7).

② 중뇌-뇌교기; 호흡은 규칙적이거나 빠르고, 동공의 크기는 중간위이며 대광반사는 소실된다. 반사적 안구 운동은 비공액 안구 운동으로 나타나거나 소실된다. 근긴장도는 증가되어 있으며 대뇌제거경직 자세를 취한다.

③ 연수기; 느리고 불규칙적이며 숨을 몰아쉬는 듯한 호흡이나 무호흡이 나타난다. 동공의 크기는 중간위이거나 확대되고 대광반사는 소실된다. 반사적 안구 운동도 소실되고 사지는 힘없이 처진 상태가 된다.

(2) 구탈출(Unilateral, uncal herniation) 혹은 외측탈출(Lateral herniation)

종괴 등에 의해 한 쪽의 측두엽이 커질 경우 같은 쪽의 구(uncus) 혹은 해마(hippocampus)가 천막의 절흔을 통해 밀려 내려가게 된다(그림 2-6). 뇌간, 후뇌동맥, 동안신경은 천막의 면에 근접한 위치에 있다. 처음에는 동안신경을, 나중에는 간뇌를 압박하게 된다. 구탈출의 초기에는 종괴가 있는 쪽의 동공이 확대되고 동공의 크기는 좌우가 다르게 된다. 때로 전위된 뇌간은, 종괴와 반대쪽에 위치한 동안신경이 천막의 면에 압박을 받아 반대쪽 동공이 확대되는 수도 있다. 처음에는 대광반사가 존재하지만 점차 동공이 커지면서 대광반사도 소실된다. 동안신경의 장애로 내직근이 마비되어 같은 쪽의 안구가 내전(adduction)되지 않게 되며, 같은 쪽의 안검하수가 나타나면서 완전한 형태의 동

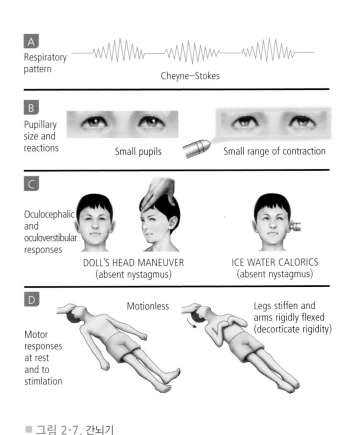

■ 그림 2-7. 간뇌기

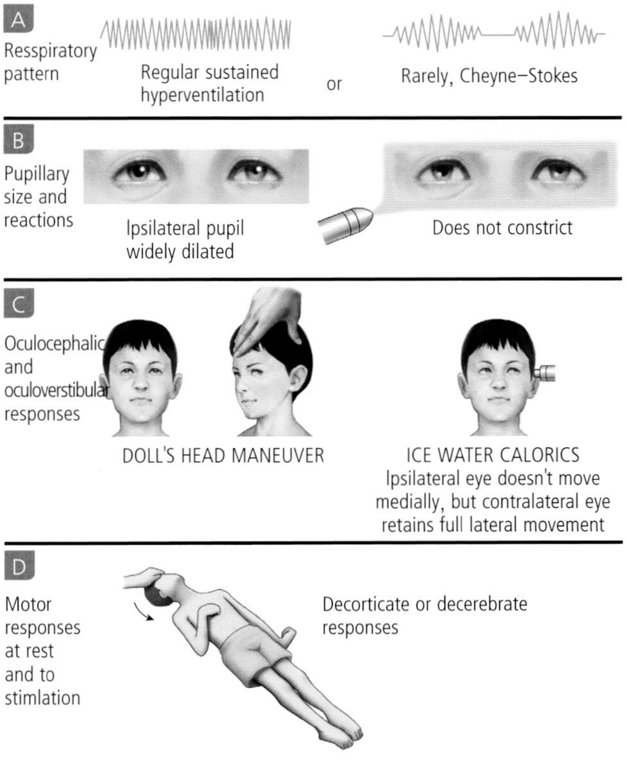

■ 그림 2-8. 동안신경기

안신경 마비로 이행된다. 이러한 정도로 안구 운동의 장애가 나타날 경우에는 종괴가 위치한 쪽과는 반대편의 편마비와 다양한 정도의 의식장애가 나타난다. 초기에는 호흡에 큰 영향을 주지 않지만 진행하면 경천막 뇌탈출의 양상으로 진행하며 호흡의 장애도 나타난다(그림 2-8).

(3) 소뇌 탈출(Cerebellar herniation)

소뇌 종양이나 출혈과 같은 병변에 의해 후두와의 압력이 상승하면 소뇌가 천막 절흔을 통해 위쪽으로 상향 탈출하거나, 큰구멍을 통해 소뇌 편도 한 개 혹은 두 개 모두가 하향 탈출할 수 있다. 상향 탈출이 생길 경우 중뇌가 압박을 받아 상방 주시 장애, 대광반사가 소실되고 확대된 동공, 불규칙한 호흡 등이 나타난다. 하향 탈출의 경우 연수를 압박하여 의식 저하, 상방 주시 장애, 하부 뇌신경의 마비가 발생한다. 소뇌가 큰구멍을 통해 하향 탈출할 때 나타나는 초기 소견 중 하나는 경부 강직 혹은 사경(head tilt)이다. 천막 상부의 병변에 의한 경천막 뇌탈출에 비해 의식의 소실이 급속하게 진행되고 조기에 그리고 심한 정도로 호흡, 심장의 박동, 혈압 등의 이상이 나타난다.

(4) 대뇌겸하 뇌탈출(Subfalcial herniation)

한 쪽 대뇌 반구가 커질 경우 커진 쪽의 대뇌 반구의 대상회전이 대내겸의 하방을 통해 반대 쪽으로 탈출하는 일은 흔하다. 내대뇌정맥(internal cerebral vein)과 전뇌동맥(anterior cerebral artery)이 압박을 받아 대뇌 정맥혈의 유출이 저하되고 동맥경색이 생김으로 두개 내압이 상승하게 된다. 초기에는 특별한 증상을 보이지 않을 수 있다.

2) 구조적인 병변과 대사성 장애에 의한 의식장애의 감별

천막 상부에 파괴성 혹은 종괴성 병변이 발생한 경우, 처음에는 국소성 병변으로 시작되지만 점차 두미악화(rostrocaudal progression)의 양상으로 진행하는 수가 많다. 천막 하부에 파괴성 및 종괴성 병변이 있는 경우에는 뇌간 기능의 이상으로 시작되며 갑작스러운 혼수, 뇌신경의 마비 그리고 조기에 호흡 장애가 나타나는 일이 흔하다.

중독/대사성 장애나 감염 질환에 의해 의식장애가 생긴 경우에는 운동 장애보다 착란이나 혼미가 먼저 나타나는 수가 많고, 대뇌의 국소 병변에서는 잘 나타나지 않는 비정상적인 운동 즉 간대성근경련(myoclonus), 고정자세불능(asterixis), 진전, 경련 등이 관찰된다. 호흡은 과호흡이나 호흡저하의 소견을 보이고 운동 장애가 나타난다면 양측성이며, 대광반사는 보존되는 경우가 많다.

5. 의식장애 환아의 처치

1) 일반적인 응급 처치

의식장애의 일반적인 치료 원칙은 혼수를 초래하는 원인을 파악하여 이에 대해 바른 치료를 시작하는 것도 중요하지만, 활력 징후를 파악하고 기도 확보, 산소 공급, 혈액 순환과 심장 기능의 유지 등 안정화를 시켜 뇌혈류 공급을 원활히 하고 두개 내압을 감소시켜 이차손상에 의한 이차 뇌병변이 발생하는 것을 방지하여야 한다. 이러한 치료는 뇌의 불가역적인 손상을 막기 위해 진단에 앞서 즉시 시행되어야 한다. 이와 동시에 병력의 청취와 간단한 신경학적 진찰이 시행되어야 한다. 의식장애의 원인이 분명하지 않은 경우 대사성 장애(혈당, 전해질, 암모니아, 간 기능, 신장 기능 등)와 중독 물질 검사를 위해 혈액을 채취하고, 수액 요법을 위한 정맥 주사선을 확보한다. 혈액 채취 후 저혈당에 의한 의식장애의 가능성을 생각하여 경험적으로 50% 포도당액(1-2 mL/kg)을 정주하기도 한다.

2) 환아의 특성에 따른 처치법의 선택

환아의 특성에 따라 처치 순서나 방법이 달라질 수 있다. 예를 들어 위장관염과 탈수의 소견으로 경한 정도의 의식장애를 보이는 경우라면 전해질 이상과 혈당 등의 검사 결과를 확인하고 수액 요법만으로도 문제가 해결될 것이며, 당뇨병의 기왕력을 가진 환아인 경우에는 당뇨성 혼수를 의심하고 혈당과 혈액가스분석, 뇨 케톤 등을 확인하는 것이 가장 먼저 해야할 일이다. 뇌전증 발작이 발생하면 발작에 의한 뇌 대사 기능의 악화를 막기 위해 항경련제를 투여하여 뇌전증 발작을 바로 조절해야 된다. 외상 후 혼수 상태에 빠진 환아라면 두부 뇌 전산화 단층촬영을 단시간에 시행해야 할 것이고, 수일 전부터 발열, 두통, 구토를 보였던 환아의 경우에는 금기사항이 없다면 척수 천자

검사를 먼저 시행해야 하고 항생제나 항바이러스제를 투여하여야 한다. 중증 의식장애 및 진행 중인 뇌탈출의 소견이 나타나는 경우라면 활력 징후의 안정화와 뇌 전산화 단층촬영, 즉각적인 두개 내압의 저하 등의 처치가 거의 같은 시간에 이루어져야 된다.

3) 의식장애의 경우 응급검사

혈액 검사 외 고려해야 할 응급검사는 뇌 전산화 단층촬영 혹은 뇌 자기공명영상 검사, 척수 천자, 뇌파검사 등이 있다.

(1) 뇌 전산화 단층촬영 및 자기공명영상

특별한 원인을 찾을 수 없는 의식장애 환아의 경우, 가능하다면 뇌 전산화 단층촬영으로 의식장애가 뇌의 구조적인 병변에 의한 것이 아닌지를 확인해야 한다. 조영제를 사용하지 않는다면 뇌 전산화 단층촬영은 짧은 시간 내에 검사를 마칠 수 있으며, 기관 삽관 및 인공 환기를 하고 있는 상태에서도 검사가 가능하다. 뇌 전산화 단층촬영으로 두개 내 종괴, 출혈, 경색 등을 알 수 있으며 뇌탈출에 대한 평가에도 도움이 된다. 그러나 뇌염이나 뇌경색의 초기에는 특별한 이상이 나타나지 않을 수 있으며, 뇌실질과 동일한 밀도의 경막밑 출혈 혹은 양측성의 경막밑 출혈(isodense subdural or bilateral subdural hemorrhage)은 판독 시 놓치기 쉬운 소견으로 주의가 필요하다.

뇌 자기공명영상 검사는 뇌 병변의 특성을 보다 정확하게 판단할 수 있다는 장점이 있으나 위급한 상황의 의식장애 환아에서 검사에 소요되는 시간이 길다는 것이 단점이다. 급성 파종 뇌척수염(acute disseminated encephalomyelitis)이나 뇌전산화 단층촬영에서는 관찰되지 않는 기능적 이상의 진단에는 뇌 자기공명영상이 필요하다.

(2) 척수 천자

뇌척수액의 분석은 뇌염, 수막염의 진단에 필요하지만 그 외의 경우에서 응급으로 뇌척수액 검사가 필요한 경우는 많지 않다. 척수 천자는 두개 내압이 증가된 경우에는 뇌탈출이 유발될 수 있으며, 특히 뇌의 여러 구획간의 압력이 일정하지 않은 경우 그 위험이 크기 때문에 금해야 한다. 그러나 두개 내압이 증가된 상태라도 중추신경계의 감염이 의심되는 경우에는 척수 천자의 다른 금기 사항이 없고, 안저에 유두 부종이 관찰되지 않는다면 시행될 수 있다. 단 경부 강직이 중추신경계 감염 외에도 경천막 뇌탈출 또는 소뇌 편도 탈출의 경우에도 나타날 수가 있다는 것을 염두에 두어야 한다.

중추신경계 감염의 가능성이 큰 상황에서 환아의 상태가 호흡의 장애 등 뇌간 기능의 이상이 관찰되고 척수 천자로 인한 뇌탈출의 위험이 크다면 먼저 두개 내압의 감소를 위한 처치와 세균성 수막염, 헤르페스 뇌염, 결핵성 수막염의 대한 항생제, 항바이러스제, 항결핵제 등으로 경험적 치료를 시작하고 이후 환아의 상태가 안정되었을 때 척수 천자로서 확진하는 것이 바람직할 수도 있다. 이러한 상황에서는 뇌 전산화 단층촬영으로 즉각적인 감압이 필요한 수두증이나 경막밑 축농 여부 또는 뇌탈출에 부합되는 소견이 있는지를 확인하는 것은 처치에 도움이 된다. 원인이 분명치 않은 의식장애 환아의 경우, 척수 천자를 하기 전에 뇌 전산화 단층촬영으로 등밀도의 혹은 양측성의 경막밑 출혈이 없음을 확인하는 것이 바람직하다.

예상하지 못한 척수 천자 후 뇌탈출의 발생에 대비하여 정맥 수액로 확보와 mannitol의 주사를 준비하는 것이 좋다. 만약 뇌척수액의 압력이 상당히 증가되어 있다면 세균 배양과 세포 수를 알기 위한 수 mL 정도의 뇌척수액만 채취하는 것이 바람직하다. 척수 천자 도중 혹은 후에 국소성 징후를 보인다면 빠른 시간 내에 두개 내압을 저하시키기 위해 즉시 기도 삽관 후 인공환기법으로 과호흡을 시켜야 한다.

(3) 뇌파

뇌파는 뇌 전산화 단층촬영을 하기 전 병실에서 활력 징후가 불안정한 환아에서 좌우 비대칭의 뇌파와 같은 소견을 찾아냄으로 대뇌 겉질의 구조적인 손상을 확인할 수 있다. 특징적인 뇌파 소견이 나타나는 대사성 혹은 중독성 의식장애와 헤르페스 뇌염의 진단에도 도움이 된다. 의식의 장애가 경련 혹은 경련과 연관된 것으로 의심될 때 그 확인은 뇌파검사로서 가능하다. 경련 후 아직 의식이 회복되지 않은 것으로 판단되는 뇌전증 환아의 상태 확인에 뇌파가 필요하며, 의식장애가 복잡부분발작이나 강직간대발작의 형태가 아닌 뇌전증 지속증에 의한 경우에는 뇌파검사가 진단에 필수적이다.

4) 근본 원인 질환의 치료와 대증적 치료

가장 중요한 치료는 의식장애가 나타나게 된 원인 질환의 규명 및 치료이다. 당뇨병성 혼수의 경우 혈당의 조절과 산-염기, 전해질의 조절이 필요하며 두개내출혈의 경우 수술적 치료가 필요한 수가 많다. 그 외 대증적인 치료로서 경련이 관찰될 경우 항경련제, 두개 내압의 상승이 의심되는 경우에는 과호흡과 mannitol의 사용, 전해질 이상의 경우 전해질의 교정 등이 필요하다. 뇌부종 또는 두개 내압이 항진된 경우 머리를 30° 들어올리거나 뇌의 대사를 떨어뜨리기 위한 저체온 요법과 같은 대증 요법과 과다호흡, steroid, mannitol(0.25 g/kg 4-6시간마다), 글리세롤 및 고장식염수와 같은 삼투이뇨제를 사용하여 두개 내압을 감소시켜야 한다. 위와 같은 치료에도 불구하고 두개 내압이 잘 조절되지 않은 경우는 barbiturate 혼수를 유도하는 경우도 있다.

6. 혼수 환아의 예후

혼수에 대한 적절한 치료를 하여도 많은 수의 환아가 사망하고 회복되더라도 운동 장애, 정신 장애, 인지 기능 장애 및 행동 장애 등의 신경학적 후유 장애를 남긴다. 따라서 혼수로 입원한 환아에서 예후에 대한 예측은 중요한 면이 있다.

예후에 영향을 가장 미치는 인자는 혼수를 초래하는 원인이다. 외상에 의한 손상 후에 생존한 소아는 전반적인 저산소 허혈 손상을 받은 소아보다 예후가 좋다. 예를 들어 적어도 30일 이상 식물인간으로 있었던 아이의 경우 외상

손상군은 84%가 식물인간 상태에서 회복되었는데 저산소 허혈 손상군의 55%만이 회복되었다. 저산소 허혈 손상은 외상에 의한 손상보다 더 심하기 때문에 식물인간 상태라는 표현보다는 지속적인 식물인간 상태라는 용어를 사용한다. 외상에 의한 뇌손상으로 인한 혼수 환아에 대한 연구를 보면 소아는 성인에 비하여 예후가 좋다. 중증 외상에 의한 뇌손상 소아의 80-90%는 좋은 결과를 보이거나 중등도의 장애로 회복되는 것으로 알려져 있다.

사고, 선천 기형의 합병증(선천 심질환, 뇌척수로 폐색증) 및 감염의 경우 사망률이 60-80%에 이르며 후유 장애 없이 회복될 가능성은 10-20%로 낮다.

이에 반해서 뇌전증 발작, 약물 중독 및 대사 질환의 경우 대부분 후유 장애 없이 회복되고 사망률도 낮다. 그러나 원인을 알 수 없는 경우는 연속적인 신경학적 검사와 뇌파검사 및 유발전위 검사 같은 신경생리 검사를 통해서 혼수의 경과를 관찰하는 것이 예후 예측에 중요하다.

일반적으로 입원 첫날과 제 3일에 시행한 환자의 Glasgow coma scale이 5점 이하, 동공반사의 소실, 자극을 가해도 눈을 뜨지 않거나, 자극에 대한 운동 반응이 없고, 자발적 호흡이 없으면 예후가 나빠서 거의 대부분 사망하거나 뇌사, 지속적인 식물인간 상태 또는 심한 신경학적 후유 장애를 남긴다. 신경생리검사 중 뇌파검사보다 유발전위검사가 신뢰도가 더 높고, 유발전위 검사에서는 시각 또는 청각유발전위 검사보다 체성감각유발전위 검사의 신뢰도가 더 높다. 그러나 연속적인 신경학적 검사가 신경생리검사보다 예후를 예측하는 데 더 신뢰도가 높고 중요하다.

02

뇌사

Brain Death

| 남상욱 |

사망에 대한 개념은 시대에 따라 많은 변천을 해왔다. 전통적으로는 호흡과 심장이 정지하여 회복되지 않는 것으로 정의하였다. 그러나 심폐소생술 및 인공호흡치료의 발달로 이러한 기준을 적용하기 어려운 환자가 많이 발생하게 되어 뇌사를 사실상의 사망으로 정의하는 움직임이 생겨나게 되었다. 한편 뇌의 심각한 손상이 있는 경우 전신의 통합기능이 상실되므로 주체로서의 개체적인 의미를 잃게 되고 인공적인 심폐기능 유지에도 불구하고 결국 심정지에 이른다는 점에서 뇌기능의 비가역적인 상실을 새로운 사망의 기준으로 판정하고자 하는 뇌사의 개념이 대두되게 되었다. 중환자치료의 발달과 장기이식의 발전으로 인해 회복 불가능한 환자에게 고가의 소모성 진료의 문제성이 제기되고 신속한 뇌사 판정의 필요성이 커지면서 뇌사를 실질적인 사망으로 정의하자는 움직임이 의학계뿐 아니라 일반사회에도 공감대가 형성되어 점차 많은 국가에서 법제화를 하고 있다.

1. 사망의 정의

1) 심폐사

인간과 같이 분화된 다세포 생명체에 있어서는 신체의 모든 기관이 유기적으로 협조하여 생명을 유지하고 고도의 생명활동을 하게 된다. 그러므로 폐, 심장, 뇌, 신장, 간,

소화기, 면역계, 내분비계 중 어느 한 기관이 심각한 손상되면 전체 개체의 사망을 초래할 수 있다. 여러 기관 중에서도 중심적인 역할을 하는 것은 폐, 심장과 뇌로서 특히, 폐와 심장의 기능 상실은 급속하게 전신의 비가역적인 손상으로 이어지게 된다. 심폐정지는 객관적으로 명확하고 쉽게 알 수 있어서 예전부터 사망을 판정하는 기준이 되었다.

심폐정지 후에도 전신 세포의 사망은 서서히 진행이 되어 24시간이 지난 시점에도 피부, 각막, 동맥, 뼈의 이식이 성공하는 것을 확인할 수 있다. 그러므로 전체 개체의 사망이라는 의미에서 본다면 엄밀하게는 신체의 모든 세포가 사망(cell death)하는 시점으로 정의하여야 할 것이다. 이 경우 신체가 모두 부패하여야 가능하므로 실제 사망의 판정에 적용하기는 힘들다. 전통적으로 심폐정지를 기준으로 한 사망 판정은 사회적으로 종교적, 윤리적, 법적 문제 없이 자연스럽게 받아들여지고 있다.

2) 뇌사

뇌의 사망과정 또한 한 순간에 일어나는 전체사가 아닌 점진적으로 진행하는 과정으로 이해해야 할 것이다. 그러나 의사는 사회적 법적인 요청으로 사망의 시점을 명확하게 판정해야하므로 이로 인해 여러 가지 논란의 소지가 발생하게 된다. 뇌사는 뇌기능의 비가역적인 정지를 사망의 판단기준으로 보는 입장이다. 이는 뇌세포가 동시에 모

표 2-4. 뇌사와 지속적 식물 상태의 비교

	뇌사	지속적 식물 상태
침범부위	뇌간을 포함한 전체 뇌	대뇌
기능장애	심조절 외 모든 뇌기능	기억, 사고, 운동, 감각
운동기능	자극에 반응 전혀 없음	제한된 사지운동, 이동불능
호흡기능	없음	있음
소화기능	없음	있음
순환기능	없음	있음
예후	2주 이내에 대부분 사망	수년 이상 생존 가능
장기 기증	가능	불가능

든 기능을 잃었다는 의미가 아니라 생명 유지에 필수적인 뇌의 기능이 비가역적으로 상실되어 필연적으로 사망으로 이어지게 되는 임상적인 상태를 표현하는 것이다.

뇌사는 뇌간사설(腦幹死說, brainstem death), 대뇌사설(大腦死說, forebrain death), 전뇌사설(前腦死說, whole brain death)로 나눌 수 있는데 이 중 전체 뇌가 사망에 이른 상태인 전뇌사설이 세계적인 입법의 경향이며, 우리나라도 전뇌사설의 입장을 천명하고 있다. 주체로서의 개체 상실에 해당하는 대뇌의 비가역적인 손상인 "지속적 식물상태(persistent vegetative state)"는 인위적인 심폐기능의 보조치료 없이 장기간 생존할 수 있다는 점에서 뇌사와는 구분된다고 할 것이다(표 2-4). 뇌사 상태에서는 인공호흡, 영양공급, 약물 및 수액요법을 시행하더라도 대부분 1-2주 사이에 심정지에 이르게 된다.

2. 뇌사 판정기준

우리나라의 뇌사 판정기준은 다음과 같다(표 2-5).

1) 선행조건

뇌사의 원인이 되는 질환이 확실하고 치료될 가능성이 없는 기질적 뇌병변이 있다는 것이 임상적 또는 신경영상 검사로 진단되어야 하며 이는 뇌에 일차적 이상이 있는 일차적 뇌병변과 심폐기능을 포함한 전신적 기능의 이상에 의한 이차적 뇌병변으로 나눌 수 있다. 특히 Locked-in syn-

표 2-5 우리나라의 뇌사 판정 기준 (장기 등 이식에 관한 법률, 1999)

1. 6세 이상인 자에 대한 뇌사 판정 기준

다음의 선행조건 및 판정기준에 모두 적합하여야 한다.
1. 선행 조건
   (1) 원인질환이 확실하고 치료될 가능성이 없는 기질적 뇌병변이 있다
   (2) 깊은 혼수상태로서 자발호흡이 없고 인공호흡기로 호흡이 유지된다
   (3) 치료 가능한 약물중독(마취제, 수면제, 진정제, 근육이완제 또는 독극물 등에 의한 중독)이나 대사성 또는 내분비성 장애(간성혼수, 요독성 혼수 또는 저혈당성 뇌증 등)의 가능성이 없어야 할 것
   (4) 저체온상태(직장온도가 섭씨 32℃ 이하)가 아니어야 할 것
   (5) 쇼크상태가 아니어야 할 것
2. 판정 기준
   (1) 외부자극에 전혀 반응이 없는 깊은 혼수상태일 것
   (2) 자발호흡이 되살아날 수 없는 상태로 소실되었을 것
   (3) 두 눈의 동공이 확대고정 되어 있을 것
   (4) 뇌간반사가 완전히 소실되어 있을 것
       다음에 해당하는 반사가 모두 소실된 것을 말한다
       (가) 대광반사(light reflex)
       (나) 각막반사(corneal reflex)
       (다) 눈머리반사(oculo-cephalic reflex)
       (라) 눈전정반사(vestibular-ocular reflex)
       (마) 모양체척수반사(cilio-spinal reflex)
       (바) 구역반사(gag reflex)
       (사) 기침반사(cough reflex)
   (5) 자발운동, 제뇌강직, 제겉질강직 및 발작 등이 나타나지 않을 것
   (6) 무호흡검사 결과 자발호흡이 없고 되살아날 가능성이 없음(무호흡검사가 불충분하거나 중단된 경우에는 혈류검사로 추가 확인)
   (7) 재확인 : (1) 내지 (6)에 의한 판정결과를 6시간이 경과한 후에 재확인하여도 그 결과가 동일할 것
   (8) 뇌파검사 : (7)에 의한 재확인 후 뇌파검사를 실시하여 평탄뇌파가 30분 이상 지속될 것
   (9) 기타 요하다고 인정되는 대통령령이 정하는 검사에 적합할 것

2. 6세 미만인 소아에 대한 뇌사 판정 기준

제1호의 선행조건 및 판정기준에 적합하여야 하되, 연령에 따라 재확인 및 뇌파검사를 다음과 같이 실시한다.
가. 생후 2월 이상 1세 미만인 소아
   제1호 나목 (7)에 의한 재확인을 48시간이 경과한 후에 실시하고, 제1호 나목 (8)에 의한 뇌파검사를 재확인 전후에 각각 실시한다.
나. 1세 이상 6세 미만인 소아
   제1호 나목 (7)에 의한 재확인을 24시간이 경과한 후에 실시한다.

drome, 신경근 마비질환, 저체온증, 약물중독, 길랑바레 증후군 환자에서 뇌사로 오진을 한 증례가 보고되어 있으므

로 반드시 감별하도록 해야 한다.

진정제, 마취제, 근육이완제와 같은 약물이나 급성 중독에 의해 뇌사와 비슷한 임상소견을 나타낼 수 있으므로 배설이 되고난 후에 시행하는 것이 권장된다. 이 경우 뇌파검사로 대부분 감별할 수 있으며, 평탄뇌파의 소견을 보여 뇌파검사로도 감별이 힘든 경우 청각유발전위검사와 체성감각유발전위검사로 감별이 가능하다.

간성혼수, 요독증, 산-염기 장애, 저혈당, 전해질 장애와 같은 급성 대사 이상의 경우 이를 교정하고 판정하여야 한다. 직장 체온이 32℃ 이하가 되면 뇌간반사가 억제되고 27℃ 이하에는 사라지게 되므로 36℃ 이상의 정상체온으로 회복시킨 후 판정을 해야 한다.

저혈압 상태에도 뇌혈류량의 감소로 인해 뇌기능이 저하되어 신빙성이 떨어지므로 수축기 혈압을 100 mmHg이상으로 유지하여야 하며 필요하면 승압제를 사용하여 판정한다.

2) 통증에 대한 운동 반응

안와 상부나 손톱 하부에 강한 통증 자극을 주어도 근육의 움직임이 보이지 않아야 한다. 만약 통증에 대한 반응으로 대뇌제거경직 자세(decerebrated posturing), 겉질제거경직 자세(decorticated posturing), 발작(seizure)이 나타나면 전뇌사의 상태가 아니므로 뇌사로 판정하지 않는다. 단 심부건반사, 표재성 반사(superficial reflex), Babinski 반사, triple flexion reflex(고관절, 슬관절, 발목관절의 굴곡반사), 발바닥 회피 반사(plantar withdrawal reflex), 손가락 굴곡운동, 긴장목 반사(tonic neck reflex), 상지의 신전(extension)과 회내운동(pronation), 팔꿈치의 굴곡(flexion), 어깨의 외전(abduction), 상지 거상(arm lifting)을 보이는 Lazarus sign과 같은 척수나 말초신경의 반사는 뇌사자의 30-70%에서 관찰될 수 있으므로 뇌사 판정에 영향을 주지 않는다.

3) 뇌간 반사의 소실

뇌사 판정을 위한 뇌간 반사에는 대광반사, 각막반사와 턱반사를 포함한 안면감각과 근육운동, 눈머리반사와 눈전정반사, 구역반사와 기침반사가 있다. 뇌사자에서는 이러한 모든 뇌간 반사가 완전히 소실된다. 대광반사를 시행할 때는 먼저 아트로핀 등 동공에 영향을 미칠 수 있는 약

제의 사용을 배제하고 안구부의 외상이나 수술 및 질병 여부를 고려해서 판단한다. 눈머리반사 검사를 할 때는 경추부 손상 여부를 X선 검사로 미리 확인해야 한다. 눈전정반사를 검사할 때 진정제, 삼환계 항우울제, 항콜린제, 항경련제, aminoglycosides및 화학요법제는 반사를 억제시킬 수 있으므로 이러한 약물 사용 여부를 배제하고 혈병(blood clot)이나 이구(cerumen) 등으로 이도가 막혀 있는지 확인한 후 시행한다. 구역반사는 기도 삽관 환자에서는 시행하기 힘들므로 기관지 흡인으로 기침반사 여부를 확인한다.

4) 무호흡검사

뇌사의 다른 기준이 모두 부합되면 무호흡검사를 시행한다. 무호흡검사는 연수의 호흡중추에서 조절하는 자발호흡이 회복 가능한지 여부를 판정하는 임상검사이다. 무호흡검사 중 발생할 수 있는 심각한 저산소증과 저혈압, 부정맥을 최소화하기 위해 1) 중심체온 36.5℃ 이상, 2) 검사 전 6시간 동안 체액균형을 균형 또는 양성상태, 3) 수축기 혈압 100 mmHg 이상, 4) $PaCO_2$ 40 mmHg 이상, 5) PaO_2 normoxemia (SaO_2 >90%) 또는 최대 200 mmHg까지 유지 6) PEEP은 5 cmH_2O로 낮추어 유지한다. 이를 위하여 100% O_2 또는 95% O_2와 5% CO_2 혼합기체를 10분간 인공호흡으로 흡입시킨 후 인공호흡기를 제거한다.

이후 100% O_2를 기관내관을 통해 6 L/min으로 공급하면서 최대 10분 동안 혈압을 보면서 혈액 $PaCO_2$가 60 mmHg 이상으로 상승하는지 확인한다. 무호흡 시에 $PaCO_2$는 분당 2.5-3 mmHg의 속도로 상승한다. 눈으로 호흡운동을 여부를 관찰하여 10분까지 자발호흡이 유발되지 않으면 무호흡검사 양성으로서 비가역적인 호흡정지가 있다고 판정하고 채혈 후 인공호흡기를 다시 연결한다.

무호흡검사 도중에 수축기 혈압이 90 mmHg 이하로 떨어지거나 SaO_2가 85% 미만으로 30초 이상 지속되거나 부정맥이 나타나면 즉시 혈액을 채취한 후 호흡기를 연결한다. 혈액검사 결과가 $PaCO_2$가 60 mmHg 이상이거나 검사 전보다 20 mmHg 이상 증가할 때 또는 pH가 7.28 미만이면 무호흡검사 양성으로 판정한다. 만약 $PaCO_2$가 50 mmHg 이하이거나 20 mmHg 이하로 증가한 경우에는 뇌혈류검사를 추가로 시행하여 판정해야 한다.

무호흡검사는 만성적인 과이산화탄소혈증이나 신경근

마비가 있는 환자에서 시행해서는 안 된다.

5) 신경학적 진찰의 재판정

뇌사의 판정은 임상적인 진단으로 하는 것이며 반복 검사가 필요하다. 재판정의 시기는 연령에 따라 다르며 국가에 따라 기준이 다르다. 소아는 성인에 비해 뇌손상에 대한 저항성이 크고 회생의 가능성이 높다고 알려져 있으므로 뇌사 판정을 위한 재판정의 시간 간격이 길며 최종 판정에 더욱 신중을 기해야 한다. 이와 같은 맥락으로 생후 2개월 이내의 경우 신경학적 진찰의 재판정 기준이 없다. 우리나라는 생후 2개월 이상 1세 미만의 소아는 48시간 후, 1세 이상 6세 미만의 소아는 24시간 후, 6세 이상의 소아청소년 및 성인은 6시간 후 하도록 되어 있다(표 2-5).

3. 뇌사의 보조 검사

임상적인 검사가 제대로 수행될 수 있다면 그 자체로서 뇌사 판정에 충분하며 진단적인 보조검사보다 신뢰할 수 있지만 환자의 상태 때문에 무호흡검사를 시행할 수 없거나 무호흡검사에서 결론을 내리지 못한 경우에는 뇌혈류검사 등의 보조검사가 필요하다. 그러나 어떤 한 가지 보조검사로도 뇌사의 판정을 완벽하게 할 수 없다는 것을 유념하여야 한다.

뇌혈류검사로서는 경두개 초음파 검사(transcranial doppler), 뇌 단일광자 단층촬영(brain SPECT), 뇌 혈관조영술, 뇌 자기공명 혈관조영술을 시행할 수 있다. 그 외 흔히 사용되지는 않으나 체감각유발전위검사와 청각유발전위검사를 시행할 수 있으며 대부분 뇌사 환자에서는 반응이 나타나지 않는다.

우리나라에서는 뇌사의 확정검사로 뇌파를 시행하게 되어 있다. 대부분 뇌사 환자의 뇌파검사는 low frequency filter 0.1-0.3 Hz, high frequency filter 70 Hz, sensitivity 2 μV/mm로 설정하여 30분 이상 기록할 때 지속적으로 2 μV 이하의 평탄뇌파(electrocerebral inactivity, ECI)를 보인다.

모든 보조검사는 한계를 가지고 있다. 뇌 혈관조영술이 뇌사 판정 검사 중에서는 가장 이상적이지만 침습적인 검사의 위험이 있고 심한 저혈압이나 두부 손상의 환자에서

는 시행하기 힘들다. 이런 경우 뇌파검사가 더 낫지만 저체온증이나 약물, 대사장애가 있을 때는 쉽게 영향을 받을 수 있다. 그러므로 보조검사의 선택은 환자의 임상적인 상태와 함께 해당 병원의 검사 접근성 및 경험 있는 전문가의 여부를 고려해서 선택해야 할 것이다.

4. 소아의 뇌사

소아의 뇌사는 두부외상과 저산소성 뇌증에 의해 흔히 발생하며 그 외에 중추신경계 감염과 뇌종양, 전신질환에 의한 경우를 들 수 있다.

미국소아과학회에서 1987년 발표한 소아의 뇌사 판정 기준지침을 2011년 새롭게 개정 발표하였는데 이를 요약하면 다음과 같다.

1) 재태주수 37주 미만의 미숙아는 뇌사 판정을 내릴 수 없다.
2) 뇌사 판정 전에 저혈압, 저체온증, 대사장애를 교정하고 신경학적 진찰과 무호흡검사에 방해되는 약물은 중단해야 한다.
3) 뇌사 판정은 두 번 서로 다른 의사가 시행한다. 무호흡검사는 같은 의사가 수행할 수 있다. 재판정을 위해 출생 30일 이내 신생아는 24시간, 출생 30일-18세의 영아와 소아는 12시간의 관찰기간이 필요하다. 첫 번째 판정은 뇌사의 신경학적 기준에 부합되는지를 결정하고 두 번째 판정은 뇌사가 변화가 없고 비가역적인 상태라는 것을 확인한다. 심폐소생술이나 심한 급성 뇌손상 후에 신경학적 기능이 가변적인 상황에는 24시간 이후에 평가한다.
4) 무호흡검사는 검사 중 $PaCO_2$가 60 mmHg 이상 또는 검사 전에 비해 20 mmHg 이상 상승해도 호흡이 없을 때 양성으로 판정한다. 무호흡검사를 제대로 하지 못할 경우 보조적인 검사가 필요하다.
5) 뇌파검사나 뇌 혈류검사 등 보조검사는 뇌사 판정을 위해 반드시 필요하지는 않으며 신경학적 진찰을 대체할 수 없다. 보조검사는 무호흡검사가 안전하게 완료할 수 없을 때, 신경학적 진찰 결과가 불확실할 때, 약물에 의해 영향을 받을 때, 재판정 시간을 줄이기 위해 뇌사 판

정의 보조적인 목적으로 이용할 수 있다. 보조검사를 시행한다면 뇌사의 재판정과 무호흡검사는 반드시 시행

해야 하며 모든 결과가 뇌사에 합당해야 한다. 이때 관찰기간을 짧게 할 수 있으며 재판정은 첫 판정 후 어느

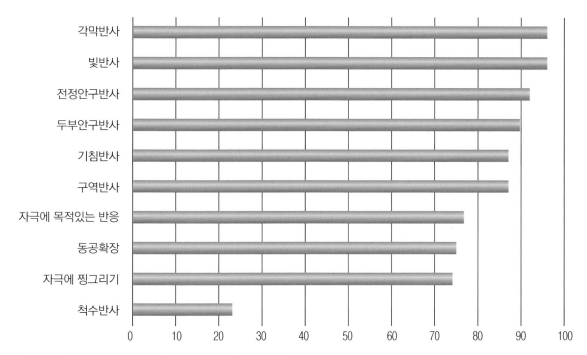

■ 그림 2-9. 뇌사 판정의 신경학적 검사 항목별 요구하는 국가의 비율

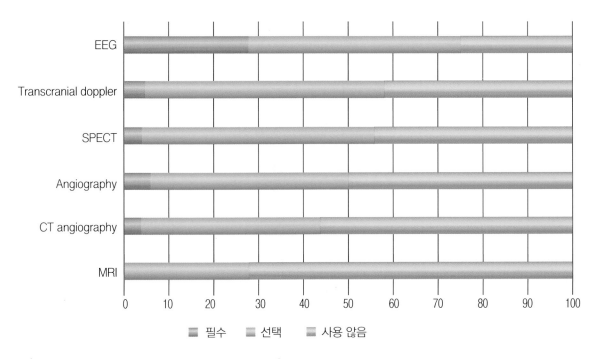

■ 그림 2-10. 뇌사 판정의 보조검사 항목별 요구하는 국가의 비율

시기에라도 할 수 있다.

5. 세계 각국의 현황

뇌사의 법제화와 뇌사 판정 기준은 국가에 따라서 다른데, 저개발국가일수록 뇌사의 법제화나 뇌사 판정 기준이 마련되지 않은 경향을 보인다. 각국의 뇌사 판정기준을 비교해 보면 깊은 무반응 혼수상태, 자발적 호흡소실, 뇌간 반사의 소실의 세 가지 항목은 대부분 공통적이나 무호흡검사 방법, 뇌파검사상 평탄뇌파 소견 확인, 뇌사 판정을 위한 보조검사, 재확인 시간 간격은 다소 차이를 보인다. 뇌사 판정을 위해 신경학적 검사 중 동공반사, 각막반사, 안구반사는 90% 이상의 국가에서 요구하나 척수반사는 포함시키지 않는 국가가 대부분이다(그림 2-9). 뇌사 판정의 보조적 검사는 요구하지 않는 국가도 일부 있으며, 필수검사로 뇌파검사가 가장 많이 사용되고 있는 반면 자기공명영상을 필수검사로 요구하는 나라는 없다(그림 2-10).

6. 예후

성인에서 뇌사 판정 후 신경학적인 회복이 보고된 바는 없으며 뇌사의 상태로 수일 내에 신체적인 사망이 뒤따른다. 뇌허혈은 교감신경계의 붕괴로 이어져서 혈관 확장과 심기능이상이 발생하여 대부분 환자에서 정맥으로 혈관수축제로 승압치료를 해도 혈압이 계속 하강하게 된다. 또한 폐부종과 요붕증으로 인해 심폐부전이 더욱 촉진되며 결과적으로 일주일 이내에 97%는 사망을 하게 된다. 소아에서는 이보다 더 오랫동안 생존을 하는 경우가 있는데 특히 신생아에서는 6개월 이상 뇌사 상태로 생존을 한 보고가 있다.

참고문헌

1. American Academy of Pediatrics. Report of special task force' guidelines for the determination of brain death in children. Pediatrics 1987;80:298-300.

2. Beecher H. A definition of irreversible coma. Special communication: Report of the Ad Hoc Committee of the Harvard Medical School to examine the definition of brain death. JAMA 1968;205:337-40.

3. Bradley P Fuhrman, Jerry J Zimmerman, Pediatric Critical Care, Mosby Year Book, 1991

4. Bruce O Berg, Principles of Child Neurology, McGraw-Hill, 1996

5. David G Nichols, Rogers' Textbook of Pediatric Intensive Care, William & Wilkins, 2008

6. Fred Plum, Jerome B Posner. Plum and Posner' The diagnosis of stupor and coma, 4th ed. F.A. Davis Company, 2007

7. Gerald M Fenichel, Clinical Pediatric Neurology. 6th ed. W.B. Saunders Company, 2009

8. Guidelines for the determination of death: Report of the Medical Consultants on the Diagnosis of Death to the President's Commission for the Study of Ethical Problems in Medicine and Biomedical and Behavioral Research. JAMA 1981;246:2184-6.

9. John M Pellock, Edwin C Myer, Neurologic Emergencies in Infancy and Childhood, Harper & Row, Publishers, 1993

10. Julia A McMillan, Ralph D Feigin, Oski's Pediatrics: Principles and Practice, J. B. Lippincott Company, 2006

11. Mohandas A, Chow SN. Brain death: a clinical and pathological study. J Neurosurg 1971;35:211-8.

12. Mollaret P, Goulon M. The depassed coma. Rev Neurol 1959;101:3-15.

13. Nakagawa TA, Ashwal S, Mathur M, et al (the Society of Critical Care Medicine, Section on Critical Care and Section on Neurology of the American Academy of Pediatrics, and the Child Neurology Society). Guidelines for the Determination of Brain Death in Infants and Children: An Update of the 1987 Task Force Recommendations. Pediatrics 2011;128:e720-40.

14. Report of the Quality Standards Subcommittee of the American Academy of Neurology: Practice parameters for determining brain death in adults. Neurology 1995;45:1012-4.

15. Wahlster S, Wijdicks EF, Patel PV, et al. Brain death declaration: Practices and perceptions worldwide. Neurology 2015;84:1870-9.

16. Walter G. Bradley, Neurology in Clinical Practice, Butterworth-Heinemann, 2007

17. Wijdicks EF, Eelco FM. Determining brain death in adults. Neurology 1995;45:1003-11.

18. 대한의사협회, 뇌사판정 및 뇌사자 장기이식 인준기준에 관한 규정집, 1998

소 아 신 경 학
PEDIATRIC NEUROLOGY

제 **3** 장

선천성 및 주산기 질환

Congenital and Perinatal Disorders

중추신경계의 기형

Congenital Structural Defects of Central Nervous System

| 김성구, 정다은 |

1. 수두증(Hydrocephalus)

[정의]

과거에는 뇌척수액의 생산과 흡수의 불균형으로 인하여 두개강 내 뇌척수액이 증가하여 뇌실의 확장, 두개 내압의 상승이 초래되는 상태를 수두증이라고 하였으나, 최근에는 그 의미가 확대되어 뇌척수액의 생성, 흐름, 혹은 흡수의 장애로 인하여 중추신경계 안의 용적이 증가하는 상태를 수두증으로 정의한다. 이런 정의는 양성 두개 내압 상승(benign intracranial hypertension)같은 뇌실이 커지지 않는 뇌척수액 역동학 이상을 배제할 수 있다. 심한 대뇌위축이나 뇌 조직의 파괴 때에도 뇌척수액이 빈 공간을 채우며 수동적으로 증가하게 되는데 이는 뇌척수액 역동학과 무관하여 진정한 의미의 수두증으로 분류하지 않고 hydrocephalus ex vacuo라고 한다.

[뇌척수액 생성, 순환, 흡수]

뇌척수액은 대부분 뇌실의 맥락얼기(choroid plexus)에서 생성되나 약 20%는 뇌 세포외액에서 에너지를 사용하여 생성된다. 생성된 뇌척수액은 Monro 구멍, 제3뇌실, Sylvius 수도관(aqueduct of Sylvius), 제4뇌실을 거쳐서 Lushka 및 Magendie 구멍으로 나와 대수조(cisterna magna) 및 척수의 지주막하 공간(subarachnoid space)을 순환한 후 대뇌반구의 지주막하 공간에 있는 지주막 과립(arachnoid

■ 그림 3-1. 뇌척수액의 순환
측뇌실 → Monro 구멍 → 제3뇌실 → Sylvius 수도관 → 제4뇌실 → Lushka/ Magendie 구멍 → 대수조, 척수의 지주막하 공간 → 지주막 과립 (대뇌반구)

granulation)을 통하여 흡수되어 정맥동으로 들어간다. 생성 속도는 0.35 mL/분으로 하루 약 400-500 mL가 생성되고 같은 양이 흡수 된다. 뇌척수액 총 용량은 소아에서 65-140 mL, 성인은 90-150 mL이다.

[분류]

수두증은 교통(communicating)과 비교통(noncommunicating) 수두증, 폐쇄(obstructive)와 흡수(absorptive) 수두증, 후천과 선천, 유전 혹은 중추신경계 기형과 동반된 형과 분리된 수두증, 뇌실 내 폐쇄형과 뇌실외 수두증, 단순형과 복잡형 수두증 등으로 분류할 수 있다. 교통 수두증은 뇌척수액의 흐름이 막힌 곳은 없으나 지주막하 공간에서의 재흡수에 장애에 의한 것이고 비교통 즉 폐쇄 수두증은 뇌실로부터 지주막하 공간으로 흐름이 막혀 초래된다. 중추신경계 발달 장애와 동반하여 출생 시부터 보이는 수두증은 선천이며 뇌수막염, 뇌종양, 뇌 외상 등과 연관되어 출생 후에 나타나는 수두증은 대개 후천이다. 태아기 수두증도 발생 기전에 따라 단순 수두증, 발생 장애형 수두증, 종양 혹은 출혈의 이차 수두증으로 분류하기 도 한다. 영아기에 뇌실외 지주막하 공간에 뇌척수액이 고이는 것은 거의 대부분 임상적으로 아무 증상이 없고 정상 신경 발달을 보이고 24개월 전에 정상으로 되므로 치료가 필요한 경우는 거의 없다.

[역학]

수두증의 정확한 발생 빈도는 알려진 바 없다. 수두증이 단독으로 발생하기도 하지만 뇌종양, 감염, 미숙아, 외상 등 다양한 신경계 질환과 동반되어 나타나기 때문이다. 신생아기에 수두증 단독 선천기형은 출생 1,000명 당 0.9-1.5명이고 전체 수두증의 발생 빈도는 출생 1,000명 당 0.3-4명 정도이다. 그러나 초음파 검사 등 산전진단의 발달, 임신 시 엽산 투여에 의한 신경관결손의 예방 및 감소, 미숙아 관리의 발달에 따른 뇌실내출혈의 감소 등 여러 요인에 의하여 선진국에서 소아기의 수두증 빈도는 계속 감소하고 있다.

[원인 및 병태생리]

수두증은 다양한 신경계 질환에 동반되는 증상이다. MRI 검사로 수두증의 원인을 알 수 있게 되었는데, 신생아기 및 영아기의 수두증은 주로 수도관 협착, Chiari 기형 등 선천기형이나 주산기 뇌출혈에 의하여 나타나고 유년기에는 후두와(posterior fossa) 종양이나 뇌수막염 등이 원인이 된다.

(1) 선천원인

수두증을 초래하는 세 가지 중요한 선천기형은 수도관 폐쇄, Arnold-Chiari 기형, Dandy-Walker 기형이다. 그 외

에도 Walker-Warburg 증후군 및 중추신경계 이상이 동반되는 Fukuyama 근퇴행위축 등 여러 가지 발달 기형에서 수두증이 동반될 수 있다.

수도관 폐쇄(Aqueduct obstruction)

수두증의 55%는 선천적이다. 그 중 일차적 수도관 폐쇄가 약 5%, 감염 종양 등에 의한 수도관 폐쇄가 약 5%를 차지한다. 형태학적으로 수도가 비정상적으로 좁아진 수도관 협착(aqueduct stenosis), 작은 구멍만 있다가 완전히 막혀 버린 수도관 폐쇄증(aqueduct atresia), 수도관의 상의세포층에 생긴 수도관 신경교증(aqueduct gliosis) 및 수도관 내에 생긴 막에 의한 수도관 중격(aqueduct septum) 등 여러 가지로 나눌 수 있다. 대부분의 수도관 협착은 산발적으로 발생하나, 드물게 반성 유전으로 나타나는 경우가 있으며 이때는 연수 추체(medullary pyramid)의 무형성이 동반되어 예후가 나쁘다. 수막염 후의 상의염이나 두개내출혈 이후에 후천적으로 수도관 협착이 발생할 수 있으며 일시적인 경우도 있다. 신경섬유종증에서도 드물게 수도관 협착으로 수두증이 발생한다.

Arnold-Chiari 기형

가벼운 경우는 연수와 소뇌 충부(cerebellar vermis)가 큰구멍(foramen magnum) 아래로 내려간 상태(Chiari I형)만 있으나, 심한 경우에는 제4뇌실까지 아래로 내려가고, 제일 심한 경우는 항상 척수수막류(myelomeningocele)가 동반되며 커진 큰구멍 아래로 소뇌 충부가 내려갈 뿐 아니라 중뇌덮개(midbrain tectum)의 새부리처럼 뾰족한 변형(전형적 Arnold-Chiari 기형 혹은 Chiari II형)을 보인다. 후두와가 작아서 충부가 위로 탈출하는 경우도 있다. 이 기형에 의하여 뇌척수액의 흐름이 직접 막히거나 동반된 지주막염에 의한 유착으로 이차적으로 흐름에 장애가 생겨 수두증이 초래된다. 후에 척수 공동증이 나타나기도 한다. 대뇌낫(falx cerebri)이나 소뇌 천막도 부분적으로 없거나 발육부전을 보이고, 심한 소뇌의 발육부전을 보이는 수도 있다.

Dandy-Walker 기형

이 기형의 원인은 뒤연수덮개장막(posterior medullary velum)의 형성 장애로 추측된다. 주된 형태학적 이상은 제

4뇌실이 주머니 모양으로 커지고 소뇌 충부가 일부 혹은 전부 생기지 않으며, 후두와가 커져서 측정맥동과 횡정맥동이 위로 올라간 모양을 보이는 것이다. Luschka 구멍과 Magendi 구멍이 막히는 경우가 많다. 후두 뇌류(encephalocele)나 다른 장기의 기형이 동반되는 경우도 많다. 폐쇄 수두증 및 그에 따른 두개 내압 항진 증상과 소뇌 실조 따른 소뇌 증상이 동반되고, 정신지연이 70%에서 있으며, 추체 징후도 나타난다. 얼굴의 큰 혈관종이 동반되는 수도 있다.

두개골 바닥의 골 기형

연골무형성증이나 편평머리바닥(platybasia)에서 뇌척수액 통로의 폐쇄로 수두증이 초래된다. 드물게 혈관 기형인 Galen 정맥의 정맥류가 뇌척수액의 통로를 막아서 수두증으로 나타난다.

유전

선천 수두증은 단독으로 나타나기도 하고 다른 기형과 동반된 증후군의 한 부분으로 나타나기도 한다. 수두증의 약 40%는 유전적 원인과 관련이 있다. 상염색체 우성, 열성, 성 염색체 열성 및 우성 유전이 보고 되었고 유전 수두증과 관련된 염색체 돌연변이가 적어도 43 종류가 보고되었다. 그 중 성염색체 유전자 위치는 Xq28로 L1CAM (L1 cell adhesion molecule)과 관련되어 있다고 보고되었다. 그 외에도 다양한 세포신호 분자나 바탕질 단백(extracellular matrix protein)이 수두증의 발생 기전과 연관되어 있다고 보고되었다.

(2) 후천원인

염증 질환

수막염 특히 세균수막염이나 결핵수막염의 후유증으로 기저수조(basal cistern) 등 뇌척수액 통로의 유착으로 인하여 수두증이 초래될 수 있다. 거대세포바이러스 및 toxoplasma의 자궁 내 감염도 원인이 될 수 있다.

출혈 후 수두증

미숙아에 흔히 동반되는 뇌실내출혈이 수두증의 중요

한 원인이 된다. 지주막하출혈에 따르는 교통 수두증은 성인에서 더 흔하다. 미숙아 치료의 발전으로 극소 저체중 신생아의 생존율이 높아지며 뇌실내출혈의 위험도가 더 중요하게 되었고 7-23%의 미숙아에서 뇌실내출혈이 나타나고 그중 약 1/3에서 출혈 후 수두증이 나타난다고 한다.

뇌종양

약 20%의 수두증의 원인이 뇌종양이다. 뇌척수액 순환 경로의 어느 부분이든지 양성 종양, 악성 종양, 혹은 전이성 종양에 의하여 막히면 수두증이 초래된다. 이러한 폐쇄는 지속적일 수 있으나 간헐적인 경우도 있다. 특히 소뇌를 포함한 후두와 종양이나 안상(suprasellar) 종양이 수두증을 일으키기 쉬우며, 제3뇌실의 교질낭(colloid cyst)이 구상밸브(ball-valve) 작용을 하여 간헐적인 두개 뇌압 항진을 초래하기도 한다. 결절경화증의 거대세포별아교세포종도 수두증을 초래할 수 있다. 신생물은 아니지만 지주막낭종, 염증낭종, 결핵종, 육아종 또는 소뇌내혈종 등에 의해서도 수두증이 발생할 수 도 있다.

기타 원인

맥락얼기유두종(choroid plexus papilloma)에 의하여 뇌척수액의 생산이 증가하여 수두증이 초래되는 경우도 있으나 매우 드물다. 이러한 수두증은 교통 수두증이지만 때로는 종양에서의 출혈이나 종괴 효과에 의해서도 수두증이 초래될 수 있다. 기관지 확장증과 더불어 일차적 섬모 기능의 장애로 인한 수두증과 골격계의 이형성이 동반된 증후군도 있다.

뇌척수액의 재흡수 장애에 의한 수두증으로 후천적 또는 선천적으로 지주막 융모가 감소된 경우도 있다. 심한 탈수나 외상에 의하여 초래되는 시상정맥동(sagittal sinus) 등 정맥동의 혈전증도 이론적으로는 수두증까지 초래할 수 있으나, 대개의 경우 양성 두개 내압 항진으로만 나타난다.

[임상양상]

진행하는 수두증의 임상양상은 연령에 따라, 즉 머리봉합이 닫히기 전후에 따라 다르다.

신생아기 및 영아기

머리봉합이 닫히기 전으로 수두증에 의하여 두개 내압이 상승하더라도 임상 증상이 경미하여 가벼운 성장장애, 높은 울음소리, 발달 지연 등만 보이거나 약 50%에서는 아무 증상이 없다. 그 외의 증상은 자극과민(irritability), 구토, 행동 변화, 졸음 등이다. 두개골의 봉합이 닫히지 않은 상태이므로 머리둘레가 커지는 것이 중요한 소견이다. 눈으로 확인할 수 있도록 커지면 바로 알 수 있지만, 주기적으로 머리둘레를 측정하여 두위 성장 백분위표에서의 위치가 변하는가를 관찰하는 것이 필요하다. 머리둘레가 비정상적으로 커지면 그 모양도 달라져서 정상머리 모양보다 더 둥그런 모양이 되고 이마도 튀어 나오게 된다. 머리가 크기 때문에도 머리 가누기가 늦고 머리를 끄덕거리게 된다. 인형머리 증후군(The bobble-head doll syndrome)은 드물지만 폐쇄 수두증에서 나타날 수 있는 증상으로 이상하게 고개를 끄덕이는 것이다. 보통 앞뒤로 끄덕이지만 옆으로 흔드는 수도 있다. 몸체와 큰 머리가 분리된 인형이나 장난감 동물의 머리 움직임과 비슷하여 이런 이름이 붙게 되었다. 진행하는 수두증에 의한 운동 발달 지연을 비진행 뇌성마비로 오인하면 치료의 시기를 놓치는 결과를 초래할 수 있다. 두피 피부에서는 특히 전두부와 측두부의 정맥이 확장된 것을 볼 수 있다. 앞숫구멍의 크기도 커지고 닫혀야 될 시기가 지나도 열려 있게 된다. 또 정상에서는 앞숫구멍이 약간 꺼져있으나 수두증이 심하면 앞숫구멍이 볼록하게 되고 만져보면 팽대된 느낌을 주며 정상적인 박동도 느낄 수 없다. 그러나 심한 구토로 탈수 상태에 빠지거나 심하게 울어서 pCO2가 떨어지면 팽대된 정도가 줄어들어 정상으로 오인하는 경우도 있다. 어떤 경우에는 봉합선이 멀어진 것도 만져질 수 있는데, 초기에는 유양돌기 부위와 앞숫구멍, 뒤숫구멍 부위에서 더 현저하다. 머리를 가볍게 타진해 보면 정상아와 다른 타진음을 들을 수 있는데, 영아에서는 익은 수박을 두드리는 소리 비슷하며 좀 큰 아이는 상자를 두드리는 소리 비슷하다(cracked pot, Macewen 징후). 한 손을 머리 한 쪽에 대고 다른 손으로 반대쪽에서 타진을 하면 액체의 진동을 느낄 수도 있다. 투과조명법(transillumination)은 깜깜한 방에서 불빛이 옆으로 새지 않도록 고무깔때기를 앞에 댄 손전등을 머리에 대 보는 것으로, 수두증이 심하면 머리에서 환한 불빛을 볼 수 있으

며, 무뇌수두증(hydranencephaly)에서 가장 환한 빛을 볼수 있다. 영아에서는 두개골이 커지는 것이 안전판 역할을 함으로 수두증이 있더라도 유두부종(papilledema)을 보기가 어려우나, 망막 출혈이나 시신경 위축에 의한 시각 장애는 나타날 수 있다. 눈에서 관찰되는 중요한 징후로 해거름 징후(setting sun sign)가 있는데, 안구가 아래로 내려가 흰 공막이 윗눈꺼풀 아래로 보이는 현상을 말하며 초기에는 간헐적으로만 나타나기 도 한다. 이 징후는 다른 원인에 의한 두개 내압 상승, 핵황달, 혹은 정상 미숙아에서도 보일 수 있다. 제6뇌신경의 마비에 의하여 모음내사시(convergent squint)가 나타날 수 있는데, 두개 내압에 따라 정도의 변화가 있으며 위를 볼 때 가장 현저 하다. 안근 마비에 의한 안구진탕도 흔하다.

2세 이후

머리봉합이 닫힌 후에 진행되는 수두증에서는 머리둘레가 정상이다. 학습장애 및 지능장애가 나타나며 지능장애는 정도가 다양하다. 수두증의 진행이 정지하거나 치료가 잘 되어 지능이 정상적으로 발달해도 공간지각장애, 손과 눈의 협조 장애 등이 나타난다. 또한 두통, 행동장애, 주의력 결핍 등에 의해서 학습에 더 지장을 받을 수 있다. 수두증이 빨리 진행 하면 두개 내압 상승의 증상으로 두통, 오심, 구토, 졸림, 보행 장애, 시신경유두부종, 안구운동장애로 상방주시 장애가 나타난다. 두개 내압의 상승이나 제3뇌실의 확장에 따른 시상하부 기능의 장애로 작은 키, 거인증, 비만, 사춘기 지연, 무월경, 요붕증 등도 보인다.

[진단]

머리둘레가 커지는 다른 원인과의 감별 진단이 필요하고, 수두증을 일으킨 원인을 찾는 것이 중요하다.

수두증과 다른 원인에 의한 대두증(macrocephaly)의 감별

수두증도 머리가 큰 대두증 원인의 하나이나, 그 외에도 여러 가지 원인이 있다. 경막하 삼출액이나 경막하 혈종이 흔히 양측에 올 수 있고, 그 때 머리가 커지나 수두증처럼 둥그런 모양은 아니다. 뇌신경교종 및 뇌실막세포종 등의 뇌종양에서도 머리가 커질 수 있고 흔히 측두부가 커진다. 연골무형성증, 구루병, 불완전 골생성증 등의 골격계 기형

에서도 두개골이 커질 수 있다. 그러나 한 시점에서의 머리둘레보다는 이전과 비교한 머리둘레의 증가 속도가 더 중요하다. 만삭아인 경우 생후 4개월까지 머리둘레는 주당 0.4 cm의 속도로 성장 한다. 그러나 미숙아는 이 속도가 더 빨라서 마치 태아기 말기처럼 첫 달에는 주당 1 cm까지 성장한다. 따라서 미숙아에서는 이 사실을 고려하여 머리둘레의 증가 속도를 평가하여야 한다. 뇌 자체가 정상보다 커지는 경우를 거대뇌증(megalen- cephaly)이라고 하며 퇴행성 뇌질환 중 Alexander병, Canavan병 및 Tay-Sachs병의 후기에 거대뇌증이 잘 나타난다. 점액다당증(mucopolysac-charidosis), 신경섬유종증이나 결절경화증 환자의 일부에서도 거대뇌증이 올 수 있으나, 다른 임상 증상으로 수두증과의 감별은 어렵지 않다. 그 외에도 비진행 정신지연이나 뇌전증이 동반되는 병적인 거대뇌증도 있다. 상염색체 우성으로 유전되는 양성 거대뇌증도 있으므로 부모의 머리둘레를 측정할 필요도 있다. 대개는 아버지 가계의 머리둘레가 큰 경우가 많다.

수두증의 원인에 대한 검사

때로는 임상양상으로 그 원인을 추정할 수도 있는데, 예를 들면 Arnold-Chiari 기형에 동반되는 수막척수류, 자궁 내 감염에 나타나는 맥락막망병증이나 Galen 정맥 기형에서 들리는 잡음(bruit) 등이 있으면 그 원인을 추정할 수 있다. 그러나 정확한 원인을 찾기 위해서는 뇌 영상 촬영이 필요하다. 단순 두개골 촬영으로 두개 내압이 상승되어 두

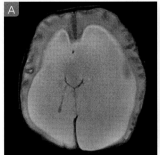 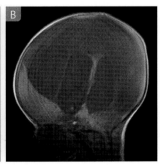

■ **그림 3-2.** 수도관 폐쇄에 의한 선천성 수두증의 MRI 소견
(A) T2 강조영상에서 측뇌실 및 제3뇌실이 심하게 확장되고, **(B)** 뇌간 및 소뇌가 하방으로 밀려 있으나 제4뇌실의 확장소견은 보이지 않아 수도관 폐쇄에 의한 수두증을 의심할 수 있다.

개골이 얇아지고 봉합선이 벌어진 것이나, 수도관 폐쇄의 경우 후두와가 얕은 것을 볼 수도 있다. 두개 내 석회화가 보이면 toxoplasma 감염, 머리인두종(craniopharyngioma), 송과체종(pinealoma) 등을 의심할 수 있다. 초음파, CT 혹은 MRI 검사로 수두증의 진단은 신속하고 간편하게 이루어지고, 감별 진단 및 치료에 많은 도움을 얻게 되었다(그림 3-2). 앞숫구멍이 적어도 1 cm 이상 열려 있으면 초음파 검사로 뇌실 크기를 정확히 알 수 있으나 앞숫구멍이 닫힌 후에는 CT나 MRI를 시행하여야 하며, 수두증의 확진뿐 아니라 다른 대두증의 원인 진단에도 도움을 얻을 수 있다. 최신 산전 초음파 검사나 태아 MRI 검사로 태아기에 뇌기형을 진단할 수 있게 되었다. 뇌척수액 재흡수의 장애가 의심되면 조영제를 주사하고 청소율을 CT로 측정할 수 있다.

[치료]

(1)약물 치료

뇌척수액의 생산과 재흡수의 불균형이 크지 않다면 저절로 수두증의 진행이 멈출 때까지 일시적으로 기다려 볼 수 있다. 뇌척수액의 생산을 감소시키는 약제로 초기에 isosorbide가 사용되었으나 후에 acetazolamide가 널리 쓰이게 되었다. 특히 미숙아에서 출혈 후 수두증이 나타날 경우 이 약제로 수두증의 진행을 막거나 수술 시기를 연기시킬 수 있으나, 수막척수류에서는 효과가 없다. 출혈 후 수두증에서 반복적인 척수 천자와 다른 보존적 요법은 뇌성마비의 발생에 큰 차이가 없다.

(2)수술 치료

대부분의 수두증은 뇌실의 뇌척수액이 우회로를 통하여 배출되도록 하는 수술 요법으로 치료하게 된다.

지름술(shunt operation)

도관을 삽입하여 뇌척수액을 뇌실로부터 신체의 다른 부위로 배출시키는 수술이다. 초기에는 뇌실-심방 지름(ventriculoatrial shunt)이 시행되었으나 상하대정맥의 혈전, 폐색전, 폐심장증(cor pulmonale), 패혈증, 지름 신장염 등의 심각한 부작용이 많아서 뇌실-복강 지름(ventriculoperitoneal shunt)이 주로 시행되고 있다. 이 방법은 삽입이 더 쉽고 복강 내에 충분한 길이의 도관을 넣어 성장하더라도 막힐 염려가 별로 없다는 것이 이점이다. 수술을 시행할 시기는 신중하게 결정하여야 한다. 진행하지 않을 가벼운 뇌실 확장을 너무 일찍 수술하여 수술에 따른 문제가 더 커지거나, 심각하게 진행하여 회복 불가능한 뇌 장애나 시각장애가 초래될 때까지 수술을 늦추는 것도 곤란하다. 두개골 봉합이 열려 있는 시기에는 두개 내압 상승이 급격하지 않으나 닫힌 다음에는 두개 내압 상승이 더 위험하므로 수술을 일찍 고려하여야 한다. 지름술의 합병증으로 도관의 폐색, 감염, 경막하 출혈 등이 있다. 도관의 폐색은 주로 뇌실 쪽에서 일어나나, 도관이 짧거나 뇌 또는 복강 내외에서 잘못된 곳에 위치하게 되거나, 복강 내 세균 감염으로 뇌척수액의 소강(loculation)이 생긴 경우에도 생긴다. 지름의 감염은 지름술의 흔한 합병증으로 7-10%에서 볼 수 있다. 경막하 혈종은 수두증이 심한 경우 뇌실질이 아주 얇아서 뇌실 내 뇌척수액이 배출된 후 빈 공간을 채울 수 없어서 생기는 합병증이다. 대개는 양측에 나타나고 증상이 거의 없는 경우가 많으나 뇌압상승이나 이전의 국소증상이 다시 나타날 수 있다. 수두증으로 수술을 받은 환자의 약 9%에서 뇌전증이 나타난다. 도관을 언제까지 가지고 있어야 하는가에 대해서는 아직 확립된 바가 없다. 수두증이 정지되고 10대가 되었다면 도관을 제거하여도 문제가 없을 것이나, 도관 제거 후 뇌압상승의 증상이 다시 보인다면 바로 CT나 MRI를 시행하여야 할 것이다. 지름술이 시행된 환자에서 지름의 기능이 정상인데도 불구하고 두통, 구토 등의 증상이 반복된다면 흔한 편두통 등의 진단도 고려하여야 할 것이다.

내시경 제3뇌실 창냄술(endoscopic third ventriculostomy)

내시경을 측뇌실과 Monro 구멍을 통하여 제3뇌실까지 집어넣은 후 바닥에 구멍을 만들어 뇌척수액이 빠져나가 거미막 융모에서 재흡수 되도록 하는 수술이다. 특히 수도관 협착에 의한 수두증에 효과적이다. 뇌기저 동맥 천공, 뇌척수액 누출, 뇌수막염, 시상하부손상, 뇌신경 손상 등의 합병증이 올 수 있다.

[예후]

1950년대 전에는 수두증의 사망률은 20세 이전에 49%에 달하였고 38%의 환자만이 IQ 85 이상이었다. 지름술의 발전으로 수두증의 예후는 비약적으로 좋아졌으나 여러 가지 합병증을 일으킬 수 있어서 지름 기능불량 혹은 감염으로 재수술이 필요하거나 사망할 수 있다. 예후는 치료 시작 전의 수두증의 정도와 그 진행 속도와 관련이 있고, 치료 후 수두증 이 얼마나 잘 조절되는가와 관계가 있다. 수두증에 의한 신경인지 장애는 여러 요인에 의하여 달라질 수 있어 뇌실내출혈의 정도, 중추신경계 감염의 중증도, 대뇌겉질의 두께와 뇌량의 두께로 나타낼 수 있는 수두증의 중증도가 예후와 관계가 있다. 적절한 치료를 받은 환자의 40-65%는 정상 지능을 보였다. 뇌전증 및 행동 장애도 수두증 환자에서 흔히 나타나는 문제이다.

2. 신경관 형성 및 분화장애(Neural Tube Defects and Disorders of Structure Specification)

외배엽, 중배엽 그리고 내배엽의 세 가지 원시 배세포층(primary germ cell layer)은 태아기 초기에 다능세포(multipotent cell)로부터 분화하게 된다. 이 직후 태아의 등쪽 중앙을 따라 외배엽에 구(groove)가 형성되며 중앙신경축(central neural axis)이 만들어지게 된다. 이후 차차 이 구가 깊어지며 그 가장자리인 신경능선(neural crest)이 서로 융합하면서 원시 신경관(primitive neural tube)이 형성되는데, 융합은 태아의 중앙으로부터 위아래로 진행되며 대개 착상 후 4주경에 끝나게 된다. 이후 신경관 세포의 증식을 통하여 중추신경계와 뇌막의 신경과 그 지지구조의 생산을 위한 세포의 분화과정을 밟는다(그림 3-3). 내배엽 특히 척삭판(notochordal plate)은 배아 내 중배엽이 외배엽을 신경판(neural plate)이 되도록 유도하는데, 실패하면 대부분 신경관 형성장애와 전뇌 발달장애를 일으킨다. 신경관 결손은 중추신경계 선천 기형의 가장 많은 부분을 차지하고 있으며 정확한 원인은 밝혀지지 않았으나 발열, 약물, 영양부족, 산모의 비만, 당뇨, 유전자 이상 등이 영향을 미치는 것으로 알려지고 있다.

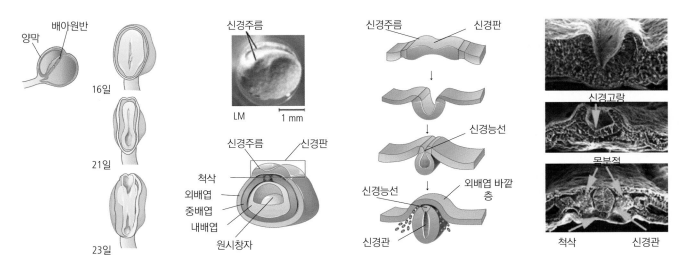

■ 그림 3-3. 신경관과 신경능선의 형성

1) 신경관 형성장애에 의한 척수기형

(1) 척수수막류(Myelomeningocele)

봉합선폐쇄장애(dysraphism)의 가장 심한 형태로 4,000명당 1명의 빈도로 발생한다. 원인 미상이지만 유전적 소인이 있어 이환된 자녀가 한 명 있을 때는 3-4%, 두 명의 경우에는 10%까지 발생률이 증가된다. 영양과 환경적 요인도 역할을 한다. Folate는 신경관결손의 발생과 관련되어 있다. Folic acid는 folate의 가장 안정된 산화 형태로 음식에는 드물게 들어 있고 비타민 보조제에 들어 있다. Folate 조효소들은 DNA, purine 합성, formate에서 formate pool 합성 등에 관여한다. Homocysteine 대사에 관련된 효소 유전자 돌연변이와 관련된 질환인 MTHFR (methylenetetrahydrofolate reductase)의 열불완전성변이(thermolabile variant)와 신경관 결손이 관련되어 있으며 예방 가능한 신경관 결손의 15%를 차지한다. 산모에게 folic acid 투여하면 신경관 결손발생 위험률을 최소 50% 감소시킬 수 있으며 임신 전부터 출산 12주까지 복용해야 효과적이다.

[예방]

임신의 가능성이 있는 모든 가임기 여성에게는 매일 0.4 mg의 엽산을, 이전에 척수수막류 출산 병력이 있는 고위험 여성의 경우에는 매일 4 mg을 임신계획 1달 전부터 복용하는 것이 권장된다. 엽산에 길항작용을 하는 trimethoprim과 carbamazepine, phenytoin, phenobarbital, primidone 같은 항뇌전증약은 수막척수류의 위험도를 증가시키며, 신경관 결손 원인의 1-2%를 차지하고 있는 valproate는 임신 중에 복용하면 질환발생 위험이 크게 높아진다.

[임상증상]

요천추 부위에 75% 이상이 발생하며, 말초신경계, 골격, 피부, 위장관 등을 포함하는 다양한 장기에 기능이상을 일으킨다. 신경학적 손상의 정도는 병변 위치와 연관 병소와 관련되어 있다. 요추 하방의 병변은 위장관, 방광 무력증의 원인이 되며 요추 중앙 혹은 상부 흉요추 부위에 발생하는 경우는 막이 덮여 있거나 없는 낭모양의 구조물로 발생한다. 신경학적 검진에서 하지의 이완성 마비, 심부건반사 소실, 통각, 촉각소실, 하지의 변형이 동반되는 경우가 많다. 일부 환자는 지속적인 소변의 흐름, 항문 괄약근의 이완 등을 볼 수 있다. 일부 환자는 소변의 누출, 높은 방광압, 괄약근 이상의 소견을 보인다. 요추 중간부위 이상의 척수수막류는 척수각(conus medullaris)과 상부척수 이상에 의해서 하부 신경원 증상을 유발하게 된다. 상부흉추와 경추 부위 척수수막류는 매우 경미한 신경결손을 가지고 대부분 수두증을 동반하지 않는다. 척수수막류 환자 대부분에서 동반되는 기형으로 Arnold-Chiari 기형으로 불리는 Chiari II 기형이 있다. 이 질환은 소뇌 충부와 편도가 하방으로 전위되어 있으며 뇌교와 연수가 아래쪽으로 길쭉

하게 당겨져 있는 복잡기형이다. Chiari II 기형과 관련된 수두증은 척수수막류 환자의 80%에서 동반된다. Chiari II 기형과 수두증이 동반된 15%의 영아는 수유곤란, 천명, 무호흡, 성대마비, 상부경직 후뇌 기능이상의 증상이 있으며 치료하지 않으면 사망에 이르게 된다.

[치료]

신경외과, 소아신경과, 재활의학과 치료팀이 공동으로 치료를 진행한다. 수술은 출생 후 1일 이내에 시행해야 하지만 뇌척수액의 누출이 없는 경우에는 수 일간 연기할 수 있다. 수술 전 다른 선천이상과 신장기능에 대한 평가가 필요하다. 척수수막류 수술 후에는 대부분의 환자에서 지름술이 필요하며 후뇌 기능이상 징후가 나타나는 경우에는 조기에 후두와의 수술적 감압 치료가 필요하다. 비뇨생식 기계에 대한 검사와 평가가 필요하며 신경성 방광의 경우에는 규칙적인 도관 삽입으로 잔뇨와 방광압력을 낮게 유지해서 요로감염과 방광손상을 막아야 한다. 주기적인 소변배양검사와 신장기능의 평가도 필요하다. 대변실금이 흔하지만 비뇨기계와 같은 장관손상의 위험성은 낮다. 많은 소아에서 적절한 관장 등으로 장관훈련이 가능할 수 있다. 천추 혹은 요천추 병변이 있는 환자의 대부분은 보행이 가능하다. 일부 센터에서는 성공적인 자궁 내 수술 봉합을 시행하고 있다.

[예후]

사망률은 적극적으로 치료한 경우 10-15%이고, 대부분 4세 이전에 발생한다. 생존자의 70% 이상에서 정상지능을 보이지만 학습장애와 경련이 일반인보다 더 흔하다. 척수수막류는 만성장애 질환으로 주기적으로 여러 과의 진료 및 평가가 필요하고 신장기능이상이 가장 중요한 사망 결정인자 중 하나이다.

(2) 숨은척추갈림증(Spina bifida occulta)

척수와 뇌막의 돌출이 없이 척추체 중앙선의 결손이 있는 것으로 인구의 5%에서 일어나는 흔한 기형이다. 대부분의 환자는 무증상이며 신경학적 증상이 없다. 단순결손은 척수의 기형을 동반하지 않는다. 임상적으로 증상이 있는 경우에는 숨은척추솔기달힘장애(occult spinal dysra-

phism)가 더 정확한 명칭이다. 대부분의 경우에 혈관종, 피부색깔의 변화, 구멍, 피부굴, 혹은 털이 덮인 것과 같은 피부 증상을 보인다. 단순 X선 촬영에서 후척추궁과 박층(lamina)의 결손이 전형적으로 5번 요추와 1번 천추 사이에서 관찰되고 뇌막, 척수, 신경근의 이상소견은 없다. 숨은 척추갈림증은 종종 척수구멍증(syringomyelia), 선천척수척추갈림증(diastematomyelia), 척수당김(tethered cord) 등의 심각한 척수발달 이상을 동반한다. 모든 숨은척추솔기 달힘장애는 MRI 검사로 진단할 수 있다. 신생아 초기 선별검사로는 초음파 검사가 사용될 수 있다. 피부굴(dermoid sinus)은 작은 피부구멍을 가지고 좁은 관으로 연결되어 있다. 피부굴은 수막류 혹은 뇌류가 일어나는 요천추 중앙부위에서 일어나며 피부굴의 관은 경관을 통과할 수 있어 감염의 통로가 된다. 반복되는 수막염의 잠재원인으로 머리를 포함해서 뒤쪽 중앙부위에 작은 굴관(sinus tract)을 찾기 위한 세심한 진찰이 필요하다. 척수당김증후군이 문제를 일으킬 수 있으며 골 이상을 가지고 있는 숨은척추갈림증은 수술 치료가 필요하다. 피부병변을 가지고 있는 환자의 영상학적 접근은 표 3-1과 같다.

표 3-1. 숨은척추갈림증과 관련된 피부병변의 영상학적 접근

영상검사 적응증(Imaging Indicated)
• 피하종괴 혹은 지방종(Subcutaneous mass or lipoma)
• 털반(Hairy patch)
• 피부굴 혹은 낭종(Dermal sinus or cyst)
• 비전형 보조개(Atypical dimples)(깊이 >5 mm, 항문 verge로부터 >25 mm)
• 혈관병변(e.g., 혈관종 혹은 모세혈관종)(hemanigoma or telangiectasia)
• 피부부속물 혹은 용종성 병변(Skin appendages or polypoidal lesions)(e.g., 쥐젖(skin tags), 꼬리모양 부속물(tail-like appendages))
• 흉터모양병변(피부무형성), Scar-like lesions (aplasia cutis)
영상검사 불확실(Imaging uncertain)
• 과다색소침착반(Hyperpigmented patches)
• 볼기주름편향(Deviation of the gluteal fold)
영상검사 불필요(Imaging not required)
• 단순보조개(Simple dimples)(<5 mm, <25 mm form anal verge)
• 꼬리오목(Coccygeal pits)

(3) 수막류(Meningocele)

수막류는 척추후궁능 혹은 전천추 결손에 의해서 수막이 탈출되어 형성된다. 척수는 일반적으로 정상이나 척수당김 증후군, 척수구멍증, 숨은척추갈림증이 동반될 수 있다. 투명한 움직이는 중앙선 종괴가 척주를 따라서 발생하며 일반적으로 하부 등에 위치한다. 대부분 피부에 잘 덮여 있으며 신경학적 검진과 정형외과, 비뇨기과 진찰을 시행한다. 증상이 없고 피부가 덮여 있는 경우에는 수술은 연기하거나 시행하지 않기도 한다. 수술 시행 전 MRI, 초음파 검사 등을 통해서 신경조직의 침범정도를 평가한다. 일부의 경우에 수두증이 동반되므로 뇌 MRI가 필요하다. 복강 내로 돌출된 수막류는 변비, 방광기능이상 등의 증상을 보일 수 있다.

(4) 피부동관(Dermal sinus tract)

뇌척수액의 외부적인 오염에 의해서 반복적으로 발생하는 뇌수막염의 한 원인이다. 외배엽에서 유래한 상피세포로 덮인 동관이 중추신경계와 연결되어 있다. 1/2,500명에서 발생하며 피부구멍으로부터 나오는 척수액에서 다른 체액에서는 볼 수 없는 포도당을 확인함으로서 진단할 수 있다. MRI 검사 후에 수술 치료가 필요하다.

2) 뇌류(Encephalocele)

(1) 무뇌증(Anencephaly)

신경관의 앞구멍(rostral pore)이 막히지 않아 생기는 것으로 두개골, 뇌막, 두피의 커다란 결손이 있으면서 뇌조직의 흔적만이 남아 있다. 원시 뇌는 결체조직, 혈관, 신경교세포로 이루어진다. 대뇌반구와 소뇌는 일반적으로 존재하지 않고 단지 뇌간만이 남아 있다. 뇌하수체는 작아져 있고 척수의 추체로도 없다. 동반되는 기형으로는 구개열, 선천심장기형 등이 있다. 대부분의 무뇌증 환자는 출생 수일 내에 사망한다. 무뇌증의 발생빈도는 출생아 1,000명당 1명이다. 기왕의 병력이 있는 경우 재발생 위험도는 4%이며 이전에 두 명의 환자를 임신했던 경력이 있는 경우에는 10%이다. 유전자 이상, 낮은 사회경제적 상태, 영양 및 비타민 부족, 환경적 영향 등이 위험인자로 알려지고 있다. 무뇌아의 출산 빈도는 감소하고 있으며 무뇌아 임신 시

50%에서 양수과다증이 있다. 무뇌아의 출산경력이 있는 경우에는 AFP 농도 검사와 초음파 검사를 임신 14주에서 16주 사이에 시행해야 한다.

(2) 뇌류(Encephalocele)

두개갈림증은 두개골 중앙 결손을 통해서 조직이 돌출되어 일어나는 것으로 뇌척수액이 차있는 수막류와 낭에 대뇌겉질, 소뇌, 뇌간의 일부를 포함하는 뇌류가 있다. 현미경적 검사에서 뇌류의 신경조직은 이상소견을 보이며 두개골 결손은 후두부에서 가장 흔하게 일어난다. 원인은 무뇌증, 척수수막류와 유사하다. 뇌류를 가진 영아는 수도관 협착, Chiari 기형, 혹은 Dandy-Walker 증후군에 의해서 수두증의 위험도가 증가한다. 줄기가 달린 작은 낭 혹은 커다란 낭종 양상의 구조물이며 두개골보다 클 수도 있다. 병변은 피부로 덮여 있을 수 있으나 피부가 없는 경우에는 응급수술 처치가 필요하다. 척추의 해부학적 위치를 알기 위해서 X-선 검사가 필요하며 초음파 검사로 낭 내의 구조물을 파악할 수 있다. 영아의 뇌류는 일반적으로 예후가 좋으나 시력 이상, 소두증, 지적장애, 경련의 위험성이 있다. 수두증이 동반되는 경우에는 예후가 좋지 않다. 종종 증후군의 일부분으로 뇌류가 나타날 수 있으며 Meckel-Gruber 증후군은 후두부 뇌류, 구개열, 소두증, 소안증, 생식기 이상, 다낭신, 다지증의 특징을 갖는다. 출산 전 진단은 증가된 양수 AFP, 초음파 검사로 할 수 있으며 수술 교정이 필요하며 동반되는 수두증은 뇌실-복강 지름술을 한다. 또한 모든 내분비적 선별검사가 필요하다.

3) 구조분화장애

(1) 통앞뇌증(Holoprosencephaly)

전뇌가 두 개의 대뇌반구로 재태 5주까지 분리되는데 이것이 일어나지 않아 생기는 복잡한 기형으로 중앙부 안면기형이 동반된다. 무엽성(alobar), 반엽성(semilobar), 엽성(lobar)의 세 개의 아형으로 분류된다. 전뇌의 분할, 분절이나 함몰이 정지되면 대뇌반구가 두 개로 나누어지지 않은 기형이 발생한다. 간뇌(diencephalon)와 시신경의 발생에도 장애가 동반될 수 있다. 후구(olfactory bulb)나 후삭(olfactory tract)은 거의 항상 생기지 않으므로 이 기형을 무

후뇌증(arhinencephaly)이라고도 하지만 후뇌(rhinenceph-alon)의 일부가 남아 있는 경우도 있으므로 통앞뇌증이 더 적합한 용어로 널리 쓰인다.

[분류]

○ 무엽성(alobar) 또는 구상(ball) 통앞뇌증

가장 심한 형태의 통앞뇌증으로 대뇌가 하나로 되어 있으며, 후구와 후삭이 없고 뇌량 및 투명중격도 확인할 수 없으며 시상과 눈의 발육부전, 뇌세포 배열의 이상이 나타난다. 안면이나 코의 여러 가지 기형이 동반되어, 심하면 눈이 가운데 하나만 있는 단안증(cyclopia)이 되고 코도 중앙에 있는 안와(orbit)의 위에 있을 수 있다. 정도가 가벼우면 눈 사이가 가깝고 코의 기형이나 구순 구개열은 있으나 얼굴 기형이 없는 경우도 있다. 얼굴의 기형이 있으면 통앞뇌증의 정도가 심한 것을 의미하지만 1/3에서는 진단을 의심할만한 안면의 기형이 없다. 75%에서 심장, 골격계, 비뇨생식기계나 위장관계의 기형이 동반된다. 대부분 사산되지만 살아서 출생하더라도 경련, 무호흡, 체온조절 장애, 발달장애 등으로 오래 생존할 수 없다.

○ 반엽성(semilobar) 통앞뇌증

대뇌반구 및 반구간 틈새(interhemispheric fissure)가 형성이 되어 있으나 불완전한 상태를 말한다(그림 3-4). 엽성(lobar) 통앞뇌증 반구간 틈새는 생겨 있으나 대뇌반구의 일부가 서로 붙어있는 상태를 말하며 주로 띠이랑(cingu-

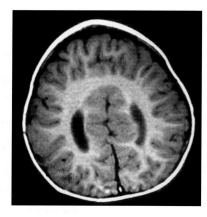

■ 그림 3-4. 통앞뇌증
반엽성 통앞뇌증으로 전두엽이 갈라지지 않고 붙어있는 모양을 관찰할 수 있다.

late gyrus) 부위에 잘 나타난다. 대개 임상양상이 가벼워서 진단이 늦게 되는 경우가 많으며, 정신지연이나 뇌성마비가 있을 수 있다.

[원인]

원인을 모르는 경우가 많으나 염색체 7q, 3p, 21q, 2p, 18p와 13q의 결실, 13과 18 삼염색체증(trisomy) 증후군 등의 염색체 이상과 관련된 경우가 전체의 50% 이상이다. 여러 가지 유전 양식의 가족력을 보이는 예도 있다. 산모가 당뇨병인 경우 빈도가 증가하며, 그 외의 환경적 요인(술, 피임약, 아스피린)도 관여하리라 추정된다. 염색체 이상 증후군이 아닌 단독으로 나타난 경우에 다음 임신에서 통앞뇌증의 재발 빈도는 4-5% 정도이다.

[산전진단]

재태 1기에 산전 초음파의 예민도는 명확하지 않으나 무엽성 통앞뇌증은 진단이 가능하며 평균 재태 22주에 진단된다. 태아 MRI가 진단에 도움이 된다.

[유전상담과 진단]

재발률은 6%이며 가족력에서 무후각증(anosomia), 하나의 중앙부 앞니 등이 중요해서, 발견되는 경우 재발 위험도가 증가한다. 만약 가족성이 의심되는 경우에는 SIX3, SHH, GIF, ZIC2 등의 유전자 검사를 시행한다.

[치료]

무엽성 통앞뇌증은 수두증의 발생을 면밀히 관찰하고 발생 시 뇌실-복강 지름술을 시행해야 한다. 요붕증의 발생 평가를 위해서 전해질 선별검사를 해야 한다. 경련은 반수의 환자에서 발생하지 않기 때문에 항뇌전증약의 예방적 투여는 추천되지 않으며 수유장애에는 위루술이 필요하고 근육긴장이상(dystonia)에는 trihexyphenidyl이 도움이 될 수 있다.

(2) 뇌량 무형성증(Agenesis of corpus callosum)

뇌량의 부분 혹은 완전 무형성은 흔한 중추신경계의 발달 기형중의 하나로 발생률은 1/3,000이다. 뇌량은 태생 8주에서 14주 사이에 형성되며 양쪽 대뇌 반구를 연결하는

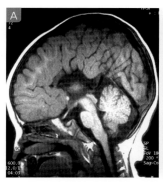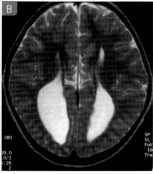

■ 그림 3-5. 뇌량 무형성증
(A) 뇌량 전체가 형성이 되어 있지 않으며, (B) 측뇌실의 양측 후두뿔
(occipital horn)이 확장된 소견을 확인할 수 있다.

교차연결 신경섬유(commissural fiber)로 구성되어 있다. 이 기형은 초기 배아발생기에 교차연결 판(commissural plate)의 직접 손상 혹은 이 부위를 특정하고 구성하는 유전신호 이상에 의해서 일어난다. 여러 가지의 대뇌 혹은 다른 기형이 관련될 수 있는데, 뇌의 기형으로는 뇌량의 지방종, 소뇌 저 형성증, Dandy-Walker 증후군, Monro 구멍의 폐색이나 수도관 협착으로 인한 수두증, 반구간 낭종(inter-hemispheric cysts), 공뇌성 낭종(porencephalic cysts) 등과 그 외에도 많은 신경세포 이주장애를 볼 수 있다(그림 3-5). 두개 기형으로는 양안격리증, 뇌류와 두개골조기유합증(craniosynostosis)이 있으며, 소안구증, 우안, Aicardi 증후군에서 보이는 망막열공(retinal lacunae)과 시신경 저형성 등의 안구 기형도 나타날 수 있다. 그 밖에 심장이나 생식기의 기형이 동반될 수 있다.

[원인]

정상적 뇌량형성에 필요한 유전학적 과정의 이상에 의해서 일어날 수 있는데 17%에서 염색체 이상을 보고한 연구가 있었으며 비분리, 결실, 중복, 전위의 다양한 이상이 관련되어 있다. 최근 연구에 의하면 1p36, 1q4, 6p25, 6q2, 8p, 13q, 14q 부위의 이상이 포함되었다. 비유전 원인으로 대표적인 환경적 요인은 태아 알코올 증후군이며 단순헤르페스 바이러스, 거대봉입체 바이러스가 관련된 보고도 있으며 독성중금속에 의한 발생도 있을 수 있다.

[임상양상]

임상양상은 매우 다양해서 이 기형만 있는 경우에는 정상일 수 있지만 신경세포 이소증 등의 신경세포 이주장애에 의한 기형이 있는 경우에는 정신지연, 뇌성마비, 뇌전증 등의 심각한 신경학적 이상을 일으킨다. 인지기능장애로 많은 환자에서 자폐증, 주의력결핍 과잉행동 장애를 일으키며, Aicardi 증후군에서는 영아 연축이 동반 된다. 흔히 두위가 증가하여 임상적으로 수두증을 의심하게 하는 경우도 있다. 안면 시진 상 양안 격리증이 있는 경우가 흔하고, 간혹 구순열이나 구개열 등이 동반되기도 한다. 영상촬영으로 확진할 수 있는데, 기체뇌조영술(air encephalogram)에서 제3뇌실의 상승과 그로 인해 뇌실이 위로 향하여 예각을 형성하여 '토끼 귀' 혹은 '소뿔 모양'으로 보이며, CT로도 같은 소견을 볼 수 있다. 때로 지방종이나 반구간 혹은 공뇌성(porencephalic) 낭종의 동반 소견을 관찰할 수도 있다. 정신지연과 뇌전증, 뇌성마비 환자 중 상당수에서 뇌량 무형성을 발견할 수 있는데, 대부분 산발적으로 발생한다.

[Aicardi 증후군]

영아 연축과 정신지연, 열공을 동반하는 맥락막망병증 및 뇌량 무형성이 특징인 증후군이다. 염색체 검사는 거의 모든 환자에서 정상 소견을 보인다. 환자는 모두 여아로 이 질환이 남아에서는 치명적인 성염색체 우성 돌연변이에 의한 것으로 추정되지만, 남아에서 질환이 발현된 경우도 있다. 망막의 열공은 대개 양쪽에 나타나며 흔히 홍채결손(coloboma)이나 소안구증(microphthalmia)과 동반된다. 환자의 약 3/4 정도에서 척추의 기형이 동반되며 특히 척추측만증이 흔히 나타난다. 경련은 질환의 주된 임상양상으로 대개 생후 3개월 이내에 깜짝 놀라는 증상으로 발현하게 되고 경우에 따라 생후 첫날 혹은 첫 주에 시작하기도 한다. 거의 모든 환자에서 영아 연축이 발생하며 이는 때로 다른 형태의 경련을 동반 하기도 한다. 뇌파검사에서 고부정뇌파(hypsarrhythmia) 소견을 나타내기도 하지만 가장 흔히 보이는 소견은 돌발-억제파(burst and suppression) 형태이다. 환자는 심한 정신지체와 발달의 지연을 겪게 되며 강직성 사지마비 혹은 반신마비의 형태의 뇌성마비 소견을 보인다. 출생 당시의 두위는 대개 정상이나 점차 소두증이 나타날 수 있다. 망막의 이상에도 불구하고 대부분의 환자에서 어느 정도의 시력이 보존되며 실명을 하게 되는 경우는 드물다. 예후는 매우 불량하여 사망률이 높으며, 주된 사인은 척추측만증에 의해 악화되는 호흡기 감염을 들 수 있다. 다른 뇌량 무형성증과 마찬가지로 평평뇌증이나 다소뇌회증과 같은 신경세포 이주장애를 동반하는 경우가 흔하다.

(3) 중격안 형성장애(Septo-optic dysplasia)

전뇌안의 모든 정중 구조물, 뇌하수체, 투명중격, 시신경의 형성부전이 일어나는 기형으로 뇌하수 호르몬 이상에 의해서 저혈당, 출생 시 소음경, 성장부진과 그 밖의 다른 내분비이상을 일으킬 수 있으며 1-10/1,000의 발생률을 보인다. 세 가지 주요증상인 시신경 저형성, 뇌하수체 이상, 정중뇌형성부전 중 2가지 이상이 있는 경우 진단할 수 있다. 원인은 초산, 어린 임산부, 산모 흡연, 음주, 약물남용 등이 있으며 homeobox 유전자, HESX1과 SOX2 유전자 이상에 의해서도 일어난다. 뇌하수체 부전에 의해서 저혈당, 소음경, 잠복고환이 일어나며 정중결손에 의해서 구개열, 구순열 등이 일어난다. 많은 환자에서 부가적인 뇌신경 이상으로 얇은 투명중격, 해마이상, 뇌갈림증 등이 동반된다. 안진이 보이는 모든 환자는 안신경 침범을 평가해야 하며 중격안 형성장애가 진단된 경우에는 뇌하수체 전엽 호르몬 기능에 대한 평가를 시행한다. 환자들은 저혈당, 요붕증, 체온조절 이상이 있을 수 있으며 급사할 수 있다.

(4) 투명중격 결손(Absence of septum pellucidum)

투명중격은 신경세포를 포함하고 있는 진중격(septum verum)과 투명중격으로 구성되어 있다. 투명중격은 측뇌실의 내측면을 형성하는 투명판이며 뇌량 형성과 관련되어있다. 투명중격 무형성은 일차형성 부전이나 수두증에 의한 이차손상으로 일어난다(그림 3-6). 발생률은 2-3/100,000이며 거의 항상 중격안 형성장애, 뇌량 무형성, 수두증 등과 관련되어 있다. 드물게 다른 기형을 동반하지 않을 수도 있으며 뇌전증, 정신지연 등을 보일 수 있다.

(5) 투명중격낭종(Cavum septum pellucidum)

정상인의 약 20%에서 발견되며 기형인지, 정상변이인

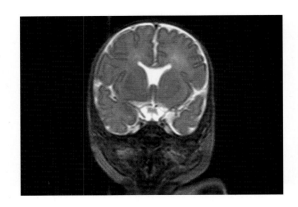

■ 그림 3-6. 투명중격 결손
좌우 측뇌실 사이의 투명중격이 보이지 않는다.

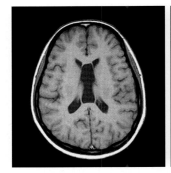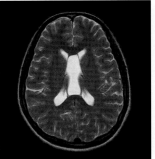

■ 그림 3-7. 투명중격낭종
투명중격 대신 낭종이 위치하고 있다.

지에 대한 이견이 있다. 정신분열증, 조울증을 포함하는 일부 정신과적 질환에서 투명중격낭종의 빈도가 증가한다는 보고가 있으며 1 cm 이상 중격이 벌어져 있는 경우는 드물며 뇌발달 이상의 표지가 될 수 있다(그림 3-7). 신생아기를 지나서 발견되는 경우에는 비정상이지만 미숙아에서는 초음파에서 재태 34주까지 정상적으로 관찰될 수 있다.

4) 후두와, 뇌간 및 소뇌의 기형

(1) Chiari I 기형(Chiari I malformation)

소뇌 충부가 큰구멍(foramen magnum) 하방으로 최소 5 mm 이상 탈출되어 있는 것으로 정의한다. 척수동공(syringomyelia)의 가장 큰 원인이며 뇌척추 연결부위의 뼈의 이상과 관련되어 있다(그림 3-8).

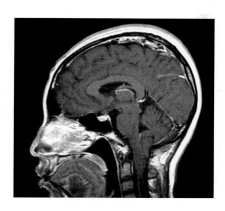

■ 그림 3-8. Chiari I 기형
뇌간의 하부와 소뇌가 큰구멍(foramen magnum) 속으로 들어가 뇌탈출의 소견이 관찰된다.

[병태생리]

척수의 유착(tethering)에 의해서 후두와 구조물이 척수관으로 밀려들어가게 된 것으로 추정하는 가설과 중배엽 발달장애에 의해서 후두와의 선천적 저형성 일어난 것으로 생각하는 가설이 있다. 성장호르몬 결핍, 구루병이 위험인자가 될 수 있다. 여자에서 주로 발생하며 가족 내에 집중적으로 발생하는 경우가 있는 것으로 보아 유전적 소인이 있는 것으로 추정된다. 염색체 9번, 15번 이상과 관련되어 있다.

[임상증상]

가벼운 두통에서 심각한 척수장애와 뇌간 눌림 등의 다양한 증상을 보이며 발살바법(valsalva maneuver)에 의해서 증가하는 후두부 통증이 가장 흔해서 80%의 환자에서 보인다. 두통은 머리 뒤쪽에서 누르는 듯한 통증이며 두정부, 목, 어깨로 방사한다. 소아에서는 수면무호흡, 수유장애가 있으며 어깨, 등, 팔다리에 통증과 감각변화가 각각 10-50% 환자에서 발생한다. 초기 임상 증상으로는 척수구멍증으로 12%의 소아에서 증상이 나타난다. 반사 과항진, 요실금, 근소모, 고유체위감각(proprioception) 상실 등이 있다. 치료로는 선별된 환자에서 경막성형과 후두와 감압이 있다. 이 수술의 목적은 골성 구획을 넓혀주는 것으로 교정전에 수두증에 대한 평가가 중요하다. 관(syrinx)이 있는 경우에는 수술의 적응증이 되고, 관이 없어도 5 mm 이상의 전위가 있는 경우 혹은 진행하는 증상이 있는 경우에는 수술이 필요할 수 있다. 전위가 심하지 않거나 미약한 증상이 있는 경우에는 보전 치료를 시행할 수 있다.

(2) Dandy-Walker 기형(Dandy-Walker malformation)

소뇌 충부의 저형성과 상부로의 이동으로 정의할 수 있으며 제4뇌실의 낭성 확장과 종종 커진 후두골이 동반된다. 이 기형은 Dandy와 Blackfan에 의해서 1914년에 기술되었으며 1/5,000의 발생률을 보이는 가장 흔한 소뇌 선천기형이다. 이전의 정의에서는 수두증, 제4뇌실과 후두와 사이의 교통이 포함되어 있었다. Dandy-Walker 변형은 MRI 사용 이전에 쓰이던 용어이다. 1970년대의 연구에서 추가로 정의된 3가지 특징은 완전한 혹은 부분적 충부 미형성, 제4뇌실의 낭성 확장, 측부동(lateral sinuses), 천막, 헤로필루스동(torcular herophili)의 상부 전위와 함께 후두와의 확장이 있다. 이와 같은 3 주징은 상부천막 수두증과 관련해서 나타난다. 임상증상은 무증상에서부터 심한 정신지연까지 다양하다. 반수의 환자에서 정상지능을 보이지만 수두증의 치료에도 불구하고 정상지능을 회복하지 못하는 경우도 있다. 충부의 해부학적 구조는 지능과 신경학적 결과와 관련이 있다. 전신적인 기형으로 심기형, 비뇨기계 기형, 십위지장 폐쇄, 구개열, 사지기형 등이 있다.

[병태생리]

재태 7주에서 19주 사이에 소뇌의 정중선 융합이 이루어지지 않고 후뇌 형성발달이 정지되어 일어난다. 소뇌의 내측 융합부(anterior membranous area)/지붕판(roof plate)이 뒤쪽 유합이 연장되어 헤르니아가 되어 커다란 제4뇌실이 된다. Magendi 구멍과 Luschka 구멍의 폐색으로 제4뇌실에 척수액이 축적된다. 비증후군성 기형은 재발률이 1-2%로 낮아 단순한 형태의 유전은 아니라고 추정된다. 많은 경우에 Axenfeld-Rieger 증후군과 관련된 염색체 부위 3q2와 6p25.3의 새로운 돌연변이로 발생된다. ZIC1, ZIC4, FOXC1 유전자 결실 시에도 발생하는데 ZIC1과 ZIC4 유전자는 소뇌 원시세포에서 생성되며 FOXC1 유전자는 발달하는 중간엽에서 생성되어 소뇌를 덮고 있는 후두부 두개골과 뇌막을 성장시킨다. 대수조(cisterna magna), 후소뇌낭(reterocerebellar cyst), Blake's pouch 낭 등과 감별진단 해야 한다. Dandy-Walker 변형은 다양한 소뇌 저형성에서 사용되어 왔지만 좀 더 특정된 진단명을 사용해야 한다. 수두증은 Dandy-Walker 기형의 10-20%에서 동반되며 뇌실-복막 지름으로 치료할 수 있다. 일부의 경우에는 낭종-복막 지름술이 필요하며 그 밖의 문제들은 대증치료를 한다.

(3) Joubert 증후군

열성으로 선천 조화운동불능(recessive congenital ataxia) 상태를 보이는 질환으로 신생아 저긴장증, 불규칙한 호흡, 눈운동상실증(oculomotor apraxia), 지능저하 등이 동반된다. 가장 흔한 선천 소뇌기형이다. 신장, 망막, 간을 포함하는 다양한 증상과 안면 이형성증이 있다. 특징적 진단 소견으로 뇌영상검사 소견에 molar tooth 징후가 있다.

(4) 능형뇌연접(Rhombencephalosynapsis)

소뇌 중앙 깊은 부위의 구조물의 유합에 의해서 없거나 혹은 작은 충부를 가지고 있다. 수두증을 종종 볼 수 있고 임상증상은 정상부터 인지, 언어장애, 뇌전증, 경직까지 다양하다.

(5) Lhermitte-Duclos병

소뇌의 이형성 신경절세포종(dysplastic gangliocytoma)으로 소뇌의 국소적 커짐, 대두증, 소뇌징후, 뇌전증 등의 증상을 보인다.

(6) 교소뇌 형성저하증(Pontocerebellar hypoplasia)

신경세포 손상과 신경교세포 대치로 뇌교발달과 소뇌 손상을 보이는 질환이다. 임상증상은 저긴장증, 수유곤란, 발달지연, 호흡곤란을 보인다. 원인질환으로는 Walker Warburg 증후군 I, II형, 근육-눈-뇌 질환(muscle-eye-brain병), 사립체 세포병증, 거대봉입체 바이러스 감염, PEHO 증후군 등이 있다.

(7) Möbius 증후군

Möbius가 1888년 기술한 이 증후군은 선천으로 양쪽의 안면마비가 하위운동신경 마비 형태로 나타나며, 대개 산발적으로 발생한다. 흔히 안구운동 마비가 동반되고 때로는 9, 10, 11 및 12번 뇌신경의 일부 혹은 전부의 마비도 나타난다. 혀는 대개 작고 움직임이 둔하다. 임상양상은 표정이 없어 가면 쓴 얼굴 모양이며 안구 운동의 장애가 보인다. 표정은 둔해 보이나 지능은 대개 정상이다. 드물게 비대칭적으로 올 수도 있다. 근골격계의 기형이 3분의 1 이상에서 동반되는데 조막발(talipes), 합지증(syndactyly), 관절굽음증(arthrogryposis), 작은 팔다리 등이 있고 대흉근이 없으면 Poland 기형이 된다. 작은턱증으로 수유나 호흡에 장애가 있을 수 있다. 얼굴 표정이 없어 웃지도 못하고 눈으로 따라 보지도 못하므로 영아기에 엄마와 유대감이 형성되는데 문제가 있을 수 있다. 일부 환자는 나이가 들면서 안면 운동이 좋아져서 사회적 적응에 무리가 없는 경우도 있다. 병리학적으로는 뇌신경핵의 무형성 혹은 형성부전, 원발성 말초 신경증, 근병증 및 뇌간핵의 국소적 괴사 및 석회화의 네 가지 다른 유형으로 분류할 수 있다. 기저 동맥의 혈류장애에 의하여 소뇌 형성부전과 동반된 예도 있고 자궁 내에서 코카인에 노출된 태아에서 발생한 경우도 있다. 이 증후군은 여러 종류의 선천 근병증, 특히 근육긴장퇴행위축(dystrophia myotonica)이나 안면견갑상완근육퇴행위축(facioscapulohumeral muscular dystrophy) 및 중증근육무력증(myasthenia gravis), 분만 외상에 의한 안면 신경마비, Duane 안구후퇴증후군(retraction syndrome), 선천 연수상부마비(suprabulbar paresis) 등과 감별이 필요하다.

3. 대뇌겉질발달장애
(Malformation of Cortical Development)

대뇌겉질 발달은 신경줄기세포 증식, 세포분화와 이주, 겉질 구조화와 연결의 과정으로 이루어진다. 이들 과정 중의 이상에 의해서 다양한 발달장애가 일어나며 뇌영상검사 혹은 부검을 통해서 겉질 발달기형을 확인할 수 있다. 대뇌겉질 형성장애는 발달 과정 이상에 따라서 세포증식이상, 신경세포 이주이상, 겉질 구조화 이상의 세 군으로 분류할 수 있으며 평평뇌증, 겉질밑띠이소증, 조약돌 형태(cobblestone type)의 겉질 기형, 뭇미세이랑증, 국소겉질이형성증 등이 있다.

[태생학]

뇌의 기본 형태는 분절에 의해서 이루어진다. 배쪽 유도에 의해서 배쪽과 등쪽으로 나누어지고 전뇌에서는 대뇌반구의 게실화에 의해서 좌우축이 형성된다. 겉질형성은 재태 8주에 시작되고 24주까지 6개의 층이 이루어진다. 복잡한 형태의 이랑이 성숙한 뇌의 특징이며 출생 수개월 후에 완성된다. 이후 겉질발달은 축색 섬유화와 시냅스 연결로 진행되며, 해마와 같은 부위에서는 새로운 신경세포의 생성도 일어난다. 겉질발달과정에 대해서 새로운 발견들이 알려지고 있는데 가장 중요한 것은 신경선조세포(neural progenitor cell)와 겉질판(cortical plate)으로 신경세포 이주를 안내하는 방사 신경교세포가 같은 세포이고 대뇌겉질의 확장이 부분적으로 뇌실하 부위의 신경세포발생에 의해서 일어난다는 것이다.

[신경발생(neurogenesis)]

　재태 5주까지 새로 형성된 측뇌실을 덮고 있는 단일층의 신경상피세포로부터 입쪽(rostral) 전뇌 혹은 종뇌가 시작된다. 뇌실구역(ventricular zone)으로 알려진 이 원시층(primitive layer)은 형태학적으로 동일한 세포로 구성되어 있으며 방사성 방향으로 위치해서 뇌실면과 연막면에 접하고 있다. 뇌실에 위치하고 있는 신경선조세포의 핵은 세

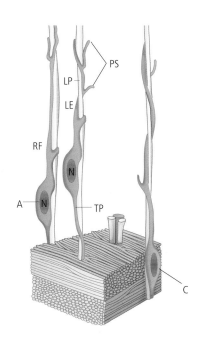

■ **그림 3-9.** 방사성 교세포를 따라 이동하는 신경모세포
N: migrating neuron, LP: leading process, TP: trailing process, RF: radial glial fiber

포질 내에서 이동하며 뇌실 표면에 위치할 때 세포가 분열한다. 겉질 발달의 다음 단계는 수 개의 새로운 층이 나타나는 것으로 재태 5주까지 뇌실세포의 세포질 돌기와 적은 수의 세포로 구성된 가장자리 층(marginal layer)이 뇌실의 표면으로 형성된다. 이후에는 전판(preplate)으로 알려진 새로운 신경세포층이 뇌실 위로 형성되고 뇌실하 구역으로 알려진 이차 증식층(second proliferate layer)이 뇌실과 전판 사이에 형성된다. 뇌실과 뇌실하 지역은 분열하는 세포가 있다. 겉질 신경세포 생성이 진행되면서 새로 형성된 신경세포들은 뇌실에 세포체가 존재하는 방사성 신경교세포를 따라 증식하는 지역을 벗어나서 방사성으로 이주한다(그림 3-9). 이차적으로 많은 신경세포 생성이 재태 12주 이후에 시작되며 재태 15주에서 16주에 신경세포 생성이 최고조에 달한다. 이 세포들은 재태 13주에 바깥쪽으로 이주하기 시작한다. 겉질 발달 동안에 가장자리 층은 Cajal-Retzius 세포로 알려진 신경세포를 포함하고 있으며 신경세포 이주, 겉질 적층, 겉질 조직화를 조절하는 Reelin과 다른 단백질들을 분비한다. 가장자리층의 윗부분은 성숙 겉질 중의 한 층을 형성한다. 전판의 신경세포는 시상-겉질과 겉질-겉질 발달에 참여하며 또한 많은 조절 단백을 표현한다. 겉질판은 먼저 생성되어 이주한 세포가 표면층을 형성하며 빠르게 성장한다. 안에서 밖으로의 이주과정으로 6개의 겉질 층을 형성한다. 뇌실부위는 서서히 작아지고 결국 측뇌실을 싸는 상의세포(ependymal cell)의 한 층으로 대치된다. 뇌실하 구역은 어른까지 후각 신경세포 등을 지속적으로 생성하는 측뇌실의 측벽을 제외하고는 사라진다. 겉질의 모든 신경세포는 새겉질의 뇌실에서 생성되고 방사 신경교세포를 따라 겉질판에 도달한다. 반면에 겉질밑에서 보이는 분열하는 세포는 신경교세포(glial cell)의 기원으로 생각된다. 그러나 최근에 보다 복잡한 과정이 밝혀지고 새로운 가설이 제시되고 있다. 고전적 방사성 신경교세포뿐만 아니라 뇌실 방사성 신경교세포가 일차신경 기초 세포(founder cell)로서 역할을 하는 배아 다기능세포(multipotent cell)로 발견된다. 초기 겉질 발달 동안에 방사성 기초 세포(radial founder cell)은 수차례의 연속적이고 대칭적인 세포 분열로 추가적인 기초세포를 형성한다. 방사성 기초세포가 결정적인 숫자에 도달하면 비대칭적인 분열로 뇌실 방사성 신경교세포와 미성숙 신경세포를 형성한다.

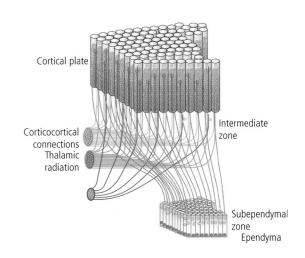

Cortical plate

Corticocortical
connections
Thalamic
radiation

Intermediate
zone

Subependymal
zone
Ependyma

■ 그림 3-10. 대뇌발달에서 뇌실층과 해당 대뇌겉질과의 관계

방사성 기초 세포에서 생성된 낭세포(daughter cell)들은 기능적 신경-신경교기둥(functional neuronal glial column) 혹은 방사성 단위(radial unit)를 생성한다고 생각된다. 신경세포생성 전에 기초세포 수의 증가로 겉질 표면이 증가하면서 각각의 방사성 단위가 신경세포 6개 층의 기둥을 형성한다(그림 3-10). 신경선조세포는 뇌실구역과 뇌실하 구역 부위에서 발견된다. 처음으로 발견되는 형태는 중간(intermediate) 선조세포이고 대칭적으로 분열해서 미성숙 신경세포를 생성한다. 겉질밑 구역의 바깥부분에는 고전적 방사성 신경교세포와 유사한 자가 분열하면서 신경세포를 생성하는 비상피 방사 신경교유사세포(nonepithelial radial glia like cell)이 발견된다. 이 세포들은 대칭적으로 분열해서 중간선조세포(intermediate progenitor cell)를 생성한다. 신경세포 종류의 특정은 초기에 이루어지는데 이들 세포는 Pax6 전사물질을 발현하고 IPCs는 TBr2를 발현한다. 겉질 층에 존재하는 미성숙 후분열 신경세포는 Tbr1 유전자를 발현한다. 배쪽 종뇌(ventral telencephalon)의 뇌실구역에서 유래한 선조세포들은 GABA를 분비하는 억제 신경세포로 분화한다. 이들은 겉질 세포의 20-30%를 구성하며 겉질의 출력(output)을 조절하고 신경세포의 증식과 이주를 조절한다. 축삭과 가지돌기의 형태가 다른 여러 개의 사이신경세포 아형(interneuron subtypes) 들이 발견된다.

[신경세포 이주(neuronal migration)]

신경모세포는 뇌실주변 구역(글루타민 신경세포) 혹은 신경절 융기(GABAergic 신경세포)로부터 이주해서 먼 부위의 겉질에 자리를 잡게 된다. 대부분의 이주는 방사성 교세포를 따라서 이주하게 된다. 겉질과 뇌실 부위가 근접해 있는 경우에서 방사성 교세포에 의존하지 않고 이주가 일어나기도 한다. 하지만 대부분의 세포는 신호를 받아서 방사성 교세포에 부착되어 돌기를 따라서 이동하게 된다. 신경세포 이주가 가장 많이 일어나는 시기는 재태 12주에서 20주 사이이다. 겉질은 먼저 생성된 세포가 안쪽에 6번째 층을 이루고 마지막에 생성된 세포는 2번째 층을 만든다.

[겉질 조직화(cortical organization)]

재태 22주까지 겉질의 뚜렷한 층이 나타난다. 이후에 더 진행되는 성숙은 시냅스 형성, 적절한 연결을 형성하지 못한 축삭의 위축, 신경전달물질의 생성 등이 일어난다. 대부분의 이와 같은 과정은 주산기를 넘어서 지속된다. 가장 자리 층은 성숙 겉질의 분자층(molecular layer)을 만든다. Cajal-Retzius 신경세포는 사라지고 판하층(subplate)은 겉질의 심부층이 된다. 재태 27주까지 6개의 전 층이 보이고 겉질은 원주 형태의 조직화가 이루어진다. 이주신경세포는 그들의 마지막 위치에 도달했을 때 기능적 아형으로 분화를 시작해서 신경세포돌기 모양의 변화, 특징적 단백질의 발현, 시냅스의 연결 등이 일어난다. 이 시기를 통해서 희소돌기세포, 1형 별아교세포, 2형 별아교세포 등의 세 가지 주요 아교 세포들의 분열과 분화가 일어난다.

1) 평평뇌증과 겉질밑띠이소증(Lissencephaly and subcortical band heterotopia)

평평뇌증 혹은 매끄러운 뇌는 신경세포 이주 결핍에 의한 겉질밑띠이소증으로 알려진 기형과 관련이 있다. 평평뇌증은 비정상적인 뇌 이랑의 형태와 두꺼운 겉질의 특징을 가지고 있다. 염색체 17p 13.3과 관련된 경우는 Miller-Dieker 증후군으로 알려져 있다.

[병리]

평평뇌증은 매끄러운 대뇌표면과 비정상적인 4개의 층으로 구성된 두꺼운 겉질의 특징을 보인다(그림 3-11). 평평

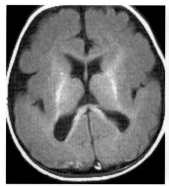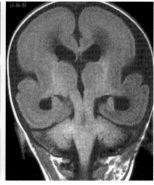

■ 그림 3-11. 평평뇌증
대뇌회에 의한 굴곡이 없이 매끄러운 모양의 대뇌 표면이 관찰된다.

뇌증은 무뇌회증과 경뇌회증을 포함하고 있으며 병리학적으로 여러 가지로 분류할 수 있는데 겉질층 수에 따른 분류가 있다. 평평뇌증은 겉질이 가장자리층, 표피세포층, 성긴세포구역(cell-sparse zone), 심부세포층의 4개 층으로 이루어져있고 12-20 mm의 겉질 두께를 가지고 있는 것이 전형적인 형태이다. 심부세포층이 백질로 이행하는 부위의 모양에 따라서 구별하기도 하는데 뒤쪽 우세형(LIS1 유전자)은 이행이 서서히 이루어지며, 앞쪽 우세형(DCX 유전자)는 심부세포층이 여러 개의 작은 겉질밑 이소증 결절로 이행한 후에 백질로 이어진다. 일부 전형적 평평뇌증 환자는 경도에서 중증도의 소뇌 저형성을 보인다. 겉질밑 띠 이소증은 정상적인 6개의 겉질층, 겉질밑의 얇은 백질, 그리고 이소증 신경세포로 구성된다. 4개 층으로 이루어진 전형적 형태 평평뇌증과 겉질밑 띠 이소증은 같은 범주에 속하는 것으로 생각된다. 2개 층으로 구성된 평평뇌증은 가장 심한 형태로 완전한 무뇌회증과 심각한 뇌간과 소뇌 저형성을 보인다. 3층 평평뇌증은 X염색체 유전 질환으로 비정상 비뇨기계와 가장자리층 혹은 분자층의 세포과다, 피라미드 신경세포의 증가를 보인다. 심한 소두증과 관련된 평평뇌증의 형태가 알려지고 있는데 소평평뇌증(microlissencephaly)으로 불린다. 출생 시 두위가 3 표준편차 이하이다. 병리학적으로 구별되는 평평뇌증으로 소두증 골발육이상 원기이형성 1형(microcephalic osteodysplastic primordial dysplasia type 1)과 관련된 3층의 평평뇌증이 있다. 뇌의 기형은 심각한 소두증, 전두엽 감소, 무뇌회증 혹은 경뇌회증을 가지고 있는 전두엽 우세 평평뇌증, 뇌량 무형성, 소

뇌충부 저형성 등을 보인다. 가장 심한 형태의 평평뇌증은 극단적 신겉질 저형성을 가진 가족성 평평뇌증(familial lissencephaly with extreme neopallial hypoplasia)으로 Barth형 소평평뇌증이다. 병리소견은 심한 선천 소두증, 전반적인 무뇌회증을 가진 심한 평평뇌증, 후각신경부전, 뇌량 무형성 등을 보인다. 평평뇌증에서 1형은 처음에는 4층 평평뇌증에 대해서 사용되었지만 최근에는 2형을 제외한 모든 평평뇌증에서 사용된다. 2형은 조약돌기형(cobblestone malformation)을 의미하고 드물지만 심한 태아 무운동증, 소두증, 뇌이랑 저형성을 보이는 뇌표면의 경우에 사용된다.

[뇌영상]

평평뇌증과 겉질밑 띠 이소증의 여러 종류는 기형의 심한 정도와 형태에 의해서 구별될 수 있으며 이것을 통해서 증후군 진단, 분자유전학적 진단, 예후와 유전학적 위험도를 평가할 수 있다. 모든 형태의 평평뇌증은 뇌표면이 구가 없이 매끈하고 일반적으로 3 cm 이상 넓은 구, 8-20 mm 두께의 겉질을 가지고 있으며, 일부의 평평뇌증은 뇌량 무형성, 심한 소뇌 저형성을 보여 소뇌 저형성을 보이는 평평뇌증(lissencephaly with cerebellar hypoplasia)으로 부르기도 한다. 겉질밑 띠 이소증에서 뇌표면은 이랑 사이의 구가 매우 얕은 것을 제외하고는 정상적으로 보이며 겉질은 두껍지 않다. 겉질 바로 아래는 백질에 의해서 분리되어 있으며 매끄러운 신경세포 띠가 놓여 있으며 겉질과는 연결되지 않는다. 가장 흔한 전형적 평평뇌증은 4층의 평평뇌증이며 무뇌회증과 경뇌회증이 섞여 있는 것부터 완전한 무뇌회증까지 다양하다. 다른 형태의 평평뇌증으로는 전형적인 평평뇌증에 중증도의 소뇌충부 저형성이 동반된 경우가 있다. 덜 심한 형태의 평평뇌증으로 경도에서 중증도의 경뇌회증을 보이는 전두엽 우세 평평뇌증으로 8-10 mm의 겉질 두께를 보이며 매우 작은 해마, 뇌간을 보이며 심한 소뇌 저형성이 있으며 Reelin 유전자 이상과 관련되어 있다. 비정상 생식기계를 갖는 X염색체 연관 평평뇌증 증후군(X-linked lissencephaly with abnormal genitalia)과 관련된 경우는 변형 3층의 평평뇌증이다. 심한 선천 소두증과 관련되어 있는 변형 평평뇌증에는 Norman Roberts 증후군이 있다.

[임상소견]

가장 흔한 형태의 평평뇌증은 일부에서는 양수과다증의 병력, 무호흡, 저긴장증, 수유곤란 등이 있지만, 신생아기에 정상으로 보인다. 대부분의 환자는 생후 1년 동안 수유곤란, 저긴장증, 활모양 강직 등의 신경학적 증상이 나타나며 운동발달 지연과 경련이 시작된다. 대부분의 환자에서 수유문제, 위식도 역류, 다양한 뇌전증, 반복되는 흡인, 폐렴, 뇌전증 등이 나타난다. 대부분의 평평뇌증 환자에서 경련이 나타나며, 경련은 대부분 3-12개월에 시작된다. 전형적인 평평뇌증 환자의 35-85%에서 영아연축이 발생하고 1세 이후에는 근간대, 강직, 강직간대 발작을 보인다. 비정상 생식기계를 갖는 X염색체 연관 평평뇌증 환자에서는 거의 지속적인 뇌전증을 보인다. 평평뇌증 생쥐 모델에서 신경전달물질로 GABA가 감소되어 있어 GABAnergic 약물의 투약이 추천된다. 경련치료를 위한 조기진단과 적극적인 치료가 필요하며 여러 형태의 경련이 혼합된 경우가 많으므로 Lennox-Gastaut 증후군 환자에서와 같이 치료한다.

[예후]

전형적 평평뇌증환자의 10세까지 사망률은 50% 이상이며 일부 환자가 20세를 넘긴다. 심한 평평뇌증인 Miller-Dieker 증후군, 소뇌 저형성을 보이는 평평뇌증, 비정상 생식기계를 갖는 X염색체 연관 평평뇌증 증후군, 소두증 골발육이상 원기이형성 1형 등은 더 심한 경과를 보인다. 반면에 겉질밑 띠 이소증을 가진 대부분의 환자와 평평뇌증의 부분적인 형은 경도에서 중증도의 지능저하를 보인다. 다른 임상증상으로는 적은 추체로 증상과 구음장애를 보인다. 발작은 일반적으로 소아기에 시작하며 다양한 형태가 일어나고 조절이 어렵다. 인지발달은 발작 시작 후에 늦어진다. 발작의 빈도와 강도는 다양하고 뇌파검사는 일반적으로 전신적인 극서파 혹은 다초점 이상을 보인다. 신경학적 예후는 겉질밑 띠 이소증의 두께와 구 형태의 단순화와 관련되어 있다.

[분자유전학적 증후군]

거대봉입체 바이러스의 출산전 감염 등이 원인으로 제시되고 있지만 대부분 유전에 의한 것으로 생각된다. 평평뇌증 환자의 80% 이상이 ARX, DCX, LIS1, RELN, TUBA1A, VLDLR 유전자 이상에 의한 것으로 알려져 있다.

(1) Miller-Dieker 증후군

전형적 평평뇌증이다. 특징적 얼굴모습으로 앞이마의 돌출, 양측두부의 함몰, 코가 짧고 위로 향해 있는 콧구멍, 윗입술 돌출, 작은 턱 등의 특징을 가지고 있으며, 심기형 등의 다른 기형도 동반한다. 모든 환자에서 LIS1, YWHAL 유전자가 포함된 염색체 17p13.3의 커다란 결실을 가지고 있다. 이 부위에는 종양 유전자도 포함되어 있어 이들 환자에서는 소아암이 발생할 수 있다.

(2) 고립된 평평뇌증군(Isolated lissencephaly sequence)

가장 흔한 형태의 전형적 평평뇌증으로 양측두부위에 약한 함몰과 작은 턱을 제외하고는 정상 얼굴모습을 보인다. DCX, LIS1, TUBA1A 유전자 돌연변이 의하며 특히 TUBA1A 유전자 이상에 의해서는 소뇌 저형성이 동반된다. X연관 유전 DCX 유전자 돌연변이에 의한 경우는 정상 얼굴모습을 보이며 전후가 동일한 정도이거나 뒤쪽이 더 심한 형태의 평평뇌증을 보인다.

(3) 겉질밑띠이소증(Subcortical band heterotopia)

대부분 X 염색체 DCX 유전자 돌연변이에 의해서 일어나기 때문에 대부분의 환자가 여자이다. DCX 유전자 돌연변이 의한 경우는 명확한 우세가 없는 전반적으로 두꺼운 띠를 보이는 특징이 있다. 드문 원인으로 LIS1 유전자 모자이크 돌연변이가 있다.

[유전상담]

표현형은 다양하지만 모든 형태의 평평뇌증의 80% 이상에서 유전자 검사가 가능하다. 평평뇌증이 의심되지만 정확한 증후군 진단이 어려울 때는 LIS1 유전자를 포함하는 염색체 17p13.3에 대한 microarray 검사를 시행하고 LIS1, DCX, TUBA1A, ARX 검사를 순차적으로 시행한다. 평평뇌증을 보이는 증후군들에서 재발 가능성이 높기 때문에 유전자 검사가 중요하다. 특히 부모가 염색체 재조합을 가진 보인자인 경우와 어머니가 ARX 혹은 DCX 유전자 돌연변이를 가진 경우 재발의 위험이 높다.

2) 공뇌성 낭종과 뇌갈림증(Porencephalic cysts and schizencephaly)

공뇌성 낭종은 뇌기질 안에 커다란 낭종이 존재하는 해부학적 이상으로 흔히 전뇌동맥 혹은 중뇌동맥의 폐색에 의하여 뇌의 일부에 혈액 공급이 감소하여 유발되는 허혈성 손상에 기인한다. 상당수에서 뭇미세이랑증이 동반된다는 사실에서 이러한 병리적 소견이 이미 태생 6개월 이전에 시작될 것이라고 추측할 수도 있으나, 반대로 출생 시에 정상이던 환자가 갑자기 반신마비를 보이는 경우도 있어 출생 후 발생할 수도 있음을 시사한다. 낭종은 단독 혹은 여러 개가 보일 수 있는데 주로 전뇌 혹은 중뇌 동맥의 관류 영역에 자리하게 된다. 간혹 낭종 부위의 두개골이 얇아지거나 튀어나오는 현상을 초래하기도 하며, 같은 쪽의 측뇌실을 반대편으로 밀어내기도 한다. 크기가 크다는 점에 비하여 더 이상 심각한 신경학적 증상을 유발하지 않을 수도 있다. 아주 드물게 낭종 내의 압력으로 인하여 수술인 배액을 고려해야 할 경우도 있으며, 출혈성 뇌수종을 동반할 경우 지름술이 필요할 수 있다. 대뇌반구의 허혈성 손상으로 초래되는 뇌 조직 파괴에 의한 공뇌증에 비하여 대뇌반구 벽의 국소적인 무형성으로 유발되는 선천적인 대뇌반구의 결함을 뇌갈림증(schizencephaly)이라 한다(그림 3-12). 뇌연막부터 뇌실막까지 연결된 대뇌반구의 틈새가 보이고, 이 틈새의 벽은 뇌 회백질로 이루어진 점이 공뇌증과 차이점이다. 이 벽은 벌어져 있는 경우도 있고 서로 붙어 있는 경우도 있다. 양쪽에 있는 경우도 있으나 한 쪽에만 있는 경우도 있으며 대개 sylvius 열 부위에 많이 나타난

다. 이것은 신경세포 이주장애의 심한 형태 중의 하나라 할 수 있고, 신경세포 이소증과 겉질의 미세뇌이랑을 동반하며, 뇌량 무형성도 종종 동반된다. 환자는 심한 정신지연을 나타내게 되고, 강직성 사지마비를 보이며, 흔히 뇌전증을 동반하게 되는데 임상적으로 공뇌증의 경우 보다 훨씬 심각하게 발현한다. 그러나 한쪽에만 있으며 전두엽이 침범되지 않은 경우 증상이 없을 수도 있다. 가족성으로 나타난 경우도 있으며, 이중의 일부는 선천 구상마비(congenital suprabulbar paresis)와 흡사한 구(bulbar) 증상을 보일 수도 있다.

3) 신경세포 이소증(Neuronal heterotopia)

신경세포 이주장애 중 가장 가벼운 형태이다. 신경세포가 뇌실 주위의 배아층(germinal layer)으로부터 방사상으로 이주하는 과정에서 중간에 정지하여 생기는 기형으로, 겉질 아래 백질 부위에 신경세포가 모여 있어 결절 모양이나 층 모양을 형성한다. 이소증만 있는 경우도 있으나 다른 심한 신경세포 이주장애의 기형과 동반되기도 한다. 발생 시기는 태생 5개월 이전이다. 뇌전증이나 발달지연에 대하여 검사하다가 MRI에서 발견되기도 하지만 증상이 없이 지내는 수도 있어 부검에서 발견되는 경우도 있다. 태아 알코올 증후군이나 뇌량 무형성에서 동반될 수도 있다. 신경섬유종증이나 결절경화증 등에서 자주 보인다. 선천 근긴장 근퇴행위축(congenital dystrophia myotonica)나 Duchenne형 근퇴행위축에서도 나타나서 이러한 질환과 동반된 정신지연과 관련이 있으리라고 생각한다(그림 3-13).

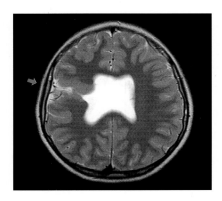

■ 그림 3-12. 뇌갈림증
우측 대뇌겉질 표면에서 뇌실쪽으로 이어지는 틈새가 관찰된다(화살표).

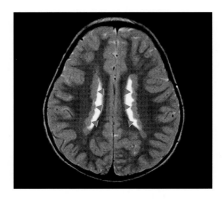

■ 그림 3-13. 신경세포 이소증
뇌실 주변부에 결절 모양의 회백질이 관찰된다(화살표).

4) 여러미세이랑증(Polymicrogyrias)

이 기형에서는 뇌겉질의 표면이 모로코 가죽처럼 양각장식의 작은 주름이 많이 있는 모양을 보인다. 각각의 겉질층은 실제로 얇아진 상태이지만 작은 뇌이랑들이 모여 있어 전체적인 외형이나 MRI 소견은 경뇌회증과 같이 두꺼운 겉질처럼 보인다. 조직학적으로 두 가지 형태가 있는데 아마도 발생 시기가 서로 다를 것으로 추정하고 있다. 첫번째 형태는 겉질 층이 구분이 안 되는 여러미세이랑증으로 뇌 세포의 이주기나 그 직후의 장애로 보인다. Zellweger 증후군에 동반될 수 있으며 대뇌뿐 아니라 소뇌와 뇌간에도 이주 장애의 소견이 있어 태생 5개월 이전에 시작되는 기형으로 추정된다. 그 외 II형 글루타린산혈증(glutaric acidemia type II)이나 사립체 세포질환에서 나타난다는 보고도 있다. 두 번째 형태는 뇌 세포 이주가 끝난 후에 겉질의 층형 괴사(laminar necrosis)에 의할 것으로 생각 되는 여러미세이랑증이다. 여러 가지 원인에 의한 뇌 관류의 장애와 저산소증이 이 기형의 원인이라고 하는 주장도 있고, 거대세포 바이러스, 매독, toxoplasma 감염 혹은 산모의 쇼크가 원인이 될 수 있다는 주장도 있다. 임신 20-24주에 일산화탄소 중독으로 나타난 예도 있으며 공뇌증과 동반된 예도 있어 여러 가지 원인이 작용하리라 추정된다. Sturge-Weber 증후군에서 대뇌반구 절제술을 시행하였는데 그 병리조직 소견상 혈관 기형의 아래 부분에 미세이랑증이 나타난 예도 있다.

5) 국소겉질이형성(Focal cortical dysplasia)

국소겉질이형성은 뇌전증 수술로 얻은 조직에서 보인 조직학적 이상에서 처음으로 기술되었다. 국소겉질이형성은 현미경적 신경세포 이소증, 층화이상(dyslamination), 비정상 세포(풍선세포, 이형 거대세포 혹은 거대신경세포)들을 포함하는 넓은 범위의 겉질 기형을 포함한다.

[병리]

국소겉질이형성은 육안적인 형태, 위치, 현미경적 소견 등에 따라서 다양하다. 국소겉질이형성의 중요한 소견은 비정상 겉질 층화의 존재이다. 더 심한 형태에서는 비정상 신경세포와 신경아교세포들이 보인다. 가장 미약한 것은 미세발생장애(microdysgenesis)로 신경세포 이소증, 겉질 층화이상 등을 포함하는 미세한 겉질 발달이상을 보이며 뇌전증 환자의 수술이나 부검을 통해서 발견된다. 신경병리학적 기준에 의해서 국소겉질이형성에 대한 몇 가지 분류체계가 제안되고 있다. 대부분 이형성(세포구조 이형성)의 정도와 풍선세포의 존재여부로 1형과 2형으로 구분된다. Palmini 분류체계에 따르면 정상형태의 신경세포 이소증은 경한 겉질 발달이상으로 분류하고, 층화 이상 혹은 겉질안에 상세포의 존재가 있는 경우에만 국소겉질이형성으로 분류하였다. 국소겉질이형성의 정도는 매우 다양해서 뇌이랑의 작은 부분을 침범하는 경우부터 한 대뇌반구의 여러 대뇌엽을 포함하는 경우까지 다양하다. 육안으로 겉질은 정상으로 보이나 대뇌 이랑 형태의 미세한 불규칙성과 미약하게 증가된 겉질 두께가 뇌이랑 안쪽의 겉질에 국한되어 보이는 것을 뇌이랑 기저 이형성이라고 부른다. 이와 같은 작은 병소에서부터 대뇌반구 이형성까지 포함한다. 국소겉질이형성과 대뇌반구거대증(hemimegalencephaly)의 명확한 구별기준은 없지만 증가된 백질 부피, 커져 있으면서 이형성된 뇌실이 있는 경우에 대뇌반구거대증으로 부른다. 현미경적 검사에서는 겉질 층화의 붕괴, 겉질안 혹은 겉질밑 백질에 신경세포 이소증, 신경세포와 신경교세포의 저분화, 풍선세포와 커다란 이상세포의 존재 등의 소견을 보인다. 국소겉질이형성은 뇌전증 발생병소의 역할을 한다.

[뇌영상]

국소겉질이형성은 CT로는 보기 힘들고 고화질 MRI에서도 보이지 않을 수 있다. 이랑형성(gyration), 겉질 두께, 회백질-백질 경계의 미세한 이상은 T1강조 영상에서 가장 잘 보인다. 일부의 국소겉질이형성은 FLAIR와 T2 강조영상에서 증가된 신호를 보인다. 난치성 뇌전증을 보이는 국소겉질이형성 환자의 병소에서는 백질의 신호강도에 이상을 보이기도 한다. 경한 겉질 발달기형과 국소겉질이형성 1형은 MRI로 발견되지 않을 수 있다. 이상이 보이는 경우 전형적 소견은 미세한 겉질 두께 증가, 불규칙한 고랑형성(sulcation) 혹은 이랑형성이다. 국소겉질이형성 1형은 대뇌엽의 저형성과 위축, 해마경화증을 보일 수 있다. 국소겉질이형성 2형은 가장 특징적 소견을 보이는데 증가된 겉질 두께, 회백질-백질 연결 부위의 불명확, 비정상 고랑과 이

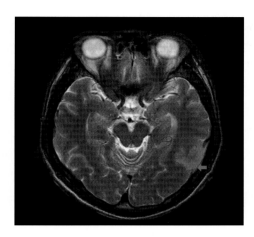

■ 그림 3-14. 국소겉질이형성
왼쪽 측두엽 일부 이랑의 크기가 비대칭적으로 두껍고 음영의 증가가 관찰된다(화살표).

랑 형태, T2와 FLAIR 영상에서 병소 기저부와 백질 내에 신호강도 증가가 있다(그림 3-14). 뇌영상 소견에 기초한 특정이름이 붙여진 소견이 있는데 고랑의 기저부에서 일어나며 회백질-백질의 경계가 불명확하고 고신호강도의 선상 띠가 병소 기저부에서 측뇌실로 이어지는 것을 transmantle 징후라고 하는데 국소겉질이형성 2B에서 보인다. 국소 transmantle 이형성에서 쐐기형태의 이형성 조직은 측뇌실에서부터 겉질 표면까지 뻗어 있다. 국소겉질이형성의 조직학적 소견은 백질의 별아교세포교증(astrogliosis)과 풍선세포를 보이며 MRI는 쐐기 형태의 비구조화된 조직을 볼 수 있다. 엽하(sublobar) 이형성은 두꺼워진 겉질이 관찰되고 회백질-백질의 경계 구별에 어려움이 있다. 동반된 뇌이상 소견으로는 뇌실 이형성, 뇌량과 소뇌의 이형성이 있다. 수술전 병소의 국소화를 위해서는 표면코일, 부피평균화, 곡선의 재구성, 3T 영상 등의 진보된 MRI 기술과 분석이 도움이 된다. 기능적 검사로 SPECT, FDG-PET 스캔이 FCD의 경계를 명확히 할 수 있다.

[임상 소견]

국소겉질이형의 가장 흔한 임상적 증상은 경련이며 발달지연, 인지기능이상, 국소신경학적 이상이 관찰될 수 있다. 경련은 임신부터 성인까지 어느 때나 일어날 수 있다. 국소겉질이형성 2형은 일반적으로 측두외 병소를 가지며 경련의 빈도가 높고 어린 나이에 시작된다. 어린 나이에는

비대칭적 영아 연축을 보이기도 한다. 경련은 대부분 난치성이므로 수술이 필요할 수 있으며 병소의 완전한 제거가 경련 조절에 가장 중요하다.

6) 조약돌기형(Cobblestone malformation)

조약돌기형 혹은 평평뇌증은 신경세포 이주장애로 흔히 눈의 기형과 선천근육퇴행위축과 관련된다. 2형 평평뇌증이라는 용어는 더 이상 사용되지 않는다. 조약돌기형은 α-dystroglycan의 당화 감소와 관련되어 있는 선천근육퇴행위축에서 일어난다. 선천근육퇴행위축과 지능저하, 겉질기형이 없는 소두증을 보이는 군, 선천근육퇴행위축과 지능저하, 소뇌저형성을 보이는 군, Fukuyama 선천근육퇴행위축, 근육-눈-뇌 병(muscle eye brain disease), Walker-Warburg 증후군 등이 있다.

[병리]

Walker-Warburg 증후군, 근육-눈-뇌 병 혹은 Fukuyama 선천근육퇴행위축에서 보이는 뇌기형은 이랑 발달부족, 대뇌와 소뇌겉질 이형성, 수두증, 뇌간 저형성 등을 보인다. 신경세포의 비정상적인 이주가 겉질판을 넘어서 연수막까지 일어난다. 출생 후 겉질 기형은 저형성된 고랑과 조약돌 모양의 표면으로 무뇌회증, 경뇌회증 혹은 다뇌회증과 유사한 모양을 보인다. 겉질은 두껍고 이형성되어 있으며 층을 구별할 수 없다. 겉질기형은 Walker-Warburg 증후군에서 가장 심해서 매끈한 표면을 보이며 다른 증후군에서는 점차로 덜 심해지는 경향을 보인다. 백질은 말이집형성이 덜 되어 있고 수많은 이소성 신경세포와 현미경적 낭이 있다. 소뇌는 작고 이형성 되어있다. 그 밖의 뇌기형으로는 비교통 수두증, 뇌간 저형성 등이 있다. 뇌기형은 종종 눈기형과 관련되어 있다.

[뇌영상]

Walker-Warburg 증후군에서 보이는 영상이상은 수두증에 의한 대두증과 이마의 돌출이며 대뇌표면은 저형성된 구와 전반적인 무뇌회증을 보인다. 축외공간(extra-axial space)은 감소되어 있고 겉질과 백질의 경계는 톱니모양이다. 겉질밑에는 판 모양 띠 형태의 이소증이 있다. 백질은 MRI T2 영상에서 밝고 T1 영상에서 어두운 이상한 신호

강도를 보인다. 측뇌실과 제3뇌실은 매우 커져 있으며 뇌 간과 소뇌는 현저하게 이형성 되어 있다.

○ 근육-눈-뇌 병(Muscle-eye-brain disease)

Walker-Warburg 증후군과 유사하지만 덜 심하다. 대두 증과 수두증이 흔하며 대뇌 표면은 저형성된 고랑과 전두 엽 쪽이 우세한 경뇌회증을 보인다. 수두증과 백질과 뇌량 이 얇아진 것은 Walker-Warburg 증후군과 유사하지만 뇌 간과 소뇌 이형성의 심한 정도는 덜하다.

○ Fukuyama 선천근육퇴행위축(Fukuyama congenital muscular dystrophy)

근육-눈-뇌 병과 유사하지만 덜 심하다. 수두증은 흔하 지 않고 겉질기형은 덜 심하지만 여전히 전두엽 우세의 이 상을 보인다. 뇌간과 소뇌는 종종 정상으로 보인다.

[임상소견]

모든 조약돌기형 증후군은 선천근육퇴행위축과 관련되 어 있으며 중증도 이상의 심각한 지능저하, 심한 저긴장증, 경미한 원위부 경직, 시력저하를 보인다. Walker-Warburg 증후군이 가장 심하고 Fukuyama 선천근육퇴행위축과 소 뇌낭을 가진 지능저하의 경우 가장 경한 증상을 보이며 근 육-눈-뇌 병은 중간 정도의 증상을 보인다. 여러 가지 종류 의 뇌기형이 없는 덜 심한 선천근육퇴행위축과 관련된 표 현형들은 같은 유전자의 다른 돌연변이에 의한다.

[예후와 치료]

대부분의 환자들은 조약돌 뇌기형과 진행하는 근육질 환을 가지고 있으며 저긴장증과 경직을 같이 가지고 있 다. 이것은 재활치료를 더 어렵게 한다. 원인 유전자가 같 은 경우에도 증후군에 따라 치료와 예후가 다르기 때문에 다양한 임상증후군으로 분류하는 것이 필요하다. Walker-Warburg 증후군은 심한 지능저하와 저긴장증을 보이는 질 환이며 3세 이상 생존하는 경우가 드물다. 근육-눈-뇌 병과 Fukuyama 선천근육퇴행위축은 덜 심해서 첫 10년의 후반 부에서 10대 이후까지 다양하게 생존한다. 조기진단과 예 후에 관한 정확한 상담이 필요하다. Walker-Warburg 증후 군과 일부 근육-눈-뇌 병 환자는 수두증이 있을 경우 지름

술이 필요하다. 경련은 있지만 평평뇌증 만큼 심하지는 않 고 선천 녹내장 등의 질환에 대한 안과 진료가 필요하다. 근육질환은 서서히 진행하므로 반복적인 평가와 재활 치 료가 필요하다.

[분자유전학]

근육 침범이 있는 모든 조약돌기형 증후군은 근생검에 서 저포도당화된 α-dystroglycan을 보인다. 포도당화(gly-cosylation)(특히 α-dystroglycan의 O-mannosylation)에 관 여된 유전자로 인해서 이들 질환을 dystroglycanopathy라 부르게 되었다. α와 β-dystroglycan은 dytrophin-associated glycoprotein complex의 성분으로 actin과 관련된 세포골 격과 세포외기질과 연결되어 있다. α-dystroglycan은 말초 당화 세포막 단백으로 많은 세포외기질 단백과 결합한다. 모든 dystroglycan병증 특히 조약돌기형 선천근육위축은 glycosyl 군이 없거나 감소되어 있어 골격근의 laminin-2, perlecan 같은 화합물과의 결합이 감소되어 있다. 근육침범 을 가지고 있는 조약돌기형 증후군과 관련된 모든 유전자 는 당화를 조절한다.

○ Walker-Warburg 증후군

가장 심한 뇌간과 소뇌 기형과 평평뇌증의 뇌표면과 유 사한 심한 조약돌기형을 가지고 있다. 대부분의 환자는 수 두증을 가지고 있으며 약 25%의 환자에서는 후두 뇌류를 가지고 있다. 모두 심각한 지능저하, 뇌전증, 다양한 눈 이 상을 가지고 있다. 모든 환자가 선천근육퇴행위축을 가지 고 있으며 creatine kinase의 상승이 있다.

○ 근육-눈-뇌 병(Muscle-eye-brain disease)

심한 지능저하와 뇌전증, Walker-Warburg 증후군과 유 사한 눈과 근육의 이상과 중등도 이상의 심한 조약돌기형 이 있다. 겉질 기형은 대뇌 앞쪽으로 더 심하며 종종 다미 세구와 혼동된다.

○ Fukuyama 선천근육퇴행위축(Fukuyama congenital muscular dystrophy)

진행하는 근육위축, 관절구축, 상승된 creatinine kinase 를 보이는 심한 선천근육퇴행위축이 있으면서 중등도 이

상의 심한 지능저하와 경도의 조약돌기형이 있다.

○ **조약돌모양 증후군**(Cobblestone-like syndrome)

양측 전두두정엽에 조약돌 모양 기형이 있으며 전반적 발달장애, 중증도에서 심한 지능지체, 정상 혹은 경도의 소두증, 이상 공동주시(dysconjuage gaze), 경직, 실조, 전신 강직간대 발작이나 근간대 발작을 보인다. 근육은 정상인 경우도 있으며, 많은 환자에서 GPR56 유전자 이상이 발견되었다.

[유전자 검사]

조약돌 모양의 평평뇌증과 관련된 모든 증후군은 상염색체 열성으로 유전한다. 선천근육위축과 조약돌모양 평평뇌증이 있는 환자에서 6개의 유전자가 알려졌고 정상근육을 보이는 환자에서는 4-5개의 관련 유전자가 밝혀졌다. GPR56 유전자에 대한 검사가 가능하다.

[출산 전 진단]

대부분의 Walker-Warburg 증후군 혹은 근육-눈-뇌 병은 커진 측뇌실, 수두증과 소뇌 저형성을 가지고 있다. 이와 같은 소견은 산전 초음파 검사로 임신 중기에서 후기사이에 진단이 가능하다. 분자 유전자 진단검사도 가능하다.

4. 기타

1) 소두증(Microcephaly)

정의상 두위가 연령 및 성별 평균치의 2 표준편차 이하인 경우를 말한다. 이 경우 정상발달인 경우를 포함할 수 있기 때문에 일반적으로 3 혹은 4 표준편차 이상인 경우를 심한 소두증으로 정의하기도 한다. 소두증은 흔하지만 특히 발달지연 환자에서 많이 발견된다. 소두증의 많은 원인이 있지만 태아 발달과정 중 신경세포 이소증과 세포구조 이상을 포함하는 신경세포 이주장애가 흔하다. 소두증은 일차성(유전성)과 이차성(비유전성)으로 나눌 수 있으며 정확한 진단이 미래 임신에 대한 유전상담에 중요하다. 일차성 소두증은 특정 유전 증후군과 관련이 있다. 환자는 출생 시부터 소두증을 가지고 흔한 원인은 가족성(상염색체 열성), 상염색체 우성 유전 소두증과 다운증후군(trisomy 21), 에드워드(Edward) 증후군(trisomy 18), Cri-du-chat(5 p-), Cornelia de Lange, Rubinstein-Taybi, Smith-Lemli-Opitz 등의 유전성 증후군이 있다. 일차성 소두증과 관련

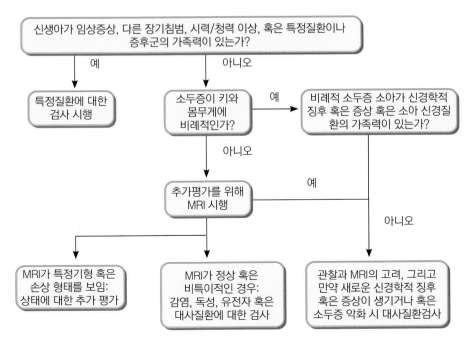

■ 그림 3-15. 선천성 소두증 진단 알고리즘

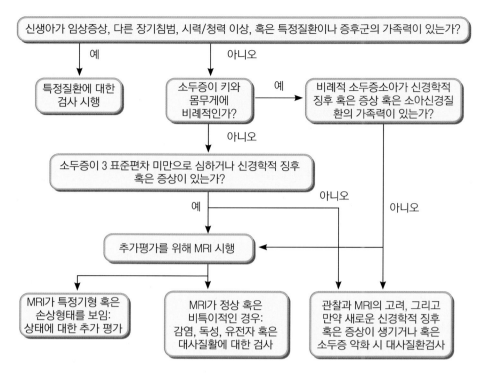

신생아가 임상증상, 다른 장기침범, 시력/청력 이상, 혹은 특정질환이나 증후군의 가족력이 있는가?

예 → 특정질환에 대한 검사 시행

아니오 → 소두증이 키와 몸무게에 비례적인가?

예 → 비례적 소두증소아가 신경학적 징후 혹은 증상 혹은 소아신경질환의 가족력이 있는가?

아니오 → 소두증이 3 표준편차 미만으로 심하거나 신경학적 징후 혹은 증상이 있는가?

예 → 추가평가를 위해 MRI 시행

아니오 →

아니오 →

MRI가 특정기형 혹은 손상형태를 보임: 상태에 대한 추가 평가

MRI가 정상 혹은 비특이적인 경우: 감염, 독성, 유전자 혹은 대사질활에 대한 검사

관찰과 MRI의 고려, 그리고 만약 새로운 신경학적 징후 혹은 증상이 생기거나 혹은 소두증 악화 시 대사질환검사

■ 그림 3-16. 후천성 소두증 진단 알고리즘

된 7개의 유전자가 발견되었으며 X 염색체 연관 유전자 이상은 평평뇌증, 통앞뇌증같은 심각한 뇌기형을 동반하는 경우가 많다. 이차성 소두증은 자궁 내 태아 혹은 급격한 뇌발달이 이루어지는 시기인 영아기의 다양한 독성요인에 의해 일어나며 최근에 알려진 것으로는 지카(Zika) 바이러스 감염이 있다. 후천 소두증은 Rett, Seckel, Angelman 증후군과 심각한 경련과 관련된 뇌병증에서 볼 수 있다.

[임상양상 및 진단]

철저학 가족력을 얻어야만 하고 출생 시 두위를 측정하여야 한다. 매우 작은 두위는 이상이 태아발달 초기부터 시작되었음을 암시한다. 2세 이후에 뇌에 가해진 손상은 심한 소두증을 일으킬 가능성이 적다. 한 번의 두위 측정보다는 연속적인 측정이 의미가 있으며 특히 경도의 이상이나 후천성 소두증인 경우에 그렇다. 선천성 소두증과 후천성 소두증의 진단 알고리즘은 다음과 같다(그림 3-15, 3-16).

소두증 환자의 검사는 병력과 신체검사에 의해서 결정된다. 염색체 이상이 의심되거나 얼굴기형, 저신장 등의 이상이 있을 경우에는 염색체 핵형, 염색체 마이크로어레이

검사를 시행한다. MRI가 뇌 기형 진단에 유용하며 CT는 뇌 내 석회화 진단에 도움이 된다. 공복 혈청과 소변의 아미노산, 유기산검사, 혈청 암모니아검사, TORCH, HIV 검사가 필요할 수 있다. 지카 바이러스 유행지역이나 여행을 한 경우에는 검사가 필요하다.

[치료]

원인이 밝혀진 경우에는 가족에 유전상담이 필요하며 많은 소두증 환자에서 지적장애가 올 수 있음으로 적절한 재활 프로그램의 제공이 필요하다.

2) 거대뇌증(Megalencephaly)

대두증은 두위가 연령 및 성별 평균치의 2 표준편차 이상인 경우를 말한다. 원인으로는 수두증, 경막하 삼출액 축적, 뇌부종(독성-대사성), 두개골 비후, 거대뇌증 등이 있다. 거대뇌증은 비정상적으로 크기가 큰 뇌를 지칭하는 이 질환은 단순히 머리가 큰 것을 지칭하는 대두증(macrocephaly)과 구별되어야 한다. 거대뇌증의 신경 대사장애 질환에 의한 것과 Sotos 증후군과 같은 해부학적 거대뇌증으

로 나눌 수 있다. 거대뇌증은 일반적으로 대두증을 동반하고 대뇌가 비정상적으로 큰 것뿐 아니라 때로는 신경세포이소증, 여러미세이랑증, 뇌량 무형성, 경뇌회증 등의 뇌이랑 기형 혹은 원형질 큰 아교세포(protoplasmicmacroglia)의 증식과 같은 다른 구조적 기형을 동반한다. 가끔 비진행 정신지연나 뇌전증 등이 동반될 수 있는데, 이럴 경우 결절 경화증이나 신경섬유종증 혹은 Tay-Sachs병의 말기, 그리고 Canavan병이나 Alexander병을 생각하여야 한다. 간혹 양성으로 나타나는 가족성의 거대뇌증도 있다. 두위가 98 백분위보다 더 커서 비정상적이라고 생각되는 소아 중 정상 성장발달을 보이는 경우로, 환자 아버지의 두위는 기준 이상으로 크지만 출생 당시부터 크며, 성장 속도도 정상보다 빠르지만 대부분의 경우 뇌실의 크기는 정상이다.

대뇌반구거대증(Hemimegalencephaly)

태생학적인 원인을 알 수는 없으나 대뇌의 반구에 제한된 뇌의 이상 성장과 이형성이며, 반대편 대뇌 반구는 정상적인 성장을 보인다(그림 3-17). 이상을 보이는 반구에서는 광범위한 신경교증과 신경모세포 이주 과정의 장애, 그리고 대뇌겉질의 층상 배열과 뇌이랑 형성의 장애를 보이며 때로는 선조체(striatum)의 구조이상도 보이나, 간뇌(diencephaly)와 후두와 및 척수 구조는 대개 정상적이다. 조직학적으로는 결절경화증에서와 비슷하게 부풀어 오른 별아교세포, 거대 이형성신경세포, Alexander병에서 보이는 기저 뇌 백질의 파괴 및 여러미세이랑증이나 경뇌회증의 소견 등이 관찰될 수 있다. 이 질환은 단독으로 발현할 수

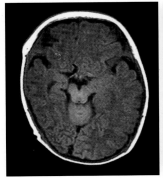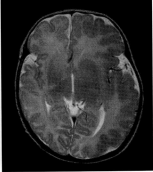

■ 그림 3-17. 대뇌반구거대증
왼쪽 대뇌반구의 크기가 비대칭적으로 크다.

도 있으나, Jadassohn 피지선상 모반(linear nevus sebaceous of Jadassohn), I형 신경섬유종증, 색조실조증(incontinentia pigmenti), Ito 저멜라닌색소증(hypomelanosis of Ito), Klippel-Trenaunay 증후군 등의 신경피부증후군의 일부로 발현할 수 있다. 뇌이랑의 기형을 동반하는 대뇌반구거대 증과 정신지연, 그리고 뇌전증과 얼굴의 반측비대를 주증상으로 하는 표피모반 증후군(epidermal nevus syndrome)도 있다. 임상적으로 피부 증상이 있을 경우 조기진단에 도움을 줄 수 있으며, 두부의 크기나 형태는 대개 정상이나 흔히 안면부의 반측비대를 보이는 경우가 있다. 뇌전증이 발생하는 경우가 많은데 주로 약물치료에 반응이 좋지 않은 영아 연축이나 Lennox-Gastaut 증후군으로 나타나며, 조기에 발현하고 치료가 어렵다. 발달지연이 흔히 동반되고 지능장애가 올 수 있지만 정상 지능을 보이는 경우도 있다. 강직성 반신마비가 동반될 수 있다. 동반되는 뇌전증은 약물에 의한 치료가 어려워 수술로 대뇌반구절제술(hemispherectomy)을 시행하는 것이 도움을 줄 수 있다.

3) 두개골 유합증(Craniosynostosis)

두개골의 성장은 뇌의 성장에 의해 결정되며, 뇌의 성장이 생후 일 년 사이에 부피가 두 배 이상 증가하는 것을 고려할 때 출생 후 두개골 성장의 절반 이상이 출생 첫해에 일어난다 고 할 수 있다. 이러한 두개골의 성장은 봉합선에 의하여 가능하며 출생 시에는 각각의 두개골이 분리되어 있지만 생후 5-6개월 경 섬유 조직에 의해 봉합선이 닫히게 된다. 그러나 뼈 사이의 단단한 결합은 그 이후에 일어나게 된다. 두개골 봉합선의 조기 융합을 두개골 협착이라 한다. 이러한 조기 융합에 의해 닫힌 봉합선에 수직 방향으로는 두개골의 성장이 불가능하게 되고, 보상적으로 봉합선에 평행한 방향으로의 성장이 일어나게 된다. 발생률은 출생 10,000명당 3.4명이며 대부분 산발적으로 발생한다. 약 21%가 유전적 원인이며 8% 정도에서는 가족성이다. 치료받지 않은 산모의 갑성샘기능 항진증도 원인이 될 수 있다. 단독 발생하는 경우의 일부와 여러 증후군이 원인인 경우에 유전자들이 알려져 있다. 유전자 검사는 FGFR2 exon IIIa, FGFR3 exon 7, TWIST1(1 exon), Array CGH, FGFR2 exon IIIc, TCF 12(19 exon), ERF (4 exons), Exom/Whole genome sequencing, EFNB1(5exons), FGFR2 ex-

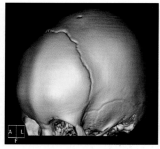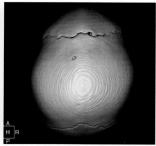

■ 그림 3-18. 두개골 조기 융합증
3차원 CT 검사에서 시상봉합이 보이지 않는 것을 확인할 수 있다.

tended screen (8 exons), FGFR3 exon 10, TCF 12 (dosage), Specific gene test, imprinting assay 순서로 이상 발견률이 높은 것으로 알려져 있다. 이차성으로는 대사장애질환(예, 갑상샘기능 저하증), 대사축적질환(뮤코다당침착증), 혈액질환(탈라세미아, 낫적혈구 빈혈, 진성 적혈구증가증), 뇌기형, 기형유발 물질노출(페니토인, 발프로익산, 플루코나졸) 등이 원인이 될 수 있다. 가장 흔히 발생하는 위치는 시상봉합(sagittal suture)이며, 남아에서 더 흔하다. 다음으로 흔한 경우는 관상봉합(coronal suture)의 조기 융합이며, 아주 드물게 모든 봉합선이 조기 융합을 보이는 경우도 있다. 3차원 CT 검사에서 시상봉합이 보이지 않는 것을 확인할 수 있다(그림 3-18).

[임상양상]

가장 중요한 임상 증상은 두개골의 변형이며 정신지연이나 안구이상, 혹은 다른 선천적 결함이 동반될 수 있다. 가장 흔히 발생하는 시상봉합의 조기융합의 경우 출생 시 혹은 그 직후 알 수 있는 길고 좁은 두개골을 보이며 미용 및 심리적으로 가장 심각한 기형이라 할 수 있다. 여아보다 남아에서 3-4배 정도 흔하게 보이며, 뇌 자체의 성장에는 큰 지장이 없다. 간혹 정신지연을 보이는 경우가 있으나 반드시 조기융합 때문은 아니다. 아주 드물게 우성 유전양식으로 발생할 수 있다. 뇌압의 상승이나 안구이상을 동반하지는 않기 때문에 주된 관심사는 미용적인 문제이다. 양쪽 관상봉합의 조기융합이 있는 경우 두개의 전후 길이가 짧아지고, 이로 인하여 얕은 안와(shallow orbit)를 초래하며 안구 돌출증이 흔히 동반된다. 미용적인 문제보다 뇌의 성장을 제한함으로 초래되는 정신지연, 안구돌출로 인

한 각막이나 결막의 손상, 그리고 시신경의 지속적인 압박으로 인한 시신경위축과 같은 심각한 신체적 손상이 우려된다. 얼굴이나 코 혹은 구개나 팔다리의 다른 기형이 동반되는 여러 증후군에서 이러한 관상봉합 조기융합이 나타나는데, 이중 Crouzon 증후군 혹은 두개안면 골형성부전(craniofacial dysostosis), Apert 증후군 혹은 첨두합지증(acrocephalosyndactyly) 등이 잘 알려져 있으며, 대개 상염색체 우성으로 유전하나 산발적인 경우도 흔하다. 상염색체 열성 유전 양식을 가지는 Carpenter 증후군의 경우 두개골 바닥을 포함하는 복합 두개골 조기봉합을 보일 수 있다. 그러나 이러한 유전적 경향을 가지는 두개골 조기융합의 경우 같은 증후군 내에서도 침범되는 봉합선이 매우 다양하고 지능도 다양한 범위에 걸쳐 있기 때문에 어떤 봉합선을 침범하는가에 따라 질환을 분류하는 것은 효과적이지 않다. 한쪽 관상봉합만을 침범하는 경우 그 쪽의 두개골만 비대칭적으로 안와상부와 전측두부가 평평해지고 같은 쪽 안구의 돌출을 관찰할 수 있다. 드물지만 관상봉합과 시상봉합을 함께 침범한 경우 정상적인 뇌의 발육을 억제하게 되고 결국 클로버잎 모양 두개골(turricephaly, clover-leaf skull)을 초래한다. 더욱 심각한 경우로 모든 봉합선이 조기융합되는 경우 두개골의 모양은 정상이나 그 크기가 비정상적으로 작게 보이며 점차적으로 유년기를 거치며 뇌를 압박하게 된다. 그러나 두개 내압 상승의 임상양상을 보이는 경우가 흔하지 않아 봉합선은 정상적이나 뇌 자체가 작아서 두개골의 성장이 더딘 소두증과의 감별이 어렵다. 그러나 이들의 조기 감별진단은 수술 치료로 뇌의 성장이 정상적으로 이루어질 수 있도록 할 것인지를 결정해야 한다는 점에서 대단히 중요하다. 두개골 조기융합은 심한 소두증의 경우에서처럼 두개골의 성장이 지나치게 더딘 경우나 뇌성장의 지체를 초래하여 대뇌위축을 가져오는 신경계 질환에서 이차적으로 발생할 수 있지만 이러한 이차적인 두개골 조기융합은 원발성 조기융합과 구분되어야 한다.

[수술 치료]

생후 3개월 이전에 수술 치료를 시행하여야 좋은 예후를 기대할 수 있으며, 특히 관상봉합이나 혹은 관상봉합과 시상봉합의 복합형, 그리고 전체 봉합선을 침범하는 경

우 더욱 그렇다. 그러나 불행하게도 조기진단을 못하여 적절한 수술 시기를 놓치게 되는 경우가 많으며, 진단을 위해서는 좋은 해상도의 단순 두개골 방사선 촬영이 필수적이다. 치료의 원칙은 조기 융합된 봉합선 부위의 두개골 부위를 절개하여 뼈 조각을 떼어내고 그 자리에 뼈가 재결합하지 못하도록 필름이나 나일론을 위치시키는 것이다. 미용적으로 탁월한 효과를 볼 수 있으며, 수술을 시행한 시기에 따라 달라지기는 하지만 정신지연을 방지하거나 두개 내 고혈압과 시력부전을 방지하는 효과를 기대할 수 있다. 적절한 시기에 수술을 시행했음에도 불구하고 환자가 정신지연을 보이는 경우 두개골 조기봉합 외에 다른 신경계 이상이 없는지 종합적인 검토가 필요하다.

4) 변형성 사두증(Deformational Plagiocephaly)

사두증은 머리모양의 비대칭을 의미하는 것으로 두개골 유합증이나 위치성 두개골 변형에 의해서 일어나며 질환에 따라 치료가 다르기 때문에(수술 대 물리 혹은 몰딩치료) 구별하는 것이 중요하다. 위치성 사두증으로도 알려진 변형성 사두증은 지속적으로 같은 방향으로 머리를 대고 자는 것과 같이 외부의 힘에 의해 두개골이 편평하고 비대칭적으로 발달하는 것이다. 영아 돌연사 증후군의 예방을 위해 바로 누운 자세로 재우는 것을 권장한 이래로 변형성 사두증이 급격히 증가하고 있다.

[역학과 원인]

발생빈도는 생후 7주에서 4개월 사이가 가장 높고 이후 3년에 걸쳐서 감소한다. 영아는 생후 4개월까지 스스로 머리를 가누지 못하고 두위가 빠르게 증가(첫 3개월 동안 2 cm/월, 4-6개월 동안 1cm/월, 6개월 이후 1cm/월) 하기 때문에 4개월 경이 가장 심한 증상을 보이고 이후 고개를 가누게 되면서 호전된다. 위험인자로는 남아, 첫째 아이, 미숙아, 수동적인 목 회전 제한을 보이는 선천성 사경, 발달지연, 생후 6주까지 바로 누운 자세로의 수면, 젖병만으로의 수유, 하루 3번 미만의 엎어놓기, 머리의 한쪽 방향으로만 자기, 특정자세 선호 등이 있다. 출생 전 원인으로는 자궁 내 압박이나 움직임이 제한되는 다태아 임신, 양수 과소증 등이 있으며 영아의 수면자세와 선천성 근성사경 등의 출생 후 원인이 있다. 선천성 근성사경은 신생아 6명당 1명

꼴로 발생하며 목 근육의 지속적인 긴장을 야기하여 수동적인 회전을 막는 상태로 경부의 비대칭에 의해 선호하는 머리자세가 생기고 이로 인해 변형성 사두증이 생기게 된다.

[병력 및 신체검진]

병력과 신체검사에서 중요한 점은 출생병력, 출생 시 머리모양, 머리모양의 이상이 발견된 시기, 선호하는 수면자세, 탈모, 운동발달, 엎어높기 시간, 두개뇌압 상승 징후 등이며 또한 두개골 조기 유합증과의 감별이 중요하다. 진단방법으로는 육안 측정, 신체계측 평가, 방사선 검사, 디지털 분석 등이 있다. 머리 모양과 귀의 위치 이상을 관찰하는 것이 첫 번째 단계로 앞, 옆, 위에서 관찰한다. 위에서 볼 때 머리모양은 변형성 사두증에서 평행사변형으로 보이고 동측 귀가 앞쪽으로 이동되어 있다. 삼각봉합 두개골 유합증은 머리가 사다리꼴로 보이고 동측 귀가 뒤쪽으로 이동되어 있다. 측진 시 두개골 유합증은 봉합선을 따라 융기선이 만져지고 두개골 움직임이 없다(그림 3-19).

촉진에서 핵심적인 검사는 경부근육의 근긴장도와 운동범위를 확인하는 것으로, 운동발달 평가와 선천성 사경의 진단에 도움이 되며 조기 발견하는 것이 치료와 경과에 중요하다.

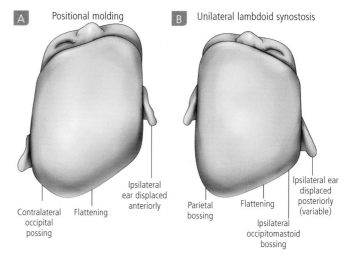

■ 그림 3-19. 두개골 유합증과 변형성 사두증의 신체검진 감별점 A. 왼쪽이 변형성 사두증으로 평행사변형 머리모양으로 보인다. B. 오른쪽이 삼각봉합 두개골 유합증으로 머리가 사다리꼴 모양으로 보인다.

Width

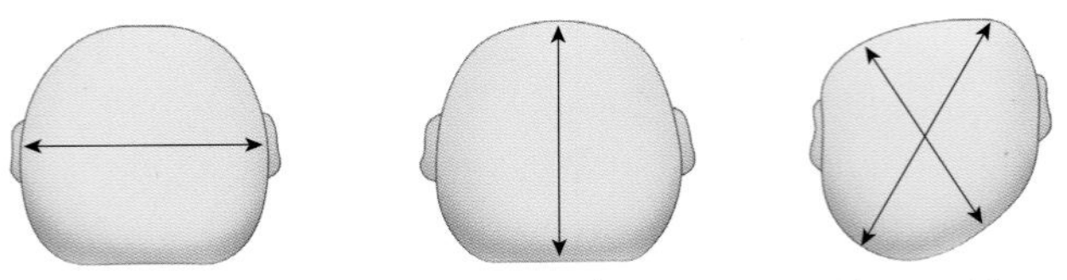

Length

Transcranial
diagonal difference

■ 그림 3-20. 두개측정방법

신체계측평가는 머리둘레와 너비, 길이, 대각선 길이를 측정한다. 머리 길이는 눈썹 사이 가장 튀어나온 부분과 후두부의 가장 튀어 나온 부위 사이의 거리, 너비는 수평적으로 가장 긴 양측 사이의 거리, 두개 지수는 머리길이에 대한 너비의 비율, 경두개 대각선은 머리 양측의 기형이 가장 심한 2개 지점 사이의 대각선 길이, transdiagonal difference는 경두개 대각선 값의 차이로 구한다(그림 3-20)).

cranial vault asymmetrysms은 경두개 대각선 측정값의 비로 의료진에 따라 제안하는 측정점이 달라 실제 시행에 어려운 점이 있다. 변형성 사두증의 중증도와 시간에 따른 호전 정도를 평가하기 위한 한 방법으로 3차원 영상 시스템이 있는데 오차 없이 편리하게 영상화 할 수 있다. 헬멧제작을 위한 레이저 스캐너도 자주 사용된다. 임상관찰과 신체계측 평가 후 사두증 분류와 중증도를 정할 수 있다. 측면 변형성 사두증은 편평한 쪽과 동측의 귀가 앞쪽으로 이동하고 반대측 후두골의 돌출을 보인다. 이 형태의 변형성 사두증은 사경이나 머리를 한쪽으로 대고 수면하는 경우에 흔한 것으로 경두개 대각선이 전형적으로 이상이 있어 중증도 결정에 이용된다. 경두개 대각선 값의 차이에 따라 경도 3-10 mm, 중증도 10-12 mm, 중증은 12 mm 초과로 분류한다. 후면 변형성 사두증은 후두골이 균일하게 편평하고, 측두골의 돌출이 있으며 귀의 위치는 정상이다. 이 형태의 사두증에서는 두개 지수가 증가하여 두개 지수 0.82-0.9 경도, 0.9-1.0 중증도, 1.0 초과 하는 것을 중증으로 분류한다. 시간과 검사의 기록이 진료에 도움을 줄 수 있다.

[치료]

수면 시 자세를 모니터링하고 교정해야한다. 머리를 하루는 침대의 머리 쪽으로, 하루는 침대의 다리 쪽으로 향하

도록 교대로 바꿔 주면 머리가 방 안쪽을 향하면서도 항상 한쪽 방향으로만 눕혀지지 않을 수 있다. 또 후두부의 양쪽을 같은 시간만큼 번갈아 눕힐 수 있게 되고, 이 패턴에 영아가 익숙해질 수 있다. 영아를 엎어놓는 시간은 영아가 깨어 있을 때 엎드린 상태로 있는 시간이며, 하루에 10-15분씩 적어도 3번 이상 유지하도록 권고된다. 엎드려 자는 것은 피하도록 하며, 깨어 있는 시간에는 엎드린 자세로 있는 것이 운동 발달에도 도움이 된다는 것을 부모에게 교육시킨다. 변형성 사두증으로 인한 두개골 비대칭은 대개 자연히 호전되지 않고 얼굴과 귀의 비대칭도 사라지지 않으므로 경과관찰은 추천되지 않고 비대칭이 발견되면 최대한 빨리 위치조정과 물리 치료를 시작한다. 선천성 사경이 있는 경우 물리치료 뿐만 아니라 위치 조정과 엎어 놓는 시간에 대해 부모에게 조언하고 교육하는 것도 포함되어야 한다. 위치조정과 물리치료가 생후 4개월 이전의 경도나 중증도인 영아에서 가장 적절한 치료법이다. 몰딩치료(헬멧치료)는 두개골 모양을 만들어 주기 보다는 편평한 부분이 자랄 수 있도록 공간을 마련하고 보호해 주는 역할을 한다. 비용, 시간소요, 치료 범위 및 보챔, 발진, 욕창 같은 부작용 때문에 논란이 있다. 최근의 연구들은 생후 4개월 이후의 중증 사두증이나 위치조정 및 물리치료에도 점차 악화하는 경과를 보이는 경도 및 중등도의 변형성 사두증에서 헬멧치료와 위치조정 및 물리치료를 병행하는 것이 가장 효과적인 치료법이다. 중증의 영아는 어느 연령이나 헬멧치료가 고려되어야한다. 헬멧치료는 4-8개월 사이에 시작해서 7-8개월 유지해야 하며 하루 23시간 이상 착용해야 한다.

[예후]

생후 6개월 이전에 헬멧치료를 시작하면 예후가 좋으며, 그 이후에 치료를 시작하는 경우에는 효과가 떨어진다. 치료 시작 후 4-11주에 확실한 효과가 나타나기 시작한다. 인지와 학업적인 측면에서 예후는 변형이 있는 쪽에 따라 다른 것으로 보인다. 왼쪽에 이상이 있는 환자들은 오른쪽 이상 환자에 비해 학업 성취도 및 언어능력에서 예후가 더 나빴다. 일반적으로 동반질환 없는 변형성 사두증 환자들은 대개 정상적인 발달과 건강을 보인다.

02

신생아의 신경질환

Neurological Problems in Newborn

| 은백린 |

1. 저산소 허혈 뇌병증(Hypoxic-Ischemic Encephalopathy)

저산소혈증(hypoxemia)은 혈중 내 산소량이 적은 것을 의미하고, 저산소증(hypoxia)은 세포나 조직의 산소 포화(oxygenation)가 감소한 상태이며, 허혈증(ischemia)은 혈류의 감소나 중단으로 인해 관류하는 혈액량이 감소되어 세포나 조직의 생리기능을 유지하기 어려운 상태이다. 가사(asphyxia)란 태아나 신생아에게 분만 전이나 분만 중 또는 그 후에 동반되는 다양한 원인들에 의하여 태반 또는 신생아의 폐에서 혈액 가스의 교환 기능이 충분하지 못하므로써 산소 공급과 이산화탄소 제거가 원활히 이루어지지 않아 저산소혈증(hypoxemia) 및 고탄산혈증(hypercarbia)이 발생되는 상태를 의미하는데, 저산소증이 심해지면 대사 산증이 동반된다. 태아기 가사를 태아 곤란이라 하고, 출생 후 가사를 신생아 가사라고 하며 이를 통틀어 주산기 가사라고 한다.

가사로 인한 저산소증이 지속되면 뇌, 심장, 위장관, 신장, 간, 폐 등의 여러 기관에 혈역학적 합병증 및 대사장애가 동반될 수 있으며, 일시적 또는 영구적으로 손상될 수 있다. 장기간 지속되는 신생아 가사는 심각한 뇌 손상을 초래하게 되며 경증인 경우 신속한 분만 처치 및 적절한 소생술로 완전히 회복될 수 있지만 중증인 경우 사망률이 높고, 생존하더라도 뇌성마비, 경련 발작, 지능저하, 발달장애, 시력 및 청력소실 등 심각한 신경학적 후유장애를 남길 수

있다.

저산소 허혈 뇌손상(hypoxic-ischemic brain injury)은 저산소증 및 허혈증에 의해서 뇌에 신경 병리적 손상이 나타난 것을 의미하며, 저산소 허혈 뇌병증(hypoxic-ischemic encephalopathy, HIE)은 저산소증 및 허혈증에 의하여 임상적으로 신경 행동학적 이상 소견을 보이는 상태를 의미한다. 저산소 허혈 뇌병증은 신생아기에 일어날 수 있는 여러 뇌병증의 원인들(대사, 감염 등) 중 하나로, 신생아 뇌병증 원인의 50-80%를 차지한다.

[원인]

주산기 가사의 발생을 시기적으로 보면 출산 전, 출산 과정, 출산 후로 나눌 수 있다. 임산부의 당뇨병, 고혈압이나 조산 등 출산 전 원인은 약 20%이고, 응급 제왕절개술과 태반조기박리 또는 전치태반 등의 출산 중 원인은 35% 정도이다. 출산 전과 출산 중에 걸쳐 발생하는 빈도도 약 35%를 차지하고, 약 10%만이 선천 심질환, 중증 폐질환 등의 출산 후 원인에 의해서 발생한다(표 3-1).

[진단]

저산소 허혈 뇌병증은 출생 직후 낮은 Apgar 점수만으로는 진단할 수 없다. 전형적인 진단 기준은 ① 산모 또는 태아의 병력상 가사를 유발할 요인이 동반되어 있고, 산전 초음파 검사, 비스트레스 검사 및 생물리학 계수 등에서 태

101

표 3-1. 가사를 일으키는 요인

출생 전	출산 과정	출생 후
임신 유발성 고혈압 임산부의 당뇨병 임산부의 만성 질환(호흡기, 심혈관, 신장, 신경계 질환) 임산부의 약물 치료/중독 임산부의 감염 질환 태아의 선천기형 조산	집게/흡인 등 보조 분만 비정상적 태위 조기 산통 응급 제왕절개술 융모 양막염 조기 양막 파수 지연성 산통 태반 박리 제대 탈출증 전치태반	선천 심질환 심장 근육병증 심장성 쇼크 신생아 지속 폐 고혈압증 패혈증 중증 폐질환 중증 빈혈 또는 출혈

아 상태의 변화를 보이며, ② 분만실에서 신생아 소생술이 필요하고, 출생 후 10분이 경과하여도 Apgar 점수가 3점 이하이며, ③ 혈액 가스 검사의 기준은 명확하지 않지만 제대혈 가스 검사상 산혈증(pH <7.0 또는 base deficit > l6 mmol/L)이 동반된 경우이다.

[병태생리(Pathophysiology)]

태아 및 신생아에서 저산소 허혈 뇌병증은 저산소 및 허혈 상태에서 시작하여 소생술 후 회복기에 혈류가 재관류(reperfusion) 및 재산소화(reoxygenation)되어도 계속 진행된다. 즉 주산기 가사에 의한 뇌세포 손상은 저산소증과 허혈증 동안에 발생하는 일차적 뇌손상(primary injury)과, 이미 허혈 상태에 빠진 조직에 산화혈(oxygenated blood)이 재공급됨으로써 일어나는 재관류에 의한 손상(reperfusion injury), 또한 가사 후 수 시간 내지 수일 후에 나타나는 이차적 손상(secondary injury)으로 진행된다. 저산소증과 허혈은 서로 유기적으로 연결되어 대부분의 환자에서 발병에 기여하는 정도를 정확히 구분할 수 없다.

주산기 가사로 인하여 전신적인 저산소증 및 과탄산혈증이 초래되면 이어서 뇌 저산소증 및 허혈증이 동반된다. 초기에는 뇌혈류량의 증가에 의해 보상되나 진행되면 주요 에너지 공급원인 산소와 혈당이 차단되어 급성 손상기로 진행한다. 뇌세포 내의 산소 및 포도당 공급의 부족으로 인하여 혐기성 해당(anaerobic glycolysis)이 진행되어 에너지 생성이 감소하고 뇌세포가 손상된다. 즉 산화적인 대사(oxidative metabolism)로부터 혐기성 대사로 전환됨으로서 nicotinamide-adenine-dinucleotide (NADH), flavin-adenine-dinucleotide (FADH), 젖산(lactic acid), H+ 등이 축적되고, 혐기성 해당 작용으로는 세포의 에너지 요구를 충족시킬 수 없으므로 ATP를 포함한 고에너지 인산 저장량이 감소된다. 저산소증 및 허혈증 동안 세포 내 ATP가 감소되면 Na+-K+-ATPase 기능부전으로 Na+과 물이 세포 내로 유입되므로써 세포의 팽창과 괴사가 진행된다.

가사로 인하여 저산소 허혈 뇌손상이 일어난 부위에 인공 소생술 등을 통해 재관류(reperfusion)가 되어 생기는 손상은 특징적으로 미세혈관의 손상을 포함하며 주로 자유기(free radical), 내피세포에서 유래된 요소(endothelial cell-derived factors), 중성구 등에 의해서 일어난다. IL-1 (interleukin-1), IL-6, TNF-α(tumor necrosis factor-α) 등의 cytokine은 정상 중추신경계의 발달과 다양한 형태의 손상에 반응하는데 재관류에 의한 손상에도 관여한다. 이들은 중추신경계 내의 미세아교세포, 성상세포, 신경원 등에서 주로 생산, 활성화되어 다양한 생화학적 효과를 나타내고, 강력한 염증 지향성(proinflammatory) 작용을 하여 다른 종류의 cytokine 합성을 자극하거나 다른 손상 매개체를 통하여 백혈구 침윤을 유도하고 신경교 유전자 발현에 영향을 미치며 영양인자(trophic factor)의 국소 합성을 자극하기도 한다.

소생술 이후 재관류가 확립된 후 약 6시간에서 15시간 동안의 기간은 뇌혈류는 감소한 상태에서 대뇌의 에너지 대사가 회복된 상태인 잠복기이다. 그러나 이 시기에서도 내부적으로는 세포자멸사 및 염증 반응에 의한 세포 손상이 시작된다.

이차 손상기에 도달하면 미토콘드리아의 에너지 대사

가 악화되고 경련이 발생하며 glutamate 등의 흥분성 아미노산의 방출을 시작으로 하는 후기 세포 손상의 과정이 진행된다. Glutamate의 세포 외 방출로 시냅스의 glutamate 농도가 증가하면 세포막의 NMDA, AMPA 등 glutamate 수용체에 대한 결합이 증가하고 이는 세포 내로의 칼슘 이동과 소포체에서의 칼슘 방출을 유발하여 세포 내 칼슘 농도를 증가시킨다. 세포 내 칼슘 농도의 증가는 인지질 분해효소(phospholipase), 칼슘결합 단백, 단백분해효소(protease) 및 핵속 핵산분해효소(endonuclease) 활성화 등의 일련의 반응을 유발하여 산화 자유기 및 과산화 질산염(peroxynitrate) 발생이 증가되고, 세포 골격 및 DNA가 파괴되며 이와 더불어 여러 싸이토카인과 관련된 염증반응 등의 기전이 복합되어 세포사가 진행된다.

저산소 허혈증에 의한 뇌조직의 손상은 뇌부종(brain swelling), 선택적인 뇌괴사(selective neuronal necrosis) 및 뇌경색(cerebral infarction)의 형태로 생기며 각각의 뇌병리 소견에 차이가 있다. 뇌부종은 뇌실질의 세포 내 혹은 세포외 수분이 증가하며, 뇌괴사는 신경원(neuron)만 손상이 된다. 뇌경색은 신경원, 신경교(glia) 및 혈관의 모든 세포 구성원들이 손상되며, 뇌경색이 일어난 주위에는 괴사나 세포자멸사(apoptosis)를 일으키는 신경원으로 구성된 명암대(penumbra area)가 있는데 이는 치료적 중재로 손상된 뇌세포를 회복시킬 가능성이 있는 부위이므로 중요한 의의를 갖는다.

뇌 손상의 형태는 뇌발달의 여러 단계에 따라서 다양하게 보일 수 있다. 임신 초기에는 기관형성(organogenesis)의 영향에 의한 선천 기형을 보이고, 임신 중기에는 조직형성(histogenesis), 증식(proliferation), 이주(migration)의 이상에 의한 영향으로 겉질 발달의 장애를 초래하며, 임신 말기에는 혈관 성숙도에 따른 뇌손상 형태의 차이를 보인다. 재태연령 34주 이전에는 심부 혈관의 발달보다도 뇌겉질 가까이에 있는 표면 혈관이 더 성숙하기 때문에 저산소 허혈증에 의해 심부 조직이 더 쉽게 손상을 받으며, 재태연령 34주-36주가 되면 심부 혈관도 충분히 발달하여, 표면과 심부 조직의 손상에 차이를 보이지 않는다. 즉 저산소 허혈 뇌병증에서 미숙아인 경우에는 주로 뇌실주위 백질연화증(periventricular leukomalacia)으로 나타나고, 만삭아인 경우에는 겉질, 겉질밑 백질, 심부 회백질의 파괴를 보인다.

[임상 증상]

저산소 허혈 뇌병증은 일차적으로 산소 공급이 부족하여 신경조직에 손상을 일으키며, 저산소혈증과 허혈증이 주된 발병기전이고 이중 허혈이 좀 더 중요한 역할을 한다. 임상양상은 저산소혈증과 허혈증의 심한 정도와 기간에 따라 매우 다양하며 원인, 재태기간, 저혈압의 정도, 침범된 뇌부위와 범위 등도 영향을 미친다.

심한 주산기 가사로 장기적인 신경학적인 후유증을 갖게 되는 신생아는 생후 수일 이내에 의식의 변화, 근긴장 저하(hypotonia), 경련 등의 급성 뇌증을 보이며, 이 급성 뇌증의 정도가 심할수록 장기적인 신경학적 합병증의 빈

표 3-2. 저산소 허혈 뇌병증 단계

징후	1 단계(경증)	2 단계(증등도)	3 단계(증증)
의식수준	과각성(Hyperalert)	기면 상태	혼미, 혼수
근육 긴장도	정상	근긴장저하	근이완상태
자세	정상	사지굴곡	제뇌경직(Decerebrate)
건반사/간대(clonus)	항진	항진	무반응
간대 근경련(myoclonus)	있음	있음	없음
Moro 반사	강함	약함	없음
동공	산동	축동	비대칭, 광반응약함
경련 발작	없음	흔함	제뇌상태(Decerebration)
뇌파 소견	정상	저전압-경련발작	군발-억제 또는 등전위
증상 발현 기간	24시간 이내	24시간-14일	수일-수주
예후	양호	다양	사망, 중증 신경학적 후유증

Modified from Sarnat HB, Sarnat MS: Neonatal encephalopathy following fetal distress: A clinical and electroencephalographic study. Arch Neurol 33:696-705. 1976. Copyright 1976, American Medical Association.

도와 정도가 심하다. 경증(mild)의 경우에는 예후가 대개 양호하나 증등도(moderate)의 경우 약 20-40%에서, 중증(severe)의 경우에는 대부분 장기적인 신경학적 후유증이 발생한다.

신경학적인 증상은 의식, 신경 근육조절, 반사, 자율기능, 경련, 뇌파 소견 등(표 3-2)에 따라서 급성 뇌병증의 정도를 판단할 수 있으며 궁극적으로 사망률과 신경학적 후유증 발생에 대한 예후 판단에 중요한 지표가 된다. 경한 뇌병증(1 단계)에서는 과도한 움직임(hyperalertness)을 보일 수 있으며, Moro 반사나 건반사가 증가되고 대부분 24시간 이내에 소실된다. 중등도(2 단계)의 경우에는 의식이 저하되고 근력이 감소하며, Moro 및 흡철 반사(sucking reflex)가 약해지고 경련과 함께 뇌파상 이상 소견이 자주 관찰된다. 또한 중증의 뇌병증(3 단계)에서는 혼수 상태로 각종 반사가 소실되고, 심한 근력의 저하, 자율신경 기능의 부조화, 군발-억제(burst-suppression)나 등전위(isoelectric) 뇌파 등을 보인다. 환자에 따라서는 초기에는 경한 뇌병증의 증상을 보이다가 나중에 중등도 혹은 중증의 증상을 보이기도 하고, 반면에 초기에는 증상이 중등도이다가 완전히 회복되기도 한다.

주산기 가사에서 저산소증과 허혈증의 심한 정도 및 특징적 양상, 그리고 재태기간에 따른 뇌의 발달 정도에 따라서 여러 특징적인 뇌손상이 나타나는데 Volpe는 이를 다음과 같은 몇가지 양상으로 분류하였다(표 3-2).

○ **선택적 신경세포 괴사**(selective neuronal necrosis)

저산소 허혈 뇌손상시 가장 흔히 보이는 병리 소견으로 핍지교세포(oligodendroglia), 성상세포(astrocytes), 미세아교세포(microglia) 등의 세포는 보존되고 신경세포만 선택적으로 손상되어 대뇌겉질(cortex), 기저핵(basal ganglia) 등의 뇌 여러 부위에 작은 다발성 괴사가 관찰된다. 뇌혈류 재관류 시 glutamate receptors가 많이 분포하는 대뇌 겉질 및 해마 CA1 부위 신경세포, 소뇌의 Purkinje 세포 및 뇌간 세포가 손상을 잘 받는다. 신생아기에 나타나는 임상 양상은 뇌손상의 부위에 따라서 매우 다양하게 나타나서 경련, 뇌증, 근력저하, 안구 운동 이상, 구 기능장애(bulbar dysfunction) 등으로 나타날 수 있으며 추후 장기적으로 강직성 뇌성마비, 간질, 구마비(bulbar palsy) 등으로 나타날

수 있다.

○ **방시상 뇌손상**(parasagittal cerebral injury)

저산소 허혈 뇌병증의 정도가 심하면 뇌회백질을 동시에 모두 침범하는데, 방시상 손상(parasagittal injury)은 만삭아에서 발생하는 저산소 허혈 뇌병증의 가장 흔한 형태이다. 흔히 전대뇌동맥과 중대뇌동맥 사이, 중대뇌동맥과 후대뇌동맥 사이의 경계 부위(border zone)의 손상을 초래한다. 이 분수계역(watershed zone)은 대뇌겉질과 겉질밑 백질 내의 방시상 부위(parasagital)에 있다. 방시상 경색증(parasagittal infarction)을 CT나 MRI에 비해서 초음파로 진단하기가 어려운 경우가 많지만, 초음파상 초기에는 경계부위에 국소성 음영증가를 보이고 추적 검사 시 낭성변화, 국소성 위축, 뇌실확장 및 석회화를 볼 수 있다. 방시상 손상은 자기공명영상에서 잘 관찰되나 신생아에서는 정상적으로도 대뇌 수분이 많아서 MRI상 진단이 어려운 경우도 있다. 신생아기에는 특히 다리보다 팔에서 더 심한 근위부(proximal) 근력 저하(muscle weakness)를 보이고 이후 강직성 사지마비(spastic quadriplegic cerebral palsy), 인지장애 등의 장기적인 신경학적 후유증을 나타낸다.

○ **국소 허혈 뇌손상**(focal ischemic brain injury)

저산소증을 보인 만삭아에서 드물게 국소 경색을 초래할 수 있는데, 그 중 중대뇌동맥 경색이 가장 많다. 급성 경색 시 초음파 검사에서 동맥공급 영역에 증가된 반향과 주위 조직의 압박소견이 관찰되며 추적 검사 시 서서히 액화되면서 결국 공뇌증(porencephaly)이 된다.

○ **뇌실주위 백질연화증**(periventricular leukomalacia, PVL)

뇌실주위 백질연화증은 미숙아에서의 저산소 허혈 뇌병증의 가장 흔한 형태로 측뇌실(lateral ventricle)에 인접한 백질 부위의 괴사 소견을 보인다. 저출생 체중으로 태어난 미숙아의 10-40%에서 발생하며, 생존한 미숙아의 6.5%-10%에서 심각한 신경학적 후유증인 강직성 양측마비나 사지마비를 초래하고 심한 인지장애, 감각이상을 동반하기도 한다. 재태연령 24-34주의 미숙아에서는 뇌실 주위 백질을 공급하는 혈관이 미숙하여 저산소 허혈 상태에서는 이 부위에 가장 심한 영향을 받게 된다. 그러나 대뇌

겉질은 상대적으로 표면 혈관이 더 발달되어 있고, 겉질 혈류를 유지하기 위한 풍부한 연결혈관(anastomotic vessel)이 있어서 저산소 허혈 뇌병증의 영향을 적게 받는다. 뇌실 주위 백질연화증은 측뇌실 삼각부 주위, 몬로 구멍 주위, 반란원 중심(centrum semiovale)에 가장 흔히 생기고, 괴사 부위는 신경아교증(gliosis)와 위축(atrophy)으로 뇌실 확장(ventriculomegaly)을 유발한다.

[진단]

주산기 가사의 병력, 임상증상, 신경학적 검사를 포함한 이학적 검사, 그외 여러 가지 임상검사에 의해 진단할 수 있다. 영상검사가 신생아 뇌손상의 특정 원인을 밝히기는 어려우나 뇌손상의 시기, 범위, 정도를 아는 데에는 필수적이다. 뇌초음파 검사는 환자를 이동하지 않고 병상에서 직접 검사할 수 있다는 장점으로 인하여 임상에서 많이 이용되고 있고 뇌손상 초기에 측뇌실 주변 음영이 증가하나 미숙아에서는 정상적으로도 증가되어 있어 민감도가 떨어진다. 컴퓨터 단층촬영(CT)은 비교적 검사 시간이 짧고 광범위한 뇌겉질의 병변이나 국소적 병변을 확인하는 데 유용하게 사용되며 석회화와 출혈의 진단에는 장점이 있다. 그러나 뇌손상의 초기에는 뇌부종으로 인한 전반적인 뇌실질의 음영 감소가 특징적인 소견이나 진단에 오류가 있을 수 있다. 자기공명영상은 저산소 허혈 뇌병증의 영상학적 진단에 가장 중요한 검사로 병소의 위치와 정도를 비교적 조기에 파악할 수 있고, 뇌실주위 백질연화증 등 후유증을 알아내는 데 가장 정확한 검사 방법이다. 한편 뇌신경계 기능적 검사의 하나인 뇌파검사는 비침습적 검사이며 대뇌 겉질의 활동 상태를 직접 반영하므로 자기공명영상 등의 해부학적 영상 자료와 함께 분석하면 대뇌 손상의 정도와 부위, 원인 또는 예후 등을 추정하는 데 많은 도움을 준다. 시간 변화에 따른 뇌파 소견의 변화는 뇌손상 정도를 알려 주고, 비정상 뇌파 형태는 뇌병소 유형에 대한 정보를 주며, 저전압(low voltage), 등전위(electrocerebral inactivity) 또는 군발-억제 등은 중증도 또는 중증 뇌손상을 의미한다. 양측 두정부 부위에 설치된 전극에서 single-channel 뇌파 신호를 측정하는 amplitude-integrated electroencephalography (aEEG)는 간편하고 지속적으로 뇌파를 추적할 수 있는데, 표준 뇌파검사 소견과 상호 연관성이 있으며 장

기적 신경 발달학적 후유증을 남기는 뇌손상 환자를 진단할 수 있고, 무증상 경련을 조기에 발견할 수 있다. 그 외에도 확산 자기공명영상 기술(diffusion weighted MRI), MR 분광법(spectroscopy), 근적외 분광분석법(near-infrared spectroscopy), SPECT, PET, 대뇌유발반응(cerebral evoked response) 등이 저산소 허혈 뇌병증의 진단에 이용되고 있다.

[치료]

주산기 가사에 의한 저산소 허혈 뇌병증이 의심되는 신생아에서는 다른 기관의 손상정도를 같이 평가하여 치료에 임해야 하며, 뇌손상을 가역적으로 회복시킬 수 있는 기간(therapeutic window)이 성인에서는 비교적 천천히 진행하여 수시간 내지 수일인데 반하여, 신생아에서는 빨리 진행하여 만삭아에서는 1-2시간 이내, 미숙아에서는 1시간도 안될 것으로 추정된다. 그러므로 신생아, 특히 재태기간이 작은 미숙아일수록 그 치료할 수 있는 기간이 짧으므로 가능한 한 빨리 치료를 시작해야 한다.

치료는 자궁 내(태아) 가사를 방지하고, 출생한 신생아에서는 보존적 치료를 시작하며, 향후 가능성이 있는 잠재적 치료 방법의 사용을 고려해 본다. 보존적 치료는 뇌관류 및 환기 상태를 적절하게 유지하고, 혈당, 칼슘 등의 대사 상태를 정상적으로 유지하며 뇌부종과 경련을 조절한다. 신생아 저산소 허혈 뇌병증의 병태생리가 비교적 구체적으로 밝혀지면서 병태 생리 각각의 단계들을 차단하는 표적 치료(target therapy)에 대한 실험적 연구가 활발하나 대부분은 동물실험에서 그 효과가 입증되었음에도 불구하고 산모 또는 신생아에서는 효과가 없었거나 안전성 문제로 인해 임상적인 적용이 어렵다. 그러나 저체온 치료(therapeutic hypothermia)가 대규모 임상연구들에서 신생아의 사망률 및 장기적인 신경학적 합병증을 감소시키는 효과가 있는 것으로 밝혀져 주산기 가사의 표준 치료로 등장하고 있다.

저체온 치료는 일반적으로 손상 후 6시간 이내에 치료를 시작하며 머리냉각(head cooling) 또는 전신냉각(systemic cooling) 방법을 사용한다. 심부 직장 또는 식도 체온을 기준으로 33.5℃ 정도로 72시간 동안 유지한다. 저체온 치료의 뇌 보호 기전은 뇌 대사율의 감소로 인한 고에너지

표 3-3. 저산소 허혈 뇌병증 후 사망이나 장애를 야기할 수 있는 불량 예측변수

- 낮은 10분 Apgar 점수(0 - 3)
- 분만실에서 심폐소생술 실시
- 지연성 자발호흡(≥20 min)
- 중증의 신경학적 징후(혼수, 근긴장저하, 근긴장항진)
- 12시간 이내에 시작된 경련발작
- 군발-억제를 포함한 중증의 장기적인(~7일) 뇌파 소견
- 자기공명영상상 현저한 기저핵/시상 병변
- 24시간 이상 핍뇨/무뇨
- 신경학적 검사상 14일 이상 비정상 소견

인화합물의 유지, glutamate 방출의 억제, NMDA 수용체 활성도의 감소, 세포 내 산증 및 젖산 축적의 감소, 내부 항산화물질의 유지, NO 생성의 감소, protein kinase 억제의 방지, leukotriene 생성의 감소, 세포자멸사의 억제 등이 밝혀져 있다. 즉, 저체온 치료는 저산소 허혈 뇌손상의 병태생리 기전의 거의 모든 단계에 관여하는 셈이다. 그러나 아직 어떤 기전이 뇌보호의 가장 주된 역할을 하는지에 대하여는 확립되어 있지 않다.

[예후]

주산기 가사로 인한 저산소 허혈 뇌병증으로 생기는 뇌성마비 등의 후유증의 빈도는 1,000명의 생존 출생아 중 0.2-0.4명으로 알려져 있다. 예후에 영향을 미치는 요인들로는 재태기간(만삭아 vs 미숙아), 연장 Apgar 점수, 임상 증상 및 징후의 심한 정도, 뇌병리 소견, 혈청 CK-MB치, 핍뇨증(oliguria) 여부, 그리고 뇌진단법(EEG, evoked responses, technetium scan, CT scan, ultrasonography, MRI, MRS, 뇌혈류량 및 뇌혈류 속도) 등이 있으며, 이들의 결과에 따라 예후를 추정할 수 있다고 알려져 있다(표 3-3).

2. 분만 손상(Birth Injury)

분만 손상은 분만 시 기계적 외상 혹은 저산소증에 의해 야기되는 신생아 손상을 말한다. 최근 산과 처치법의 향상으로 그 빈도가 현저히 감소하였으나 예방하지 못하는 경우도 있으며, 심한 후유증을 남기는 수도 있다. 거대아, 미숙아, 비정상 태위, 이상 분만 등의 경우 정상 분만보다 분만 손상의 빈도가 높다.

(1) 두개 손상(Cranial injury)

두개외 손상(Extracranial injury)

출산머리부종(caput succedaneum)은 두정위(vertex presentation) 분만 시 생기는 두피 연조직의 출혈 부종으로 경계가 불분명하고 봉합선을 넘어 생긴다. 부종은 생후 수일 이내에 소실되며 치료를 하지 않아도 되지만 만약 반상 출혈(ecchymoses)이 심하여 황달이 생기면 광선치료를 한다.

머리혈종(cephalohematoma)은 두개골막밑 출혈로 하나의 두개골에 국한되어 봉합선을 넘지 않으며 주로 두정골(parietal bone)에 출생 후 수 시간에 걸쳐서 생긴다. 아래 두개골의 선상 골절이 동반되기도 하며, 혈종 석회화가 시작되면 주변 부위의 융기가 만져져 함몰 골절처럼 보인다. 머리혈종은 크기에 따라 2주-3개월 정도에 소실되므로 특별한 치료가 필요 없다. 머리혈종의 천자나 절개는 감염의 위험이 있으므로 시행하지 않는다. 두개 수막류(cranial meningocele)와는 박동(pulsation), 울 때의 압 상승, 골 결손(bony defect)이 없는 것으로 감별된다.

모상건막하 출혈(subgaleal hemorrhage)은 모상건막(galea aponeurotica)과 두개골 골막 사이 연조직에의 출혈이다. 흡인 분만이나 집게 분만시 빈도가 증가한다. 대량 출혈이 일어날 가능성이 있으며, 이로 인한 사망 위험이 높아 관찰과 대비가 필요하다.

안면과 두피 연조직에 홍반(erythema), 찰과상(abrasion), 반상 출혈(ecchymoses), 피하지방 괴사(subcutaneous fat necrosis)는 집게 분만 후에 생길 수 있는데 주로 기구가 가해진 부위에서 발견된다.

결막하 출혈(subconjunctival hemorrhage), 망막 출혈(retinal hemorrhage) 및 머리, 얼굴의 점상 출혈은 흔히 볼 수 있는 소견으로 산도 통과 때 압박으로 인한 급격한 흉곽 내압과 정맥압 상승 때문에 일어나며 수일 내에 소실된다.

두개내출혈(Intracranial hemorrhage)

두개내출혈은 주로 외상, 주산기 가사에 의해 일어나며, 드물게 출혈성 질환, 선천성 혈관 기형 등에 의해 일어난다. 외상성 경막외 출혈(epidural hemorrhage), 경막하

출혈(subdural hemorrhage), 지주막하 출혈(subarachnoid hemorrhage)은 머리 골반간 불균형, 지연 분만, 급속 분만, 둔위 분만 및 부적절한 기계 분만 때에 잘 일어난다.

경막외 출혈은 극히 드물다. 경막하 출혈은 미숙아보다 만삭아에서 잘 일어나며, 출혈 부위에 따라 사망, 국소 징후(focal sign), 만성 지주막하 삼출로 인한 두위 증가, 대천문 융기, 경련 등이 일어나며, 증상이 없는 경우도 있다. 분만과 관련이 없는 경막하 출혈은 아동 학대에 의한 것인지를 조사해야 한다.

두개골 골절(Skull fracture)

집게 분만이나 골반에 의한 압박에 의해서 일어날 수 있다. 대부분 선상 골절로, 두정골이나 전두골에 잘 생긴다. 단순 선상 골절은 치료를 요하지 않으나, 2 cm 미만의 작은 함몰 골절의 치료 방침은 일정하지 않으나, 큰 함몰 골절은 증상이 없더라도 교정한다. 후두골 분리(occipital osteodiastasis)가 있으면 치명적 출혈이 일어날 수 있다.

(2) 뇌실주위 및 뇌실내출혈(periventricular and intraventricular hemorrhage)

뇌실주위 및 뇌실내출혈은 출생 전후기 관리의 향상, 산전 steroid 사용, 인공호흡기의 발전, 폐표면 활성제 사용 등으로 과거에 비해 감소하였으나, 신생아 집중치료의 발달로 미숙아의 생존율이 크게 향상됨에 따라 백질 손상과 함께 여전히 극소 저체중 출생아 신경 발달 장애의 중요한 원인이다.

뇌실 출혈은 미숙아와 만삭아에서 발생 빈도, 원인, 기전, 뇌출혈 장소 및 임상양상에 현저한 차이를 보인다. 미숙아의 뇌실 출혈은 발생빈도가 높아서 특히 출생 시 체중이 1,500 g 미만인 경우 20-30%에서 발견된다.

미숙아에서 뇌실 출혈은 미상핵 두(head of caudate nucleus)와 Monro 구멍 근처의 뇌실막하 배기질(subependymal germinal matrix)에 있는 소혈관에서 시작하며, 뇌실막(ependyma)을 통과하여 뇌실로 파열되어 뇌실내출혈로 발전하고 폐쇄성 섬유증성 지주막염(obliterating fibrosing arachnoiditis)이 생겨 뇌수종을 초래하며, 심한 뇌실주위 출혈은 뇌실질로 확대되고, 공뇌성 낭종(porencephalic cyst)이 흔한 합병증이다. 만삭아에서 뇌실 출혈의 부위는

미숙아와는 달리 맥락막총, 특히 사구의(glomus)의 후총맥(posterior tufts) 부위에서 가장 많이 발생한다. 그 다음으로 뇌실막하 배기질, 특히 미상-시상구(caudate-thalamic groove)에 있는 미상에서 잘 온다.

미숙아에서 뇌실 출혈의 병인론(pathogenesis)으로는 혈관내적 요인(intravascular factors), 혈관외적 요인(extravascular factors) 및 혈관적 요인(vascular factors) 등으로 구분할 수 있다. 혈관내적 요인은 미숙아에서 뇌실 주위의 혈류가 증가되어 있고 뇌혈류의 자기조절(autoregulation) 기능이 미비한 점이고, 혈관외적 요인은 뇌실 주위 모세혈관의 지지가 잘 안되고 섬유소용해 활동성(fibrinolytic activity)이 과다한 점이며, 혈관적 요인은 뇌실 주위 배아기질의 모세혈관이 미숙하여 파열되기 쉽고 내피세포가 저산소 상태에서 손상받기 쉬운 점이다. 만삭아에서 뇌실 출혈의 발생기전은 아직 확실히 알려져 있지 않으나, 미숙아에서와 같이 뇌혈류량, 정맥압, 혈관의 강도(vascular integrity) 등이 관여할 것으로 생각하고 있다.

미숙아에서 뇌실내출혈의 유발인자는 질식, 소생술, 초자양막증, 동맥관 개존증, 기계호흡, 산혈증, 저산소증, 과탄산혈증, 응고장애, 기흉, 신생아의 이송, 고장성 염기 용액의 투여 등이 알려져 있다. 만삭아 뇌출혈의 원인은 출생 시 분만 손상 및 가사가 매우 중요하고, 그 외 선천성 동맥류(congenital aneurysm)와 손상, 동정맥기형(A-V malformation), 종양, 뇌 자율조절 상실(loss of cerebral autoregulation), 고나트륨혈증(hypernatremia), 응고장애(coagulopathy), 복부 손상 등이 있으나 원인이 확실하지 않은 경우도 많다.

뇌실내출혈과 관련된 뇌손상의 기전은 저산소증과 허혈(ischemia), 뇌압 상승과 뇌관류(perfusion) 감소, 뇌실 주위 백질(white matter)의 파괴, 배기질내 신경교 전구체(glial precursor)의 파괴, 혈관연축(vasospasm)으로 인한 국소 허혈, 출혈 후 뇌수종 등을 생각할 수 있다.

대부분의 미숙아는 생후 3일 내에 뇌실 출혈이 발생하지만, 만삭아에서 뇌실 출혈 시기는 주산기 가사가 있는 경우에는 생후 첫 날에 발견되고 분만 시 손상이 있을 때는 출생 둘째 날에 생긴다. 그러나 확실한 원인이 없는 경우는 생후 2-4주 후에도 올 수 있다. 그러므로 출생 후 뇌에 영향을 줄 수 있는 유발인자가 있었을 경우 가능한 빨리 초음파

검사를 시행하고 연속적으로 추적 관찰함으로써 좀 더 정확한 출혈 시기를 알 수 있다.

출혈은 초음파 소견에 따라 4단계로 분류한다. 1 단계는 뇌실막하 배기질에 국한된 출혈, 2 단계는 뇌실내출혈이 있으나 뇌실 확장이 없는 출혈, 3단계는 뇌실이 확장된 뇌실내출혈, 4단계는 뇌실질 출혈을 동반한 뇌실내출혈이다.

만삭아 뇌실 출혈 환자의 임상양상은 경련, 혼미, 자극과민성, 무호흡, 뇌압 증가 등의 증상을 볼 수 있다. 뇌수종은 약 반에서 나타나는데 30%에서는 뇌실복강 지름술(ventriculo-peritoneal shunt)을 필요로 한다. 미숙아에서의 임상적 특징은 갑작스럽게 신경학적으로 악화되거나 증세가 미미하여 알아내기 어려울 경우도 있다. 파국성 증후군(catastrophic syndrome)은 보통 다량의 출혈과 관련되며 수분 내지 수시간 이내에 혼미(stupor)나 혼수(coma), 비정상적인 호흡, 경련, 동공반사의 소실, 사지의 마비 등이 나타나고 혈색소의 하강, 대천문의 팽출, 저혈압, 서맥, 체온의 불안정, 대사성 산혈증 등이 동반되어 대부분 사망한다. 반면에 소량의 출혈만이 있는 경우 임상증세가 약하거나 특별한 증상이 없을 수 있다.

신경학적 후유증은 만삭아와 미숙아가 비슷하여 뇌실질 출혈, 뇌수종, 배기질 파괴 및 낭 형성, 저산소 허혈 뇌손상, 경련 등이 올 수 있다. 예후는 최근 신생아 집중치료의 발달로 향상되었으며, 뇌실내출혈의 정도와 관련이 있어 심한 뇌실내출혈은 사망률이 높고 생존아는 뇌실 확장이나 뇌수종과 발달 및 운동장애가 생긴다. 만삭아에서 예후는 미숙아보다 나빠 약 55%에서 정상으로 되고 40%에서 신경학적 후유증을 남기며 30%에서 뇌수종이 발생하고 5%에서는 사망한다. 이는 미숙아에서는 뇌실질을 침범하지 않은 경미한 경우가 미숙아 뇌실 출혈의 많은 부분을 차지하기 때문이다.

뇌실내출혈의 치료는 미숙아의 출생 및 유발인자의 예방이 중요하고 특히 뇌 환류를 유지하기 위해 혈압의 유지 및 뇌압의 하강이 중요하며 합병증인 뇌수종을 조기에 발견하기 위아여 연속적인 뇌초음파 검사가 필요하다. 일반적으로 뇌실내출혈은 2주 이내에 흡수되고 뇌실질내출혈은 3주 이후에 흡수되며, 출혈 후 뇌수종은 2-6주에 발생한다. 뇌압이 정상인 뇌수종은 연속적인 뇌척수액 천자, 뇌척수액의 생성을 감소시키는 약물 등으로 치료하며, 뇌압이 상승된 뇌수종은 수술적 요법으로 치료한다.

(3) 척수 손상(Spinal cord injury)

척수 손상은 척수의 과도한 당김이나 비틀림 때문에 일어나며, 두부 태위 때는 제4 경추에, 둔위 태위 때는 하부 경추 및 상부 흉추에 호발한다. 손상 부위의 하부에 무반사, 감각 소실, 수의 운동의 완전 마비 등의 증상을 보인다. 손상이 심한 경우 사산하거나 출생 직후 호흡 저하, 쇼크, 저체온 등이 나타나서 사망한다. 첫째 날 무호흡이 나타나거나 3개월 동안 운동증상이 호전되지 않으면 예후가 나쁘다.

감별해야 할 질환은 신경 근육 질환(neuromuscular disorder)인 선천성 근무긴장증(amyotonia congenita), 잠재성 척추 파열(spina bifida occulta)을 동반한 척추 형성 부전(myelodysplasia) 등이 있으며, 초음파, 자기공명영상 촬영이 진단에 도움이 된다. 치료는 환기(ventilation)와 체온 유지, 요로 감염과 근수축의 예방 등 보조 요법을 시행한다.

(4) 말초 신경 손상

상지 마비(Brachial palsy)

팔신경얼기(brachial plexus)를 이루는 제5-8 경추신경(C5-8), 제1 흉추신경(T1)의 손상에 의한 상지의 전체 혹은 일부 마비이다. 약 45%는 견갑위 난산(shoulder dystocia)후 발생한다.

Erb-Duchenne 마비는 제5, 6 경추신경($C_{5,6}$)의 손상으로 환자는 어깨를 내전(adduction), 내회전(internal rotation)하고, 상박은 신전(extention), 회내(pronation) 상태로 움직이지 않는다. 손상 쪽 모로반사가 나타나지 않으나 손의 파악반사는 남아있다.

Klumpke 마비는 드물며, 제7, 8 경추신경($C_{7,8}$)과 제1 흉추신경(T1)의 손상에 의한 손가락과 손목의 굴근(flexor) 마비로 주먹을 쥐지 못하고, 파악반사가 나타나지 않는다. 제1 흉추(T1) 교감신경 섬유 손상때에는 동측에 축동(miosis), 안검하수(ptosis)가 일어난다(Horner 증후군).

자기공명영상, 신경전도 검사 등이 손상 범위 및 정도, 예후 판단에 도움이 된다. 치료는 적절하게 고정하고, 마비로 인한 근수축을 예방하기 위해 마사지나 수동 운동은 조기에 시작한다.

대부분의 상지마비는 수개월 내에 회복되며, 특히 Erb형 마비의 예후가 좋다. 손상 후 3개월이 지나도 호전이 없으면 수술적 치료를 고려하여야 한다.

횡격막신경 마비(Phrenic nerve paralysis)

청색증과 불규칙하고 힘든 호흡이 나타날 때는 횡격막마비를 동반한 횡격막 신경(C_{3-5}) 손상을 생각해야 한다. 보통 한쪽에 발생하며 대부분 상지 신경총 손상과 동반되어 일어난다. 빈호흡, 무호흡, 청색증 등 호흡 곤란 증상을 보이며, 초음파나 방사선으로 투시해 보면 마비측 횡격막의 상승과 양 횡격막의 see-saw 운동을 볼 수가 있다. 호흡곤란 증상에 따라 산소, 인공 환기기를 사용하고, 처음에는 수액으로 영양 공급을 할 필요가 있을 수 있으나 환자 상태에 따라 점차 섭식 수유(gavage feeding)나 경구 수유로 늘려 간다. 호흡기 감염증이 가장 심각한 합병증이나 대부분 1-3개월에 회복된다.

얼굴신경 마비(Facial nerve palsy)

분만 전 또는 분만 중에 안면신경이 압박되어 일어나며, 집게에 의해서 손상될 수도 있다. 이는 말초성 마비로, 안면근육이 이완되어 마비된 쪽 이마에 주름이 잡히지 않으며, 눈은 꼭 감기지 않고 입은 처진다. 아기가 울 때 이러한 소견이 더욱 현저하며, 입은 마비되지 않은 쪽으로 당겨진다. 분만 손상에 의한 안면신경 마비는 대부분 수 주 내에 회복된다. 치료는 마비된 쪽 각막의 손상을 예방하기 위해 인공 누액을 사용하거나 눈꺼풀을 붙여 준다(eyelid taping). 입의 하체근(depressor angularis muscle)의 선천성 형성 부전과 혼동되는 경우가 있다.

(5) 쇄골 및 사지 골절

쇄골은 분만 시 골절이 가장 잘 일어나는 뼈이다. 골절측 팔을 움직이지 않으며, 모로반사가 소실하고, 골절 부위에 통각, 마찰음이 있거나 불규칙한 뼈가 만져진다. 전위(displacement)가 없으면 증상이 없는 경우도 있다. 고정 시 1주 이내에 가골 형성이 일어나며, 예후는 아주 양호하다.

사지의 골절은 해당 사지를 움직이지 않게 적절히 고정치료하면 예후는 매우 좋다.

03

뇌성마비

Cerebral Palsy

| 노병호 |

뇌성마비란 단일한 하나의 질환이라기보다는 영구적인 운동 및 자세의 이상 혹은 활동의 제약을 주 증상으로 하는 장애의 집합으로서, 태아 혹은 미숙한 뇌의 발달과정에서 발생한 비진행성의 병변으로 인하여 주로 나타난다. 운동장애는 감각, 지각(perception), 인지(cognition), 의사소통(communication), 행동(behavior), 뇌전증(epilepsy), 이차적인 근골격계 이상을 흔히 동반한다. 뇌성마비의 발생 시기, 원인, 임상양상, 동반되는 장애, 사회적 능력의 손상 정도 및 예후는 개인에 따라 매우 다양하다. 합병증으로써 동반되는 신경학적 임상양상은 시간에 따라 점차 변하거나 악화하는 경과를 밟을 수 있으며, 뇌성마비 발병 자체와 인지기능의 손상 정도는 반드시 인과관계가 있지는 않아서, 뇌성마비를 가진 많은 환아들이 고등교육을 정상적으로 마치고 직업생활을 하는 성인이 된다.

1) 역학

뇌성마비의 발생 빈도는 세계적으로 0.15-0.2% 정도로서 연간 인구 10만 명당 7명의 비율로 새로 발생한다. 국내의 발생 빈도는 0.25-0.41%로 보고되었다. 남녀비는 연구마다 다르며, 일부 연구에서는 남자에서 우세한 것으로 보고되었다. 유병률은 생후 12개월에 1,000명당 약 5.2명 정도에서 뇌성마비의 증상을 보이지만 7세까지 추적 관찰해보면 이들의 50%는 신경 근육계의 증상이 소실되었다고 보고되고 있다. 조사 기간에 따라 발생 빈도의 약간의 오르

내림은 있으나 최근 40년간 큰 변화는 없는 것으로 보고 있다.

2) 원인 및 위험 인자

뇌성마비의 원인은 매우 다양하다(표 3-4). 여러 코호트 연구에서 대부분의 경우 다인자성으로 나타나며 약 20% 정도에서는 원인을 확인할 수 없다. 출생 전 원인과 주산기 원인이 전체의 약 2/3을 차지하지만, 또한 임신 전 산모의 과거력, 나이 등이 위험인자로 보고되었다.

출산 전 위험 인자들로는 유전질환, 임신중독증, 대사 및 호르몬 질환 및 자궁 내 선천감염 등이 있으며, 조산을 초래하는 질환, 조산 그 자체 혹은 조산으로 인한 출혈 혹은 저산소성 허혈 뇌병증 및 그로 인한 신경학적 후유증 등이 주요한 위험인자이다. 특히 1500 g 미만의 저체중 출산에서는 2500 g 이상의 정상체중 출산에 비해 68배, 32주 미만의 조산에서는 37주 이상 출생에 비해서 51배의 유병율 증가를 보여 가장 중요한 위험인자 중의 하나이다.

출생후 중추신경 감염과 손상등으로 인한 뇌병증이 뇌성마비의 원인 인자중 약 12-15%를 차지하며 뇌졸중은 뇌성마비의 원인으로는 매우 드물다.

3) 분류 및 임상양상

신경해부학적 병변 혹은 운동장애가 발생한 영역 및 침범된 사지의 수에 따라 구분한다. 영향을 받은 중추신경계

표 3-4. 뇌성마비의 원인 및 위험인자

출생전	주산기	출생후
선천감염 　톡소플라즈마 　풍진 　거대세포바이러스 　포진 　매독 기형발생물질 산과 합병증 　임신중독증 　태반이상 　영양실조 유전질환 　염색체 이상 　뇌성마비의 가족력	조산 　두개내출혈 　저산소증 출산의 합병증 　질식 　뇌손상 감염 　세균성 패혈증 　뇌막염 대사성 　고빌리루빈혈증 　저혈당증	뇌손상 감염 　뇌막염 　농양 　뇌염 뇌혈관 사고 　두개내출혈 　뇌졸중 후천성 뇌병증 　대사성 　저산소허혈뇌병증

의 부위에 따라 겉질형(cortical), 겉질밑형(subcortical, 기저핵,소뇌 등 침범)으로 나누거나, 신경길(nerve tract)에 따라 추체로형(pyramidal, 강직형), 추체외로형(extrapyramidal), 실조-저긴장형(ataxic-hypotonic), 혼합형으로 나눌 수 있고, 강직형(spastic)의 경우 장애가 발생한 영역에 따라 단일마비(monoplegia), 하지마비(paraplegia), 편마비(hemiplegia), 양측마비(diplegia), 삼지마비(triplegia), 사지마비(quadriplegia) 등으로 구분한다. 강직형이 85%로 가장 많고, 혼합형이 15%, 운동이상형이 10%의 빈도를 보이며, 강직형중에서는 양측마비가 가장 많아 35%, 편마비는 25%, 사지마비는 20%를 차지한다.

강직은 겉질척수로(corticospinal tract)가 손상되면, 상위운동신경원 징후(upper motor neuron sign)에 의하여, 그 결과로서 근긴장도가 항진되어 관절의 수동적 굴곡, 신전에 대한 저항으로 나타나며 심부건 반사의 항진, 간대성 운동, 바빈스키 징후(Babinski sign) 등이 동반된다.

강직형 양측마비(spastic diplegia)

양측마비(diplegia)란 양측 사지에 장애를 보이고 상지에 비하여 하지에 더 심한 마비를 보이는 경우를 말하며, 상지의 기능이 정상인 경우는 하지마비(paraplegia)라고 한다. 뇌성마비의 유형 중 가장 흔하며 미숙아에서 잘 나타난다. 최근 신생아 의료의 발달에 따라 미숙아 사망률은 감소하였으나 양측마비의 발생빈도는 줄지 않고 있다. 미숙아

는 미숙아 대뇌 혈류의 급격한 변화에 의하여 뇌실주위 출혈이나 백질연화증을 초래하기 쉬우며 운동 발달의 이상을 보이게 된다. 신생아기 양측마비의 주된 증상은 저긴장과 수유 감소이다. 근긴장도는 발달시기에 따라 변화를 보여, 출생 직후 근긴장도의 저하를 보이나, 이후 근긴장도는 점차 증가되어 6개월 내지 1년에 강직형이 된다. 강직이 나타나면 무릎과 고관절을 굴곡시켜야 앉힐 수 있으며, 겨드랑이를 잡고 들어올리거나 일으켜 세우면 양하지를 교차 신전시키는 반응을 보인다. 초기에는 신전근(extensor)의 강직이 우세하다가 나이가 들면서 점차 굴곡근(flexor)의 강직이 강해진다. 대개 손의 소근육 운동장애 보다는 이동 운동의 장애가 문제가 되는데, 경한 양측마비의 경우 정상 소아에 비하여 앉기는 2개월, 서기는 5개월, 걷기는 10개월 정도 늦어진다. 심한 양측마비의 경우에는 첫 2년 동안의 발달은 매우 느리고 이후 서서히 발달되지만 7-8세 경에 이르면 더 이상의 발달은 진행되지 않는다. 보행의 가능성은 높아 일반적으로 약 4세 경 걸을 수 있다. 상지의 신경학적 침범은 경미한 경우가 대부분이므로 심각한 지능장애가 없으면 독립적 일상생활이 가능하다. 고관절의 내전(adduction), 굴곡 구축(flexion contracture)과 족관절의 첨족 변형(equinus), 족부의 외반(valgus) 등의 골격계 문제가 잘 동반된다.

강직형 사지마비(spastic quadriplegia)

드물지만 가장 심한 형태의 뇌성마비로서 사지뿐 아니라 머리와 목의 운동장애를 동반한다. 보통 하지가 더 심하게 침범되지만 사지의 강직성 마비를 보이며 양측이 비대칭성인 경우도 흔하다. 사지마비는 주로 만삭아에서 저산소성-허혈성 손상에 의해서 발생한다. 대개 정신지연을 동반하며 뇌전증 발작이 심할수록 심한 지체를 보인다. 기저핵(basal ganglia)과 시상핵(thalamic nuclei)의 손상으로 인하여 근이긴장형(dystonic)의 운동장애가 중복되기도 한다. 광범위한 대뇌 손상의 결과로 동반되는 합병증도 많아, 대퇴골 탈구(hip dislocation), 관절 구축(contracture), 척추 측만증(scoliosis) 등의 근골격계의 장애가 흔하며, 거짓연수마비(pseudobulbar palsy)로 인한 구음장애(dysarthria), 연하장애(dysphagia), 빨거나 씹기 어려움, 침흘리기 등의 증상을 보이기도 한다. 불충분한 음식 섭취, 운동 부족 등으로 체중 증가가 어렵고 변비가 흔하다. 언어발달 장애 및 시각, 청각 장애가 잘 동반된다. 강직성 양측마비와 마찬가지로 만 2세에 앉거나 18개월 이전에 원시반사가 소실되면 보행 가능성이 높다. 강직형 사지마비 환자에서 보행과 독립적 일상 활동이 가능한 환자는 1/3 정도이다.

강직형 편마비(spastic hemiplegia)

편마비의 70-90%는 선천 편마비에 해당되며 나머지가 후천적 원인에 의하여 발생한다. 선천 편마비 환자의 대부분은 만삭아로, 편마비의 원인으로서 임신중 태내 뇌혈관 색전증(embolism)을 의심할만한 소견을 보이며, 주산기에는 드물지만 뇌출혈에 의하며 발생한다. 미숙아의 경우는 측뇌실 주위의 백질연화증을 보인다. 후천 편마비의 경우 소아기의 뇌졸중을 일으키는 다양한 원인들이 편마비를 일으킬 수 있다.

마비된 팔은 근력 저하를 보인다. 초기에는 주먹을 꽉 쥐고 있으며 pincer grasp의 발달이 늦거나 없다가, 나중에는 손목의 심한 굴곡과 손가락이 신전된 채 뒤틀린 모양을 보이게 되고, 결국 손과 팔의 성장장애를 초래한다. 하지의 이상 소견은 걷기 시작할 때까지 분명하지 않으며 만삭아에서는 하지가 상지에 비하여 장애가 심하지 않으나 미숙아의 경우에는 하지가 더 심한 장애를 보인다. 얼굴 근육의 이상을 보이는 경우는 드물며, 이유는 알 수 없으나 우측 편마비가 더 많아 2/3 정도를 차지한다.

발달 단계는 정상아에 비해 4-6개월 정도 뒤떨어지게 되며 3세 경에는 대부분 걷게 된다. 보행의 양상은 양측의 보폭이 다르고 발뒤꿈치의 접지가 없어 발의 앞꿈치로 걷게 되며, 발끝이 땅에 걸리기 쉬운 휘돌림 보행(circumductive gait)을 보인다. 지능 발달의 정도는 편마비의 정도와 뇌전증의 발생 유무에 따라 다양하게 나타난다. 대부분의 경우 난치성 뇌전증의 발생은 드물고 치료에 잘 반응한다. 언어장애가 동반될 수 있으며 심한 지능장애가 없으면 독립적 생활이 가능하다

운동이상형(Dyskinetic type)

운동이상은 움직이려고 할 때 나타나는 비정상적인 운동으로 정의되며 추체외로(extrapyramidal tract)의 손상에 의하여 나타난다. 기저핵과 시상핵의 저산소성-허혈성 손상은 만삭아에서 잘 발생한다. 이들 신경핵에는 흥분성 신경 전달 물질의 수용체가 출생 무렵 많이 발현되기 때문에 에너지 대사 변화에 민감한 반응을 보이게 된다. 운동이상형 뇌성마비를 초래하기 쉬운 위험 인자로는 만삭아에서의 주산기 가사, 미숙아에서의 고빌리루빈혈증(핵황달), 심장 수술 등을 들 수 있다.

환자가 누워 있을 때는 온몸이 전체적으로 이완되어 운동이상과 근긴장도의 감소를 보인다. 운동이상형 뇌성마비는 두 가지 패턴, 즉 과운동형(hyperkinetic) 혹은 무정위운동형(choreoathetoid)과 전반적인 근긴장의 항진에 의하여 사지가 뒤틀린 자세를 취하는 이긴장형(dystonic)으로 나눌 수 있다. 손상의 결과 나타나는 운동장애의 정도는 다양하여, 강직형과는 반대로 하지보다 상지를 더 심하게 침범하는 경우가 많고 무정위 운동형이 가장 흔한데 이긴장형(dystonic) 등 다른 운동장애를 동반하거나 혹은 그 양상이 변할 수도 있다.

근긴장의 이상이나 운동이상 소견은 6개월 이후의 영아후기에 서서히 나타나기 시작하여 다음 해에 걸쳐 진행되어 간다. 영아 초기에 나타나는 심한 운동이상은 뇌성마비보다는 다른 유전 대사질환을 고려하여야 한다. 운동이상형에서 볼 수 있는 중요한 소견은 운동 시에 증가되는 근긴장도의 변화에 있다. 쉬고 있을 때에는 펴고 있던 손이 운동 시에는 꽉 쥐어지는 것을 볼 수 있고, 이러한 현상은 강직형과의 차이점으로서 강직형에서의 주먹쥐기는 지속

113

적인 형상으로서 운동의 수준에 따라서 변하지 않는다. 발의 신전 반응은 보행 시에 더 현저해지기 때문에 강직형으로 오인할 수도 있다.

일반적으로 운동이상형에 보이는 강직 현상은 각성 시에만 나타나며 수면 시에는 감소하거나 소실된다. 다른 특징은 불안정한 운동 현상으로서 가만히 있지 못하고 계속하여 머리, 목, 팔, 다리 등을 움직이는 것이다. 또한 추체외로 증상으로 혀를 내밀거나, 씹는 동작, 찡그리는 동작 등을 보인다. 목과 몸통 부위의 심한 저긴장 때문에 주위에 대한 탐색 활동에 제한을 받고, 머리와 목의 이상한 자세를 취한다. 머리를 정중앙에 위치시켜 비대칭적인 머리의 자세를 예방하면 안구운동 및 손의 협조 운동장애를 예방할 수 있다.

무정위 운동형에서는 관절 구축은 볼 수 없으나 긴장형에서는 첨내반족(equinovarus), 척추측만 등이 올 수도 있다. 상지를 더 심하게 침범하므로 보행 가능성은 높아 3/4의 환자에서 보행이 가능하고 그중 반수는 3세 전에 걸으며, 앉는 시기와 원시반사의 소실 시기가 보행 가능성의 주요 지표가 된다. 언어이해나 지능은 대부분의 경우 정상이지만 의사소통의 어려움 때문에 이들이 겪는 고통은 매우 크다. 부모와 선생님은 학동기와 청소년기에 운동 능력과 지적 능력과의 불일치에서 오는 영향에 대하여 항상 주의하여야 한다.

운동실조형(Ataxic type)

운동실조를 보이는 경우 소뇌의 손상으로 인하여 협조 운동장애를 보인다. 일반적으로 다리를 넓게 벌리고 걸으며, 손의 가벼운 진전 및 측정이상(dysmetria)을 보이고, 자세와 평형을 유지하기 어렵다. 대부분 정신지연을 보이며 유전질환이 그 원인인 경우가 많다. 환자의 나이가 들어가면서 소뇌 증상이 줄어들어 보행과 일상생활 동작에 대한 예후가 좋은 편이다.

혼합형(Mixed type)

이에 속하는 환자들은 일반적으로 이긴장증을 동반한 경한 경직 소견을 보이며, 운동장애의 한 요소로 운동실조를 보인다. 강직형-무정위 운동형이 혼합되어 사지를 모두 침범하는 경우는 강직형 사지마비를 보이다가 무정위 운

동이 진행되거나 그 역의 과정을 거치는 양상을 보인다. 1/2에서 보행이 가능하며 대부분 3세가 지나야 걷는다.

4) 동반증상

뇌성마비와 관련된 다른 중추신경계 장애가 있는지 세심한 평가가 필요하다. 뇌전증, 지적장애(intellectual disability), 학습장애(learning disorder), 시력장애, 사시, 조음장애(dysarthria), 청력상실(hearing loss)등은 뇌성마비 환자에서 높은 빈도로 나타난다. 대체로 운동장애가 심할수록 동반증상도 많으며 환자의 기능적 예후에 큰 영향을 끼친다.

5) 진단

자세한 병력청취와 신체검사 및 신경검사 등을 통해 선천성 기형이나, 퇴행성 질환, 대사질환, 뇌 척수 종양, 근 디스트로피, 뇌전증 등의 진행성 질환의 감별이 필요하다. 뇌-척수의 자기공명영상(MRI)으로 선천기형 및 병변을 확인하고, 청력, 시력 및 지능 발달 검사들을 통해 동반 장애의 유무와 정도를 확인해야 한다.

조기진단을 위하여 발달 선별검사의 역할은 매우 중요하다. 국내에서는 정부에서 시행하는 영유아건강검진 프로그램에 포함된 선별검사(K-DST)를 이용하면 위험군의 조기 발견에 도움이 된다. 발달 지표들을 이용하여 발달력을 조사하고, 간단한 도구를 이용하여 조작하는 것을 관찰하고, 신경학적 검사결과를 잘 조합하여 판단한다. 발달 지연이 의심스러운 경우에는 표준화된 발달검사를 시행한다.

가족력과 임신, 출산 등에 관계된 병력, 신생아기 및 영아기의 병력에 대해 상세히 조사하여 뇌성마비의 위험인자의 유무를 확인한다. 진찰을 통해 선천기형, 신체성장의 이상, 피부소견, 눈의 이상, 간의 종대 등을 발견하는 것은 원인질환을 감별하는데 도움이 된다. 신경학적 검사를 통하여 운동 및 감각 기능, 지각(perception), 근긴장도, 근력, 보행 등을 발달 연령에 맞추어 평가하여야 한다.

뇌 CT나 MRI 검사를 통해 대뇌의 진행성 병변, 대사성 질환, 변성질환, 뇌출혈, 경색증 등을 발견할 수 있고, 겉질 위축이 흔히 발견되는 소견이며, 서서히 성장하는 뇌척수 종양들과의 감별을 고려해야 한다. 갑상샘 호르몬, 혈중 아

미노산, 요산, 젖산, 피루브산, 소변 유기산 검사 등의 대사이상을 진단하기 위한 검사들이 필요하며, 신경근 질환을 배제하기 위하여 근효소 검사, 근전도 검사 및 근생검이 필요하다.

저긴장을 보이는 늘어지는 영아 증후군(floppy infant syndrome)의 여러 원인질환들과 감별을 해야 한다. 척수근위축, 선천근병증, 유전감각-운동신경병증 등의 신경근 질환의 경우에는 저긴장근 이외에 근력 저하를 보이며 심부건반사가 저하되어 있는 것이 중요한 감별점이 된다. 양성선천 저긴장증, 유전질환, 대사성 질환 등도 저긴장증과 운동 장애를 보이기 때문에 근전도, 근생검, 기타 생화학적인 검사 등을 시행하여 감별 진단한다. 이 외에 강직형 양측마비와 비슷한 임상소견을 보이는 가족성 강직형 하지마비가 있으며, 서서히 진행하는 변성신경질환들을 고려한다.

영아기 조기에 뇌손상과 관련하여 나타나는 중추성 협동운동장애(cenral coordination disorder)는 1950년대 Vojta에 의해 제안된 것으로 뇌성마비의 조기 진단과 치료에 이용되고 있으며 7가지 자세반응(견인반응, Landau 반응, 겨드랑이 잡고 들어올리기, Vojta 반응, Collis 수평반응, Peiper-Isbert 반응, Collis 수직반응)을 확인한다(그림 3-21). 자세반응에 이상을 보이는 항목이 많을수록 뇌성마비의 가능성이 높은 것으로 생각된다.

6) 평가

일단 뇌성마비로 진단이 내려지면 환자의 예후, 치료방향, 치료방법 등을 결정하기 위해 신경운동학적 유형, 심한 정도, 침범된 지체 등에 대한 평가가 이루어져야 하며, 관절운동 범위, 손의 기능, 보행을 포함한 이동 동작 등에 대해서 대근육운동, 소근육운동, 의사소통 등 각 발달영역에 따라 장애의 정도를 기능적으로 평가한다.

(1) 대근육운동기능 분류체계(Gross Motor Function Classification System: GMFCS)

이동 능력의 정도를 혼자서 걷는데 지장이 없는 단계(level 1), 보행에 약간 지장이 있는 단계(level 2), 손에 지지물이 있으면 걸을 수 있는 단계(level 3), 이동용 보장구나 전동차를 이용하여 제한적으로는 혼자 이동할 수 있는 단계(level 4), 휠체어에 의존해야 하는 단계(level 5)의 5단계로 구분하여 평가한다.

(2) 손기능 분류체계(Manual Ability Classification System: MACS)

손의 조작기능 평가는 사물을 쉽게 잘 조작할 수 있는 경우(level 1), 대부분의 물체를 손으로 다룰 수 있으나 조작이 느리며 수월하지 않은 경우(level 2), 도움이 있어야 겨우 사물을 조작할 수 있는 정도(level 3), 익숙하며 제한된 조건

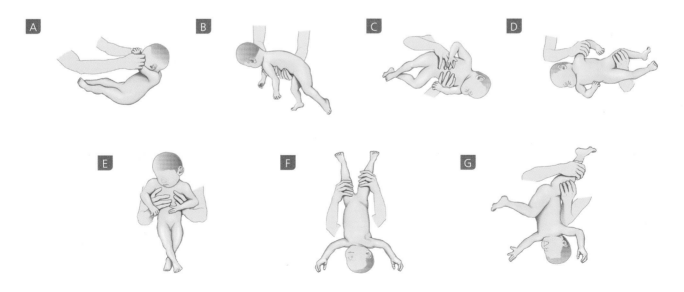

■ 그림 3-21. 보이타(Vojta)의 7가지 자세 반응
(A) 견인반응　(B) Landau 반응　(C) Vojta 반응　(D) Collis 수평반응　(E) 겨드랑이 잡고 들어올리기　(F) Peiper-Isbert 반응　(G) Collis 수직반응

에서 단순한 조작만 가능한 정도(level 4), 단순한 조작도 불가능한 정도(level 5)의 5단계로 구분하여 평가한다.

(3) 의사소통기능 분류체계(Communication Function Classification System: CFCS)

의사소통의 기능은 인지기능뿐 아니라 발성에 필요한 조음기관에서부터 공기를 안정적으로 조음기관을 통과시키기 위한 횡격막의 기능에 의존적이며 의사소통에 지장이 없는 상태인 1단계부터 의사소통이 어려운 5단계로 분류한다.

(4) 장애의 정도에 따른 분류

장애의 정도를 간편하게 이해하기 위해 경증, 중등도, 중증으로 나눌 수도 있다. 경증은 후에 보장구 없이 독립적으로 걸을 수 있고 일상생활을 유지할 수 있는 경우, 중등도는 보장구나 보조 기구를 사용하며 어느 정도 걸을 수 있고 최소한의 도움으로 일상생활을 유지할 수 있는 경우를 말하며, 중증은 보장구를 사용해도 독립적인 보행이나 일상생활을 영위할 수 없어 간병인의 도움이 반드시 필요한 경우이다.

7) 치료

뇌성마비의 치료는 환자에게 필요한 새로운 동작을 습득하게 하고, 합병증을 최대한 예방하는 것이다. 이러한 목표를 달성하기 위해서 부모에 대한 교육이 무엇보다 중요하며, 현실적으로 실현 가능한 목표를 세우고 장애아에게 가장 적절한 환경을 만들어 주고 효율적인 보살핌을 해주는 가정 지도가 필수적이다. 영아기는 광범위한 발달이 이루어지는 시기로서 뇌의 변화 가능성(가소성)이 많으며 운동의 경험이 적은 상태이므로 초기의 경험이 신경간의 시냅스를 강화하고 장기적인 영향을 미치게 된다. 또한 마비로 인한 근골격계의 변화도 아직 진행되지 않은 상태이므로 무엇보다 조기에 치료가 시작되는 것이 중요하다.

(1) 치료의 일반적 원칙

뇌성마비 환자의 치료는 장기적인 관점에서 목표를 설정해야 한다. 특히 환자들이 성장발달 과정 중에 있으므로 이러한 발달성 변화에 의한 영향을 고려하여 연령에 따른 적절한 계획을 수립하여야 한다. 이러한 목적을 달성하기 위하여 발달장애 환자를 평가, 치료하는데 있어 숙련된 의사를 중심으로 재활의학과 및 정형외과 의사, 물리치료사, 작업치료사, 임상간호사, 심리학자, 사회사업가, 교육학자 등을 포함하는 다학제적, 조직적 접근이 중요하다.

(2) 운동치료

일반적으로 운동치료는 환자의 자세조절과 이동운동 능력을 증진시키며, 소근육운동과 대근육운동 능력을 증진시키고, 관절구축(contracture) 등의 근골격계 합병증을 예방하는 것을 목적으로 한다. 현재 보바스(Bobath) 접근법 혹은 보바스 개념으로 알려진 중추신경계 발달치료(neurodevelopmental treatment (NDT))와 보이타(Vojta) 치료법의 두 가지가 대표적으로 널리 사용되고 있다.

중추신경계 발달치료/보이타 개념

보바스 접근법은 비정상적인 근긴장도와 패턴을 변화시킴으로 정상적인 운동양상을 촉진시키는 것을 목적으로 처음엔 치료사의 도움으로 시작하여 점차 자발적인 동작으로 유도하는 능동적인 치료이다. 심한 근육, 인대, 관절의 구축 등으로 인하여 이미 고정된 구조적 문제가 있는 경우에는 치료하기 어려우며, 아주 어린 경우나 학습장애, 집중력 부족, 청력, 시력, 위치 등 감각장애가 있는 경우에는 치료의 효과가 적다

보이타 치료

보행과 반사적 기기의 유사성에 착안하여 개발된 치료법으로서, 신체의 일정한 부분들을 자극하여 반사적 뒤집기(reflex turning), 반사적 기기(reflex creeping) 등을 이끌어내는 치료법이다. 환자의 입장에서 보면 피동적인 치료법이라고 할 수 있으며, 치료 시에 아이들이 많이 울게 되어 경직을 악화시킬 수 있으므로, 보이타 치료는 주로 근긴장도가 감소된 아이들, 인지기능이 떨어지는 아이들, 1세 이하에 우선적으로 시행하는 것을 고려하고 있다.

(3) 약물치료

뇌성마비 환자에 근긴장도를 줄이기 위하여 사용되는 약물치료는 보조요법으로서 사용된다. 강직형 마비 환자

에서 baclofen이나 dantrolene을 사용하여 근긴장도를 감소시킬 수 있다. 강직을 감소시키기 위하여 근이완제를 투여하거나 운동점을 페놀이나 알코올 또는 보툴리눔 독소로 차단하기도 한다. 보툴리눔 독소는 신경-근 접합부위의 신경전달물질 분비를 억제하여 그 효과가 주사 후 48-72시간 내에 나타나기 시작하여 2주 정도까지 효과가 증대된 후 2-4개월 정도 지속된다. 보툴리눔 독소 치료에 의한 근육의 강직 감소는 약해진 길항근의 기능을 향상시키고 관절 주위의 근육의 균형을 향상시켜 정상적인 움직임에 가까운 동작이 나오게 하는 효과가 있어 보행 양상도 향상되며 수술치료의 필요성을 감소시키는 효과가 있다. 시술이 비교적 쉽고 특정 근육에 시술함으로 감각 문제를 일으키지 않아 환자들이 잘 견디는 장점들이 있으나 지속기간이 비교적 짧으며 가격이 비싸고 항체 생성의 위험이 있다. 또한 주사 후 열감, 피로감, 오심, 두통, 호흡곤란, 땀 분비 감소, 변비, 기립성 저혈압, 시술과정의 마취에 의한 부작용 등이 있을 수 있다.

(4) 수술치료

학동전기에는 특히 강직형 환자에서, 좋은 치료 프로그램에도 불구하고 경직성 근육의 지속적인 수축과 골성장으로 인하여 관절구축(contracture)이 올 수 있으므로 고려의 대상이 된다. 수술치료는 외모와 기능을 향상시키고, 변형을 예방하거나 교정하기 위하여 시행한다.

건 연장술(lengthening)이나 전위술(transfer)에 의하여 강직형 근육의 불균형을 감소시키고 강직형 첨족의 교정으로 자세와 보행이 향상될 수 있다. 손목과 발목의 관절유합술(arthrodesis)은 뼈의 성장을 방해하지 않기 위해 10-13세까지 연기하며 연조직 수술은 3-4세까지, 건 전위술은 7세 이후에 시행한다.

선택적 후방 신경절제술(selective dorsal rhizotomy)이 현재 사용되고 있는 유일한 신경외과적 수술로서, L2-L5 척추궁 절제(laminectomy)에 의하여 노출된 신경근들을 전기자극하여 근전도 검사상 과도한 반응을 보이는 신경근만 선택적으로 차단하는 방법이다. 강직형 양측마비 환자로서 걸을 수 있고, 정상 지능, 힘이 있으며, 균형을 잡을 수 있는 경우에 가장 좋은 결과를 얻을 수 있다.

(5) 기타 치료

기능훈련

일상생활의 활동계획은 아이가 할 수 있는 대근육운동과 소근육운동에 적절하게 설정한다. 환자의 연령과 지적 수준에 따라 일상활동 중에서 적절한 목표를 설정하고 연습과 반복을 통하여 숙달되게 한다. 독립된 활동이 불가능한 경우에는 실행 가능한 부분만을 연습하도록 하고 보조 장비나 기구 등을 사용하여 기능적 결함을 보완할 수 있도록 한다.

보장구

보장구는 기능을 증진시키거나 변형을 방지하기 위한 목적으로 사용되며 관절의 구축을 예방하기 위한 안정 부목(resting splint)이나 또는 변형을 방지하며 보행에 도움을 주기위한 정형 구두, 단하지 보조기(ankle-foot orthoses), 고관절 외전 보조기(hip abduction orthoses) 등이 대표적이다

가정 프로그램

가족들에게 가정에서 아이를 안아주기, 옷 갈아입히기, 앉히기, 이동 동작, 기타 신체 운동에 대하여 교육을 시킨다. 가성 연수마비로 연하장애가 있을 경우, 음식을 먹이기 어려워 이에 대한 어려움이 많으므로 구역반사(gag reflex), 교합반사(bite reflex), 혀의 반발(tongue thrust)을 둔화시키는 법, 빨고 씹고 삼키기를 촉진시키는 법, 적절한 자세로 앉히는 법 등을 교육하여 구강의 협조 운동을 증진 시킨다.

동반증상에 대한 치료

매번 진료 시 두위를 측정하여 두위의 변화를 관찰하는 것이 중요하고, 급격한 두위의 증가가 있으면 수두증 등의 질환을 의심해 보아야 한다. 구강 협조 운동장애로 인하여 영양 섭취가 불충분한 경우가 많으며 운동부족으로 인하여 신체의 성장 상태가 좋지 않다. 운동장애로 인한 심폐기능의 저하, 연하 곤란 등으로 인하여 흡인성 폐렴을 초래하기 쉽고 호흡기 감염증이 잘 생긴다. 뇌전증에 대한 치료, 시각 및 청각 장애에 대한 조기 평가 및 대책 강구, 언어장애에 대한 언어교육, 교육에 대한 계획, 직업 훈련에 대한 대책 이외에도 여가 선용 등 정신 건강이나 사회 적응을

잘 하도록 도와주는 것이 신체적 치료 이상으로 중요하다.

8) 예후

보행 가능성은 신경 운동형에 따라 차이가 있어 편마비형과 운동실조형은 가능성이 높고 경직형과 저긴장형에서는 가능성이 낮으며 강직형 양측마비, 강직형 사지마비, 무정위 운동형, 강직형-무정위 운동형의 혼합형에서는 신경근육의 기능 정도에 따라 달라진다.

4세에 다음 중 2개의 반사가 그대로 있으면 예후가 나쁘다. 즉 영유아 때 보이는 대칭 긴장목반사, 비대칭 긴장목, 신근 반발(extensor thrust), 경부 정위반사(neck righting reflex), Moro 반사 및 음성 낙하산반응(negative parachute reaction), 양성 발 놓기(positive foot placemen) 반응 중 2가지 이상의 반사가 있으면 보행은 불가능하며 4세에 혼자 앉지 못할 경우에도 보행 가능성이 매우 낮다.

뇌성마비 중 1/3-1/2은 어른이 되어 자주적인 생활을 영위할 수 있고 어른 뇌성마비 중 35-50%가 직업적으로 성공할 수 있다. 대부분의 환자에서 지적 발달에 대한 예후는 언어발달과 관련되어 있으므로 언어발달 상태에 따라 다르다. 심한 운동 이상을 보이는 무정위형 환자에서 지적 능력에 대한 예후는 운동장애로 인하여 점수가 낮게 나올 수 있으므로 학동기까지 평가를 유보해야 한다.

참고문헌

1. Adriano Ferrari, Giovanni Cioni, The Spastic Forms of Cerebral Palsy, Springer, 2010

2. Braillon A. Practice parameter: evaluation of the child with microcephaly (an evidence-based review): report of the quality standards subcommittee of the American Academy Of Neurology and the Practice Committee of the Child Neurology Society. Neurology 2010;74:1079-1080.

3. Barkovich AJ, Koch TK, Carrol CL, The spectrum of lissencephaly: report of ten patients analyzed by magnetic resonance imaging. Ann Neurol 1991;30:139-46.

4. Beuriat PA, Puget S, Cinalli G, et al. Hydrocephalus treatment in children: long-term outcome in 975 consecutive patients. J Neurosurg Pediatr 2017;20:10-8.

5. Boycott KM, Flavelle S, Bureau A, et al. Homozygous deletion of the very low density lipoprotein receptor gene causes autosomal recessive cerebellar hypoplasia with cerebral gyral simplification. Am J Hum Genet 2005;77:477-83.

6. David RB, Child and adolescent neurology, 2nd ed. Blackwell Publishing Ltd, 2005

7. Dobyns WB, Stratton RF, Greenberg F. Syndromes with lissencephaly. I: Miller-Dieker and Norman-Roberts syndromes and isolated lissencephaly. Am J Med Genet 1984;18:509-26.

8. Drake and Abou-Hamden. Hydrocephalus and Arachnoid cyst. In: Swaiman KF, Ashwal S, editor. Swaiman's Pediatric Neurology. 5th ed. Elsevier; 2012. p.232-44.

9. Drake JM. The surgical management of pediatric hydrocephalus. Neurosurgery 2008;62:633-640.

10. Drougia A1, Giapros V, Krallis N, et al. Incidence and risk factors for cerebral palsy in infants with perinatal problems: a 15-year review. Early Hum Dev 2007;83:541-7.

11. Freeman Miller, Physical Therapy of Cerebral Palsy, Springe, 2007

12. Gholampour S, Bahmani M, Shariati A. Comparing the efficiency of two treatment methods of hydrocephalus: shunt implantation and endoscopic third ventriculostomy. Basic Clin Neurosci 2019;10:185-98.

13. Grinberg I, Northrup H, Ardinger ., et al. Heterozygous deletion of the linked genes ZIC1 and ZIC4 is involved in Dandy-Walker malformation. Nat Genet 2004;36:1053-5.

14. Hanak BW, Bonow RH, Harris CA, Browd SR. Cerebrospinal fluid shunting complications in children. Pediatr Neurosurg 2017;52:381-400.

15. Kahle KT, Kulkarni AV, Limbrick DD Jr, Warf BC. Hydrocephalus in children. Lancet 2016;387:788-99.

16. Kenneth FS, Stephen A, Swaiman's Pediatric Neurology: Principles and Practice, 6th ed. Elsevier, 2017

17. Kim CY, Jung E, Lee BS, Kim KS, Kim EA. Validity of the Korean Developmental Screening Test for very-low-birth-weight infants. Korean J Pediatr 2019;62:187-92.

18. Klein O, Pierre-Kahn A, Boddaert N, et al. Dandy-Walker malformation: prenatal diagnosis and prognosis. Childs Nerv Syst 2003;19:484-9.

19. Kliegman RM, Blum NJ, Nelson textbook of pediatrics, 21th ed. Elsevier inc, 2019

20. Levine MD, Carey WB, Developmental-Behavioral Pediatrics, 3rd ed. Saunders, 1999

21. Maria BL, Current management in child neurology, 3rd ed. BC Decker, 2005

22. Marin-Padilla M, Marin-Padilla TM. Morphogenesis of experimentally induced Arnold--Chiari malformation. J Neurol Sci 1981;50:29-55.

23. McIntyre S, Taitz D, Keogh J, Goldsmith S, Badawi N, Blair E. A systematic review of risk factors for cerebral palsy in children born at term in developed countries. Dev Med Child Neurol 2013;55:499-508.

24. Miller G, Clark GD, The Cerebral Palsies, Butterworth-Heinemann, 1998

25. Molnar GE, Pediatric Rehabilitation, 2nd ed. Williams & Wilkins, 1992

26. Nelson KB, Ellenberg JH. Children who "outgrew' cerebral palsy. Pediatrics 1982;69:529-36.

27. Oi S, Di Rocco C. Proposal of "evolution theory in cerebrospinal fluid dynamics" and minor pathway hydrocephalus in developing immature brain. Childs Nerv Syst 2006;22:662-9.

28. Parisi MA, Dobyns WB. Human malformations of the midbrain and hindbrain: review and proposed classification scheme. Mol Genet Metab 2003;80:36-53.

29. Paulson A, Vargus-Adams J. Overview of Four Functional Classification Systems Commonly Used in Cerebral Palsy. Children 2017;4:30.

30. Rekate HL. A contemporary definition and classification of hydrocephalus. Semin Pediatr Neurol 2009;16:9-15.

31. van Wijk RM, van Vlimmeren LA, Groothuis-Oudshoorn CG, Van der Ploeg CP, Ijzerman MJ, Boere-Boonekamp MM. Helmet therapy in infants with positional deformation: randomized controlled trial. BMJ 2014;348:g2741.

32. Kliegman RM, Bonita MD, Nelson Textbook of Pediatrics, 2nd ed. Elsevier Health Sciences, 2015

33. Ronald David, Child and Adolescent Neurolog: Blackwell's Neurology and Psychiatry Access Series, 2nd ed. Wiley, 2005

34. van Naarden Braun K, Doernberg N, Schieve L, Christensen D, Goodman A, Yeargin-Allsopp M. Birth Prevalence of Cerebral Palsy: A Population-Based Study. Pediatrics 2016;137:e20152872.

35. Volpe JJ. Neurology of the newborn, 6th ed. Elsevier inc, 2018

36. Swaiman KF, Ashwal S, Swaiman's Pediatric Neurology: Principles and Practice, 6th ed. Elsevier inc, 2017

37. Whitelaw A, Lee-Kelland R. Repeated lumbar or ventricular punctures in newborns with intraventricular haemorrhage. Cochrane Database Syst Rev 2017;4:CD000216.

38. William B. Carey, Allen C. Developmental-Behavioral Pediatrics, 4th ed. Elsevier Health Sciences, 2009

39. Youn Y, Lee SM, Hwang JH, et al. National Registry Data from Korean Neonatal Network: Two-Year Outcomes of Korean Very Low Birth Weight Infants Born in 2013-2014. J Korean Med Sci 2018;33:e309.

40. Zhang J, Williams MA, Rigamonti D. Genetics of human hydrocephalus. J Neurol 2006;253:1255-66.

41. 김민영, 류주석, 김명옥, 등. 중추신경계발달치료의 임상적 적용에 대한 인식 조사. Brain & NeuroRehabilitation 2012;5:66-74.

42. 안효섭, 소아과학, 제11판. ㈜미래엔. 2016

소 아 신 경 학
PEDIATRIC NEUROLOGY

제 **4** 장

유전 및 대사질환

Genetic and Metabolic Disorders

평가 및 검사

Evaluation and Investigation

| 임병찬 |

분자유전학 기법이 발달하면서 다양한 유전 및 대사 질환의 원인 유전자와 발병기전이 밝혀지고 있다. 하지만, 대부분의 유전 및 대사 질환은 실제로 전체 발달지연, 발작, 간비종대, 피부, 혈액, 내분비, 안과, 근골격계의 다양한 증상으로 발현하기 때문에 개별 질환에 대한 임상양상을 잘 이해하고, 자세한 병력청취 및 신체검진으로 특정 원인을 의심하는 것이 진단에 가장 중요하다고 할 수 있다. 또한, 증상에 따라 필요한 선별검사 및 확진검사를 숙지하고 있어야 한다. 이번 장에서는 유전 및 대사 질환의 증상, 진찰 소견 및 검사방법에 대하여 소개하도록 하겠다.

1. 증상 및 징후

(1) 신생아기

선천대사이상질환 중 신생아기에 증상이 나타나는 질환은 대개 증상이 심하고, 적절한 처치가 조기에 이루어지지 않으면 사망하게 되는 경우도 종종 발생한다. 임상증상은 비특이적이어서 패혈증의 증상과 비슷한 경우가 많다. 따라서, 급성으로 심한 병색을 보이는 신생아를 진료할 때, 선천대사이상질환의 가능성을 항상 염두에 두고 관련 검사를 진행하여야 할 것이다. 대부분의 환자들은 출생 시에는 별다른 증상이 없다가 출생 수시간 이후부터 수개월 사이에 증상이 나타나게 된다. 심한 구토, 수유량 감소, 늘어짐(lethargy), 발작(seizure)등의 증상을 흔히 관찰할 수 있지만, 신체검진 소견에서 중추신경계와 관련된 징후 이외에 특이 징후는 동반하지 않는 경우가 많다. 간비대 및 특이한 소변 냄새가 진단에 도움이 되는 경우가 있다. 병력청취에서도 유산의 병력이나 신생아기에 사망한 형제가 있는지, 부부가 근친관계에 있는지에 대한 확인도 필요하다.

(2) 신생아기 이후 아동기

같은 선천대사이상질환이라도 상대적으로 늦게 증상이 시작하는 형태도 있을 수 있다. 발달지연 및 퇴행, 발작, 정신지체, 반복되는 구토, 심근병증 등의 증상으로 나타날 수 있고, 감염 등의 스트레스 상황에서 급격하게 나빠지는 경우가 많다. 신생아기에 비해 증상이 조금 더 비특이적이고, 급성 악화 시에 검사를 시행하지 않으면 이상이 발견되지 않는 경우도 있어 진단이 지연되는 경우도 많다.

2. 신체진찰

개별 선천대사이상질환의 증상 및 징후를 잘 숙지하여 여러 장기의 진찰을 빠뜨리지 않고 시행하여야 한다. 성장 장애 및 소두증이 나타나는 환자가 많으므로 두위를 포함한 신체계측이 필요하다. Tay-Sachs병, Canavan병 등에서는 거두증을 보인다. 신경학적 진찰에서는 심부건반사 항진, 추체외로 징후 존재 여부를 확인하고 근긴장도를 평가한다. 유기산 대사이상질환들은 체간의 근긴장도는 저하되나 사지의 근긴장도는 오히려 항진될 수 있다. 안과 진찰을 통해 진단에 단서를 얻는 경우도 많다. 각막 및 수정체의 혼탁 여부, 수정체의 탈구 여부, 선홍색 반점(cherry-red spot) 등이 보이는지 확인하여야 한다. 망막의 색소변성 여부도 확인하여야 한다. 청력검사도 필요하고 사립체 질환에서 감각신경성 난청이 흔히 동반된다. 수포성 피부 발진은 biotinidase 결핍 등에서 관찰되고, 혈관각화종(an-giokeratoma)은 Fabry병에서 관찰된다. 머리카락의 변화도 중요한데 꼬불꼬불하고 자주 부러지는 모발은 Menkes병, argininosuccinic aciduira에서 관찰된다. 여러 리소좀 축적질환에서 간과 비장의 종대가 관찰된다. 관절의 구축, 척추의 변형은 Gaucher병 및 뮤코다당체 및 지질체 축적증에서 관찰된다.

3. 일반검사

증상이 비특이적이고, 종류가 다양하기 때문에 병력 및 일반검사만으로 특정진단을 내리기 어려워 여러 검사를 시행하여야 한다. 앞서 기술한 혈중 암모니아, 산염기 검사, 전해질 검사 등의 선별검사 이외에, 대사물질의 양을 측정하는 검사, 특정 효소활성도 검사, 유전자 검사 등의 다양한 검사가 필요하다. 일반적으로 급성 병색을 보이는 선천대사이상질환을 의심하는 환자에서 혈중 아미노산 검사, 소변 유기산 분석, 혈중 Carnitine 및 acylcarnitnie 농도를 측정하여야 한다. 또한, 혈액학검사, 전해질, 혈당, 산염기검사, 요산, 간기능검사, 혈중 암모니아, 혈중 젖산 농도 등의 검사도 기본으로 실시하여야 한다. 급성으로 악화되었을 때에 해당 대사이상 소견이 가장 잘 드러나게 된다. 따라서, 검사에 특이소견이 없다고 하더라도 환자가 증상이 뚜렷하지 않을 때 시행하였다면 반복하여 시행하여 볼 필요가 있다. 임상 증상 및 상기 검사 소견을 바탕으로 특정 질환 혹은 질환군이 의심되는 경우 소변 orotic acid, 뇌척수액 아미노산 및 신경전달물질 검사 등을 시행할 수 있다. 하지만, 특정질환의 확정진단을 위해서는 대개 효소활

성도 검사나 유전자 검사가 필요하다. 효소활성도가 조직에 따라서 차이가 있다면 해당 장기(피부, 근육, 간)의 생검을 통해 조직을 얻어 검사를 시행할 수 있다.

(1) 기본 응급검사

혈액검사로 전해질, 혈당, CK, AST/ALT, creatinine, 요산, 동맥혈 가스분석, 혈액응고검사, 암모니아, 젖산/피루빈산 등을 시행한다. 소변검사에서 케톤체, 당, 단백 존재를 확인한다.

(2) 혈장 아미노산 분석

아미노산 대사장애나 요소회로 이상이 있는 경우에 이상소견을 발견할 수 있다. 기본적인 혈장의 아미노산 검사는 식후 4-6시간 공복상태에서 시행하는 것이 원칙이나 때로는 식후 혈장 아미노산 검사가 필요할 수도 있다. 식후 검사에서는 일반적으로 필수 아미노산의 농도가 높은데, 특히 알라닌의 농도가 높을 때는 피루빈산 대사장애나 사립체 대사장애 등을 감별해야 한다. 검체가 용혈되면 검사결과를 신뢰할 수 없게 되므로 채혈 즉시 혈장을 분리하여 냉동 보관한다.

(3) 뇌척수액 아미노산 분석

뇌척수액과 동시에 혈장 검사를 같이 시행하는 것이 일반적이다. 뇌척수액/혈장 아미노산 비가 중요한 질환은 글라이신 뇌병증(non-ketotic hyperglycinemia)과 세린 합성장애(serine biosynthetic defect)로 전자에서는 글라이신의 농도비가 0.06보다 크고 후자에서는 세린 농도의 비는 0.2 미만이다. 척수천자 시 외상천자(traumatic tap)에 의해 혈장이 섞인 경우 결과 해석이 달라질 수 있어 주의를 요한다. 다양한 원인의 신생아 뇌증에서 뇌척수액의 아미노산 분석이 필요한 경우도 있다

(4) 유기산의 정량적 분석

전형적인 유기산요증의 진단 뿐 아니라 아미노산 대사장애, 지방산 산화 대사장애, 사립체 대사장애 등의 진단에 도움이 되며 원인을 알 수 없는 산혈증, 저혈당, 고암모니아혈증, 신생아 케톤뇨증의 진단에도 사용한다. 대개 gas chromatography-mass spectroscopy (GC-MS) 방법으로 측

정한다. 유기산 분석은 주로 소변에서 시행하며 아주 제한적으로만 혈장과 뇌척수액에서 시행할 수 있다.

(5) Carnitine 분석

장쇄 지방산이 체내에서 제거 되는 과정에서 이차적인 carnitine 결핍이 발생할 수 있으며, 지방산 산화 대사장애, 유기산 대사장애, 호흡기 연쇄사슬 복합체 대사장애 등이 해당한다. 일차성 carnitine 결핍과의 감별진단이 필요하며, total, free, esterified carnitine의 정량분석을 통해 가능하다.

(6) 효소활성도 기능 검사

백혈구, 섬유모세포 등의 조직세포에서 특정효소의 활성도를 정량하는 검사로, 하루이상 검체를 보관하게 되는 경우에는 buffy coat를 분리하는 것이 좋다. 현재 뮤코다당체 침착증, Fabry병, Pompe병, Krabbe병 등 다양한 종류의 리소좀 축적질환에 대해서 국내에서도 검사가 가능하다.

4. 유전자 검사

앞서 설명한 다양한 검사를 통하여 특정 원인진단이 되는 경우도 있지만, 효소기능 검사 등의 확진검사 방법을 사용할 수 없거나, 이상 소견이 뚜렷하지 않은 경우에는 유전자 검사를 통해 확진이 필요하다. 최근에는 유전자 검사 방법이 보편화 되면서 대부분의 유전성 및 대사질환에서 유전자 진단이 가능해 졌다. 유전자 이상을 확인하게 되면, 다음 자녀의 임신 등 가족계획에 도움을 줄 수 있고, 가까운 장래에 현실화 될 가능성이 있는 개별화된 유전자/세포 치료 등의 대상이 될 수 있다. 유전자 검사 방법은 예상되는 유전자 이상의 종류(mutation spectrum)에 따라서 시행 순서가 달라질 수 있다. 점돌연변이(point mutation) 혹은 일부 염기의 결실 및 삽입(small insertion or deletion)이 주된 이상이라면 염기순서분석(sequencing) 방법을 우선 사용하여야 할 것이고, 여러 엑손 혹은 여러 유전자를 포함하는 결실 및 중복 등이 주된 이상이라면 구조적 이상의 발견이 용이한 검사방법(mulitplex ligation dependent probe amplification, comparative genomic hybridization microarray)을 우선 사용하여야 할 것이다(그림 4-1).

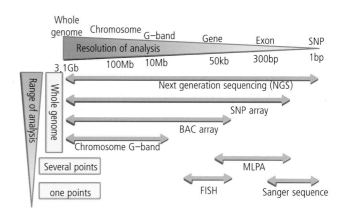

■ 그림 4-1. 유전자 이상의 종류 및 크기에 따른 다양한 유전자 분석 방법

(1) 염기순서분석 방법(DNA sequence analysis)

① Sanger sequencing

과거에는 다양한 방법을 이용하여 유전자 이상이 의심되는 부위를 탐색(scanning)하고, 의심되는 부위의 염기순서만 분석하는 방법을 사용하였으나, 최근에는 해당 유전자의 전체 엑손을 분석하는 직접 염기순서분석법(direct sequencing)을 많이 사용하고 있다. 원리는 엑손을 포함한 특정 부위를 중합효소연쇄반응을 통해 증폭하여 변성(denaturation)시킨다. 이후 dideoxynucleotide (ddNTP)를 이용하여 합성을 진행하면 다양한 크기의 증폭산물이 형광을 나타내게 되고, Capillary를 이용하여 크기별로 분리하면 염기서열을 확인할 수 있다. 가장 보편적으로 사용하고 있는 방법이지만, 유전자의 크기가 크거나 원인 유전자가 다수일 경우 비용과 시간이 많이 소요되는 단점이 있다.

② High-throughput sequencing

차세대 염기순서분석법(next generation sequencing)이라고도 잘 알려진 방법으로 비용 및 속도 면에서 혁신적인 발전을 가져왔다. 상기 방법으로 수십개의 유전자(gene panel), 전체유전자의 exon (exome), 및 전장유전체(genome)의 염기서열을 짧은 시간에 한꺼번에 분석할 수 있게 되었다(그림 4-2). 최근 10년간 원인이 밝혀지지 않았던 희귀 유전질환, 유전적 다양성이 큰 신경발달질환의 상당수에서 유전원인이 규명되었다. 국내에서는 2017년부터 시범사업으로 유전자 패널검사를 17개 의료기관에서

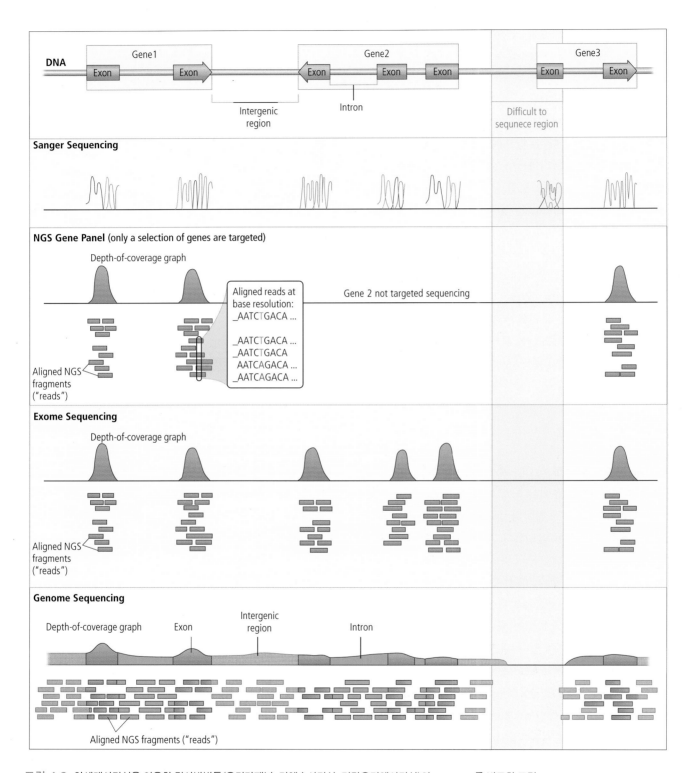

그림 4-2. 차세대시퀀싱을 이용한 검사방법들(유전자패널, 전엑솜시퀀싱, 전장유전체시퀀싱)의 coverage를 비교한 그림

시행하고 있다. 유전자패널은 전엑솜시퀀싱(whole exome sequencing) 및 전장유전체시퀀싱(whole genome sequencing)에 비해 비용 및 분석시간의 측면에서 장점이 있는 반면, 새로운 원인 유전자가 발견될 때마다 새롭게 디자인하

여야 하는 단점이 존재한다. 전엑솜시퀀싱(whole exome sequencing)은 저장된 데이터를 이용하여 새로운 확인된 유전자에 대한 재분석을 여러차례 시행할 수 있는 장점이 있어 추후 유전자패널 검사를 대신하여 사용할 수 있을 것으로 예상하고 있다. 다수의 유전자를 분석하게 되면서 원인이 되는 유전변이(pathogenic variant)를 확정하기 위해 환자 표현형 및 변이의 특성을 면밀하게 살펴보아야 한다. 결국, 각각의 검사방법의 장단점을 잘 이해하고, 변이의 선별과정에서 임상 표현형을 잘 해석하여 분석하는 것이 다른 어느 검사보다 중요하다고 할 수 있겠다.

(2) 구조이상의 진단(structural rearrangement)

① MLPA (Multiple ligation dependent probe amplification)

여러 엑손 혹은 여러 유전자를 포함하는 거대 결실 및 중복은 염기순서분석법으로는 발견이 어려워 추가 검사방법이 필요하다. MLPA는 묶음(ligation)을 이용하여 여러 탐침자를 증폭시키는 과정을 거치는데 단일가닥 열성 분리, 탐침자와 부합화(hybridization), 묶음(ligation), 그리고 묶음 산물의 중합효소 연쇄반응을 통한 증폭, 증폭된 산물의 분리 및 분석의 단계로 나눌 수 있다. 소량의 DNA만을 이용하고 한번 실험에 10명 이상의 환자 시료까지 분석이 가능하기 때문에 실제 임상에서 널리 사용하고 있다. 결실과 함께 중복까지 진단이 가능한 장점도 있다. Duchenne/Beck 근이영양증의 원인 유전자인 dystrophin은 약 70%의 환자에서 거대 결실 및 중복 유전자 이상을 보이므로, 이 질환의 진단을 위해 MLPA 검사를 첫 번째 유전자 검사로 사용하고 있다.

② FISH (Flourescent in situ hybridization)

FISH는 형광 표지된 단일가닥 DNA 탐침자를 변성시킨 염색체 DNA에 부합화(hybridization)시킨 후 2차 염색을 하여 부합화된 부위를 확인하는 방법이다. 50-200 kb 크기의 미세결실까지 확인이 가능하여 이미 잘 알려진 Di-George 증후군, Williams 증후군, Miller-Dieker 증후군 등의 진단에 널리 사용하고 있다. 하지만 FISH 검사는 세포의 배양 과정이 필요하여 시간이 많이 소요되고 잘 알려진 위치의 일부 탐침자에서만 검사가 가능한 단점이 있다.

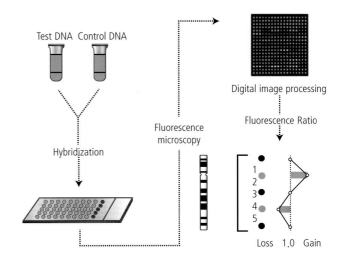

■ 그림 4-3. 염색체 마이크로어레이의 원리

③ Chromosomal microarray

염색체 마이크로어레이는 과거의 염색체 검사로는 확인할 수 없었던 작은 크기의 중복 및 결실을 전체 유전체 수준에서 확인할 수 있는 유용한 방법이다. 수천 혹은 수만 개 이상의 BAC clone이나 올리고핵산염(oligonucleotide) 탐침자가 붙어있는 슬라이드 혹은 microchip에 정상 대조 DNA와 환자 DNA를 경쟁적으로 반응시켜 둘 사이의 양의 차이를 형광의 양의 차이로 정량하여 구분하는 원리를 사용한다(그림 4-3). 여러 플랫폼에 따라 다르지만 대개 1 Mb 이하의 구조이상도 발견이 가능하다. 기존의 염색체 검사로 확인이 되지 않는 다발성 염색체 기형 및 지적장애 환자들에게서 다양한 미세 결실/중복 이상이 발견되고 있다. 염색체의 역위(inversion) 및 균형전좌(balanced translocation)는 발견할 수 없고, 새로운 미세결실/중복이 발견 되었을 때 인과관계를 밝히기 어려움이 있지만, 높은 해상도로 인하여 기존의 염색체 검사보다 진단율이 월등하게 높은 것이 장점이다. 국내에서도 2019년 8월부터 선별급여로 검사가 시행되고 있다.

02

염색체이상질환

Chromosomal Disorders

| 이지훈, 임병찬 |

임상 세포유전학은 의학유전학의 한 분야로, 염색체의 구조와 관련된 유전현상을 연구하는 학문이다. 염색체 이상은 모든 신생아의 약 1%, 산전진단이 시행되는 35세 이상의 고령 산모에서는 약 2%, 그리고 임신 제1 삼분기(first-trimester) 자연유산에서 약 50%의 빈도로 나타난다. 염색체 검사의 임상 적응증으로는 발달장애, 안면기형, 다발성 기형, 작은 키, 모호한 생식기, 지적장애 등이 해당된다. 염색체 이상을 완전히 배제할 수 없다면, 위와 같은 증상들이 혼재해서 나타날 경우 염색체 검사를 시행해야 한다.

염색체 이상은 수 혹은 구조의 이상일 수 있으며, 한 개혹은 여러 개의 상염색체, 성염색체 또는 양쪽 모두에서 동시에 일어날 수 있다. 임상적으로 의의가 있는 가장 흔한 염색체 이상은 이배수체(aneuploidy)로 염색체가 한 개더 있거나 소실됨으로써 수적 이상을 초래한다. 상호전좌(reciprocal translocations, 비상동염색체 사이에 염색체 분절의 교환) 또한 비교적 흔하여 비정상 자손을 갖게 될 위험이 증가할 수 있으나 일반적으로 표현형에 영향을 미치지는 않는다. 염색체 이상은 표준 약어와 명명법에 의해서 기술할 수 있다. 일부 빈번하게 사용하고 있는 약어와 비정상 핵형의 예를 표 4-1에 나열하였다.

1. 염색체 수의 이상

정상 46개 염색체 수의 이상을 이배수체(aneuploidy)라고 하는데, 한 개의 추가 염색체가 있을 경우 삼염색체(trisomy) 한 개의 소실된 염색체가 있을 경우는 일염색체(monosomy)로 정의한다. 이론적으로 모든 상염색체의 삼염색체가 가능하지만, 임상적으로는 13번, 18번, 21번 삼염색체 만이 생존하여 출생 가능하다. 모든 상염색체의 일염색체는 생존할 수 없으며, 성염색체의 일염색체만이 생존하여 출생할 수 있다. 이배수체의 원인은 잘못된 세포분열과정에 기인한 비분리(nondisjunction)로 알려져 있다. 이러한 비분리는 모계의 생식세포 분열시에 가장 흔하게 발생하는 것으로 알려져 있다. 비분리가 체세포 분열 시에 발생하면 정상핵형 및 이배수체가 혼재하는 섞임증(mosaicism)으로 나타난다. 비분리의 원인은 아직까지 정확하게 규명된 것이 없지만, 고령 산모가 가장 잘 알려진 위험요소이다.

다배수체(polyploidy)는 염색체 전체가 추가된 것으로, 삼배수체(triploidy)는 세 묶음의 69개 염색체를 지칭하고, 사배수체(tetrploidy)는 네 묶음의 92개 염색체를 지칭한다. 드물게, 삼배수체의 태아가 생존하여 출생하기도 하지만, 일반적으로 다배수체는 생존하여 출생하기 어렵다.

표 4-1 염색체와 염색체이상을 기술하기 위해서 사용된 일부 약어들과 대표적인 예들

약어 의미		예	설명
		46, XY	정상 남자 핵형
		46, XX	정상 여자 핵형
cen	중심절(centromere)		
del	결실(deletion)	46, XX, del (5p)	5번 염색체 단완 결실에 의한 여자 Cri du chat 증후군 환자
der	유도염색체(derivative chromosome)	der (1)	1번 염색체로부터 전좌된 유도 염색체
dup	중복(duplication)		
fra	fragile site	46, Y, fra (X)(q27.3)	남자 Fragile X 증후군 환자
i	등완염색체(isochromosome)	46, X, i (X)(q10)	X 염색체 장완 등완 염색체가 있는 여자
ins	삽입(insertion)		
inv	역위(inversion)	inv (3)(p25q21)	3번 염색체의 중심절 주변 역위
mar	염색체(marker chromosome)	47, XX, +mar	미확인 염색체가 있는 여성
mat	모계유래	47, XY, +der(1)mat	어머니로부터 물려받은 추가 1번 염색체
p	염색체의 단완		
pat	부계유래		
q	염색체의 장완		
r	고리염색체(ring chromsome)	46, X, r (X)	고리 X 염색체 여자
rep	상호전좌(reciprocal translocation)		
rob	Robertsonian전좌	rob (13;21)(q10;q10)	염색체 13번과 21번의 13q10 및 21q10 위치에서 분리와 결합이 일어남
t	전좌	46, XX, t (2;8)(q22;p21)	염색체 2번과 8번의 2q22와 8p21 위치에서 균형전좌가 일어난 여자
+	추가	47, XX, +21	21삼염색체 여자
−	소실	45, XX, −22	22일염색체 여자
:	절단	5qter→)5p15:	5p15에서 5q 말단 부위까지 결실된 5번 염색체
/	섞임증(mosaicism)	46, XX/47, XX, +8	정상 핵형과 8삼염색체의 섞임증 여자

2. 염색체 구조의 이상

구조적 재배열은 염색체의 절단 후 재결합하는 과정에서 비정상적인 조합의 결과로 일어난다. 재배열은 여러 가지 기전으로 일어날 수 있지만, 전체적으로 이수체에 비해서 발생빈도는 낮다. 전체적으로 구조 이상은 신생아 약 375명당 1명의 빈도로 나타난다. 구조 재배열은 정상 염색체 조성을 갖는다면 균형(balanced), 만약 염색체 물질이 첨가되거나 소실되었다면 불균형(unbalanced)으로 분류한다. 균형 재배열은 자체적인 유전적 결함은 없으나, 불균형 염색체 조성을 가지고 있는 자손을 낳을 수 있는 위험이 있다.

(1) 결실 및 중복(Deletions and duplications)
결실은 염색체 분절이 소실되어 소실된 부분의 일염색

체(monosomy)가 되고, 중복은 염색체 분절이 두 배가 되어 해당 부위의 삼염색체(trisomy)가 된다. 결과적으로, 유전자양(gene dosage)이 감소하거나 증가하는데, 일반적으로 결실이 조금 더 심각한 이상을 초래한다. 결실의 크기가 크면 생존하여 출생하기 어렵다. 중복과 결실의 크기가 대략 5 Mb 이상 되면 G-banding 염색체 검사에서 직접 눈으로 확인할 수 있다. 최근에는 FISH 혹은 염색체 마이크로어레이 등이 보편화되면서 5 Mb 이하의 미세결실/중복 질환도 많이 밝혀지고 있다. 미세결실/중복 질환에서는 이웃하고 있는 여러 유전자가 같이 영향을 받으면서 일련의 다양한 장기기형이 복합해서 나타나는 것으로 이해하고 있다. 일부 대표적인 미세결실/중복 증후군에 대하여 이 장의 후반부에 소개하도록 하겠다.

(2) 전좌(Translocation)

전좌는 두 염색체 사이에 유전물질을 교환하는 것을 일컫는다. 균형상호전좌(balanced reciprocal translocation)는 유전물질의 소실이나 추가가 없는 것을 의미하지만, 절단 부위가 특정 유전자 안에 위치한다면 이상이 발생할 수 있다. 균형전좌의 보인자는 비정상 자손을 가질 위험이 증가한다. 자손에서의 염색체 불균형은 두 염색체에서 결실 및 중복의 다양한 조합으로 나타날 수 있고, 표현형도 다양하여 예측하기 어렵다.

비교적 흔하게 관찰할 수 있는 전좌의 형태로 Robertsonian 전좌가 있는데, 두 개의 끝곁매듭(acrocentric)염색체(13, 14, 15, 21, 22)가 중심절(centromere)을 중심으로 접합되어 있는 형태다. Robertsonian 전좌의 보인자는 임상적인 증상이 없지만, 45개의 염색체를 갖게된다. 21번 염색체의 robertsonian 전좌와 관련된 21 삼염색체 증후군을 가장 흔하게 관찰할 수 있다.

(3) 역위(Inversion)

역위는 하나의 염색체에서 두 개의 절단이 일어난 후 절단된 분절이 뒤집어져 재결합하여 일어난다. 중심절을 중심으로 뒤집어지는 것을 pericentric이라 하고, 중심절을 포함하지 않는 것을 paracentric이라고 한다. 역위 자체는 균형 재배열로 유전물질의 감소나 증가가 없으나 절단 부위에 유전자가 위치할 경우 드물게 임상증상이 나타날 수 있다. Pericentric 역위의 경우 감수분열시의 재조합 과정에서 중복 및 결실을 포함한 불균형 생식세포가 발생할 수 있다.

(4) 삽입(Insertion)

삽입은 비상호전좌의 한 형태로 한 염색체에서 분절이 떨어져 나와 다른 염색체에 본래 방향 혹은 뒤집어져 삽입된 것이다. 삽입은 세 개의 염색체 절단이 필요하기 때문에 비교적 드물다. 균형삽입 보인자는 증상이 없으나, 감수분열시 분리되는 형태에 따라 삽입된 부위의 중복 혹은 결실, 균형 보인자, 정상 등 다양한 조합이 가능하다.

(5) Marker와 고리염색체(Marker and Ring Chromosome)

Marker라고 불리는 매우 작고 번호를 알 수 없는 염색체가 염색체 표본에서 종종 주로 mosaic 상태로 발견된다.

Marker 염색체는 염색체 말단 염기서열이 없으며 그래서 염색체에 두 개의 절단이 생기고 절단된 끝부분이 다시 결합해서 고리구조를 형성하는 고리염색체가 되려는 경향이 있다. 고리염색체(ring chromosome)는 매우 드물지만 모든 사람염색체에서 발견되었다. 중심절이 고리 내에 있으면, 정상적 세포분열을 기대할 수 있다. 그러나 일부 고리염색체는 두 개의 자매염색분체가 세포분열 후기에 떨어질 때 서로 엉키게 되어 세포분열에서 염색체분리를 어렵게 한다. 그래서 고리모양이 깨지고 다시 결합하는 과정에서 본래 크기보다 크거나 작은 고리염색체가 만들어지게 된다. 위와 같은 세포분열시의 불안정성 때문에 고리염색체는 일부 세포에서만 검출된다.

(6) 등완염색체(Isochromosomes)

등완염색체는 염색체의 한쪽 팔이 소실되고, 다른 쪽 팔이 거울상으로 복제된 염색체이다. 등완염색체를 포함해서 46개의 염색체를 갖고 있는 사람은 염색체 한쪽 팔의 유전물질에 대해서 한 개만을 갖게 되고(부분 일염색체, partial monosomy), 다른 쪽 팔의 유전물질들에 대해서 세 개를 갖게 된다(부분 삼염색체, partial trisomy). 가장 흔한 등완염색체는 X 염색체 장완의 등완염색체, i (Xq)로 터너증후군 환자의 일부에서 발견된다.

3. 상염색체 질환

전체 상염색체 질환 중 생존이 가능한 비-모자이시즘(non-mosaic) 상염색체 질환은 세 가지만이 알려져 있다(trisomy 21, trisomy 18, trisomy 13). 이러한 각각의 상염색체의 삼염색체 질환은 공통적으로 성장지연, 정신지체 및 다발성 선천성 기형과 관련이 있다. 하지만 각각의 질환은 서로 명확하게 구별되는 표현형을 갖는다.

1) 21삼염색체(Down syndrome)

[역학]

다운증후군, 또는 21삼염색체는 염색체 질환 중 가장 흔하고 잘 알려져 있으며, 중등도 지적장애의 가장 흔한 유

전 원인이다. 약 800명 중 1명이 다운증후군으로 태어나
며, 35세 이상 산모에서 태어난 영아에서 발생률이 더 높
다.

[임상양상]

다운증후군은 일반적으로 출생 시 또는 출생 직후에 나
타나는 특징적인 이상에 의해 진단되며, 이는 환자 사이에
다양하지만 특유의 표현형을 나타낸다(그림 4-4). 신생아에
서 발견할 수 있는 최초의 이상은 근긴장저하(hypotonia)
이다. 일반인이라도 쉽게 알아볼 수 있는 다운증후군의 특
징적인 얼굴 형태와 더불어, 키가 작고 뒤통수(occiput)가
편평한 단두증(brachycephaly)이 흔하다. 목은 짧고, 목덜
미의 피부가 늘어져 있다. 콧등(nasal bridge)은 편평하다;
귀는 낮게 위치해 있고, 특징적인 주름진 형태를 나타낸다.
홍채의 가장자리 주변에 브러시필드 반점(brushfield spot)
이 보인다. 입은 벌어져 있고 종종 주름이 있으며 혀를 내
밀고 있다. 특징적인 눈구석 주름(epicanthal fold)과 위로
경사진 눈꺼풀 틈새(palpebral fissure) 때문에 '몽고증(mon-
golism)'으로 한때 불리기도 했다. 손은 짧고 넓으며, 종종
하나의 손바닥 주름(시미안선 'simian crease')과 다섯번째
손가락이 만곡되어 있거나 만지증(clinodactyly)을 나타낸
다. 피문(dermatoglyphics;주름진 피부의 형태)도 매우 특징
적인 소견을 보인다. 발은 첫째 발가락과 둘째 발가락 사이
가 넓으며, 발바닥 표면에는 근위부로 향하는 주름이 있다.

다운증후군에 관심을 갖는 주된 이유는 정신지체 때문
이다. 비록 영아기 초기에는 발달이 지연되는 것처럼 보이
지 않지만, 발달지연은 대개 1세경이 되면 뚜렷해진다. 지
능지수를 측정가능할 만큼 충분히 성장했을 때의 지능지
수는 보통 30-60 사이이다. 선천성 심장질환은 약 1/3에서
동반되는데, 가장 흔한 기형은 공통방실관 결손(common
atrioventricular canal)이나 심실중격결손 및 팔로 4징도 흔
하게 동반된다.

다운증후군 환아는 백혈병의 위험도가 15배나 증가한
다. 알츠하이머병의 특징적인 신경병리학적 소견인 겉질
위축, 뇌실확장등을 동반한 조기치매는 일반인에서 알츠
하이머병이 발생하는 나이보다 수십년 더 이른 시기에 발
생한다. 십이지장폐쇄증(duodenal atresia)이나 식도기관루
(tracheoesophageal fistula)와 같은 기형이 다른 질환보다 다

■ 그림 4-4. Down 증후군 환자의 얼굴소견
전체적으로 얼굴이 평평하고, 눈구석 주름이 특징적이며 목이 짧다.

운증후군에서 더 흔하다.

[치료 및 예후]

다운증후군 환자는 선천성 기형으로 인하여 여러 차례
교정수술을 받는 경우가 흔하고, 호흡기감염 및 수면 시 상
기도폐쇄의 증상도 흔하다. 다운증후군 환자는 앞환축탈
구의 위험이 높기 때문에, 척수신경 압박에 따른 신경증상
발생에 유의하여야 한다(그림 4-4).

2) 18삼염색체(Edwards' syndrome)

[역학]

18삼염색체는 생존 출생아 4,000명당 1명의 빈도로 일
어난다. 다른 삼염색체와 마찬가지로 모체의 고연령이 위
험인자이며, 18삼염색체 영아의 위험도는 35세가 넘는 산
모에서 높게 증가한다. 21삼염색체와 비슷하게 18삼염색
체의 표현형은 완벽한 삼염색체에 의한 경우 외에도 드물
게 다양한 핵형에 의해서 발생할 수 있으며, 따라서 이환된
영아나 태아의 핵형분석은 유전상담을 위해 필수적이다.

[임상양상]

18삼염색체의 특징으로 항상 정신지체와 성장장애를
보이며 종종 심각한 심장기형을 동반한다. 과다근긴장(hy-
pertonia)은 전형적인 소견이다. 후두부는 돌출되어 있고,

턱은 뒤쪽으로 들어가 있다. 귀는 낮게 위치해 있고 기형적이다. 흉골(sternum)은 짧다. 손은 특징적인 방식으로 주먹을 쥔 형태를 보이는데, 둘째와 다섯째 손가락이 셋째와 넷째 손가락을 감싸 겹쳐져있다. 발은 발꿈치뼈가 돌출되어 '흔들의자-바닥(rocker-bottom)' 모양을 나타낸다. 피부 모양도 특징적으로 손바닥에 단일 주름이 있고, 손발가락은 거의 대부분 아치 형태를 나타낸다. 손발톱은 대개 형성이 저하되어 있다. 선천성 심기형 및 신장기형도 흔하다. 흔한 뇌 기형으로 이소증(hetertopias), 뇌량 형성부전, Dandy-Walker 기형, Arnold-Chiari 기형 등이 있다.

[치료 및 예후]

대부분의 환자는 신생아기에 사망하게 되고, 특이 치료법은 없다.

3) 13삼염색체(Patau syndrome)

[역학]

13삼염색체는 생존 출생아 7,000명 당 1명의 빈도로 발생한다. 다른 삼염색체처럼 산모의 고연령과 관련이 있다. 대부분 13번 염색체가 하나 더 존재하여, 47개 염색체 형태이나, 끝곁매듭(acrocentric) 염색체인 13번이 타 염색체와 Robertsonian 전좌를 통한 원인이 5-10% 정도 차지한다.

[임상양상]

13세염색체는 성장지연과 심한 정신지체를 보이며, 무후뇌증(arhinencephaly)과 전전뇌증(holoprosencephaly)과 같은 심각한 중추 신경계의 기형을 동반한다. 이마(forehead)는 경사져 있다; 소두증(microcephaly)과 넓게 벌어진 봉합선을 나타낸다. 그리고 소안구증(microphthalmia), 홍채결손증(iris coloboma), 심지어는 안구가 없는 경우도 있다. 구순열(cleft lip)과 구개열(cleft palate)이 종종 관찰된다. 손과 발은 축후다지증(postaxial polydactyly)을 나타내기도 하며, 18세염색체와 같이 둘째와 다섯째 손가락이 셋째와 넷째 손가락을 감싸 겹쳐져 있는 주먹 쥔 형태를 보인다. 발 또한 18세염색체처럼 흔들의자-바닥 모양을 나타낸다. 손바닥에는 종종 단일주름이 있다. 내부 장기는 주로 심실중격결손(ventricular septal defect)과 동맥관 개존증(patent

ductus arteriosus) 등의 선천 심장기형과 남자의 잠복고환(cryptochidism), 여자의 쌍각자궁(bicornuate uterus)과 미분화 난소(hypoplastic ovary), 그리고 다낭신장(polycystic kidney) 등의 비뇨생식기 기형이 존재한다. 이러한 다양한 기형 중에서 가장 특징적인 것은 구순열과 구개열, 안구 이상을 나타내는 안면형태, 다지증, 주먹 쥔 형태의 손, 그리고 흔들의자바닥 모양의 발 등이다.

[치료 및 예후]

대부분 신생아기에 무호흡 등의 원인으로 사망하게 된다.

4. 성염색체 질환

1) 터너증후군(Tuner's syndrome)

[역학]

터너증후군은 생존출생 여아 4,000명 당 1명의 빈도로 발생한다. 다른 상염색체 이배수체와 달리 고령의 산모가 위험인자로 작용하지 않는다. X 염색체가 1개 존재하는 45, X 핵형일 때 발생한다.

[임상양상]

출생 시에는 발 혹은 전신부종으로 나타나는 경우가 많다. 얼굴 특징은 턱이 작고, 상악이 좁으며 눈구석 주름이 있다. 소아기 이후에는 저신장 및 물갈퀴 모양의 목덜미(neck webbing)를 흔하게 관찰할 수 있다(그림 4-5). 흉부가 넓고 젖꼭지 사이의 거리가 넓은 것이 특징이다. 대동맥 축착(coarctation of aorta) 및 이엽 대동맥판막(bicuspid aortic valve)이 흔한 심기형이고, 말굽콩팥(horse-shoe kidney)도 생길 수 있다. 정신지체가 동반되는 경우는 드물지만 운동발달지연은 비교적 흔하다. 청력저하도 흔하게 동반될 수 있으므로 주의가 필요하다.

[치료]

신생아는 심장 및 신장 기형에 대한 검사가 필요하다. 자가면역 갑상샘질환이 동반될 수 있으므로, 정기적인 갑상샘 검사가 필요하다. 저신장에 대한 성장호르몬 치료는

■ **그림 4-5.** Turner 증후군 환자의 얼굴소견
물갈퀴 모양의 목덜미가 특징적으로 관찰된다.

성장호르몬 결핍이 뚜렷하지 않은 환자에도 효과가 있는 것으로 밝혀졌다. 생식샘 기능저하로 인해 이차성징이 없고, 불임이 초래되므로 관련 호르몬 치료가 필요하다. Y 염색체와의 모자이시즘이 있는 환자에서 복강에 생식샘이 위치하면, 생식샘 모세포종(gonadoblastoma)의 발생의 위험이 있으므로 수술적 제거가 필요하다(그림 4-5).

2) Klinefelter 증후군(Klinefelter's syndrome)

[역학]

Klinefelter 증후군은 남자 1000명당 1명의 빈도로 발생하며, 47, XXY 핵형을 나타낸다. 고령의 산모가 위험인자로 작용하고, X 염색체가 다수인 경우도 드물게 발생한다. X 염색체의 개수가 많을수록 인지기능의 저하가 더 심하다.

[임상양상]

출생 시에는 특이 증상을 발견하기 어렵다. 외형적으로는 키가 크고, 팔다리가 길다. 생식샘 기능저하증이 있어 남성화가 불완전하고, 여성형 유방이 생기는 환자도 있다. 무정자증 및 불임이 특징적이다. Turner 증후군과 마찬가지로 정신지체는 거의 동반하지 않는다.

[치료]

이차성징의 발현을 위하여 청소년기부터 테스토스테론

의 투여가 필요하다.

5. 미세결실 및 미세중복 증후군(microdeletion/microduplication syndrome)

1) Prader-Willi 증후군

[역학]

Prader-Willi 증후군은 1956년 Prader 등에 의해 처음으로 보고되었으며, 비만, 저신장증, 과식증, 정신 발달지연을 특징으로 한다. 이 증후군은 출생아 10,000명이나 25,000명당 1명의 빈도로 발생하는 것으로 알려져 있다.

[발병기전]

70%의 환자에서 FISH (fluorescence in situ hybridization) 분석을 통한 염색체 검사에서 15q11.2-q13.1 부위의 결손을 보인다. 이러한 결실은 아버지에서 유래한 염색체에서만 발생한다. 20%의 환자는 어머니에서 유래한 염색체의 이체증을 보인다. 반면 Angelman 증후군에서는 어머니에서 유래한 염색체에서 결실이 발생하거나 아버지에서 유래한 염색체의 이체증이 있는 경우 발생하게 된다(그림 4-6).

[임상양상]

출생 시 둔위분만이 흔하며, 얼굴이 길고, 이마가 좁으며, 눈이 아몬드 모양으로 생긴 특징적인 얼굴모습을 보인

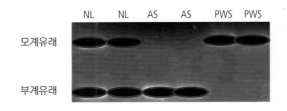

■ **그림 4-6.** 정상, Angelman 증후군, Prader-Willi 증후군 환자의 메칠화 중합효소 연쇄반응 소견
정상인에서는 15q11.2-q13.1의 부위에서 아버지와 어머니로부터 유래한 분절이 확인되나(NL), Angelman 증후군에서는 아버지에서 유래한 분절만이 존재하고(AS), Prader-Willi 증후군에서는 어머니에서 유래한 분절만이 보인다(PWS).

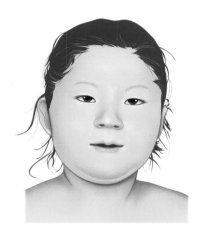

■ **그림 4-7.** Prader-Willi 증후군 환자의 얼굴소견
눈은 아몬드 모양으로 눈꼬리가 위로 올라가고, 앞이마가 좁으며 윗 입술이 얇다.

다(그림 4-7). 출생 시부터 전반적인 근긴장도가 매우 감소되어 있으며, 잘 먹지 못하고 저체온증이 흔히 발생한다. 약 1세 이후부터는 과식증이 발생하고, 체중이 비정상적으로 증가한다. 이러한 과식증은 포만감을 잘 느끼지 못하여 발생하는 것으로 알려져 있다. 전반적인 근긴장도의 감소는 서서히 호전되나, 저신장증, 생식샘 기능저하증, 다양한 정도의 정신발달지체 등의 증상은 연령이 증가하면서 뚜렷해진다. 대부분의 환자는 과도한 졸림증을 보인다.

[진단]

임상증상과 메칠화 중합효소 연쇄반응(methylation PCR)에 의해 확진된다.

[치료]

영아기에는 특수 젖꼭지나 경관영양을 시행할 수 있다. 물리치료가 근력강화에 도움을 주고, 잠복고환에 대해서는 수술치료가 필요하다. 소아기부터는 체중조절을 위한 식단관리가 필요하다.

2) Angelman 증후군

[역학]

약 40,000명당 1명의 빈도로 발생한다. 발달지연이 6개월 근처에서부터 나타나지만 특징적인 임상양상은 1세 이후에 나타나게 되나, 정확한 진단은 더 늦어지는 경우가 많다.

[발병기전]

Angelman 증후군의 75%는 어머니에서 유래한 염색체의 15q11.2-q13.1 부위의 결손에 의해 발생한다. 이는 특유의 걸음걸이와 얼굴표정 등으로 '행복한 꼭두각시(happy puppet)'증후군으로도 불린다. 2%의 환자는 아버지 염색체의 이체증에 의해 발생하며, 5%의 환자는 유전자 각인 부위(imprinting center)의 이상에 의해 나타나며, 8%의 환자는 UBE3A (ubiquitin-mediated protein degradation pathway)와 연관된 유전자의 변이에 의해 발생한다.

[임상양상]

심한 정신발달지체, 소두증, 꼭두각시와 유사한 특이한 걸음걸이와 행동 등이 특징이다. 별다른 이유가 없는 돌발적인 웃음을 자주 보이며 지능에 비해 표현언어의 발달이 거의 이루어지지 않는다. 발작은 자주 발생하며, 다양한 종류의 발작을 보이나, 비전형적인 결신발작(atypical absence)이나 근간대발작(myoclonic seizure)이 가장 흔하다. 발작간기의 뇌파는 톱니모양의 서파나 예파와 서파가 복합되어 양쪽 전두엽을 중심으로 규칙적으로 발생하는 특징적인 모양을 보이며, 수면 시에는 이러한 소견이 지속적인 경우가 많다. 이는 나이가 들면서 2-3 Hz 고진폭 극파-서파 연속의 뇌파로 변화한다(그림 4-8). 이러한 뇌파의 이상은 임상적으로 발작이 없는 환자에서도 확인되며, 돌발적인 웃음과의 연관성은 없다. 일반적으로 정신발달지체와 발작은 아버지 염색체의 이체증이나 UBE3A 유전자의 이상이 있는 환자보다, 15q11.2-q13.1 부위의 결손이 있는 환자에서 더 흔히 발생한다. 발작은 Angelman 증후군의 각인된 유전자 부위에 존재하는 GABARB3 유전자의 결손과 연관이 있을 것으로 추정하고 있다.

[진단]

임상적으로 의심이 되는 환자에서 FISH나 메칠화 중합효소 연쇄반응(methylation PCR)에 의해 확진된다.

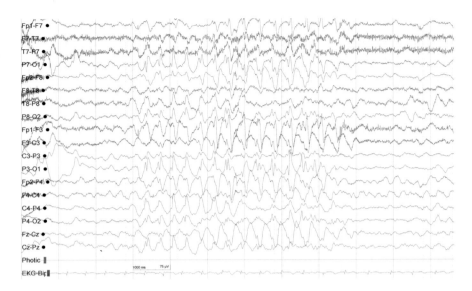

■ 그림 4-8. Angelman 증후군 환자의 뇌파 양 전두엽을 중심으로 하는 2.5-3 Hz의 고진폭의 톱니모양의 서파 혹은 예파-서파 복합이 관찰된다.

[치료]

수유곤란, 변비, 위식도 역류에 대한 일반적인 지지적 치료가 필요하다. 물리치료, 작업치료, 언어치료가 필요하고, 언어치료는 특이 비언어적인 소통방법에 대한 교육이 필요하다. 측만증 발생여부에 대해 매년 검사를 시행하는 것이 좋다. 발작에 대한 치료가 중요한데 carbamazepine, vigabatrin, phenytoin은 발작을 악화시킬 수 있으므로 주의가 필요하다. 발작과 유사한 운동장애도 흔히 동반되는데, 뇌파 이상으로 항뇌전증 약제를 과다투여하지 않도록 주의하여야 한다(그림 4-8).

3) Williams 증후군

[역학]

Williams 증후군은 요정과 흡사한(elfin-like) 특이한 얼굴 모양(그림 4-9), 대동맥의 판막위 협착, 고칼슘혈증, 심한 신체 및 정신발달지체를 특징으로 한다. 발생빈도는 10,000명당 1명으로 추정된다.

[발생기전]

7q11.23 부위의 이형접합체 결손에 의해 발생한다. 대개 25-30개의 유전자가 결손되며, elastin을 발현하는 ELN유전자가 흔히 포함되며, LIMK1, CLIP-115, STX1A, FZD3, GTF21RD, GTF21, TFII-I 유전자 등이 함께 결손된다.

[임상양상]

정신발달지체가 비교적 심하지 않으며 언어능력은 매우 좋은 편이며, 특히 음악에 소질이 있는 경우가 있다. 사교성이 매우 뛰어나며, 어린 나이부터 이러한 경향이 뚜렷하다. 이와는 반대로 비언어적 능력이 정상에 비해 매우 저하되어 있으며, 공간적인 감각 및 인지, 계획의 수립, 그리고 문제의 해결 등에 취약하다. 대다수의 환자에서 대동맥의 판막위 협착과 연관된 수축기 심잡음이 확인된다. 또한, 경동맥 등 체내 동맥의 여러 부위에서 부분협착이 발생할 수 있으며, 이와 연관된 뇌혈관질환이 발생할 수 있다. 출생 초기에는 섭식장애가 발생하고 울음소리가 작고 목이 쉰 소리가 나거나, 치아 사이의 간격이 넓은 것도 비교적

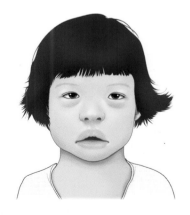

■ 그림 4-9. Williams 증후군 환자의 얼굴소견
안구 주변이 부은 듯 보이고, 입술이 두꺼우면서 크게 보인다.

흔하다. 과반수의 환자는 홍채에서 별 모양의 소견이 관찰된다. 수축기 심잡음과 정신지체 혹은 경계선상의 지능저하가 성인기까지 지속된다.

4) 22q11.2 결실증후군(Di George syndrome, velocar-diofacial syndrome, CATCH 22 syndrome)

[역학]

과거에 DiGeorge 증후군 등의 다양한 증후군으로 나누었지만 모두 같은 원인을 공유하는 질환으로 현재는 매우 다양한 증상을 포괄하는 질환군으로 이해하고 있다. 약 4,000명당 1명의 비율로 발생하는 것으로 알려져 있으나, 다양한 임상양상을 고려할 때 훨씬 더 높을 가능성이 있다.

[임상양상]

선천성 심기형 특히 뿔줄기 기형이 가장 흔하게 동반된다(74%). 구개기형, 입천장인두 부전증(velopharyngeal insufficiency), 발달지연, 부갑상샘 기능저하와 연관된 저칼슘혈증, 면역결핍 등이 주된 증상이다. 안면소견은 납작한 코, 두눈 먼거리증, 네모난 코뿌리, 작은 턱 등이 특징이다.

[진단]

FISH를 이용한 세포유전학적인 분석을 통해 22q11.21 부위의 결손을 확인하게 되면 진단된다. 약 30개의 유전자가 22q11.21 부위에 포함되어 있으며, 대부분의 경우 TBX1 유전자의 결손을 포함한다. 최근에는 염색체 마이크로어레이를 사용이 증가하면서 비전형적인 증례도 다수 확인되고 있다.

5) Wolf-Hirschhorn 증후군(Wolf-Hirschhorn syndrome)

[역학]

4번 염색체 단완 말단 부위의 다양한 크기의 결실에 의해서 발생하는 질환으로 50,000명당 1명의 빈도로 발생할 것으로 추정하고 있다.

[임상양상]

특징적인 얼굴형태로 코와 이마의 연결부위가 넓어 헬

■ 그림 4-10. Wolf-Hirschhorn 증후군 환자의 얼굴소견
미간이 뚜렷하고 넓게 보인다. 양측 귀가 형성이 덜 되어 보인다. 인중이 짧고, 턱이 작다.

멧을 쓴 그리스 전사의 모습에 비유되기도 한다(그림 4-10). 이외 소두증, 눈구석 주름, 두눈 먼거리증, 짧은 인중, 작은 턱, 엉성한 귀모양 등이 특징이다. 모든 환자는 출생 전부터 성장부진이 있으며 출생 후에도 지속된다. 신생아기에는 근긴장저하가 관찰된다. 발달지연 및 지능저하가 거의 모든 환자에서 다양한 정도로 발생한다. 발작은 50-100%의 환자에서 발생한다. 기타 근골격계 기형(60-70%), 선천성 심기형(~50%), 난청(>40%), 비뇨기 기형(25%), 뇌발달기형(33%) 등이 발생한다.

[진단]

4번 염색체 단완 말단부로부터 1.4 Mb에서 1.9 Mb 사이(4p16.3)가 가장 중요한 부위로 알려져 있다. 단순한 결실에서부터, 4번 고리염색체, 타염색체와의 불균형전좌 등 다양한 형태로 존재한다. 일반 염색체 검사에서는 약 55% 정도 확인 가능하고, FISH는 95% 이상의 결실을 확인할 수 있다. 최근에는 염색체 마이크로어레이 사용이 증가하면서 더 많은 수의 환자를 진단하고 있다.

6) 1p36 결실증후군(1p36 deletion syndrome)

[역학]

1번 염색체 단완 말단 부위의 다양한 크기의 결실에 의해 발생하는 질환으로, 5,000명에서 10,000명당 1명의 빈도로 발생하는 것으로 알려져 있어, 끝분절 주변부(sub-telomeric) 미세결실 증후군 중 가장 흔할 것으로 추정하고 있다.

[임상양상]

얼굴특징은 눈썹이 수평이고, 눈이 깊이 들어가 보이며, 인중이 길고, 턱이 뾰족하다. 소두증 및 단두증이 흔히 관찰된다(65%). 발달지연 및 지능저하가 모든 환자에서 다양한 정도로 관찰된다. 발작은 약 44%에서 58% 사이의 환자에서 발생하는 것으로 알려져 있다. 기타 기형으로 뇌발달 기형(88%), 선천성 심기형(71%), 난청(47%), 근골격계 기형(41%), 외성기 기형(25%), 신기형(22%) 등이 있다.

[진단]

일반 염색체검사, FISH, 염색체 마이크로어레이 등을 통해 진단할 수 있다. 일부 복잡한 형태의 재배열은 염색체 마이크로어레이를 통해서만 진단 가능하다.

7) Smith-Magenis 증후군

[역학]

Smith-Magenis 증후군은 특징적인 얼굴형태, 발달지연, 행동장애를 특징으로 하는 질환으로 17p11.2의 결실에 의해 발생한다. 대략 15,000명당 1명의 빈도로 발생하는 것으로 추정하고 있다.

[임상양상]

영아기에는 수유곤란, 근긴장저하, 과다 수면 등의 증상이 있다. 수면장애, 반복행동, 자해행동 등은 18개월 이전에는 잘 관찰할 수 없으며 이후에도 다양하게 나타난다. 넓은 사각형의 특징적인 얼굴형태 이외에 뒷머리가 납작하고, 앞이마가 뚜렷하고, 눈이 깊게 파였으며, 턱이 작은 특징이 있다. 하지만, 나이가 들면서 턱이 돌출되고 윗 입술이 밖으로 향하면서 얼굴모양도 전체적으로 거칠어지게 된다.

[진단]

일반 염색체검사, FISH, 염색체 마이크로어레이 등을

통해 진단할 수 있다.

8) Miller-Dieker 증후군

[임상양상]

Miller-Dieker 증후군은 PAFAH1B1 유전자를 포함한 17p13.3 부위의 결실에 의해서 발생한다. 뇌이랑없음증과 함께 이마가 뚜렷하고, 양측 측두부위가 들어가 있고, 코가 작고, 콧구멍이 위로 들려있고, 윗 입술이 돌출 되어 있으며 턱이 작은 얼굴특징이 동반된다(그림 4-11). 선천 심장 기형, 선천복벽탈장(omphalocele), 관절구축(joint contracture) 등의 선천기형이 동반될 수 있다. 중증의 지적장애 및 난치성 뇌전증이 나타난다.

[진단]

임상증상이 의심되면 FISH로 진단할 수 있다(그림 4-11).

9) Mowat-Wilson 증후군

[임상양상]

특징적인 얼굴모습과 함께 선천심기형, Hirschsprung병, 지적장애, 뇌량무형성, 소두증 및 발작이 발생하는 질환으로 2q22 부위의 미세결실로 발생한다. 결실 부위에 위치하는 ZEB2가 원인 유전자로 밝혀져 ZEB2의 de novo 변

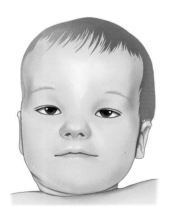

■ 그림 4-11. Miller-Dieker 증후군 환자의 얼굴소견
앞이마가 뚜렷하고, 양측 측두부위가 들어가 있다. 콧구멍이 위로 들려 보인다.

이에 의해서도 발생할 수 있다. 약 70-75%의 환자에서 뇌전증이 발생하고, 비전형소발작/국소발작/뇌전증지속증으로 나타날 수 있다. 표현언어의 발달은 거의 이루어지지 않으나 수용언어는 비교적 유지하는 것이 특징이다. 상동행동이 있고 항상 행복한 것(happy demeanor)처럼 보여 Angelman 증후군과 혼동되기도 한다.

[진단]

최근에는 유전자패널 등의 시퀀싱검사에서 진단되는 환자의 비율이 늘어나고 있는 추세로(80%), 염색체 마이크로어레이로 약 15%의 환자를 진단할 수 있다.

10) Pitt-Hopkins 증후군

[임상양상]

중등도 이상의 지적장애, 소두증, 불규칙한 호흡패턴이 특징인 질환으로 18q21 부위의 미세결실로 발생한다. 결실 부위에 위치하는 TCF4가 원인 유전자로 확인되었다. 흥분하게 될 때 과호흡과 호흡정지 뒤섞여 나타나게 되는데, 소아기에 시작하나 사춘기 이후에 발생하기도 한다. 언어발달의 지연이 뚜렷하고, 특히 대부분 단어를 표현하지 못하게 된다. 상동행동, 발작, 수면장애도 동반될 수 있다.

[진단]

유전자패널 등 시퀀싱검사로 70%의 환자를 진단할 수 있고, 염색체 마이크로어레이로 30%의 환자를 진단할 수 있다.

11) Potocki-Lupski 증후군

[임상양상]

17p11.2 부위의 미세중복에 의해 발생하는 질환으로 Smith-Magenis 증후군의 미세결실 위치와 상보적인 관계이다. 경도의 지적장애 또는 경계성 인지기능을 보이는 경우도 있어 타 질환에 비해 증상이 가벼운 편이다. 주의력결핍 과잉행동 장애와 자폐증상이 나타나기도 한다. 대부분의 환자는 저신장이나 얼굴기형은 거의 관찰되지 않는다.

[진단]

염색체 마이크로어레이로 진단할 수 있다.

6. 단일유전자 질환

소아신경 질환과 연관된 단일유전자 질환은 매우 다양하다. 선천대사질환, 신경계 기형, 뇌전증, 근육병, 말초신경 질환 등과 연관된 단일유전자 질환은 각각의 질환에 포함되어 있다. 여기에서는 발달지연 혹은 인지장애와 관련된 대표적인 질환을 소개한다.

1) Fragile X 증후군

[역학]

Fragile X 증후군은 지능저하를 특징으로 하는 유전질환 중에서 Down 증후군 다음으로 흔하며, 1969년 Lubs가 X 염색체에서 취약부위를 처음 관찰하여 이와 같이 명명하였다. 1977년 Sutherland가 X 염색체 장완의 끝, 정확히 Xq27-q28 부위가 끊어져 보임을 관찰하여 Fragile X 증후군이 X연관 열성으로 유전됨을 확인하였다. 이 질환은 멘델유전방식을 따르지 않으며 무증상의 남자를 통해 보인자인 딸을 거쳐 대를 거듭할수록 임상증상이 심해지고 뚜렷해지는 양상을 보인다. 발생빈도는 남자 2,000명당 1명, 여자 1,000명당 1명꼴이다. 지능저하를 보이는 남성의 약 30%, 여성의 약 10%에서 이 증후군이 발견된다. 인지장애 및 발달장애와 더불어 자폐적 행동양식 또는 과다한 행동 등의 증상이 흔하게 나타난다.

[발생기전]

Fragile X 증후군은 FMR1 유전자가 비활성화되어 발생한다. CGG 삼핵산이 200 반복 이상으로 비정상적으로 증가하면, CpG 메칠화가 발생하고, 이에 의해 FMR1 유전자가 비활성화된다. FMR 단백질은 신경세포의 가지돌기(dendrite)에서 mRNA의 이송과 단백질 전구체를 조절하는 기능을 가지고 있다. 선별검사에서 무증상 여성 중의 약 0.4%가 CGG 삼핵산이 55-101회 반복된 전돌연변이(premutation) 상태에 있는 것으로 확인되었다.

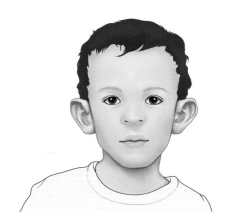

■ 그림 4-12. 취약 X 증후군 환자의 얼굴 소견
얼굴이 길고, 귀가 크며 돌출되어 있다.

[임상양상]

환자의 얼굴은 좁고 길며, 눈썹이 뚜렷하고, 귀가 크고 돌출되어 있다(그림 4-12). 고환의 크기가 비정상적으로 크고, 관절이 과신전되는 특징을 보이며 약 10%의 환자에서 두위가 97백분위수 이상이다.

신경학적인 증상으로 언어발달 지연과 과다행동증이 가장 특징적이다. 운동발달 지연은 남자 환자의 약 20%에서 확인된다. 약 20-40%의 남자 환자에서 뇌전증이 발생한다. 주로 국소발작이 흔하며 항뇌전증 약제에 잘 반응한다. 여성 보인자와 체세포 돌연변이를 보이는 남자는 다양한 정도의 지능저하를 보이며 이는 잔존하는 FMR 단백질의 양에 따라 결정되는 것으로 알려져 있다. 대부분의 남자 환자는 중등도 이상의 심한 지능저하를 보이며, 약 13%의 남자 환자만이 IQ가 70 이상인 것으로 알려져 있다.

대부분의 남자 환자는 자폐의 증상을 나타내며, 약 16%는 자폐증으로 진단이 된다. 여성 환자의 경우 임상 양상은 매우 다양하며, 남자 환자에서 보이는 전형적인 증상은 거의 없다. 한 연구에 의하면 약 25%의 여자 환자가 IQ가 70 미만이며, 28%는 IQ가 70 이상 84 이하이며 약 절반의 환자는 IQ가 85 이상인 것으로 나타났다.

[진단]

혈액에서 Xq27.3 부위 DNA의 삼핵산 반복서열이 증가되어 있음을 확인하면 진단할 수 있다.

2) Cornelia de Lange 증후군(Brachmann-de Lange 증후군)

Cornelia de Lange 증후군은 출생 전부터 발생하는 심한 성장지연 및 중증의 발달지연, 나직하게 으르렁거리는(low pitched, growling) 울음소리, 숱이 많은 눈썹, 다모증, 그리고 손과 발의 다양한 기형을 특징으로 한다. 60%의 환자는 NIPBL 유전자라고 명명된 5p13.1 부위의 돌연변이에 의해 발생하는 것으로 알려져 있다. 약 4-6%의 환자는 X연관 SMC1A 유전자의 변이에 의해 발생한다. 환자들은 출생 시부터 성장지연과 발달지연을 보이며, 구토, 역류 삼킴장애 등의 섭식장애가 흔히 발생한다. 보행이 불안정하며, 자폐적인 증상을 흔히 보이고 자해행동을 한다.

3) Rubinstein-Taybi 증후군

Rubinstein-Taybi 증후군은 정신지체, 출생 후 성장지연, 소두증, 엄지 손가락과 발가락이 넓은 모양, 기형적인 얼굴 모양을 특징으로 한다. 얼굴 모양의 특징은 다음과 같다; 눈썹이 높은 아치모양과 흡사하고, 속눈썹이 길고, 눈꺼풀 틈새가 아래로 향하고, 콧등이 넓고, 코끝이 뾰족하고 입천장이 높고 턱이 작다. 환자들에서는 종양 발생의 위험이 높다. CREBBP 및 EP300이 원인 유전자로 알려져 있다.

4) X염색체 연관 인지장애 유전자질환

인지장애는 남성에서 더 높은 빈도로 나타나며, 가족력이 확인되는 경우가 많다. 이러한 사실을 근거로 한 연구를 통해 X염색체 연관 인지장애 유전자질환이 발견되었다. ARX는 X염색체 연관 모호한 외부생식기를 동반한 뇌이랑없음증(X-linked lissencephaly with ambiguous genitalia, XLAG)의 원인이며, MECP2는 Rett 증후군의 대표적인 원인 유전자이다. 이외에도 PAK3, GDI1, IL1RAPL1, ARHGEF6, SLC6A8, FACL4, AGTR2, FTSJ1, DLG3, NLGN3, NLGN4, PQBP1, RPS6KA3, ZNF41, OPHN 등이 비증후군 인지장애에서 발견되었다. 이러한 유전자는 현재 120개 이상 보고되고 있다.

Rett 증후군

Rett 증후군은 MECP2 변이에 의해 발생하며, 인지장애, 자폐증상, 이상운동, 그리고 다양한 신경학적 기능 이상을 주된 증상으로 한다. 환자들은 출생 후 영아기에는 정상발달을 보인다. 이후 머리둘레가 증가하지 않고, 언어발달이 늦어지며, 손의 상동행동이 발생한다. 이러한 증상은 1세 이후에 뚜렷해지며, 생후 6개월부터 나타나기도 한다. 흔히 동반되는 다른 임상증상은 한숨을 자주 쉬거나, 숨을 참거나 과호흡을 하는 등의 비정상 호흡, 이갈이, 불규칙한 수면주기, 경직을 주된 특징으로 하는 근긴장도의 이상, 그리고 척추측만증 등이다. 동반되는 이상운동증은 매우 다양하고 복합적인 양상이며, 어린 연령에서는 과다한 움직임이 주로 나타나며, 나이가 들면 파킨슨병에서 보이는 이상운동증이 발현된다. 또한 심장박동수가 불규칙하거나 심실근육의 기능저하 등이 동반될 수 있다. 뇌전증 발작은 약 60%의 환자에서 나타나며 뇌전증 뇌병증의 양상이다. Rett 증후군에 특징적인 퇴행이 발생할 때부터 뇌파의 이상이 나타나기 시작하며 뇌전증 뇌병증의 양상의 뇌파로 변화한다.

사립체질환

Mitochondrial Diseases

| 이영목 |

사립체질환은 넓게는 사립체의 기능적 또는 구조적 이상에 의하여 발생하는 모든 질환을 의미한다. 하지만, 좁은 의미로는 사립체 내막의 호흡사슬 복합체(respiratory chain complex)의 이상으로 에너지 형성의 장애가 생겨 발생하는 질환을 의미한다. 19세기 후반 사립체의 존재가 알려진 이후 사립체의 구조, 생화학기능 및 유전자 등이 차례로 밝혀졌고, 20세기에는 사립체 유전자의 이상으로 인한 인체질환이 증명된 이후 사립체질환에 대한 정보들이 계속 보고되고 있다.

[역학]

MtDNA의 돌연변이는 신경질환의 가장 중요한 원인 중 하나로 대두되고 있다. 최근까지도 서로 다른 mtDNA 이상에 의한 사립체질환의 보고가 계속 증가하고 있다. MtDNA 돌연변이 여부에 기초한 사립체질환 역학 연구에서는 대체적인 유병율 또는 발생 위험율을 약 10,000-100,000명당 1명으로 추정하고 있다. 그러나, 사립체질환의 임상 표현형이 다양하고 복잡하여 진단이 어려우므로 실제 유병율은 현재 알려진 빈도보다 2-10배 이상 더 높을 것으로 추정하고 있다.

[병태생리]

(1) 사립체의 구조

사립체는 세포 외막(outer membrane), 내막(inner mem-

brane) 세포사이 공간(intermembranous space), 세포 내 기질(matrix)로 이루어진 세포 내 소체(subcellular organelle)로 구성되어 있다. 이를 통해 여러 가지 대사과정이 이루어지는데, 내막의 호흡사슬 복합체에서 궁극적으로 ATP를 형성하게 된다. 각 세포는 수백에서 수천 개의 사립체를 가지고 있으며 각 사립체에는 2-10 copy의 사립체 DNA(mtDNA)가 있으므로, 세포 하나에 10,000 copy 이상의 mtDNA가 존재한다.

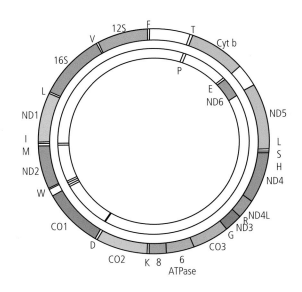

■ 그림 4-13. 사립체 DNA 구조
CO: cytochrome C oxidase, Cyt: cytochrome, ND: NADH-CoQ reductase

표 4-2. 핵 DNA와 사립체 DNA의 차이 비교

핵 DNA	사립체 DNA
핵안에 위치	사립체내 세포질에 위치
3 x 109 bp/haploid genome	1.6 x 104 bp/genome
intron 존재	intron 없음
이배수체	다배수체
23개 선형 염색체	한 개 고리염색체
50,000 – 100,000 유전자	37 유전자(rRNAs, tRNAs, mRNAs)
세포기능에 관련된 모든 mRNA 존재	호흡사슬 복합체와 관련된 mRNA만 존재
보편적 유전암호	변형된 유전암호

(2) 사립체 DNA의 구조

MtDNA는 원형의 이중 나선 구조로 16,569 염기쌍으로 이루어져 있으며, 핵 DNA와 여러 가지 다른 점이 있다 (그림 4-13, 표 4-2). MtDNA는 intron이 없는 coding DNA 만으로 구성되어, 22개의 tRNA, 2개의 rRNA, 호흡사슬 복합체의 소단위 단백 중 13개(Complex I: 7, Complex III: 1, Complex IV: 3, Complex V: 2)를 coding 한다.

(3) 사립체 DNA의 특성

MtDNA는 여러 면에서 특징적이다.

첫째, mtDNA는 한 세포 내에 multicopy (polyploid)로 존재한다. 정상 개체의 경우 세포의 mtDNA는 수천개의 DNA가 동일한 homoplasmy를 보이지만 mtDNA의 돌연변이가 발생할 경우 동일 세포 내에 정상 mtDNA와 돌연변이 mtDNA가 다양한 비율로 혼재할 수 있는데 이를 heteroplasmy라고 한다. 따라서 세포들의 표현형은 heteroplasmy의 정도에 따라 결정되며 돌연변이 mtDNA의 비율이 해당 세포의 기능 유지에 필요한 최소한의 역치 (threshold) 보다 높아지면 세포는 기능을 상실하게 된다. 연령, 조직 및 기관에 따라 세포가 필요로 하는 에너지 요구량이 다르므로 개체 및 기관에 따라 각각의 역치에도 차이가 있다. 예를 들어 발달 중인 소아의 뇌 또는 근육의 경우에는 기능 유지에 필요한 에너지 요구량이 높으므로 돌연변이 mtDNA의 비율이 낮아도 쉽게 임상적인 기능 이상을 초래할 수 있다. 이러한 mtDNA의 특징에 기인하여 사

립체질환은 그 임상 표현형이 개체 및 조직에 따라 다양하고 중증도에 차이가 있어 임상 양상이 매우 복잡하고 다양하게 나타난다.

둘째, mtDNA는 모계를 통해 자손으로 전달(maternal inheritance)된다. 부성 mtDNA를 가지는 정자가 난자에 수정하는 순간 모성 단백분해 물질에 의해 분해가 일어나므로 결국 난자의 mtDNA만 자손에게 전달됨으로써 모계 유전을 하게 된다. 또 생식세포 분열시 동일 세포 내에 혼재되어 있던 정상 및 돌연변이 mtDNA는 무작위로 자손 세포에 분배되므로 자손 간에도 돌연변이 mtDNA의 비율이 다양하게 된다.

셋째, mtDNA가 사립체 내 호흡사슬 효소 및 그 부산물인 free radical에 물리적으로 근접해 있고 mtDNA는 핵 DNA와 달리 자체 방어기능을 가지는 histone 및 DNA 복구 체계가 없어 핵 DNA에 비해 돌연변이 발생 가능성이 5-10배나 크다.

(4) 호흡사슬 복합체와 유전양상

사립체의 가장 중요한 부분인 내막의 호흡사슬 복합체는 mtDNA와 핵 DNA 모두에 의해 영향을 받으므로 멘델 유전과 비멘델유전이 모두 가능하다. 사립체가 어머니를 통해 자손에 전해지므로 어머니의 mtDNA 돌연변이는 딸, 아들에게 모두 전해지지만, 딸의 경우만 다음 세대에 돌연변이 mtDNA를 전할 수 있다. MtDNA의 점 돌연변이에 의한 임상 증후군들(MELAS, MERRF, NARP 증후군 등)에서 이와 같이 모계를 통한 mtDNA의 유전을 관찰할 수 있다. 그러나 mtDNA 결실의 경우에는 일반적으로 산발적으로 발생하며 Kearns-Syare 증후군 및 진행성 외안근 마비증 등이 중요한 예이다.

호흡사슬 복합체를 구성하는 대부분의 소단위 단백을 coding하는 유전자가 핵 DNA이므로, 실제 사립체질환은 모계 유전이 아닌 상염색체를 통한 Mendleian 유전이 다수를 차지한다. 또 사립체의 주기능인 지방산 beta oxidation, pyruvate dehydrogenase, Krebs 회로의 결함에 의한 질환은 상염색체 열성 유전을 하며, 일부 mtDNA의 다중 결실을 보이는 사립체 근병증의 경우 상염색체 우성 유전 가계의 증례도 알려져 있다. 이러한 경우는 핵 DNA 이상이 사립체의 생합성 및 핵 DNA와 사립체 간의 신호전달 장애

등을 초래하여 사립체질환을 일으키는 것으로 생각되고 있다. 이 외에도 ornithin transcarboxylase 결핍 및 pyruvate dehydrogenase 결핍의 경우 X 염색체를 통해 유전됨이 밝혀져 있다.

(5) 사립체질환의 분류

사립체질환은 여러 가지 분류 기준에 의해 다양한 분류가 제시되고 있다. 사립체는 여러 대사과정(pyruvate dehydrogenase complex, carnitine cycle, beta oxidation pathway, Krebs cycle)에서 중추적 역할을 하여 ATP를 생성한다. 따라서 넓은 의미의 사립체질환은 사립체 내의 여러 가지 대사과정의 이상으로 인해 발생한 ATP 형성 기능의 장애이므로 생화학적 기능에 기초하여 분류할 수 있다. 또 좁은 의미의 사립체질환은 최종 공통 대사과정인 호흡사슬 복합체(respiratory chain complex) 기능의 이상에 의한 질환을 의미하는데, 호흡사슬 복합체의 경우 mtDNA뿐 아니라 핵 DNA에 의한 영향도 받으므로 DiMauro 등은 후천적 사립체질환을 포함하여 생화학적 및 유전적 측면을 모두 고려한 분류를 제시하였다(표 4-3). 또한 사립체질환은 1) mtDNA 결실과 관련된 chronic progressive external ophthalmoplegia, Kearns-Sayre 증후군, Pearson 증후군, 2) tRNA를 coding하는 mtDNA 이상에 의한 MELAS, MERRF, 3) ATP synthase subunit 6과 같은 단백을 coding하는 mtDNA 이상에 의한 NARP, MILS (maternally inherited Leigh syndrome) 등으로 분류할 수도 있다(표 4-4).

[임상양상]

사립체질환은 단일기관을 경한 정도로 침범한 경우부터 여러 신체기관을 중증도로 침범한 경우에 이르기까지 임상양상이 다양하고 복잡함을 특징으로 한다(표 4-5). 따라서, 3개 이상의 서로 다른 기관을 동시에 또는 차례로 침범하는 경우 꼭 의심을 해야 한다. 신경 및 근육 세포와 같이 기본 대사율이 높은 분열 후(post-mitotic) 조직을 주로 침범할 경우 반드시 고려해야 하며, 특히 발작, 뇌졸중양 증상, 신경병증 또는 운동이상 등은 사립체질환에서 드물지 않게 나타나는 신경학적 증상이므로 유의해야 한다. 핵 DNA와 연관된 사립체질환의 경우 Mendelian 유전에 의하므로 mtDNA에 의한 증상에 비해 더 전형적이며 가계

내 환자간의 증상 및 중증도에서도 덜 다양하게 나타나는 경향이 있다. 지금까지 사립체질환 중에서 여러 임상 증후

표 4-3. 사립체질환의 분류

사립체질환의 유전생화학 분류
유전
핵 DNA 결핍
Defects of substrate transport
Defects of substrate utilization
Defects of the Krebs cycle
Defects of oxidation-phosphorylation coupling
Defects of the respiratory chain
Defects of protein importation
Defects of intergenomic signaling
사립체 DNA 결핍
Sporadic large-scale rearrangements
Transmitted large-scale rearrangements
Point mutations affecting structural genes
Point mutations affecting synthetic genes
환경적 요인
감염(e.g., Reye's syndrome)
중독(e.g., MPTP)
약(e.g., zidovudine)
노화

표 4-4. 사립체질환의 돌연변이 양상

임상증후군	돌연변이				
	tRNA	단백코드 부위	결실		핵
			단일	다발	
CPEO	■		■		
CPEO+			■	■	■
KSS	■		■		
PS			■		
DS					■
MINGIE					■
MELAS	■	■			
MERRF	■				
NARP		■			
LHON		■			
LS	■	■			■

CPEO: chronic progressive external ophthalmoplegia, KSS: Kears-Sayre syndrome, PS: Pearson syndrome, DS: depletion syndrome, MINGIE: mitochondrial neurogastrointestinal encephalopathy syndrome, MELAS: mitochondrial encephalopathy, lactic acidosis and stroke-like episodes, MERRF: myoclonic epilepsy and ragged red fibers, NARP: neuropathy, ataxia and retinitis pigmentosa, LHON: Leber's hereditary optic neuropathy, LS: Leigh syndrome

표 4-5. 사립체질환의 다양한 임상양상

장기	임상양상	Deleted mtDNA		Transfer RNA		Protein coding region	
		KSS	Pearson	MERRF	MELAS	NARP	MILS
중추신경계	발작	−	−	+	+	−	+
	실조	+	−	+	+	+	±
	근간대	−	−	+	±	−	−
	정신지체	−	−	−	−	−	+
	정신퇴행	+	−	±	+	−	−
	편마비/시야장애	−	−	−	+	−	−
	겉질 실명	−	−	−	+	−	−
	편두통양 두통	−	−	−	+	−	−
	근긴장이상	−	−	−	+	−	+
말초신경계	말초신경병증	±	−	±	±	+	−
근육	위약	+	−	+	+	+	+
	안구운동마비	+	±	−	−	−	−
	눈꺼풀처짐	+	−	−	−	−	−
눈	색소성 망막병증	+	−	−	−	+	±
	시신경 위축	−	−	−	−	±	±
	백내장	−	−	−	−	−	−
혈액	철적혈모구 빈혈	±	+	−	−	−	−
내분비	당뇨	±	−	−	±	−	−
	저신장	+	−	+	+	−	−
	부갑상샘기능저하증	±	−	−	−	−	−
심장	전도장애	+	−	−	±	−	−
	심근병증	±	−	−	±	−	±
위장관	췌장 외분비샘기능장애	±	+	−	−	−	−
	거짓장폐쇄	−	−	−	−	−	−
귀	감각신경난청	−	−	+	+	±	−
신장	사구체경화증	±	−	±	+	−	−
	신세뇨관 이상	±	−	−	±	−	−
	Fanconi 빈혈	−	+	−	±	−	−
검사소견	젖산혈증	+	+	+	+	−	±
	Ragged-red fibers	+	±	+	+	−	−
유전	모계	−	−	+	+	+	+
	산발성	+	+	−	−	−	−

KSS: Kearns-Sayre syndrome, MERRF: myoclonic epilepsy with ragged-red fibers, MELAS: mitochondrial encephalomyopathy, lactic acidosis and stroke-like episodes, NARP: neuropathy, ataxia and retinitis pigmentosa, MILS: maternally inherited Leigh syndrome

군이 알려져 있지만, 실제 임상 환자들에서는 전형적인 임상 증후군으로 분류하기 곤란한 경우가 대부분이므로, 표에 열거된 증상을 여러 가지 이상 보이는 경우, 특히 발작, 난청, 진행성 외안근 마비, 근병증, 심장 침범, 당뇨 등이 있을 경우 사립체질환에 대한 검사가 필요하다.

(1) Mitochondrial encephalopathy lactic acidosis and stroke-like episodes (MELAS)

MELAS는 가장 흔한 사립체질환 중 하나로 1) 뇌 MRI 또는 CT에서 부분적 뇌경색의 소견을 보이는 뇌졸중양 증상, 2) 혈중 젖산치 증가 또는 근조직의 ragged red fibers, 3)

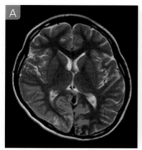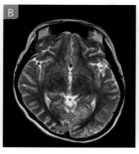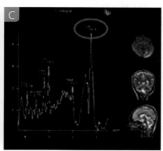

■ 그림 4-14. MELAS 환자의 뇌 MRI 소견 (A, B) 주로 내측 후두엽을 침범하는 다양한 여러 시기에 걸쳐 발생한 뇌경색 소견 (C) MRS에서 젖산의 농도가 상승하여 있는 소견(원)을 볼 수 있다.

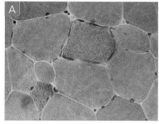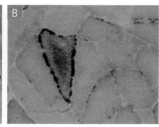

■ 그림 4-15. Ragged-red fiber
Gomori trichrome 염색에서 이상 사립체가 근섬유 주변 부위에 축적되어 있는 소견을 확인할 수 있고(A), SDH 염색에 강양성 반응을 보이는 것을 확인할 수 있다(B).

치매, 부분 또는 전신 발작, 반복적인 두통 등의 증상 중 적어도 2가지 이상의 증상을 보일 때 임상적으로 진단할 수 있다. 일반적으로 모계 유전을 한다.

반복적으로 발생하는 뇌졸중양 증상이 가장 흔하고 저신장, 난청, 당뇨 등의 타 기관을 침범하는 증상이 동반되며, 구토를 동반하는 편두통 등이 함께 발생하는 경우가 많다. 사립체 에너지 대사 부전에 의해 뇌세포의 괴사가 발생하는 것이 병인으로 주로 후두엽 및 측두엽 겉질을 잘 침범하는 경향이 있다. 따라서, 혈관 영역에 부합되지 않는 뇌졸중이 반복적으로 발생할 경우 의심해야 한다.

임상경과 중 근육과 췌장, 시상하부, 갑상샘 등의 내분비 기관을 동시에 침범하는 경우가 흔하므로 이에 대한 검사도 필요하다. 실제 일반인의 0.06%에서 mtDNA A3243G 돌연변이와 관련된 당뇨병이 발생한다는 보고도 있다.

MELAS의 유전적 원인 중 가장 흔한 것은 mtDNA A3243G 돌연변이이며, 이외에 mtDNA의 nt3271, nt3250, nt3252 등을 포함 11가지의 서로 다른 tRNALeu 점 돌연변이가 밝혀져 있다. 이밖에 mtDNA 결실과 관련

된 유전자 이상도 알려져 있다. 일반적으로 혈액에서 돌연변이 mtDNA의 비율이 근육보다 낮으므로 혈액에서 추출한 mtDNA에서는 돌연변이가 발견되지 않는 경우도 있을 수 있다.

검사소견 상 혈청 및 뇌척수액 내 젖산의 증가가 흔하고, 약 50%에서는 뇌척수액 단백이 증가된다. 뇌 MRI에서 후두엽 내측의 뇌경색이나 양측 기저핵의 석회화 소견 등이 잘 관찰된다(그림 4-14). 근전도상 침범된 근육의 근병증 소견을 보이는 경우가 있으며, 근육조직 병리검사에서 ragged-red fibers 및 SDH 강양성 양상 등의 소견이 자주 관찰된다(그림 4-15). 생화학검사상 complex I 효소나 cytochrome C oxidase 활성도의 저하를 보이는 경우가 많지만, complex I, III, IV의 활성도가 모두 감소된 경우도 있다.

(2) Leigh 증후군(subacute necrotizing encephalomyelopathy: LS)

Leigh 증후군은 진행성 신경퇴행질환으로 주로 영아기 또는 유아기에 발생하지만 드물게 성인에서 발생하는 경우도 있다. 생후 2세 이전에 운동 및 인지기능 발달의 정지 및 퇴행이 발생하는 것이 특징이다. 발달의 퇴행과 함께 수유 및 연하장애, 구토, 근력약화, 근긴장저하, 운동실조, 근긴장이상, 외안근 마비, 시력장애, 청력장애 및 경련 등의 증상이 동반된다. 대부분의 경우 증상이 발병한 후 6개월 내에 사망하지만, 병의 진행이 급격하여 수주 안에 사망하는 경우도 있고, 약 1/4에서는 일시적인 호전을 보이기도 한다.

임상양상과 생화학적 이상 소견은 매우 다양하지만 공통적으로 뇌간의 기능이상을 보인다. 뇌 MRI 상 양측 기저핵 및 putamen을 주로 침범하며 일부에서 중뇌의 tectum, tegmentum과 medullary olive를 침범하는 소견을 보인다(그림 4-16). 젖산치의 증가가 동반되는 경우가 흔하다. 가

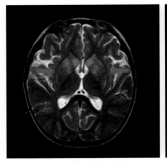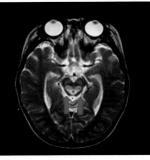

■ 그림 4-16. Leigh disease 환자의 MRI 소견
양측 기저핵 및 중뇌의 덮개를 침범하는 소견을 관찰할 수 있다.

장 흔한 원인은 cytochrome C oxidase 결핍으로 골격근, 신장, 심근, 간 등에서 활성도가 저하된 것이 증명된다. 다른 원인으로 pyruvate decarboxylase 결핍, ATPase 6 유전자를 coding하는 mtDNA의 nt8993의 T/G 또는 T/C 점 돌연변이 등도 있으며, 유전 양상은 생화학적 및 유전자 이상에 따라 X 염색체 연관성, 상염색체 열성 또는 모계 유전을 한다.

(3) Myoclonic epilepsy and ragged red fibers (MERRF)

MERRF는 근간대발작, 근병증, 소뇌실조 등을 특징으로 하는 만성 퇴행뇌질환으로 보통 10대에서 20대에 발병하며, 천천히 진행하지만 급격히 진행하여 악화되는 경우도 있다. 드물게 치매, 심근병증, 추체로 증상, 신경병증, 시신경 위축, 감각신경 난청 등의 증상이 동반될 수 있다. 모계유전 양상, 근간대발작과 근조직에서 ragged red fiber를 보이는 것이 진단에 가장 중요하다. 혈청 및 뇌척수액 젖산 수치가 증가되는 경우가 흔하고, 혈청 creatine kinase가 증가하거나 근전도상 근병증의 소견을 보일 수 있다. 뇌영상 소견은 비특이적이지만 전반적인 소뇌위축 등을 보인다. 유전적 원인으로는 mtDNA A8344G, T8356C, G8363A 점 돌연변이가 대표적이며, 특히 A8344G 점 돌연변이가 전체의 80%를 차지한다. 생화학적 검사 결과는 매우 다양하여 Complex III, Complex II+IV, Complex I+IV 또는 Complex IV의 활성도의 저하를 보이는 경우가 모두 알려져 있다.

(4) Chronic progressive external ophthalmoplegia (CPEO)

서서히 진행하는 양측 안근의 진행성 마비, 안검하수 등의 증상을 특징으로 하며, 일부에서는 심장전도 장애가 동반되는 경우가 있다. 발병 연령은 다양하지만 일반적으로 20-30대에 안검하수가 첫 증상으로 발병한다. 질환이 진행할수록 경도의 근위부 근육의 약화와 피로감 등이 동반될 수 있으나, 진행경과가 느려 대부분 정상 수명을 보인다. 임상양상의 중증도와 발병연령에 따라 CPEO 단일 증상만 있는 경우 isolated CPEO라 하고 타기관을 침범하는 증상을 같이 보이는 경우를 CPEO plus라고 분류하기도 한다. 근조직 소견상 ragged-red fiber 및 COX 음성 근섬유를 보이는 것이 특징이다. 가장 흔한 유전적 원인은 mtDNA의 산발적 단일 결손이지만 이외에도 tRNA 돌연변이와 mtDNA의 다중 부분 결손에 의한 가족성 CPEO 등이 알려져 있다. 최근에는 소아에서 심근병증을 주 증상으로 하는 상염색체 열성 유형도 보고 되어 mtDNA 복제에 관여하는 DNA polymerase 유전자의 missense 돌연변이가 원인임이 밝혀졌다.

(5) Kearns-Sayre 증후군(KSS)

KSS는 mtDNA의 재배열에 의해 발생하는 대표적인 임상 증후군으로 대부분 산발 증례로 발생한다. 임상 진단기준은 1) 20세 이전 발병, 2) 진행성 외안근 마비, 3) 색소성 망막병증과 함께 심전도 장애, 소뇌 운동실조, 뇌척수액 단백 수치 100 mg/dL 이상 중 적어도 하나 이상을 보이는 경우이다. 이외에도 다른 사립체질환과 같이 정신지체, 간헐적 혼수, 치매, 감각신경성 난청 등과 저신장, 당뇨, 부갑상샘 기능저하증 같은 내분비기관의 장애도 동반된다. 발작은 흔하지 않으며 나타나는 경우는 부갑상샘 기능저하증이 동반되는 경우가 많다. 완전 심전도 장애가 급사의 원인이 될 수 있으므로 부정맥 유무에 대한 검사를 통해 필요한 경우 인공 심박기 등의 치료를 하는 것이 중요하지만, 인공심박기 치료에도 불구하고 임상 경과는 급격히 진행하여 30-40대에 사망하는 것으로 알려져 있다. 근조직 소견상 ragged-red fiber 및 COX 활성 음성 근섬유가 관찰되며, 부갑상샘 기능저하증이 동반되는 경우 뇌영상 소견에서 양측 기저핵의 석회화가 관찰될 수 있다. 대부분 mtDNA의 결실에 의해 발병한다.

(6) Pearson 증후군

Pearson 증후군은 mtDNA 결실에 의해 발병하는 드문 질환으로, 대부분 산발적으로 발생한다. Pancytopenia, 췌장 분비기능 장애, 간기능 이상을 특징으로 하며 주로 영아기에 발생하여 조기에 사망한다. 일부 생존하는 환자의 경우 연령이 증가함에 따라 빈혈 소견 등이 호전되면서 전형적인 KSS의 임상증상으로 이행한다. 이는 돌연변이 mtDNA의 비율이 골수 조직에서 줄어들고 뇌 또는 근육 등의 분열후 조직에서 증가함에 따라 이환되는 조직과 기관이 변화하는 것을 보여주는 경우이다.

(7) Mitochondrial neurogastrointestinal encephalopathy (MNGIE)

10대에서 40대 사이에 발생하는 사립체질환으로 만성 진행성 외안근 마비, 안검하수, 위장관 운동장애(또는 가성 폐쇄 증상), 미만성 뇌백질증, 말초신경병증, 근병증 등의 다양한 임상 양상을 보인다. 상염색체 열성으로 유전하며 thymidine phosphorylase 유전자의 돌연변이로 thymidine 대사의 장애가 발생하여 mtDNA의 복제 및 복구 기능에 이상을 초래함으로써 발병한다.

(8) Mitohchondrial DNA depletion

MtDNA depletion 증후군은 mtDNA의 질적인 이상이 아닌 양적 이상에 의해 발생하는 질환으로, 상염색체 열성으로 유전하며 대부분 3세 이전에 사망한다. 간, 근육, 신장 등을 주로 침범하며 주 사망 원인은 뇌병증과 호흡부전이다. 사립체의 nucleotide pool의 불균형으로 인해 mtDNA의 복제 및 복구 장애가 발병한다.

(9) Neuropathy, ataxia and retinitis pigmentosa (NARP)

발달지체, 색소성 망막염, 치매, 경련, 운동실조, 근위부 근력 약화, 감각신경 장애 등을 동반하는 가족 증례가 처음 보고되어 알려진 질환이다. 유전적 원인은 일부 Leigh 증후군과 동일하게 mtDNA nt8993의 점 돌연변이로, 현재는 LS의 일부로 이해되고 있으며, 돌연변이 mtDNA의 비율이 작아 임상적으로 경한 경우 NARP로 발현되고 hetero-plasmy 비율이 95% 이상일 경우 Leigh 증후군으로 발현된다고 추측하고 있다.

(10) Leber's hereditary optic neuropathy (LHON)

MtDNA의 점 돌연변이에 의한 사립체질환으로 처음 알려진 것 중 하나로, 아급성, 양측성, 무통성 시력저하가 발생하는 질환이며 젊은 연령층의 시력소실의 가장 흔한 원인이다. 유전적 원인으로는 mtDNA의 3가지 점 돌연변이(G11778A, G3460A, T14484A)가 전체의 약 90%를 차지한다. 상기의 돌연변이는 각각 mtDNA의 ND4, ND1, ND6 유전자 이상으로 complex I NADH ubiquinone oxidoreductase의 기능이상을 초래한다. 보통 20-30대의 연령에 발생하며 편측에서 시작되어 2개월 내에 양측으로 진행하는 것이 일반적이다. 시력저하의 속도는 급격히 진행할 수도 있고 수년 간에 걸쳐 서서히 진행하는 경우도 있다. 최종시력은 20/60 정도에서 빛 감지조차 불가능한 완전 시력소실에 이르기까지 다양하다. 안과 증상 이외 침범은 드물지만 다양할 수 있다.

[진단]

사립체질환은 유전자 이상이 동일한 경우에도 임상 양상 및 중증도가 매우 다양하고, 임상 양상이 동일한 경우에도 유전자 이상이 서로 다른 경우가 많다. 전형적인 임상 증후군으로 표현되는 경우에도 조직 및 기관에 따라 mtDNA의 heteroplasmy에 차이가 있으며, 따라서 혈액 내의 돌연변이 mtDNA 비율이 적을 때에는 혈액을 통한 단순한 분자유전학 검사만으로는 진단이 되지 않을 수도 있다. 또한 사립체의 생화학적 기능 이상, 형태학적 이상 외에 아직 유전원인이 밝혀지지 않은 경우도 있으므로 진단을 위해 분자유전학, 형태학 및 생화학검사 등 여러 방향에서의 접근이 필요하다(그림 4-17).

(1) 일반혈액 및 체액검사

다른 대사이상 질환과의 감별을 위해 혈청 아미노산검사, 소변 유기산검사 등의 기본적인 대사이상 관련 검사가 필요하며, 실제로 혈청 creatine kinase, 감상샘 기능검사, 간기능검사, 젖산치검사, 혈당검사 등을 시행한다. 중추신경을 침범한 소견이 있을 경우 뇌척수액의 젖산치 및 단백을

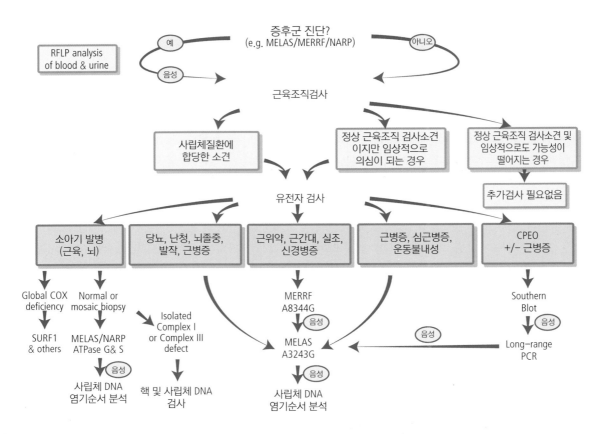

■ **그림 4-17.** 사립체질환의 진단적 접근

측정하는 것이 도움이 된다. 혈청 및 뇌척수액의 젖산치는 사립체질환 외에도 경련 후, 뇌졸중 후 및 감염 등 다른 전신질환의 경우에도 증가할 수 있는 비특이적인 소견이므로 결과 해석에 유의한다. 하지만, 혈청 젖산치는 임상에서 가장 유용하게 이용할 수 있는 선별검사이다.

(2) 뇌영상검사

임상증후군에 따라 뇌 CT 및 MRI에서 다양한 소견을 보일 수 있으며, 전반적인 대뇌 및 소뇌 위축과 같은 비특이적인 소견을 보이는 경우가 많으나 일부 임상 증후군에서는 특이적 소견을 보일 수 있다. Leigh 증후군에서는 뇌 MRI상 양측 기저핵, 시상 및 뇌간의 신호 증가가 시상 및 MELAS에서는 혈관 분포를 따르지 않는 영역(주로 후두엽 내측 또는 두정-후두엽)의 뇌경색 소견을 보인다. KSS의 경우 백질 부위에 전반적인 또는 점상의 이상이 관찰되는 경우가 있으며, MELAS 및 KSS에서 양측 기저핵의 석회화 소견이 흔하게 관찰될 수 있다. 하지만, 이런 뇌 영상 검사

는 증상이 유사한 다른 질환과의 감별을 위해 필요하지만, 확진을 할 수 있는 검사법으로서는 제한적이다.

(3) 근생검을 이용한 조직검사 및 생화학검사

근육생검은 사립체질환의 진단에 있어 이전부터 유용하다고 알려져 있으며 조직 화학적 검사와 전자현미경 검사를 통한 사립체의 형태 관찰 등이 가능하다. 또한 호흡연쇄복합체의 생화학 효소활성도 검사 및 분자유전학 검사를 위한 검체를 제공할 수 있다. 생검 근조직의 조직 화학염색상 진단에 가장 중요한 소견은 modified gomori-trichrome 염색상 ragged-red fibers(그림 4-14), cytochrome C oxidase (COX) 염색상 근섬유 COX 활성도의 일부 또는 전반적인 저하 및 succinate dehydrogenase (SDH) 염색상 SDH 강양성 양상 등이다. 전자현미경 검사에서는 사립체 수의 이상 증식, 사립체 배열의 이상, 형태의 변형 등의 소견이 관찰된다. 위 소견들은 고령의 정상인에서도 일부 관찰될 수 있으므로 해석에 유의해야 하며, 근생검상 상기 소견이 관찰

되지 않은 경우에도 사립체질환의 가능성을 완전 배제할 수 없다. 특히 핵 DNA와 관련된 사립체질환, 기질의 이동 및 이용 장애와 관련된 사립체질환에서는 정상 근생검 소견을 보이는 경우가 드물지 않다. 생화학적 검사로는 근육에서 추출한 신선 사립체 분획에서 호흡사슬 복합체의 효소 활성도를 측정하여 사립체의 기능 이상을 확인할 수 있다. 이런 생화학적 검사는 혈액이나 배양 섬유모세포에서도 가능하지만, 근육조직이 진단에 더 특이적이다.

(4) 유전자 검사

분자유전학 검사는 근조직 및 생화학 이상 소견을 보이는 환자뿐 아니라 임상소견, 유전 양식 등에 근거하여 사립체질환이 의심되는 환자에서 시행할 수 있다. 임상 양상에 근거하여 임상 표현형이 사립체질환 중 특정 증후군에 유사할 경우 그 증후군과 관련된 가장 흔한 돌연변이들을 선별검사한 후 기존의 알려진 돌연변이들에 대하여 추가로 검사한다. 예를 들어 MELAS가 의심될 경우 우선적으로 가장 흔한 A3243G 돌연변이를 선별검사하고 음성일 경우 다음으로 T3271C, A3260G, protein encoding genes 등의 순으로 검사를 진행하는 것이 일반적이다. 혈액에서 추출한 DNA에서 유전자검사를 할 경우 일반적으로 tRNA 유전자의 돌연변이(MELAS 또는 MERRF), NARP나 LHON과 같은 protein encoding mtDNA 중 일부의 돌연변이, 그리고 Pearson 증후군과 같은 단일 결실의 진단에 90% 정도의 진단 예민도를 보인다. 그러나, A3243G 돌연변이에 의한 MELAS 환자 등과 같이 mtDNA의 점 돌연변이가 있는 질환에서는 기존의 혈액 DNA를 통한 PCR/RFLP 검사로 20명 중 1명은 진단을 놓칠 수 있으므로 근육에서 추출한 DNA에 대한 검사가 더 정확하다. 특히 산발적으로 발생한 isolated CPEO나 Kearns-Sayre 증후군 등 단일 또는 다중 mtDNA 결실의 경우 대부분 혈액 DNA 검사로는 진단되지 않으므로 근육 DNA를 통한 분자유전학 검사가 필수적이다. 단계적 선별검사로 유전학적 원인이 밝혀지지 않을 경우 mtDNA 전체의 직접 염기순서분석을 한다. 그러나, mtDNA는 polymorphism이 많기 때문에 임상적 의미의 해석에 어려움이 있을 수 있다.

(5) 기타 검사

유사한 증상을 보이는 다른 질환과의 감별이나 타기관의 침범 유무를 검사하기 위해 흉부 방사선 촬영, 심초음파, 심전도, 신경-근전도, 뇌파, 안저검사 및 청력검사 등이 필요할 수 있다.

[치료]

현재까지 사립체질환의 완치방법은 없으며 증상 치료 및 보존적 치료가 주를 이루고 있다. 항산화 비타민과 호흡사슬 효소의 조효소를 시도하여 일부에서 임상적 호전을 보이지만 대규모 임상 연구를 통한 객관적 자료는 부족하다. 호흡사슬 효소 결핍에 의한 사립체질환 환자에서 ubiquinone (coenzyme Q10, 50-300 mg/day), thiamine (100-500 mg/day), riboflavin (50-300 mg/day) 등의 치료 또는 vitamin C (2 g/day), vitamin E (200-400 mg/day), biotin (5-50 mg/day) 등의 multivitamin cocktail 치료 등이 주로 시도되고 있다. 또 2차성 carnitine 결핍 환자에서 creatine 및 L-carnitine (1-3 g/day) 등과 complex I 결핍 환자에서 succinate 등이 시도되고 있다. 사립체질환은 중추신경 및 근육 뿐 아니라 심장, 내분비 및 귀와 눈 같은 감각기관 등 여러 기관을 침범하는 질환이므로 각 분야의 전문가에 의한 다각적인 접근을 통해 예방 및 보조적인 치료가 필요하다. 예를 들어 경련 환자의 치료에 있어 valproate는 타 항경련제에 비해 일부 사립체질환 환자에서 사립체의 지방산 beta oxidation 대사과정과 호흡사슬 효소복합체의 기능을 억제하여 병의 경과를 악화시킬 수 있으므로 피하는 것이 좋다고 알려져 있다. 또 KSS와 MELAS의 경우 심근병증 및 부정맥을 병발할 위험이 더 높으므로 인공 심박기 삽입 등의 적절한 사전 조치를 취할 필요가 있다. MtDNA 3243 점 돌연변이와 관련된 MEALS의 경우, 환자 및 가족에서 당뇨가 병발할 가능성이 높으므로 정기적인 혈당 검사가 필요하며, 일부 환자에서는 젖산혈증과 관련된 대사성 산혈증이 있을 수 있으므로, bicarbonate 투여 및 투석의 필요성 등이 고려되어야 한다. 일부 mtDNA 1555 점 돌연변이의 경우 청력검사를 통해 조기에 비증상성 난청 환자를 찾아낸다면 aminoglycoside 계통의 항생제 사용을 피함으로써 청력소실을 예방할 수 있다.

04

선천대사이상질환

Inborn Error of Metabolism

| 이정호 |

선천대사장애(Inborn errors of metabolism)

전체 출생아의 약 4%에서 유전적 혹은 유전자의 이상을 가지고 있으며 이들의 거의 대부분은 선천대사장애 증상을 보인다. 각 질환마다 상이하지만 약 2,000-4,000명당 1명의 발병율을 보이는 경우가 많다. 대부분의 선천대사장애의 경우 신경학적인 이상이 나타나는데 태아시기부터 손상을 받아서 출생 시 이상이 보이는 경우부터 정상적인 발달을 보이다가 사춘기 혹은 성인시기에 나타나는 경우도 있다. 신생아시기에 대사이상증을 의심할 수 있는 증상은 수유곤란, 잦은 구토, 쳐짐, 경련 등으로 다양하다. 많은 수의 환자에서 출생 시 정상소견을 보이며 수일 혹은 수주 후에 증상이 나타나거나 대사성 위급상항(catabolic insult or crisis– 감염, 금식시간이 길어지는 경우, 탈수 등)에서 증상이 급작스럽게 발현되기도 한다.

개별 질환들의 발병률이 높지 않고, 선천대사장애를 경험하거나 치료한 경험을 가진 의사들이 제한적이라는 점도 진단시기가 늦어지는 이유 중 하나로 생각된다. 하지만, 조기에 진단하여 특정 성분 식이제한, 효소치료, 골수이식 등의 치료를 하게 되면 양호한 예후를 기대할 수도 있다. 따라서 조기에 진단을 하면 심한 신경학적인 이상을 예방할 수 있으므로 신생아 선별검사(Neonatal screening test)의 중요성이 부각되었다. 미국과 유럽에서 1960년대 Guthrie 방법을 이용한 선별검사가 도입되어 페닐케톤뇨증에 대한 선별검사가 시작되었고 국내에서는 1997년 처음 시작된 이후 2006년 6가지 질환(선천갑상샘저하증, 단풍시럽뇨증, 페닐케톤뇨증, 호모시스틴뇨증, 선천부신기능항진증, 갈락토스혈증)에 대한 검사가 모든 신생아들을 대상을 진행되었다. 2018년 10월부터는 탠덤매스(Tandem mass spectrometry) 방법을 이용한 검사가 모든 신생아들을 대상을 확대되면서 선별검사 가능한 선천대사장애의 수가 약 50여 가지로 늘어나게 되었다.

1. 아미노산혈증(Aminoacidemia)

대부분의 아미노산 대사장애는 세포질 내에서 아미노산의 분해 과정의 이상에서 기인하고 일부 사립체 내의 효소의 이상도 포함한다. 임상증상은 독성대사물질이 축적되어 특정 장기에 손상을 일으키기 때문에 발생하는 것을 생각되며 Histidine 혈증과 같이 일부 아미노산의 축적은 특별한 이상 증상을 일으키지 않는 것으로 알려져 있다. 혈청 아미노산 분석을 통해 진단되며 결핍된 대사과정과 이와 관계된 아미노산이나 단백을 제한하는 치료를 하게 된다.

1) 페닐케톤뇨증(phenylketonuira)

1937년 노르웨이의 의사 폴링에 의해 처음 보고된 이후

전 세계에서 가장 많은 환자가 있는 유전성 대사질환 중 하나이며 신생아 선별검사를 통해 조기진단, 조기 치료를 시행하여 신경학적인 이상을 예방하는 치료를 처음으로 시도한 질환으로서 그 의미가 있다. 국내에서는 약 280여 명의 환자가 진단되어 치료 중이다. 페닐알라닌은 Phenylalanine hydroxylase라는 효소에 의해 타이로신을 대사가 되는데 이 부분의 이상이 생겨서 혈중 페닐알라닌이 증가하고 타이로신이 부족해지면서 증상이 발생한다. 축적된 페닐알라닌이 대사경로를 통해 phenylketone으로 변화되고 소변으로 배출이 되며 땀과 소변에서 특징적인 쥐오줌 냄새 (musty odor)가 특징적이다. 혈중 타이로신이 부족하게 되면 이후 대사물질들인 L-dopa, 5-hydroxytryptophan, 멜라닌의 부족이 나타나 경련, 발달지연과 하얀색 피부와 담갈

색 머리색을 가지게 된다. 뇌에 축적된 페닐알라닌은 신경독성을 가지고 있어서 치료하지 않은 환자에서는 심한 지능저하가 동반된다. 하지만, 신생아 선별검사가 도입되고 난 이후 거의 100% 환자들이 신생아시기에 진단을 받게 되어 증상 발현 이전에 치료를 시작하고 있다.

Phenylalanine hydroxylase는 조효소로 tetrahydrobiopterin (BH4)가 필요하며 약 30%의 환자들에서 BH4를 투여한 이후 혈중 페닐알라닌 수치가 떨어지는 BH4 반응형 환자들이다. Phenylalanine hydroxylase를 담당하는 PAH 유전자의 변이는 약 200여 가지가 있으며 구조적으로 BH4가 결합하는 부위 근처의 유전자들의 변이를 가진 경우 BH4 반응성을 가진다.

혈중 페닐알라닌은 정상적으로 2 mg/dL (120 uM/L) 이

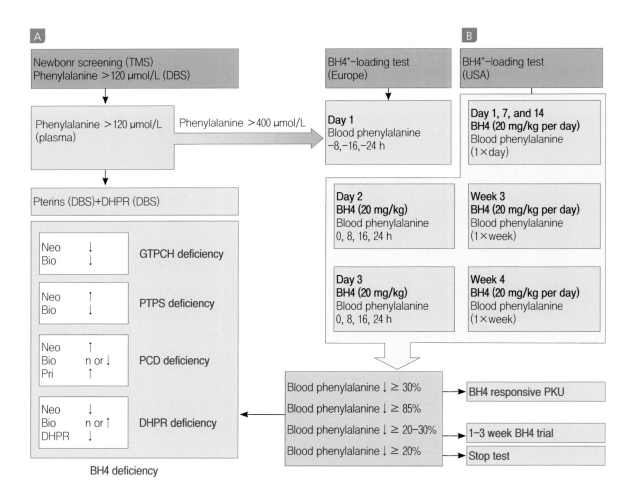

■ 그림 4-18. 고페닐알라닌 혈증을 보이는 경우 진단 알고리즘

하이며 이보다 높은 경우 BH4 부하검사를 하여 반응형인지 확인하고 페닐알라닌이 제거된 특수 분유와 저단백식이를 시작하고 혈중 페닐알라닌 농도가 2-6 mg/dL로 유지를 해야 한다. 페닐알라닌은 우리 몸에 필요한 필수 아미노산이므로 너무 부족하게 되면 성장지연, 빈혈, 저단백혈증, 피부 벗김과 감염 등이 발생할 수 있어서 적정 혈중 농도를 유지하는 것이 중요하다.

그림 4-18은 고페닐알라닌 혈증을 보이는 신생아에서의 진단 알고리즘을 나타낸 것으로 페닐알라닌이 경하게 상승한 경우 BH4 결손증을 감별하기 위해 소변 neopterin/biopterin 수치를 검사하고 BH4 반응형 페닐케톤뇨증을 감별하기 위해 투여 이후 혈중 페닐알라닌 수치를 확인하여 30% 이상 감소하면 반응형으로 간주한다. 늦게 반응하는 경우를 확인하기 위해 며칠 혹은 3-4주까지도 추적 관찰을 하는 경우도 있지만 대부분 24시간 이내에 반응을 보인다.

2) Tetrahydrobiopterin (BH4) 결핍증

고페닐알라닌 혈증을 보이는 경우 중 약 2-5%에서는 Phenylalanine hydroxylase는 정상이지만 조효소인 BH4의 생성 혹은 대사장애가 원인이다. Guanosine triphosphate cyclohydrolase (GTPCH), 1,6-pyruvoyltetrahydrobiopterin synthase (PTPS)가 BH4 합성에 필요한 주요한 효소이며 pterin-4-alpha-carbinolamine dehydratase (PCD), dihydropteridine reductase (DHPR)은 BH4 재사용에 필요한 효소이다. 이들은 상염색체 열성 유전의 형태를 가지지만 GTPCH 결손증은 상염색체 우성의 유전 형태를 보이는 경우도 있다. 우성 양상의 GTPCH의 경우 혈중 페닐알라닌 수치가 정상인 경우가 대부분이며 dopamine 반응형의 근육 긴장 이상의 특징을 보인다. 신생아 선별검사에서 경미하게 증가된 페닐알라닌수치를 보이는 경우 BH4 부하검사를 하여 정상 수치까지 혈중 페닐알라닌치가 감소하거나 소변의 biopterin, neopterin 검사와 DHPR 효소 활성도 검사를 통해서 이상이 있는 경우 BH4 결손증으로 진단할 수 있다. 치료를 하지 않는 경우 소두증, 진행하는 뇌병변 이상, 신경퇴행 증상, 근긴장이상, 발작, 연하곤란 등의 증상이 보인다. BH4는 Phenylalanine hydroxylase 이외에도 tyrosine 및 tryptophan hydroxylase의 대사에도 조효소로 작용하기 때문에 BH4 결손이 있으며 L-dopa, 5-hydroxytryptophan의

부족이 생겨서 신경증상이 나타나게 된다. 치료는 BH4의 보충과 더불어서 이러한 부족한 신경전달물질의 보충이 필요하다. 국내에서는 약 20여 명의 환자들이 보고되고 있고 전체 고페닐알라닌 환자의 약 5% 정도를 차지하고 있으며 대만 등의 일부 국가에서는 약 30% 정도의 높은 비율을 차지하는 것을 보고된다.

3) 단풍시럽뇨병(Maple syrup urine disease)

미토콘드리아의 branched-chain alpha-ketoacid dehydrogenase complex 결핍에 의해 분지사슬 케토산이 체액 내에 축적되어 발생한다. 소변과 땀에서 특징적인 단풍당 냄새(maple syrup ordor)가 특징적이다. 대부분 신생아시기에 증상이 나타나는데 정상적인 신생아가 생후 수일 내에 다양한 정도의 케톤산증을 동반한 급성 뇌병증을 보이게 된다. 심한 기면과 근긴장저하를 보이기도 하며 심하게 보채거나 높은 음역의 울음과 활모양 강직을 보일 수 있다. 질병 초기 심한 뇌병증이 생기기 이전에 적절한 치료를 시작한 경우 양호한 예후를 보이나 진단이 늦거나 치료가 불충한 경우 예후가 좋지 않다. 발달지연과 지적장애가 흔하며 심한 급성 뇌병증이 있는 경우 강직 또는 저긴장, 실조마비 등이 생길 수 있다. 뇌 MRI상 기저핵(basal ganglia), 대뇌 다리(cerebral peduncle), 속섬유막(internal capsule) 의 조영 증강과 확산 강조영상에서 세포독성 부종으로 인한 기저핵 부위의 고신호 강도를 나타낸다(그림 4-19).

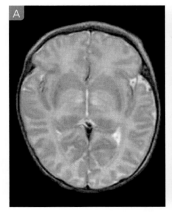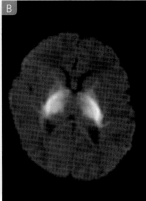

■ 그림 4-19. 단풍시럽뇨증 환자의 뇌 MRI 사진
(A) 양측 기저핵, 대뇌다리, 속섬유막의 조영증강
(B) 확산 강조영상에서 세포독성 부종으로 인한 양측 기저핵 부위의 고신호 강도

탠덤매스를 이용한 신생아 선별검사에서 진단이 가능하며 혈장 아미노산 분석에서 leucine, isoleucine, valine이 많이 상승하고, 특히 alloisoleucine의 상승이 특징적이다. 상염색체 열성 유전 양상을 보이며 관련 유전자로 BCKDHA, BCKDHB, DBT 3가지가 알려져 있다. 진단 후 가능한 빨리 저 isoleucine, leucine, valine 분유로 치료하면 증상이 개선된다. 최근에는 요소회로 이상증에서 고암모니아 치료로 사용되는 sodium phenylbutylate를 사용하면 암모니아 수치뿐 아니라 다른 증상들도 좋아진다는 연구들이 있다.

4) 글라이신 뇌병증(Glycine encephalopathy, nonketotic hyperglycinemia)

Glycine 분할체계의 이상에 기인한 대사이상증을 상염색체 열성으로 유전된다. 글라이신 농도는 혈장, 소변 및 뇌척수액에서 증가하는데, 특징적으로 뇌척수액에서는 정상보다 약 10-30배 이상 증가를 보이는 반면 혈장 농도는 2-8배 증가하는 모습을 보인다. 척수액/혈장 글라이신의 농도 비율이 정상(0.04미만)에 비해 비정상적으로 증가되어 있으면 진단의 근거가 될 수 있다. 글라이신 분할 효소활성도는 간과 뇌에서 감소되어 있으나, 피부 섬유모세포나 양막세포에서는 표현되지 않는다. 가장 흔한 형태는 신생아시기 발현형으로 출생 시에는 증상이 없으나 출생 이후 수일 이내에 의식저하, 수유곤란, 잘 울지 않거나 무호흡 발작을 보이다가 점점 심해지는 혼수, 호흡부전을 보인다. 난치성 발작이 나타나며 영아 초기 난치성 뇌전증증후군의 하나인 영아 초기 근간대 뇌병증에서 보고된 바가 있다. 뇌파에서는 군발억제가 특징적이다. 출생 시 정상이었던 신생아에서 반복되는 경련, 급속히 진행되는 뇌병증이 있는 경우 항상 이 질환을 생각해야 한다. 중증 신생아시기에 치료를 하여 생존하는 경우도 있으나, 대부분 심한 뇌손상을 받게 되어 향후 영아연축 양상의 경련, Lennox-Gastaut 증후군과 같은 난치성 뇌전증증후군의 모습을 보인다.

특별한 치료법은 아직까지 없으며 저단백식이와 sodium benzoate 혹은 sodium phenylbutylate로 혈중 glycine 농도를 낮추는 방법이나 N5-formyltetrahydrofolate나 methionin 같은 탄소 공여물을 이용하는 방법도 사용할 수 있으나 중증의 경우 병의 경과에 영향을 주지는 못한다. 고농도의 글라이신이 대부분의 신체조직에서는 특별한 영향을 미치지 않지만 중추신경계에서는 증상을 나타내는데 이

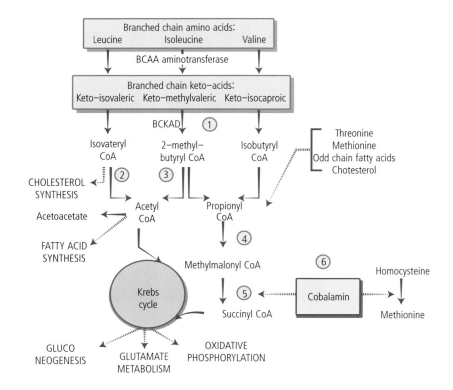

■ 그림 4-20. 분지사슬 아미노산 대사과정에 관련된 유기산혈증의 종류
① maple syrup urine disease
② isovaleric acidemia
③ isoleucine defect
④ propionic acidemia
⑤ methylmalonic acidemia
⑥ defective cobalamine metabolism

는 글라이신이 억제 신경전달물질이므로 대사되지 않으면 정상 중추신경계의 이상을 초래하기 때문이다. Valproate는 글라이신의 농도를 증가시킬 수 있으므로 항경련제로 사용하지 않아야 한다. 현재까지 임상적 및 뇌파상의 반응이 가장 양호한 치료는 NMDA 수용체의 길항제인 dextromethorphan을 투여하는 것이다. 다른 많은 대사질환의 경우와 마찬가지로 조기 진단과 치료가 필요하지만 선별검사가 쉽지 않고 또한 대부분의 경우 뇌량무형성증이나 뇌이랑 기형 등이 동반되는 경우가 많은 점을 보면 뇌 손상이 이미 태아시기에 시작되었을 가능성이 많아서 조기 치료에도 그 예후가 좋지 않다.

2. 유기산혈증(Organic acidemia)

체내 유기산이 축적되어서 심한 산증을 동반하는 증상이 나타나는 질환을 단백질을 구성하는 아미노산들의 대사과정의 산물들, 특히 leucine, isoleucine, valine 으로 대표되는 분지사슬 아미노산(branched chain aminoacid)의 대사과정에서 주로 발생한다(그림 4-20).

임상양상은 독성 대사산물의 축적 뿐 아니라 사립체 에너지대사 및 카르니틴(carnitine) 결핍에 의해서도 나타나며, 뇌증과 간헐적인 대사성 산증에 의한 증상들이며 치료는 아미노산 혈증과 비슷하게 관련 아미노산의 섭취 제한 및 분해대사 상태(catabolic state)를 피하는 것이나 유기산혈증의 경우 결핍된 효소가 실제 대사단계에서는 주로 하위과정에 많이 위치하고 있어서 섭취 제한만으로는 효과를 보는 것이 아미노산 대사장애와 비교해서는 제한적이다.

1) 메틸말론산혈증(Methylmalonic acidemia)

유기산혈증 중에서 가장 흔한 질환으로 인구 50,000명당 1명의 발병률을 보인다. 약 1/3은 전형적인 형태로 발현을 하는데 methylmalonyl-CoA mutase의 결핍에 의해 나타나고 비타민 B12 (cobalamine) 투여에 반응을 보이지 않는다. 비타민 B12 결핍에 의한 형태는 약 절반 정도를 차지하며 비타민 B12 투여 시 반응이 좋다는 점에서 진단 및 치료에 중요하다. 2018년부터는 국내에서도 탠덤매스를 이용한 신생아 선별검사가 모든 신생아로 확대되어서 시행되

고 있어서 조기 진단되는 환자들의 수가 늘어갈 것으로 생각된다.

메틸말론산혈증은 영아기에 구토, 성장부진 및 대사성 산증으로 발현한다. 근긴장저하를 보이며 간혹 근병증을 주로 갖기도 한다. 수유곤란이 자주 동반되며 경증의 경우 반복적인 대사성 산증을 나타나는데 이때 산증이 지속되면 뇌 손상을 받게 된다. 주로 렌즈핵 부위에 이상이 나타나며 급성 추체외로 증후군 또는 '대사성 뇌졸중'이 발생하기도 하며 MRI 영상에서 양측 창백핵의 국소적 변화를 관찰할 수 있다. 진단은 소변에서 methylmalonic acid, methylcitrate, propionic acid, 3-hydroxypropionic acid의 상승을 보인다. 아형에 따라서는 혈중 glycine이나 homocysteine 농도가 올라가기도 한다. 비타민 B12 치료에 반응하는 경우 경증의 임상경과를 밟으며 예후도 좋은 편이다. 비타민 B12 치료에 반응이 없는 경우 발달지체를 흔히 보이며 경련, 운동장애 등을 자주 보인다.

탠덤매스를 이용한 신생아 선별검사에서 C3 (propionyl carnitine)이 증가하게 되면 메틸말론산혈증, 프로피온산혈증의 감별이 필요하다.

2) 프로피온산혈증(Propionic acidemia)

메틸말론산혈증과 더불어 대표적인 유기산 대사장애이며 과거 생화학적인 특성이 밝혀지기 전에는 원인 미상의 케톤성 hyperglycinemia로 알려져 있던 질환이다. 대부분의 환자가 신생아시기에 구토를 동반한 케톤산증, 급성 뇌병증으로 발생하며 예후가 불량하다. 정신지체가 동반되고 대사 실조가 반복되며 거의 모든 예에서 조기 진단과 치료가 되지 못하면 수유곤란이 심하여 비위관이나 위루술이 필요한 경우가 많다. 증상이 심하지 않은 뇌병증의 경우도 다양한 양상의 경련이 동반되는데 boxing, pedaling 등의 이긴장성 움직임을 많이 보인다.

소변 유기산분석에서 3-hydroxypropionic acid, propionylglycine, methylcitrate, triglycine의 배설이 증가한 소견을 보이고 급성기때에는 lactic acid, beta-hydroxygutyric acid, acetoacetic acid의 증가소견이 보인다. 혈중 propionylcarnitin (C3)이 증가하고 acetlycarnitine은 증가하며 total 및 free carnitine은 감소한다. 섬유모세포에서 propionyl-CoA-carboxylase의 결핍을 확인하여 확진할 수 있으며 유전자

검사로 PCCA, PCCB 유전자의 이상을 확인할 수 있다.

급성기에는 산증 교정 및 고암모니아혈증의 치료가 중요한데 전구물질인 단백을 제한하고 수액과 포도당(10% 이상) 수액의 공급이 필요하다. 장기적으로는 단백제한 식이 및 carnitine을 투여해야 하며 일부 환자에서 간이식 등의 치료가 시행되지만 아직 장기적인 예후는 알려져 있지 않다.

3) 이소발레릭산혈증(Isovaleric acidemia)

탠덤매스를 이용한 신생아 선별검사에서 C5 (Isovaleryl carnitine)의 증가가 보이게 되는 것이 특징적인 소견이며 신생아시기에 증상이 생기는 경우도 있지만 정상적인 발달을 보이다가 감염이나 구토, 탈수, 금식시간이 길어지는 경우 증상이 생겨서 확인되는 경우도 있다. Isovaleryl-CoA dehydrogenase의 결핍에 의하여 발생하고, isovaleric acid는 tricarboxylic acid cycle 및 조혈작용을 억제하는 것으로 알려져 있다. 소변 유기산 분석에서 isovaeryl-glycine과 3-hydroxyisovaleric acid가 상승되어 있다. 다른 유기산혈증과 비슷하게 혈중 암모니아 상승, 케톤뇨증, 젖산혈증이 동반되며 혈소판 감소나 호중구 감소 등도 나타날 수 있다. 치료는 급성기의 치료는 앞의 다른 유기산혈증과 비슷하며 특수분유와 glycine, carnitine 보충이 필요하다.

4) Glutaric aciduria type I

Glutaryl-CoA dehydrogenase 결핍에 의해 발생하는 상염색체 열성 유전질환이다. 이 효소는 lysine, hydroxylysine, tryptophan의 대사에 주로 관여하는 주요 효소이다.

대개 정상 발달을 보이던 환자가 3-18개월 사이에 감염에 의해서 급성 악화되는 소견을 특징적으로 하며 기저핵의 비가역적인 손상을 받게 된다. 또한 출생 후부터 두위가 급격하게 커져서 대두증을 보이며 경막하삼출 및 혈종으로 인하여 소아 학대에 의한 소견으로 오인하기도 한다. 뇌 MRI에서 전두측두엽의 저형성으로 인하여 특징적인 'bat wing' 모양을 나타내며, 기저핵의 신호 이상소견을 관찰 할 수 있다(그림 4-21).

소변 유기산 분석에서 glutarate, 3-hydroxyglutarate, gluconate가 상승한 소견을 확인 할 수 있다. 단백제한과 lysine 제한식이, carnitine, riboflavin 보충이 필요하며 기저핵 손

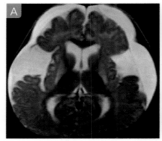
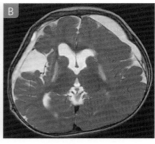

■ 그림 4-21. Glutaric aciduria type 1 환자의 뇌 MRI 사진
(A) 양측 측두엽 저형성에 의한 'bat wing' 모양
(B) 양측 기저핵의 신호증강 및 좌측 subdural fluid collection.

상으로 인한 근긴장이상증의 경우 trihexyphenidyl과 같은 항콜린약을 사용할 수 있다. 원인 유전자인 CGH1의 검사를 통하여 확진할 수 있다.

3. 요소회로이상증(Urea cycle defect)

요소회로는 5단계의 생화학적 일련 반응으로, 포유류의 주된 질소 노폐물인 요소를 생합성하는데 쓰이지 않는 질소를 합병하여 암모니아와 glutamine 등의 독성 질소화합물의 축적을 막는 역할을 하며, arginine 생합성에 필요한 생화학적 반응도 포함되어 있다(그림 4-22). 요소회로이상에는 유전형 및 표현형이 현격히 다른 5가지 질환이 포함되는데 각각 요소회로에 관련된 효소의 생합성 장애에 의

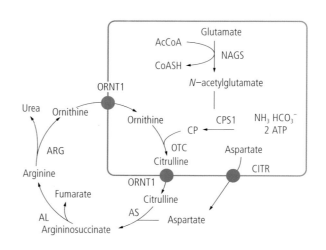

■ 그림 4-22. 요소회로 및 요소회로에 관련된 효소

표 4-6. 요소합성이상질환의 분자유전학 특성

질환	유전양식	염색체 위치	유전자
CPSI 결핍	AR	2q35	CPS1
OTC 결핍	X-linked	Xp21.1	OTC
ASS 결핍	AR	9q34	ASS1
ASL 결핍	AR	7cen-q11.2	ASL
ARG 결핍	AR	6q23	ARG1

* CPS I: carbamyl phosphate synthetase I, OTC: ornithine transcarbamylase, ASS: Arginosuccinate synthetase, ASL: Arginosuccinate synthetase lyase, ARG: Arigniase.

하여 초래된다(표 4-6).

이 중에서 carbamyl phosphate synthetase I (CPSI) 결핍, ornithine trnascarbamylase (OTC) 결핍, argininosuccinate synthetase (ASS) 결핍, arginosuccinate lyase (ASL) 결핍은 요소의 전구물질 특히 암모니아와 glutamine이 축적되어 증상 및 징후가 나타나므로 증상이 가장 심하고 치료하지 않으면 치명적이다. 반성 유전을 하는 OTC 결핍증 이외에는 모두 상염색체 열성 유전을 보인다.

1) 임상 양상

대개 주산기에 특별한 산과적인 문제가 없었던 만삭아가 생후 24-48시간 동안은 정상적인 모습을 보이다가 점차 혈장 암모니아가 상승함에 따라 기면, 저체온, 무호흡 등의 증상이 나타난다. 병리학적으로는 glutamine이 교세포 내에 침착됨에 따라 삼투압작용에 의해 수분이 세포 내로 이동하고 별아교세포의 팽창과 뇌부종을 보이게 된다. 다른 질환들과 상이하게 arginase 결핍은 임상적으로 다른 양상을 보이는데 점진적인 강직사지마비와 정신지체이며 아주 심한 고암모니아혈증은 드물다.

(1) Ornithine transcarbamylase 결핍

가장 흔한 요소회로이상으로 출생 30,000명당 1명의 발병율을 보이며 반성유전의 형태를 보인다. 남자환자들은 효소활성도가 거의 없어 출생 즉시 증상을 나타내지만, 경미한 경우에는 여자 보인자와 같이 신생아시기에 증상을 나타내지 않을 수도 있다. 여아는 심한 경우 영아 초기에 증상이 나타날 수 있지만 경미한 단백불내성이나 지능감소 등의 외에는 심각한 증상은 보이지 않는다. 드물지만 여아에서도 반복적인 뇌졸중양 증상의 보고가 있다.

중증의 환자들의 뇌 부검소견에서 대개 광범위한 대뇌겉질의 파괴, 백질결손 및 신경교증 등이 발견되는데 이는 저혈압이나 심폐부전 등과 관련된 것으로 생각된다. 검사소견으로 고암모니아혈증, 혈중 아미노산분석에서 glutamine 상승, citrulline이 감소한 소견을 보이고 소변의 orotic acid의 배설은 증가한다. 돌연변이 이형 접합자인 여성의 15%에서 증상이 나타날 수 있어, 유전자 검사 혹은 allopurinol 유발검사를 통하여 가족검사를 실시할 것을 권장하고 있다.

(2) Carbamyl phosphatase synthetase I 결핍

임상양상은 다양하나 대부분의 경우 효소의 완전 결핍이 있으므로 신생아시기에 발병하여 급속히 진행하는 치명적인 경과를 보이며, 효소활성도가 10% 이상의 부분 결핍의 경우에는 서서히 진행하는 모습을 보이기도 한다. 검사소견으로 고암모니아혈증 및 혈장 아미노산 분석에서 glutamine이 상승하고 citrulline이 감소한다. 소변의 orotic acid의 배설은 정상이거나 감소하는 소견을 보인다. 급성기의 고암모니아혈증에 대한 치료가 중요하며, 장기 생존을 위해서는 결국 간이식이 필요하다.

(3) N-Acetylglutamate synthase 결핍(NAGS 결핍)

이차적인 CPS I 결핍으로 인해 고암모니아 혈증이 나타나는 질환으로 현재까지 약 20-30여 명의 환자들이 보고되었는데 아마도 진단이 잘 되지 않아서일 것으로 생각된다. 왜냐하면 진단에 도움이 되는 생화학적인 물질이 없고 CPS I 결핍증과 임상양상이 비슷해서이다. 혈장 아미노산 분석에서 glutamine이 상승하고 citrulline은 아주 낮으며 소변의 orotic acid는 정상 혹은 약간 낮다. 치료는 단백제한과 N-carbamylglutamate (Carbaglu, Orphan Europe)를 투여하는 것이다.

(4) Arginosuccinate synthetase 결핍(Citrullinemia)

대부분 신생아시기에 전격적인 양상을 보이지만 경미한 경우들도 있다. 아급성인 경우 영아기에 간헐적인 구토,

표 4-7. 요소회로이상 질환의 생화학적 검사 소견

종류	아미노산		소변 orotic acid 배설
	혈장	소변	
CPS I deficiency	↑ glutamine ↑ alanine	↑ glutamine ↑ alanine	정상 혹은 저하
OTC deficiency	↑ glutamine ↑ alanine	↑ glutamine ↑ alanine	증가
ASS deficiency	↑↑ citrulline	↑ citrulline ↑ homocitrulline	증가
ASL deficiency	↑ arginosuccinic acid	↑ arginosuccinic acid	증가 (급성기)
ARG deficiency	↑↑ arginine	↑ arginine, ↑ ornithine, ↑ cystine, ↑ lysine	증가

운동실조, 발작 등으로 나타나 정신지체, 발달지연이 나타날 수 있다. 땅콩이나 콩 등을 극단적으로 좋아하는 모습을 보인다. 서구보다 아시아 쪽에서는 만기 발병형이 더 흔하며 효소활성의 감소가 간에만 국한되는 경우가 보인다.

검사소견으로는 고암모니아혈증, citrullinemia, citrullinuria를 보인다. citrulline 농도는 평소의 50배 이상을 많이 증가된다. 소변의 orotic acid 배설은 증가하지만 OTC 결핍이나 arginase 결핍에서 보다는 심하지 않다. 신생아시기의 초기 위험한 상황을 잘 넘기면 이후 관리는 OTC 결핍 등 보다 수월한 편이다.

(5) Argininosuccinate lyase 결핍

신생아시기 혹은 그 이후에 경련, 간헐적 운동실조, 과민상황, 발달지연의 신경증상을 보인다. 간혹 짧고 잘 부서지는 모발을 보이는데 현미경적으로 결절성 열모(trichorrhexis nodosa)로 관찰된다. 전신피부의 홍반선 구진도 관찰된다.

검사소견으로 고암모니아혈증, 혈중 citrulline, arginosuccinic acid 증가, 소변 arginosuccinic acid 배설의 증가가 보인다. 혈중 아미노산 분석시에 정상인에서는 관찰이 되지 않는 혈중 arginosuccinic acid peak가 발견되는데, leucine 혹은 isoleucine peak과 겹쳐서 발견 못 하고 지나치는 경우도 있다.

(6) Arginase 결핍

다른 요소회로 이상과 다른 점은 주로 소아기에 점진적인 강직성 사지마비와 정신지체로 나타난다는 점으로 진단이 지연되는 경우가 있다. 강직성 사지마비와 인지기능 장애가 발생하는 원인에 대해서는 아직 잘 알려진 바가 없다.

2) 진단

혈장과 소변 아미노산의 농도 및 소변의 orotic acid 배설의 증감 소견으로 감별진단이 가능하다(표 4-7).

확진을 위하여 혈액세포, 피부 섬유모세포에서 효소활성도를 측정하는 방법이 있으나, 최근에는 유전자 검사가 보편화되면서 필요성이 줄어들었다. 유전자 검사를 통해 보인자 여부를 확인할 수 있고 OTC 결핍증의 경우 가족 상담에도 중요한 역할을 하고 있다.

고암모니아혈증의 보이는 경우 앞서 언급한 아미노산 대사 이상증이나 유기산대사 이상증의 경우도 있을 수 있으므로 요소회로 장애와의 감별과 치료의 선택이 중요하다.

3) 치료

급성 고암모니아혈증에서 식이제한 및 투석 치료를 빠르게 해야 하며 지속적으로는 질소배설의 대체경로를 이용하는 약제들을(sodium benzoate, sodium phenylacetate, sodium phenylbutyrate, L-arginine) 사용할 수 있다. 중증의 경우 장기적으로는 간이식을 고려해야 한다. 가족들이나 이전 형제가 OTC 결핍증을 가진 경우 출생 이후 수 시간 내에 질소 배설의 대체경로 치료를 시작하였을 때 고암모니아혈증을 막을 수 있다.

(1) 단백제한

요소회로 장애들은 모두 단백제한과 함께 질소배설 대체경로를 촉진시키는 약제의 병용이 필수적이다. 일반적으로는 나이에 맞는 최소 일일 단백 요구량과 칼로리를 충족하는 식사요법을 추천한다. 그 외에도 비타민, 미네랄을 모니터링과 보충이 필요하며 성장 및 영양상태에 대한 평가가 필요하다.

(2) 투석

급성 고암모니아혈증에 의한 혼수 시에 즉시 혈액투석을 해야한다. 고전적을 시행되었던 복막투석은 금기이며 혈액투석도 지속성 신 대체요법(CRRT, continuous renal replacement therapy)을 일차적인 치료로 권유하고 있으며 신생아의 경우 정맥내 경로에 대한 접근이 자주 중요하다. 더해서 L-알기닌을 투여하고(고알기닌혈증은 제외), 정맥으로 sodium benzoate와 sodium phenylacetate 복합체(Ammonul, Ucyclyd Pharm)를 같이 투여한다.

(3) 질소배설 대체경로 치료제(alternative pathway therapy)

ASS 및 ASL 결핍에서는 arginie이 citrulline과 argininosuccinic acid의 생성 및 배설을 촉진시켜 효과를 볼 수 있고, CPS I 및 OTC 결핍에서는 sodium phenylbutyrate가 효과가 있다.

NAGS 결핍증의 경우 N-carbamylglutamate (Carbaglu, Orphan Europe)를 사용할 수 있으며 다른 요소회로증에서는 효과가 적지만 진단되기 전 고암모니아혈증의 상태에서는 사용을 고려해볼 수 있으며 유기산대사 이상에서도 일부 효과가 있다.

(4) 간이식(liver transplantation)

장기 치료방침은 질환의 중등도에 따라 달라질 수 있다. 신생아시기에 시작한 CPS I 결핍증과 OTC 결핍증의 경우 간이식이 필요하고 대개 가능하면 생후 6개월-12개월에 시행한다. 요소회로 이상 114명의 간이식 결과에서 1년 및 5

년 생존율이 각각 95.2%, 88.7%로 매우 양호하였다.

4. 리소좀축적질환(Lysosomal storage disease)

불완전하게 분해된 거대분자가 다양한 조직에 축적되어 다양한 증상을 나타내는 질환으로 약 50여 종류가 보고되었다. 생화학 경로가 규명되기 전에 임상경과를 요약한 연구자의 이름을 따른 병명을 특징적으로 대부분의 아미노산대사 장애는 세포질 내에서 아미노산의 분해 과정의 이상에서 기인하고 일부 사립체내의 효소의 이상도 포함한다. 임상증상은 독성대사물질이 축적되어 특정 장기에 손상을 일으키기 때문에 발생하는 것을 생각되며 Histidine 혈증과 같이 일부 아미노산의 축적은 특별한 이상 증상을 일으키지 않는 것으로 알려져 있다. 혈청 아미노산 분석을 통해 진단되며 결핍된 대사과정과 이와 관계된 아미노산이나 단백을 제한하는 치료를 하게 된다.

1) 스핑고리피드증(Sphingoipidosis)

스핑고리피드는 신경세포의 수초 및 세포막의 지질을 구성하는 중요한 당지질로 관련 대사과정의 장애가 있는 질환은 대부분 신경퇴행의 결과를 밟는다. 영아기에 성장장애를 보이면서 중추신경계의 이상을 보이는 경우 의심해야 하며, 간종대나 비종대가 있는 경우 특히 의심해야 한다. Glycosphingolipid의 분해는 리소좀에서 특정 산 가수

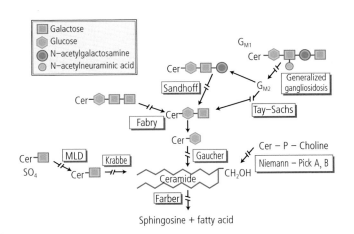

■ 그림 4-23. 스핑고리피드 분해에 관계된 대사경로
MLD: metachromatic leukodystrophy

분해효소에 의해 단계적으로 일어난다(그림 4-23).

(1) Gaucher병

Glucocerebrosidase (acid beta-glucosidase) 결핍에 의해 불완전하게 대사된 glucocerebrosidase가 단핵세포-대식세포 계통 세포에 축적되면서 증상이 발생한다. 발병 연령, 중추신경계 침범 유무에 따라 1, 2, 3형으로 분류한다.

1형은 비신경세포병증 형태로 간비종대, 빈혈, 혈소판 감소, 폐조직 침윤 및 뼈 침범에 의한 증상이 나타난다. 예전에 성인형으로 불리었으나 소아기부터 증상이 뚜렷한 경우가 많다. 임상양상은 다양하여 성인시기까지 증상이 없는 경우도 있으나 parkinson병의 형태로 발현하는 경우도 있다. Ashkenazi 유대인에 흔하지만, 여러 인종에서도 나타나고 있어서 아마도 리소좀축적질환 중 가장 흔한 병을 생각된다.

2형은 급성 신경세포병증 형태로 주로 생후 12개월 이전에 증상이 나타난다. 강직이 심해져서 연하곤란, 호흡곤란이 오며 이로 인해 빈번한 흡입성 폐렴이 생기기도 한다. 이로 인해 2-3세 이전에 사망하는 경우가 흔하다. 3형은 2세 이전에 주로 발병하고 근간대발작, 실조, 경직 등의 증상이 나타나며 눈 운동 상실에 동반된 마비성 사시가 아주 특징적이다.

진단은 각각의 아형에 관계없이 백혈구나 피부 섬유세포에서 glucocerebrosidase 활성도를 측정하여 감소된 소견을 발견하는 것이다. 치료는 효소보충요법이며 이로 인해 혈액검사 이상 및 간비종대가 호전될 수 있고 뼈의 침범도 진행을 막을 수 있다. 그러나 2형 환자에서 나타나는 신경학적인 이상들의 진행을 막을 수는 없다. 3형 환자들의 경우 신경증상 이외의 호전은 기대할 수 있어서 효소보충요법치료를 할 수 있다.

(2) Niemann-Pick병

Acid sphingomyelinase (ASM)의 결핍에 의해 sphingomyelin이 망상내피계에 축적되어 증상이 나타난다. 영아형(A형)과 성인형(B형)으로 분류하고 있으나 같은 유전자의 다른 돌연변이에 의해 발생하는 질환을 볼 수 있다. 임상양상이 유사한 C형과 D형도 따로 분류하고 있으나 A형과 B형의 경우 acid sphingomyelinase의 일차결핍에 의해 나타나고 C, D형은 이차적인 결핍에 의해 나타나는 점이 다르다. A, B형의 유전자는 SMPD1이며 C형의 유전자는 NPC1, NPC2로 알려져 있다.

영아형은 생후 수주 혹은 수개월 이내에 성장부진, 간비대가 나타나며 이 시기에는 신경퇴행 증상이나 안저의 선홍색 반점은 관찰되지 않는다. 이후 간비종대에 의한 복부 팽만이 심해지고 Tay-Sachs병에서처럼 놀람반응(startle response)은 관찰되지 않는다. 병의 경과가 진행되면서 경직 및 신경퇴행 증상이 나타나고 치료하지 않으면 대개 2-3세경에 사망하게 된다. 성인형은 의미있는 신경학적인 이상이 나타나지 않는 경우도 많지만 간비종대나 폐침윤 소견, 성장지연 등의 증상들은 보일 수 있다. 백혈구나 피부 섬유모세포에서 acid sphingomyelinase의 활성도를 측정하여 진단할 수 있다. 골수검사에서 지방 탐식을 하고 있는 'foamy histiocyte'가 관찰되지만 일차적인 진단 수단은 되지 못한다. 치료는 대증적인 요법을 하는 것이며 콜레스테롤이 적은 식사를 하거나 콜레스테롤 수치는 낮춰주는 약물을 사용하기도 하였지만 그 효과는 적었다.

Miglustate (Zavesca)는 직접적으로 콜레스테롤의 대사에 관여하지는 않지만 대사의 최종단계에서 재흡수를 촉진시켜서 비정상적인 축적을 줄여주는 효과가 있어서 사용하였고, C형에서 효과가 있고 특히 신경학적인 증상, 특징적인 눈의 움직임(horizontal saccadic eye movement)의 호전이 많이 보고되었다.

(3) Fabry병

X연관 리소좀축적질환으로 lysosomal hydrolase alpha-galactosidase A의 결핍에 의해 발생한다. 지질이 각막의 상피세포, 신장 사구체, 심근세포, 혈관의 내피와 평활근세포에 침착된다. 신경계에서는 지질 침착이 등쪽 신경절, 자율신경계 및 겉질에 발생하고 신장, 심장, 뇌 침범에 의해서 임상적으로 중요한 증상이 나타난다.

초기 증상으로 사춘기 무렵부터 손발의 타는 것 같은 통증을 동반한 찌릿찌릿하고 화끈거리는 느낌이 나타난다. 자줏빛의 반점구 진이 둔부, 서혜부, 입술 및 손톱 아래에 나타날 수 있다. 각막혼탁은 있으나 시력에는 영향을 주지 않고 여성에게도 관찰할 수 있어 보인자들의 확인에도 도움이 된다. 편측 혹은 양측 청력감소가 나타날 수 있으며 발한, 소화장애 등의 자율신경계 이상이 생긴다. 남성 환자들은 치료를 잘 하지 않으면 35세-45세 경 만성 신부전으로 진행한다. 중장년기에는 비후 심근증 및 전도장애가 유발되고 허혈성 뇌졸중의 위험도 증가하고 뇌 MRI상 뇌혈관의 구불구불함과 백질신호 이상소견을 확인할 수 있다.

효소활성도 검사나 유전자 검사를 통해 진단할 수 있고 효소보충치료가 현재 가능하며 agalsidase beta인 Fabrazyme과 agalsidase alpha인 Replagal이 있는데 Fabrazyme 은 1 mg/kg의 용량을 4시간에 걸쳐서 2주마다 투여를 하고 Replagal은 0.2 mg/kg의 용량을 40분에 걸쳐서 2주마다 투여를 한다. chemical chaperone인 migalastat hydrochloride 를 투여하는 것도 국내에서 2019년에 치료 승인을 받아서 시행 중이다.

(4) Tay-Sachs병

GM2 gangliosidoses중 hexoaminidase A의 alpha subunit 을 담당하는 HEXA 유전자의 이상으로 발생한다.

전형적인 영아형 Tay-Sachs병의 증상은 4-5개월까지 정상 발달을 보이다가 이후 신경퇴행이 진행하고, 날카로운 소리에 깜짝 놀라는 반응(hyperacusis)이 나타나며, 실명하게 된다. 안저의 선홍색 반점(cherry-red spot)이 관찰되는 것이 특징적이다. 두위 증가를 관찰할 수 있고 수두증보다는 뇌 크기 자체의 증가(megalencephaly)에 기인한다. 안면기형, 장기비대, 골격계 기형, 말초신경계 증상이 나타나지 않는 점이 기타 리소좀축적질환과 감별할 수 있는 중요한 단서가 된다.

전체 hexoaminidase 및 hexoaminidase A의 활성도의 저하를 백혈구나 피부 섬유모세포에서 확인하여 진단할 수 있다. HEXA 유전자 검사로 진단할 수 있다.

(5) Krabbe병

10장 백질변성질환 참조.

(6) 이염색백질이상증(Metachromatic leukodystrophy)

10장 백질변성질환 참조.

2) 점액다당류증(Mucopolysaccharidosis)

Glycosaminoglycan 대사에 관여하는 여러 리소좀 효소의 결핍에 의해 발생하는 다양한 질환이다. 불완전한 분해로 인하여 dermatan sulfate, heparan sulfate, keratan sulfate, chondroitin sulfate 등의 여러 대사물이 조직에 축적되고 소변으로의 배설이 증가하게 된다. Glycosaminoglycan은 여러 물질의 세포내로의 유도, 세포 내외 올리고당류와 proteoglycan의 항상성 유지, 리소좀 효소의 활성도 조절 등 다양한 생리, 생화학적 과정에 관여한다.

결핍이 있는 효소에 따라 다양한 아형으로 분류할 수 있지만, 공통되는 특징들은 거친 얼굴과 다발성 골형성 이상을 들 수 있다(그림 4-24). 시력, 청력, 기도, 심혈관계 기능과 관절 운동이 영향을 받으며 정신지체가 동반된다. 심한 경우 급격한 압력 상승이 동반된 수두증이 발생할 수 있다. Glycosaminoglycan의 축적이 진행되면 수관증후군(carpal tunnel syndrome) 및 척수 혹은 척수신경뿌리 압박에 의한

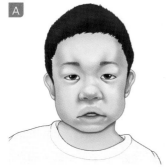
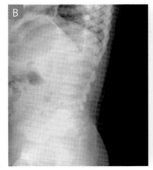
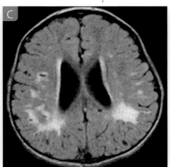
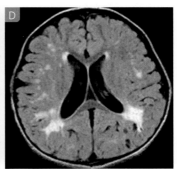

■ 그림 4-24. Hunter 증후군 환자의 임상소견
(A) 거친 얼굴 (B) L1 추체의 저형성을 포함한 골형성 이상 (C, D) 백질의 신호증가 및 혈관주변 공간의 확장을 보이는 뇌자기공명영상 소견

표 4-8. 뮤코다당체침착증의 아형에 따른 결핍효소 및 원인 유전자

질환	축적물질	결핍효소	원인유전자
MPS I (Hurler, Hurler–Scheie, Scheie syndromes)	Dermatan sulfate, heparan sulfate	α–L–iduronidase	IDUA (AR)
MPS II (Hunter syndrome)	Deramatan sulfate, heparan sulfate	Iduronate–2–sulphatase	IDS (XR)
MPS III A–D (Sanfillippo syndrome)	Heparan sulfate	A: heparan–N–sulphatase B: α–N–acetylglucosaminidase C: acetyl–CoA: α–glucosaminide acetyltransferase D: N–acetylglucosamine 6–sulphatase	A: SGSH (AR) B: NAGLU (AR) C: HGSNAT (AR) D: GNS (AR)
MPS IV A,B (Morquio syndrome)	A: keratan sulphate, chondroitin sulphate B: keratan sulphate	A: galactose 6–sulphatase B: β–galactosidase	A: GALNS (AR) B: GLB1 (AR)
MPS VI (Maroteaux–Lamy syndrome)	Dermatan sulphate, chondroitin sulphate	Arylsulphatase B	ARSB (AR)

MPS, mucopolysacchariodosis

국소 신경장애가 발생할 수 있다. 진단은 소변 glycosami-noglycan 분석, 임상 증상에 기초한 방사선 검사, 효소분석에 의하며 유전자 검사로 확진할 수 있다. 현재 I형, II형, VI형은 효소보충 치료가 가능하다. 주요 점액다당류증을 요약하면 표 4-8과 같다.

중추신경계와 피부는 모두 외배엽(ectoderm)에서 기원하므로 외배엽의 분화 과정에 결함이 생기면 특이한 피부 증상이 나타나는 선천 이상이 신경계의 이상과 동반될 수 있는데, 이런 질환들을 신경피부증후군이라 한다. 모반증(phakomatosis)은 원래는 병변이 출생 시부터 나타난다는 의미로, 신경계를 포함한 다양한 장기에 종양이 발생하기 쉬운 일련의 질환들을 일컫는다. 모반증에 속하는 질환들이 모두 피부의 병변을 보이는 것은 아니며, 또 신경피부증후군의 병변은 신경계와 피부 외의 장기에서도 발생하므로 두 가지가 동일한 의미는 아니다. 신경피부증후군에 속하는 질환들에는 신경섬유종증(neurofibromatosis), 결절경화증(tuberous sclerosis), Sturge-Weber 증후군, von Hippel-Lindau 증후군, 모세혈관확장 조화운동불능(ataxia telangiectasia), 선모반 증후군, Ito 멜라닌저하증, 색소실조증(incontinentia pigmenti) 등이 있으며, 이 장에서는 그 중 흔한 질환인 신경섬유종증, 결절경화증 및 Sturge-Weber 증후군 등을 위주로 살펴보기로 한다.

1. 신경섬유종증(Neurofibromatosis)

신경섬유종증은 상염색체 우성으로 유전되는 질환으로 신경계의 종양과 피부 및 뼈의 이상 등이 나타난다. 제1형(NF1)과 제2형(NF2)의 2가지 형태가 있는데, 제1형은 주로 말초신경을 제2형은 주로 중추신경을 침범하며, 임상적뿐 아니라 유전학적으로도 상이한 질환이다. 최근에는 뇌신경, 척수 및 말초신경 등에 다발성의 신경집종(schwannoma)이 발생하는 신경집종증(schwannomatosis)을 제3형으로 간주하기도 한다. 제2형은 소아에서는 드물며 주로 성인에서 발생하므로 간략히 기술하기로 한다.

1) 제1형 신경섬유종증(Neurofibromatosis Type 1, NF1)

[역학]

NF1은 1882년 von Recklinghausen에 의하여 처음 기술되었으며, 발병률은 3,000명당 1명이다. 진단은 표 4-9의 7가지 양상 중 2개 이상이 있으면 가능하다.

표 4-9. 1형 신경섬유종증의 진단기준

- 밀크커피반점 6개 이상(사춘기 이전 5 mm 이상, 사춘기 이후 15 mm 이상)
- 신경섬유종 또는 얼기형 신경섬유종 2개 이상
- 겨드랑이 또는 서혜부의 주근깨
- 시각로 교종
- Lisch 결절 2개 이상
- 특징적인 뼈 병변(나비뼈 형성 이상, 가관절증을 동반하거나 동반하지 않는 장골 겉질 두께의 감소)
- 1도 친척 이내의 가족력

* 2가지 이상이면 진단

[병태생리]

NF1은 상염색체 우성으로 유전되는 질환으로, 50% 정도는 가족력 없이 새로 생긴 돌연변이에 의해 발생한다. NF1의 유전자는 염색체 17q11.2에 위치하며 3,818 아미노산으로 이루어진 neurofibromin 단백을 생성한다. Neurofibromin은 다양한 세포에서 발현되는데, Schwann 세포, 핍지교세포(oligodendrocyte) 및 신경세포에서 높게 발현된다. 이 단백에는 GTPase-활성 단백(GTPase-activating protein) 영역이 있어서, Ras-GTP가 Ras-GDP로 전환되는 과정을 조절한다. Ras는 세포막에 단백으로 세포 내 신호분자(intracellular signaling molecule)의 역할을 하며, GTP에 의하여 활성화되어 tyrosine kinase 막 수용체(membrane receptor)에 배위결합(ligand binding)한다. Neurofibromin 단백은 이 과정을 조절하여 신경섬유종 형성을 억제하는 종양억제 기능(tumor suppressor function)을 수행한다.

NF1 유전자의 한 대립형질(allele)에 생식계열 돌연변이(germline mutation)가 발생한 상태(first hit)로 태어나 Schwann 세포에 체세포 돌연변이(somatic mutation)가 발생하면(second hit) 세포증식이 일어날 뿐 아니라, 비만세포(mast cell), 섬유모세포(fibroblast) 및 신경주위세포(perineural cell)을 끌어와서 증식시킨다. 이 상태에서 p53 유전자가 추가로 변이되면 악성종양으로 전환하게 된다. 밀크커피색 반점의 멜라닌 세포나 뼈 형성이상 조직에서도 NF1 유전자의 2형질 모두 돌연변이가 관찰된다. NF1의 유전자 투과도(penetrance)는 완전하지만 임상 표현의 정도는 극히 다양하다. 돌연변이의 위치 및 형태는 매우 다양하지만, 대부분의 경우 neurofibromin 단백의 완전한 결핍이나 발현 저하를 초래한다. 유전형-표현형에 대해서는 잘 알려지지 않았지만, NF1 유전자를 포함하여 1.5 Mb 이상의 큰 결손이 발생하면 임상적으로도 심한 양상이 발생한다.

[임상양상]

① 피부소견

NF1의 가장 흔한 임상양상은 피부 소견으로, 밀크커피색 반점(cafe au lait spot), 피부의 신경섬유종, 색소저하 반점(hypopigmented macule), 과도색소침착(hyperpigmentation), 황색육아종(xanthogranuloma) 및 혈관종(angioma)

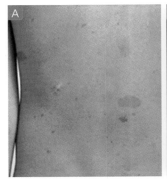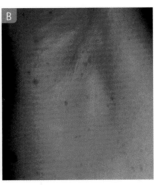

■ 그림 4-26. 제1형 신경섬유종증환자의 피부소견
(A) 밀크커피색 반점 **(B)** 겨드랑이의 주근깨

등이다. 밀크커피색 반점(그림 4-26)은 신경섬유종증의 가장 특징적인 양상으로 거의 모든 환자에서 관찰된다. 얼굴을 제외한 전신의 피부 특히 몸통 및 사지의 굴측에서 관찰되며, 출생 시부터 존재하나 나이가 듦에 따라 크기, 숫자 및 색소침착이 증가한다. 사춘기 이전에는 최대 직경 5 mm 이상, 사춘기 이후에는 최대 직경 15 mm 이상인 반점이 6개 이상 관찰되면 의미가 있다. 주근깨(freckling 그림 4-26)는 두 번째로 흔한 피부 소견으로 3-4세 이후에 직경 2-3 mm의 과도색소침착이 겨드랑이 또는 서혜부에서 다수 관찰되며, 목이나 몸 및 사지에도 나타날 수 있다. 과도색소침착은 비교적 넓게 나타나며 간혹 얼기형 신경섬유종의 표면에 관찰된다. 색소가 저하되거나 또는 혈관이 드문 피부 부위도 관찰될 수 있다. 황색 육아종은 영유아기에 나타나는 단단하고 노란 결절이며 대개 저절로 사라진다.

② 신경섬유종

신경섬유종(neurofibroma)은 NF1의 가장 두드러진 소견 중 하나이다. 고무처럼 탄성이 있고 자주빛을 띤 병변으로 크기는 수 mm에서 수 cm까지 다양하며 모양은 편평하기도 하고 결절처럼 나타나기도 한다. 어느 시기에나 나타날 수 있으나 주로 사춘기 이후에 나타나며, 피부에 호발하는데 말초신경이나 혈관의 주행을 따라 발견되기도 한다. 얼기형 신경섬유종(plexiform neurofibroma)은 신경줄기가 광범위하게 굵어진 것으로 출생 시부터 관찰되며, 얼굴의 안와 및 측두 부위에 호발한다. 척수의 등신경 뿌리(dorsal root)에 생긴 신경섬유종이 아령 형태로 자라나 척추관(spinal canal)을 침범하면 척수를 압박할 수 있다. 2개 이상의 신경섬유종이나 하나 이상의 얼기형 신경섬유종이 관찰되면 의미가 있다.

③ 안과소견

안과적 양상으로는 Lisch 결절, 녹내장, 시각신경 교종(optic glioma) 등이 있다. Lisch 결절은 홍채의 과오종으로 6세경 나타나기 시작하여 성인이 되면 95%에서 관찰된다. 세극등(slit lamp) 검사로 관찰할 수 있으며, 2개 이상 관찰되면 의미가 있다. 녹내장은 얼기형 신경섬유종이 위 눈꺼풀을 침범하면 발생할 수 있다. 시각신경 교종은 신경섬유종증에서 가장 흔히 발생하는 중추신경계 종양으로, 환자의 15%에서 관찰된다. 양성의 성상세포종으로 시각신경 또는 신경교차에 발생하며, 대부분 무증상이나 크기가 커지면 시력저하나 시야감소 등 시각 증상이 나타나며, 시상하부를 침범하면 내분비 증상을 초래할 수도 있다. 점차 커질 수 있으므로 10세 이전에는 매년 안과 검사가 필요하다.

④ 기타증상

시각신경 교종 외에 대뇌, 뇌간 및 소뇌의 별아교세포종(astrocytoma) 등의 중추신경계 종양이나 말초신경의 신경집 종양도 발생할 수 있다. 약 3%에서 악성종양이 발생할 수 있으며, 신경섬유종이 악성 말초신경집 종양(malignant peripheral nerve sheath tumor)으로 이행하기도 한다. 갈색세포종(pheochromocytoma), 횡문근육종, 백혈병 , Wilms 종양도 일반인에서보다 흔히 발생한다.

NF1 환자는 대두증과 저신장이 흔하다. 척추측만증이 10-40%에서 관찰되는데 대개 6세 이후에 나타나며 흉추에 가장 흔히 발생한다. 뼈 병변이 나타날 수 있으며, 나비뼈 형성이상(sphenoidal dysplasia)이나 긴 뼈의 겉질이 얇아지는 경우가 가장 흔하고 가성관절증(pseudoarthrosis)이 동반될 수도 있다.

약 50%에서 학습장애가 있는데, 언어 및 비언어 그리고 주의력 장애 등이 동반될 수 있으며, 지적장애는 10% 미만에서 뇌전증 발작은 5-10%에서 관찰된다. 뇌혈관을 침범하여 동맥류를 만들거나 목동맥 협착으로 인한 모야모야병을 초래할 수 있으며, 이런 경우 허혈 증상이 수반되기도 한다.

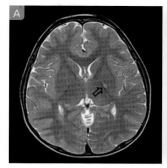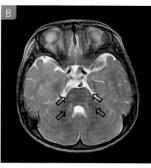

■ **그림 4-27.** 제1형 신경섬유종증 환자의 MRI T2영상
좌측 속섬유막(A)와 교뇌, 소뇌다리(B)에서 신호증가가 관찰된다(화살표).

[치료]

NF1의 치료는 대증적이다. NF1에서 동반될 수 있는 합병증에 대하여 정기적으로 추적 관찰하는 것이 필요하며, 안과 검진, 신경학적 진찰, 혈압 측정 및 척추측만증에 대한 검진 등은 최소한 1년에 한번 시행하는 것이 좋다. 뇌 MRI에 대해서는 논란의 여지가 있는데, 시각로, 뇌간, 담창구(globus pallidus), 시상, 속섬유막(internal capsule) 및 소뇌 등에서 관찰될 수 있는 T2 신호증강(그림 4-27)은 대부분 나이가 들면 사라지며 병리가 불확실한 미확인 밝은 물체(unidentified bright objects, UBO)들로서 임상적 의미도 불확실하다. 따라서 뇌영상은 증상이 없는 경우에는 통상적으로 시행할 필요는 없지만, 시각 증상이 있거나 뇌압 상승이 의심되는 경우에는 즉각적인 검사가 필요하다. 유전자 검사는 진단기준에 미흡하거나 비정형적인 임상양상을 보이는 환자의 확진 및 산전 진단에 이용될 수 있다. 또한 환자 및 가족에 대한 유전상담이 필요하다. 말초신경의 신경섬유종이나 얼기형 신경섬유종은 무증상인 경우에는 수술적으로 치료할 필요가 없지만, 증상이 있거나, 악성으로 전환되거나 또는 미용적인 목적으로 절제하기도 한다.

2) 제2형 신경섬유종증(Neurofibromatosis Type 2, NF2)

NF2의 유전자는 염색체 22q12.2에 위치하며, merlin 또는 schwannomin이라 불리는 단백을 생성한다. 발병률은 25,000명당 1명 정도이며 발병 연령은 다양하다. 진단기준은 1) 양측 속귀신경집종(vestibular schwannoma)이 있거나, 2) 편측 속귀신경집종이 있는 환자가 NF2를 가진 부모, 형제나 자식이 있거나, 또는 수막종(meningioma), 신경집종(schwannoma), 신경교종, 신경섬유종, 후피막하 수정체 혼탁(posterior subcapsualr lenticular opacity) 중 2가지 이상이 있는 경우 등으로 요약할 수 있다.

2. 결절경화증(Tuberous sclerosis complex, TSC)

[역학]

TSC는 1862년 von Recklinghausen에 의하여 처음 기술되었다. 상염색체 우성으로 유전되고 발병률은 6,000명당 1명이며, 2/3 정도는 유전자의 자연 돌연변이에 의하여 발병한다. 과거에 Bourneville은 정신지연, 뇌전증, 얼굴의 피지선종을 전형적인 3주징으로 꼽았으나, 이들이 모두 나타나는 환자는 1/3 정도에 불과하다. TSC는 다양한 장기를 침범하는 질환으로 진단기준은 표 4-10과 같다.

[병태생리]

현재까지 알려진 원인 유전자는 TSC1과 TSC2 2가지로, 전체 환자의 85%가 이 중 하나의 돌연변이에 의하여 발병한다. TSC1은 염색체 9q34에 위치하며 hamartin 단백을 생성하고, TSC2는 염색체 16p13에 위치하며 tuberin 단백을 생성한다. Hamartin과 tuberin은 서로 결합하여 복합체를 형성하여 작용하므로, 서로 다른 유전자의 돌연변이가 동일한 질환을 초래할 수 있다. TSC1 및 TSC2는 종양억제제 유전자(tumor suppressor gene)로 알려져 있으며, hamartin이나 tuberin 단백의 기능에 이상이 있으면 과오종(hamartoma)이라는 양성 종양들이 발생할 수 있다.

mTOR (mammalian target of rapamycin) 단백은 세포의 성장과 증식을 조절하는 중요한 조절인자로, hamartin과 tuberin 단백은 mTOR 경로에서 mTOR 단백을 조율함으로써 세포의 성장과 증식을 조절하는 기전에 관여한다. 결절경화증의 과오종은 피부와 뇌뿐 아니라 심장, 신장, 눈, 폐, 뼈 등 여러 장기에서 발생하는데, 이형접합 소실(loss of heterozygosity)은 신장과 폐의 과오종에서 흔히 발견되며, 겉질 결절(cortical tuber)이나 뇌실막밑 거대세포 별아교세포종(subependymal giant cell astrocytoma, SEGA)에서는 흔하지 않다. TSC1 및 TSC2 유전자의 투과도(penetrance)는

표 4-10. 결절경화증의 진단기준

A. 유전 진단기준(Genetic diagnostic criteria)

TSC1 또는 TSC2 유전자의 병적 변이가 발견되면 결절경화증을 확진할 수 있다. 병적 변이의 정의는 TSC1 또는 TSC2 단백의 기능을 비활성화하거나(예, out-of-frame indel 또는 nonsense mutation), 단백 합성을 저해하는 경우(예, large genomic deletion)와 미스센스 변이라도 단백의 기능에 미치는 영향이 기능 분석에 의해 확인된 경우를 의미한다(www.lovd.nl/TSC1, www.lovd/TSC2, and Hoogeveen-Westerveld et al., 2012 and 2013). TSC1 또는 TSC2 단백의 기능에 미치는 영향이 불확실한 변이는 유전 진단기준에 미흡하며 확진 기준이 되지 못한다. 또 환자의 10-25%에서는 기존 유전자 검사로 변이가 확인되지 않으므로 유전자 검사가 정상이더라도 결절경화증을 배제할 수 없으며, 임상 진단기준에 영향을 미치지 않는다.

B. 임상 진단기준(Clinical diagnostic criteria)

주소견(major features)
1. 멜라닌저하 반점(hypomelanotic macules, 지름 5 mm 이상 3개 이상)
2. 혈관섬유종(angiofibromas, 3개 이상) 또는 섬유성 판(fibrous cephalic plaque)
3. 손발톱 섬유종(ungual fibromas, 2개 이상)
4. 샤그린 반점(shagreen patch)
5. 망막 과오종(multiple retinal hamartomas)
6. 겉질이형성(cortical dysplasias)
7. 뇌실막밑 결절(subependymal nodules)
8. 뇌실막밑 거대세포별아교세포종(subependymal giant cell astrocytoma)
9. 심장 횡문근종(cardiac rhabdomyoma)
10. 림프혈관평활근종증(lymphangioleiomyomatosis, LAM)
11. 혈관근육지방종(angiomyolipomas, AML 2개 이상)

부소견(minor features)
1. 색종이 조각 피부 병변(confetti skin lesions)
2. 치아 오목(dental enamel pits 3개 이상)
3. 입속 섬유종(intraoral fibromas, 2개 이상)
4. 망막의 무색 반점(retinal achromic patch)
5. 다수의 신장 낭종(multiple renal cysts)
6. 신장외 과오종(monrenal hamartomas)

* 확진: 주소견 2개 또는 주소견 1개 + 부소견 2개 이상
가능: 주소견 1개 또는 부소견 2개 이상

매우 높지만 표현도(expressivity)는 매우 다양하여, 임상양상의 유무 및 중증도가 환자마다 극도로 다양하다.

[임상양상]

TSC의 임상양상은 침범된 장기 및 심한 정도에 따라 다양하며, 특히 환자의 나이에 따라 다르게 나타날 수 있

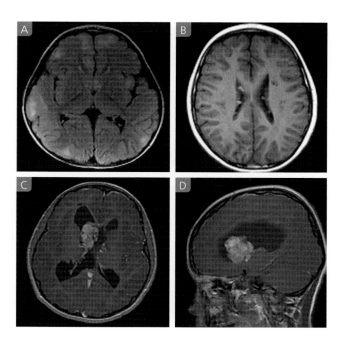

■ 그림 4-28. 결절경화증 환자의 뇌 MRI소견
(A) FLAIR 영상에서 대뇌 겉질의 다발성 결절이 관찰된다. (B) T1 영상에서 측뇌실 내의 결절이 다수 관찰된다. (C, D) T1 영상에서 뇌실막 밑 거대세포 별아교세포종이 관찰되고, 폐쇄성 수두증이 동반되어 있다.

다. 가장 특징적인 임상양상은 뇌와 피부의 소견으로, 피부병변들이나 뇌영상 소견만으로 TSC를 확진할 수 있다.

① 뇌 영상소견

뇌의 특징적인 병변은 겉질 결절로 90%에서 관찰되며, 백질 이주선이 자주 동반된다. 모두 겉질이형성의 일종으로, 뇌전증 발작 및 지적장애 등과 연관이 있으며 MRI가 가장 좋은 진단방법이다(그림 4-28). 이 종양은 Monro 구멍을 막아서 뇌척수액 통로를 차단하여 수두증을 유발하기도 하는데, 이 경우에는 즉각적인 조치가 필요하다.

② 뇌전증

뇌전증은 TSC의 가장 흔한 증상으로 전체 TSC 환자의 80-90%에서 발생하며, 또한 가장 흔한 첫 증상이기도 하다. 소아기에 호발하며 대부분의 환자에서 생후 1년 이내에 발병하고, 1/3 정도는 영아연축(infantile spasms)으로 나타난다. TSC 환자에서 관찰될 수 있는 발작 형태는 매우 다양하여 정형적 결신발작(typical absence seizure)외의 모든 발작 형태가 나타날 수 있다. 영아연축은 TSC 환자의 약 30%에서 발생하며, 또 영아연축의 원인 중 가장 흔한 요인으로 증상성 영아연축 환자의 25% 정도가 TSC에 의하는 것으로 알려져 있다. 부분발작이 영아연축과 동시에 나타나거나 영아연축 이후에 나타날 수 있으며, 특히 약 1/3에서는 영아연축이 발생하기 이전에 선행하여 나타날 수 있다. 뇌파에 고진폭 부정뇌파(hypsarrhythmia)가 관찰되기도 하지만 그렇지 않은 경우도 흔하며, 최대 70% 정도에서는 특징적인 고진폭 부정뇌파가 나타나지 않을 수 있다.

③ 인지 및 행동문제

인지와 행동문제가 흔히 나타나는데, TSC 환자의 약 50%는 지능이 정상이지만 나머지는 인지장애가 동반되며 경한 학습장애부터 심한 정신지연까지 다양하게 나타날 수 있다. 특히 영아연축이나 심한 뇌전증이 있었던 환자와 TSC2 유전자의 돌연변이에 의한 경우에는 인지장애가 더 심할 가능성이 높다. 인지장애 외에도 행동과 발달의 문제가 동반되는 경우가 흔하여, TSC 환자의 50%에서 자폐스펙트럼 장애(autistic spectrum disorder)가 나타나며 또 주의력결핍 과잉행동 장애도 약 50%에서 나타난다.

④ 피부소견

피부소견은 95% 이상에서 관찰된다. 과거에 피지선종(adenoma sebaceum)으로 불렸던 얼굴의 혈관섬유종(angiofibroma)은 1-4세경부터 나타나기 시작하여 소아기와 청소년기를 통하여 증가하는데, 처음에는 코와 뺨에 작고 붉은 구진들이 나타나 여드름처럼 보이다가 점차 크기와 수가 증가하고 합쳐진다(그림 4-25). 피부의 특징적인 병변인 멜라닌저하 반점(hypomelanotic macule)은 90% 이상에서 관찰되며 대개 출생 시부터 있으며 몸통과 사지에 다양한 크기의 흰색 점으로 나타난다(그림 4-29). 3가지 형태로 관찰되는데, 0.5-2 cm 크기의 다각형 모양이 가장 흔하며, 1-12 cm 크기의 나뭇잎 모양으로 보이기도 하고, 1-3 mm 크기의 종잇조각 같은 작은 반점(confetti skin lesion)이 다수로 나타나기도 한다. 그 외에 오렌지 껍질 같은 질감의 섀그린 반점(shagreen patch)이 허리엉치 부위에 나타나기도 하며, 사춘기 이후에는 손발톱 주위에 섬유종이 관찰될 수 있다(그림 4-29).

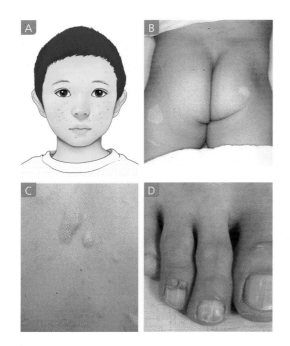

■ 그림 4-29. 결절경화증 환자의 피부소견
얼굴의 피지선종(**A**), 엉덩이 부위의 멜라닌저하 반점(**B**), 새그린 반점(**C**),
발톱 주위의 섬유종(**D**)이 관찰된다.

표 4-11. 결절경화증의 추적검사 권장 시기

	첫 검사	추적검사
뇌영상	진단 시	20세 이전까지 매 1-3년
뇌파	발작 발생 시	필요시
심초음파 및 심전도	진단 시	필요시
신장 초음파	진단 시	매 1-3년
흉부 CT	성인 여성만 해당	필요시
안과검진	진단 시	필요시
인지기능 검사	진단 시	초등학교 입학 시 및 필요시

⑤ 심장소견

심장의 횡문근종(rhabdomyoma)은 약 50%에서 나타나며 태아 때부터 나타나므로 산모의 초음파 검사 시에 발견되기도 한다. 주로 좌심실의 꼭대기에 다수로 존재하는데 울혈 심부전이나 부정맥을 유발하기도 하지만 서서히 작아져 자연적으로 소멸한다.

⑥ 신장소견

신장의 병변은 혈관근육지방종(angiomyolipoma)과 낭종(cyst)의 2가지 형태로 발생한다. 혈관근육지방종은 약 80%에서 관찰되는데 간에서도 관찰될 수 있으며, 대개 10대 이후에 나타나며 양성 경과를 보이지만 때로는 출혈이 있기도 하므로 영상 검사로 추적하는 것이 권장되며 4 cm 이상으로 커지면 조치가 필요할 수 있다.

⑦ 기타소견

폐의 림프혈관평활근종증(pulmonary lymphangioleiomyomatosis)은 20세 이후에 주로 여성에서 나타난다. 망막에도 오디 모양(mulberry) 또는 판 모양(plaque like)의 과오

종이나 탈색반점(depigmented patch)이 관찰될 수 있다. 드물게 부신이나 뇌하수체 등 내분비 기관에서도 혈관근육지방종이 관찰되며, 이 경우 내분비기능의 평가가 필요하다.

[치료]

TSC는 여러 장기를 침범하는 질환이므로 치료와 관리는 침범된 기관에 따라 달라진다. 정기적으로 추적검사를 하는 것이 필요한데(표 4-11), 뇌 MRI와 신장 영상검사를 매 1-3년마다 시행하는 것이 권장된다. 신경계 양상에 대한 치료는 주로 뇌전증과 행동장애에 대해 이루어지게 된다. TSC에 동반된 뇌전증의 치료는 일반적인 뇌전증의 치료와 동일하여 항뇌전증약, 미주신경자극술, 케톤생성 식이요법 등이 시행된다. 영아연축의 치료에는 미국에서는 ACTH가 주로 사용되며, 유럽 등에서는 vigabatrin이 우선적으로 선택되는 경우가 많다. 약물 난치성 뇌전증에 대한 치료로 수술이 가능한 경우도 있다. 두개내압 상승을 시사하는 증상이나 징후가 있으면 SEGA에 의한 Monro 구멍 폐색을 의심해야하며 즉각적인 뇌영상 검사와 외과적 조치가 필요하다. SEGA에 대한 비외과적인 치료로 mTOR 억제제인 rapamycin 또는 everolimus가 사용될 수 있다. 이들 mTOR 억제제는 신장의 혈관근육지방종이나 폐의 림프혈관평활근종증의 진행을 억제하는 효과도 있는 것으로 알려졌다.

3. Sturge-Weber 증후군(Sturge-Weber syndrome)

[역학]

Sturge-Weber 증후군은 안면의 혈관종에 의한 포도주색 착색(port-wine stain)과 동측의 뇌경막 혈관종을 특징으로 하는 질환으로, 발병률은 20,000-50,000명당 1명이며 유전되는 질환은 아니다. 1879년 Sturge가 얼굴과 두경부의 혈관종을 가진 환자에 대하여 보고하였고, 1897년 Kalischer에 의하여 신경병리 소견이 알려졌으며, 1929년 Weber가 두개강 내 석회화에 대하여 기술하였다.

[병태생리]

Sturge-Weber 증후군의 혈관종은 배아 혈관(embryonal blood vessel)이 남아서 주변 조직에 영향을 미쳐 발생하는 것으로 알려져 있다. 발생 중에 외배엽의 신경관 머리 쪽을 둘러싼 혈관얼기(vascualr plexus)가 발생한다. 이 혈관얼기는 임신 6주경 형성되어 9주경 퇴행하여 사라지는데, 혈관 조직이 퇴행하지 않고 남으면 나중에 뇌경막, 피부 및 눈의 혈관종이 된다. 혈관종은 유전학적으로 GNAQ 유전자의 체세포 변이(somatic mutation)에 의해 발생한다.

[임상양상]

Sturge-Weber 증후군은 동측 뇌경막과 얼굴 피부의 혈관종을 특징으로 하는 질환이다. 얼굴의 혈관종은 대개 한쪽 얼굴의 눈 주변 즉 제 5뇌신경(trigeminal nerve)의 눈 분지(ophthalmic division, V1) 및 상악 분지(maxillary division, V2) 부위에 나타나지만, 모세혈관 기형이 얼굴 외의 다른 두경부 부위에도 있을 수 있다(그림 4-30). 뇌경막의 혈관종은 얼굴 혈관종이 있는 동측의 후두엽 및 두정엽 부위에 가장 흔히 발생하는데 측두엽 부위 또는 반대편에도 생길 수 있다. 조영증강 뇌 MRI를 하면 뇌경막 혈관종이 잘 관찰되며, 동측의 뇌 위축 및 백질 이상도 흔히 관찰된다(그림 4-31). 병변에 석회화가 진행되면 두개골 방사선 촬영에서 특징적인 tram-track 징후가 관찰되며, 성인의 경우 90%에서 뇌 CT에서 뇌실질의 석회화가 발견된다.

신경학적 증상은 뇌경막 혈관종의 위치에 따라 다르다. 75-90%의 환자에서 뇌전증 발작이 나타나는데 대개 1세 이전에 발병하며 병변의 반대쪽의 국소 운동발작(focal motor seizure)이 대부분이고 항뇌전증약 치료에 잘 반응하지 않는다. 약 1/3에서 반대편의 편마비가 나타나며 서서히 진행한다. 발달은 처음에는 정상이지만 동반된 뇌전증과 뇌 위축이 진행함에 따라 점차 나빠져 약 50%에서 정신지연과 심한 학습장애가 초래된다. 두통도 흔한 증상으로 60% 정도에서 나타난다. 1/3 정도에서 녹내장이 동측에 있고 이들 중 1/2은 소눈증(buphthalmos)을 보인다.

[치료]

뇌전증이 동반된 Sturge-Weber 증후군 환자의 약 50%에서는 적절한 약물치료로 발작이 조절되지만, 약물 난치성 뇌전증을 보이는 경우에는 수술적 치료로 국소 겉질 절제술, 뇌반구 절제술, 뇌량절개술 등을 고려할 수 있다. 뇌졸중양 증상이 반복되는 경우에는 아스피린 투여를 고려

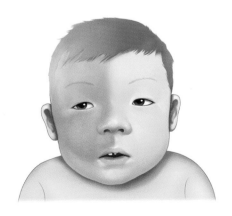

■ 그림 4-30. Sturge-Weber 증후군 환자의 특징적인 얼굴 혈관종

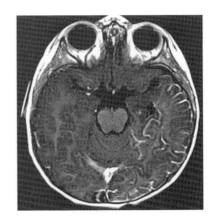

■ 그림 4-31. Sturge-Weber 증후군 환자의 MRI T1 영상
좌측 측두엽 및 후두엽 부위의 뇌이랑 위축 및 조영증강 병변이 관찰된다.

한다. 얼굴의 혈관종에 대하여 레이저 치료가 도움이 될 수 있다. 녹내장이 발생한 경우에는 안압을 조절하고 시각신경의 손상을 예방하기 위하여 약물치료 또는 수술이 필요하다.

4. Von Hippel-Lindau병(von Hippel-Lindau disease)

von Hippel Lindau병은 망막, 소뇌, 척수의 혈관모세포종(hemangioblastoma)과 췌장과 신장의 낭종 및 신세포암 등의 종양을 특징으로 하는 질환이다. 상염색체 우성으로 유전되며, 발병률은 36,000명당 1명 정도이다. 원인 유전자는 3p25-26에 위치하는 VHL 유전자로, 생성된 단백은 세포 내에서 저산소증에 반응하는 과정을 조절하고 종양억제 작용을 한다.

임상 양상으로 망막의 혈관모세포종이 가장 먼저 나타나는데 소아에서는 드물고 대개 20세 이후에 발생한다. 편측성과 양측성이 약 4:6의 비율로 나타나며, 망막의 주변에 발생하므로 일찍 발견하기 어렵다. 망막 밑의 울혈 및 망막박리가 진행되면 시력이 소실될 수 있다. 소뇌와 연수 및 척수에 혈관모세포종이 발생하지만 천막상이나 대뇌 반구에는 거의 나타나지 않는다. 연수와 척수의 혈관모세포종으로 약 80%에서 척수공동증(syringomyelia)이 초래된다. von Hippel Lindau병 환자에서는 일찍 종양을 발견하는 것이 중요하므로, 정기적으로 간접 검안경으로 망막 혈관모세포종의 유무를 검사하고, 뇌와 신장 MRI를 하는 것이 권장된다.

5. 색소실조증(Incontinentia pigmenti, Bloch-Sulzberger 증후군)

색조실조증은 성염색체 우성으로 유전되는 질환으로 대부분 여성에서 발병한다. 반접합성(hemizygous) 남성은 대부분 사산되므로, 드물게 관찰되는 남성 환자들은 섞임증(mosaicism)이거나 핵형이 47, XXY이다. 원인 유전자는 NEMO 유전자로 NF-κB (nuclear factor kappa B) 신호통로에 관여하는 단백을 생성한다.

이 질환은 출생 시부터 나타나는 다양한 과도색소침착 피부병변들과 중추신경계, 눈, 머리카락, 이, 뼈 등의 이상을 특징으로 한다. 피부 소견은 3기로 나눌 수 있는데, 제1기는 출생 시 및 수주 이내에 발생하는 수포성 병변을 특징으로 한다. 제2기는 수포들이 생후 6주 이후에 사마귀 같은 병변으로 이행하는 것을 특징으로 하며, 제3기가 되면 Blaschko 선을 따라 나타나는 색소가 과도하게 침착된 갈색 또는 회갈색의 반점이 생후 수년 동안 나타났다가 청소년기까지 점차 감소하거나 또는 완전히 사라지게 된다. 30-50%에서 신경계 증상으로 발달지연, 피질척수로(corticospinal tract) 기능 이상, 발작 등이 나타난다. 소두증이나 수두증도 발생할 수 있으며, 1/3에서는 시신경 위축, 유두염(papillitis), 망막 색소침착, 안진, 사시 백내장 등의 눈 증상이 나타난다. 조기 피부 병변에 대하여 corticosteroid 치료나 tacrolimus 도포가 효과적이라는 보고가 있다.

6. 무색소 색소실조증(Incontinentia pigmenti achromians, Hypomelanosis of Ito, Ito 멜라닌저하증)

Ito 멜라닌저하증은 Ito에 의하여 처음 기술된 질환으로, 머리, 몸통 및 팔다리의 어디에나 나타나는 색소저하 병변들을 특징으로 한다. 산발적으로 발생하지만 섞임증이나 염색체이상과 동반된 경우도 흔하다. 피부 병변들은 출생 시부터 Blaschko 선을 따라 선상으로 또는 뭉쳐서 나타난다. 중추신경계, 말초신경계 및 눈과 뼈 등의 이상이 동반되는데, 흔한 신경계 양상으로 정신지연, 언어장애, 발작, 운동기능 장애 등이 나타나며, 사시, 눈구석 주름(epicanthic fold), 근시, 시신경 형성부전, 백내장, 망막박리 등의 눈 증상이 있을 수 있다. Ito 멜라닌저하증은 정신지연 같은 신경계 증상이 흔히 동반된다는 점에서 색소실조증과 유사하지만, 유전양식이 다르고 수포성 발진이나 사마귀 같은 피부 병변이 나타나지 않으며, 조직학적으로도 상이한 질환으로 생각된다.

참고문헌

1. Davies W, Isles AR, Wilkinson LS. Imprinted gene expression in the brain. Neuroscience Biobehavior rev 2005;29:421-30.

2. Descartes M, Korf BR, and Mikhail FM. Chromosome and chromosomal abnormalities. In: Swaiman KF, Ashwal S, Ferriero DM, and Schor NF, editor. Pediatric Neurology. 5th ed. Elsevier; 2012. p.307-27.

3. Dobyns WB, Christian SL, Das S. Introduction to Genetics. In: Swaiman KF, AShwal S, Ferriero DM, Schor NF. Swaiman's Pediatric Neurology. 5th ed. ELSEVIER SAUNDERS; 2012. p.277-306.

4. Enns GM, Cowan TM, Klein O, et al. Aminoacidemias and organic acidemias. In: Swaiman KF, AShwal S, Ferriero DM, Schor NF. Swaiman's Pediatric Neurology. 5th ed. ELSEVIER SAUNDERS; 2012. p.328-56.

5. Gardner RJM, Sutherland GR, Chromosome abnormalities and genetic counseling, 3rd ed. Oxford Univeristy Press, 2004

6. Guerrini R, Carrozzo R, Rinaldi R, Bonanni P. Angelman syndrome. Pediatr Drugs 2003;5:647-61.

7. Jean-Marie Saudubray, Inborn Metabolic Diseases, 5th ed, Springer, 2012

8. John H Menkes, Textbook of Child Neurology, 7th ed. Williams and Wilkins, 2006

9. Jones KL, Smith's Recognizable Patterns of Human Malformation, 5th ed. Saunders, 1997

10. Kenneth F Swaiman, Pediatric Neurology: Principles and Practice, 5th ed. Mosby, 2012

11. Kim GH, Lee BH, Yoo HW. MLPA application in genetic testing. J Genet Med 2009;6:146-54.

12. Kliegman RM et al, Nelson Textbook of Pediatrics, 19th ed. Elsevier, 2010

13. Konecki UL, Batshaw ML. Inborn errors of urea synthesis. In: Swaiman KF, AShwal S, Ferriero DM, Schor NF, editor. Swaiman's Pediatric Neurology. 5th ed. ELSEVIER SAUNDERS; 2012. p.357-67.

14. Lee DH. Newborn screening of inherited metabolic disease in Korea. Korean J Pediatr 2006;49:1125-39.

15. Lee DH. The prevalence of pediatric endocrine and metabolic disease in Korea. Korean J Pediatr 2008;51:559-63.

16. Lupski JR, Stankiewicz P, Genomic disorders: The genomic basis of disease, Human Press, 2006

17. Menkes JH and Falk RE. Chromosomal animalies and contiguous-gene syndrome. In: Menkes JH, Sarnat HB, and Maria BL, editor. Child Neurology. 7th ed. Lippincott Williams & Wikins; 2006. p.227-57.

18. Reavani I. An approach to inborn error of metabolism. In: Kliegman RM, Behrman RE, Jenson HB, Stanton BF, editor. Nelson Textbook of Pediatrics. 18th ed. SAUNDERS ELSEVIER; 2007. p.527-28.

19. Schmickel RD. Contiguous gene syndromes: A component of recognizable syndromes. J Pediatr 1986;109:231-41.

20. Shaffer LG, Tommerup N, ISCN 2005: An international system for human cytogenetic mommenclature, Basel, Karger, 2005

21. Speicher MR, Carter NP. The new cytogenetics: blurring the boundaries with molecular biology. Nat Rev Genet 2005;6:782-92.

22. Trask B. Human cytogenetics: 46 chromosomes, 46 years and counting. Nat Rev Genet 2002;3:769-778.

23. Yoo HW. Diagnosis of inherited metabolic disorders based on their diverse clinical features and laboratory tests. Korean J Pediatr 2006;49:1140-51.

소 아 신 경 학
PEDIATRIC NEUROLOGY

제 5 장

행동장애

Neurodbehavioral Disorders

발달 및 발달지연

Development and Developmental Delay

| 김준식 |

성장이란 연령의 증가에 따라 신체를 구성하고 있는 장기의 크기나 무게가 증가하는 일련의 과정을 말하며, 발달이란 일정한 순서에 따라 이들이 새로운 기능을 획득하여 가는 것을 말한다. 이러한 신체의 발달 이외에도 정신적, 사회적, 교육학적인 발달이 포괄적으로 포함된다.

신경발달기능은 학습과 생산성에 필요한 기본적인 뇌의 과정이다. 실행기능(Executive function (EF))은 어떤 목표를 달성하기 위해 생각과 행동을 조절하고, 인도하고, 조직화하고, 관찰하는 데 관여하는 특수한 신경인지과정을 말하는 상위 용어이다.

'실행하는(executive)'이라고 생각되는 과정이란, 억제/충동 조절, 인지/정신의 유연성, 감정적인 조절, 시작 기술, 계획하기, 조직화하기, 작업기억, 자기점검을 포함하는 과정이다. 신경발달장애 혹은 실행기능장애는 이러한 과정이 약하거나 두절된 상태로, 신경구조적 또는 정신생리학적인 기능장애로부터 생긴다. 신경발달 변이란 신경발달기능에서의 차이를 이야기한다.

신경발달장애 혹은 실행기능장애는 어린이가 발달, 인지, 감정, 행동, 정신사회, 적응하는 과제에서 나타날 위험이 있다. 신경발달장애 혹은 실행기능장애를 가지는 학동기 이전 어린이에서는 언어, 운동, 자기도움, 사회감정적인 발달, 그리고 자기조절에서 주로 지연이 나타난다. 학동기 어린이에서는 학습적인 기술발달에서 나타난다. Diagnostic and Statistical Manual of Mental Disorder, Fifth Edition (DSM-5) 는 신경발달장애 그룹안에서 학습장애를 특이적 학습장애(Specific learning disorder, SLD)로 분류하였는데, 읽기, 쓰기, 수학에서 장애가 있는 것도 포함한다. International Classification of Disease, Tenth Edition (ICD-10)은 특이적인 읽기장애, 수학장애, 쓰기장애 같은 학업기술에서의 특이적인 발달장애를 포함한다. 난독증(Dyslexia)은 ICD-10에서는 '어디도 분류되지 않는 증상과 징후'로 별도로 분류된다. 전두엽과 실행기능 결손도 이 분류 안에 포함된다. 실행기능장애는 전통적으로 ADHD의 한 요소로 생각되어져 왔고, 이는 DSM-5에서는 신경발달장애로 분류된다.

1. 소아의 정상발달

1) 중추신경계의 성숙과 운동발달

신경의 성숙은 신경섬유의 말이집형성(myelination)과 시냅스형성(synaptogenesis)을 통하여 이루어진다. 태아기 동안 꼬리에서 머리 방향(caudo-cephalic)으로 진행되며, 출생 시에 중뇌와 척수는 뇌교, 연수, 대뇌에 비해 더 발달되어 있으며, 출생 시에 가장 미숙한 소뇌는 1세까지 급격한 성장을 보인다. 시냅스 밀도는 대뇌 겉질의 부위에 따라 각각 다르지만 영아기 동안 점차 증가하여 생후 1-2세에는 최고치를 보이고 이후 16세까지 감소한 후(가지치기: prunning) 일정한 상태를 유지한다. 지속적인 자극이 주어지고 사용하게 되는 신경회로는 강화되어지는 반면에 사용되지 않는 신경회로는 소멸되어지는 것이 대표적인 예이다. 영아 초기의 시냅스의 과잉 발달은 소아에서의 가소성(neural plasticity) 즉, 손상을 입었을 때 성숙한 뇌에 비하여 미성숙 뇌가 회복되기 쉬운 이유를 설명하는 데 도움을 줄 수 있다. 이러한 이유로 소아기에 뇌의 언어 영역에 심한 손상을 입었을 때는 곧 언어 회복이 가능하지만, 성인에서는 같은 손상을 입었을 때에는 영구적인 실어증 상태로 남게 된다. 대뇌 겉질 중에서 일차 운동 영역이 생후 첫 2년 동안 가장 발달하는 부분이며, 순차적으로 감각, 시각, 청각의 일차 영역으로 발달되어 나간다. 그리고 시각 연합 영역이 청각 영역보다 먼저 발달하게 되는데, 이러한 이유로 영아가 듣는 것보다 본 것을 먼저 이해하게 된다.

영아기의 발달 분야 중에서 운동 발달이 제일 급격하게 나타난다. 소아의 정상적인 발달은 그 소아의 움직일 수 있는 능력에 크게 영향을 받기 때문에 몸을 움직일 수 있는 능력이 결여된 경우에는 손과 눈 등을 이용한 탐색 기능에 지장을 초래하고 생후 18개월까지 이룩되는 자기 신체의 인식 형성에 장애를 초래하여 결국 지능발달장애를 초래하기 쉽게 된다.

중추신경계의 생리적인 성숙 과정(말이집형성 및 시냅스형성: 척수에서 뇌간, 대뇌 겉질의 순서로 발달)에 따라 운동 발달은 순서적으로 이루어지게 되는데 처음에는 주로 반사적인 운동이 몸 전체의 움직임으로 나타나며, 점차 머리를 들고 직립 자세로 발달해감에 따라 반사적인 운동은 소실되어가고 사지의 운동이 자동 반응(automatic reaction)으로 발달하여 가게 된다. 즉, 먼저 중력의 영향에 대응하여 안정된 자세를 유지하기 위한 근육조절이 발달하여 머리에서 다리 쪽의 순서로 진행되어 머리 가누기, 앉기, 서기가 가능해진다. 이렇게 항중력근(antigravity muscle)의 조절이 가능하게 되면서 뒤집기, 기기, 걷기 등의 이동 운동의 발달이 이루어지고 이후 차츰 숙련된 운동이 발달하게 된다.

이러한 발달 과정은 신경계의 성숙에 따라 상위 중추의 기능이 나타나면서 이전의 자세 반응들을 볼 수 없게 되지만, 이는 하위 중추 기능이 소실되어 가는 것이 아니라 초기 반응들이 차츰 후기 반응에 포함되어감으로써 상위 중추의 기능에 의하여 하위 중추의 기능이 조절되어 가는 것을 의미한다. 신경 발달에 장애가 생기면 다음 단계의 운동 발달이 이루어지지 않게 된다.

2) 언어발달

태어나면서부터 울음소리를 내고 이후 응얼거림(cooing), 옹알이(babbling) 등의 여러 단계를 거쳐 언어가 발달되어 6세 이후에는 생활에 필요한 대부분의 언어를 구사할 수 있게 된다. 흔히 언어는 수용언어(receptive language)와 표현언어(expressive language)로 나누어 생각해 볼 수 있는데, 언어가 발달되기 이전에 사물이나 현상에 대한 의미를 알게 되면, 손짓과 몸짓으로 의사를 표현할 수 있게 된다. 언어의 발달은 개념 형성, 및 추상적 사고력의 발달을 촉진시키며 인지 발달과 밀접한 관계를 보인다.

언어표현발달

모든 어린이는 동일한 언어 이전의 발달 단계를 보인다. ① 분화되지 않은 신생아의 울음 ② 분화된 울음(2개월) ③ 응얼거림(1개월) ④ 옹알이 ⑤ 소리내어 웃기(laughing) ⑥ 제소리 모방(polysyllabic babbling, 6-8개월) ⑦ 남의 소리 모방(반향음, 9개월) ⑧ 언어이해(10개월)의 단계로 발달한다.

12개월이 지나면 엄마, 아빠 이외의 의미있는 단어를 말하기 시작하면서 빠른 속도로 단어를 획득해 가기 시작하는데 두 돌쯤 되면 50개 정도의 단어를 말할 수 있게 된다. 그러나 소리를 분절하는 힘이 모자라기 때문에 알아들을 수 없는 혼잣말을 반복하여 중얼거리면서(jargon) 말하는 억양이나 두 마디의 말을 연습하게 되며, 24개월이 지나야 두 낱말을 조합하여 말할 수 있게 된다.

초기 사용하는 언어에서는 대명사, 명사, 동사를 사용하게 되고 마치 전보에서 사용하는 말처럼 조사를 생략한 채 내용어만 연결하며 말하다가(telegraphic speech) 36개월이 되면 비로소 문법에 맞는 문장을 말할 수 있게 된다.

수용언어발달

신생아기에 목소리에 반응하여 눈을 크게 뜨거나 호흡의 변화를 보이며, 2-3개월이 되면 어른들의 말에 주의를 기울이게 되고, 4개월이 되면 소리나는 쪽으로 머리를 돌리게 된다. 종소리에의 반응은 목소리에 대한 반응보다 한달 정도 늦게 나타나는데 처음엔 수평 방향으로, 이후 수직 방향으로, 나중에는 곧장 대각선으로 고개를 돌려 소리나는 쪽으로 향하게 된다. 9개월에는 '안돼'라는 말을 이해하게 되고, 12개월에는 '주세요'라는 말을 이해하게 된다. 의미있는 낱말을 말하게 되면서 이해하는 단어의 수는 급격히 늘어나게 되어 24개월이 되면 250개 정도의 새로운 단어를 알게 되고, 물체의 이름을 듣고 손으로 가리킬 수 있게 된다. 30개월이 되면 두 단계의 명령(two-step command)을 알아들으며 사물의 용도를 알게 된다.

3) 정서발달

영아기에 기쁨, 슬픔, 놀람, 공포, 분노, 혐오 등의 일차 정서가 나타나며 첫 돌이 지나면서 수치, 부러움, 죄책감, 자부심 등의 이차 정서가 나타난다. 또한 이때 일어나는 가장 중요한 형태의 사회적 발달은 애착이다. 애착은 영아와 양육자간에 형성되는 친밀한 정서적 유대감으로 영아의 기질, 영아와 부모와의 상호작용, 양육의 질 등이 애착형성에 영향을 미치고, 이로 인해 과도한 울음, 성장부전, 수면장애, 성격장애 등이 나타나기도 한다. 또한 심각한 의사소통의 장애를 겪는 자폐성 질환이 있는 경우에도 정서발달 이상을 보인다.

2. 발달장애의 정의와 종류

발달에 문제가 있는 경우에 흔히 발달지연이란 용어를 사용하지만 통틀어 발달장애(developmental disability)라고 부르며 발달지연(delay), 발달이탈(deviance), 발달분리(dissociation)가 이에 속한다. 발달지연은 발달이 평균 기대연령보다 늦는 것을 말하고, 발달이탈은 발달의 주된 영역 중 하나가 다른 영역에 비해 훨씬 더 뒤지는 것으로 예를 들면 뇌성마비에서 운동발달이 언어나 사회성발달보다 훨씬 뒤떨어지는 것이다. 발달분리는 발달이정표의 순서를 건너뛰거나 순서가 뒤바뀌는 경우로 강직성 하지마비에서 근육긴장도의 발달이 머리에서 다리로의 순서로 이루어지지 않아 목과 상체의 긴장도가 발달되기 전에 하지의 긴장도가 먼저 발달한다.

발달장애의 양상은 발달의 4가지 주된 영역인 운동(대

표 5-1 발달장애의 유병률과 평균 진단 연령

	유병률(n/1,000)	평균 발견 연령(개월)
정서지연	25	39
학습장애	75	69
행동과다증후군	150	59
뇌성마비	2-3	10
자폐증	0.4-0.5	
시각 장애	0.3-0.6	55
청각 장애	0.8-2	39

근육, 소근육), 언어(수용, 표현), 인지, 정서 및 사회성에 이상이 나타나는 것으로 매우 다양한 범주의 질환들을 포함하며 정신지연, 뇌성마비, 자폐장애, 발달성 언어장애, 시각, 청각 등의 특수감각 기능장애, 학습장애, 주의력결핍 과잉행동 장애 등이 있다(표 5-1). 이들 중 발생빈도가 비교적 낮으나 심각한 장애를 보이는 뇌성마비, 정신지연, 특수감각 기능장애 등은 주로 조기에 발견되는데 비하여 발생빈도는 높으면서 장애 정도는 상대적으로 덜 심각한 학습장애, 주의력결핍 장애 등은 훨씬 늦은 시기에(평균 69, 59개월) 발견되며, 발생빈도가 5-10%로 비교적 높아, 환자의 가족뿐만 아니라 사회에 심각한 문제를 유발한다.

[발달장애의 원인]

운동영역의 발달에 가장 심한 장애를 보이는 것은 뇌성마비이고, 인지영역의 대표적 장애는 정신지연, 사회성과 정서영역은 자폐장애라 할 수 있다. 그러나 이것은 각 영역의 장애의 극단을 보여주는 것이지 뇌성마비는 운동영역의 발달장애만을 보이고 정신지연은 인지영역의 발달장애만을 보인다는 뜻은 아니다. 뇌성마비에서도 인지와 사회성의 장애가 함께 나타날 수 있으며, 자폐장애 소아의 경우에도 운동장애가 동반될 수 있다. 발달성 언어장애는 운동능력과 문제해결 능력, 사회적응 능력은 정상 발달은 보이지만, 언어 능력에 지연이 있으며 특히 수용언어보다는 표현언어의 지연이 더 관찰된다. 이에 반하여 청력장애가 있는 경우에는 표현언어와 수용언어 모두의 발달지연이 관찰된다. 그러므로 뇌성마비나 정신지연, 자폐장애의 원인 질환의 분류는 임의적인 것이 될 수 밖에 없으며, 서로 중복될 수 있는 부분이다.

3. 발달평가

1) 발달력(Developmental history) : 주요 연령(Key age)의 설정

운동, 언어, 사회성 등 어느 영역에서든지 발달이 늦어진 경우에는 자세한 평가를 요한다. 부모에 의한 발달의 관찰은 발달 평가에 매우 중요한데 부모의 교육 정도에 관계없이 언어발달의 지연에 대한 부모의 의심은 언어지연의 중요한 척도가 되며, 언어이해 및 언어표현에 대한 부모의 평가는 지능검사의 결과와 일치하는 율이 높다. 그러나 일반적으로 부모들 특히 최근의 핵가족의 젊은 부모들에게는 발달에 대한 지식이 부족하기 쉽고 아이의 발달에 대한 정확한 기억을 기대하기 어려운 경우도 많다.

부모들이 갖는 관심은 발달 연령에 따라 달라지는데 일반적으로 생후 첫 6-10개월 동안에는 신체 성장이 부모의 주 관심사가 되며 체중증가 여부에 관심을 갖는다. 운동 발달에 대한 관심은 18-24개월이 되어서야 언어발달 등과 함께 가지게 된다. 따라서 발달에 대한 의심이 들어 병원을 찾게 되기까지는 상당한 시간이 경과하게 되는 경우가 많으므로 예방접종 등의 영유아 정기검진 시에 소아 발달의 이정표(milestones)들을 기록하고 추적한다면 발달이상을 비교적 조기에 발견할 수 있게 된다.

정상 소아 집단으로부터 발달이상을 효과적으로 알아낼 수 있는 방법은 각 월령 또는 월령별로 검사항목을 만들어 검사하는 것이다. 특히 이상이 발견되기 쉬운 월령(key age, critical month)을 설정하여 이 시기에 집중적으로 검사하는 것이 효과적이다. 주요 연령을 이루는 조건으로는 ① 앉기, 잡고 서기, 걷기 등의 분명한 운동 발달이 대부분(70-90% 이상) 이루어지는 시기, ② 신경계의 성숙과 반사발달의 단계를 분명히 알 수 있는 시기, 예를 들면 원시반사가 소실되고 중뇌 수준의 정위반사가 출현하는 시기, 즉 누가 검사하더라도 판단하기 쉬운 반사가 존재하는 시기, ③ 지능, 정신 발달을 검사하는 간단한 방법이 있고 대부분의 소아가 비슷한 발달을 보이는 시기 등을 들 수 있고, 대개 4개월, 7개월, 10개월, 1년 6개월 등이 이에 해당된다고 할 수 있다(표 5-2).

미숙아의 경우에는 분만 예정일에 따라 나이를 수정하여 발달평가를 시행한다. 32주 이상의 미숙아는 대개 12개

표 5-2. 주요 연령에 따른 검사항목

만 4개월	목 가누기 원시반사(Moro, tonic neck reflex)의 소실 소리에 대한 반응 추시반응(following) 웃기(smile)
만 7개월	앉기 정위반사(righting reflex) cloth on the face test
만 10개월	잡기(grasp) 서기(standing) 낙하산반응 모방행동(빠이빠이)
만 1년 6월	걷기 hopping response 의미있는 언어구사

월이 넘으면 만삭아와 비슷해지므로 12개월 이후에는 더이상 수정하지 않고 평가하며, 30주 이하의 미숙아는 교정연령 3세경까지 늦어질 수 있으나 3세 이후에도 늦어진다면 장애아로 판단할 수 있다. 또한 미숙아의 경우에는 교정연령 6개월까지 근긴장도의 이상이 보이지 않고 정상적으로 생각되었으나, 교정연령 7-8개월이 되어서야 이상이 나타나는 경우가 있기 때문에 주의를 요한다.

2) 발달의 영역별 평가

첫 단계 평가는 실제로 발달지연이 있는지 아니면 정상범위에서의 편차인지를 확인하는 것이다. 발달지연이 있다고 판단되면 어느 영역의 발달이 지연되어 있는지를 알기 위하여 각 영역별 발달에 관한 평가를 시행한다. 대부분 운동발달 영역의 이상이 가장 눈에 두드러지기 때문에 운동발달만 체크하는 수가 많으나 한 가지 영역만 주시하지 말고 나머지 다른 영역의 발달에도 관심을 갖고 바라보아야 비로소 환자에 대한 통합적인 평가가 가능하다. 어느 영역의 발달이 지연되었는가에 따라 운동발달지연(motor delay), 발달성 언어지연(developmental language delay), 자폐스펙트럼장애(autistic spectrum disorder), 2가지 이상의 발달지연이 있을 경우 전체발달지연(global developmental delay)으로 분류하며, 전체발달지연의 경우가 한 가지 영역에만 문제가 있는 경우보다 훨씬 더 심각하므로 발달평가

시 모든 영역을 모두 함께 평가하는 것이 매우 중요하다. 보통 전체발달지연이라는 용어는 약 5세 이전의 어린 나이의 소아에서 흔히 사용되고 있으나 비교적 신뢰할 수 있는 지능검사를 실시할 수 있는 5세 이후의 연령에서는 지적 장애라는 용어를 대신 사용할 수 있다.

4. 발달평가 검사

1) 신생아기의 발달검사

신생아기에 발생하는 장애는 전체의 15-20%로 많은 부분을 차지하고 있다. 이 시기의 발달 진찰은 주로 임상적인 신경 발달 상태를 평가하는 것을 위주로 하고 있으며 객관적 평가 기준으로 영아의 호흡 상태, 큰 동작, 소리 내는 상태, 눈을 뜨는지 여부를 보고 평가하며, Prechtl의 신경학적 검사, Amiel-Tison의 신경학적 최적도 평가, Dubowitz 평가법 등이 쓰이고 있다.

2) 영아기의 발달검사

발달검사 종류는 크게 선별검사(screening test), 척도검사(scale type test), 임상검사(clinical test)로 나눌 수 있다. 선별검사로는 DDST (Denver development screening test)가 가장 보편적으로 사용되며, 척도검사로는 Bayley scales of infant development(출생~2.5세), Griffiths scales of mental development(2-8세), Brazelton neonatal behavioral assessment scale 등이 이용 된다. 임상검사는 Gesell schedule, Eagan test, Bellman test 등이 있고 Gesell schedule이 가장 널리 이용된다.

한국형 영유아 발달검사(Korean Denver Development Screening Test, K-DDST)

한국 영유아의 발달 상태를 객관적으로 평가하기 위한 검사로서 조대운동발달, 미세운동발달, 개인-사회성 발달, 언어 발달, 인지-적응 발달의 5개 분야로 세분하여 발달지수(developmental quotient, DQ)를 산출한다. 이 검사는 1차 발달 선별검사 혹은 병력에서 발달 지체가 의심되는 소아에 대한 조기진단, 발달지체로 인하여 치료 중인 영유아의 치료 후 발달 상태의 변화를 추적 관찰하는데 이용될 수

있다.

또한 부모를 교육하는 도구로 이용되어 부모가 자신의 아이가 가지고 있는 발달상의 취약점 혹은 장점을 잘 이해할 수 있도록 한다.

대상 연령 : 0세부터 만 5세이며 연령은 해당 월령 15일을 기준으로 한다. 예를 들면, 생후 2개월 14일된 영아는 2개월로, 생후 2개월 16일된 영아는 3개월로 계산하도록 한다. 단, 미숙아로 출생한 경우는 만 2세가 될 때까지는 분만예정일로부터 계산한 교정연령(corrected age)을 산출하여 적용하며, 2세 이후로는 역연령(chronologic age)을 사용한다.

검사 연령의 구분은 생후 12개월까지는 1개월 간격으로 하고, 12-24개월은 2개월 간격으로 25-36개월은 3개월 간격, 37개월 이후로는 4개월 간격으로 한다.

검사 : 검사도구로는 검사 용지, 검사 지침서, 딸랑이 혹은 종, 적목, 각설탕 혹은 건포도, 종이와 색연필, 손잡이가 달린 플라스틱 컵 2개, 투명 혹은 반투명의 플라스틱 병, 거울, 공, 그림책, 장난감 자동차, 가위, 그림책, 유아용 숟가락, 뚜껑 있는 상자, 작은 상자 2개, 초침시계이다. 검사에 소요되는 시간은 통상 10-15분을 넘지 않는 것이 좋으며 아이가 피로한 기색을 보이거나 안정이 되지 않을 경우에는 검사 도중 휴식을 취하게 할 수는 있으나 수유는 가능하면 하지 않는 것이 좋다.

평가 및 해석 : 실제 검사는 각 발달 분야별로 검사 지침서를 참고로 하여 상한선과 하한선을 구한다. 산출된 연령에 해당하는 항목을 처음 검사한 후 바로 아래 연령 단계의 항목으로 차례로 검사하여 연속 3개의 항목을 통과하면 더 이상 아래로 내려가지 않는다(하한선). 다시 처음 시작한 항목의 바로 위 단계 연령 항목부터 위로 올라가면서 차례로 검사하여 연속 3개 항목을 실패할 때까지 검사한다(상한선). 하한선은 3개의 연속 실패 항목 중 가장 낮은 항목에 해당되는 연령을 말하며, 상한선은 3개의 연속 실패 항목 중 가장 낮은 항목에 해당되는 연령을 말한다. 해당 월령에서 검사를 시작하여 상한선과 하한선이 결정되면 그 세부 발달 분야의 검사를 종료한다. 같은 방식으로 조대운동, 미세운동, 개인사회성, 언어, 인지-적응 발달에 대하여 검사한다. 각 세부 발달 분야별로 발달 연령(developmental age)을 구한다. 발달연령을 구하기 위해서는 우선 해당 분야의 하한선과 상한선 사이에 통과한 항목 수를

세어 놓는다. 하한 연령에다 통과한 항목 수만큼 위 단계로 올라가면 발달 연령이 산출된다.

평가는 발달지수를 산출하여 하는데 발달 지수(DQ)= 발달 연령(개월)/역 연령(개월)x100으로 구하며 발달 지수의 정상범위는 100±20으로 보며 발달 지수가 80 미만이면 발달 지체로 평가한다.

한국 영유아 발달선별검사(K-DST: Korean Developmental Screening Test for Infants & Children)

K-DST는 각 월령에 따른 영유아의 발달사항을 반영한 20개의 개별적인 연령 구간별 검사지로 구성되어 있다. K-DST는 생후 4개월부터 71개월 사이의 영유아를 대상으로 개발되었으며, 생후 초기의 나이가 어린 월령 집단의 경우 발달속도가 매우 빠른 반면 상위 월령 집단인 만 4-5세 집단은 상대적으로 발달속도가 느린 영유아의 발달 특성을 반영하여 각 월령 집단의 간격을 2개월에서 6개월 사이로 차이를 주었다. 이에 4-5개월용, 6-7개월용 등은 2개월 간격으로, 24-26개월용, 27-29개월용 등은 3개월 간격, 36-41개월용부터는 6개월 간격으로 구성되어 있다.

K-DST는 각 영역당 8문항으로 구성되어 있다. 월령별 검사 문항은 4-5개월용부터 16-17개월까지, 즉 생후 18개월 미만의 영유아를 대상으로 하는 검사지는 40문항, 18-19개월용부터 66-71개월용까지의 검사지는 48문항으로 구성되어 있다. 이는 4-5개월용부터 16-17개월용까지는 대근육운동, 소근육운동, 인지, 언어, 사회성 등 총 5개의 발달영역을 다루고 있는 반면, 18-19개월용부터는 자조영역이 포함된 6개의 발달영역을 다루기 때문이다. 자조는 일정한 발달기술을 획득한 후 개발되는 특성을 지니고 있어 18개월 미만 아이의 자조영역을 독립적으로 평가하기 어렵기 때문에 18개월 이후에서만 평가하도록 되어있다.

평가 결과 해석은 각 총점을 계산한 결과가 절단점 '다' (+1 표준편차) 이상인 "빠른 수준", 절단점 '나'(-1표준편차) 와 절단점 '다'(+1 표준편차) 사이인 "또래 수준", 절단점 '가'(-2표준편차)와 절단점 '나'(-1 표준편차) 사이인 "추적평가 요망", 절단점 '가'(-2 표준편차)인 "심화평가 권고"로 분류한다.

추가 질문을 통하여 이상이 있으면 뇌성마비, 언어장애, 자폐범주장애 등을 배제하도록 하였다.

3) 발달 장애의 진단

(1) 과거력 및 위험인자

발달지연 평가에서 과거력 조사는 필수적이다. 특히 재태 기간, 주산기, 신생아기에서의 문제점과 그에 따른 치료의 정도 등의 정보가 많은 도움을 줄 수 있다. 가족력 또한 매우 중요하며 어머니의 과거 임신 및 출생력은 많은 정보를 제공할 수 있다.

발달력은 운동, 언어, 인지, 사회성을 각 분야별로 문진하며 발달퇴행 여부를 검토한다. 문진 후에는 다음과 같은 중요한 질문에 답변 할 수 있어야 한다. 첫째, 환자의 발달지연은 정적(static)인지, 아니면 진행성 뇌증(progressive encephalopathy)인가? 둘째, 환자의 현재 발달상태는 어느 정도 수준인가? 셋째, 유전적 원인이 있는가? 넷째, 발달지연을 일으킨 원인의 시기는 출생 전, 출생전후기, 출생 후 중 어느 때로 추정되는가? 다섯째는 환자의 재활 치료는 현재 어느 수준인가?

(2) 진찰소견 및 위험인자

가장 기본적이며 중요한 것은 환자의 체중, 신장, 두위를 측정하여 성장표에 표시하는 것이다. 소두증, 대두증, 저신장, 고신장, 비만 등의 소견이 발달지연과 연관성이 있는 질병이나 증후군의 소견인 경우가 많으며, 그 외 선천성 기형, 피부, 장기 비대증, 눈의 소견 등도 발달지연의 원인을 규명하는 데 도움이 된다.

신경학적 검진은 정신상태, 뇌신경기능 이외 근육긴장도, 원시반사, 건반사, 근력, 소뇌기능, 보행 및 운동조화를 포함한 운동계 검사와 감각계의 검사를 실행한다. 영유아기나 신생아기의 환자는 나이에 합당한 신경학적 검진을 실시한다. 신경학적 검진을 통해 상부 또는 하부 운동신경 이상을 감별하며 경미한 지연이 있는 경우는 시간을 두고 다시 실시하여 경미한 발달지연인지 또는 신경계의 병변으로 일어나는 발달지연이나 장애인지 구별한다.

(3) 검사실 검사 및 신경영상 검사

염색체 검사

염색체의 구조나 숫자의 이상은 심한 정신지연의 흔

한 원인 중 하나이다. 상염색체 이상은 영아기의 근력저하로 나타나는 경우가 많으며, 발달지연과 뚜렷한 구조이상이 동반될 때는 염색체 검사가 필수적이다. 염색체 이상은 많은 경우 뚜렷한 구조이상을 동반하지 않을 수 있으므로 다른 이유로 설명이 되지 않는 가벼운 구조이상과 발달지연을 동반하는 경우에도 염색체 검사가 추천된다. 최근에는 염색체 검사로서는 발견되지 않았던 여러 증후군들이 좀 더 정확한 DNA 분석을 통해 진단을 내릴 수 있으므로 (Williams, CATCH 22, Angelman, Prader-Willi, 취약 X 증후군 등) 보다 구체적인 진단에 접근한 후 그에 따른 검사를 하는 것이 진단의 효율을 높일 수 있다.

뇌영상검사

MRI의 발전은 발달지연의 원인을 밝히는 데 많은 도움이 되었다. 최근 뇌 형성장애가 발달지연의 원인 중 가장 많은 부분을 차지한다고 보고되었으나 그 자체를 일으킨 원인을 규명하는 것은 아닌 경우가 많아 근본적 원인 규명에는 한계가 있지만 이러한 뇌 형성장애의 발견은 불필요한 향후 검사를 방지할 수 있다. 다른 원인이 규명되지 않은 발달지연의 경우, 특히 비정상적인 행동, 인지, 운동, 신경학적 검진, 두위의 변화가 있거나, 발작을 동반하는 경우에는 신경영상 검사의 실행이 진단에 도움이 된다.

대사이상 선별 검사

전체 발달지연의 환자 중 대사성 질환이 차지하는 비율은 비교적 낮다. 대사이상 선별 검사가 발달지연 환자 모두에서 반드시 필요한 것은 아니다. 그러나 간헐적 구토, 기면상태, 섭취장애 및 성장부진, 발달의 퇴행, 가족력, 특이한 체취, 심근 이상, 다른 장기의 이상 등을 동반하는 경우에는 실행되어야 한다.

기타 검사

발달장애를 가진 많은 환자들이 청력이나 시력장애를 동반하기 때문에 이에 대한 평가가 반드시 이루어져야 한다. 청력장애를 동반할 수 있는 발달장애 질환으로는 혈액다당류증, 점액지질증, biotinidase 결핍증, 사립체, 과산화소체질환 등이 있다. 청력검사를 시행할 수 없는 환자에서는 청각유발전위검사를 시행하며 청각유발전위검사는 이

염색백질형성장애, 부신백질형성장애, 다발성경화증 같은 백질질환에서 민감하게 이상소견을 보인다. Friedreich 운동실조, 유전소뇌운동실조, Leigh병, Wilson병 같은 퇴행질환에서도 이상소견을 보일 수 있으므로 이러한 질병이 의심될 때 실행할 수 있다. 안과검진과 함께 시각유발전위검사나 망막전위검사도 신경계 퇴행질환의 진단에 도움이 될 수 있다. 말초신경 병변을 동반하는 Cockayne, Krabbe 증후군이나 이염색백질형성장애 등은 신경전도검사에서 이상소견을 보일 수 있다. 운동장애를 일으키는 근육병이 의심될 때에는 근전도를 시행한다.

4) 발달장애 소아에서의 단계별 평가

발달장애의 원인을 찾기 위해 복잡하고 어려운 검사로 많은 시간과 경비를 소요하고 있지만, 진단율은 10-81%로 다양하다. 근래에는 신경영상검사 기법의 발달과 분자유

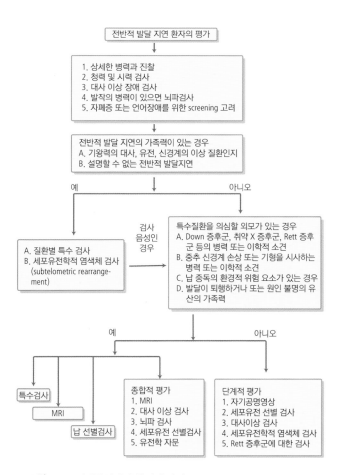

■ 그림 5-1. 전체발달장애 환자의 평가

전학적 검사의 발달로 원인 질환을 발견하는 진단비율이 현저하게 향상되었지만, 과거력과 진찰소견으로만 발달장애의 원인을 찾을 수 있는 경우도 17.2-34.2%로 비교적 높다. 그러므로 발달지연이 있을 때 혈액검사, 뇌파, 뇌 MRI, 대사이상검사, 염색체검사, 갑상샘호르몬, 납농도, 근전도 등을 일률적으로 시행하기에는 비용-효과 면에서 부적절하며, 단계별 진단적 평가 방법은 다음과 같다(그림 5-1).

1단계 : 모든 환자에서 철저한 과거력 청취와 진찰을 실시하고 모든 환자에서 청력검사와 시력검사를 시행한다. 신생아 선천성 대사검사를 하지 않은 환자에서는 혈중 아미노산과 소변 유기산 검사와 갑상샘 호르몬 검사를 시행하고 모든 환자에서 자폐장애나 언어발달 장애의 가능성을 고려하여야 한다.

2단계 : 가족 중에 전반적 발달지연이 있는지 확인한다. 가족 중 발달지연이 있고 그 원인이 알려진 경우는 같은 원인을 찾기 위한 검사를 실시하고 원인을 알 수 없는 경우에는 끝분절밑재배열(subtelometric rearrangement) 검사를 포함한 세포유전학 검사를 실시한다.

3단계 : 가족력에 특이소견이 없는 경우에는 과거력이나 진찰소견을 참조한다. 안면형성 이상이 관찰되면 염색체검사 등을 시행하고 분만 시 신생아 가사의 과거력이 있거나 소두증, 뇌성마비, 국소 뇌전증 등 후천성 뇌병변이나 선천성 뇌기형을 의심할만한 소견이 있으면 뇌 MRI를 시행한다. 납에 노출되었거나 납중독을 의심할 수 있는 증세가 보이는 경우 납농도 검사를 한다. 부모에게 근친결혼, 중복유산, 돌발적인 자녀 사망의 기왕력 등이 있으면 대사이상에 대한 검사를 하면서 신경영상검사, 뇌파, 염색체검사, 유전학과 협진 의뢰 등이 필요하다.

4단계 : 상기의 어떠한 경우에도 해당되지 않을 경우에는 특정한 진단에 대한 확진 가능성이 떨어지지만, 신경영

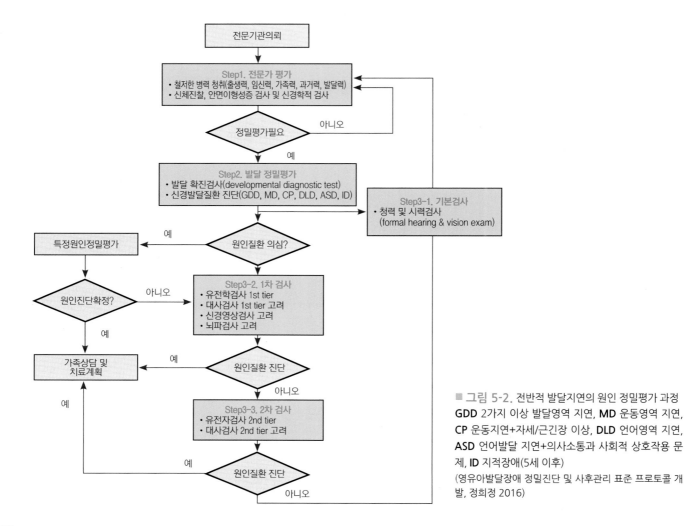

■ 그림 5-2. 전반적 발달지연의 원인 정밀평가 과정
GDD 2가지 이상 발달영역 지연, **MD** 운동영역 지연, **CP** 운동지연+자세/근긴장 이상, **DLD** 언어영역 지연, **ASD** 언어발달 지연+의사소통과 사회적 상호작용 문제, **ID** 지적장애(5세 이후)
(영유아발달장애 정밀진단 및 사후관리 표준 프로토콜 개발, 정희정 2016)

상검사, 세포유전학검사, 취약 X 검사를 시행하고 결과가 음성으로 나오면 대사이상 검사나 세포유전학적 염색체 검사를 하고 유전학 협진을 고려한다.

우리나라의 영유아 발달검진에서는 심화평가의 항목이 있으면, 정밀검사를 하도록 의뢰되어있고, 그림 5-2와 같은 알고리즘을 따라 진행하도록 하고 있다.

5) 발달장애의 조기진단 및 조기치료

소아청소년과 의사는 근본적 또는 관련 의료 문제를 해결하는 것 외에도 신경 발달 장애가 있는 어린이를 위한 종합적인 종합 관리 계획의 구현을 감독하고 모니터링하는 컨설턴트로서 중요한 역할을 수행 할 수 있다.

영유아기는 신경계의 발달이 급속히 일어나는 시기로서 신경계의 발달 측면에서는 초기의 시냅스의 과잉 발달이 있다가 필요한 부분만 강화되고 나머지 시냅스가 소멸되는 가지치기가 일어나면서 뇌의 가소성이 극대화되어 있는 시기이다. 장기들에 따라 결정적 시기가 있어 자극이 주어지지 않으며 평생 기능을 할 수 없기도 한다. 또한 영유아기는 양육자와의 긍정적인 관계가 발달에 중요한 영향을 미치는 시기이기도 하다.

발달장애를 조기에 발견하여 인지증진치료, 놀이치료, 언어치료, 물리치료, 작업치료, 특수교육 등을 통해 환자의 장애를 줄이고 가족전체의 고통을 경감시키며, 나아가서는 개인적인 손실은 물론 사회적 비용도 함께 줄일 수 있다. 이를 위해서는 정기적인 건강검진 시 발달평가를 통해 조기에 발달장애를 발견하는 것이 무엇보다 중요하고, 일회적인 선별검사보다는 지속적인 발달감시가 더욱 필요하다.

지적장애

Intellectual Disability

| 차병호 |

지적장애는 지능발달이 부진하여 사회적응에 문제가 있는 소아를 말한다. 정의상으로는 일반적인 인지기능이 평균보다 낮고(지능지수 70-75 이하), 의사소통, 신변처리, 사회적 기량, 자제력, 학업수행 능력, 업무능력, 여가선용, 개인건강 및 안전 등의 영역에서 적어도 2가지 이상에 문제가 있어 사회적응 능력이 제한되며, 18세 이전에 나타날 때 지적장애로 진단한다. DSM-5에서는 지적장애 진단 기준이 되는 지능지수를 70으로 정의하였고, 지능지수에 따른 장애 정도를 경도(50-69), 중등도(35-49), 고도(20-34), 최고도(<20)로 분류한다. 지적장애를 가진 소아는 정상 소아에 비하여 지능이 현저히 저하된 상태일지라도 지능발달은 정지된 상태가 아니고 조금씩 발달한다. 예외적으로 퇴행성 뇌 질환이나 대사질환의 경우에는 지능 발달이 퇴화되기도 하며, 특이한 행동장애를 동반하는 자폐증, Rett 증후군 또는 극심한 주의력결핍 과잉행동 장애와 지적장애가 동반되기도 한다. 지능상태가 퇴화되거나 행동장애가 주 증상이 되는 경우는 일반적인 지적장애와 감별진단을 요하며 예후와 치료방법을 다르게 접근해야 한다. 현재 전 세계적으로 지적장애 소아에 대한 개념이 변화하여 보호시설에서의 치료와 교육 뿐 아니라 장애자와 더불어 생활하는 환경과 사회의 구조를 개선하는 경향으로 바뀌어가고 있다. 지적장애 소아가 있는 가족은 극심한 심리적인 갈등과 특수교육을 위한 시간적, 경제적 부담을 갖게 되며, 소아를 교육 훈련시키기 위한 인적 시간적 소모가 커서 사회적 문제로 대두되고 있다. 하지만 지적장애 소아의 90-95%가 경증으로 조기진단, 정밀한 평가와 교육 훈련을 통해 경제적 자립을 할 수 있고 결혼 및 자녀 양육도 가능하기 때문에 많은 관심과 배려가 필요하다.

[발병기전]

지적장애의 원인은 다양하며 그 조사 방법에 따라 10-81%까지 보고되었다. 원인 규명과 발병기전에 대하여 알려져 있지 않은 경우가 많으나 유전학과 분자생물학의 발전으로 대부분 그 원인과 병리기전이 밝혀질 것으로 기대된다. 지적장애는 유전적 요인과 환경적 요인이 모두 관여하며, 경도의 지적장애는 대체로 환경적 요인과 관련된 경우가 많고 중증의 지적장애는 생물학적 요인과 관련된 경우가 많다고 알려져 있다. 현재까지 알려진 원인으로는 태아기에 발생하는 뇌발달장애 및 기형, 다양한 산전 감염, 영양부족, 유전질환 등이 있고, 출산 시 발생될 수 있는 원인으로 저산소 허혈 뇌병증, 미숙아, 뇌출혈 등으로 인한 뇌 손상을 들 수 있다. 신생아기의 핵황달, 경련, 대사질환, 내분비 질환 외에 중추신경계 감염, 근육질환, 중독증, 영양부족 등이 원인이 될 수 있다. 그 외에도 염색체이상, 형태이상을 동반하는 다양한 증후군(DeLange 증후군, Sotos 증후군 등)들이 있고 피부신경증후군, 내분비 질환 및 중독성 뇌증(납 중독) 등 다양한 환경오염이 원인이 될 수 있다. 신경전달물질의 불균형으로 야기되는 질환으로는 자폐증,

표 5-3. 지적장애의 원인

분류	원인
출생전	유전 　염색체이상: Down 증후군, Prader-Willi 증후군, 　　Williams 증후군, 전위 　단일유전자 증후군: 취약 X, Rubinstein-Taybi, 　　Coffin-Lowry 증후군 　단일유전자 질환: OPHN1, FMR2 변이 　대사이상: phenylketonuria, galactosemia, Smith- 　　Lemli-Opitz 증후군
	후천적 　태아알코올증후군 　기타 산모의 약물복용 　영양: 산모의 phenylketonuria, 요오드 결핍 　감염: rubella, toxoplasmosis, cytomegalovirus, HIV 　뇌경색
	미상(대개 유전적일 것으로 생각되지만, 후천적일수도 있음) 　유전 원인이 밝혀지지 않은 질환: Marinesco- 　　Sjögren, Marden-Walker 증후군 　선천 복합기형과 정신지연
주산기	주산기 가사 감염: 헤르페스 뇌염, group B 사슬알균 뇌수막염 뇌경색: 색전증, 출혈성 극소 저체중 출생아, 미숙아 대사질환: 저혈당, 고빌리루빈혈증
출생후- 환경요인	독성: 납중독 감염: Haemophilus influenzae b 수막염, 일본뇌염 뇌경색 외상 영양부족 빈곤
기타	가족성 비가족성

Rett 증후군, 극심한 주의력결핍 과잉행동 장애 등이 있다.
퇴행성 뇌질환으로는 백질장애, Canavan병, Batter병 등과

표 5-4. 연령에 따른 지적장애의 임상양상

연령	임상 양상
신생아	형태이상증(dysmorphism) 주요 기관 기능부전(예: 수유 또는 호흡 장애)
조기 영아기(2-4개월)	주위 환경과 상호작용 상실
후기 영아기(6-18개월)	시각 또는 청각장애
걸음마기(2-3세)	대근육 운동발달 지연
학동전기(3-5세)	언어발달 지연 행동장애 소근육 운동발달 지연
학동기(5세 이상)	학업성취 저하 행동, 감정장애

대사 이상 질환 등이 있으며, 그 외에 DNA변형으로 발현되는 다양한 질환들이 원인으로 알려져 있다(표 5-3).

[임상양상]

　개인에 따라 차이가 있으나 연령에 따른 일반적인 임상양상은 표 5-4와 같다. 출생 직후 또는 영아기 초기에 외견상 기형이 있는 경우에는 유전적 질환이 있음을 시사하므로 쉽게 지적장애의 동반 유무에 관심을 가질 수 있으며, 그 외에도 빠는 힘이 약하고 운동발달이 느리거나 주위 환경에 반응하는 것이 이상한 경우에도 여러 신경학적 문제를 포함하면서 지적장애를 동반할 가능성이 높기 때문에 주의 깊은 관찰이 필요하다. 일반적으로 심한 지적장애 환자는 다른 발달영역에도 심한 지체를 보여 대개 2세 이전에 진단이 가능하지만 경도의 지적장애 환자들은 대부분 2-3세 이후에 언어장애, 행동 및 정서장애, 학습장애 등의 형태로 진단되는 경우가 많다(표 5-4).

표 5-5 인지기능 측정 도구

도구명	적용연령	특징
Bayley Scales of Infant Development III	1-42개월	각각의 발달 영역에 따른 표준 지수와 연령
Wechsler Preschool and Primary Scale of Intelligence III	2.5-7.25세	IQ 지수
Stanford-Binet Intelligence Scale (5th Ed)	2-85세	복합(composite) IQ 지수
Kaufman Assessment Battery for Children II	3-19세	정신활동 과정 복합 IQ 지수
Wechsler Intelligence Scale for Children (WISC-IV)	6-12세	언어, 수행능력, Full-Scale IQ 지수

표 5-6. 적응기량 측정 도구

도구명	적용연령	특징
Vineland Adaptive Behavior Scales II (VABS II)	출생-19세	5가지 주요 영역: 의사소통, 생활기량, 사회성, 운동기량 부적응 행동
Adaptive Behavior Scales II (ABS II)	출생-89세	DSM-IV-TR의 10가지 적응 기량과 AAMR의 3가지 일반영역
Scales of Independent Behavior-Revised (SIB-R)	출생-80세	적응행동 14가지 영역과 문제행동 8가지 영역 시각장애 환자도 가능함

[진단]

인지기능검사를 포함한 각종 심리검사를 통해 지적장애 유무를 판단하는 것과 원인 규명을 위한 의학적 접근이 필요하다. 지적장애의 진단 및 평가를 위한 신경심리검사는 표 5-5, 5-6과 같다. 원인 규명을 위한 의학적 접근은 환자의 예후를 판정하고 가족 내에 재발의 위험성 등을 예측할 수 있는 중요한 요소로 생각되어지나 체계적이지 못한 경우에 불필요한 검사들을 시행하게 되므로 신중한 접근이 필요하며, 미국 소아과학회에서는 지적장애나 발달지연이 있는 환자들에 대한 원인 규명을 위해 합리적인 접근법을 제시하고 있다(그림 5-3). 병력 청취 및 진찰이 가장 중요하며 이를 통해 많은 환자들을 진단할 수 있다. 기형 유무의 확인과 함께 신경계진찰을 통한 신경학적 이상 유무의 확인으로 지적장애를 동반하는 많은 신경학적 질환을 확인하는 것이 중요하다. 염색체 이상을 평가하기 위해 고해상도 띠염색법이 필요하며 최근 기형을 동반한 환자 이외에도 지적장애의 원인을 알 수 없는 모든 환자들에게 시행할 것을 권하고 있다. FISH 검사를 통해 특정 염색체의 미세결실 혹은 재배열 유무를 확인할 수 있어 Williams 증후군, Prader-Willi 증후군, DiGeorge 증후군, CATCH 증후군 등을 진단할 수 있다. 남자에서 지적장애의 주된 원인으로 알려져 있는 취약 X 증후군은 FMR1 유전자의 변이를 확인함으로써 진단할 수 있다. 뇌 MRI는 안면기형을 가진 환자 이외에도 특정 질환을 시사한 소견이 전혀 없는 지적장애나 발달지연 환자들에게도 시행할 것을 권고하고 있으나 대사이상 검사는 대사질환이 의심되는 경우에 실시할 것을 권한다.

[치료]

동반되는 뇌전증이나 심리적인 제반문제, 신체적 결함에 대한 물리치료와 작업 치료, 특수교육 등 의사, 간호사,

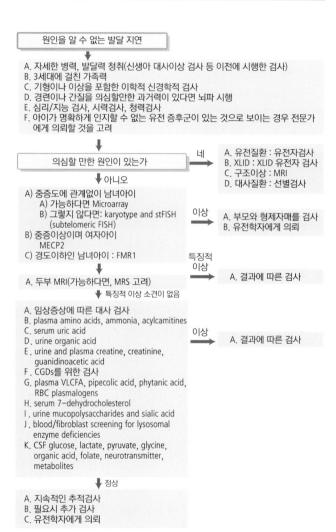

■ 그림 5-3. 원인을 알 수 없는 발달지연 소아의 임상 평가
모든 전반적 발달지체나 지적장애 아이들에게 자세한 가족력, 자세한 이학적 검사와 심리/지능 검사 그리고 시력과 청력에 대한 선별검사가 필요하다. 뇌파는 경련 등이 의심될 때 시행한다. 특정한 원인이 의심되는 외모인 아이들의 경우, 유전자검사, 뇌영상촬영, 대사이상 검사 등이 확진에 도움될 수 있다. 하지만 이러한 특징적인 소견이 없는 경우, 유전적 이상, 뇌의 구조적 이상, 대사이상에 대한 단계적으로 접근해야 한다. CGD = congenital disorder of glycosylation, CSF = cerebrospinal fluid, RBC = red blood cell, MRI = magnetic resonance imaging, MRS = magnetic resonance spectroscopy, VLCFA = very long chain fatty acids, XLID = X-linked intellectual disability.

특수치료사, 영양사, 사회복지사, 특수교사 등을 포함하는 다양한 인원이 한 팀을 이루어 환자의 능력에 맞는 교육과 훈련이 요구되며 주기적인 의학적 진찰 및 평가가 필요하다. 지적장애 환자의 치료는 일반적인 건강유지 및 동반된 문제들에 대한 약물치료, 특수교육 및 가족에 대한 관심이 필요하다. 또한 여러 가지 다른 의학적 문제를 동반하고 있기 때문에 정상인에 비해 건강을 유지하기 위해 많은 의학적 서비스가 필요하다.

○ **교육과 훈련**

기본적인 교육목표를 사회적응과 자활에 두고, 취약한 부분을 중점적으로 교육해야 한다. 예를 들면 언어장애가 있는 경우에 언어치료에 집중하여 언어소통의 문제가 없도록 제반 문제를 해결함으로서 지식습득의 장애를 최소화할 수 있다.

교육은 조기에 시행함이 효율적이나 일반적인 모방능력과 훈련이 가능한 3세부터 시행하는 것이 좋고 사회적응 교육에 중점을 두어야 한다. 3-4세의 교육은 또래를 모방하면서 이루어진다. 또래 집단에 적응하는 능력은 기본적인 사회 적응능력의 기본이 되고 지적장애 소아는 어른보다는 같은 또래 소아의 행동과 언어를 모방하며 경쟁과 비교를 통하여 자신이 부족함을 인지함으로서 모방의 동기를 유발시킬 수 있기 때문에 사회적응 교육이 중요하다. 정상발달 소아에 비해 놀이에 접하는 기술, 자신의 신변처리에 대한 기술, 언어의 표현 등 다양한 적응력을 습득하는 기술이 미숙하지만 가장 적절히 모방능력을 유발시킬 수 있는 동기가 될 수 있다.

기술과 적응이 용이치 못한 경우가 많아 혼자 놀거나, 고집이 세어지거나 난폭한 행동을 하기도 하지만, 어느 정도의 기간이 경과되어 적응이 조금씩 이루어지면 점차적으로 적응과 모방 기술을 습득하게 된다.

○ **언어훈련**

적절한 훈련의 시작 시기는 3세이다. 그러나 언어치료 전 단계인 옹알이를 시작한 후부터 실제로 언어에 발달이 시작되는 것으로, 씹는 운동과 빠는 운동 등이 언어 발달의 중요한 기초가 된다. 따라서 우유병으로 수유하는 시기를 필요 이상으로 연장하지 말아야 하며 씹고 빠는 운동, 입으로 부는 운동을 시켜야 한다. 다양한 발음을 유발시키는 섬세한 발성과 관련된 근육의 발달을 유지하기 위해서는 빨대, 호루라기, 하모니카, 나팔 등을 이용하고, 사물의 이름과 형태를 함께 보여 주며 발음을 하면서 모방을 하도록 유도하고, 이를 되풀이하여 사물에 대한 인지능력을 향상시키도록 한다. 언어의 발달이 서서히 이루어지면 사물의 인지를 하나하나 이해시키며, 언어의 교육과 더불어 사회 적응능력을 교육하는 순서로 진행시킨다. 학동기에 이르러도 언어 능력이 저조한 경우에 글을 익히기 어려워지기 때문에 가능하면 학동기 전에 언어 치료를 마치는 것이 바람직하다.

○ **교육**

일반학교 교과과정을 따라가기 어려우나 적응력에 이상이 없는 경우, 학습보다는 적응력 위주로 교육을 시도함이 원칙이며 일반학교 특수학급에서 교육받는 방법도 있다. 지능지수가 80 이하인 경우에 학업습득에 문제가 있을 것으로 간주되나 학습이 부진하더라도 적응이 잘되는 경우에는 정상 소아와 함께 교육을 받는 것이 이상적이다. 개인의 능력에 맞는 특수교육, 직업교육 등을 통해 성인이 되었을 때 사회적, 경제적으로 자립할 수 있는 여건을 마련해 주는 것이 중요하다. 지능이 아주 저조한 경우에는 소아의 적응력과 발달상태에 맞는 교육을 하되, 취약점을 보강하고 일반 자립생활에 지장이 없도록 목표를 세우고 교육시키는 방법이 가장 효율적이며, 지능지수 30 이하인 경우에는 자신의 신변처리와 최소한의 적응력을 목표로 교육해야 한다.

○ **가족교육**

지적장애 소아는 정상아와 다름을 부모가 인지하도록 해야 하며 소아의 결함과 능력이 다양하므로 그 접근방법도 다양하고 개별적이어야 함을 주지시켜야 한다. 수행능력을 발달시키는 것을 주목표로 하여 부모로 하여금 소아의 능력을 최대한 발휘할 수 있게 돕도록 한다. 소아가 모든 행사나 활동, 일상생활에 적극적으로 참여할 수 있도록 하며 사회 교육기관, 일반 사회생활에 필요한 기관, 단체와 연관시키도록 유도해야 한다.

표 5-7. 지적장애 소아의 약물 치료

분류	약물	적응증	부작용
각성제	methylphenidate, d-amphetamine	ADHD	보챔, 틱, 졸림, 소화장애
베타 차단제, 알파 흥분제	propranolol, clonidine(패치)	공격성, 폭발적 행동	우울, 악몽, 졸림, 구갈, 부산함
선택적 세로토닌 재흡수억제제 (SSRI), 삼환계 항우울제	fluoxetine, sertraline, fluvoxamine, clomipramine	우울, 이상언행반복증, 공격성	구갈, 부산함, 수면장애
항불안제	buspirone	불안	진정, 소화장애
기분안정제	lithium, VPA, CBZ, haloperidol, risperidone	기분변화, 공격성	진전, 쇠약감, 소화장애
도파민 억제제와 Opioid 억제제	pimozide, naltrexone	공격성, 자해	진정, 근긴장이상, 중추신경 증상, 소화 증상
수면제	melatonin, chloral hydrate	수면장애	
항경련제	VPA, CBZ, LMT, TPM	뇌전증, 공격성	

약자 : VPA, valproic acid; CBZ, Carbamazepine; LMT, Lamotrigine; TPM, Topiramate

○ **약물치료**

지적장애 환자는 주의력결핍 과잉행동 장애, 공격성, 자해 등의 행동장애나 정서장애, 수면장애, 음식물 섭취 장애 등이 흔히 동반된다. 흔히 사용되는 약제로 주의력결핍 과잉행동 장애에 methylphenidate, 공격성이나 자해가 심할 때 clonidine, risperidone, naltrexone 등이 사용되며 최근에는 mirtazapine 등이 치료 약제로 사용된다(표 5-7).

[예후]

인지기능 정도에 따라 경도의 지적장애 환자는 다른 동반질환이 없을 경우 적절한 교육 과정을 통해 초등학교 고학년 수준에 도달할 수 있으며 단순노동을 통해 경제적 자립을 할 수 있고 결혼 및 자녀 양육도 가능하다. 중등도 지적장애 환자의 경우 초등학교 저학년 수준에 도달할 수 있고 보호시설에서 보호되는 경우가 많으며 타인의 도움을 받으며 단순노동을 할 수 있다. 중증 이상의 환자는 타인의 보호 없이는 정상 생활을 할 수 없는 경우가 많다.

03

말 · 언어장애

Speech and Language Disorders

| 김진경 |

음성(voice)이 발성기관에서 나오는 단순한 청각적인 의미를 나타낸다면, 말(speech)은 음성이 상징적 의미를 가질 때를 말하며, 언어(language)는 상징적인 의미가 의사소통(communication)의 기능을 가질 때로 정의된다. 언어는 사람 사이에 의사소통을 하게하는 일차적인 수단으로, 말 뿐 만아니라 문자, 그림, 몸짓 등이 모두 포함된다. 말은 이중에서 가장 중요한 의사소통 수단이다. 의사소통 장애(communication disorder)는 언어, 말, 의사소통에 결함이 생기는 것이다. 조음장애나 말더듬과 같은 말장애는 언어장애와 별개로 나타나기도 하지만, 말과 언어장애가 함께 나타나는 경우가 많다. 언어장애는 의사소통의 문제뿐 아니라, 학습장애로 이어질 수 있으며, 정서 및 행동문제를 동반할 수 있다.

1. 말 · 언어의 발달
(Speech and Language Development)

1) 대뇌반구의 비대칭적 언어처리와 가소성

언어는 대뇌에 의해 조절되며, 언어의 발달은 대뇌의 발달과 밀접한 관계가 있다. 언어 기능은 대뇌의 좌우 뇌반구에서 동일하게 처리되지 않고, 좌뇌반구에 편재(lateraliza-tion)되어 있다. 좌뇌반구는 말소리의 의미 파악과 문법처리에 중심적인 역할(dominance)하며, 우뇌반구는 감정이나 의도의 전달을 도와 문장의 의미를 해석하는 데 도움을 준다.

언어의 지속적 노출에 따른 학습은 뇌의 언어영역의 발달을 진행시키지만, 좌우 뇌반구의 차이가 발달 과정의 결과인지, 출생 때부터 뇌가 이미 차이가 있는지는 분명하지 않다. 좌우 측두엽 평편부(planum temporale)의 해부학적 차이가 태아기에 이미 나타나며, 3개월 된 영아도 말을 들을 때 뇌의 반응이 좌뇌반구 쪽으로 편향된 활성화를 보였다는 신경영상 연구는 언어기능의 비대칭성이 조기부터 있음을 시사한다.

편재화가 되면 한쪽 뇌가 손상이 되었을 때, 다른 쪽 뇌가 소실한 기능을 대치할 수 없다. 그러나 좌뇌반구의 국소 손상이 있는 어린 아이의 언어장애는 뇌손상의 정도가 비슷한 성인에 비하여 장애의 정도가 심하지 않는데, 이는 어린 아이의 뇌는 편재화가 완전하지 않고, 가소성(plasticity)이 높아서 손상되지 않은 뇌의 영역들이 손상된 뇌의 기능을 넘겨받기 때문으로 설명된다.

2) 언어정보의 전달 경로

소리는 청신경을 통해 뇌의 일차 청각겉질(primary auditory cortex)로 전달되고, 다시 Wernicke 영역으로 전달되어 말의 상징적인 의미가 해석, 이해된다. 궁형섬유속(arcuate fasciculus)을 통해 전두엽의 Broca 영역으로 전달되고, 그 결과가 입과 혀 등을 움직이는 운동중추(motor cortex)로 전달되어 상대방의 말에 대한 반응을 나타낸다. 글을 소리내어 읽을 때, 시각신호는 일차 시각겉질로 전달되어 각회(angular gyrus)를 경유하여 Wernicke 영역, Broca 영역, 운동중추로 전달된다(Wernicke–Geschwind model). 그러나 여러 연구에서 언어처리 과정이 Wernicke–Geschwind model에서 제안된 것보다 더 넓은 뇌 영역에서, 더 복잡하고 광범위한 네트워크를 통해 이루어지는 것을 밝히고 있다.

3) 발성기관

발성기관은 성문(glottis)을 중심으로 성문 상부와 성문 하부로 구분한다. 성문 상부는 구강, 비강 등의 성도(vocal tract)로 구성되고, 성문 하부는 후두, 기관, 폐로 구성되어 있다. 성대(vocal fold)는 성문의 가장 중요한 부분으로 흡기동안 외전하여 폐로 공기가 들어가게 하며, 호기 동안 폐에서 나오는 공기의 흐름을 조절한다. 음성은 폐로부터 나오는 공기의 흐름에 의해 생성된다. 폐로부터 나온 공기가 성대에 의해 닫혀진 성문에 막혀 성문 아래에서 압력을 형성하여 성대를 진동시켜 소리를 낸다(발성). 소리는 구강이나 비강으로 나가면서 증폭되고 변형된다(공명). 동시에 혀와 입술 등을 움직여 성도의 모양을 변형시켜 자음과 모음과 같은 말소리를 만든다(조음). 호흡 시 성문의 압력을 조절하고 성도의 모양을 바꾸기 위해서는 인두와 후두의 근육 및 호흡근의 복합적인 조절이 필요하다. 성장함에 따라 해부학적 발육 및 신경계의 발달 등에 의해 더 효과적인 소리를 낼 수 있게 된다.

4) 조음의 발달

조음(articulation)이란 구강에서 성도의 모양을 변형시켜 모음과 자음을 만드는 과정을 말한다. 조음에서 가장 기본적인 단위는 음소(phoneme)이다. 음소란 특정언어에서 낱말을 구성하는 가장 작은 소리의 단위이고, 음소는 모음과 자음으로 구분한다. 음절(syllable)은 모음 수에 기초한 언어학적 단위이다. 음절은 낱말(word), 구(phrase), 문장(sentence)의 순서로 확대된다.

우리말의 모든 말소리를 완벽하게 조음하게 되기까지는 6-7년이 걸리는데, ㅍ, ㅁ, ㅇ은 2-3세에, ㅂ, ㄷ은 3-5세에 완전히 습득되나, ㅈ, ㅅ, 초성 ㄹ은 6-7세에 습득된다. 조음 정확도가 발달함에 따라 말 명료도(speech intelligibility)도 높아진다. 명료도란 상대방이 말을 이해하는 수준이다. 친밀하지 않은 사람이 아동의 말을 알아들을 수 있는 정도는 2세에 40%, 3세에는 75% 정도이다.

5) 언어의 구성 요소

언어는 효과적인 의사소통을 위하여 내용(의미론), 형식(음운론, 구문론, 형태론), 기능(화용론)이 잘 조화되어야 한다. 음운론(phonology)은 음소들이 결합하는 규칙이며, 형태론(morphology)은 형태소(의미를 가지는 언어의 최소 단위)들이 결합하여 단어를 형성하는 규칙이며, 구문론(syntax)은 단어의 배열에 의하여 문법적으로 수용할 수 있는 문장을 형성하는 규칙이다. 의미론(semantics)은 단어의 의미와 관련이 있으며, 화용론(pragmatics)은 적절한 의사소통에 관계되는 규칙을 의미한다.

6) 언어의 발달

언어 습득 과정은 모든 문화에서 보편적인 방식으로 진행된다. 사람에게 있어 언어능력이 발현되는 시기는 유전적으로 결정되어 있으며, 이 시기에 충분한 언어자극이 언어습득에 필수적이다. 언어발달 순서는 예측 가능하며, 인지발달과 병행한다.

대부분의 영아들은 6-8개월이면, 이전에 나타난 발성과는 다른 '마마' '바바'와 같은 우리말의 음절과 비슷한 소리를 낸다(음절성 옹알이, 중복 옹알이). '바바바'와 같은 반복적인 소리로 모음을 중심으로 자음이 결합된 음절 형태의 옹알이가 산출된다. 8-10개월이 되면 옹알이는 유아가 속한 언어 사회의 소리와 억양을 반영하며, 첫 낱말을 이루는 기본이 된다. 언어발달 지연이나 청각장애가 있으면 옹알이가 적거나 나타나지 않을 수 있다. 문화와 언어를 막론하고 첫 낱말(first word)은 12개월에 나타나며, 18-24개월이 되면 낱말 습득이 증가하는 '어휘 폭발기'를 보인다. 2세가 가까워지면 대화에서 '낱말 조합'을 사용하며, 몸짓보다는 말로 의사소통을 한다. 생후 2년 동안에 어휘 영역에서 많은 발달이 일어난다. 3세에는 문법 습득의 발달이 두드러진다. 3세 소아는 우리말의 기본 구문구조를 활발히 사용한다. 언어 습득은 4세에 완성되어 거의 어른과 비슷하게 말하며, 4세 이후에도 조음, 어휘, 문장 구조, 의사소통 기술이 계속 발전한다.

언어발달의 초기에는 여아가 남아보다 앞서지만 그 차이는 크지 않다. 맏이가 부모와 일대일 상호 작용의 기회가 더 많아서 맏이의 어휘 수가 동생들에서 보다 더 많다. 이는 소아가 듣는 말의 양이 어휘 발달에 영향을 미친다는 것을 보여준다. 이중언어(bilingual) 환경의 아동은 첫 단어의 산출이 조금 늦을 수 있고, 단어나 문법 규칙이 섞일 수 있으나, 24-30개월에는 두 언어 체계가 분리되어 발달하며, 3세에는 다른 일반 아동(monolingual)과 같은 수준으로 된다.

정상적인 언어발달 기재를 가진 유아는 정상적 모국어 능력과 두 번째 언어에 대해서도 정상적인 언어능력을 습득할 수 있다. 따라서 '남아', '맏이'라는 출생 순위, '이중언어의 노출'은 언어발달 지연의 원인으로 설명될 수 없다.

7) 언어발달의 적신호

2-3세에는 언어발달의 개인차가 커서 말이 늦을 때 단순히 성숙이 더딘 것인지(late bloomer), 언어장애인지를 예측하기는 어렵다. 그렇지만 상징행동 발달과 언어발달 사이에는 밀접한 관계가 있으므로, 상징놀이와 언어 이해력이 연령에 따라 발달해가면 좋은 예후를 기대할 수 있다. 생후 10개월이 되어도 중복 옹알이를 하지 않거나, 18개월에 손짓으로 지적하지 않는 경우, 2세에 표현 단어 수가 50개 미만이면서 두 단어 조합이 나타나지 않는 경우는 발달의 적신호이다.

2. 말·언어장애(Speech and Language Disorders)

발성기관을 통해 나온 음성은 청신경을 통해 뇌로 전달된다. 뇌에서는 이의 상징적 의미를 해석하여 발성기관을 통해 타인의 말에 반응한다. 따라서 청각장애, 뇌의 이상, 발성기관의 구조적 혹은 기능적 이상, 환경적 결함 등이 말언어장애의 원인이 된다.

아동학대나 방임, 부모의 사회 경제적·정서적 요인으로 인해, 또는 청각장애인 부모에게 양육되는 경우에 언어자극이 부족하여 아동이 말을 습득하는 데 어려움을 겪을 수 있다. 또한 다문화 가정의 소아는 주 양육자의 언어습관이

나 언어형태 등에 영향을 받는다. 주 양육자의 모국어 능력이 제한적인 경우에 아동들은 모국어 습득에 어려움을 보이게 된다.

1) 말장애

(1) 음성장애(voice disorder)

음성장애란 호흡, 발성, 공명과정에서의 결함으로 음성의 음도(pitch), 강도(loudness), 음질(voice quality)이 정상인과 차이를 많이 보이는 것이다. 성대의 오용, 남용으로 발생하는 기능적 음성 장애, 발성 기관의 손상이나 질병으로 발생하는 기질적 장애 및 신경학적 문제로 인한 신경학적 음성장애로 구분된다.

(2) 아동기 발생 유창성 장애(childhood-onset fluency disorder)

말소리나 음절의 반복(repetition), 소리의 연장(prolongation), 소리의 막힘(block) 등으로 말더듬증(stuttering)이 초래된다. 이러한 증상이 심해지면 이차적으로 말더듬에서 빠져나오려는 탈출행동과 말을 기피하는 회피행동이 나타나게 되고, 자존감의 손상까지 야기된다. 말더듬은 대개 점차적으로 나타나며, 언어발달기의 정상적인 비유창성 시기(developmental dysfluency)에 이어짐으로 2-5세에 시작된다. 말더듬은 남자에서 더 많고, 가족력이 있다. 정상적 비유창성과 감별이 필요하다. 정상적 비유창성은 4-5세에 언어 발달과 말 조절에 관한 발달이 균형을 이루면서 감소하게 된다. 말더듬증은 DSM-5(American Psychiatric Association, APA, 2013)에서 아동기 발생 유창성 장애(childhood-onset fluency disorder)로 용어가 바뀌었다.

아동기 발생 유창성 장애의 DSM-5 진단기준

A. 말의 정상적인 유창성과 말 속도 양상의 장애로서 이는 연령이나 언어 기술에 비해 부적절하며, 오랜 기간 지속된다. 다음 중 한 가지 이상이 자주, 뚜렷하게 나타나는 것이 특징이다
  1. 음과 음절의 반복
  2. 자음과 모음을 길게 소리 내기
  3. 단어의 깨어짐(예: 한 단어 내에서 머뭇거림)
  4. 소리를 동반하거나 동반하지 않는 말 막힘(말의 중단

사이가 채워지거나 채워지지 않음)

    5. 돌려 말하기(문제있는 단어를 피하기 위한 단어 대치)

    6. 과도하게 힘주어 단어 말하기

    7. 단음절 단어의 반복(예: "나-나-나-나는 그를 본다")

B. 개별적으로나 복합적으로 장애는 말하기에 대한 불안 혹은 효과적인 의사소통, 사회적 참여, 또는 학업·직업적 수행의 제한을 야기한다.

C. 발병은 초기 발달 시기에 시작된다(주의점: 늦은 발병의 경우 성인기 발병 유창성 장애로 진단한다).

D. 장애는 언어-운동결함 또는 감각결함, 신경학적 손상(예: 뇌졸중, 종양, 외상)에 의한 비유창성 또는 다른 의학적 상태로 인한 것이 아니며, 다른 정신질환으로 더 잘 설명되지 않는다.

(3) 말소리 장애(speech sound disorder)

  '말소리'에는 물리적으로 존재하는 구체적인 말소리인 '음성'과 심리적으로 존재하는 추상적인 말소리인 '음운(혹은 음소, phoneme)'이 있다. 조음장애란 조음기관(혀, 입술, 치아, 입천장, 턱)을 통하여 말소리(phoneme)가 만들어지는 과정의 결함이다. 혀는 다른 어떤 조음기관보다 중요한데, 혀가 손상되거나, 일부 절제된 경우 조음에 장애가 생긴다. 구개열(cleft palate)이나 연인두폐쇄부전(velopharyngeal incompetency)이 있는 경우 콧소리가 심하게 들리는 과대비성과 이차적인 보상 조음이 나타난다. 설소대 단축증이 심한 경우에 음식 섭취가 힘들고, 조음에 영향을 미칠 수 있으나, 설소대는 탄력성이 큰 근육이므로 조금 짧다고 해도, 혀의 앞부분이나 혀의 등이 윗 잇몸이나 입천장까지 닿을 수 있다면 조음에는 큰 영향을 미치지 않는다. 음소를 생략하거나, 다른 음소로 대치하거나, 같은 음소 내에서 소리를 왜곡하거나 첨가하는 조음장애 증상들은 순수 조음장애에서 뿐만 아니라 지적장애, 청각장애, 구개파열, 뇌성마비 등의 아동에서 중복 결함으로 나타나기도 한다.

  음운장애는 음운 규칙이나 음운 성질을 습득하는 데 결함이 있어서 음운 규칙을 단순화하거나 자기 나름대로의 대치 규칙을 사용하여 발음이 불명료하다. 장애의 원인이 생리적 차원에 주로 있으면 조음장애이고, 언어적 차원에 있으면 음운장애이다. 소아에서는 조음장애와 음운장

애가 중복되어 나타나는 경우가 대부분이다. 조음·음운장애(articulation and phonological disorder)의 원인으로 조음기관의 결함이나, 신경계 조절장애, 청각장애 등 기질적 원인과, 음소의 습득이 늦거나 음운체계의 지식이 부족하거나, 습관적으로 잘못된 방법으로 조음하는 기능적 원인이 있다. 조음·음운장애는 DSM-5에서 말소리 장애(speech sound disorder)로 용어가 바뀌었다. 아동기 말소리 장애는 기질적 원인을 알 수 없는 경우가 대부분이다. 남아에서 여아보다 2-3배 많게 나타난다. 아동의 발음이 아동의 연령과 발달 단계에서 일반적으로 기대되는 발음에 비하여 부정확하거나 지연된다.

말소리 장애의 DSM-5 진단기준

A. 말소리를 내는데 지속적인 어려움이 있고, 이는 말 명료도를 방해하거나 전달적인 언어적 의사소통을 막는다.

B. 장애가 효과적인 의사소통을 제한하여, 사회적 참여, 학업 성취, 또는 직업적 수행을 각각 혹은 조합해서 방해한다.

C. 증상의 발현은 초기 발달 시기에 시작된다.

D. 이러한 어려움은 뇌성마비, 구개열, 청력소실, 외상성 뇌손상이나 다른 의학적 또는 신경학적 조건과 같은 선천적 혹은 후천적 조건으로 인한 것이 아니다.

(4) 운동말장애(motor speech disorder)

  운동말장애는 신경학적 원인에 의해 발생하는 말장애로 마비말장애(구음장애, dysarthria)와 말행위상실증(apraxia of speech)이 있다.

① 마비말장애(dysarthria)

  마비말장애는 중추 및 말초 신경계의 손상 및 근육 질환 등으로 인하여 말을 하는데 관여하는 근육의 조절, 협응의 장애이다. 이 장애는 호흡, 발성, 조음, 공명, 운율 등 말하는데 필요한 모든 단계에 문제를 야기한다. 뇌성마비는 아동의 마비말장애의 가장 흔한 원인이며 말소리의 높낮이나 소리 크기의 변화가 다양하지 못하며, 말속도가 느리고, 쥐어짜는 듯한 소리가 많이 나타난다. 혀, 입술, 입을 통제하기 어렵기 때문에 조음의 왜곡이 많이 나타난다.

② 말행위상실증(verbal dyspraxia)

말행위상실증은 뇌에서 말소리를 계획하고, 조합하고 계열화하는 능력의 장애이다. 오류의 유형이 다양하고, 일관성이 없다. 발음을 할 때 혀가 조음 위치를 찾아 헤매는 경우가 관찰된다. 말실행증을 가진 사람들은 아무 생각 없이 말을 할 때는 잘하다가도 낱말이나 문장을 들려주고 따라하라고 하면 어려움을 보인다. 말·언어 발달이 완성되기 이전의 아동에서 유사한 증상이 관찰되는 경우를 발달성 말행위상실증(developmental verbal dyspraxia, DVD) 또는 소아 말행위상실증(childhood apraxia of speech, CAS)이라고 한다.

2) 언어장애

언어습득이 완성되기 이전에 나타난 대뇌의 결함으로 언어습득이 지연되거나, 정상적인 습득과정을 밟지 못하는 경우와 이미 습득한 언어능력을 부분적으로 또는 완전히 상실하는 경우로 나눌 수 있다. 언어장애가 있으면 언어의 이해나 사용에 어려움이 있으며, 말뿐 아니라, 문자, 수화, 몸짓 등 모든 언어양식에 영향을 미친다. 언어의 내용이나 형식 기능 중 하나 이상에서 언어결함이 나타날 수 있다. 아동기 언어 장애는 지적장애, 자폐성장애, 뇌성마비와 같은 중추신경계의 이상이나 청력장애 등이 원인이 된다.

(1) 언어장애

아동의 발달과정에서 나타나는 발달성 언어장애(developmenal language disorder)는 말과 언어에 영향을 미치는 다양한 발달장애를 포괄하는 용어이다. 연령이나 인지기능에 비해 훨씬 낮은 수준의 언어 능력을 보인다. 지적장애와 같은 일차적 원인이 있는 경우에도 지적 능력에 비해 언어 결함이 더 심하게 나타난다면 언어장애의 진단을 내릴 수 있다.

단순언어장애(특정언어손상, Specific language impairmant, SLI)는 자기의 나이에 적합한 사회, 인지, 감각, 신경학적 발달을 보이지만 언어발달은 자기 나이 수준에 이르지 못한 경우이다. 다른 모든 분야에서는 정상으로 보이나, 언어에만 어려움을 보이는 경우로서, 인지장애, 청각장애, 신경학적 결함, 자폐증이나, 환경적 결함에 의한 언어장애는 제외한다. 빈도는 학령기 아동의 6-8%로 보고된다. 단순언어장애는 가장 뚜렷한 특징이 언어 발달지연으로, 언어를 이해하는 것보다 표현하는 것에서 더 지체된다. 언어 발달이 늦으나, 발달순서는 일반 아이와 같다. 첫 낱말의 산출이 늦고, 새로운 낱말을 습득하거나, 두 세 낱말을 조합하는 시기도 늦다. 문장 구사 및 문법 규칙의 습득 속도도 떨어진다. 일반적으로 사회성은 언어능력과 밀접히 관련되므로 언어장애 아이는 또래관계가 어려우며, 공격적인 행동을 하거나, 쉽게 위축되기도 한다. 정서 및 행동장애, 읽기장애와 관련이 높다. 학동기에 학습장애로 분류되어 언어장애의 빈도는 상대적으로 감소하나, 어휘는 충분하더라도 언어의 은유나 비유적 표현, 복잡한 언어의 사용, 문법적인 면은 부적절할 수 있어서, 지속적인 관심이 필요하다. DSM-5에서는 단순언어장애의 진단을 위한 정량적 기준을 제시하지 않았으나, 대부분의 연구에서는 표준화된 언어검사에서 -1.25 표준편차 이하이면서, 지능검사에서 비언어성 지능지수가 85점 이상을 기준으로 한다.

언어장애는 유전적 경향이 강하며, 가족 및 친척들이 말이나 언어의 문제를 가지고 있을 확률이 높다. 언어장애의 원인이 되는 일관된 특정 유전자 돌연변이는 확인되지 않았으나, CNTNAP2 (contactin-associated-protein-like-2)와 KIAA0319 유전자 등이 연구되었다. CNTNAP2와, KIAA0319은 뇌 발달 초기에 중요한 역할을 한다. 환경이나 호르몬 및 영양 요인들에 의한 후성 유전학적 영향도 언어발달에 관여하는 유전자의 발현에 이상을 초래할 수 있다고 한다.

언어장애의 DSM-5 진단기준

A. 언어에 대한 이해 또는 생성의 결함으로 인해 언어 양식(즉, 말, 글, 수화 또는 기타)의 습득과 사용에 지속적인 어려움이 있으며, 다음 항목들을 포함한다.

1. 어휘(단어에 대한 지식과 사용) 감소

2. 문장 구조(문법이나 형태론적 법칙을 기초로 단어와 어미를 배치하여 문장을 만드는 능력)의 제한

3. 담화(주제나 일련의 사건을 설명하거나 기술하고 대화를 나누기 위해 어휘를 사용하고 문장을 연결하는 능력)의 손상

B. 언어 능력이 연령에 기대되는 수준보다 상당히 그리고 정량적으로 낮으며, 이로 인해 개별적으로나 어떤 조합

에서나 효율적인 의사소통, 사회적 참여, 학업적 성취 또는 직업적 수행의 기능적 제한을 야기한다.

C. 증상의 발현은 초기 발달 시기에 시작된다.

D. 이러한 어려움은 청력이나 다른 감각손상, 운동기능 이 상 또는 다른 의학적·신경학적 조건에 기인한 것이 아 니며, 지적장애(지적 발달장애)나 전반적 발달지연으로 더 잘 설명되지 않는다.

(2) 사회적(화용적, 실용적) 의사소통장애(social [pragmatic] com-munication disorder)

DSM-5 (APA,2013)의 의사소통장애의 진단적 범주에 새로이 추가된 질환이다. 사회적 관계에서의 의사소통 능 력이 부족하여 대화의 맥락을 이해하거나 상대방의 의도 를 파악하지 못한다. 4세 이전까지는 진단되기가 쉽지 않 다. 증상이 가벼운 경우는 사회적 의사소통이 복잡해지는 초기 청소년기까지 진단되지 않을 수 있다. 사회기술 훈련 이나, 사회적 인지기능 증진훈련 등 사회적 관계를 맺는 능 력을 증진하는 치료가 도움이 된다. 사회적 의사소통에 문 제를 보임으로 자폐스펙트럼장애처럼 보일수도 있지만 자 폐스펙드럼장애와는 달리 고정된 관심이나 반복적인 행 동이 나타나지는 않는다. 아스퍼거장애(asperger disorder; AS), 비전형적 전반적 발달장애(pervasive developmental disorder not otherwise specified: PDD-NOS)로 진단받던 아동의 일부가 이 장애로 진단될 수 있다.

사회적(화용적) 의사소통장애의 DSM-5 진단기준

A. 언어적·비언어적 의사소통의 사회적인 사용에 있어서 지속적인 어려움이 있고, 다음과 같은 양상이 모두 나타 난다.

1. 사회적 맥락에 적절한 방식으로 인사 나누기나 정보 공유 같은 사회적 목적의 의사소통을 하는 데 있어 서의 결함

2. 교실과 운동장에서 각기 다른 방식으로 말하기, 아 이와 성인에게 각기 다른 방식으로 말하기, 그리고 매우 형식적인 언어의 사용을 피하는 것과 같이 맥 락이나 듣는 사람의 요구에 맞추어 의사소통 방법을 바꾸는 능력에 있어서의 손상

3. 자기 순서에 대화하기, 알아 듣지 못했을 때 좀 더 쉬

운 말로 바꾸어 말하기, 상호작용을 조절하기 위해 언어적·비언어적 신호를 사용하기와 같이 대화를 주 고받는 규칙을 따르는데 있어서의 어려움

4. 무엇이 명시적 기술이 아닌지(예: 추측하기), 언어의 비문자적 또는 애매모호한 의미(관용구, 유머, 은유, 해석 시 문맥에 따른 다중적 의미)가 무엇인지를 이 해하는 데 있어서의 어려움

B. 개별적으로나 복합적으로 결함이 효과적인 의사소통, 사회적 참여, 사회적 관계, 학업성취 또는 직업적 수행 의 기능적 제한을 야기한다.

C. 증상의 발병은 초기 발달시기에 나타난다(그러나 결함 은 사회적 의사소통 요구가 제한된 능력을 넘어설 때까 지는 완전히 나타나지 않을 수 있다.)

D. 증상은 다른 의학적 또는 신경학적 상태나 부족한 단어 구조 영역과 문법 능력에 기인한 것이 아니며, 자폐스펙 트럼장애, 지적장애(지적 발달장애), 전반적 발달지연, 또는 다른 정신질환으로 더 잘 설명되지 않는다.

3) 실어증(aphasia)

실어증은 이미 습득한 언어능력을 후천적으로 상실하 는 언어장애이다. 지적인 능력이 정상인데도 말을 이해 하거나, 사용하는 데에 어려움을 겪는다. 읽기, 쓰기도 곤 란하다. 인지 기억력 장애, 말실행증(apraxia), 마비말장애 (dysarthria)와는 구별되어야 한다. 소아 실어증은 일반적 으로 언어발달이 시작된 2세 이상에서 세균성 뇌막염, 두 부손상, 드물게는 혈전에 의한 뇌경색 등으로 초래된다. Landau-Kleffner 증후군은 정상 언어발달을 보이던 아이에 서 경련과 함께 언어장애가 발생하는 후천성 간질성 실어 증을 보인다. 음성-청각 인식불능증(verbal auditory agno-sia)의 형태로 경련이 조절된 후에도 언어장애가 계속된다. 예후는 불량하다.

3. 관련질환

1) 지적장애

지적장애의 가장 빈번한 이차적 장애가 말·언어장애이 다. 지적장애 아동의 언어발달은 인지 발달과 밀접한 연관

이 있다. 경도의 지적장애 아이는 일반 아이의 언어발달 형태와 유사하게 발달하나, 언어발달 속도는 더 느리며 짧고 단순한 문장을 사용한다. 대부분에서 의학적 이상 소견이 없고, 운동발달의 지연도 뚜렷하지 않아서, 2-3세가 되어 언어발달 지연으로 지적장애가 발견되는 경우가 많다. 중증의 지적장애 아이는 사용하는 단어나 구가 제한되고, 일부에서는 단어 산출이 거의 없다. 중등도 이상의 지적장애에서 언어발달의 예후는 유전적 원인이나, 신경계 기형과 같은 기질적 원인과 관련 된다. 다운증후군에서는 인지능력이나, 언어이해력에 비하여 말과 언어장애가 더 심하다. 문법 기술이 약하며 어휘발달이 늦으며, 말을 더듬고, 자음을 많이 생략하고 모음 왜곡도 많아서 명료도가 낮다. 취약 X 증후군에서는 언어발달이 지연되고 비언어적 인지능력에 비례하는 수준의 어휘나 문법기술을 보인다. 화용기술에 심한 장애를 갖는다. William 증후군에서는 인지능력에 비해 더 나은 수준의 언어 표현력을 보여, 언어 이해력과 문법 지식의 취약점이 드러나지 않게 한다.

2) 자폐성장애

언어발달 지연이나 습득한 언어기술의 퇴행, 타인과의 상호작용에 결함을 보이는 아이에서 감별하여야 한다. 자폐성장애 아이의 약 40%는 지적장애를 동반하며, 중증의 자폐아는 언어장애가 더 심하다. 지적 손상의 정도가 적은 자폐아는 언어를 습득하나, 발달이 지연되고, 일탈(deviance)이 있다. 자폐성장애 아이의 약 20-25%에서 생후 12-36개월에 언어 및 사회적 기술의 퇴행이 보고된다. 퇴행의 원인은 알려지지 않았지만 지적장애가 동반되거나, 자폐성장애가 심할수록 퇴행이 위험이 증가하는 경향이 있다.

3) 읽기장애

언어의 발달은 정상적인 언어 환경에서 사람 사이의 상호작용으로 이루어지지만, 읽기는 적절한 교육이 필요하다. 읽기장애(dyslexia)는 감각기능이나 지능에 이상이 없는데도 읽기를 배우는데 실패한 경우이다. 읽기의 실패는 음운 인식의 결함과 밀접하게 관련되어 있다. 발화된 단어의 소리 구조에 주의를 기울이고, 생각하고, 조작하는 음운인식 능력의 결함은 글자와 해당하는 소리를 일치시키는

글자-소리 대응을 학습하는 데에 어려움을 유발한다.

4) 청각장애

말·언어 장애의 정도는 청각장애의 정도 및 장애가 시작된 연령과 장애가 확인된 연령이 중요하다. 언어발달기에 생긴 청각장애는 언어발달에 장애를 일으키는데, 2세 미만에서는 선천성 난청과 같은 언어장애를 일으킨다. 언어발달이 완성된 후에 생긴 청각장애는 조음능력과 발성능력을 점차 감소시킨다. 500-4,000 Hz의 주파수 대역에서 성인은 평균 청력역치가 25 dB 이상인 경우를 청각장애로 분류한다. 유아나 어린 아동에서는 15 dB 이상의 소리를 듣지 못하면 말·언어 발달에 영향을 미친다고 알려져 있다. 일상 회화에서 말소리의 강도는 40-60 dB에 해당되며, 선천성 양측성 고도 난청(70 dB HL 이상)이 있는 신생아는 일상 회화를 들을 수 없어서 말과 언어가 발달할 수 없다. 조기 진단하여 생 후 6개월 이내 청각 재활을 시작하여야 한다.

4. 평가

적절한 평가를 위해서는 정상적인 말·언어 발달에 대한 지식뿐만 아니라 원인이 되는 질환 및 위험인자에 대한 지식이 필요하다. 말·언어 장애를 호소할 경우 비정상 유무와 정도의 평가, 지적장애나 자폐장애, 청각장애 등 동반 장애 및 환경요인도 확인하여야 한다.

1) 임상적 진단

말·언어 발달장애의 원인에는 지적장애, 청각장애, 발성기관의 이상, 중추신경장애 등이 있다. 따라서 미숙아, 신생아 가사, 자궁 내 감염과 같은 중추신경계에 손상을 줄 수 있는 출생력, 가족력, 소아기 세균성 뇌막염 등에 대한 병력의 청취가 필요하다. 신체검사를 통해 안면 구강·비강의 구조적 결함과 신경학적 이상 유무를 살펴야 하며, 지적장애나 신경학적 결함이 있는 아이의 경우 구조적인 중추신경계의 이상을 찾기 위해 뇌 영상 검사와 뇌청간 반응, 뇌파검사, 염색체나 유전자검사, 유전대사검사 등을 시행한다.

표 5-8. 언어검사 도구

검사도구	평가영역		대상영역
영유아언어발달검사(SELSI) (김영태 등 2003)	이해, 표현	의미, 음운, 구문, 화용	4-35개월
취학전 아동의 수용언어 및 표현언어 발달척도(PRES) (김영태 등 2001)	이해, 표현	의미, 음운, 구문, 화용	2-6세
Korean MacArthur-Bate Communicative Development Inventories (K M-B CDI) (배소영 등 2011)	이해, 표현	어휘, 문법, 화용	1-3세
수용표현어휘력 검사(REVT) (김영태 등 2009)	이해, 표현	어휘	2-18세
구문의미이해력 검사 (배소영 등 2004)	이해	의미, 구문	4-10세
언어문제해결력 검사 (배소영 등 2003)	표현	화용	5-12세
파라다이스-유창성 검사(P-FA) (심현섭 등 2004)	표현	유창성	취학 전-성인
우리말 조음음운평가(U-TAP) (김영태 등 2004)	표현	조음, 음운	취학 전-성인

2) 언어발달의 평가

아동의 연령, 인지 및 사회성 발달의 정도에 따라 다양한 평가가 요구된다. 언어 표현이 늦을 때, 이해하는 정도도 같이 늦는 경우가 있는데, 연령이 증가할 때까지 부모가 인지하지 못할 수가 있다. 또한 언어 표현과 이해의 정도가 다를 수 있으므로, 표현과 이해의 양상을 모두 평가하여야 한다(표 5-8).

(1) 선별검사

선별검사는 언어의 다양한 영역을 살필 수 있으면서 간단하게 이루어질 수 있는 검사도구를 사용한다. 대개 부모 면담이나 부모 작성용 질문지에 의존한다.

(2) 진단적 검사

언어장애가 있다고 선별된 아이에 대하여 아이의 현재의 수준과 언어장애의 정도 및 언어문제의 성격을 파악한다. 가능하면 다양한 환경에서 다양한 사람과의 상호작용 속에서 아이의 수행 정도를 살피는 것이 좋다. 면담, 질문지, 규준 참조 검사(norm-referenced test), 준거 참조 검사(criterian referenced test), 자발화 분석 등의 다양한 방법을 이용한다. 규준 참조 검사는 또래 아이와의 비교를 하여 해당 연령에서의 아이의 상대적 위치를 보여주고, 준거 참조 검사(criterian referenced test)는 특정 영역에서의 아이의 수행 정도를 보여준다. 치료가 시작된 후에도 재검사를 통하여 중재 효과를 측정한다.

5. 말·언어장애 아이의 치료 및 예후

말·언어의 문제는 남아에서 여아보다 더 많다. 2세 아이의 10-20%에서 언어발달의 지연을 보이나, 5세가 되면 5-8%의 아이에서 말이나 언어의 손상을 보인다. 이는 언어발달의 지연을 보이는 2세 아이의 일부는 일반 아이와 비슷한 수준으로 따라 잡는 것을 시사한다. 언어 표현에만 가벼운 지연을 보이는 아이는 예후가 양호하다. 언어적 결함이 5세 이후에도 계속되는 경우에 말·언어의 문제가 성인기까지 지속될 위험이 높다. 말·언어 장애를 일찍 발견하여 중재하는 것은 예후에 좋은 영향을 미친다. 대부분 발달지수 70-80% 미만에서 중재하며, 언어치료는 표준화된 검사에서 -1.25~-1.5표준편차 미만 또는 10백분위수 미만을 기준으로 한다. 연속적인 발달평가는 예후를 예측하는 데 중요하며, 아이의 전반적인 인지기능과 언어능력은 중요한 예측인자이다.

언어치료는 음성, 말과 언어, 인지기능 등의 상호관계 이해로부터 시작하며, 언어적 결함이 지적장애나 단순언어장애 같은 언어발달 과정에서 나타나는 것인지, 실어증과 같은 후천적인 것인지에 따라 다르게 접근하여야 한다. 장애유형, 아이의 상태나 기능의 수준, 가족이나 학교 상황, 문화적 배경은 치료 형태의 선택에 영향을 미친다. 언어문제가 한 문제에 국한되지 않고 음운이나 유창성 문제와 동반되기도 함으로 치료가 필요한 영역과 목표의 순서를 정할 필요가 있다. 치료는 모든 상황을 고려하여 개개인에 맞게 조절하여야 한다. 또한 가정과 학교에서도 아동의 언어발달을 촉진할 수 있는 환경을 제공하도록 하여야 한다. 부모는 아동에게 새로운 언어 기술을 가르치기보다는 아동의 의사소통 기술의 발전에 주안점을 두어야 한다. 적절한 언어능력을 획득할 수 없는 경우, 언어 이외의 다른 의사소통 체계가 도움이 될 수 있다. 청각장애자에서 사용되는 수화와 같은 의사소통 방법은 뇌성마비, 자폐성장애, 지적장애와 같은 아이에서 도움이 될 수 있으며, 언어 이외의 그림, 컴퓨터 장치 등은 언어의 발달을 촉진시킬 수 있는 방법으로 사용될 수 있다.

주의력결핍 과잉행동 장애

Attention-Deficit/Hyperactivity Disorder

| 김성구 |

주의력결핍 과잉행동 장애(attention deficit hyperactivity disorder, ADHD)는 소아 및 청소년기에 가장 흔하고 광범위하게 연구된 신경발달장애로 주의유지의 어려움과 산만함을 포함하는 부주의, 충동조절의 어려움, 과잉행동을 특징으로 하는 질환이다. ADHD는 DSM-5의 임상적 진단기준에 의해 정의되고 있으며 환자들은 부주의 증상으로 지속적 주의집중의 어려움, 인내심 부족, 무질서함과 같은 모습으로 발현되며, 과잉행동 증상은 가만히 있지 못하고 지나치게 말이 많거나 안절부절못하고 자리에 앉아 있지 못하는 증상으로 나타날 수 있다. 충동성은 심사숙고 없이 순간적으로 일어나는 성급한 행동과 연관이 있으며 이러한 행동은 타인에게 해를 끼칠 가능성이 높다.

환자들은 또래와 가족구성원과의 대인관계 문제, 낮은 학업성취가 주요 문제로 부각되고 이로 인해 자존감이 저하되며 우울증상이 생길 수 있다. ADHD는 종종 감정, 행동, 언어, 학습장애와 같은 공존질환을 갖고 있다(표 5-9).

많은 환자에서 질환은 생애주기에 걸쳐 다양한 증상을 보이며 계속되는데 심각한 실업, 사회적 기능장애 및 약물남용과 같은 반사회적 행동의 위험증가, 관계유지의 어려움, 범법행위, 사고의 증가를 일으킨다. 대인관계에서 어려움을 느끼고 주의력결핍으로 인한 학습부진, 자존감 저하 및 이로부터 야기되는 우울증 또는 반사회적 인격장애로의 이행, 사회부적응 현상을 보일 수 있으며 알코올 중독이나 약물남용의 위험이 있다(그림 5-4, 5-5).

표 5-9. ADHD와 감별해야 할 질환들

심리사회적 요인들
신체적 혹은 성적 학대에 대한 반응
부적절한 육아방식에 대한 반응
부모의 정신병리에 대한 반응
성장과정에서 사회화에 대한 반응
부적절한 교실환경에 대한 반응
ADHD 행동을 보이는 질환들
취약 X 증후군
태아알콜 증후군
전반적 발달장애
강박장애
뚜렛장애
애착장애
내과적 신경학적 질환
갑상샘 질환
중금속 중독(예, 납)
약물 부작용
감각적 결함(청각과 시각)
청각 및 시각처리장애
신경퇴행성 장애(백질디스트로피)
외상 후 뇌손상
뇌염 후 장애

1) 원인

ADHD는 하나의 원인으로 설명할 수 없으며 다양하고 복잡한 뇌발달 과정 이상의 최종 산물일 가능성이 있다. ADHD의 원인은 확실히 알려져 있지 않다. 유전 성향이 있으며 일부는 임신 및 출산 시의 뇌 손상, 영유아기의 심

성인

감정불안정

낮은 자존감

관계문제

도로와 직업사고
증가

업무계획과 완료
어려움

음주와 약물남용

비일관적인 양육방식

대학생

학업실패

일상적인 업무에
대처하지 못함

직업적 어려움

낮은 자존감

음주와 약물남용

다침/의도하지
않는 사고

청소년기

학업 잠재력을 충족
시키지 못함

동료들에 의한
용납 어려움

낮은 자존감

흡연/음주/약물남용

반사회적 행동

학동기

공격성을 포함하는
행동장애

학습장애

종종 동료가
용납하는 사회적
상호작용의 어려움

학동전기

행동장애

의도하지 않은
부상들

부모의 무능감

■ 그림 5-4. ADHD가 발달에 미칠 가능성이 있는 영향

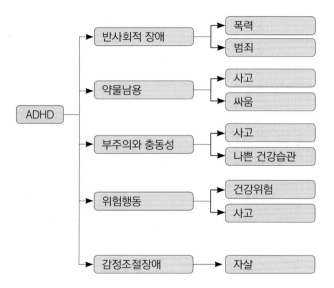

■ 그림 5-5. ADHD를 가지고 있는 사람의 조기사망 경로

한 질병, 화학 독소 노출 등 다양한 요인에 의해서도 발생하고, 부모와 애착관계 등의 사회적 요인이 영향을 미칠 수 있다.

(1) 생물학적 요인

정확한 기전에 대해서는 아직 밝혀져 있지 않았으나 전체 ADHD 환자의 약 75%가 가족력이 있다. 도파민 운반체와 수용체 유전자에 대한 분자유전 연구가 가장 많으며, 전통적인 유전질환의 모델이 아닌 유전-환경 요인의 상호작용으로 나타나는 다유전자성 요인으로 추측된다. 알려진 주요 유전자로는 도파민 운반체 유전자(dopamine trans-porter gene 1-DAT1)과 도파민 수용체 유전자 4 (dopamine 4 receptor gene-DRD4)가 있다. 그 밖에 사이토카인 조절과 관련된 DOCK2 (dedicator of cytokinesis 2) 유전자, DRD5 (dopamine receptor D5), SLC6A3 (dopamine transporter gene), DBH (dopamine beta hydroxylase), SNAP 25 (Synap-tosomal-associated protein), SLC6A4 (serotonin transporter gene), HTR1B (serotonin receptor) 유전자 등이 있다. 양전자 방출 단층촬영(Positron Emission Tomography) 연구는 전두엽의 당대사 감소가 관찰되며 이는 전두엽의 억제기전(inhibitory mechanism)의 저하로 과잉 운동이 발생하는 것으로 설명한다. 생화학적으로는 대뇌의 카테콜아민 대사 이상이 알려져 있는데, 이는 ADHD의 치료제로 널리 사용되고 있는 중추신경자극제(psychostimulant)가 결국 도파민과 노르에피네프린에 영향을 주어 치료하는 것이라는 해석에 근거하였다. 신경영상학, 신경생리기법 및 분자유전학의 발달이 ADHD 환자의 평가에 적용되어 많은 연구가 시행되고 있으나, 각 연구마다 환자 선정기준의 차이가 있고 특히 공존질환과 관련된 부분에 차이가 있어 연구결과를 비교 해석하는데 제한이 있다. 현재까지의 연구결과를 종합하면 ADHD는 유전 성향이 있고 뇌 조절 기능의 미세한 이상으로 발생하는데, 대부분 뇌에서 부적합한 행동을 제어하는 전두엽과 기저핵의 연결경로 기능이상에 인한 신경전달 물질의 불균형과 관련된 것으로 받아들여진다.

(2) 환경 요인

약 20%의 ADHD 환자가 태아기 및 출생 후 화학 독소

나 뇌 손상으로 인하여 발생한다. 임신 중의 과다한 음주나 흡연 및 납중독, 그리고 조기 출산을 비롯한 출생 전후의 여러 문제들이 관련된다고 알려져 있다. 또한 음식물 첨가 색소나 향료, 납중독 병력 등이 과잉행동이나 학습장애의 원인이 될 수 있다.

(3) 사회요인

ADHD의 원인을 사회요인 한 가지로 설명할 수는 없지만 부모와의 애착형성과 상호관계 및 그 밖의 환경요소가 소아의 집중 및 자기조절 능력에 큰 영향을 미치고, ADHD 환자는 폭력과 학대, 부적절한 부모와의 애착관계로 인하여 증상이 악화될 수 있다.

2) 역학

ADHD의 유병률은 나라에 따라 다르지만 전세계적으로 학동기에서 5-10%로 보고되고 있으며 적응상의 문제가 없이 증상만으로 본다면 더 높을 것으로 생각된다. 청소년에서의 유병률은 2-6%, 어른에서는 2% 정도가 진단기준에 맞는다. 많은 ADHD 환자가 적대적 반항장애, 학습장애, 불안장애 등의 공존 신경정신질환을 가지고 있다. ADHD의 발병률은 뇌전증, 신경섬유종증, 결절경화증 등의 신경계 질환을 가진 경우에 높아진다.

3) 발병기전

ADHD 환자의 뇌자기공명영상검사에서 전전두엽, 기저핵의 용적에 5-10%의 감소를 보이며 기능적 MRI 검사에서 선택 주의력, 주의력 유지에 중요한 역할을 하는 선조체, 전전두엽, 두정엽, 측두엽 네트워크에 이상을 보인다. 전전두엽과 기저핵에는 많은 도파민 수용체가 존재한다는 것과 ADHD 치료에 사용되는 약제가 도파민 관련 작용으로 효과를 나타내는 것을 토대로 도파민 가설이 만들어졌다. 어른 ADHD의 PET 검사에서 도파민 활성도가 낮은 레벨을 보이는 것도 도파민 가설을 지지하게 하는 근거이다.

4) 임상양상

DSM-5 진단기준으로 인해 주로 5-12세에서 진단이 이루어지게 된다. 이전의 DSM-IV의 진단기준인 증상시작 시기가 7세 이전에서 DSM-5에서는 12세 이전으로 확장

되었다. DSM-5의 진단기준에 따르면 행동이 같은 나이, 발달수준에 비해 확실이 다르게 부적절해야한다. 증상이 12세 이전에 시작되어서 6개월 이상 지속되어야만 하고, 2가지 환경에서 나타나야 하며 다른 질환에 의한 2차 증상이 아니어야 한다. 세가지 형태로 나누어 볼 수 있으며 부주의한 증상은 여아에서 많으며 불안과 낮은 무드 같은 내적 증상과 상대적으로 높은 관련성을 보인다. 과잉행동-충동 우세형, 복합형은 남자에서 많다. 4세 이전에는 정상적인 행동과 구별하기 어렵고 학령전기에 보이는 주요발현 양상은 과잉행동이다. 부주의는 초등학생 시기에 더욱 두드러진다. 청소년기에는 과잉행동의 징후는 덜 흔하게 나타나며, 만지작거림이나 내적인 신경과민, 좌불안석 또는 참을성 부족과 같은 증상으로 한정된다. 성인기에 과잉행동은 감소되나, 부주의와 좌불안석에 더불어 충동성이 문제가 된다.

5) 진단

단일 검사로 ADHD를 쉽게 진단하기는 어렵다. ADHD의 핵심 증상인 주의력결핍, 과잉행동, 충동성은 다양한 형태로 나타나며, 다른 신체 질병에 의해서 나타나거나 정상발달 과정에 있는 소아에서도 흔히 관찰될 수 있다. 또한 주의력결핍과 과잉행동은 수행 중인 활동에 대한 흥미 수준과 처한 상황에 따라 상당히 차이가 있기 때문에 부모와 교사 간에 관찰한 내용이 다를 수도 있고, 여러 증상이 다양한 상황에서 일관되게 표현되지 않아 구분하기 어려울 수 있다. 그러므로 학교와 가정 등 여러 장소 및 상황에서 소아청소년의 행동을 파악해야 한다. 따라서 ADHD의 진단은 성장, 발달, 질병의 과거력 및 사회성을 파악하기 위한 부모면담, 발달수준과 종합적인 증상을 판단하기 위한 소아면담, 전반적인 신체진찰 및 신경학적 검사를 포함한 의학적 평가, 인지평가, 부모와 교사가 작성하는 행동평가 척도, 운동기능 평가 등의 다양한 진단방법을 통해 이루어진다.

(1) 병력

○ 면담

현재 문제가 되고 있는 소아의 증상 정도, 가정환경, 발달력, 학교생활 적응정도, 또래와의 관계 등을 부모와의 면담을 통해 확인하고, 소아의 문제가 다양한 상황에서 전반

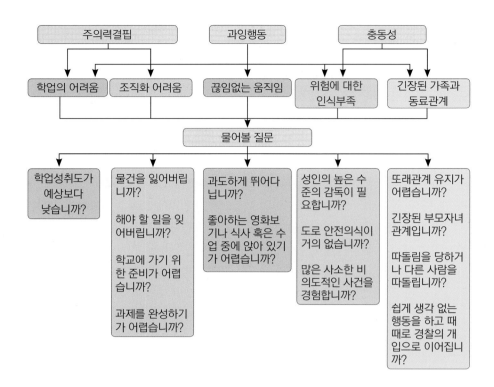

■ 그림 5-6. 아이에서 ADHD에 대해 평가하는 방법

적으로 나타나고 있는지, 그리고 부모가 어떻게 대처하는 지 알아본다(그림 5-6). 또한 소아와의 면담으로 소아의 행동, 대인관계 양상, 언어, 사회기술 등을 파악한다. 소아와 면담할 때는 유치원 및 학교생활 문제, 또래 문제, 부모와의 문제 등을 개별적이고 구체적으로 질문해야 한다. 그리고 이차적으로 올 수 있는 불안, 우울, 부정적 자아개념에 대해 전반적으로 조사한다. 증상의 정도를 평가하기 위해서 다양한 행동평가 척도를 사용할 수 있으며 Vanderbilt ADHD Diagnostic Rating Scales, Conner Rating Scales 등이 사용되고 있으며 공존문제 구별을 위해서 불안, 우울척도를 시행한다.

(2) 의학적 평가

소아의 유전적인 배경, 임신과 출산기의 상황, 발달력 뿐만 아니라 현재의 건강 및 영양 상태, 감각 및 운동 발달을 평가한다. 중요한 것은 치료 가능한 다른 신체질환과 ADHD를 구별하는 것이다. 전반적인 성장에 대한 신체계측, 신체진찰, 신경학적 검사, 시력 및 청력평가가 필요하다. 뇌전증, 특히 소발작과의 감별이 필요하고, 수면장애, 갑상샘기능 이상, 납중독, 빈혈 등의 유무를 확인해야 한

다. 신체진찰은 환자의 외형을 자세하게 관찰하고 신체의 기형 여부를 살펴 보아야 한다. 피부신경 증후군에서 볼 수 있는 소견들을 확인해야 하고, 발달지연이 동반될 수 있는 다른 질환에 대해서도 확인해야 한다.

진단에 특이적이지는 않지만 ADHD 환자에서는 미세운동, 조화운동 이상과 가벼운 신경학적 운동이상 사인을 보이는 경우가 흔하다. 다양한 종류의 신체질환이 관련되는데, 청각 및 시각의 문제가 선행하는 경우 청력평가 및 안과적 진찰이 필요하다. 납중독의 경우 병력, 신체진찰, 혈중 납 농도를 검사하여야 한다. 갑상샘 이상이 의심되는 경우 갑상샘 호르몬과 자극 호르몬 검사를 선별검사로 시행할 수 있다. 영양결핍의 경우에는 영양상태 평가 및 미량 원소 등의 혈액검사로 확인할 수 있다. 약물에 의해 이차적으로 발생한 경우 증상이 대부분 일시적이므로 병력을 청취할 때 자세한 약물 사용 여부와 증상의 연관성에 대해 확인하여야 한다. 발달지연을 초래할 수 있는 취약 X 증후군(fragile X syndrome), 프라더 윌리 증후군(Prader-Villi syndrome)과 같은 질병은 자세한 병력청취와 신체진찰을 통해 의심하여 유전자 검사를 통해 진단할 수 있다. 뇌전증의 경우 자세한 병력청취와 뇌파검사를 통해 진단한다. 과

표 5-10. ADHD 진단기준

진단기준

A. 기능 또는 발달을 저해하는 지속적인 주의력결핍 및 과잉행동-충동성이 1 그리고/또는 2의 특징을 갖는다.

1. 주의력결핍: 다음 9개 증상 가운데 6개 이상이 적어도 6개월 동안 발달 수준에 적합하지 않고 사회적·학업적/직업적 활동에 직접적으로 부정적인 영향을 미칠 정도로 지속됨

   주의점: 이러한 증상은 단지 반항적 행동, 적대감 또는 과제나 지시 이해의 실패로 인한 양상이 아니어야 한다. 후기 청소년이나 성인(17세 이상)의 경우에는 적어도 5가지의 증상을 만족해야 한다.

   a. 종종 세부적인 면에 대해 면밀한 주의를 기울이지 못하거나, 학업, 작업 또는 다른 활동에서 부주의한 실수를 저지름(예. 세부적인 것을 못 보고 넘어가거나 놓침. 작업이 부정확함)

   b. 종종 과제를 하거나 놀이를 할 때 지속적으로 주의집중을 할 수 없음(예. 강의, 대화 또는 긴 글을 읽을 때 계속해서 집중하기가 어려움)

   c. 종종 다른 사람이 직접 말을 할 때 경청하지 않는 것처럼 보임(예. 명백하게 주의집중을 방해하는 것이 없는데도 마음이 다른 곳에 있는 것처럼 보임)

   d. 종종 지시를 완수하지 못하고, 학업, 잡일 또는 작업장에서의 임무를 수행하지 못함(예. 과제를 시작하지만 빨리 주의를 잃고 쉽게 곁길로 샘)

   e. 종종 과제와 활동을 체계화하는데 어려움이 있음(예. 순차적인 과제를 처리하는데 어려움, 물건이나 소지품을 정리하는데 어려움, 지저분하고 체계적이지 못한 작업, 시간관리를 잘 하지 못함, 마감시간을 맞추지 못함)

   f. 종종 지속적인 정신적 노력을 요구하는 과제에 참여하기를 기피하고, 싫어하거나 저항함(예. 학업 또는 숙제, 후기 청소년이나 성인의 경우에는 보고서 준비하기, 서류 작성하기, 긴 서류 검토하기)

   g. 과제나 활동에 꼭 필요한 물건들(예. 학습과제, 연필, 책, 도구, 지갑, 열쇠, 서류 작업, 안경, 휴대폰)을 자주 잃어버림

   h. 종종 외부 자극(후기 청소년과 성인의 경우에는 관련이 없는 생각들이 포함될 수 있음)에 의해 쉽게 산만해짐

   I. 종종 일상적인 활동을 잊어버림(예. 잡일하기, 심부름하기, 후기 청소년과 성인의 경우에는 전화 회답하기, 청구서 지불하기, 약속지키기)

2. 과잉행동-충동성이 다음 9개 증상 가운데 6개 이상이 적어도 6개월 동안 발달수준에 적합하지 않고 사회적, 학업적/직업적 활동에 직접적으로 부정적인 영향을 미칠 정도로 지속됨

   주의점: 이러한 증상은 단지 반항적 행동, 적대감 또는 과제나 지시 이해의 실패로 인한 양상이 아니어야 한다. 후기 청소년이나 성인(17세 이상)의 경우, 적어도 5가지의 증상을 만족해야 한다.

   a. 종종 손발을 만지작거리며 가만두지 못하거나 의자에 앉아서도 몸을 꿈틀거림

   b. 종종 앉아 있도록 요구되는 교실이나 다른 상황에서 자리를 떠남(예. 교실이나 사무실 또는 다른 업무현장, 또는 자리를 지키는 것이 요구되는 상황에서 자리를 이탈)

   c. 종종 부적절하게 지나치게 뛰어다니거나 기어오름(주의점: 청소년 또는 성인에서는 주관적으로 좌불안석을 경험하는 것에 국한될 수 있다.)

   d. 종종 조용히 여가활동에 참여하거나 놀지 못함

   e. 종종 '끊임없이 활동하거나' 마치 '태엽풀린 자동차처럼' 행동함(예. 음식점이나 회의실에 장시간 동안 가만히 있을 수 없거나 불편해함. 다른 사람에게 가만히 있지 못하는 것처럼 보이거나 가만히 있기 어려워 보일 수 있음)

   f. 종종 지나치게 수다스럽게 말함.

   g. 종종 질문이 끝나기 전에 성급하게 대답함(예. 다른 사람의 말을 가로챔, 대화시 자신의 차례를 기다리지 못함)

   h. 종종 자신의 차례를 기다리지 못함(예. 줄 서 있는 동안)

   i. 종종 다른 사람의 활동을 방해하거나 침해함(예. 대화나 게임, 활동에 참견함, 다른 사람에게 묻거나 허락을 받지 않고 다른 사람의 물건을 사용하기도 함. 청소년이나 성인의 경우 다른 사람이 하는 일을 침해하거나 꿰찰 수 있음)

B. 몇 가지의 주의력결핍 또는 과잉행동-충동성 증상이 12세 이전에 나타난다.

C. 몇 가지의 주의력결핍 또는 과잉행동-충동성 증상이 2가지 또는 그 이상의 환경에서 존재한다(예. 기분장애, 불안장애, 해리장애, 성격장애, 물질 중독).

다음 중 하나를 명시할 것 :

314.01 (F90.2) 복합형 : 지난 6개월 동안 진단기준 A2(과잉행동-충동성)를 모두 충족한다.

314.00 (F90.0) 주의력결핍 우세형 : 지난 6개월 동안 진단기준 A1(주의력결핍)은 충족하지만 A2(과잉행동-충동성)는 충족하지 않는다.

314.01 (F90.1) 과잉행동/충동 우세형 : 지난 6개월동안 진단기준 A2(과잉행동-충동성)는 충족하지만 A1(주의력결핍)은 충족하지 않는다.

다음의 경우 명시할 것.

부분관해 상태 : 과거에 완전한 진단기준을 충족하였고, 지난 6개월 동안에는 완전한 진단기준을 충족하지는 않지만 여전히 증상이 사회적, 학업적 또는 직업적 기능에 손상을 일으키는 상태다.

현재의 심각도를 명시할 것 :

경도 : 현재 진단을 충족하는 수준을 초과하는 증상은 거의 없으며, 증상으로 인한 사회적, 학업적 또는 직업적 기능의 손상은 경미한 수준을 넘지 않는다.

중등도 : 증상 또는 기능적 손상이 "경도"와 "고도" 사이에 있다.

고도 : 진단을 충족하는 수준을 초과하는 다양한 증상 또는 특히 심각한 몇 가지 증상이 있다. 혹은 증상이 사회적 또는 직업적 기능에 뚜렷한 손상을 야기한다.

거에 있었던 감염과 외상으로 인한 뇌 손상의 경우 병력청취만으로도 쉽게 발견할 수 있으나, 확인이 필요한 경우에는 뇌 MRI 검사를 시행한다. 수면장애는 수면에 대한 평가를 하고, 필요하면 수면 다원 검사를 시행한다. 심리검사, 지능검사, 학습능력검사는 지능저하나 학습장애 등과의 감별진단에 도움이 되며 행동평가 및 주의력검사는 객관적으로 증상의 정도를 파악하는 데 도움이된다.

(3) 진단기준

ADHD 환자는 자신이 관심을 기울이는 영역에 따라 주의력과 행동에 많은 차이를 보이기 때문에 여러 상황에서의 행동을 고려해야 하는데, 아이와 많은 시간을 보내는 부모와 교사의 평가가 가장 중요하다. 여러 가지 평가 척도는 주로 부모와 교사가 시행하는 체크리스트 형태로 광범위한 ADHD 증상을 반영하는 목록을 포함하고 있으며, 부모나 교사가 아이에게 해당되는 항목에 체크하여 평가한다. ADHD의 진단은 DSM-5의 기준에 따라 이루어진다. 주의력결핍 관련 증상과 과잉행동-충동 관련 증상의 각각 9개 항목 중 적어도 6개 이상의 증상이 6개월 이상 지속적으로 나타나며, 이러한 행동이 아이의 발달수준에 맞지 않고, 적응에 상당한 문제를 초래하며 2가지 이상의 환경에서 존재할 때 ADHD로 진단한다. 이러한 문제행동들은 12세 이전에 나타나야 한다.

후기청소년과 성인(17세 이상)의 경우는, 적어도 5가지의 증상을 만족해야 한다(표 5-10).

6) 감별진단

편두통, 결신발작, 천식/알레르기, 혈액질환, 당뇨 및 소아암 등의 만성질환을 가진 소아는 질환 자체 혹은 질환의 치료에 사용되는 약제(스테로이드, 항경련제, 항히스타민제)에 의해서 집중력과 학업수행에 손상이 올 수 있다. 청소년에서는 약물남용에 의해서 학습장애가 올 수 있다.

편도나 아데노이드 비대에 의한 상기도 폐색으로 발생하는 수면장애 등이 ADHD를 악화시키거나 비슷한 증상을 일으킨다.

하지불안증후군도 주의력결핍 증상과 관련이 있어서 이에 대한 병력청취가 필요하다.

ADHD와 관련이 있는 질병으로서는 갑상샘기능 항진 및 저하증 페닐케톤뇨증, 납중독 등의 중금속 중독 약물의 부작용 독성물질 남용 등이 관련이 있을 수 있으며 시력 및 청력장애 뇌손상으로 인한 이차적인 증상으로도 나타날 수 있다. ADHD의 증상은 다른 증후군이나 질환의 임상양상 중 하나일 수 있으며 알려진 관련 증후군으로 취약 X 증후군, Tourette 증후군 등이 있으며 결신발작을 포함한 뇌전증 수면장애도 감별질환의 하나이다. 또한 ADHD의 증상은 잘못된 양육방법, 잘못된 문화적 적응, 부적절한 학교환경, 학대 등에 의한 일시적 증상일 수도 있음을 염두에 두어야 하며 나이에 합당한 정상 범위안에 있는 과잉행동이나 주의력의 한계와 구별해야 한다. ADHD는 주의력, 충동조절의 일차적 장애로 인한 질환으로 생각되지만 행동장애, 불안장애, 적대적 반항장애, 우울장애 등 다른 정신과적 질환과 공존할 수 있으며 15-25%가 학습장애, 30-35% 언어장애, 15-20% 기분장애, 20-25% 불안장애를 가지고 있다. ADHD는 또한 수면장애, 기억장애, 운동기술의 저하와 함께 진단된다.

7) 치료

(1) 심리사회치료

일단 진단이 확정되면 부모와 아이에게 ADHD에 대한 설명과 함께 심리사회치료 및 행동치료를 시작한다. 환자의 상호관계를 개선하고 학습기술을 향상 시키고 남을 방해하는 행동을 향상시키는 것 등을 목표로 학교 및 가정의 환경개선, 문제행동에 대한 대응방법 등을 교육한다. 주위 자극에 대해 매우 반응성인 점을 고려하여 주위환경을 차분하고 단순하게 유지하도록 하며 일상생활을 규격화하고 일정하게 계획하여 그것을 따르고 끝낼 수 있게 교육한다. 이러한 심리행동치료는 ADHD의 치료 중 중요한 부분을 차지하나 많은 경우에서 약물치료를 병행하는 것이 더 효과적이라고 알려져 있다.

(2) 행동치료

ADHD 환자들도 다른 아이들처럼 부모나 선생님이 지시하는 것을 이해하고 기억할 수 있다. 다만, 행동을 조절하고, 생각을 체계화하며 행동하기 전에 생각하고, 계획을 세우고 수행하는 것에 대해 어려움을 느끼기 때문에 바람직하고 옳은 방식으로 실행하는 능력이 떨어지는 것이다. 적절한 행동이 무엇인지 모르는 것이 아니고, 그것을 실행하는 데 어려움이 있는 것이다. 부모에게 부모행동 교육(behavioral parent training)으로 제공되는 행동치료는 ADHD 환자에게 효과가 있다고 알려져 있다. 부모교육 프로그램을 통해 ADHD를 가진 자녀들과 더 잘 지내도록 안내하고 도와주는 방법이다. 미국소아과학회는 학령전기 환자들에게 행동치료를 일차치료로 권장하고 있다. 부모행동 교육프로그램은 부모에게 특정한 행동기술을 교육한다. 환자의 느낌이나 감정 대신 행동에 집중하기, 새로운 학습 경험 혹은 적절한 방법으로 행동하는 모습을 보여줌으로써 행동을 변화시키기, 문제행동의 평가를 강조하기, 진료실에서의 치료 대신에 집과 학교에서 매일 실행할 수 있는 계획 수립하기 등이 포함된다.

(3) 바이오피드백 프로그램

다양한 컴퓨터 기반 프로그램 작업기억 향상 프로그램이 ADHD 환자에게 사용되어 왔다. 뇌파를 이용한 바이오피드백 프로그램과 methylphenidate와의 효과 비교에서는 치료 3개월 후에 두 그룹 모두에서 주의력과 행동평가 척도 호전에 효과가 있었다. 그러나 대조군을 포함한 연구에서는 뇌파 바이오피드백 치료가 효과가 없는 것으로 보고되기도 해서 효과가 일관되게 증명되지는 않았다.

(3) 약물치료

ADHD 치료에 효과적인 대표 약제로는 methylphenidate와 amphetamine 또는 dextroamphetamine이 있으며 국내에서 사용가능한 중추신경자극제의 일종인 methylphenidate를 일차 선택 약물로, atomoxetine을 이차 선택 약물

표 5-11. 주의력결핍 과잉행동 장애의 치료 약물

약품명		용량 (mg/kg/일)	하루 복용 횟수	주요 적응증	흔한 부작용 및 고려 사항
중추신경자극제	methyphenidate	1.0–2.0	1–3	주의력결핍 과잉행동 장애	불면증, 식욕감소, 우울 등 효과 지속시간 ; 표준제형 3-4시간, 복효형(extended release) 10-12시간
노르에피네프린 재흡수 억제제	atomoxetine	0.5–1.4	1 또는 2	주의력결핍 과잉행동 장애 ± 동반질환 (야뇨증, 틱장애, 우울/불안)	작용기전: 선택적 노르에피네프린 재흡수 억제제 경미한 식욕감소, 위장관 증상
삼환계항우울제	imipramine amitryptiline chlomipramine	2.0–5.0	1 또는 2	주의력결핍 과잉행동 장애 야뇨증 틱장애 불안장애 강박장애	복합적인 작용기전 : 노르에피네프린/세로토닌 좁은 적정 치료범위 과량 복용시 위험 항콜린성 부작용 : 입마름, 변비, 시야흐림 체중감소 부정맥
기타 항우울제	선택적 세로토닌 재흡수 억제제 fluoxetine paroxetine sertraline fluvoxamine	0.3–0.9 0.3–0.9 0.3–0.9 1.5–3.0 1.5–4.5	1	기분장애 강박장애 불안장애 식이장애 외상 후 스트레스 장애	작용기전 : 세로토닌 재흡수 억제제 초조 불면증 위장관 증상 (구역/구토) 두통 성기능 저하 금단 증상 약물 상호작용 (cytochrome P-450)
	bupropion(서방형, sustained release)	3–6	2	주의력결핍 과잉행동 장애 기분장애 금연	복합적인 작용기전 : 도파민/노르에피네프린 초조 불면증 고용량 사용시 발작 (>6 mg/kg)
	venlafaxine(복효형, extended release)	1–3	1	양극성 우울증 기분장애 불안장애 주의력결핍 과잉행동 장애 강박장애	복합적인 작용기전 : 세로토닌/ 노르에피네프린

로 사용할 수 있다(표 5-11).

중추신경자극제

중추신경 자극제는 ADHD 치료에 효과적이다. 국내에서 사용가능한 중추신경자극제는 methylphenidate 제재들로서 이러한 약물은 교감신경 유사작용 약물로 구조적으로 catecholamine과 유사하여 dopamine 전달을 증가시킨다.

저용량(<0.5 mg/kg/day)에서 25%의 환자가 적절한 효과를 얻을 수 있으며 중간용량(0.5-1.0 mg/kg/day)에서 또 다른 25%의 환자가 반응하고, 고용량(1.0-1.5 mg/kg/day)에서 25%의 환자가 효과가 있어 전체적으로 75% 정도의 환자에서 효과를 보인다. 치료 첫 4주에 걸쳐서 부작용이 가장 적고 효과가 극대화되는 용량으로 증량하는 것이 필요하며 일반적인 부작용은 식욕감소, 수면방해, 틱장애 악화, 안절부절, 손톱 물어뜯기, 두통 그리고 복통 등이다. 부작용이 발생하면 용량을 감량한 후 효과를 관찰하거나, 이차 약물 사용을 고려한다.

ADHD를 치료하는 데 사용되는 자극제 약물은 드물게 갑작스런 사망, 심근경색 및 뇌졸중을 포함한 심혈관질환의 위험 증가와 관련이 있을 수 있다. 심근병증, 부정맥 또는 실신의 병력 또는 가족력이 있는 환자는 약물처방 전에 심전도 및 가능한 심장분과 의뢰가 필요하다(그림 5-7).

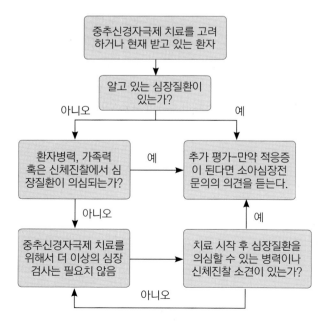

■ 그림 5-7. 중추신경자극제 치료를 고려하거나 받고 있는 환자의 심장평가

아토목세틴(Atomoxetine-Strattera)

Atomoxetine은 fluoxetine과 구조가 비슷하며 매우 선택적인 noradrenergic 재흡수 억제제(reuptake inhibitor)로 시냅스전 막(presynaptic membrane)에서 norepinephrine 재흡수 펌프(reuptake pump)를 차단하여 시냅스 내(intrasynaptic) norepinephrine의 활성을 증가시킨다. Atomoxetine은 일반적으로 0.5 mg/kg/day를 최초 유지용량으로 경구 투여하며 늦은 오후나 저녁에 하루 한번 투약이 가능하지만 2회로 나누어서 투약할 수도 있다. 치료 후 1주경부터 효과가 나타나나 최대효과는 6주경에 관찰되므로 충분한 용량으로 3주 이상 투약하고 효과가 부족하면 1.2 mg/kg/day 용량까지 증량할 수 있다. 음식은 약물흡수에 영향을 주지 않는다. ADHD와 불안장애, 틱장애가 동반된 환자를 atomoxetine 단독으로 치료해도 ADHD 증상뿐만 아니라 불안증상, 틱장애에도 효과가 있어 이들 증상이 동반된 경우에 사용하는 것은 적절한 선택이 될 수 있다.

알파-2 작용제(alpha-2 agonist)

ADHD의 이차 선택 약물로 고려할 수 있으며 대표적인 알파-2 작용제는 clonidine(0.003-0.01 mg/kg/day, 하루 2-3회 분복)과 guanfacine이다. Clonidine은 ADHD와 더불어 적대적 반항장애, 틱장애가 동반된 경우에 효과적이다. guanfacine은 clonidine에 비해 졸림이 적고 작용시간이 긴 장점이 있으며 역시 같은 적응증을 가지고 있다. 알파-2 작용제는 일반적으로 중추신경자극제에 비해 덜 효과적이나 행동치료와는 비슷한 효과가 있다고 알려져 있다.

8) 예후

대부분의 ADHD 증상은 성인이 되어도 지속되는 경우가 많다 ADHD 소아 중 60-80%가 청소년기까지 증상이 지속되며 청소년의 40-60%가 성인 연령까지 증상이 지속되는 것으로 보고된 바 있다 성인이 되면서 과잉행동은 감소되나 주의력결핍, 충동성 조절 부족 등이 주증상을 이루게 되며 이러한 문제는 학업, 사회생활, 관계형성 등에 여러 문제를 일으키게 되어 소아기의 올바른 ADHD의 진단과 치료는 매우 중요하다.

자폐스펙트럼장애

Autism Spectrum Disorders, ASD

| 정희정 |

자폐장애는 뇌신경의 발달과정에 문제가 생기는 신경발달질환(neurodevelopmental disorders)으로 주로 중추신경의 기능부전에 의해 초래되는 질환이다. 원래는 전반적 발달장애(pervasive developmental disorders, PDD)로 부르다가 2013년 출판된 DSM-5부터 자폐스펙트럼장애(autism spectrum disorders, ASD)라는 용어를 사용하면서 이전처럼 자폐장애, Rett 장애, 소아기 붕괴성 장애(childhood disintegrative disorder), 달리 분류되지 않는 전반적 발달장애(pervasive developmental disorders, not otherwise specified, PDD NOS), 아스퍼거장애(Asperger syndrome)의 5개의 하위 유형으로 나누는 대신 아주 경미한 자폐장애 환자가 한쪽 끝에 위치하고, 전형적이고 매우 심각한 상태의 자폐장애 환자가 다른 끝에 위치하는 것으로 가정하고 이 두 지점을 연속적으로 연결하여 그 사이에 다양한 증상과 기능수준을 보이는 자폐 환자군이 존재한다는 개념으로 ASD로 부르게 되었다(그림 5-8).

[진단적 분류의 변화]

1943년에 Leo Kanner의 논문이 발표된 이후 조기 유아 자폐증(early infantile autism)이라는 용어가 사용되다가 1980년이 되어서야 DSM-3에서 PDD라는 용어를 사용하기 시작하였다. DSM-4의 PDD에 포함되었던 5가지 질환군을 DSM-5에서는 ASD라는 하나의 질병 범주로 재조직하였는데, 이유는 첫째, PDD와 non-PDD는 필히 구분하여야 하지만 PDD 범주 안의 질환들은 신뢰도와 타당도 면에서 굳이 세분할 필요가 없고, 둘째, PDD의 증상 연구와 유전연구 결과 자폐라는 질환을 증상의 심한 정도에 따른 하나의 스펙트럼 질환으로 생각하는 것이 훨씬 합리적이며, 셋째, 치료 면에서나 병인연구 면에서도 굳이 세분할 필요가 없기 때문이다. Rett 장애는 MECP2 유전자가 발견된 이후 ASD에서 제외되었고, 소아기 붕괴성 장애도 퇴행성 질환 소견을 보이기 때문에 제외되었다.

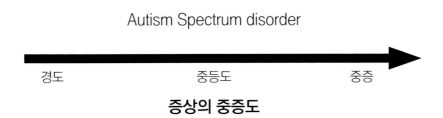

Autism Spectrum disorder

경도   중등도   중증

증상의 중증도

■ 그림 5-8. 증상의 정도에 따른 ASD의 스펙트럼적 분포

[역학]

미국의 ASD 유병률은 4세 소아 1,000명당 2010년, 2012년, 2014년 각각 13.4명, 15.3명, 17.0명으로 차츰 증가하고 있는 추세이며, 과거 좁은 의미의 자폐장애의 유병률인 10,000명당 2-4명보다 현저히 증가되었다. 우리나라에서의 유병률도 1999년 6세 미만 소아 10,000명 중 9.2명으로 보고되었다가, 2011년 7-12세의 학동기 소아의 2.64%로 현저히 증가되었다. 남녀 비는 4-5:1로 남아에서 훨씬 더 많이 발생하며, 사회경제적 상태, 인종, 도시화 여부와 상관없이 고루 발생하는 것으로 알려져 있다.

[병태생리]

ASD는 의학적으로 원인을 찾을 수 없는 특발성이 대부분이며, 공존질환이나 증후군 등 원인을 찾을 수 있는 이차적인 경우는 과거 연구에서는 10-20%로 보고하였으나, 최근 자료에서는 10% 이내로 비율이 감소하고 있다. ASD의 원인은 주로 유전적 요인에 의한 것으로 생각되고 있으며, 여기에 환경적 요인이 합쳐져 표현형 발현을 조절하는 것으로 생각되고 있다.

(1) 유전적 요인

첫째 아이가 자폐장애인 경우 다음 아이가 같은 장애를 가질 확률은 5-10%로 일반 소아에서 보다 훨씬 높은 수치이며, 형제에서의 상대 위험도는 일반 인구의 25배로 추정된다. 쌍생아 연구에서 일란성 쌍생아의 경우 일치율은 70-90% 정도이며, 이란성 쌍생아에서는 10% 정도이다. 특히 X 염색체와 염색체 2번, 3번, 7번, 15번, 17번, 22번에 위치한 유전자가 자폐장애 발생과 관련이 많은 것으로 알려져 있다. 취약 X 증후군은 남아에서 자폐장애와 지적장애를 일으킬 수 있는 유전적 원인 중 가장 흔한 질환으로, 자폐장애 환자의 약 3-4%에서 취약 X 증후군 염색체 돌연변이가 동반된다. 반대로 취약 X 증후군으로 확진된 환자 중 최대 30-50%에서 자폐장애의 임상적 특징을 보이기 때문에 ASD 환자에서는 유전상담 차원에서 취약 X 증후군 검사를 하는 것이 매우 중요하다. 또한 ASD 환자의 1-4%에서 결절경화증이 동반된다. 자폐장애의 일부는 Rett 증후군, Angelman/Prader-Willi 증후군, 신경섬유종, 태아알코올 증후군, Cornelia de Lange 증후군 등과 관련이 있으며, 치료되지 않은 페닐케톤뇨증, Smith-Lemli-Opitz 증후군, 사립체질환 등의 대사이상이 동반되는 여러 유전적 증후군과도 연관되어 있어 ASD는 한 개의 유전자(monogenic)에 의한 질병이 아닌 다수 유전자(polygenic)의 변이가 동시에 발생하는 복합 유전질환으로 추측되고 있다. 현재까지 약 40-50여개 유전좌위에 위치한 100여개의 다수 유전자가 ASD 발생과 관련이 있는 것으로 보고되고 있다.

ASD 후보 유전자 연구에서 비교적 일관되게 연관성이 밝혀진 유전자는 시냅스 기능과 관련된 GRIN2B, SHANK3, GABRB3와 염색질 조절(chromatin regulation)과 관련된 CHD2, CHD 등이 있으며, 시냅스 세포 접착(synaptic adhesion)과 연관된 CNTNAP2/ CNTNAP4, 혈색소 당단백질 IIIa와 연관된 ITGB3, RELN 등과 사회적 행동 관련 유전자인 OXTR 등이 있다. 이외에도 세로토닌 운반체인 SLC6A4, EN2와 간세포증식인자 수용체인 MET 등이 밝혀져 있다.

(2) 환경적 요인

ASD 발생에 기여할 가능성이 시사되는 환경요인으로는 임신 중독증이나 임신 중 풍진 감염 등의 산전 합병증, 임신 중 valproic acid나 thalidomide 등의 기형발생 물질 복용, 주산기 위험요인 등에 의한 다양한 뇌손상, 대기오염물질, 유기인산 화합물(organophosphates), 중금속 등 다양하다. 또한 분만 중 과도한 하혈, 조산, 주산기 저산소증이나 뇌출혈 등의 주산기 합병증이나 뇌막염, 뇌염, 뇌전증(epilepsy) 등의 산후 합병증이 정상군보다 자폐장애 환자에서 흔히 동반되어 있다. 한 때 MMR 백신과 자폐장애와의 연관성이 의심되기도 했었으나, 미국 정부의 대규모 연구결과 자폐장애와 MMR 백신의 연관성은 없는 것으로 드러났다.

(3) 면역학적 요인

자폐 소아에서 자연 세포독성 세포(natural killer cell)의 활동이 유의하게 낮고, 뇌 항원에 대한 세포매개 자가면역 반응이 일부 자폐 환자에서 존재하며, 세로토닌 수용체에 대한 항체매개 자가항원 인식이 자폐장애와 연관이 있을 수 있다는 등 면역기능의 저하나 자가면역기전, 또는 잘못된 면역조절이 자폐장애의 병인으로 제안되고 있다.

(4) 신경해부학적, 신경병리학적, 신경생물학적 요인

ASD 환아의 20-30%는 백질의 과잉성장으로 인해 대두증이 발생한다. 이는 대뇌 겉질에서의 연합 신경섬유(association fiber) 연결망 저하를 일으키게 되어 인지 및 신경학적 기능에 광범위한 영향을 초래하게 된다('신경망연결 저하이론', theory of underconnectivity). ASD에서는 fMRI 검사에서 다른 사람의 행동을 관찰하고, 그 의도를 이해하고, 행동을 모방할 때 활성화되는 거울신경세포의 기능 장애가 관찰 된다('깨진 거울이론', broken mirror neuron theory). 거울신경세포 시스템은 대뇌의 하부 전두이랑에 있는 덮개부(pars opercularis)에 위치하기 때문에 ASD 환자에서는 하부 전두엽의 활성화가 잘 관찰되지 않는다. 즉 ASD 환자는 타인의 얼굴표정을 보고 그의 감정을 이해하는 부분의 기능저하 또는 신경망 사이의 연결저하로 인해 입수된 정보를 자신의 감정으로 느끼지 못하는 것으로 볼 수 있으며, 이 가설은 자폐장애에서 가장 중요한 심리학적 모델인 '마음 이론'(theory of mind)과도 부합한다. 또한 정보처리 과정에서의 '중심 일관성의 약화'(weak central coherence) 가설도 '나무는 보는데 숲을 못 보는' 자폐장애의 증상과 잘 부합하며 뇌의 특정 부위의 신경망의 연결성이 부족하여 신경통합이 안 됨으로써 초래되는 질환으로 설명할 수 있다.

뇌 자기공명영상 연구에서 사회적 지각과 관련되는 사회적 뇌(social brain)에 해당하는 부위는 첫째, 외측 방추이랑(lateral fusiform gyrus)로 얼굴자극의 인식과 구별에 중요한 역할을 하며, 둘째, 변연계에 위치한 편도(amygdala)로 다른 뇌겉질 또는 겉질밑 구조와 밀접하게 연결되어 있어 얼굴 표정을 통해 타인의 감정을 이해하거나 정서를 조절하는데 중요한 역할을 한다. 셋째, 측두엽의 위관자고랑(superior temporal sulcus, STS)은 편도와 연결되어 있으며, 특히 우반구의 후측 STS는 타인의 행동, 의도, 심리상태와 성향 등을 해석하는데 중심적인 역할을 하는 부위로 생각되고 있다. 이외에 안와전두겉질(orbitofrontal cortex)도 사회적 뇌의 하나로 사회적 강화 및 보상과 관련 있다.

세로토닌, 도파민, 노르에피네프린 등의 신경전달물질의 이상도 ASD의 병인기전으로 연구되어 왔는데, 자폐 소아에서의 비정상적인 뇌의 성장은 세로토닌의 신경성장 역할과 연관되며 뇌 성장인자(growth factor)의 유전적 결함에 의해 뇌에 해부학적인 이상이 초래되는 것으로 추정된다. 일부 연구에서는 뇌의 억제성 신경과 흥분성 신경의 불균형도 시사되는데, 가바시스템(GABAergic system)의 억제, 혹은 흥분성 신경의 저하상태(hypoglutamatergic state)에 기인하는 것으로 생각된다. 그러나 말초에서 측정한 신경전달물질의 양이 중추신경계의 상태를 잘 반영하지 못하기 때문에 결과가 일관적이지 못하다.

[임상양상]

ASD 환자에서는 두 가지 핵심 증상인 (1)사회적 의사소통과 사회적 상호작용의 지속적인 결함과 (2)제한적이고 반복적인 행동이나 흥미, 활동이 나타난다.

(1) 사회적 의사소통과 사회적 상호작용의 지속적인 결함

사회적 의사소통의 결함은 언어적, 혹은 비언어적인 몸짓(gesture)으로 감정적·사회적 '주고받기'가 안 되는 것, 즉 사회적인 상호교류(social reciprocity)의 장애를 말하며, 다음의 세 가지 영역이 있다.

① 사회-정서적 상호교환성의 결함

사회적 상호작용은 타인과 관계를 맺고 생각과 감정을 공유하는 능력으로 이 능력의 결함은 사회적 상호작용을 전혀 시작하지 못하는 것부터 비정상적인 사회적 접근을 시도하는 것까지 광범위하게 나타날 수 있다. 사회적 상호작용의 결여는 출생 시부터 두드러져 2-3개월에 사회적 미소짓기가 안 되거나, 영 유아기에 눈 맞춤이 안 되며, 안아 달라고 하지 않거나 안아 주어도 몸을 뻗치는 등 감정을 공유하지 않고, 자기 이름을 불러도 호명반응이 나타나지 않는 경향이 있다. 낯가림이나 분리불안이 나타나지 않아 영아기에는 낯선 사람에게도 쉽게 접근하나, 간혹 오히려 뒤늦게(3-4세 이후) 분리불안이 심하게 나타나기도 한다. 자발적으로 상호작용을 하려는 의도를 갖고 접근하려는 시도가 적으며, 눈 맞춤과 다른 의사소통 방식을 잘 통합하지 못한다. 학령전기에는 또래와 상호적인 놀이를 하지 못해 '주고받기 게임'이나 장난감을 함께 갖고 놀기 힘들고, 타인의 행동을 모방하는 행동도 저하되어 있어 모방이나 가상놀이를 못한다. 학령기에는 다른 사람의 입장에서 사물을 바라보지 못하여 친구를 사귀거나 유지하기가 어려운 등의 증세가 나이에 따라 조금씩 다르게 나타난다.

감정의 영역에서는 기쁨, 두려움, 분노 등의 감정을 보일 수는 있으나 극단적으로 표현하는 편이며, 다른 사람의 기쁨이나 슬픔에 대한 감정이입이 부족하여 상대방이 기뻐할 때 즐거움을 함께 나누고 슬퍼할 때 위로를 주지 못한다. 다른 사람의 몸짓이나 얼굴 표정을 이해하지 못해 다른 사람과 감정을 공유하기 매우 힘들다. 이들의 언어는 대개 일방적으로, 자기의 관심사에 대해서만 이야기하거나 상대방의 반응을 고려하지 않는 대화를 하여 타인과 정서적인 교류가 어렵고 대화를 나누기보다는 요구를 하는 용도로 사용한다.

② 사회적 상호작용을 위한 비언어적 의사소통 행동의 결함

ASD 장애의 정도에 따라 비언어적 의사소통의 손상 정도가 다양하여 심한 ASD 소아는 말의 의미를 전혀 이해하지 못할 수도 있다. 영아기에는 주로 울거나 소리 지르는 것으로 그들의 욕구를 나타내고, 눈 맞춤을 하지 않거나, 얼굴 표정이 거의 없는 편이다. 9개월이 지나도 '까꿍 놀이' 같이 서로 주고 받는 몸짓 놀이에도 반응하지 않는다. 나아가서 다른 사람의 몸짓을 모방하는 '바이 바이'나 단순한 지시 따르기가 안 되며, 타인과 관심사를 공유하기 위해 물건을 가리키거나(pointing), 보여주고 가져오는 행동(sharing), 또는 같이 쳐다보고 서로 살피는 합동주시(joint attention)가 안 되는 등 양방향 비언어적 의사소통의 초기 발달단계에서 문제가 관찰된다. 몇 가지의 기능적 몸짓을 학습할 수는 있으나(예, 배꼽 인사) 레퍼토리가 적고 의사소통을 하는 데 있어서 표현적 몸짓을 자발적으로 사용하지 못한다. 말과 함께 조화로운 비언어적 몸짓을 사용하는 데 어려움이 있어 이상하고 경직되거나 과장된 '몸짓 언어'를 사용한다는 인상을 주는 경우도 있다. 사회적 의사소통을 위해 눈 마주침, 몸짓, 자세, 운율, 표정 등을 통합하는 능력은 매우 빈약하다.

증세가 경미한 ASD에서는 학령기가 되면 단순히 글을 읽고 쓰는 것은 가능할 수 있으나 글의 뜻을 독해하는 능력이 부족하여 글을 읽고 나서 일정한 정보를 알아내거나 전체의 내용을 요약하는 데 어려움이 많다. 화용기술이 손상되었거나 결여되어 있기 때문에 설사 많은 말을 할 수 있어도 상황에 맞는 말을 적절하게 사용하지 못하고 엉뚱하게

TV나 책에서 외운 내용을 반복하여 말하며 추상적 의미나 상징적이고 함축적인 표현이나 비유는 알아듣지 못한다. 어조에도 다양한 문제가 나타나 너무 부드럽게 말하거나 너무 크게 말하기도 하고, 말의 리듬이 단조롭고, 높은 톤으로 로봇처럼 기계적으로 말하는 경우가 가장 흔하다. 또한 상대방의 억양에서도 분노, 애정, 조급함 등의 감정을 읽어 내지 못하여 그의 의도를 잘 파악하지 못한다.

③ 관계의 발전, 유지 및 관계에 대한 이해의 결함

대인관계 형성 기술의 어려움도 연령에 따라 다르게 나타나, 유아기에는 주로 또래가 없는 듯이 무시하는 것으로 나타나지만, 학령전기에는 '주고받기'나 함께 나누기를 이해하지 못하기 때문에 자신의 방식대로 놀이를 지속하려 하여 규칙이 있는 게임이나 신체적 놀이에 적극적으로 참여하기 어렵다. 대부분 혼자 놀거나, 자신보다 나이가 어리거나 나이가 더 많은 사람과의 교류를 선호한다. 학교에 입학하게 되면 선생님의 지시를 따르지 않고 자신의 관심을 끄는 것만 쫓아 돌아다녀 문제가 되기도 한다. 암묵적인 사회적 규칙을 잘 몰라 비밀 지키기, 상대방이 싫어하는 말 삼가기, 너무 개인적인 사항은 묻지 않기 등이 잘 안 된다. 간혹 또래관계가 형성되더라도 기계적이고 자기 위주인 경향을 보여 또래와 선택적이고 상호교환적인 친구관계를 맺기 어렵다. 고기능 ASD 청소년은 어느 정도 친밀한 대인관계를 맺을 수는 있으나 대체로 피상적이며 깊은 우정 관계로 발전하지 못한다. 또한 우정이 무엇을 수반하는지에 대한 현실적인 생각이 없음에도 불구하고 우정을 쌓고자 하는 욕구를 보이는 경우도 빈번하다(예. 오로지 특별한 관심사만 공유하는 우정). 나이가 들어도 어떠한 행동이 한 가지 상황에서는 적절하지만 다른 상황에서는 그렇지 않다는 것을 이해하지 못하고, 의사소통을 위해 언어를 다른 방식으로 사용하는 것(예. 악의 없는 거짓말, 역설)을 이해하는 데에도 어려움을 겪을 수 있다.

(2) 제한적이고 반복적인 양식의 행동, 흥미 또는 활동

ASD에서의 반복적인 행동은 넓게 두 분야, 신체적 분야(상동행동, 반복적인 언어)와 정신적 분야(생각이나 관심의 제한)에서 관찰된다.

① 상동증적이거나 반복적인 운동성 동작, 물건 사용, 또는 말하기

상동적이거나 반복적인 행동(stereotype)에는 단순 운동 상동증(예, 손가락을 꼬거나 튕기기, 빙글빙글 돌기, 아래위로 뛰기 등), 물체의 반복적 사용(예, 바퀴 돌리기, 장난감 줄 세우기)과 반복적인 언어사용(예, 즉각 반향어, 지연 반향어, 신조어, 또는 개인 특유의 어구 사용) 등이 포함된다. 상동행동은 대부분 나중에 학동기 이후 저절로 소실되는데, 간혹 상동행동이 소실되었다가도 매우 흥분하거나 기분이 고조되면 다시 나타나기도 한다.

② 제한된 관심

일반적으로 정상아는 상상놀이나 역할놀이 등 놀이를 통해 세상에 대해 배워 가는데 비해, ASD 소아는 이를 할 수 없으며, 장난감을 상상놀이의 한 부분으로 사용하지 못하고 대신 장난감이나 재료의 비기능적 요소에 몰두하기 쉽다(예. 장난감 선물을 주면 장난감 대신 장난감을 싼 포장지에 더 관심을 갖는다). 특정한 장남감이나 물건에 유별나게 집착하여 항상 그 물건을 갖고 다니며, 그것을 빼앗으면 크게 저항한다. 관심 갖는 한두 가지 놀이나 활동을 수시간씩 반복하기도 한다. 주로 특정한 색깔이나 숫자, 글자, 지도 등 시각적인 정보에 관심이 제한되어 있어 숫자가 쓰인 수첩이나 달력 같은 것에만 관심을 갖는다. 이런 아이가 점점 나이가 들게 되면 일부 특정한 주제에 관하여 일가견을 갖게 되어 그 주제에 대해 물어보면 사전식으로 줄줄이 외우기는 하지만(예. 국가의 수도 이름, 공룡의 종류, 지하철 노선표 등), 이 지식의 의미를 이해하여 문제해결에 이용하거나 활용하기는 힘들다. 이는 전체적 맥락에서 의미를 파악하고 줄거리를 하나로 연결하여 이해하고 기억하는 인지기능인 중심 일관성(central coherence)이 부족하여 '나무는 보는데 숲은 보지 못하는' 현상이 일어나기 때문이다.

③ 상태 유지 경향과 변화에 대한 저항(rituals)

같은 상태를 반복하려는 경향과 사소한 변화에도 저항하는 것으로, 나름의 절차에 대한 집착이 강하여 일상적으로 반복되는 것을 융통성 없이 그대로 반복하려 한다. 틀에 박힌 언어적·비언어적 행동을 유지하려 하고 사소한 변화에 대한 극심한 불편감을 나타내며, 하나에서 다른 것으로의 전환이 어렵기 때문에 똑같은 일상 규칙을 반복(예, 똑같은 옷만 고집하거나 특정 음식만 먹음)하려는 것으로 나타난다. 사고 패턴에도 융통성이 없어서 다양한 측면과 상대성이 있다는 것을 고려하지 못한다.

④ 유별난 감각적 예민함과 감각운동 처리(sensorimotor processing)의 문제

ASD 소아에서는 비정상적인 감각처리과정을 거치므로 자극에 대하여 과도하거나 과소하게 반응하게 된다. 고도로 제한적이고 고정된 흥미는 이와 연관이 있으며, 이는 특정 소리나 질감에 대한 과도한 반응, 과도하게 물건 냄새를 맡거나 만지기, 빛이나 회전하는 물체에 대한 매료, 혹은 통증, 열감, 차가운 감각에 대한 무감각으로 나타난다. 미각, 후각, 촉각, 또는 음식에 대한 과도한 반응이나 의례적 행동, 혹은 심한 편식이 흔하다. ASD 소아는 대부분 운동이 서투른데, 영유아기의 조기 운동발달, 특히 대근육 운동발달은 지극히 정상이었다가 차츰 학령전기나 학령기가 되면서 소근육, 대근육 운동발달에 문제가 관찰된다. 공을 던지거나 받기, 한 발로 중심잡기, 옷 입고 벗기, 신발 끈 묶기, 젓가락질 등이 서투르며, 글씨를 잘 못 쓰고, 잘 엎지르고, 잘 걸려 넘어진다.

(3) 인지적 결함 및 기타 동반되는 문제들

① 지적장애 및 언어장애

ASD 소아의 70-75%는 지적 장애를 동반하고 있으며, 지능이 불균형적인 발달을 보여, 동작성 지능보다 언어성 지능이 훨씬 낮은 경향이 있다. 동작성 지능 중에서 특히 시공간 지각능력이 뛰어난 반면에, 언어성 지능 중 이해와 추상적·상징적 사고, 추리능력이 더 떨어진다. 지능이 낮을수록 언어성, 사회성 발달이 더 늦어지고 감각적 행동, 자해행동, 상동행동이 훨씬 더 많이 동반되는 경향이 있다. 비언어적 문제해결 능력, 적응능력(예: 숟가락질이나 크레용 사용 등), 놀이능력(play skills) 등의 비언어적 인지기능은 장기 예후를 예측하는 가장 중요한 예측인자이다. 비언어적 인지가 높을수록, 나중에 ASD의 특이한 비전형적 증상들이 더 빨리, 더 확실히 소멸되는 경향이 있다. 또한

ASD 환아의 약 10%에서는 특정한 능력의 돌출이 관찰되어 세계지도와 수도 이름, 달력, 숫자를 외우는 능력 같은 기계적 기억력이나, 음악과 예술 그리고 시공간 능력이 특별히 뛰어날 수 있다(servant skill). 그러나 대·소변 가리기나 기타 자조능력은 부진한 것으로 보고되고 있는데 이는 인지발달의 지연과 관련이 있을 것으로 생각된다.

ASD 환자의 대부분에서 언어장애를 가지고 있으며, 그 범위는 말을 전혀 못하는 경우부터 언어지연, 말에 대한 이해력 부족, 말의 리듬이 부자연스럽거나, 화용기술이 결여되어 함축적인 표현이나 비유는 알아듣지 못하는 경우까지 다양하다. 말을 하더라도 아무 의미 없는 단어나 구절을 반복하거나 새로운 말을 만들어 반복적으로 사용(신어 조작증)하기도 하며, 상대방의 말을 그대로 따라하는 반향어(echolalia)를 많이 쓴다.

② 뇌전증(epilepsy)

DSM-4 진단기준에 의한 ASD의 뇌전증 동반율은 25-38%로 보고되었었으나, DSM-5 진단기준에서는 훨씬 낮아져 22%로 보고되고 있으며, 5세 이전과 청소년기 두 번의 호발 시기가 있다. 특히 환자의 지능과 언어기능이 낮을수록 뇌전증이 더 많이 동반되며, 임상적으로 경련을 보이지 않는 경우에도 뇌파상으로는 약 30%에서 비정상적인 간질양파가 관찰된다. 또한 뇌전증 환자에서 ASD가 동반될 확률은 16-21%로 일반 인구집단에서보다 훨씬 높다. 증세는 전신의 경련 발작이나 비정상적인 운동발작, 멍하게 바라보면서 의식을 잃는 것 등으로 나타나며, 대부분 항경련제에 잘 반응하는 것으로 알려져 있지만 일부에서는 난치성 뇌전증도 동반된다. 수면부족이나 고열이 발작을 촉진 시키는 것으로 알려져 있다.

③ 공존질환

공존질환이 있는 경우 ASD 핵심증상의 치료를 저해할 수 있고 환자의 삶의 질도 떨어질 수 있어, 공존질환을 면밀히 살펴보고 정확히 진단하는 것은 매우 중요하다. DSM-4에서는 ASD와 ADHD 두 가지 질환을 동시에 진단하는 것이 불가능했으나, DSM-5에서는 가능하게 되었으며, ASD 환자의 41-78%에서 ADHD를 동반하는 것으로 알려져 있다. ASD에서 불안과 사회적 상호작용의 질적인 결함은 서로 영향을 주고 받는 것으로 알려져 있으며, 불안의 전반적인 공존율은 11-84%로 보고되고 있다. 가장 흔한 것은 단순공포증이며, 이외에 불안장애, 분리불안장애, 강박증, 사회공포증 등이 다양하게 나타난다. 이외에 비특이적인 자극과민성(irritability)으로 충동적인 공격성, 심한 분노발작, 또는 자해행동 등의 행동문제나, 틱장애 및 뚜렛장애, 수면 및 섭식 문제(예. 특정 음식에 대한 선호 및 거부), 위장관계의 문제(예. 만성 변비, 설사, 복통 등)가 동반될 수 있다.

[진단]

아직까지 ASD를 단번에 확진할 수 있는 혈액검사나 진단의학적 검사는 없다. 그러므로 ASD의 진단은 환자의 발달과정을 일반 소아청소년과의사가 정기적으로 꾸준히 관찰하다가(1단계), 문제가 의심되면 전문팀이 정밀평가를 하는 2단계로 진행되어야 하며, 최대한 빨리 진단하는 것이 중요하다. ASD의 조기 진단을 위해 18, 24개월에 ASD 선별검사가 권고된다. ASD의 조기 진단을 통한 조기 치료 개입은 ASD로 말미암아 나타날 장애를 줄이거나 예방할 수 있고, 나아가서는 환자의 IQ, 언어 및 자조능력을 향상시킬 수 있다. ASD의 진단은 DSM-5의 진단기준을 따르며, 진단 이후의 정밀평가는 발달평가와 의학적 원인 평가의 두 가지로 나누어 접근할 수 있다.

(1) ASD의 DSM-5 진단기준

ASD로 진단되기 위하여 다음의 다섯 가지 기준을 만족해야 한다(표 5-12). A) 사회적 의사소통 및 상호작용 영역의 3가지 항목 모두와 B) 제한적이고 반복적인 행동 영역의 4가지 항목 중 2가지 이상을 충족해야 한다. 그리고 C) 초기 발달시기부터 증상이 나타나야 하며, D) 임상적으로 뚜렷한 사회적, 직업적, 또는 현재 다른 중요한 기능 영역의 손상을 야기하여야 한다. E) 사회적 의사소통의 결함으로, 간혹 지적장애가 동반되더라도 사회적 의사소통의 결함이 발달단계를 기반으로 추측한 예상보다 어려움이 훨씬 더 커야 한다.

DSM-4-TR에서 DSM-5로 바뀐 ASD 진단기준의 중요한 변화는 다음과 같다. 첫째, ASD가 지적장애, 주의력결핍 과잉행동 장애, 의사소통 장애, 특수학습 장애, 운동장

표 5-12. 자폐스펙트럼장애의 DSM-5 진단기준

A. 다양한 분야에 걸쳐 나타나는 사회적 의사소통 및 사회적 상호작용의 지속적인 결함으로 현재 또는 과거력상 다음과 같은 특징이 나타난다(예시들은 실례이며 증상을 총망라한 것이 아님) 　1. 사회적-감정적 상호성의 결함(예. 비정상적인 사회적 접근 및 정상적인 대화를 나누기 어려운 것(관심사, 감정, 정서의 상호교환이나 반응이 적은 것부터 사회적 상호작용을 전혀 시작하지 못하는 것까지의 범위에 걸쳐있다.)) 　2. 사회적 상호작용을 위한 비언어적인 의사소통 행동의 결함(예. 비정상적인 눈 맞춤과 몸짓 언어, 또는 비언어적 의사소통을 이해하고 사용하는 능력의 결핍)부터 얼굴 표정이나 제스처가 전혀 없는 것 까지 이에 해당된다. 　3. 관계 발전, 유지 및 관계에 대한 이해의 결함(예. 다양한 사회적 상황에 적합하게 행동을 조절하기 어려움, 상상 놀이를 공유하거나 친구 사귀기가 어려움)부터 타인에 대한 관심이 없는 것까지 포함된다. **현재의 심각도를 명시할 것:** 심각도는 사회적 의사소통 손상과 제한적이고 반복적인 행동 양상에 기초하여 평가한다(표 5-13를 참조하시오).
B. 제한적이고 반복적인 행동이나 흥미, 활동이 현재 또는 과거력상 다음 항목들 가운데 적어도 2가지 이상 나타난다(예시들은 실례이며 증상을 총망라한 것이 아님). 　1. 상동화 되고 반복적인 운동성 동작, 물건 사용 또는 말하기(예. 단순한 운동 상동증, 장난감 줄 세우기, 또는 사물을 튕기는 행동, 반향어, 또는 특이한 문구사용) 　2. 동일성에 대한 고집, 일상적인 것에 대한 융통성 없는 집착, 또는 의례적인 언어나 비언어적 행동 양상(예. 작은 변화에 대한 극심한 고통, 변화의 어려움, 완고한 사고방식, 의례적인 인사, 같은 길로만 다니기, 매일 같은 음식 먹기) 　3. 강도나 초점에 있어서 비정상적으로 극도로 제한되고 고정된 흥미(예. 특이한 물체에 대한 강한 애착 또는 집착, 과도하게 국한되거나 고집스러운 관심사) 　4. 감각 정보에 대한 과잉 또는 과소 반응, 또는 환경의 감각 영역에 대한 특이한 관심(예. 통증/열감/차가운 감각에 대한 명백한 무관심, 특정 소리나 감촉에 대한 부정적 반응, 과도한 냄새 맡기 또는 물체 만지기, 불빛이나 빙글빙글 도는 물체에 대한 시각적 매료) **현재의 심각도를 명시할 것:** 심각도는 사회적 의사소통 손상과 제한적이고 반복적인 행동 양상에 기초하여 평가한다(표 5-13를 참조하시오).
C. 증상은 반드시 초기 발달 시기부터 나타나야 한다(그러나 사회적 요구가 개인의 제한된 능력을 넘어서기 전까지는 증상이 완전히 나타나지 않을 수 있고, 나중에는 학습된 전략에 의해 증상이 감춰질 수 있다).
D. 이러한 증상은 사회적, 직업적 또는 다른 중요한 현재의 기능영역에서 임상적으로 뚜렷한 손상을 초래한다.
E. 이러한 장애는 지적장애(지적발달장애) 또는 전반적 발달지연으로 더 잘 설명되지 않는다. 지적장애와 자폐스펙트럼장애는 자주 동반된다. 자폐스펙트럼장애와 지적장애를 함께 진단하기 위해서는 사회적 의사소통이 전반적인 발달 수준에 기대되는 것보다 저하되어야 한다.
주의점: DMS-IV의 진단기준상 자폐성장애, 아스퍼거장애 또는 달리 분류되지 않는 발달장애로 진단된 경우에서는 자폐스펙트럼장애의 진단이 내려져야 한다. 사회적 의사소통에 뚜렷한 결함이 있으나 자폐스펙트럼장애의 다른 진단 항목을 만족하지 않는 경우에는 사회적(실용적) 의사소통장애로 평가해야 한다. **다음의 경우 명시할 것:** 　**지적 손상을 동반하는 경우 또는 동반하지 않는 경우** 　**언어 손상을 동반하는 경우 또는 동반하지 않는 경우** 　**알려진 의학적 · 유전적 상태 또는 환경적 요인과 연관된 경우** 　(**부호화 시 주의점:** 관련된 의학적 또는 유전적 상태를 식별하기 위해 추가적인 부호를 사용하시오) 　**다른 신경발달, 정신 또는 행동 장애와 연관된 경우** 　(**부호화 시 주의점:** 관련된 신경발달, 정신 또는 행동장애를 식별하기 위해 추가적인 부호를 사용하시오) 　**긴장증 동반**(정의에 대해서는 다른 정신질환과 관련이 있는 긴장증의 기준을 참조하시오) 　(**부호화 시 주의점:** 공존 긴장증이 있는 경우에는 자폐스펙트럼장애와 관련 있는 긴장증에 대한 추가적인 부호 293.89[F06.1]을 사용할 것)

애 등과 함께 신경발달질환(neurodevelopmental disorders)의 범주 안에 포함되었다. 둘째, DSM-4-TR의 PDD 안에서 다섯 가지로 구분되던 하위진단이 ASD 단일 진단으로 통합되었다. 셋째, 기존의 자폐장애에서 요구되던 세 개의 핵심증상이 두 개로 줄었으며, 넷째, 언어발달의 지연이 진단기준에서 삭제되었다. 다섯째, 증상의 심각도를 평가하기 위한 척도가 추가되었다(표 5-13).

(2) 발달 평가

부모로부터 환자의 발달력을 조사한 후, 진찰실에서 아이의 행동을 직접 관찰하면서 얻은 정보를 갖고, ASD와 관련 있는 세 가지의 영역, 즉 사회적 상호작용, 의사소통/상상놀이, 그리고 환경에 대한 유별난 반응에 중점을 두고 관찰한다. 표준화된 심리검사를 통하여 환아의 인지기능, 적응능력, 정서 및 행동, 자폐성향 등을 평가하며, 동시에

표 5-13. 자폐스펙트럼장애의 심각도 수준

심각도 수준	시회적 의사소통	제한적이고 반복적인 행동
3단계 "상당히 많은 지원을 필요로 하는 수준"	언어적 · 비언어적 사회적 의사소통 기술에 심각한 결함이 있고, 이로 인해 심각한 기능상의 손상이 야기된다. 사회적 상호작용을 맺는 데 극도로 제한적이며, 사회적 접근에 대해 최소한의 반응을 보인다. 예를 들어, 이해할 수 있는 말이 극소수의 단어뿐인 사람으로서, 좀처럼 상호작용을 시작하지 않으며, 만일 상호작용을 하더라도 오직 필요를 충족하기 위해 이상한 방식으로 접근을 하며, 매우 직접적인 사회적 접근에만 반응한다.	융통성 없는 행동, 변화에 대처하는데 극심한 어려움, 다른 제한적이고 반복적인 행동이 모든 분야에서 기능을 하는 데 뚜렷한 방해를 한다. 집중 또는 행동 변화에 극심한 고통과 어려움이 있다.
2단계 "많은 지원을 필요로 하는 수준"	언어적 · 비언어적 사회적 의사소통 기술의 뚜렷한 결함, 지원을 해도 명백한 사회적 손상이 있으며, 사회적 의사소통의 시작이 제한되어 있고, 사회적 접근에 대해 감소된 혹은 비정상적인 반응을 보인다. 예를 들어, 단순한 문장 정도만 말할 수 있는 사람으로서, 상호작용이 편협한 특정 관심사에만 제한되어 있고, 기이한 비언어적 의사소통이 뚜렷하게 나타난다.	융통성 없는 행동, 변화에 대처하는데 극심한 어려움, 다른 제한적이고 반복적인 행동이 우연히 관찰한 사람도 알 수 있을 정도로 자주 나타나며, 다양한 분야의 기능을 방해한다. 집중 또는 행동 변화에 고통과 어려움이 있다.
1단계 "지원이 필요한 수준"	지원이 없을 때에는 사회적 의사소통의 결함이 분명한 손상을 야기한다. 사회적 상호작용을 시작하는 데 어려움이 있으며, 사회적 접근에 대한 비전형적인 반응이나 성공적이지 않은 반응을 보인다. 사회적 상호작용에 대한 흥미가 감소된 것처럼 보일 수 있다. 예를 들어, 완전한 문장을 말할 수 있는 사람으로서 의사소통에 참여하지만, 다른 사람들과 대화를 주고받는 데에는 실패할 수 있으며, 친구를 만들기 위한 시도는 괴상하고 대개 실패한다.	융통성 없는 행동이 한 가지 또는 그 이상의 분야의 기능을 확연히 방해한다. 활동 전환이 어렵다. 조직력과 계획력의 문제는 독립을 방해한다.

언어의 수준과 운동능력, 학습능력 등을 평가한다.

심리검사에는 인지기능을 평가하는 지능검사와 적응능력을 평가하는 사회성숙도검사(social maturity scales), 행동 및 정서를 평가하는 소아행동 체크리스트(child behavior checklist)와 코너스 평정척도 등이 있다. 인지검사는 아이의 나이에 따라 42개월까지는 베일리 발달검사, 30개월-7세 3개월까지는 유아용 웩슬러 검사, 6세-17세 미만은 아동용 웩슬러 검사를 실시한다. ASD의 선별검사에는 한국형 소아기 자폐증 평정척도(K-CARS)와 한국형 자폐 행동 체크리스트(K-ABC)가 있다. ASD의 확진검사로는 검사자가 아이의 언어, 사회성, 놀이 기능을 직접 관찰하면서 측정하는 자폐증 진단 관찰척도(Autism Diagnostic Observation Scale, ADOS)와 부모로부터 설문지를 통해 아이의 상태를 조사하는 자폐증 진단설문(Autism Diagnostic Interview-Revised, ADI-R)이 있다.

(3) 의학적 평가

환자의 출생력 및 과거력, 가족력, 부모의 학력과 직업 같은 사회력과 엄마의 임신 중 약이나 알코올 복용 여부, 미숙아 여부, 출산 시 합병증 등을 확인해야 한다. 3대에 걸친 가족력에서 자폐장애, 지적장애나 언어지연, 학습장애, 사회성 문제가 있는 사람이 있는지 물어야 하며, 불안이나 우울증 같은 정신보건 문제 여부도 확인할 필요가 있다. 신체진찰에서는 ASD를 초래하는 것으로 알려진 증후군과 관련된 안면이형성증의 동반 여부도 확인한다. ASD 환자에서는 이학적 검사 결과 약 20-30%에서 대두증이 동반되는 것 외에 대부분은 정상소견을 보인다고 알려져 있다.

모든 ASD 환자에서 적용할 수 있는 하나의 평가 알고리즘은 없기 때문에 병력, 이학적 검사, 임상적 정보들을 고려하여 1:1 맞춤형으로 진행해야 한다. 다음은 ASD를 일으킨 원인을 찾는 검사로, 우선 언어지연이 있으면 모두에게 청력검사를 기본으로 실시하며, 필요한 경우 안과 정밀검사도 실시한다. 유전학적 평가는 환자의 상태에 따라 크게 두 가지로 나누어 유전증후군(syndromic autism)과 비유전증후군(nonsyndromic autism)으로 나눌 수 있다. 안면 이형성증이 관찰되거나 중증 지적장애가 동반된 경우 유전증후군으로, 안면 이형성증 없이 자폐장애만 있거나 경도/중등도 지적장애가 동반된 경우 비유전증후군으로 생각한다. 첫째, 유전증후군으로 분류된 경우, 특정 증후군이 의심되면 표적 유전자검사(예. karyotyping, aCGH

혹은 PTEN이나 MECP2 같은 특정 유전자 염기서열 검사 (gene sequencing 등)를 진행하고, 적절한 임상적 지표가 있으면 특정 대사검사 또는 미토콘드리아 검사를 진행한다. 안면 이형성증은 있으나 특정 증후군을 찾을 수 없으면 취약 X 증후군 검사와 함께 aCGH 검사를 실시한 후 변이가 발견되지 않으면 표적 차세대 염기서열(targeted NGS)이나 전장유전체 해독(WES)을 실시한다. 둘째, 비유전증후군으로 분류된 경우 가족력이 있으면 aCGH를, 근친 간의 출생력이 있거나 특정 음식을 혐오하는 경우 특정 대사이상 검사를, 지적장애가 있으면 취약 X 증후군 검사를 포함한 aCGH, 지적장애가 없으면 취약 X 증후군 검사만 실시한다. 이식증(pica)이 있으면서 고위험 환경에 노출되어 있다면 납 검사도 실시할 수 있다. 이외에도 대두증이나 소두증이 있으면 MRI를 실시하여 ASD의 원인을 최대한 찾아본다. 뇌파검사는 기본검사로 실시할 필요는 없으나 뇌전증이 동반되거나, Landau-Kleffner 증후군이 의심될 경우 실시할 수 있다.

ASD를 의심할 수 있는 초기 징후들은 ① 12개월까지 옹알이, 포인팅, 의미있는 제스처를 사용하지 않는다. ② 16개월까지 한 단어를 말하지 못 한다. ③ 24개월까지 두 단어 연결이 안 된다. ④ 어느 연령에서든 잘 하던 언어와 사회성 기능이 퇴보 된다. 등이다. 이 4가지 징후 중 하나라도 관찰되면 즉시 ASD에 대한 선별검사를 실시해야 한다(Filipek 등, 2000). AAP에서 자폐장애를 감시 및 진단하는 알고리즘(AAP, 2006)과 2세 이전에 나타나는 자폐장애를 의심할 수 있는 초기 징후들을 보고하였다(표 5-14).

[치료]

아직까지 ASD를 완치하는 특효약이나 단일 치료법은 없으나, 가능한 일찍 발견하여 조기에 치료를 시작할수록 증세를 훨씬 완화시킬 수 있으며, 환자가 새로운 기술을 배우는 능력과 사회적 능력을 증가시킬 수 있다. ASD 치료의 목표는 핵심증상들의 완화로, 행동수정(behavior modification) 치료와 약물치료 같은 적극적인 치료 외에도 언어치료, 작업치료, 감각통합치료, 부모교육 등을 통합적, 다학제적으로 실시하여 자조기술, 사회성기술, 나아가서는 직업기술도 획득할 수 있도록 한다.

행동수정 치료: 행동수정 치료 중 응용행동분석(applied behavior analysis, ABA) 치료는 Lovaas 치료로도 알려져 있으며 초등학교 입학 전의 자폐 소아를 대상으로 환자의 집으로 치료 전문가가 방문하여 일대일로 시행하는 조기 집중 행동치료이다. 주 40시간(하루에 8시간씩, 주 5회)씩, 2년간 시행하는 것이 원칙으로 놀이, 언어, 자조능력, 사회적 기술, 집중력, 동기부여 등 전반적인 면을 다룬다. 부모의 참여도가 치료의 성공여부를 좌우할 만큼 중요하며, 환자의 47%가 발달에 뚜렷한 진전을 보여 IQ가 30정도 높아진다고 보고된다. 그러나 환자의 행동과 개별적인 기술에 초점을 맞추어 너무 구조화된 치료를 하는 것과 과다한 비용과 엄청난 시간이 소요되는 단점이 있다. 이외의 다른 행동치료로 환자의 개별적인 발달과정에 초점을 맞춘

표 5-14. **ASD를 의심할 수 있는 초기 징후들**(Zwaigenbaum 등, 2009)

사회적 의사소통, 특히 다음 항목이 결여/비전형적으로 나타난다. • 눈 맞춤과 관심 공유/협동 주시 • 감정표현과 감정조절(예: 덜 긍정적이고 더 부정적인 감정) • 사회적/상호적 미소 • 사회적 관심과 즐거움의 공유(간지럼 태우기 같은 신체적 접촉 없이) • 호명에 반응하기 • 제스처의 발달(예: 포인팅) • 다양한 의소소통 수단들의 조화(예: 눈 맞춤, 얼굴 표정, 제스처, 소리내기)
놀이를 할 때, 아래 사항들이 현저히 나타난다. • 행동을 모방하는 것이 부족함 • 장난감이나 다른 물건들을 과도하게 만지거나/눈으로 탐사함 • 장난감이나 다른 물건들을 갖고 단순하고 반복적인 놀이를 함
언어와 인지영역에서, 다음 사항들이 현저히 결여/지연, 혹은 비전형적으로 나타난다. • 인지 발달 • 옹알이, 특히 주고 받기식의 사회적 옹알이 • 언어의 이해 및 발화(예: 괴상한 첫 단어 혹은 이례적으로 반복) • 이례적인 어조/목소리 톤
퇴보/잘 하던 언어와 사회적-정서적 결합/연결을 상실한다.
시각/다른 감각과 운동영역에서, 다음 사항들이 현저히 나타난다. • 비전형적인 시각 따라보기, 시각 고정(예 불빛에 고정), 및 이례적인 사물 점검 • 소리나 다른 형태의 감각 자극에 과도하게/과소하게 반응 • 신체활동이 줄고 대근육, 소근육 운동 발달의 지연이 나타남 • 반복적인 동작성 행동과 비전형적인 자세/동작성 매너리즘
수면, 식사, 주의력과 관련된 조절능력에서의 비전형성이 나타난다.

'Developmental Individual-Difference, Relationship-based (DIR)/ Floor-time approach model'과 학습이론과 발달과정 두 가지 모두에 초점을 맞춘 TEACCH (Treatment & Education of Autistic & related Communication in handi-capped CHildren) 치료 등이 있다.

언어치료: 유아 때부터 언어치료를 시작해야 하며 치료의 원칙은 '소통 먼저, 말은 나중에' 이다. 언어를 습득한 후에도 화용에 문제가 있으면 대화의 법칙(예. 번갈아 말하기, 혼잣말 하지 않기, 주제에 맞게 이야기하기, 상대에 따라 다르게 이야기하기, 상대의 억양, 소리, 표정, 몸짓을 감안해서 이해하기 등)에 따른 지속적인 언어치료가 필요하다.

감각통합 치료: 감각과잉(sensory overload)과 감각추구(sensory craving) 현상이 있는 경우 필요하다. 과도한 예민성을 경감시키고, 남아있는 예민성은 다스리며 사는 방법을 가르치고, 새로운 감각에 대한 참을성을 키우는 것이 감각통합 치료의 목표로 다양한 감각의 통합, 해석, 조직화를 통하여 아이가 이 세상을 안전한 곳으로 느끼고 세상과 대화하며 기능할 수 있도록 도와야 한다.

부모교육 및 가족에 대한 지지: 초기 진단과정에서 부모가 아이의 질병을 받아들이고 아이를 어떻게 도와야 할지 알 수 있도록 적극적으로 부모교육을 해야 한다. 부모를 공동치료자로 훈련시키고 집에서도 치료교육을 실시할 수 있도록 도와주어야 하며, 장애인 부모모임, 장애인 단체, 정부기구의 적극적인 도움과 지지가 필요하다. 부모모임을 통해 소외감을 없애고, 정보를 교환하며, 함께 필요한 치료를 적극적으로 찾고 정부에 대해서도 적극적으로 권리를 요구할 수 있도록 한다.

약물치료: 아직까지 ASD의 특효약은 없는 것으로 알려져 있으나 환자의 행동 및 정서문제를 경감시키는 약물을 사용함으로써 치료를 돕고 환자와 보호자의 삶의 질을 향상시킬 수 있다. 약물로 도움을 받을 수 있는 증상들은 완고함(rigidity), 강박증, 반복적 행동, 불안, 폭력성, 자해행동, 과잉행동, 우울증, 수면장애, 틱장애, 뇌전증 발작 등이다. 항 정신병 약물은 행동문제(폭력성이나 자해행동, 불안, 강박, 울화통(temper tantrum))를 보일 때 사용되며, 이 중 risperidone (Risperdal®)과 aripiprazole (Abilify®)은 5-16세의 자폐 환자에서 사용할 수 있도록 FDA의 승인을 받은 유일한 약물이다. 흔한 부작용은 식욕증진과 체중증가, 졸음이다. 항 우울제인 fluoxetine (Prozac®)과 sertraline (Zoloft®) 등의 SSRI (serotonin receptor reuptake inhibitor)는 공격성과 불안을 조절하며, 반복적인 행동을 줄이고, 눈맞춤과 사회적인 교류를 호전시키는 효과가 있는 것으로 알려져 있다. 그러나 사춘기 아동과 25세 이하의 성인에서 투약 초기에 오히려 자살하고자 하는 생각이나 자살시도를 하는 의도하지 않은 효과가 있는 것으로 알려져 있어 주의해야 한다(FDA 'black box' 경고 약물). 주의력 부족과 과잉행동에 사용되는 Ritalin®과 Concerta®는 자폐 환자의 과잉행동증에도 사용되는데 뇌 속의 신경전달물질인 도파민을 증가시키는 작용을 하여 주의력을 향상시키고 과잉행동에 효과가 있는 것으로 알려져 있으나, 부작용은 ASD가 없는 ADHD 환자에서 보다 더 많이 나타난다.

[예후]

ASD가 의심될 경우, 되도록 빨리 발견하여 조기에 치료개입이 이루어질수록 예후가 좋은 것으로 보고되고 있다(MMWR Surveill. Summ., 2019). 나이가 들어가면서 소아기에 있었던 핵심증상들은 다소 호전된다고 알려져 있으며, 특히 진단 당시 아이의 지능이 높을수록 문제되었던 비전형성 증상들은 거의 없어지고 단지 아주 경미한 사회성 증상만 남는 경향이 있다. 대개 학령기가 되면 부모에 대한 애착이 나타나면서 사회성도 좋아지는 경향을 보여, 대인관계에서도 다소 능동적으로 되어가나 자기중심적 성향으로 인해 의사소통은 여전히 잘 이루어지지 않는다. 조기 예측인자는 진단 당시의 인지기능, 협동주시 기능, 기능적 놀이기술(functional play skill), ASD 증상의 심각성 등이다. 언어적, 사회적, 행동적 어려움은 나이 들어가면서 차츰 호전되어 일부 아이는 청소년기에 상당한 발전을 보이나, 극히 소수에서는 심각한 퇴행 및 문제행동을 보일 수 있다. 행동상의 변화로 대부분에서 과잉행동은 감소하여 과소행동과 동기부족으로 대체되는 경향이 있으나, 일부에서는 전보다 더 많은 불안과 긴장을 보이기도 한다.

자폐장애 소아의 약 40% 정도는 일반인과 비슷하게 직업을 갖고 정상생활을 할 수 있는 것으로 보고되고 있다. 성인기의 장기 예후를 결정하는 인자는 진단 당시의 인지기능(특히 비언어성 지능)과 자조능력으로 비전형성 증상의 심각성보다 예후 결정에 더 중요하다.

참고문헌

1. Amaral DG, Schumann CM, Nordahl CW. Neuroanatomy of autism. Trends in Neurosciences 2008;31:137-45.

2. American Psychiatric Association. Neurodevelopmental disorders. Autism spectrum disorder. In: American Psychiatric Association, editor. Diagnostic and statistical manual of mental disorders. 5th ed. American Psychiatric Association, 2013

3. American Psychiatric Association, Diagnostic and Statistical Manual of Mental Disorders, 4th Edition, Text Revision (DSM-IV-TR), American Psychiatric Publishing, 2000

4. American Academy of Pediatrics, Council on Children With Disabilities; Section on Developmental Behavioral Pediatrics; Bright Futures Steering Committee; Medical Home Initiatives for Children With Special Needs Project Advisory Committee. Identifying infants and young children with developmental disorders in the medical home: an algorithm for developmental surveillance and screening. Pediatrics 2006;118:405-20.

5. Bear MF, Connors BW and Paradiso MA. Language. In: Neuroscience: exploring the brain, 4th ed. Wolter Kluwer, 2016.

6. Christense DL, Maenner MJ, Bilder D, et al. Prevalence and Characteristics of Autism Spectrum Disorder Among Children Aged 4 Years - Early Autism and Developmental Disabilities Monitoring Network, Seven Sites, United States, 2010, 2012, and 2014. MMWR Surveill Summ 2019;68:1-19.

7. Coplan J, Making sense of Autistic Spectrum Disorders: create the brightest future for your child with the best treatment options, 1st ed. Bantam Books, 2010

8. Feldman HM, Messick C. Language and speech disorders. In: Carey WB, Crocker AC, Coleman WL, et al, editor. Developmental-behavioral Pediatrics. 4th ed. Sounders, 2009.

9. Filipek PA, Accardo PJ, Ashwal S, et al. Practice parameter: Screening and Diagnosis of Autism. Report of Quality Standards Subcommittee of the American Academy of Neurology and the Child Neurology Society. Neurology 2000;55: 468-79.

10. Fuchs T, Birbaumer N, Lutzenberger W, et al. Neurofeedback treatment for attention deficit/ hyperactivity disorder in children: A comparison with methylphenidate. Appl Psychophysiol Biofeedback 2003;28:1.

11. Hayes J, Ford T, Rafeeque H, et al. Clinical practice guidelines for diagnosis of autism spectrum disorder in adults and children in the UK: a narrative review. BMC Psychiatry 2018;18:222-46.

12. Heywood C, Beale I. EEG biofeedback vs. placebo treatment for attention-deficit/hyperactivity disorder: A pilot study. J Atten Disord 2003;7:43.

13. Johnson CP, Myers SM, American Academy of Pediatrics Council on Children With Disabilities. Identification and evaluation of children with autism spectrum disorders. Pediatrics 2007;120:1183-215.

14. Kim BS, Lee SB, Jung BI, Ahn YO, Hong KE. Prevalence of autistic disorders in a middle-sized city. J Kor Assoc Pers Autism 1999;1:1-25.

15. Kim YS, Leventhal BL, Koh YJ, et al. Prevalence of autism spectrum disorders in a total population sample. Am J Psychiatry 2011;168:904-12.

16. Kliegman RM, Blum NJ, Nelson textbook of pediatrics, 21th ed. Elsevier inc, 2019

17. Lobar SL. DSM-V changes for autism spectrum disorder (ASD): Implications for diagnosis, management, and care coordination for children with ASDs. J Pediatr Health Care 2016;40:359-65.

18. Lovato DV, Herai RR, and Pignatari GC et al. The relevance of variants with unknown significance for autism spectrum disorder considering the genotype-phenotype interrelationship. Frontiers in Psychiatry 2019;10:1-6.

19. Marrus N, Hall L. Intellectual Disability and Language Disorder. Child Adolesc Psychiatr Clin N Am 2017;26:539-54.

20. McQuiston S, Kloczko N. Speech and language development: monitoring process and problems. Pediatr Rev 2011;32:230-8.

21. Minshew NJ, Williams DL. The Neurobiology of Autism: Cortex, Connectivity, and Neuronal organization, Arch Neurol 2007;64:945-50.

22. National Institute of Mental Health. A Parent's Guide to Autism Spectrum Disorder. http://ncbi.nim.nih.gov/pmc/articles/PMC2833286/pdf/nihms175064.pdf

23. Prevalence of autism spectrum disorders-Autism and Developmental Disabilities Monitoring Network, United States, 2006. MMWR Surveillance Summaries 2009;58::1-20.

24. Rice CE, Baio J, Van Naarden BK, et al. A public health collaboration for the surveillance of autism spectrum disorders. Paediatr Perinat Epidemiol 2007;21: 179-90.

25. Robert C, Pasquier L, Cohen D, et al. Role of Genetics in the Etiology of Autistic Spectrum Disorder: Towards a Hierarchical Diagnostic Strategy. Int J Mol Sci 2017;18:618.

26. Rogers SI. Empirically supported comprehensive treatments for young children with autism. J Clin Child Psychol 1998;27:168-79.

27. Rogers SJ, Vismara LA. Evidence-based comprehensive treatments for early autism. J Clin Child Adolesc Psychol 2008;37:8-38.

28. Shriberg LD, Tomblin JB, McSweeny JL. Prevalence of speech delay in 6-year-old children and comorbidity with language impairment. J Speech Lang Hear Res 1999;42:1461-81.

29. Simms MD. Language development and communication disor-

ders. In: Kliegman RM, editor. Nelson Textbook of Pediatrics. 21th ed. Saunders; 2019.

30. Simms MD, Jin XM. Autism, Language Disorder, and Social (Pragmatic) Communication Disorder: DSM-V and Differential Diagnoses. Pediatr Rev 2015;36:355-62.

31. Simms MD. Language disorders in children: classification and clinical syndromes. Pediatr Clin North Am 2007;54:437-67.

32. Stothard SE, Snowling MJ, Bishop DV, Chipchase BB, Kaplan CA. Language-impaired preschoolers: a follow-up into adolescence. J Speech Lang Hear Res 1998;41:407-18.

33. Swaiman KF, Ashwal S, Swaiman's Pediatric Neurology: Principles and Practice, 6th ed. Elsevier inc, 2017

34. Tomblin JB, Records NL, Buckwalter P, Zhang X, Smith E, O'Brien M. Prevalence of specific language impairment in kindergarten children. J Speech Lang Hear Res 1997;40:1245-60.

35. Trauner DA, Nass RD. Developmental language disorders. In: Swaiman KF, Ashwal S, Ferriero DM, editor. Pediatric neurology: Principle and Practice. 6th ed. Elsevier; 2017.

36. Tuchman R and Rapin I, Autism: A Neurobiological Disorder of Early Brain Development, 1st ed. Mac Keith Press, 2006

37. Virues-Ortega J. Applied behavior analytic intervention for autism in early childhood meta-analysis, meta-regression, and dose-response meta-analysis of multiple outcomes. Clin Psychol Rev 2010;30:387-99.

38. Volkmar FR, Paaul R, Klin A and Cohen D, Handbook of Autism and Pervasive Developmental Disorders, 3rd ed. John Wiley & Sons Inc., 2005

39. Zwaigenbaum L, Bryson S, Lord C et al. Clinical assessment and management of toddlers with suspected autism spectrum disorder: Insights from studies of high-risk infants. Pediatrics 2009;123:1383-91.

40. 권준수, 김재진, 남궁기 등, DSM-5 정신질환의 진단 및 통계 편람, 학지사, 2015

41. 김수진, 신지영, 말소리장애, 시그마프레스, 2015

42. 심현섭, 권미선, 김수진 등, 의사소통장애의 이해, 3판. 학지사, 2017

43. 안효섭, 소아과학, 제11판. ㈜미래엔, 2016

44. 유희정, 곽영숙. 자폐스펙트럼장애. In: 홍강의, 편저. DSM-5에 준하여 새롭게 쓴 소아정신의학. The Textbook of Child Psychiatry. 1st ed. 학지사; 2014. p145-66.

제**6**장

뇌전증

Epilepsy

01

뇌전증의 역학 및 자연경과

Epidemiology and Natural History of Epilepsy

| 김흥동 |

뇌전증은 오래 전부터 알려진 질병으로 고대 바빌로니아인들의 기록에서 이를 확인할 수 있으며 고대 그리스의 히포크라테스는 '뇌의 병'으로 기술하기도 하였다. 이와 같이 뇌전증의 역사는 인류의 질병의 역사와 동일하게 오랜 기간 동안 알려져 왔다. 1890년 Hurling Jackson은 "신경조직에서 간헐적으로 방출되는 과도하며 절제되지 않은 방전에 의해 발생하는 질환"으로 정의하였다. 일반적으로 뇌전증은 2회 이상의 비유발성 발작이 발생한 경우로 정의된다. '비유발성'의 의미는 최근에 발생한 질병, 발열, 급성 뇌손상 등과 연관이 없는 것을 의미한다. 즉, 발작이 급성 뇌손상이나 약물중독에 의해 발생하는 경우는 뇌전증이라 하지 않는다. 그러나 광과민성 뇌전증을 가진 환자에서 발작을 일으키는 비디오게임의 번쩍거리는 불빛과 같은 반사발작(reflex seizure)을 유도하는 유발요인은 '비유발성'으로 간주된다. 또한 수면부족, 심한 감정적인 스트레스 등의 개인적인 활동과 관련되어 발생하는 발작도 '비유발성'으로 간주한다. 최근의 연구에 의하면 10세 이하의 소아에서 단독 혹은 반복적인 비열성발작의 유병률은 천 명당 5.2 내지 8.1명으로 알려져 있다. 또한 40세까지의 누적 발병률은 1.7% 내지 1.9%이다.

뇌전증은 발작이 반복적으로 나타나는 만성 뇌 질환으로 가장 흔한 신경학적 질환 중 하나이다. 2001년 WHO의 자료에 따르면 세계적으로 뇌전증 환자는 5,000만 명 이상이며, 최근 자료에 의하면 6,500만 명으로 추정된다. 뇌전증은 반복적으로 발생하는 발작 그 자체뿐만 아니라 그로 인해 발생하는 인지장애, 학습장애, 심리문제, 그리고 각종 사회문제 등과 연관되는 등 복합적인 특징이 있다. 뇌전증의 역학에 관한 연구는 활발한 편이나 각 나라마다 뇌전증의 정의, 분류, 연구 방식 등에 차이가 있어 정확한 발생률과 유병률을 비교하기는 어렵다. 특히, 그릇된 사회문화적인 인식으로 형성된 뇌전증에 대한 사회적인 낙인으로 뇌전증 환자를 숨기는 경우가 많아 실제 환자는 역학 연구에서 밝혀진 환자보다 많을 것으로 추정된다.

1. 원인

이전에는 뇌전증을 특발성(idiopathic), 증상성(symptomatic), 잠재성(cryptogenic)으로 분류하였다. 2011년 국제뇌전증연맹(International League Against Epilepsy, ILAE)는 유전성(genetic), 구조/대사성(structural/metabolic), 원인불명(unknown) 뇌전증으로 분류할 것을 제안하였다. 대부분의 뇌전증 환자에서 정확한 원인을 찾지 못한다. 15-40%에서 원인이 확인되는데, 외상에 의한 뇌손상, 출생 시 뇌손상, 중추신경계 감염, 뇌종양, 뇌경색 등이 비교적 흔하다(표 6-1). 선진국에는 외상의 빈도가 높고 후진국은 신경낭미충증(neurocysticercosis), 말라리아, 폐흡충증 등 감염의 빈도가 높다.

표 6-1. 연령에 따른 뇌전증의 원인

연령	원인
신생아	저산소성 허혈 뇌증 두개 내 출혈 중추신경계 감염 대사질환 염색체 및 유전질환 뇌기형
영아 및 소아	원인불명 (가장 흔함) 뇌손상 혈관성 질환 중추신경계 감염 종양 퇴행성 질환 발달장애
청소년과 젊은 성인	뇌손상 중추신경계 감염 뇌종양 유전질환 특발성 동정맥기형
노인	뇌혈관질환(원인의 30-50%) 치매 뇌손상 뇌종양(전이, 신경교종, 수막종) 중추신경계 감염

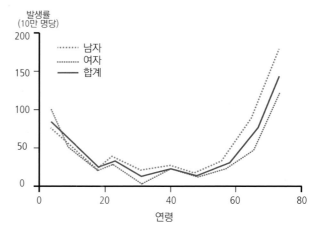

■ 그림 6-1. 뇌전증의 연령별 발생률

연령에 따른 발생률은 1세 이전과 소아기 전반부에 매우 높고, 이후 감소하여 성인기에 가장 낮은 발생률을 보이며 68-70세 이후 다시 증가하는 U자 형태의 곡선을 보인다.

3. 뇌전증의 자연경과(Natural history of epilepsy)

(1) 첫 발생 이후 발작의 재발

뇌전증은 유발되지 않은 발작이 반복적으로 나타나는 질환이다. 발작이 처음 발생한 후 두 번 이상의 발작이 발생할 위험률은 40-50% 정도이며 이 중 80-90%가 2년 이내 발생한다. 뇌전증으로 진단되기 전 발달력이 정상이고 뇌 MRI 및 뇌파에서 이상이 없는 환자의 20-30%에서 재발하나, 발달장애 및 증상 병변을 동반한 환자는 재발률이 약 50-70%로 증가한다.

(2) 항뇌전증약을 이용한 치료의 시작

첫 발작 이후 약물치료를 시작한 경우 두 번의 발작 이후 치료한 경우보다 1-2년 이내의 단기 재발률은 현저히 감소하였으나 장기적인 뇌전증의 예후에는 영향을 미치지 않았다. 따라서 첫 발작 이후 치료를 바로 시작하기보다 반복적으로 발생할 경우 치료를 시작하는 것이 바람직하다.

(3) 항뇌전증약의 중단과 예후 인자

1-2년 동안 발작이 발생하지 않은 뇌전증 환자의 60-70%는 성공적으로 항뇌전증약을 중단할 수 있다. 그러나 5년 동안 발작이 없는 상태를 유지할 때까지 항뇌전증약을 유지한 경우에도 환자의 비율은 더 높아지지 않는다. 뇌

2. 뇌전증의 발생률(Incidence)과 유병률(Prevalence)

뇌전증의 발생률은 연간 100,000명당 50-70명으로 알려져 있다. 또한, 어느 한 시점에서 뇌전증으로 진단된 환자의 수인 유병률은 인구 1,000명당 4-10명으로 확인된다. 연령에 따른 발생률은 1세 이전과 소아기 전반부에 매우 높고, 이후 감소하여 성인기에 가장 낮은 발생률을 보이며, 60-70세 이후 다시 증가하는 U자 형태의 곡선을 보인다(그림 6-1). 뇌전증의 유병률도 이와 유사한 경향을 보인다. 남자에서의 발생률이 여성보다 높은 경향은 있으나 통계학적으로 유의한 차이는 없는 것으로 알려져 있으며, 인종에 따른 발생률의 차이도 유의하지 않다. 사회경제적 위치가 낮을수록 뇌전증의 발생률이 높은 것으로 보고되었다.

전증의 예후에 영향을 미치는 인자는 발작의 시작 연령, 원인, 발작의 유형, 성별, 뇌파 이상, 치료 전 발작의 빈도, 치료에 대한 반응, 뇌전증지속증의 유무 등이 알려져 있다. 특발성 전신 뇌전증이 증상성이나 잠재성 부분 뇌전증보다 예후가 좋으며 한 가지 유형의 발작보다 복합 유형의 발작 형태를 가지는 경우, 발병 연령이 어린 경우, 군집 발작인 경우는 예후가 나쁘다.

(4) 난치성 뇌전증

일반적으로 뇌전증 환자의 20-30%에서 약물에 반응하지 않는 난치성 뇌전증 환자로 이행된다. 난치성 뇌전증 환자의 60%가 부분발작이며, 난치성 뇌전증의 예측 인자로는 발병연령이 1세 미만인 경우, 발작빈도가 높은 경우, 정신지연 등이 알려져 있다. 또한 증상성 또는 잠재성 전신 뇌전증, 높은 발작의 빈도, 뇌파에서 국소 서파가 존재하는 경우, 또는 신생아기의 뇌전증지속증 등이 약물에 잘 반응하지 않는 뇌전증으로 이행될 가능성이 높은 요인으로 알려져 있다. 난치성 뇌전증의 경우 발작을 유발하는 국소 병변이 확인이 되면 뇌전증 수술을 시행할 수 있다. 수술치료를 받은 난치 측두엽 뇌전증 환자의 약 70%가 발작 완화를 유지하는 것으로 알려져 있으며, 이 중 14%에서 약을 중단할 수 있으며 50%에서는 단일요법, 33%에서는 복합요법으로 발작이 조절되는 것으로 알려져 있다. 성인보다 소아에서 수술을 시행한 경우 예후가 좋으며, 난치성 뇌전증인 경우 추가적인 약물치료를 통해 발작 완화를 기대하는 것보다 수술로 인해 기대할 수 있는 확률이 높다.

(5) 소아 뇌전증 환자의 심리사회 측면의 예후

소아 뇌전증 환자에서는 뇌전증이 치료된 이후에도 소아기나 성인기에 행동문제와 인지문제가 높은 비율로 발생한다. 뇌전증으로 진단되는 시점에 이미 약 40%의 환자가 행동문제를 가질 위험성이 있는 것으로 알려져 있다. 발작의 빈도가 높은 환자에서는 행동문제가 발생할 확률이 더 높다. 이의 원인은 뇌전증에 대한 사회적인 낙인 (stigmatization), 동반된 인지장애, 항뇌전증약 등과 연관되어 있는 것으로 알려져 있으며, 이에 대해 특수교육이나 보조의 필요성이 대두되었다.

인지가 정상이면서 뇌전증만을 가진 소아 환자들을 성인기 초기까지 추적 관찰한 연구에서 약 30%의 환자가 사회적응에 심각한 문제를 보이는 것으로 보고되었다. 이는 안정적인 관계형성이 낮은 것, 결혼, 사회적인 접촉, 직업 만족도, 취업률 등이 낮은 것, 그리고 교육문제 등과 연관된다. 따라서 소아 뇌전증은 소아기의 다른 질병에 비해서 이후의 인생에 미치는 영향이 크다. 소아 뇌전증 환자를 치료하는 의사는 이러한 점을 염두에 두고 정보를 제공하고 알맞은 시기에 적절한 지원과 교육을 제공하도록 노력하여야 한다.

4. 뇌전증과 연관된 외상 및 사망

뇌전증 환자의 사망률은 연간 100,000명당 2.68명으로 일반 인구집단에 비해 2-3배 높다. 또한 소아 뇌전증 환자의 사망위험은 일반인구집단에 비해 5.3배 높은 것으로 알려져 있다. 일반적으로 뇌전증 환자의 사망원인은 뇌전증과 관련된 사망, 뇌전증의 원인질환에 의한 사망, 뇌전증과 관련 없는 질환과 연관된 사망으로 나뉜다. 주로 젊은 성인이나 소아보다는 노인에서 사망률이 더 높으며, 치료를 늦게 시작하거나 뇌혈관질환에 의한 뇌전증지속증, 중추신경계 감염 등과 연관된 경우 등이 위험인자이다. 뇌전증 관련 사망에는 발작에 의한 사고(익사, 교통사고, 외상, 낙상, 화상, 폐흡인), 뇌전증 환자에서 발생하는 원인불명돌연사 (sudden unexpected death in epilepsy, SUDEP), 뇌전증지속증(status epilepticus) 등이 있다. 특히, SUDEP은 1,000명당 0.35-9.3명으로 발생하는데, 20-40세의 젊은 성인, 뇌전증이 조기에 발병한 경우, 1차성 전신강직간대 발작, 난치성 뇌전증, 그리고 발작의 횟수가 많은 경우 등은 이의 위험인자로 알려져 있다. 또한 뇌전증 환자의 자살률은 일반 인구집단에 비해 높으며 이는 심리학적인 정신 질환을 동반하는 경우가 많은 것에 기인한다. 뇌전증을 유발하는 기저질환에 의한 사망원인은 뇌종양, 뇌혈관질환, 중추신경계 감염, 퇴행성 뇌질환 등이다. 뇌전증과 관련 없는 질환으로 사망하는 경우는 종양, 뇌혈관질환, 허혈성 심장질환, 폐렴 등이 보고된다.

뇌전증의 발생기전

Epileptogenesis

| 남상욱 |

동물 실험과 뇌전증 수술로 얻은 뇌조직을 이용한 다양한 연구를 통해 뇌의 전기생리학적 특성, 형태학적 변화, 이온전달의 변화 등 많은 사실이 규명되었다. 최근에는 분자생물학적 연구의 발전으로 유전적인 원인 규명이 이루어지고 있어 뇌전증의 발생기전에 대한 이해의 폭이 넓어지고 있다.

1. 막전위(Membrane potential)

1) 안정막전위(resting membrane potential)

신경세포는 세포막을 경계로 세포 내외의 전해질 분포가 다르게 구성되어 있다. 즉, 세포막에 존재하는 이온펌프의 작용으로 세포 안은 K이온이, 세포 밖은 Na이온, Cl이온, Ca이온이 많이 분포한다. K이온은 다른 전해질에 비해 세포막 투과성이 높아 세포 안에 많이 분포하며, 이로 인해 전기화학적인 농도차가 발생하여 평형상태가 될 때까지 K이온이 세포밖으로 유출되게 되어 세포 안이 세포 밖에 비해 음극을 띄는 전위 차이가 발생한다. 이를 안정막전위라고 하며 신경세포에서는 -70 mV 정도가 된다. 안정막전위를 유지하기 위하여 Na/K-ATPase는 지속적으로 활동하며, Na/K-ATPase는 1개의 ATP 에너지를 사용하여 세포 밖에 있는 2개의 K이온을 세포 내로 이동시키는 동시에 세포 안에 있는 3개의 Na이온은 세포 밖으로 이동을 시킨다.

2) 활동전위(action potential)

신경세포가 흥분하여 안정기 상태에서 벗어나 탈분극(depolarization)으로 문턱전위(threshold potential)에 도달하게 되면 폭발적으로 세포 내의 전기적 음성이 감소하면서 0에 이르게 되고 더 나아가 전위가 양전되는 overshoot이 일어나서 +30 - +50 mV까지 이르게 된다. 이를 활동전위(action potential)이라고 하는데 신경세포에서 지속시간은 약 1 msec이다. 문턱전위란 Na이온의 유입이 K이온의 유출을 넘어서는 시점으로서, 이후 탈분극에 의해 양성되 먹임순환이 유발되어 폭발적으로 많은 Na이온이 세포 안으로 들어오게 되어 활동전위가 발생하는 것이다. 활동전위는 신경세포가 받았던 자극의 크기와 무관하게 일단 형성이 되면 실무율 원칙(all-or-none principle)을 보여서 전위의 크기가 변화하지 않고 축삭을 따라 먼 곳까지 전도가 일어난다.

(1) 활동전위의 단계

활동전위는 1) 안정막전위에서 문턱전위까지 도달하는 시기, 2) 문턱전위부터 활동전위가 최고점에 도달하는 시기, 3) 음전이 시작되어 안정막전위의 수준까지 떨어지는 재분극시기(repolarization), 4) 안정막전위보다 더 음극으로 떨어졌다가 안정막전위로 돌아가는 과분극시기(hyperpolarization)의 네 단계로 나눌 수 있다. 1)과 2)는 Na이온통로가 열리는 시기이며 3), 4)는 Na이온통로가 닫히면

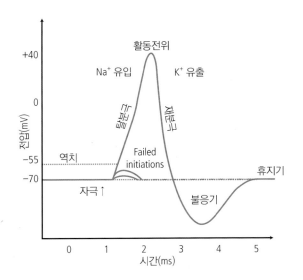

■ 그림 6-2. 활동전위의 단계
Na이온통로의 열리면 Na이온이 세포 내로 유입되면서 탈분극에 의해 상승기가 형성되고 Na이온통로가 닫히고 K이온통로가 열리면 K이온이 세포 밖으로 유출되면서 재분극과 과분극이 하강기를 형성한다. 하강기에는 전기자극을 주어도 활동전위가 형성되지 않는 불응기에 해당한다.

서(Na이온통로 비활성화) K이온통로가 열리는 시기이다. Na이온통로가 열려 Na이온의 유입으로 탈분극이 되면 전압의존 K이온통로(voltage-dependent K channel) 혹은 경우에 따라 Ca이온의존 K이온통로(Ca-dependent K channel)가 열려, K이온이 세포 밖으로 유출되어 막전위를 탈분극 이전의 상태로 복원시킨다(그림 6-2).

(2) 불응기

활동전위가 발생한 후 재분극이 끝날 시점까지는 아무리 자극을 주어도 새로운 활동전위가 발생하지 않는데 이를 절대불응기(absolute refractory period)라고 하고 그 이후 과분극이 나타나는 시점에 강한 자극을 줘야 활동전위가 발생하는 시기를 상대불응기(relative refractory period)라고 한다. 이와 같은 불응기는 두 개의 활동전위가 융합되는 것을 방지하여 독립적인 전도가 일어날 수 있도록 해 준다.

3) 시냅스

신경세포는 다른 신경세포와 시냅스를 통해 신호를 전달하며 신경세포 하나당 대개 1,000-10,000개 정도의 시냅스로 서로 정보를 교환하고 있다. 시냅스는 시냅스전 신경

세포의 말단(terminal of presynaptic neuron), 20-40 nm간격의 시냅스 틈새(synaptic cleft), 시냅스후 신경세포(post-synaptic neuron)의 세 가지로 구성된다.

(1) 시냅스의 구조

시냅스전 신경세포의 말단에는 신경전달물질을 함유하고 있는 시냅스 소포(synaptic vesicle)와 에너지를 공급하는 사립체가 많이 존재하며 시냅스 소포와 세포막이 융합되어 외분비(exocytosis)하는 부위인 활성부위(active zone)가 있다. 시냅스전 말단부위와 마주 보는 시냅스후 신경세포에는 신경전달물질이 부착하는 수용체가 있는 세포막의 밑 부분이 두꺼워진 부위가 있는데 이를 시냅스후 밀도(postsynaptic density)라고 한다.

(2) 신경전달물질과 시냅스후 전위

시냅스전 신경세포의 말단에 활동전위가 도달하면 Ca이온통로가 활성화되어 세포 내로 Ca이온이 들어오면서 시냅스 소포가 시냅스 세포막과 융합하여 신경전달물질이 시냅스 틈새로 외분비(exocytosis)하게 된다. 신경전달물질을 외분비한 소포체는 재활용된다. 신경전달물질이 분비되면 시냅스후 신경세포의 수용체와 결합하여 시냅스후 전위(postsynaptic potential, PSP)가 발생한다. 시냅스후 전위가 신경세포를 흥분시켜 활동전위를 유발하는 방향으로 작용하면 흥분 시냅스후 전위(excitatory postsynaptic potential, EPSP), 억제하는 방향으로 작용하면 억제 시냅스후 전위(inhibitory postsynaptic potential, IPSP)라고 한다.

(3) 시냅스 통합

시냅스후 전위는 0.2-0.4 mV 정도로 크기가 작아서 하나의 EPSP만으로는 활동전위를 유발할 수 없다. 활동전위를 유발하기 위해서는 적어도 10 mV 이상의 탈분극이 되어야 하므로 25-50개의 시냅스후 전위가 합쳐져야 한다. 그러나 IPSP가 있으면 그만큼 저분극이 되므로 활동전위를 일으키려면 그 이상의 EPSP로 탈분극이 필요하다. 이와 같이 PSP은 시간적(temporal)으로 공간적(spatial)으로 합쳐진 총합에 의해 통합되어 활동전위의 유발을 결정하므로 이를 시냅스 통합(summation)이라고 한다(그림 6-3).

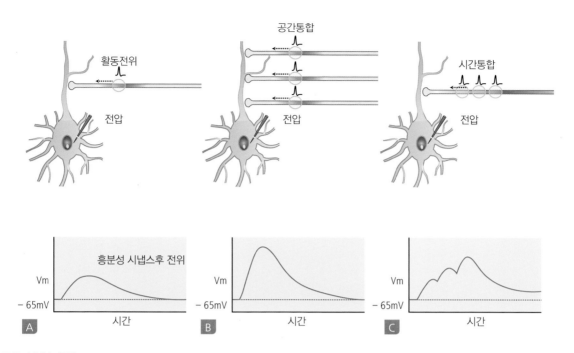

■ 그림 6-3. 시냅스 통합

(A) 하나의 활동전위는 작은 시냅스이후 전위가 유발한다. (B) 공간적 통합(spatial summation) : 두 개 이상의 활동전위가 동시에 입력되면 큰 시냅스이후 전위가 발생한다. (C) 시간적 통합(temporal summation) : 같은 시냅스전 신경에서 연속적으로 활동전위가 도달하면 여러 개의 시냅스이후 전위가 합해지는 모습을 보인다.

(4) 시냅스의 형성성

시냅스는 경험을 통해 기능이 조절되는데 이를 형성성(plasticity)라고 한다. 형성성을 통해 신경세포는 새롭게 기능을 강화시키거나 억제시켜서 새로운 것을 기억, 학습하거나 운동과 일이 숙련된다.

형성성이 변화하면 수 msec부터 수 일, 수 주일 이상 효과가 지속된다. 이러한 지속시간이 50-250 msec이면 촉진(facilitation)이라 하고, 초 단위인 경우 키움(augmentation), 분 단위는 테타니후 강화작용(post-tetanic potentiation, PTP), 시 또는 일 단위면 장기 강화작용(long-term potentiation, LTP)이라고 한다. 이러한 형성성의 변화는 수 msec의 짧고 높은 주파수의 돌발적인 전기자극을 반복적으로 가할 때 나타난다.

반대로 낮은 주파수(1 Hz)로 수 분간 지속되는 긴 자극을 주면 시냅스의 기능이 억제되며(시냅스억제, synaptic depression), 이러한 효과의 지속시간이 긴 경우 장기 억제작용(long-term depression, LTD)이라고 한다. 이러한 형성성은 시냅스전 신경세포에서 신경전달물질의 분비량과 빈도가 변화하거나 시냅스후 신경세포에서 신경전달물질에 대한 수용체의 양과 반응도가 변화하여 만들어진다.

4) 흥분 신경전도와 억제 신경전도

(1) Glutamate 수용체와 GABA 수용체

신경세포는 glutamate를 통해 흥분성 전도를 하는 흥분성신경세포와 GABA를 통해 억제 전도를 하는 억제 신경세포가 있다. Glutamate 수용체에는 AMPA (alpha-amino-3-hydroxy-5-methyl-4-isoxazole-propionic acid), KA (kainic acid), NMDA (N-methyl-D-aspartate)에 반응하는 이온친화 수용체(ionotropic receptor)와 G단백을 통해 이온통로로 간접적으로 연결되는 대사친화 수용체(metabotropic receptor)가 있다. GABA수용체에는 이온친화 수용체인 GABAA와 대사친화 수용체인 GABAB 수용체가 있다.

(2) 흥분 신경세포

흥분 신경세포에서 glutamate가 유리되어 시냅스후 세

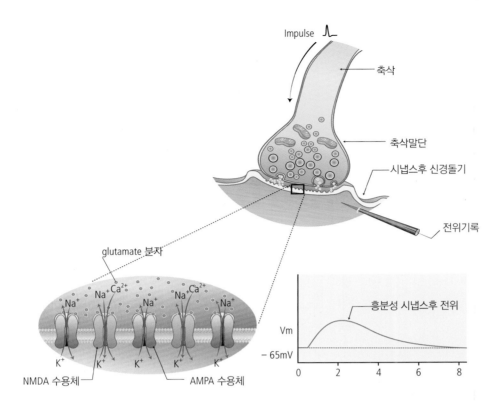

■ 그림 6-4. 흥분성 신경전달
시냅스전 종말에서 흥분성 신경전달물질이 분비되면 AMPA 수용체는 Na이온의 유입에 의해, NMDA 수용체는 Na과 Ca 이온의 유입에 의해서 시냅스이후
신경세포가 탈분극되어 흥분 시냅스이후 전위를 발생한다.

포막에 있는 AMPA, kinate 수용체와 결합하면 Na, K이온의 투과성에 변화를 초래하여 막전위가 변화되므로 전압의존성 Na이온통로(voltage-dependent Na channel)가 열려 세포외액에 많은 Na이온이 세포내로 유입됨에 따라 EPSP가 생성된다. 정상 안정막전위에서 Mg이온에 의해 막혀있는 NMDA 통로는 어느 정도 이상의 강한 탈분극이 유발되면 이온통로를 막고 있는 Mg이온이 전기적으로 밀어내는 힘에 의해 세포 밖으로 튕겨 나가면서 Mg 마개가 열려 Na이온 뿐만 아니라 Ca이온의 세포 내 유입으로 EPSP가 형성되어 흥분성 신경전달의 지속기에 이른다(그림 6-4). Glutamate의 대사친화 수용체(mGluR)는 이차전령(second messenger) 연결 수용체이다. mGluR에는 8가지의 아형(subtype)이 있는데 3가지의 군(group)으로 나눌 수 있다. 이 중 mGluR 1군은 활성화될 때 경련유발 효과를, 2군과 3군은 항경련 효과를 나타낸다. Ca이온이 세포 내로 유입되면 세포 내의 Ca이온의존 이온통로나 이차전령체계의 활성화에 의해 이온통로가 변화하거나 세포대사가 활성화된다.

(3) 억제 신경세포

억제 신경세포에서는 GABA를 분비하여 시냅스후 세포막의 GABAA 또는 GABAB 수용체와 결합하여 억제성 전도를 한다. GABA가 GABAA 수용체에 결합되면 시냅스후 세포 내로 Cl이온이 유입되어 과분극에 의해 빠르게 시냅스 억제 효과가 나타난다. GABA가 GABAB 수용체에 결합하면 시냅스후 신경세포에서 G단백을 이용하여 세포 밖으로 K이온을 유출됨에 따라 지속적인 과분극과 이로 인한 IPSP를 형성한다.

(4) 기타 신경전달물질

Glutamate와 GABA외에도 acetylcholine, adenosine, monoamine, neuropeptide와 같은 여러 종류의 신경전달물

질과 신경조절물질이 신경세포의 기능에 영향을 미친다.

Acetylcholine은 뇌전증모양 활성(epileptiform activity)이 시작되는 데 관여하여 pilocarpine과 같은 콜린 작용제는 실험동물에서 심한 발작을 유발할 수 있다. Adenosine은 이와 반대로 신경억제 작용을 가지고 있어서 발작을 할 때 현저히 증가하여 발작을 빨리 종료시키고 발작 후 억제를 일으키는데 역할을 하는 것으로 알려져 있다. 세로토닌, 도파민과 같은 monoamine 그리고 endorphin, dynorphin, substance P와 같은 neuropeptide 등 소위 신경조절물질(neuromodulator)은 시냅스전 세포의 수용체와 결합하여 G단백을 통해 cAMP, diacylglycerol-IP3, arachdonic acid와 같은 이차전령을 생성시켜 이들이 직접 혹은 간접적으로 이온통로에 작용하여 활동전위 발생의 한계치, 활동전위의 크기나 지속시간 등에 영향을 미치고 Ca이온 유입 및 그에 따른 신경전달물질이 유리되는 양을 조정함으로서 시냅스 전달을 조절한다.

(5) 시냅스 통합과 전압의존성 Na이온통로

이렇게 형성된 하나의 시냅스후 신경세포의 전위 변화는 크기가 작아서 특별한 경우가 아니면 활동전위가 발생할 정도가 되지 않는다. 이와 같이 생성된 수많은 각각의 시냅스에서의 EPSP, IPSP들이 통합된 전위의 변화는 모두 신경세포의 세포체 쪽으로 전도되어 축삭둔덕(axon hillock)에 도달하게 된다. 축삭둔덕에서는 통합된 탈분극의 정도가 활동전위를 발생시킬 수 있는 한계점 이상이면 이 부위에 밀집 분포되어 있는 전압의존성 Na이온통로가 열려 활동전위가 발생되어 축삭을 따라 다시 수많은 다른 신경세포로 전달된다.

이처럼 전압의존 Na이온통로는 축삭을 따라 활동전위가 파급될 수 있도록 전기적 활동을 폭발시키는 역할을 한다.

(6) 신경전달물질의 재흡수

시냅스 틈새(synaptic cleft)로 분비된 신경전달물질은 시냅스전 말단(presynaptic terminal)과 아교세포(glial cell)에 의해 선택적으로 흡착(uptake)되며 GABA는 시냅스전 말단과 아교세포 내에서 GABA transaminase에 의해 대사된다. 빠른 시냅스 활동으로 인해 세포외액으로 유출된 K

이온은 아교세포 흡착 체계(glial uptake system)에 의해 조절된다. 이와 같이 시냅스 전달 외에도 신경세포의 활동에 의한 세포외액의 이온의 변화로서 혼선효과(ephatic effect)가 흥분-억제 조절에 관여하고 있으며 이에 대해서는 과동기에 대한 설명에서 더 자세히 언급될 것이다.

5) 정상 신경세포의 세포생리적 기능

세포형질막에는 이온친화 수용체와 대사친화 수용체가 존재한다. 이온친화 수용체는 신경전달물질이나 신경조절물질(ligand gated)의 결합이나 칼슘이나 전위변화(voltage gated)에 의해 직접 이온통로가 열린다. 대사친화 수용체는 G단백과 같은 신호전달물질(signal transduction)을 이용하여 간접적으로 이온통로 개폐를 조절한다.

신경세포의 종류에 따라 활동전위의 형태는 다양하기 때문에 Na, K이온 흐름 외에도 다양한 통로가 있으며, 통로의 분포도 신경세포의 종류에 따라 달라질 수 있다. 뇌의 부위와 신경세포 내에서의 위치(수상돌기, 세포체, 축삭 등)에 따라 Na이온통로, K이온통로, GABAA 수용체의 분포가 다르고 또한 연령에 따라 달라지기도 한다.

축삭을 따라 진행한 활동전위가 축삭말단에 도달하면 막전위를 변화시키며 이로 인해 축삭말단에 존재하는 전압의존 Ca이온통로가 열리면 축삭말단 안으로 Ca이온이 들어간다. 이로 인해 Ca2+/calmodulin dependant protein kinase를 활성화해서 synopsin I와 같은 단백에 의해 신경전달물질을 담은 소포가 이동하여 시냅스전 막에 융합되면 신경전달물질이 시냅스 틈새로 방출된다. 방출된 신경전달물질은 시냅스후 신경세포의 수용체와 결합하여 흥분이나 억제에 관여하게 된다.

요약하면 정상 신경세포는 외부 자극을 흥분 또는 억제 시냅스후 전위라는 형태로 받아서 이를 정리하여 활동전위라는 형태로 다음 신경세포에 자극을 전달하는 기본적인 기능을 한다. 주로 시냅스를 통해 입력을 받고 출력하지만 호르몬과 같은 화학 전령이나 전기장을 통해 신호를 주고 받기도 한다.

일상적인 흥분 신경전달은 대개 AMPA, KA에 의해서, 억제 신경전달은 GABA에 의해 이루어지며 단순한 활동전위의 생성은 전압의존 Na이온통로, delayed rectifier K이온통로, Cl이온통로 등으로 가능하다. 즉, 정상적인 뇌의 대뇌 겉질에서 주로 나타나는 신경의 기능형태를 보면 추체 신경세포(pyramidal neuron)가 AMPA, KA 수용체를 통한 흥분으로 EPSP가 발생하면 이로 인해 활동전위가 발생하고 이 활동전위는 다시 원위부의 신경으로 전달되는 동시에 인접한 대뇌 겉질의 사이신경세포(interneuron)를 자극하여 GABAA에 의한 억제 조절을 추체신경세포가 되먹임으로 받는 EPSP-IPSP sequence를 나타내게 된다.

2. 발작의 기전

정상 뇌에서는 다양한 환경변화에 적응하기 위하여 신경전달, 이온통로 및 전기적인 성상이 끊임없이 변화하는 뇌의 조절작용이 일어난다. 이러한 대뇌 겉질의 뛰어난 형성성은 새로운 경험을 습득하는 학습의 기반이 되어 인간이 새로운 환경에 적응할 수 있도록 한다. 그러나 동일한 과정이 잘못된 방향으로 극단적으로 작용하면 과흥분(hyperexcitability)과 과동기(hypersynchrony)를 초래하고 그 결과 뇌전증파를 형성하여 뇌전증 발작의 발생에 관여하게 된다. 즉, 뇌전증은 환경에 대한 신경계의 정상적인 적응력을 위해 치르는 대가라고 할 수 있다.

1) 국소발작

Epileptogenesis란 정상 뇌가 잠복기(latent period)를 거쳐 반복적인 발작을 일으키는 뇌전증의 뇌로 변화하는 과정이다. 신경세포가 비정상으로 과도한 방전을 하여, 뇌파의 발작간기 뇌전증모양파(interictal epileptiform discharge)를 형성할 수 있게 되면 발작을 발생할 수 있는 능력을 가지게 된다. 이를 위해서 신경세포의 과흥분과 과동기가 필요하다. 비정상 방전을 하는 신경세포집단의 수에 따라 뇌전증초점의 범위가 결정된다.

(1) 과흥분(hyperexcitability)

신경세포의 흥분이 증가하거나 억제가 감소하면 흥분-억제의 균형이 깨져 과도한 흥분성이 나타나고 이에 의해 발작이 발생한다. 세포막과 세포 내외의 여러 구조물이 뇌전증 발생기전에 다양한 영향을 미친다. 예를 들면, 신경세포 자체에서 내재적인 돌발파(intrinsic burst)의 형성,

AMPA 수용체와 NMDA 수용체의 비정상적인 발현, 주위의 GABA억제 작용감소, 이끼섬유싹틈(mossy fiber sprouting)과 같은 주위 신경세포와 흥분성 순환회로의 연결이 모두 뇌전증의 발생에 영향을 미친다. 또한 이온통로의 전압 의존도, 시냅스의 밀도, 세포 외 공간의 이온농도, 세포 외 공간에서 이온과 신경전달물질의 제거기전도 과흥분에 영향을 미친다.

과흥분은 정상적으로는 일정한 자극에 하나의 활동전위를 만들어 낼 신경세포가 반복적인 방전을 나타내는 경향을 가지는 것이다. 표면 뇌파에서 발작간기 뇌전증모양파가 관찰될 때 신경세포 단위에서의 변화를 세포 내에서 측정하면 70-150 msec 동안 지속되는 30 mV 정도 크기의 돌발 탈분극 변위(paroxysmal depolarizing shift, PDS)가 관찰된다. 이는 돌발적으로 출현하여 지속되는 커다란 탈분극 위에 연속적인 활동전위들이 중첩되어 극파에 해당하는 지속반복발사(sustained repetitive firing)가 나타나고 이어 서파에 해당하는 후과분극이 따라 나오는 형태이다. PDS가 출현하는 세포수준의 기전은 흥분성을 띠고 있는

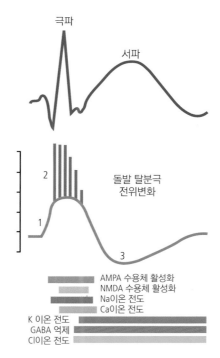

■ 그림 6-5. 돌발 탈분극전위변화
발작간기 나타나는 간질양파와 일치하여 간질점을 가지는 대뇌 겉질 추체세포에 세포 내 전극에서 과도한 탈분극위에 연속적인 활동전위가 중첩되는 모습인 돌발 탈분극 전위변화가 관찰된다.

대뇌 겉질의 추체신경세포가 활동전위를 생성하여 인접한 추체신경세포의 AMPA, KA의 수용체를 통해 흥분이 전달되는 것이다. 이때 정상적인 억제기전이 작용하지 않으면 양성되먹임 기전으로 인접한 추체신경세포 간에 서로 흥분을 유발하게 된다. 이에 의하여 정상적인 뇌에서 관찰되는 EPSP-IPSP 순서 대신 강한 전압이 발생하여 NMDA 수용체의 전압의존성 Ca이온통로가 열리면서 연속적인 활동전위가 발생하게 된다.

Ca이온의 세포 내 유입으로 인해 Ca 의존성 K이온통로가 열리면 추체신경세포가 GABAA 억제를 받게 되어 발작으로 이행되지 않고 후과분극이 속발하여 나타나므로 극파 또는 극서파 복합의 모습인 발작간기 극파의 토대를 이루는 PDS가 종료되게 된다. PDS는 고도의 뇌전증유발 부위 혹은 그 인접부위의 겉질에서 출현한다(그림 6-5).

(2) 과동기(hypersynchrony)

표면뇌파에 발작간기 극파가 나타나기 위해서는 적은 수의 신경세포의 PDS 발생만으로는 불가능하다. 이를 위해서는 적어도 수 백 내지 수 천의 신경세포들이 시간적으로 일시에 PDS 및 다발성의 활동전위를 발생시키는 동시발생의 기전이 뒷받침되어야 가능하다. 동시발생이란 많은 신경세포들이 독립적으로 동시에 방전을 하는 것을 말한다. 정상 상태에서 시냅스의 반복 흥분자극은 반복 억제 기능에 의해 상쇄된다. 그러나 병적 상태에는 반복 억제 기전이 약화되어 반복 다시냅스성 흥분성 회로가 활성화(activation of recurrent and polysynaptic excitatory circuits)되고 이로 인한 연속적인 돌발파와 후방전(afterdischarge)을 형성하게 된다.

아교세포는 과동기에 중요한 역할을 한다. 아교세포와 아교세포, 아교세포와 신경세포 간에는 틈새이음(gap junction)이 있는데 이를 통해 Ca이온, K이온, ATP가 이동할 수 있으며 이로 인해 전압이 전파된다. 그러므로 아교세포의 틈새이음을 통한 연결성이 증가하면 신경세포의 과동기가 촉진된다.

또한 아교세포는 세포외액으로 glutamate를 분비하거나 세포외액에 있는 glutamate를 재흡수할 수 있으며, 신경세포의 활성화로 세포외액으로 K이온이 분비되면 K이온을 적극 흡수하여 신경세포 주위 공간을 안정시키는 완충

역할을 한다. 안정막전위는 주로 K이온에 의해 좌우되므로 세포외액의 K이온 농도의 항상성 유지는 신경세포의 흥분-억제 조절에 중요한 역할을 한다. 이러한 아교세포의 완충 능력이 저하되면 세포외액에 glutamate나 K이온이 증가하여 흥분 신경세포의 주변에 있는 다른 신경세포도 쉽게 흥분할 수 있는 환경을 조성하여 과흥분과 과동기가 촉진되게 되는데 이를 전기연접효과(ephaptic effect)라고 한다.

(3) 국소발작의 발생기전

단시간에 끝나는 국소 뇌전증양파가 임상적인 발작으로 진전되기 위해서는 과흥분과 과동기의 기전에 더하여 오랜 시간 동안 지속되는 신경세포의 발화가 필요하다. 발작을 일으키지 않는 뇌에서는 억제 신경세포가 동기적으로 돌발파를 방출하는 신경세포 주위를 과분극으로 둘러싸서 억제하고 있다. 이러한 억제 환경이 발작간기 뇌전증양파의 지속시간을 제한하고 주파수를 결정하며 완전한 발작으로의 진행을 막는다.

발작간기 뇌전증양파가 발작으로 진행될 때는 억제 신경세포 집단의 과분극 전위가 점차 감소하다가 결국 사라지면서 탈분극으로 대체되는 것을 볼 수 있다. 이렇게 발작간기에서 발작기로 이행되는 기전에는 시냅스 외에 틈새이음을 통한 전기장효과와 전기연접효과가 관여할 것으로 생각된다. 세포외액의 K과 Ca이온 농도의 변화 또한 신경세포 집단의 흥분성에 영향을 주게 될 것이다.

정상 신경세포가 반복적인 자극에 의해 뇌전증이 발생하는 신경세포로 변화하는데 이를 점화현상(kindling)이라고 한다. 이는 뇌의 예민한 부위에 발작을 일으키지 않을 정도의 낮은 전기자극을 적절한 간격으로 반복적으로 주게 되면 처음에는 후방전을 보이다가 점차 후방전이 길어지면서 결국 운동발작으로 진행하는 것을 말한다. 이 상태에서 더 오랜 기간 동안 전기자극을 계속해서 주면 나중에는 자극을 주지 않아도 자발 발작이 나타나게 된다. 자발 발작이 확립되면 이러한 효과는 영구적으로 지속된다. 점화현상은 전기자극 뿐만 아니라 화학 자극에 의해서도 발생할 수 있다.

국소발작은 다양한 기전의 이상으로 인해 정상적인 신경세포의 흥분과 억제기능에 불균형이 초래되어 발생하며, 다음과 같이 정리를 할 수 있다.

① 신경세포 고유의 특성의 변화

여러 원인으로 과도한 신경흥분을 유도할 수 있는 방향으로 신경세포의 구조변형이나 세포막에 있는 이온통로의 구조와 분포의 변화가 초래될 수 있다. 예를 들어 K이온통로의 이상으로 K이온의 세포 외로의 유출이 저하된다거나 세포막의 Ca이온통로의 수가 증가한다면 과도한 탈분극으로 PDS를 발생시킬 수 있을 것이다.

② 신경조절물질의 변화

신경조절물질에 의해 발생된 이차전령은 직접 혹은 간접적으로 이온통로에 작용하여 활동전위 발생의 역치, 크기, 혹은 지속시간 등에 영향을 미치고 Ca이온 유입 및 그에 따른 신경전달물질의 유리양을 조절함으로써 시냅스 전달을 조절하므로 신경조절물질의 변화도 뇌전증 발생의 한 가지 요인이 될 수 있다.

③ 흥분 신경전달의 항진

일상 활동의 상황에서는 신경전달 시 NMDA 수용체의 사용은 많지 않다. 그러나 과도한 반복탈분극 시 NMDA 수용체가 활성화됨으로서 세포 내로 Ca이온이 유입되어 이로 인해 지속 시간이 길고 크기가 큰 탈분극이 발생하여 PDS를 발생시킬 수 있다. 새로운 흥분 축삭 곁가지(axon collateral)의 형성도 신경전달을 항진시킬 수 있다.

④ GABA를 유리하는 억제 신경세포의 결함

억제 신경전달물질인 GABA는 GABAA 수용체를 통해 Cl이온통로를 열고, GABAB 수용체를 통해 시냅스전 혹은 시냅스후 K이온통로를 열어 신경세포의 흥분을 억제시킨다. GABA 수용체를 차단시키거나 합성이 저하되거나 GABA를 이용하는 사이신경세포의 소실 등 GABA를 이용한 억제에 장애가 보이면 뇌전증의 발생이 가능하다.

⑤ 아교세포(glial cells)의 변화

아교세포는 증가된 세포외액의 K이온을 흡수함으로서 신경세포의 탈분극을 억제하며 한편으로 시냅스로 유리된 신경전달물질을 재흡수하고 GABA, taurine과 같은 물질을 합성하거나 다른 신경전달물질을 조정하기도 한다. 아교세포가 증가된 세포외액의 K이온을 제거하지 못할 때 뇌

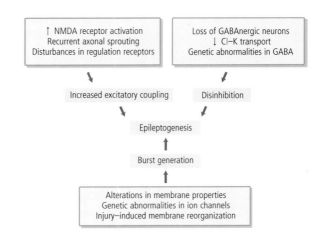

■ 그림 6-6. 뇌전증의 발생기전

전증이 발생할 수 있다.

그러나 모든 종류의 뇌전증을 어느 한 가지의 기전만으로 설명될 수는 없으며 뇌전증의 종류나 환자에 따라 어느 기전이 더 많은 부분을 차지하는가가 달라질 것으로 생각된다(그림 6-6).

(4) 국소발작의 이차 전신화의 기전

국소발작이 전신발작으로 진행하기 위해서는 발작 초점 신경세포의 흥분, 발작 초점에서 다른 부위로의 전파, 뇌간 중추의 전기자극에 대한 역치의 세 가지 조건이 필요하다. 뇌간 중추의 전기자극에 대한 역치는 유전적인 소인과 함께 일차적인 발작 초점의 전기적 주파수도 관련이 있을 것으로 생각된다. 대뇌 겉질로부터 뇌간 중추, 특히 중뇌와 교뇌 망상체에 전기적인 흥분자극이 전파되면 즉각 전신발작이 발생하게 된다.

국소발작이 발생하면 대뇌 겉질과 겉질밑 신경세포는 상호간의 흥분성 양성되먹임 회로를 통해 80-500 Hz의 고주파진동(high frequency oscillation, HFO)의 낮고 빠른 발작파를 형성하면서 국소 운동발작의 강직발작기를 유발한다. 그러나 억제 신경세포가 동원되면서 음성되먹임 회로가 작동하여 흥분활동회로를 간헐적으로 중단시키면 점차 간대기로 들어가게 된다. 이후 음성되먹임이 증가하면서 발작이 멈추면 신경세포는 발작이 시작되기 전보다 더욱 심한 정도의 과분극상태가 된다. 이 시기가 발작 후 억제기로서 단순히 발작 초점 세포가 대사적으로 소진된 상태

라기보다 억제 신경세포가 활발하게 작용하여 억제상태가
지속되는 것이다.

대뇌 겉질은 부위에 따라 이차 전신화를 일으키는 능력
이 다르다. 특히, 측두엽, 전두엽, 전전두엽은 이차 전신화를
유발하는 능력이 강하며 일차운동영역은 낮은 편이다. 또한
병변의 크기도 발작의 전신화에 관여하는데, 겉질의 병변이
작은 경우는 국소발작으로 그치는 데 반하여 초점이 여러
군데 있거나 넓은 경우에는 쉽게 전신발작을 유발한다.

2) 전신발작

(1) 시상겉질망

척수에서 올라오는 모든 감각신호는 대뇌 겉질에 도달
하기 전에 시상을 거친다. 한편 시상과 겉질의 신경세포는
서로 긴밀하게 연결되어 있어서 시상겉질망(thalamocorti-
cal network)을 형성하고 있다. 시상겉질망을 형성하는 중
요한 신경세포로 대뇌 겉질에는 추체신경세포와 사이신경
세포가 있고, 시상에는 시상연계 신경세포(thalamic relay
neuron 또는 시상피질 신경세포, thalamocortical neuron),
시상그물핵(nucleus reticularis thalami, NRT), 사이신경
세포가 있다. 이 중 추체신경세포와 시상연계 신경세포는
glutamate로 흥분 신경전달을 하고, 억제 신경세포 중 사이
신경세포는 GABAA, NRT는 GABAB로 억제성 신경전달
을 담당한다.

(2) 시상겉질망의 구성

시상겉질망을 구성하는 세포간의 중요한 연결은 ① 대
뇌 겉질과 시상 사이를 흥분성으로 상호 연결하는 추체신
경세포와 시상연계 신경세포 ② 대뇌 겉질의 추체신경세
포에서 시상의 NRT로 일방향의 흥분 연결 ③ 대뇌 겉질
에서 흥분-억제로 연결되는 추체신경세포와 사이신경세포
④ 시상 내에서 흥분-억제로 연결되는 시상연계 신경세포
와 사이신경세포 ⑤ 역시 시상 내에서 흥분-억제로 연결되
는 시상연계 신경세포와 NRT가 있다(그림 6-7).

(3) 시상겉질망의 역할

시상겉질망 세포간의 연결은 각 세포의 기능과 직접적
인 관련이 있다. 대뇌 겉질의 추체신경세포는 시상연계 신

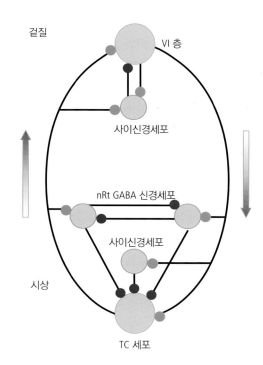

■ 그림 6-7. 시상 피질망의 구성
대뇌 겉질에 있는 흥분성의 pyramidal neuron과 억제성의 interneuron
이 시상에 있는 흥분성의 thalamocortical neuron, 억제성의 nucleus
reticularis thalami 및 사이신경세포와 서로 연결되어 시상겉질망
(thalamocortical network)를 형성한다. 그림에서 흰 원은 흥분성 검은 원
은 억제성 자극을 의미한다.

경세포로부터 흥분 자극을 받고 인접한 사이신경세포와
시상의 3종류의 신경세포에게 모두 흥분 명령을 전달한다.

대뇌 겉질과 시상에 존재하는 사이신경세포는 각각 추
체신경세포와 시상연계 신경세포의 흥분을 상호 되먹임 기
전을 통해 억제하면서 조절하는 역할을 한다. 시상연계 신
경세포는 척수에서 오는 감각신호를 대뇌 겉질의 추체신경
세포에 전달하는 정거장의 역할을 하는 한편 추체신경세포
로부터 흥분자극을 인접한 시상의 NRT와 사이신경세포로
부터 억제 조절을 받는다. NRT는 시상의 바깥을 넓게 둘러
싸고 있으며, NRT 상호 억제 및 대뇌 겉질의 추체신경세포
와 시상연계 신경세포에서 오는 흥분 신호를 받아 이를 억
제 조절하여 시상연계 신경세포로 전달하는 역할을 한다.

(4) 시상겉질망의 흥분기전과 소발작의 발생

정상 상태에서 시상연계 신경세포는 각성기에는 강
직 모드(tonic, single spike mode)로, 수면기에는 진동모드

(oscillatory, rhythmic, burst mode)로 전기신호를 방출한다.

시상-겉질 신경세포와 이와 역방향인 겉질-시상 신경세포는 glutamate를 이용하여 서로 흥분 시냅스를 형성하고 NRT는 서로 억제 시냅스를 형성하고 있으면서 대뇌 겉질의 추체신경세포와 시상의 시상연계 신경세포에서 흥분자극을 받게 되면 시상연계 신경세포에 다시 GABAB를 유리하여 억제 영향을 준다.

이러한 억제 신경전달의 작용을 하면 -65 mV정도에서 활성화되는 저 역치(low threshold) T type Ca이온통로가 열리게 되며 이로 인해 100 msec 정도의 긴 지속시간을 가진 칼슘극파가 발생하게 되어 발작 모드로 전환이 된다. 소발작의 치료제로 사용되는 ethosuximide는 바로 이 T type Ca이온통로를 차단하여 발작 억제 효과를 나타낸다.

NRT들은 서로간에 연결되어 있으므로 시상연계 신경세포로 억제자극을 줄 때는 다른 NRT에도 억제자극을 전달하여 동시에 다시 시상연계 신경세포에 전달되기 때문에 시상연계 신경세포가 강력한 발작 모드를 보일 수 있다. 그 외에 시상겉질망에 적지 않은 영향을 주는 것으로 뇌간, 시상하부, 기저전두엽에서 출발하여 시상, 대뇌 겉질에 이르는 상행 회로와 대뇌 겉질 내에 존재하는 GABA 사이신경세포가 있다.

(5) 소발작의 발생기전

시상겉질망의 진동리듬(oscillatory rhythm)에 이상이 발생하면 전신 소발작이 유발된다. 대뇌 겉질의 추체신경세포와 시상연계 신경세포의 흥분성이 증가하거나 시상의 NRT에 의한 억제가 증가하면 시상겉질망이 활성화되어 소발작이 나타날 수 있다.

대뇌와 시상의 사이신경세포의 기능에 이상이 있어도 대뇌 겉질의 추체신경세포의 흥분 증가와 시상연계 신경세포의 활성화로 발작 생성에 영향을 줄 수 있다.

소발작의 유전적 원인으로 GABRA1, GABRG2, CACN 유전자의 이상이 있으면 각각 GABA 기능의 억제와 Cav3.2 통로 기능 강화하여 발작이 나타나는 것으로 알려져 있다.

소발작이 소아기에 발현하였다가 성장하면서 감소하는 것은 뇌의 발달과정 중에 신경전달계의 성숙과 관련이 있는 것으로 생각된다. 뇌의 발달 과정 중에 NMDA와 GABAB 수용체가 성인의 수준 이상으로 증가했다가 다시 성인 수준으로 점차 감소하는 양상을 보인다.

소발작은 NMDA 매개의 흥분과 GABAB 매개의 억제 간의 균형이 시상겉질 진동에 의하여 양측 동시의 극서파가 생성되도록 되는 방향으로 변화함으로 발생할 수 있다고 추정된다. 즉 뇌가 발달하는 시기 동안 NMDA 수용체의 과성장에 비해 GABAB에 의한 억제가 일시적으로 증가하지를 못하거나 그 반대 상황일 경우 소발작이 발생할 수 있다고 알려져 있다.

3) 유전적 이상

뇌전증의 발생기전은 과거에 생각했던 것처럼 단순히 몇 가지의 기전으로 설명할 수는 없으며, 각각의 뇌전증에 독특한 발생기전들이 계속 밝혀질 것으로 예상된다. 최근에는 뇌전증의 발생기전이 분자생물학적 수준에 기인한다는 사실이 밝혀지고 있어, 2019년 현재 OMIM (Online Mendelian Inheritance in Man)에는 1,100개 이상의 뇌전증 관련 유전자가 보고되어 있다. 그러나 유전 배경이 있는 경우에도 부모 형제와 같은 강력한 가족력이 없는 경우가 흔하며 오히려 먼 친척이나 세대를 건너서 가족력이 있는 경우가 많으므로 특발 뇌전증 환자에서 유전적 배경을 파악하기 위해서는 3대 이상의 친척에 대해 자세한 가족력의 문진이 필요하다.

현재 전압의존 Na, K, Ca, Cl 이온통로를 구성하는 유전자와 리간드의존 GABA 수용체의 유전자 변이에 의해 발생되는 뇌전증증후군이 다양하게 보고되고 있다. 대표적인 유전자로는 Na 이온통로로 SCN1A, SCN1B, SCN2A, K 이온통로로 KCNQ2, KCNQ3, Ca 이온통로로 CACNA1A, Cl 이온통로로 CLCN2, GABA 수용체로 GABRA1, GABRG2, GABRD가 있다. 그 외에 nicotinic acetylcholine 수용체의 유전자인 CHRNA4, CHRNB2와 이온통로를 구성하는 유전자가 아닌 LGI1, Na/K-ATPase 펌프 유전자, myoclonin1/EFHC1 유전자들이 보고되어 있다.

예를 들어 양성 가족 신생아 경련은 K 이온통로의 유전자인 20번 염색체에 위치한 KCNQ2 (BFNC1), 8번 염색체에 위치한 KCNQ3 (BFNC2)의 돌연변이에 의해 발생한다.

열성경련플러스를 동반한 전신뇌전증(generalized epilepsy with febrile seizures plus, GEFS+)의 경우 전압의

존 Na이온통로를 이루는 α1 subunit 유전자(SCN1A), β1 subunit 유전자(SCN1B), α2 subunit 유전자(SCN2A)와 GABA 수용체 유전자(GABRG2, GABRD) 등의 돌연변이가 발견되었다.

상염색체 우성 야간 전두엽 뇌전증(autosomal dominant nocturnal frontal lobe epilepsy, ADNFLE)은 CHRNA4, CHRNB2, CHRNA2 혹은 15q24의 유전자 돌연변이와 연관되는 것으로 알려져 있다.

청소년 근간대 뇌전증(juvenile myoclonic epilepsy, JME)은 EFHC1, CACNB4, GABRA1, CLCN2 등의 다양한 유전자와 연관이 있을 것으로 추정된다고 알려졌다.

비교적 흔한 유전 뇌전증증후군에서는 단일유전자와 달리 단독으로 뇌전증을 일으키지는 않지만 뇌전증에 대한 감수성을 증가시켜 유전자 간의 상호작용 또는 유전자와 환경인자 상호작용에 의해 뇌전증의 표현형이 나타나는 것으로 추정된다. 이러한 감수성 유전자로 CACNA1H, GABRD, KCND2, GABRB3이 있다.

향후 더 많은 뇌전증증후군의 분자유전학적 원인이 규명될 것으로 예상되나 하나의 뇌전증증후군이 다양한 유전자의 변이에 의해 발생할 수 있고(유전이질성, genetic heterogeneity), 하나의 유전자의 변이가 서로 다른 뇌전증증후군의 양상으로 발현할 수 있다(표현형이질성, phenotypic heterogeneity). 유전자의 변이가 어떻게 뇌전증의 임상형으로 표현되는지에 대한 기전을 밝히기 위한 노력과 함께 유전자의 변이에 대한 정보가 어떻게 치료적인 관점에서 적용할 수 있을지 임상적인 의미를 찾는 연구가 필요할 것이다(표 6-2).

4) 미성숙한 뇌의 특성

(1) 신생아기 및 초기 영아기 발작의 특징

소아기, 특히 신생아기와 영아기는 발작의 발생률이 가

표 6-2. 뇌전증과 관련된 주요 유전자

증후군	유전자	위치	단백기능	유전양식
BFNS	KCNQ2	20q13.3	K channel	AD
	KCNQ3	8q24	K channel	
BFNIS	SCN2A	2q23–q24.3	Na α–subunit	AD
	SCN1A	2q23–q24.3	Na α–subunit	
	SCN2A	2q23–q24.3	Na α–subunit	
	SCN1B	19q13.1	Na β–subunit	
	GABRG2	5q31.1–q33.1	GABA recepter A–type subunit	
Dravet/SMEI	SCN1A	2q23–24.3	Na α–subunit	AD
Ohtahara/EIEE	STXBP1	9q34.11	Involved in synaptic vesicle release	AD
	ARX	Xp22.13	Homeobox gene	
EFMR	PCDH19	Xq22	Member of protocadherin family, cell to cell adhesion	XD
ADNFLE	CHRNA4	20q13.3	Acetylcholine receptor subunit α4–subunit	AD
	CHRNB2	1q21	β2–subunit	
	CHRNA2	8p21	α2–subunit	
JME	EFHC1	6p12.2	Calcium homeostasis	
	GABRA1	5q33	GABA recepter A–type subunit	
	CACNB4	2q22–23	Calcium channel subunit	
	GABRD	1p36.3	GABA recepter subunit	
	CLCN2	3q26	Chloride channel	
AdLTEAF	LGI1	10q24	Secreted protein with a G–protein component interaction domain	AD

BFNS: benign familial neonatal seizures, BFNIS: benign familial neonatal infantile seizures, GEFS+: generalized epilepsy with febrile seizures plus, SMEI: severe myoclonic epilepsy of infancy (Dravet syndrome), EIEE: early infantile epileptic encephalopathy with suppression burst, EFMR: epilepsy and mental retardation limited to females, ADNFLE: autosomal dominant nocturnal frontal lobe epilepsy, JME: juvenile myoclonic epilepsy, AdLTEAF: autosomal dominant lateral temporal epilepsy with auditory features.

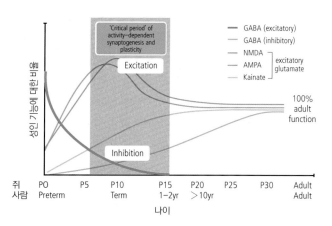

■ 그림 6-8. NMDA 수용체의 연령에 따른 기능변화
Critical period에 해당하는 신생아와 영아기에는 흥분성 glutamate 수용체의 과잉발현과 더불어 흥분성 GABA가 발현되므로 뇌가 과흥분성을 띄게 되어 쉽게 발작이 유발된다.

장 높은 시기이다. 이 시기에는 뇌의 성숙이 이루어지면서 뇌의 흥분-억제의 균형이 흥분성을 증가시키는 방향으로 다양한 생리학적 요인이 작용하기 때문이다. 그러나 말이집형성이 생후 3-5개월에 후두부, 7-11개월에 전두부에 나타나므로 말이집형성이 미숙한 신생아와 어린 영아는 발작이 쉽게 발생하지만 뇌의 다른 부위로의 전파는 제한되어 전신발작보다 국소발작이나 다초점 발작이 많이 나타난다.

(2) 신경계의 성숙과 신경전달물질 수용체의 발현

소아기는 빠른 속도로 신경계가 성장하는 역동적인 시기로서 대뇌 겉질의 시냅스 밀도의 증가(synaptogenesis)와 함께 시냅스 제거(synaptic pruning)가 일어나면서 성인의 형태로 성숙해간다. 신경계 성숙은 유전자적 조절, 축삭을 통한 전기화학 신호 및 성장인자(growth or trophic factors) 분비 등 다양한 내부적 외부적 요인에 의해 일어난다. GABA를 통한 억제 시냅스의 발달은 느리게 일어나며 연령과 부위에 따라 GABA 수용체의 소단위 성숙은 다르게 나타난다. 흥분 시냅스에서 이용되는 NMDA와 non-NMDA 수용체의 소단위 발현도 연령에 따라 다르게 나타난다(그림 6-8).

(3) 미성숙 뇌의 신경생리학적 특징

미성숙한 뇌는 다음과 같은 여러 가지 특징이 관찰된다.

첫째, GABA 수용체는 미숙아 시기부터 발견되지만 신경세포가 GABA에 대해 오히려 탈분극을 보임으로 결과적으로 EPSP가 항진된 현상을 보인다. 이는 Cl이온의 세포 내외로의 운반하는 NKCC1과 KCC2의 발현이 다르기 때문이다. 성숙 뇌에서는 Cl이온을 세포 안으로 운반하는 NKCC1보다 세포 밖으로 운반하는 KCC2가 높게 발현되어 있어서 세포 내의 Cl이온 농도가 낮게 유지된다. 그러나 미숙한 뇌에서는 NKCC1에 비해 KCC2의 발현이 떨어져 있어서 세포 내 Cl의 농도가 증가되어 있다. 결국 미숙한 뇌에서는, GABA에 의해 Cl이온 통로가 열리면 Cl가 세포 내로 유입되어 세포가 안정되는 성숙 뇌와는 반대로, 고농도로 세포 내에 존재하던 Cl이온이 세포 외로 이동하므로 탈분극이 나타나서 신경세포가 흥분하게 된다.

둘째, 2세 이전의 영아에서는 NMDA 수용체와 AMPA 수용체가 성인기보다 과도하게 발현되어 있다. 또한 NMDA 수용체가 아단위의 미성숙으로 인해 Mg 마개의 흥분억제 기능이 감소해 있고 흥분 전위가 소실되는 데에도 많은 시간이 소요된다. 이로 인해 성숙 뇌에서보다 쉽게 흥분할 뿐만 아니라 흥분 전위의 지속시간이 연장되어 있다.

셋째, 성숙 뇌에 비해 반복 흥분 연결이 항진되어 있다.

넷째, 신경전달물질을 이용한 시냅스의 발달이 미숙한 반면 전위 시냅스를 이용한 신경흥분 전달이 비교적 많아 동시 발생이 쉽게 이루어진다.

다섯째, 세포 외액의 K이온을 제거할 아교세포가 미숙하여 세포 외의 K이온 농도가 올라가 있어서 주위 신경세포의 흥분을 항진시킨다.

이와 같은 특성의 차이점으로 인해서 성인에 비해 신생아 및 초기 영아기에 발작의 발생 빈도가 높고 임상적으로 성인과 다른 다양한 형태의 발작이 관찰된다.

03

뇌전증의 진단

Clinical Diagnosis of Epilepsy

| 고아라, 김선준, 김정아 |

1. 병력청취 및 문진

1) 병력청취

환자가 발작 또는 발작처럼 보이는 모습으로 병원을 내원하였을 때, 우선 시행해야 할 목표는 이러한 모습이 진짜 발작인지 아닌지를 구별하는 것이다. 만약 진짜 발작이라면, ILAE 기준에 맞추어 발작 유형을 구분하고, 발작의 원인(etiology)을 규명하며, 재발과 치료의 필요 여부에 대해서 예측하여야 한다.

자세한 병력청취와 신체검사를 통해서 발작 또는 발작처럼 보이는 사건의 평가에서 핵심적인 요소들을 확인할 수 있으므로, 병력청취와 신체검사는 뇌전증 진단에서 중요한 부분을 차지한다.

(1) 나이

특정한 발작 유형은 나이와 관련이 있으므로 첫 발작이 시작되었을 때의 나이와, 나이에 따른 발작 양상이나 빈도에 대한 조사가 필요하다. 영아연축, 열성경련, 중심-측두부 극파를 동반한 양성 소아 뇌전증(benign epilepsy with centrotemporal spikes, BECTS), 소아기 소발작 뇌전증(childhood absence epilepsy), 청소년 소발작 뇌전증(juvenile absence epilepsy), 청소년 근간대 뇌전증(juvenile myoclonic epilepsy)에서 보이는 발작이 나이와 관련있는

발작 유형의 예이다.

(2) 선행사건과 유발요인

발작 바로 직전에 있었던 일에 대해 조사한다. 보호자는 조짐(aura)을 발작의 일부라고 인지하지 못하고 이에 대한 정보를 주지 않을 수 있으므로, 의사가 환자와 보호자에게 물어서 확인하여야 한다. 조짐이란 초점 발작에서 의식소실 이전에 나타나는 객관적 징후 없이 환자 스스로 주관적으로 느끼는 발작의 초기 증상으로, 뇌전증의 편측화 또는 국소화의 중요한 단서가 될 수 있다. 소아는 조짐을 기술할 수 없는 경우가 있어서 하던 행동의 갑작스런 정지, 소리지름, 공포스러운 얼굴, 엄마에게 뛰어가 안김 등의 증상을 통해 추측할 수 있다.

선행사건은 비뇌전증성 사건을 감별하는 데에도 도움을 줄 수 있다. 울음이 선행된다면 호흡중지 발작을, 수유가 선행된다면 위식도역류를, 큰 소리나 자극에 의해 유발된다면 병적 놀람증(hyperekplexia)을 고려해보아야 한다.

특정 발작은 자극에 의해 유발되기도 하며, 유발요인에는 빛자극, 소리, 몸감각 자극, 뜨거운 목욕, 놀람 등이 있을 수 있으며, 다른 비특이적인 요인으로는 스트레스, 수면박탈, 피로, 알코올 섭취 등이 있을 수 있다.

(3) 시간대

발작이 일어나는 시간대를 특히 수면-각성주기와 관련

하여 조사한다. 발작이 일어나기 직전과 직후 환자가 깨어 있었는지, 자는 상태였는지를 확인한다. 예를 들면 환자가 깨거나 잘 때 나타나는지, 잘 때 발생하는 발작이면 발작이 수면시작 시, 깨기 전 혹은 직후, 수면 중간에 나타나는지도 같이 조사한다. 수면 중에 발생한 전신발작인 경우 부분발작의 이차성 전신발작일 가능성도 고려해야 한다. 깬 직후 하는 발작은 청소년 소발작 뇌전증, 청소년 근간대 뇌전증과 같은 유전성 전신뇌전증(genetic generalized epilepsy)과 관련이 있을 수 있고, 수면 중 하는 발작은 중심-측두부 극파를 동반한 양성 소아 뇌전증, Landau-Kleffner 증후군, 전두엽 뇌전증, 측두엽 뇌전증 등과 관련이 있을 수 있다.

(4) 발작양상

목격자에게 시간 순서대로 목격한 바를 기술하게 한다. 가능하다면 목격자에게 그 당시 모습을 흉내내보게 시키며, 발작 당시의 동영상이 도움이 될 수 있다. 경련의 위치와 양상은 시간이 흐름에 따라 변할 수 있으므로 경련이 시작했을 당시 어떻게 어디서 시작했는지를 확인하는 것이 중요하다. 경련의 지속시간을 확인하고, 30분 이상 지속된 발작의 경우 뇌전증지속증을 의심한다. 의식의 유무를 확인하며, 이는 기억과 반응으로 측정하므로 환자에게 발작 당시를 기억하는지 물어보고, 보호자에게 발작 당시 환자가 반응이 있었는지를 물어본다. 두 번 이상의 발작이 연달아 발생하면 발작간의 의식상태도 확인해야 한다. 발작 시 혀 깨물기, 대소변실금, 불규칙한 호흡, 청색증이 동반되었는지 확인하며, 발작 당시 눈 돌림이 있었으면 방향을 확인한다. 발작 후에 혼돈, 피로, 졸림, 국소마비 등이 있었는지 확인한다.

이전에 비슷한 양상의 발작이 있었는지, 다른 양상의 발작, 열발작이 있었는지 조사한다. 이전의 뇌전증 진단 여부에 대하여 확인해야 하나, 이를 무조건 받아들여서는 안된다. 두 가지 이상의 발작 유형이 존재할 가능성을 배제하여서는 안되며, 기억하지 못할 경우 가장 최근에 했던 발작이나 가장 심했던 발작을 서술하게 한다.

발작 도중 눈을 꽉 감는 모습, 매번 양상이 다른 발작, 위험한 상황에서는 신체를 보호하여 외상이 없는 점, 위약을 투여하면 발작이 유발되거나 발작이 멈추는 모습은 거짓발작(pseudoseizure)를 시사한다. 뇌전증 발작 때에는 청색증이 발생하나, 창백하거나 발한이 있었을 경우 실신과의 감별을 요한다. 혀에 상처가 생긴 경우 뇌전증 발작인 경우 혀의 옆면에 생기나 혀 중간에 상처가 있다면 거짓발작을 감별해야 한다.

(5) 체계별 문진

체계별 문진을 통해 가능한 경련의 유발요인 또는 원인을 확인한다. 발열, 기면, 두통, 빛공포증은 수막뇌염을 시사할 수 있다. 탈수와 전해질 불균형을 유발하는 설사와 구토도 경련의 원인이 될 수 있다. 식이에 대해서 묻는 것도 중요한데, 영아의 경우 분유를 알맞게 타서 먹이고 있는지를 확인해야하고 청소년에서는 식이조절을 통한 다이어트를 하고 있는지에 대해 물어본다. 외상력, 특히 두부외상력에 대해서 확인하고, 독성물질이나 중금속에 대한 노출력, 청소년의 경우 알코올 섭취나 마약 복용 여부에 대해 조사한다.

(6) 약물

발작 역치를 낮추는 것으로 알려진 약물(항우울제, 항정신병약, 중추신경계 흥분제, 항히스타민, 아미노필린 등)의 복용 여부를 조사한다. 또한 혈당강하제나 이뇨제의 복용력도 조사한다.

(7) 출생력, 발달력, 가족력

임신과 분만 당시의 상태에 대해 조사한다. 미숙아나 과소체중아, 저산소성 허혈 뇌병증 등의 산전 혹은 주산기 손상이 있는 환자에서 뇌전증 발생률이 더 높다. 미숙아는 뇌손상의 위험도가 높고, 이로 인한 발작 발생의 위험도도 높다. 신생아경련은 다양한 원인(구조적, 대사성, 유전성 원인 등)에 의해 나타날 수 있지만, 급성 증상성 원인(저산소성 허혈 뇌병증, 대사이상, 감염, 뇌졸중, 두개내출혈 등)이 더 흔하다. 자궁 내 감염, 약물, 독성물질, 마약의 노출은 뇌기형을 유발할 수 있다. 산모의 양수과소증 또는 양수과다증, 태아의 딸꾹질, 발작적인 태아의 움직임은 태아시기부터의 신경학적 질환을 시사할 수 있다.

운동, 언어, 정신사회발달의 지연, 퇴행의 여부, 퇴행이 있다면 퇴행의 시작 시점에 대해 조사한다. 발달지연, 뇌성마비, 자폐증이 있는 환자들은 뇌전증 발생률이 더 높다.

가족력을 조사하여 뇌전증의 유전요인이나 다른 유전 신경계질환과의 관련성을 조사한다.

2. 신체진찰

1) 전신진찰

두위를 측정하여 소두증이나 대두증의 유무를 조사한다. 소두증은 뇌이랑없음증(lissencephaly), 겉질형성 이상과 같은 두개기형은 소두증에 의해 일차적으로 발생하거나 선천성감염, 저산소증, 모성질환(maternal diseases), 약물과 독성물질에의 노출 후 이차적으로 발생할 수도 있다. 대두증은 축적질환(storage diseases), 수두증 등과 연관될 수 있다.

안저검사(fundoscopic examination)을 통해 두개내압 항진을 시사하는 유두부종, 축적질환을 시사하는 앵두반점(cherry-red spot), 그 외 다른 신경피부증후군에 특징적인 소견이 발견될 수 있다.

이형성증(dysmorphism)이 있는지 확인한다. 소두증, 두개골유합증, 양안격리(hypertelorism), 처진귀(low-set ears), 중앙 안면 저형성증(midface hypoplasia) 등의 형태이상증은 발작과 연관된 염색체장애에서 나타날 수 있다. 구순열과 구개열은 두개형성이상과 연관이 있을 수 있다.

여러 피부신경증후군이 발작과 연관이 되므로 피부진찰이 중요하다. 색소실조증(incontinentia pigmenti), Ito 저멜라닌증(hypomelanosis of Ito), 선모반증후군(linear nevus syndrome), 결절경화증, Sturge-Weber 증후군, 신경섬유종증이 그 대표적인 예이다. 피부진찰을 통해 신체학대의 여부를 알아낼 수도 있다.

대사이상 질환에서는 간비장비대가 보일 수 있다.

2) 신경학적검사

신경학적 검사를 하여 신경학적 이상여부를 확인한다. 먼저 환자의 정신상태를 평가한다. 착란이나 기억이상이 발작 후 생길 수 있으나 현재 반응이 느리거나 멍하면 부분발작이 지속되는지도 확인해야 한다. 뇌전증지속증에서는 Glasgow 혼수 척도가 필요할 수 있다.

국소 신경 징후는 부분적인 뇌병변을 의미하나 Todd 마비나 불완전마비 등의 발작 후 증상일 수 있다. 뇌수막염은 Kernig 징후나 Brudzinski 징후, 경부강직, 요통 등이 있을 수 있으며 뇌종양이나 출혈 등의 소견으로 뇌압이 증가되면 안구운동 이상이나 비대칭동공, 유두부종이 있을 수 있다. 걸을 수 있는 환자는 보행을 평가한다.

3. 뇌파검사

뇌파검사(electroencephalography, EEG)는 뇌전증의 진단에 필수적인 검사로 뇌전증 진단은 물론 뇌전증 분류 및 예후 판단에 유용한 뇌기능 검사이다.

1) 소아청소년기 뇌파 특성

소아청소년기는 성장과 발달이 이루어지는 과정이기 때문에 연령에 따라 뇌파의 형태와 정상 기준도 변하게 된다. 따라서 소아청소년기에서 뇌파를 제대로 활용하기 위해서는 뇌 성장에 따른 뇌파의 개체발생(ontogenesis)과 뇌파의 발달과정을 이해해야 한다. 미숙아를 포함한 신생아기에서는 임신연령(gestational age, GA)에 역연령(chronologic age)을 더한 수태연령(conceptional age, CA)을 기준 연령으로 사용하는데 수태연령이 같으면 동일한 연령의 뇌파로 간주한다. 즉, GA 32주로 태어난 2개월 된 미숙아와 40주 만삭아의 뇌파는 같은 연령으로(CA 40주) 간주한다.

소아청소년기에서 뇌파는 진단적 특이도가 높은 독특한 뇌전증모양 방전파가 많아 뇌전증 진단에 가치가 높다. 또한 특정 연령대에서 발생하였다가 성장하면서 사라지는 정상범위의 파형이 많아 해석에 주의를 요한다.

뇌파검사는 뇌전증 진단은 물론 뇌증, 뇌염증성 질환, 뇌혈관질환, 고위험도 아동 등에서 중추신경계 손상의 조기진단 및 신경학적인 기능평가와 예후판정에 많은 기여를 하고 있다.

2) 소아청소년에서 뇌파 기록방법

수태연령 44주 이후부터 국제표준인 '10-20 체계'를 이용한 뇌파검사를 시행하지만, CA 44주 미만에서는 '변형 10-20 체계'를 이용하여 뇌파검사를 시행한다. 정확한 뇌기능 평가를 위해서는 호흡, 안구운동, 근전도 및 심전도 등 다른 생리적 지표를 포함한 32채널 이상의 뇌파 사용을 추천한다.

소아청소년기에는 나비전극 같은 침습적인 전극 사용에 제한이 있기 때문에 관자엽 뇌전증의 경우 T1/T2 전극 몽타주나 수정된 결합(modified combinatorial) 10-10 체계를 이용하여 진단적 민감도와 정확성을 높일 수 있다.

뇌파검사 시 수면박탈, 과호흡, 빛자극, 눈 개폐, 소리자극 등 유발검사를 포함하여 시행해야 한다. 특수한 경우를 제외하고 뇌파검사를 위하여 복용중인 항경련제를 갑자기 중단해서는 안 된다. 수면유도를 위하여 수면제한이나 약물유도를 이용하여 검사를 진행하지만 benzodiazepine 계열의 약물은 베타파의 과도한 항진을 초래하여 판독에 어려움을 초래할 수 있다.

3) 대뇌 성숙에 따른 뇌파의 개체발생학적 변화(onto-genesis of EEG)

(1) 각성기 뇌파 파형의 개체발생학적 특성

① 후두부 알파리듬(posterior alpha rhythm)

각성상태에서 눈을 감으면 후두부에서 중등도 전위의 규칙적인 연속파형이 관찰되는데 이를 후두부 우세 리듬(Posterior dominant rhythm)이라 하며, 이 파형이 성숙되어 알파영역대의 파형을 갖추게 되면 후두부 알파리듬이라고 한다. 후두부 알파리듬은 생후 첫 2개월경 4 Hz로 발생이 시작되어, 생후 12개월에는 6 Hz, 생후 24개월에는 6-7 Hz, 생후 36개월에는 7-8 Hz으로 발전하며 중등도 전

압의 수초 주기를 갖는 wax and wane 형태의 규칙적인 연속파형을 보인다(그림 6-9). 후두부 알파리듬은 뇌혈류와 밀접한 상관관계를 가지며 수면이 시작되거나, 눈을 뜨거나, 빛자극 시 소실된다. 8세경 가장 활발하게 관찰되며 50대 후반 이후 주파수가 감소한다. 후두엽에서 가장 높은 진폭을 보이며 관자엽과 중심부까지 알파파가 전파되어 기록될 수 있지만 이마부까지 나타나지는 않는다. 보통 50-60 μV 정도의 중등 전위를 보이나 소아에서는 흔히 100 μV이상의 높은 전위를 보인다.

② 저전위 속파(low voltage fast activity)

각성기 전두엽의 기본파형으로 20 μV 이하의 18-25 Hz를 보인다. benzodiazepine계나 barbiturate계 약물투여 시, 입면기, 경수면기, REM 수면 시 베타파가 증가한다. 25 μV 이상이거나, 좌우 전위차가 35% 이상 차이가 있으면 비정상으로 간주한다. 대뇌겉질 손상, 뇌경막하 수액 저류, 경련 직후 등에서는 소실될 수 있다(그림 6-10).

③ 후두부 람다파(occipital Lambda wave)

각성기 후두엽에서 나타나는 50 μV 정도의 삼각형, 단상양 전위 서파를 말하며, 눈을 떴을 때만 관찰된다. 극파나 예파와는 달리 서파가 동반되지 않는다. 6개월에서 10세 사이에서 관찰되는 파형으로 정상 소아에서 후두엽에서 눈 깜빡임 현상이 동반되어 나타나며, 빛 자극 유발검사, 특히 낮은 주파수 영역으로 빛자극할 때에 나타난다.

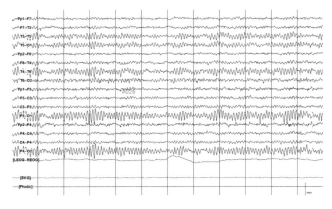

■ 그림 6-9. Normal waking EEG with well developed frequency-amplitude gradient and symmetric posterior alpha rhythm (9.5 Hz, 120 μV).

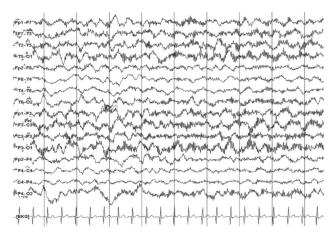

■ 그림 6-10. Focal attenuated fast waves on the right side in cerebral artery infarction.

④ 청년기 후두부 서파(Posterior slow wave of youth)

각성기 후두부에서 관찰되는 중등도 전위의 서파로 후두부 알파리듬과 혼재하여 나타난다. 2세 이하에서는 드물고 10대 전후에서 가장 활발히 나타난다. 후두부 알파리듬 전위보다 1.5배 이상 크거나, 50% 이상 좌우차이를 보일 때, 수면 또는 눈을 뜰 때 소실되지 않는 경우 비정상으로 판단한다.

(2) 수면기 뇌파 파형의 개체발생학적 특성

① 두정부 예파(vertex sharp waves, vertical humps)

두정부 예파는 경수면 때 뇌 중심영역에서 발생하는 음전위 파형으로 NREM 수면 1-2기 때 가장 선명하게 관찰된다. 생후 2-4개월 이후부터 관찰되고, 대부분 5-6개월 이내에 좌우 대칭성을 보인다. 소아는 성인에 비하여 진폭이 크고, 예리한 형태를 보이기 때문에 뇌전증모양 방전과 감별이 필요하다. 뇌 중심부에서 전위가 가장 높고 반복적으로 나타날 수 있으며 수면방추파와 혼재하여 발생하기도 한다. 대부분 좌우 동조를 이루며 대칭적으로 나타난다. 20% 이상의 좌우 비대칭성을 보이는 경우, 낮은 쪽을 비정상으로 판단한다.

② 수면방추파(sleep spindle)

NREM 수면 2-3기, 특히 2기의 대표적인 파형으로 전두엽, 중심부 영역에서 보통 2-4초 정도 12-14 Hz, 20-40 μV 전위의 규칙적인 비연속 파형이 나타나는데, 이를 수면방추파라 한다(그림 6-11). 수면방추파는 수면기 뇌기능 평가에 중요한 지표로 이용된다. 수면방추파는 CA 44-46주 경부터 미숙한 형태로 정수면기에 발생하며, CA 48주경부터 성숙한 형태를 취한다. 전두엽에서 먼저 발생하다 점차 중심부에서 우세를 보이는 성인형으로 진행한다. 수면방추파가 생후 3개월 이후에도 발생하지 않거나, 좌우 전위차가 50% 이상일 때, 3세 이후에도 좌우 비동기성을 보이면 비정상적인 NREM 수면장애, 뇌 손상이나 성숙 이상을 시사한다. 지적장애, 주산기 뇌손상, 자폐아 등에서 수면방추파의 과잉발생이, 선천성 갑상샘기능 저하증, 조현병 등에서는 과소 발생이 보고되고 있다.

③ K-복합체(K-complex)

NREM 수면 2-4기에서 관찰되는 파형으로 뇌 중심부에서 2-3상의 고진폭 음전위 서파가 발생하는데 이를 K-복합체라 한다. 주로 빛이나 소리 자극 등 외적인 자극 시 발생하는데, 방추파가 K-복합체 앞 또는 뒤에서 자주 동반하여 나타난다. 생후 4-6개월경부터 관찰이 가능하지만, 전형적인 형태는 2세 이후에 관찰이 가능하다. 두정부 예파와 발생 위치나 형태가 비슷하나 K-복합체는 긴 불응기가 필요하여 최소 5초 이상의 간격을 두고 발생한다.

④ 입면과동기(hypnagogic hypersynchrony)

소아청소년기 특징적인 파형의 하나로 입면기에 4-5 Hz의 100-200 μV의 동조화 파형이 나타나는데 이를 입면과동기라 한다. 만 1세까지는 관자엽, 후두엽에서 잘 나타나며 이후 이마 쪽에서 우세하게 발생한다. 생후 2-4개월 이후부터 관찰되어 대부분 10대 중반 이후에 소실된다. 정상 소아의 약 8%에서 일부 극파가 섞인 거짓뇌전증모양 방전(pseudoepileptiform)이 보일 수 있어 판독 시 주의를 요한다.

⑤ 14 and 6 Hz 양성돌발파(14 and 6 Hz positive spikes)

6 Hz와 14 Hz의 혼합된 양전위파를 가지는 수면파의 일종으로 10대의 20-50%에서 관찰된다. 주변파에 영향을 받지 않으며 정상 파형으로 취급한다.

⑥ 수면중 일과성 양성 후두부 예파(positive occipital sharp transients of sleep, POSTs)

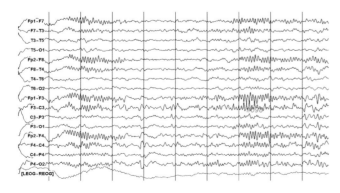

■ 그림 6-11. Well developed symmetric and synchronous sleep spindles.

20-75 μV 전위에 4-5 Hz의 체크 마크 양상의 양전위파형으로 모든 NREM 수면에서 관찰되며, 특히 NREM 1기 후두엽에서 가장 활발하게 발생한다. 흔히 비대칭으로 나타나지만 정상 파형이다. 5세 이후 발생하고 10대 중반 이후 소실된다.

4) 소아청소년기 비정상 뇌파

(1) 배경파

뇌파는 각성상태, 수면 깊이에 따라 특정 형태의 파들이 좌우 대칭적으로 연속성을 가지며 구성되는데 이를 배경파라 한다. 배경파는 뇌겉질 활동과 뇌간, 시상 등의 기타 여러 겉질밑 구조들의 상호작용에 의해 만들어지며 뇌의 기본활동을 의미한다. 따라서 배경파 이상은 뇌파형성 기본 구조물들의 구조적 또는 기능적 이상이 있음을 시사한다.

각성기 뇌파에서 전두부는 후두부보다 주파수가 빠르지만 진폭은 낮은 형태를 보이는데 이를 주파수-진폭 전위차(frequency-amplitude gradient) 또는 전후 전위차(anterior-posterior gradient)라 하며 이는 각성기의 기본적인 배경파로 뇌기능 평가에 중요한 지표가 된다(그림 6-9). 수면기 뇌기능 평가는 수면관련 파형을 이용하여 판단한다.

뇌파의 임상적 이용은 아직까지 시각적인 파형 분석(visual analysis)에 의존하고 있다. 시각적 분석할 때 가장 중요한 점은 뇌파 측정 시 환자의 수면 혹은 각성상태를 파악하는 것과 뇌파 연속성 여부를 확인하는 것이다.

미숙아에서는 교대파형(trace alternant) 등 비연속파형을 보이나, CA 46주 이후에는 반드시 연속파형으로 나타나야 한다. CA 46주 이후에도 비연속성파형을 보이면 저산소 허혈 뇌병증, 뇌출혈, 뇌염, 대사성 뇌병증 등 각종 뇌병증을 시사하며, 좋지 않은 예후를 시사한다.

비연속파형은 높은 전위 부위를 돌발부(burst)라하고, 돌발 사이 구간을 돌발사이 구간(interbursts interval, IBI)으로 구별하는데, IBI부위 전위가 25 μV 미만으로 2초 이상 지속 시 비연속성을 보인다고 정의한다. 특히 IBI부위 전위가 5 uV 미만이며, 돌발부위에 정상적인 파형이 없고, 고착된 형태가 지속될 때 burst suppression 양상이라 하며 좋지 않는 예후를 시사한다(그림 6-12).

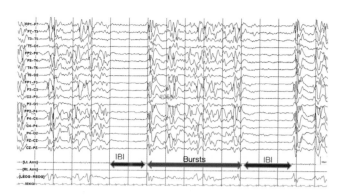

■ 그림 6-12. burst suppression

① 미성숙 뇌파

소아 뇌파는 발달연령에 따라 정상 기준이 다르다. 특히 신생아기를 포함한 생후 첫 2년간은 뇌 성장이 매우 빠른 시기로 뇌파 또한 급속하게 성숙되어 완성된다. 미숙아 및 신생아에서는 2주 이상 차이를 보이면 발달이 미숙(dysmature)하다고 판단한다.

② 대칭성 및 동조성 결여

생후 3개월 이후 각성기 뇌파는 반드시 주파수-진폭 전위차가 유지되어야 하고, 수면기에도 적절한 수면파가 나이에 맞게 좌우 대칭적으로 유지되어야 한다. 뇌파에서 대칭성이란 뇌 부위별 파의 전위나 주파수, 특별한 파형의 대칭적 분포 등을 말한다. 후두부 알파리듬이나 수면에 관련된 파는 나이에 맞게 정상적으로 대칭을 이뤄야 한다. 하지만 좌우 전위차가 50%를 넘는 경우, 1-1.5 Hz 이상의 비대칭을 보이는 경우, 약물이나 빛자극 유발검사 시 좌우차가 뚜렷하거나 한쪽이 결여될 때는 반응이 낮은 쪽을 비정상으로 판단한다(그림 6-10).

뇌파의 좌우 동조성 또한 중요한 예후 판단 요소이다. 동조성 판단 방법은 신생아시기에는 비연속성 파형이 시작되는 부위를 이용하고, CA 46주 이후에는 수면파를 이용하여 동조성 여부를 판단한다. 좌우가 1.5-2초 이상 차이를 보일 때 비동조성이 있다고 판단한다. 수면파는 생후 24개월까지 비동조성을 보일 수 있다. 하지만 만 24개월 이후에도 비동조성을 보이는 경우 뇌 중심부 기형, 저산소성 허혈 뇌병증, 뇌출혈 등 뇌손상을 시사한다.

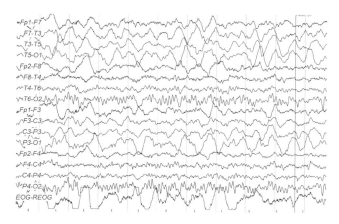

■ 그림 6-13. Asymmetric background activity due to loss of posterior alpha waves and moderately increase slow waves in left side cerebral artery infarction.

③ 진폭감쇠

뇌 겉질 손상, 뇌경막하 수액 저류, 경련 직후 등에서 진폭이 감소될 수 있다. 특히 뇌경색 등 뇌혈류량이 감소될 때 뇌파검사가 유용하게 이용될 수 있다. 정상 뇌혈류는 50 to 54 mL/100 g of brain tissue/min로 유지되는데, 정상 혈류의 절반 수준인 25-35 mL/100 g/min 경우에는 저전위 속파가 소실된다. 뇌혈류가 18-25 mL/100 g/min인 경우에는 세타파 증가, 허혈 수준인 12-18 mL/100 g/min에서는 델타파 증가(그림 6-13), 뇌경색 수준인 10-12 mL/100 g/min 미만에서는 침범부위의 현저한 진폭 감소를 보인다.

④ 서파 증가

세타 및 델타 영역의 파를 서파라 하며 배경파 중 부분 또는 전반적인 서파 증가는 동측 겉질밑 뇌병변을 시사한다. 특히, 서파 형태가 일정하지 않고 진폭이나 주파수가 서로 다른 델타영역 서파를 polymorphic delta activity (PDA)라 하며 이는 대뇌 종괴성 병변이나 대뇌 겉질 또는 겉질밑 뇌기능 이상을 의미한다(그림 6-13).

⑤ 등전위 형태

전체 뇌파가 2 μV/mm의 민감도에도 2 μV 이하인 경우를 말하며 뇌사상태 등 심한 가사상태, 뇌염, 뇌기형증 등 시사하며 예후가 매우 불량한 뇌파이다.

⑥ 삼상파(triphasic waves)

pseudo-paroxysmal spikes and waves에 극파 같은 파형이 붙어있는 형태, 즉 고진폭의 양전위-음전위-양전위의 파를 삼상파라고 한다. 주로 전두부에서 규칙적으로 반복 발생되며 대사성 뇌병증의 특성으로 알려져 있으나 여러 원인의 미만성 대뇌장애 질환에서도 발견된다.

(2) 돌발파

돌발파란 뇌파를 구성하는 정상 배경파와는 확연히 다른 형태의 파가 갑자기 발생되는 것을 말하며, 뇌전증모양 방전과 비뇌전증모양 방전으로 나눌 수 있다. 뇌전증모양 방전은 극파, 예파, 다발극파, 극서파 복합체(spike & wave complex) 또는 예서파 복합체(sharp & wave complex)와 같은 파형이 있다.

뇌파검사는 뇌전증 진단에 특이도는 높지만, 민감도는 낮아 겉질 극파의 20-70% 정도만 두피 뇌파에서 기록되는 것으로 알려져 있고, 실제로 한 번의 뇌파검사로 뇌전증모양 방전 발견 민감도는 50%가 되지 않는다. 따라서 임상적으로 뇌전증이 의심스러운 상황에서는 뇌파검사가 정상으로 나올지라도 뇌전증 진단을 완전히 배제해서는 안 된다.

일반 뇌파검사는 검사시간이 보통 30분미만으로 실제 발작파가 기록되기 힘들기 때문에 대부분 발작사이 뇌전증모양 활성파나 배경파 이상 등으로 이상여부를 판단하게 된다. 발작 뇌전증모양 활성(Ictal spike)와 발작사이 뇌전증모양 활성(interictal spike)는 서로 일치하지 않을 수 있으며, 발작사이 뇌전증모양 활성은 자극구역(irritative zone)의 의미를 가지지만, 추적 뇌파검사에서 발작사이 뇌전증모양 방전 위치는 바뀔 수 있다.

발작사이 뇌전증모양 활성은 경련 직후 증가하는 경향이 있으므로 가능한 경련 발생 후 빠른 시일 내 검사할수록 뇌파 유용성이 높아진다. 적절한 유발검사를 이용하거나, 뇌파검사를 반복하거나 장시간 검사하면 90%까지 진단율을 높일 수 있으며, 필요에 따라 비디오-모니터링 등 장시간 뇌파검사를 시행할 수 있다.

① 극파(spike) 및 예파(sharp waves)

극파와 예파는 보통 서파(after slowing)와 함께 나타나지만 단상으로도 보일 수 있다. 단극유도에서는 위로 향하

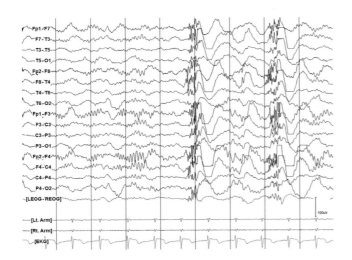

■ 그림 6-14. Generalized bursts of polyspikes (16 Hz) followed by slow waves in juvenile myoclonic epilepsy.

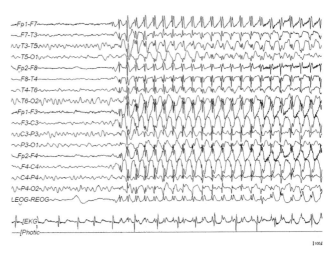

■ 그림 6-15. 3 Hz generalized spike-wave complex with normal background activity in absence epilepsy.

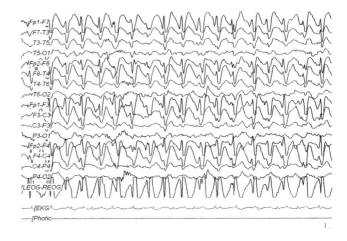

■ 그림 6-16. 3 Generalized bursts of slow spike and wave complexes (1.5-2 Hz) in Lennox-Gastaut syndrome.

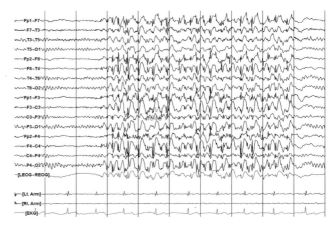

■ 그림 6-17. Generalized bursts of spike-wave complex (4-5 Hz) in idiopathic generalized epilepsy.

는 음전위로 70 msec 이하를 극파, 200 msec 이하를 예파라 한다. 뇌 전반, 또는 부분적으로 발생하며, 경련 형태에 따라 발생부위가 관련 있다. 단 하나의 전극에서만 극, 예파가 관찰될 때에는 잡파 가능성을 고려해야 한다. 또한 소아에서 두정부 예파(vertical sharp wave)는 예리하게 발생하기 때문에 NREM 수면 1기, 중심부 영역에서만 극, 예파 형태의 파가 관찰되는 경우에는 주의 깊은 판단이 필요하다. 뇌전증모양 방전은 수면, 각성주기에 영향을 받지 않으나 수면 중에 더 자주 발생한다. 뇌전증모양 방전은 정상에서도 1.5% 정도 발생 가능하며 뇌기질적 장애, 특히 뇌겉질 침범 질환에서도 발생할 수 있어 뇌파검사에서 뇌전증모양 방전의 존재만으로 뇌전증으로 진단해서는 안 된다. 뇌전증모양 방전이 양측 대뇌반구를 포함한 3곳 이상에서 발생하는 경우를 다초점 극파(multifocal spike)라 하며 불량한 예후를 시사한다. 2개 이상의 극파가 동시에 발생 시는 다발극파(polyspikes)라 하며 근간대 뇌전증에서 동반되는 경우가 많다(그림 6-14).

② 극서파 복합체(spike-wave complex)

극파와 서파가 유기적으로 발생하는 경우를 말하며 주파수에 따라 시사하는 질환이 서로 다르다. 3 Hz 주기의 전반 극서파 복합체를 보이는 경우 전형적인 소발작 뇌전증을 시사하나(그림 6-15), 전반 극서파 복합체가 2-2.5 Hz 미만의 경우 Lennox-Gastaut증후군(그림 6-16), 3.5 Hz 이상인(그림 6-17) 경우 전신강직간대발작 등 다른 유형의 전신 뇌전증을 고려해야한다.

③ 주기적인 파형들(periodic discharge)

정상 배경파 구성과는 다른 부위에서 주기적으로 반복되는 파형들은 비정상파로 판정한다. 100-200 mV 고진폭의 100-200 msec 정도의 예파가 뇌의 일부분에서 수초 주기로 나타나는 파형을 주기성 편측 뇌전증모양파(Periodic lateralized epileptiform discharges; PLEDs)라 하는데, 이는 해당 뇌 부위에 심각한 급성 뇌병증을 시사한다. 대뇌 양측으로 비대칭적인 경우, 특히 관자엽에서 발생할 때는 반드

시 헤르페스성 뇌염을 감별 진단해야 한다. 주로 질병의 급성기 때 발생하며 수일에서 수주가 지나면 서파(PDA)로 바뀐다. 뇌의 어느 한 부위(localized paroxysmal fast activity; LoPFA, 그림 6-18) 또는 전반돌발속파(generalized paroxysmal fast activity; GPFA, 그림 6-19)를 보일 수 있다. 이는 흥분성 뇌파가 뇌의 해당부위에 발생하는 파형을 말하며, 발생 부위가 높은 발작 성향을 가지고 있다는 것을 시사한다.

④ 고진폭부정뇌파(hypsarrhtyhmia)

발달 중인 뇌에서 심한 미만성 뇌 손상이 있을 때 발생한다. 신생아기에서도 발생되나 주로 생후 2, 3개월에서 돌 사이에 발생된다. 뇌파는 비반복성 불규칙한 고진폭 서파와 다초점 극파, 예파가 불규칙하게 뒤섞여 있는 형태를 보인다. 수면 중 NREM 수면에서 가장 잘 나타난다. 임상적으로 영아연축을 시사하나 미만성 뇌병변, 저산소성 허혈 뇌병증, 대사성 뇌병증 또는 Ohtahara 증후군 등에서도 관찰될 수 있고 대부분 불량한 예후를 시사한다(그림 6-20).

5) 소아 뇌전증 및 뇌전증증후군에서 특징적인 뇌파 소견

(1) 특발전신뇌전증의 뇌파 특성

전신뇌전증 환자에서 발작사이 배경파는 대부분 정상 소견을 보인다. 소아청소년기의 전신뇌전증 환자에서는 3 Hz 전반 극서파 복합체, 다극서파나 전신극파 등 전신 돌

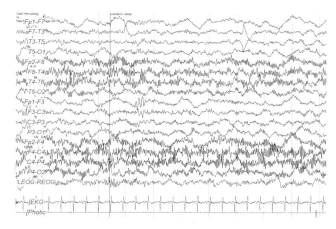

■ 그림 6-18. Fast waves are noticed in right involving Sturge Weber syndrome, which indicate strong seizure activities.

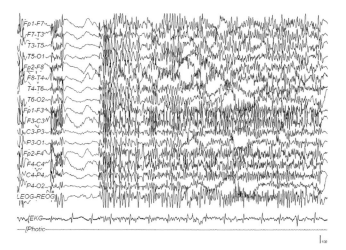

■ 그림 6-19. Generalized paroxysmal fast activities in Lennox-Gastaut syndrome

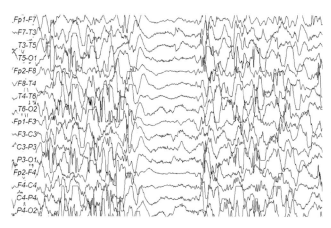

■ 그림 6-20. Disorganized background activity dominated by chaotic high voltage slow waves with multifocal spikes, polyspikes followed by a generalized electrodecremental event in infantile spasm

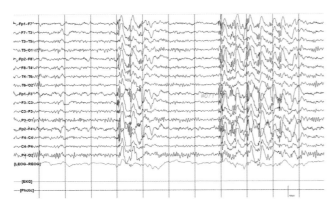

■ 그림 6-21. Generalized bursts of polyspike-wave complex (2.5 Hz) in idiopathic generalized epilepsy

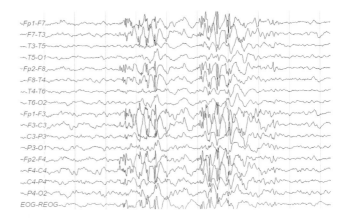

■ 그림 6-22. Brief generalized spike-wave complex with fragmentation and increased polyspikes in absence seizure patient during sleep.

발 활성유형으로 발생하기 때문에 정상적인 배경파와 대비하여 쉽게 진단할 수 있다. 과호흡이나 광과민성을 보이는 경우가 많아 반드시 유발검사를 실시해야 한다.

① **전신강직간대 발작**(generalized tonic-clonic, tonic, clonic seizure)

뇌전증의 가장 대표적인 경련 형태로 처음부터 양측 뇌반구에서 경련이 발생하며, 발작파 또한 양측 뇌에서 동시에 발생한다. 뇌전증모양 활성은 극파, 예파, 극서파 복합체 등이 전신성으로 나타날 수 있으며(그림 6-14, 15, 17, 21). 어린 소아의 경우 후두부에서 우세하게 관찰되나, 성숙함에 따라 전두부에서 전형적인 뇌전증모양 활성파가 관찰된다. NREM 수면에서 뇌전증모양 활성파는 짧지만 자주 관찰되며, REM 수면기에서는 소실되는 경우가 많다. 과호흡자극에 전형적인 뇌전증모양 활성 소견을 보일 수 있으며, 광과민성이 자주 동반된다. 다발극파가 동반된 경우 좀 더 근간대 뇌전증이나 무긴장 뇌전증과 관련성을 고려해야 한다.

② **소발작 뇌전증**(absence seizure)

소발작 뇌전증은 10세를 기준으로 소아기 소발작 뇌전증과 청소년 소발작 뇌전증으로 구별하는데, 후두부에서 반복적인 서파를 보일 수 있으나 대부분 정상적인 배경파를 보인다. 발작 시 수초에서 수십 초 사이, 보통 5-10초 정도의 2.5-3.5 Hz 전반 극서파 복합체가 관찰된다. 전반 극서파 복합체는 전두엽에서 더 큰 고진폭을 보이며 경련이 길어지거나 수면 중에는 2.5-3 Hz로 관찰된다(그림 6-15).

전형적인 3 Hz 전반 극서파 복합체는 각성기 과호흡, 알카리혈증 등에 의해 쉽게 유발되며, 15-20%에서는 광과민성이 동반된다. 하지만 수면 중이나, 연령이 많은 경우 비전형적인 다극서파 복합이 관찰되며, 파형이 짧거나, 불규칙하게 발생할 수 있다(그림 6-22). 3 Hz 전반 극서파 복합체가 전형적인 소발작뇌전증 때보다 다소 길게(10-60초) 관찰되면 근간대 소발작 뇌전증을 고려해야한다.

③ **청소년 근간대 뇌전증**(juvenile myoclonic epilepsy of Janz)

청소년 근간대 뇌전증은 10대 중반이후 청소년에서 발생하기 시작하며 근간대 발작(myoclonic jerk)이 선행되고, 전신강직간대 발작이 동반되는 뇌전증증후군이다. 근간대 발작은 주로 아침에 발생하며, 특히 상지에서 호발한다. 반복적으로는 발생하지 않아 대부분 자세균형을 잃지는 않고 단순히 들고 있던 물건을 떨어뜨리는 정도가 흔하다. 뇌파는 비교적 정상 배경파를 보이면서 근간대 발작과 일치하는 10-16 Hz의 전신적인 불규칙 다극파에 1-3 Hz의 서파가 동반된다(그림 6-14). 다극서파는 전두엽-중심 부위에서 가장 고진폭으로 관찰되며 1-2초 정도 지속된다. 대부분 인지력과 신경학적 이상 없이 정상생활을 한다.

④ **Doose 증후군**(myoclonic-astatic epilepsy, Doose syndrome)

정상 발달 소아에서 1-5세경부터 발생되며 근간대 발작-불안정 발작을 주 증상으로 보이는 뇌전증증후군이다.

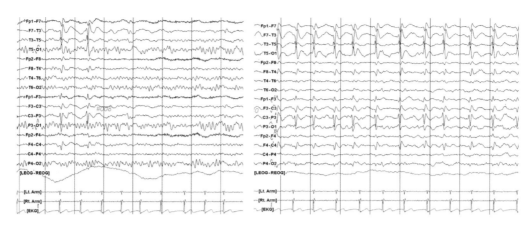

■ 그림 6-23. Normal background activity with high voltage biphasic sharp waves on the left centrotemporal area, more abundant during sleep in Benign childhood epilepsy with centrotemporal spikes.

경련 양상은 머리나 상체에서 jerking 움직임을 보이다 근 긴장도가 떨어지면서 고개를 떨어뜨리거나 쓰러지게 된 다. 강한 유전 성향을 가지며 뇌전증 환자의 1-2% 정도를 차지한다. 소발작, 전신강직간대 발작을 보일 수 있으나 부 분발작이나 비정형적인 소발작은 드물어 Lennox-Gastaut 증후군과 감별이 필요하다. 뇌파는 급성기는 양측 관자부 에서 율동성 서파를 보이다, 2-3 Hz의 전신극서파, 다극서 파, 극파 또는 hypsarrhythmia-like 형태를 보이며 회복기에 는 전신 세타 서파를 보인다.

(2) 부분 뇌전증의 뇌파 특성

부분 뇌전증 진단에 가장 중요한 요소는 극파, 예파, 혹 은 극서파 복합체 등 뇌전증모양 활성파가 뇌의 일부에서 시작되는 것을 확인하는 것이다. 간헐적 율동성 활동파, 주 기 편측 뇌전증모양 방전, 국소 부위 쇠퇴나 서파 증가, 진 폭 비대칭성 등을 보이는 경우에서도 뇌경색, 뇌출혈, 뇌염 등은 물론 부분 뇌전증 진단에도 진단적 가치가 높다.

극파는 단극 몽타주에서는 음전위 정도가 가장 높은 부 위, 쌍극 몽타주에서는 위상역전되는 부위를 병소로 판단 한다. 기준전극의 활성화를 방지하기 위하여 뇌전증 추정 병소에서 먼 곳을 기준전극으로 사용하는 것이 좋다. 신경 세포 이주장애와 같은 심각한 뇌 기저병변이 있는 경우 극 파 발생빈도가 매우 빈번하다. 반면 고전압의 이상 극파 (biphasic sharp wave)가 각성기 때보다 수면기에 발생증가 를 보이면 예후가 좋은 양성 뇌전증증후군으로 추정할 수

있다. 전두엽에서 발생하는 경우 흔하게 좌우 동조화가 빠 르게 이뤄지기 때문에 병소부위 결정에 신중한 판단이 필 요하다.

① 중심-측두부 극파를 동반한 양성 소아 뇌전증(benign partial epilepsy with centrotemporal spikes, BECTS).

흔히 양성 Rolando 뇌전증(Benign rolandic epilepsy, BRE)라 일컬어지며 3-4세부터 발생하여 15-16세 사이에 대부분 경련이 소실된다. 대부분 정상 인지발달을 보이나 일부 언어발달이나 ADHD 증상이 동반되는 경우도 있 다. 경련은 대부분 30분 이내의 경수면기에 소리를 내면서 (vocalization) 시작되며, 한쪽 얼굴 특히 입 주변에서 경련 이 발생하게 된다. 뇌파는 정상 배경파를 가지며, 주로 일 측, 또는 양측 중심-측두부에 고진폭 이상성 예파가 독립적 으로 발생하며, 많은 경우 전두부에 쌍극자근원(horizontal dipole)이 형성된다. 수면 중에 예파 발생빈도가 크게 악화 되나, 각성기에는 정상소견을 보이는 경우도 있어 진단 시 수면기 뇌파가 반드시 포함되어야 한다(그림 6-23). 예후가 불량한 Landau-Kleffner증후군처럼 비슷한 유형의 뇌파를 보이는 경우도 있다.

② Panayiotopoulos 증후군

4-5세부터 10대 중반 연령에서 잘 발병하는 뇌전증증 후군으로 창백, 구역, 구토 동반 등 자율신경계 증상, 위장 관계 증상, 심정지 등 심호흡계 이상 증상 동반이 많다. 야

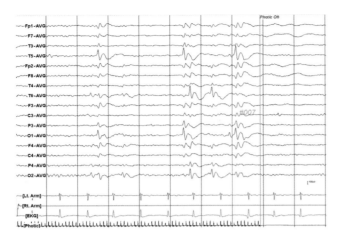

■ 그림 6-24. High voltage biphasic sharp waves on the both side occipitotemporal area (450 μV).

간 경련 발생이 많고, 안구편위나 편측 경련 소견을 보인다. 뇌 MRI 등은 대부분 정상이나 뇌파검사에서 90% 이상 후두부 우세의 국소, 혹은 다발극파가 관찰된다(Fig. 16). 추적 뇌파에서 약 20%에서 중심-측두부 극파를 동반한 양성 소아 뇌전증 등 다른 유형의 뇌전증으로 변할 수 있다.

③ Gastaut형 특발 소아 후두엽 뇌전증(Late-onset occipital lobe epilepsy, Gastaut type)

소아청소년기에서 볼 수 있으며 경련은 시각 증상으로 시작하여 편측 경련으로 진행되며 대부분 두통이 심하게 동반된다. 뇌파에서 고진폭 극파 및 3 Hz 미만의 극서파 복합체가 한쪽 혹은 양쪽 후두부에서 관찰된다(그림 6-24).

(3) 기타 뇌전증

① 영아연축(West syndrome, infantile spasm)

영아연축은 특징적인 고진폭부정뇌파를 보인다. 일측성거대뇌증(Hemimegalencephaly) 같이 한쪽 뇌 반구에 병변이 국한된 경우 비대칭적 고진폭부정뇌파(modified hypsarrhythmia)를 보일 수 있다. 생후 수개월에서 1세 사이에 많이 발생된다. 대부분 영아연축 환자에서 고진폭부정뇌파 형태를 보이지만, 질병 초기에는 경수면기에만 고진폭부정뇌파가 관찰되고, 전형적인 Pseudoperiodic discontinuous 양상의 고부정뇌파는 NREM 시기에 잘 발생

하므로 환자의 수면시점을 고려해서 뇌파를 판독해야한다(그림 6-20).

② Lennox-Gastaut 증후군

Lennox-Gastaut 증후군은 강직발작, 비정형 소발작, 무긴장발작, 근간대발작 등 여러 종류의 발작 형태가 복합적으로 나타나며, 비정상적인 신경학적인 소견과 정신발달 퇴행을 보인다. 대부분 뇌병변을 가지고 있으며, 3-7세 소아에서 발병이 시작되고 흔히 부분발작, 영아연축 환자에서 이행된다. 배경파는 비조직화 되어있으며, 특징적으로 2.5 Hz 이하의 전반 극서파 복합체 형태나(그림 6-16), 전신 돌발속파 형태를 보인다(그림 6-19).

③ Landau-Kleffner 증후군

정상 발육하다 4세에서 10세 사이에 발병이 시작된다. 사춘기 이후에는 서서히 언어능력이 회복되기도 하지만 경련과 더불어 실어증, 청력인지불능 등 언어장애가 지속되고, 진행성으로 인지력 감퇴에 의한 심각한 지적장애를 초래하게 된다. 질병 초기 뇌파검사에서는 부분, 또는 전신 극서파가 중심-측두부 극파를 동반한 양성 소아 뇌전증과 유사한 형태의 측두-중심부 극,예파를 보인다. 중심-측두부 극파를 동반한 양성 소아 뇌전증과는 달리 뇌파 이상이 지속되며, 수면 중에 악화되고 특히 우성 관자엽에 심한 뇌전증모양 활성파를 보이는 전기적인 뇌전증지속 상

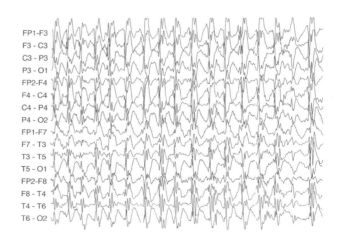

■ 그림 6-25. Electrical status epilepticus during slow wave sleep (ESES) in Landau-Kleffner syndrome.

태(continuous spike-wave during sleep, electrical status epilepticus during slow wave sleep; CSWS, ESES)를 보인다(그림 6-25). ESES는 NREM 수면에서는 매우 심하게 발생하나, REM 수면에서는 소실된다. 질병의 정도가 심하지 않은 경우에는 ESES가 없이 우성 반구의 뒤관자엽 부위에서 뇌전증모양 활성만 나타날 수 있다.

(4) 열성경련

열성경련 환자의 뇌파 소견은 뇌파검사를 시행한 시점에 따라 다른 양상을 볼 수 있어 판단에 신중을 기해야 한다. 1) 발작기(ictal phase)에 검사: 강직기간이 짧고, 간대발작 시는 전신간질과 유사하게 전반적인 극파가 군발적으로 나타난다, 2) 발작 후 초기(0-48 hours): 대부분 전반적인 서파, 또는 뒤통수엽에서 서파를 보인다. 짧은 열성경련일 때는 정상소견을 보이기도 한다. 전신경련 뒤에도 부분적인 서파가 보일 수 있는데 이는 부분발작 가능성을 시사한다, 3) 발작 후 후기(2 days-3 weeks): 모든 서파는 소실되어야 하며, 서파가 지속되는 경우에는 경련에 의한 뇌 손상 또는 다른 기저질환 동반을 고려해야한다.

6) 유발검사법

뇌파는 뇌 상태에 따라 변하기 때문에 뇌전증 환자에서도 환자가 충분히 안정을 취하거나 특정한 수면-각성 일부에서만 검사가 실시되면 정상처럼 보일 수 있다. 따라서 여러 자극을 통하여 뇌파의 이상발현을 높이는 방법이 필요하다. 이러한 자극방법을 유발검사법이라 하며 과호흡, 광자극, 수면 박탈 등의 방법이 임상에서 흔히 이용된다.

(1) 과호흡 유발검사(hyperventilation)

눈을 감은 상태에서 20-30회/분 정도의 깊은 호흡으로 약 3분간 실시한다. 소발작은 물론 부분 뇌전증 진단에서도 이용될 수 있다. 소아에서는 성인과는 다르게 과호흡 시 고진폭 서파의 군발파가 발생하는데 이를 build-up 현상이라고 한다. build-up 현상은 소아청소년환자에서 잘 발생하며, 과호흡을 멈추면 보통 60초 이내에 정상 배경파로 되돌아간다. 과호흡을 멈춘 뒤 build-up 현상이 1분 이상 지속(prolonged build-up)되거나 좌우 비대칭을 보이는 경우 비정상으로 판독할 수 있다. 정상 배경파로 이행 후 다시 서

파의 군발파가 나타나는 경우를 rebuild-up 현상이라 하는데, 이때도 비정상으로 간주하며 모야모야병 등의 뇌혈관 질환을 의심할 수 있다. 소발작이 의심스러운 경우, 2차례에 걸친 과호흡 유발검사 시도에도 음성인 경우는 임상적으로 소발작 진단을 제외할 수도 있다. 부분발작의 경우에도 약 5분 정도 과호흡을 지속하면 부분 뇌전증파 활동이 증가될 수 있다.

과호흡 유발검사는 어지러움과 혼미 등을 초래할 수 있으며 심한 심장질환이나 뇌출혈이나 뇌혈관질환이 있는 경우에는 추천되지 않는다. 과호흡에 의한 서파 유발이 혈중 혈당이 120 mg/dL 이상 일 때는 억제될 수 있고, 80 mg/dL 미만인 경우는 더 쉽게 유발될 수 있다.

(2) 빛자극 유발검사(photic stimulation)

빛자극 유발검사는 수면 또는 각성상태, 눈을 뜨거나 감은 상태에서 시행할 수 있는 검사방법으로 광과민성 뇌전증이나 일부 퇴행성질환의 진단에 중요한 역할을 한다.

알파영역대 붉은빛 자극이 가장 뚜렷하게 빛자극 반응을 유발한다. 광과민성 뇌전증환자나 neuronal ceroid lipofuscinosis 같은 질환이 의심스러울 때는 반드시 저주파수 즉, 2 Hz부터 시작하여 모든 주파수대를 시행하도록 추천하고 있다. 빛자극에 따른 뇌파반응은 (1) 광구동반응(Photic driving response): 빛자극에 따라 후두엽에 빛자극 주파수에 일치(Harmonic)하거나 낮게(subharmonic) 양전위 단상파형이 보이는데 이를 광구동반응이라 한다. 좌우 비대칭 반응을 보이는 경우에는 광구동반응이 나타나지 않은 쪽을 이상으로 판단한다(그림 6-26). (2) photomyoclonic

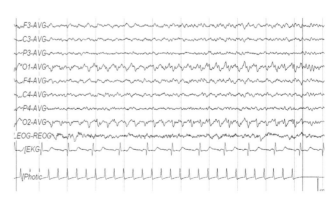

■ 그림 6-26. Photic driving responses on 3 Hz (Harmonic response).

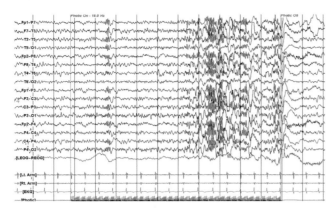

■ 그림 6-27. Photoparoxysmal responses during photic stimuli (18 Hz).

response: 빛자극으로 안면근육 수축이 발생할 수 있는데, 안면근육 수축에 의한 잡파로 전두부에서 관찰된다. (3) photoparoxysmal response: 빛자극 시 뇌전증모양 활성파가 발생되는 경우로 청소년기 연령에서 잘 나타난다. 10-15% 정상인에서도 나타날 수 있다(그림 6-27). (4) 빛자극 시 뇌전증모양 활성파 발생은 물론 실제 경련이 유발되는 경우를 광과민성 뇌전증이라 한다.

(3) 수면박탈에 의한 수면 유발검사(Sleep deprivation)

수면기 또는 각성기에 따라 뇌전증모양 활성파 형태나 빈도가 변하고, 환자의 전신상태에 따라 뇌전증모양 활성파의 발생빈도가 달라질 수 있다. 따라서 뇌파검사 시 수면-각성기를 고려하지 않으면 뇌전증 진단에 혼선이 올 수 있다. 정확한 뇌파검사를 위해서는 각성기와 경수면기를 포함하는 뇌파가 필요하다. 실제 뇌전증모양 활성파 발생을 높이기 위해서 수면을 제한한 뒤 각성뇌파로 시작하여 자연수면을 유도하는 방법이 가장 이상적인 뇌파검사방법이다. 대부분 뇌전증모양 활성파 발생은 수면제한 자극에 민감하며 환자의 수면상태에 따라 뇌파에 많은 차이점이 관찰된다. 특히 중심-측두부 극파를 동반한 양성 소아 뇌전증인 경우 각성기 뇌파는 때로 정상으로도 나타날 수도 있지만, 수면기에는 많은 양의 극, 예파를 관찰할 수 있다(그림 6-23). 반면 소발작인 경우 각성기 뇌파 시 전형적인 3Hz spike wave complex를 나타내지만 수면상태에서는 파형이 느려져 오히려 비정형 소발작을 의심하는 소견이 관찰될 수 있다(그림 6-22).

7) 잡파(artifacts)

뇌파를 검사하는 동안 뇌 활동 이외의 원인에 의하여 기록되는 모든 전기적인 활동을 잡파라고하며, 신체적인 잡파 및 비신체적인 잡파로 구별된다. 신체적인 원인으로는 근전도, 심전도, 맥박, 안구운동, 몸의 움직임, 호흡, 발한 등에 의한 피부반응 등이 있으며, 비신체적인 원인으로는 전극의 접촉 불량, 정전기, 환자 주변 기계의 잡음 혼입 등이 있다. 이중 심전도, 근육운동, 안구운동에 의한 잡파가 가장 많이 발견된다. 뇌파는 심전도와는 다르게 뇌파는 매우 낮은 전위를 증폭하여 기록하기 때문에 정확한 뇌파 판독을 위해서는 잡파의 발생을 억제하고 뇌파 판독 시 잡파를 가려내는 일 또한 매우 중요하다.

4. 뇌전증 뇌영상검사

지난 수십여년 동안 뇌영상검사 분야는 눈부신 발전을 해왔으며 이와 함께 뇌전증의 발생기전에 대한 유전학적, 발생학적 이해가 깊어지게 되면서 뇌영상검사는 뇌전증의 진단과 치료에 있어 중요한 역할을 하는 분야로서 자리 매김하게 되었다. 이는 2017년 새로 개정된 ILAE 뇌전증의 분류에도 반영되어 뇌영상검사에 기반한 해부학적 원인이 뇌전증의 분류에 중요하게 고려되고 있다. 흔히 사용되는 뇌전증에서의 영상검사는 해부학적 검사인 전산화 단층촬영(Computed tomography, CT) 과 자기공명영상(Magnetic resonance imaging, MRI)이 대표적이며 기능검사로서 핵의학검사인 양전자방출 단층촬영(Positron emission tomography, PET)과 단일광자 단층촬영(Single photon emission computed tomography)이 있고, 그 외에 기능적 자기공명영상(Functional MRI, fMRI)을 들 수 있다.

1) 검사종류 및 특징

(1) 전산화 단층촬영(CT)

CT는 MRI에 비해 비용이 저렴하고, 널리 보급되어 있으며, 소아에서 약물을 이용한 진정이 필요하지 않다는 점에서 장점이 있다. 또한 CT는 선천성 감염(congenital in-fection)에서 흔히 관찰되는 뇌내 석회화(intracranial calcification)나 뇌내 출혈(intracranial hemorrhage)를 감별해 내는 데에 MRI에 비하여 뛰어난 점이 있으나, 뇌기형(cortical malformation), 크기가 작은 뇌내 종양 혹은 동정맥기형(arteriovenous malformation, AVM)을 감별하는 데에는 MRI에 비하여 효율이 떨어져 소아 뇌전증에서 원인 감별을 위한 기여도는 크지 않다. 그러나 앞서 언급한 장점에 힘입어 응급의료환경에서 새로 진단된 경련 환자의 초기 선별 검사로서 많이 이용되고 있다. 특히, 응급실로 내원한 새로 발생한 경련 환자에서 국소 신경증상이 있거나, 경련 후 의식회복이 잘 되지 않는 경우, 외상이나 두통이 동반된 경우, 종양의 가능성이 있거나, 항응고제 사용 혹은 혈액응고 질환이 동반되어 뇌내 출혈의 가능성이 높은 경우, 뇌실복강 지름(ventriculoperitoneal shunt)을 가지고 있는 경우, 감염질환의 가능성이 높은 경우에는 CT 검사를 통해 뇌전증의 원인을 감별하여 신속한 치료에 도움을 줄 수 있다.

(2) 자기공명영상(MRI)

일반적으로 뇌전증 환자에서의 MRI 검사는 CT 검사에 비해 그 민감도와 유용성이 훨씬 높다. 그러나 첫 비열성경련(unprovoked seizure) 후 치료 방향 및 예후에 영향을 미치는 유의미한 이상결과는 약 2%에 그친다는 MRI 검사의 한계를 지적한 연구 결과도 있다. 응급 영상검사가 필요한 일부 경우 외에 환자가 유의한 발달지연을 보이거나 신경학적 검사상 이상이 발견되거나, 뇌파검사상 양성 뇌전증증후군으로 진단되기 어려운 경우, 혹은 1세 이하의 영아인 경우에 MRI 검사가 좀 더 의미 있는 결과를 보일 수 있다. 최근 널리 도입된 고자장 자기공명 스캐너인 3 Tesla MRI는 빠른 시간에 고해상도의 이미지를 제공하여 특히 피질이형성증의 진단율을 높이게 되어, 뇌전증 환자에서 원인감별을 위한 영상검사의 표준으로 권고되고 있다. 특히, 뇌전증 수술에서 MRI에서의 이상 여부는 매우 중요한 수술치료 결과 예후의 척도가 된다. MRI를 통하여 얻을 수 있는 장점이 많이 있으나, 또한 그 한계도 분명하여, 이를 극복하기 위하여 여러 검사방법을 통한 입체적인 접근(multimodality) 및 자기공명분광법(magnetic resonance spectroscopy, MRS)이나 자기뇌파검사법(Magnetoelectrography, MEG)같은 MRI에 기반을 둔 새로운 다른 검사 방법들에 대한 연구 또한 활발하게 이루어지고 있다.

(3) 양전자방출단층촬영(PET)

PET은 분자영상기술(molecular imaging technique)의 하나로서 방사성 동위원소를 부착한 추적원소(radiolabeled tracer)를 인체 내에 주입하여 이를 이용하여 신경세포의 에너지대사(energy metabolism)를 측정하는 기능적 영상검사의 한가지이다. 첫 인체에 대한 연구는 1977년에 18-F-fluorodeoxuglucose (FDG)를 이용하여 시작되었으며, 1982년 엥겔 등에 의해 측두엽 뇌전증 환자에서 발작간기 18FDG-PET 영상에서의 에너지 대사 감소가 처음 발표된 이후 현재는 난치성 뇌전증 환자의 수술전 검사로서 널리 이용되고 있다. FDG-PET은 특히 측두엽 뇌전증 환자의 발작 발생부위의 감별에 높은 민감도(sensitivity)를 보이는 것으로 알려져 있다. FDG는 체내에서 포도당 유사체(glucose analogue)로 작용하여 뇌혈관을 통하여 신경세포에 흡수된 후 Kreb cycle을 통해 바로 대사되지 않고 양전자를 방출하여 이를 통해 이미지를 얻게 된다. 때문에 환자는 검사 6시간 전부터 금식하고 당분이 들어 있는 주사제나 음료 등을 피하여 검사 결과의 효율을 높여야 한다. 환자는 FDG 체내 주입 후 30-45분 후에 이미지를 촬영하여 결과를 얻게 된다. PET은 에너지 대사를 측정하는 방법이므로 그 결과가 동적이다. 발작 후 신경세포의 당대사율은 낮은 상태로 수시간 동안 유지되며, 발작간기 소견(interictal PET)과는 달리 발작 중에 얻어진 이미지(ictal PET)는 반대로 에너지대사가 증가된 소견을 보이기 때문에 마지막 발작이 언제였는지, 발작의 횟수가 얼마나 자주 인지 등의 기본적인 병력조사 및 촬영 시 뇌파 모니터링을 통한 발작간기 뇌파소견(interictal EEG)은 검사 해석에 매우 중요한 단서가 될 수 있다. 또한 사용하고 있는 항경련제의 종류 역시 PET 결과에 영향을 미치기도 한다.

CT나 MRI와 영상을 결합하여 공간분해능(spatial resolution)을 높이기 위한 방법으로 PET-CT나 PET-MRI가 이용되기도 한다. 또한 육안으로 식별이 어려운 에너지 대사 감소를 감별하기 위해 정량적인 분석(statistical parametric mapping, SPM)이 시도되기도 한다. 최근에는 뇌전증 수술 분야에서 기존에 많이 이용되고 있는 FDG 이외에도 감마아미노부티릭산(gamma amino-butyric acid, GABA) 수

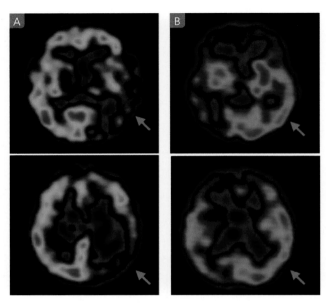

■ 그림 6-28. 단일광자단층촬영(SPECT). 발작간기에 흡수 감소되었던 부분이(빨간 화살표, A), 발작 중에 흡수 증가된 모습이 보인다(빨간 화살표, B).

용체에 작용하는 플루마제닐(flumazenil)이나 세로토닌 합성 메커니즘에 작용하는 알파메틸엘트립토판(alpha-[11C] Methyl-L-tryptophan, AMT) 등에 대한 연구도 이루어지고 있다.

(4) 단일광자단층촬영(SPECT)

SPECT는 발작 중에 국소적으로 혈류량이 증가한다는 소견에 근거를 두고, 발작 전후의 국소 혈류량의 변화를 측정하여 국소경련에서의 발작초점(epileptic focus)을 찾아내는 기능적 뇌영상 검사방법이다(그림 6-28). 흔히 이용되는 추척원소로 99mTc-hexamethylpropylene amine oxime (Tc-HMPAO)와 99mTc-bicisate (Tc-ECD)의 두 가지가 알려져 있다. 방사성 추적원소들은 체내에 주입된 후 약 2분 후 가장 높은 흡수율을 보이며, 이상적으로 주입되었을 경우, 주입 후 약 1분여간의 뇌 혈류량의 변화를 대략적으로 보여주게 되는데, 이러한 시간적인 차이로 말미암아 일부 검사결과는 발작초점보다는 발작 후 전파경로(seizure propagation)를 보여주는 경우도 있어, 주사제의 투입시기 및 발작의 특성이 검사 성공의 중요한 요소가 된다. 따라서 SPECT 검사는 그 특성상 환자의 가족들과 보호자, 가능한 경우 환자 본인의 검사에 대한 충분한 이해가 전제되어야

하며, 정해진 검사 기간 내에 주사제를 주입할 수 있는 보호자 혹은 의료인이 경련의 시작시 바로 주사제를 주입할 수 있는 거리에서 대기할 수 있어야 한다.

(5) 기능적 자기공명영상(fMRI)

fMRI는 기능하는 뇌 부위에 국소 혈류량이 증가한다는 사실을 기반으로하여 BOLD (blood oxygen-labeled dependent) 효과를 측정하는 방법이다. 뇌세포는 기능을 하지 않는 때(resting state)에 비하여 기능을 하는 때(activated state) 산화헤모글로빈(oxygenated hemoglobin) 대 탈산소헤모글로빈(deoxyhemoglobin)의 비율이 증가하게 되는데 이러한 변화가 T2 영상에서 관찰될 수 있다. 이러한 기전을 통하여 뇌전증 수술전 검사시 주요 기능 겉질(eloquent cortex)을 확인하여 보존하는 데에 역할을 한다.

2) 대표적인 몇 가지 뇌전증증후군과 관련된 영상검사 소견

(1) 해마경화증(hippocampalsclerosis)과 측두엽 뇌전증(temporal lobe epilepsy)

해마경화증은 난치성 뇌전증으로 수술받는 환자에서 가장 흔한 원인 중의 하나이다. 정상적인 편도체(amygdala)와 해마는 다른 회백질(gray matter)과 동일한 신호강도를 보이며, FLAIR 영상에서만 해마가 회백질에 비해 약간 증가된 신호강도를 보인다. 해마경화증에서의 가장 중요한 소견은 해마위축(atrophy) 및 T2 영상에서의 증가된 신호강도 소견이다(그림 6-29). 다른 소견으로는 해마 머리 부분의 돌기 감소(loss of digitation in hippocampal head)와 측뇌실의 측두엽뿔 부분의 확장(widening of temporal horn of lateral ventricle) 등이 있다. 간혹 동측 측두엽의 백질 신호강도 증가와 뇌궁(fornix), 유선체(mammillary body) 위축이 동반되는 경우도 있다. 측두엽 뇌전증에서의 FDG-PET의 유용성은 널리 알려져 있으며, FDG-PET의 발작간기 소견으로는 한쪽 측두엽의 에너지 대사 감소 혹은 비대칭적인 양측 측두엽 에너지 대사 감소(병인이 되는 쪽에서 더 심한 에너지 대사 감소 소견) 소견이 보일 수 있다. 이러한 PET 소견은 정량적인 분석이 추가되는 경우 일부에서는 90% 정확성을 보고하기도 하여 필요한 경우 PET은 측

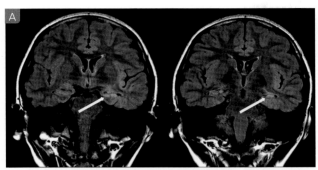

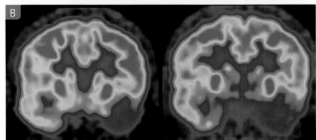

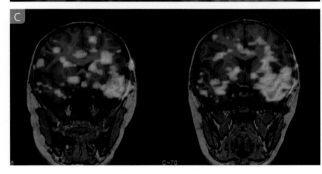

■ 그림 6-29. 내측두엽 뇌전증 환자의 MRI, PET, SPECT 소견
(A) FLAIR 영상에서 좌측 해마의 위축 및 신호증강이 관찰된다(화살표). (B) FDG-PET 영상에서 좌측 측두엽의 대사저하가 관찰된다. (C) SISCOM (subtracted ictal SPECT co-registered to MRI) 영상에서 좌측 측두엽의 혈류량 증가가 관찰된다.

두엽 환자의 수술전 검사로서 유용하게 사용될 수 있다.

(2) 피질이형성 장애(focal cortical dysplasia) 및 반구거대증(hemi-megalencephaly)

피질이형성 장애는 정상적인 겉질의 6개 층이 형성되지 못한 여러 형태의 발생학적 장애를 전체적으로 포괄하는 용어로서, MRI 소견은 이형성 장애의 종류에 따라 여러 가지 다양한 소견을 보인다. 여기에는 부분적 겉질 두께의 증가, 혹은 뇌실 내로의 비정상적 회백질 연장, 뇌이랑의 단순화(simplified gyration), 회백질-백질 번짐(gray-white

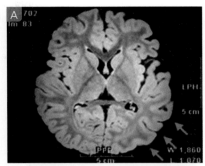

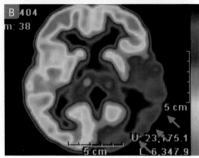

■ 그림 6-30. 피질이형성증. 뇌이랑 단순화 및 회백질-백질 번짐 소견이 FLAIR 영상에서 확인되며(빨간 화살표, A), 동일 부위에 감소된 에너지 대사율이 FDG-PET에서 확인된다(빨간 화살표, B). 이 환자는 수술 후 피질이형성증 type IA로 분류되었다.

border blurring) 혹은 직선화(rectilineal boundary of gray-white matter) 등의 미세한 소견이 포함된다(그림 6-30). 많은 경우에서 T2 영상이나 FLAIR 영상이 T1에 비하여 발견에 효율적인 것으로 알려져 있다. 일부 뇌전증 수술에 대한 연구에서는 수술전 정상 MRI 결과를 보였던 환자에서 약 50%에 달하는 환자에서 수술 후 조직학검사에서 피질이형성 장애가 발견되었다는 결과도 있다. 반구거대증은 광범위하고 심한 피질이형성으로 인하여 비정상 반구의 크기가 정상인 반대편 반구에 비해 그 크기가 비대칭적으로 커져있는 병적 상태를 의미한다. FDG-PET에서는 특징적으로 한쪽 반구의 전반적인 에너지대사 저하 소견이 보이지만, 많은 수의 반구거대증 환자가 난치성 뇌전증을 가지고 있어, 오히려 병적 반구에 에너지대사가 증가된 발작기 PET 소견을 보이는 경우가 적지 않게 관찰되기도 한다. 이러한 반구거대증은 단일신경학적 질환뿐 아니라 다른 피부 및 신경학적 진찰상의 이상소견을 동반하는 증후군으로 표현되는 경우도 있어 철저한 신경학적 검사가 함께 요구된다.

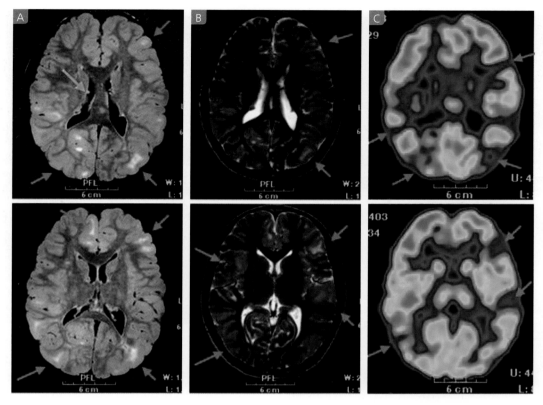

■ 그림 6-31. 결절경화증

다수의 결절이 T2(A) 및 FLAIR 영상(B)에서 신호증강으로 확인되며, 같은 부위에서 FDG-PET에서 에너지 대사 감소가 확인된다(빨간 화살표). 또한 뇌실막 및 과오종이 MRI 이미지에서 관찰된다(녹색 화살표, A).

(3) 결절경화증(tuberous sclerosis complex)

결절경화증은 과오종을 형성하는 유전적 변이를 원인으로 하여 여러 장기를 침범하는 상염색체 우성의 유전질환이다. 특징적인 뇌내 질환으로는 뇌결절(cortical tuber), 뇌실막밑 과오종 및 뇌실막밑 거대세포별아교종(subependymal giant cell astrocytoma) 등이 있다. 뇌겉질 결절(cortical tuber)은 다양한 크기의 비교적 둥근 모양의 병변으로 T1에서 신호감소, T2와 FLAIR 영상에서 신호증강으로 나타나며, 대개 겉질과 겉질밑 조직의 경계에서 주로 관찰된다. 이러한 결절은 조직학적으로는 피질이형성 장애 type 2와 유사한 소견을 보인다(그림 6-31). FDG-PET은 MRI상에서 발견되기 어려운 작은 크기의 결절을 발견해낼 수 있다는 이점이 있지만, 경련의 원인이 되는 결절과 경련의 원인이 되지 않는 결절을 구별해내는 데에는 도움이 되지 못하며, 또한 MRI상에서 해부학적으로 보이는 결절에 비하여 더 넓은 범위의 에너지 대사 감소 소견을 보이는 경향이

있다. 뇌실막밑 과오종은 뇌실벽을 따라 발생하며, 수초화 과정(myelination) 중 MRI상 주변의 백질과 비슷한 신호강도를 보이게 되며 석회화가 발생하는 경우도 있다. 뇌실막밑 과오종과 거대세포별아교종은 서로 병리학적 연장선상에 있는 소견으로서, 과오종의 크기가 커지면서 조영제에 의하여 조영증상이 되는 경우에는 거대세포별아교종을 강력하게 의심해 볼 수 있다. 거대세포별아교종의 경우 수두증(hydrocephalus)를 유발할 가능성이 있는 몬로 구멍(foramen Monro) 근처에 위치하는 경우가 흔하므로, 임상적인 증상과의 연관성 여부를 고려하는 것은 매우 중요하다 하겠다(그림 6-32).

3) 뇌영상검사의 미래

뇌전증에서 영상검사는 원인감별 및 치료에 매우 중요한 역할을 하고 있으나, 각각의 검사 방법이 가진 한계를 극복하기 위하여 여러 방법을 보완하여 함께 사용하는 복

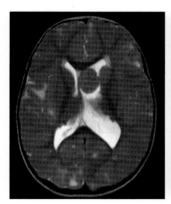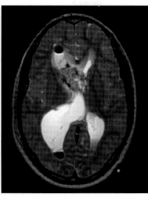

■ 그림 6-32. 뇌실막밑 거대세포별아교종. 결절경화증 환자에서 뇌실막밑 거대세포별아교종으로 인하여 수두증이 발생하여 확장된 측뇌실이 관찰된다.

합영상화(multimodal imaging)가 시도되고 있으며, 더 나아가 두개강내 뇌파(intracranial EEG)와 매핑(intracranial mapping)을 통한 정보를 더하여 기존의 기능적/해부학적 정보에 신경생리학적 정보까지 아울러 분석하려는 시도도 이루어지고 있다. 또한 비교적 새로운 개념인 휴지기 기능적 연결성(resting state functional connectivity)을 뇌전증 환자에 응용하여 뇌전증이 뇌기능에 미치는 영향 및 예후 등에 대한 연구도 활발히 이루어지고 있다. 이러한 새로운 시도들을 통하여 얻어진 뇌전증의 기능적, 해부학적, 신경생리학적 기전에 대한 진보된 이해가 향후 뇌전증의 치료와 예후를 향상시킬 수 있기를 기대한다.

04

뇌전증 발작과 뇌전증증후군

Epileptic Seizures and Epilepsy Syndromes

| 강훈철, 김동욱, 유일한, 이창우 |

특히 소아 연령은 이러한 다양한 뇌전증 종류들의 대부분이 출현하는 시기이다.

이 장에서는 소아 뇌전증의 분류 역사와 기본 개념 그리고 다양한 뇌전증의 종류들을 살펴보고자 한다.

1. 뇌전증 발작의 분류

뇌전증과 발작(seizure) 그리고 뇌전증증후군(epileptic syndrome)에 대한 분류는 환자의 증상을 명확하게 정의하고, 의료인 간의 의사소통을 명확하게 하고, 치료에 이용하고자 개발되어 왔다.

1) 뇌전증 관련 용어

뇌전증은 유발요인 없이 자발적으로 발생하는 반복적인 발작을 특징으로하는 병적 상태를 의미하며, 2014년 국제뇌전증연맹(International League Against Epilepsy, 이하 ILAE) 정의에서는 첫 번째 발작이라도 발작이 반복될 확률이 60% 이상 또는 뇌전증증후군으로 구분 가능할 경우도 포함하였다. 한편 국내에서는 기존에 사용되던 간질(癎疾)이라는 용어가 정신질환을 연상하게 하는 사회적 낙인을 해소하고자, 2011년 뇌 전기적 장애(cerebro-electric disorder)라는 의미의 뇌전증으로 개명하였다. 발작 혹은 뇌전증 발작(epileptic seizure)이란 신경세포의 과도한 비

정상적인 흥분이 뇌의 일정 부위 혹은 광범위한 부위에서 발생하고 전파되어 발생하는 증상의 발현이다. 이 중 경련(convulsion)은 크고 확연한 반복적인 운동 증상을 주 소견으로 하는 발작을 가리키고, 운동 증상이 보이지 않는 발작은 비경련성 발작(nonconvulsive seizure)이라 한다. 하지만 경련은 의학용어에서 배제되었고 운동(motor)과 비운동(nonmotor)으로 대체되었는데, 뇌전증지속증(status epilepticus)의 구분에서는 여전히 비경련성 발작 용어가 사용되고 있다.

전구 증상(prodrome)은 뇌전증 발작이 있기 전 기분의 변화나 행동의 변화가 선행되는 것을 의미하며, 전조(aura)는 일반적으로 발작 직전 선행하여 나타나는 주관적인 감각 또는 운동 현상을 말하며, 뇌전증파의 시작과 일치하여 뇌전증 발작의 실제적 초기 증상으로 간주된다. 발작 후 현상(postictal phenomenon)은 발작 후 상당 기간 지속되는 뇌기능저하 상태로 인해 나타나는 증상들로, 발작 후 마비(postictal palsy) 혹은 발작 후 혼돈(postictal confusion) 등이 있다.

뇌전증증후군은 뇌전증과 관련되어 나타나는 일련의 증상과 징후의 집합을 말한다. 뇌전증증후군은 임상적 소견(발병 나이와 유발요인을 포함한 병력, 발작의 형태, 발작 재발의 방식, 신경학적 그리고 심리학적 소견)과 보조검사 결과(뇌파, 신경영상진단법 등)에 의해 진단할 수 있다. 일단 특정 뇌전증증후군으로 분류가 되면 단지 발작의 종

류를 아는 것 보다는 치료 방법의 선택과 예후의 결정에 도움이 되며, 특히 소아 연령은 다양한 뇌전증증후군의 대부분이 발병하는 시기로 소아 뇌전증의 진단과 치료에 중요한 의미를 가진다.

뇌전증지속증은 1970년 공식적인 정의 이후 현재까지 개정을 거듭하였다. 발작이 지속되는 상태로서 여러 번 발작이 있을 때 발작간기(interictal period)에 의식이 완전히 회복되지 않은 경우도 지속적인 발작으로 간주하여 뇌전증지속증으로 정의한다. 발작 지속 시간은 약물치료를 시작해야 하는 5분과 뇌신경계의 비가역적 손상이 시작되는 30분으로 구분하여 정의한다. 전신발작과 국소발작의 지속상태로 크게 분류되며, 비경련성 뇌전증지속증으로도 나타날 수 있는데 이 경우는 뇌파 소견이 발작 지속 여부의 판단 기준이 된다.

약물 난치성 뇌전증(medically refractory epilepsy, pharmacoresistant epilepsy)은 2년간의 적절한 항뇌전증 약물 복용에도 불구하고 발작 조절이 안되는 경우로 정의하기도 하지만, 소아 연령에서 대부분 발병하는 뇌전증증후군들은 특징적인 임상경과를 감안하여 약물 복용 기간에 구애받지 않고 판단하기도 한다. 전체 뇌전증 환자의 20-30%가 난치성 뇌전증에 해당하는 것으로 알려져 있다. 이들 중 상당수가 케톤식이 또는 뇌전증 수술의 대상이다. 반대 개념으로 약물에 조절이 용이하고 예후가 좋은 뇌전증의 경우 양성(benign)이라는 용어를 사용하였는데, 최근에는 자가회복(self-limited) 또는 약물반응(pharmacoresponsive) 용어를 추천한다.

2) 역사적 배경

(1) 1970년 이전 뇌전증 발작 분류

1964년 ILAE는 뇌전증 발작에 대한 국제 분류(International Classification of Epileptic Seizures, 이하 ICES)를 최초로 발표하였다. 이 분류는 뇌전증 발작을 부분발작(partial seizure), 전신발작(generalized seizure), 편측발작(unilateral seizure), 신생아기 불규칙(erratic) 발작, 그리고 분류할 수 없는 발작(unclassified seizure)의 다섯 가지로 구분하였다. 1969년 Gastaut는 ICES 분류를 수정 보완하여 부분발작 또는 국소적으로 시작되는 발작(partial seizures

or seizures beginning locally), 전신발작이거나 양측 대칭발작 또는 국소 시작이 없는 발작(generalized seizures, bilaterally symmetric seizures, or seizures without local onset), 편측 또는 편측 우세 발작(unilateral or predominantly unilateral seizures), 분류할 수 없는 발작(unclassified epileptic seizures)의 네 가지로 나누고, 1964년 분류에 없었던 영아연축(infantile spasms)을 전신발작에 포함시켰다.

(2) 1970년 뇌전증 국제 분류

1970년에 뇌전증에 대한 국제 분류(International Classification of Epilepsy: ICE)가 최초로 발표되었는데, 이는 뇌전증을 전신(generalized), 부분(partial), 분류할 수 없는(unclassified)의 세 가지로 구분하고, 각각을 원인 유무에 따라 일차적(primary), 이차적(secondary), 미상(undetermined)으로 세분하였다. 이후 1985년에 ILAE에 의해 뇌전증 및 뇌전증증후군 국제분류(international Classification of Epilepsy and Epileptic Syndromes: ICEES)가 제안되어 1970년 분류 이 외에 뇌병변 유무에 따라 환자의 예후가 달라짐으로 뇌전증을 일으키는 원인 중에 뇌병변 유무 여부를 추가하였으며, 임상에서 보다 접근이 용이한 뇌전증증후군의 개념도 함께 도입하였다.

(3) 1989년 뇌전증 및 뇌전증증후군 국제분류

1989년 개정된 ILAE의 뇌전증 및 뇌전증증후군 국제분류의 특징은 뇌전증을 증후군으로 이해하려고 접근하였다는 점이다. 어떤 뇌전증증후군이 진단적으로 유용하게 사용될 수 있으려면 발작 유형 외에도 원인, 해부학 병변, 유발 요인, 발병 연령, 발작의 빈도, 하루 중의 호발 시기, 뇌파 소견, 다른 신경계 증상 혹은 징후, 치료에 대한 반응이나 예후 등이 분명하여야 하는데, 이러한 증후군 진단의 장점은 뇌전증을 증후군으로 이해하고 접근함으로써 발작 유형만으로 진단하는 것보다 치료와 예후 예측 등, 임상적으로 더 많은 유용한 정보를 제공할 수 있다는 점이다. 뇌전증 및 뇌전증증후군을 국소-연관(localization-related)과 전신(generalized)으로 먼저 나눈 후, 원인 유무에 따라 증상성(symptomatic), 특발성(idiopathic) 및 잠재성(cryptogenic)이라는 세 가지 용어를 사용하여 분류하고 있다. 증상성은 뇌전증의 원인이 될 수 있는 중추신경계 질환이 밝혀져 있을 때, 특발성은 유전적 소인이 관여하리라 생각하고 있지만 그 외의 확실한 원인질환이 없는 경우에, 잠재성은 특발성이 아니면서 원인질환이 밝혀지면 증상성으로 분류할 수 있겠지만 현재까지는 원인을 찾지 못한 경우로 정신지체 등 임상적으로 추가 신경계 이상 증상이 있는 경우이다.

(4) 2001년, 2006년 뇌전증 및 뇌전증증후군 국제분류

이후에도 이들 분류를 개정하기 위한 시도가 2001년과 2006년에 각각 있었고 분류를 5개 축으로 다양한 측면에서 시도하였지만, 기본적으로 뇌전증 발작에 대한 분류는 1981년 ILAE의 분류 그리고 뇌전증 및 뇌전증증후군에 대한 분류는 1989년의 ILAE의 분류가 통용되었다.

(5) 2010년 ILAE의 '발작과 뇌전증에 대한 개정된 용어 및 개념'

1981년 뇌전증 발작의 분류와 1989년 뇌전증 및 뇌전증증후군의 분류가 발표된 이후 뇌전증에 대한 연구는 눈부시게 발전하였다. 특히 역학, 전기생리학, 영상의학, 발달신경생물학, 유전학, 정신신경과학, 신경화학, 등 다양한 영역에서의 학문적 발전은 이들 분류법에 대한 재정비의 필요성을 제시하였다. 그동안 몇 차례 수정 보완된 안이 제시되었으나 ILAE에 의해 공식적으로 채택된 분류는 없었다.

2010년 ILAE 용어위원회에서 2005년부터 2009년의 기간 동안 뇌전증과 관련된 전문가 집단의 조언을 근거로 '발작과 뇌전증에 대한 개정된 용어 및 개념: ILAE의 분류 및 용어 관련보고, 2005-2009'를 발표하였다. 이 보고서에서는 1981년 분류를 새롭게 명시하였고 최근 발표된 2017년 뇌전증과 뇌전증증후군의 기본 개념들을 제공하였다.

3) 2017년 뇌전증 및 뇌전증증후군 국제분류(그림 6-33)

뇌전증 분류는 1) 1단계 발작 종류, 2단계 뇌전증 종류, 3단계 뇌전증증후군로 분류하고, 2) 병인(structural, genetic, infectious, metabolic, immune, unknown)은 구분 단계마다 고려되어야 하며 병인은 복수일 수 있다. 3) '양성(benign)' 용어는 자가치유(self-limited) 또는 약물반응성(pharmacoresponsive)로 대체되고, 4) 발달 및 뇌전증 뇌병증(developmental and epileptic encephalopathy) 용어를 적절하게 적용할 수 있다. 관련 출판은 ILAE 웹페이지에서 확인할 수 있다(http://www.ilae-epilepsy.org).

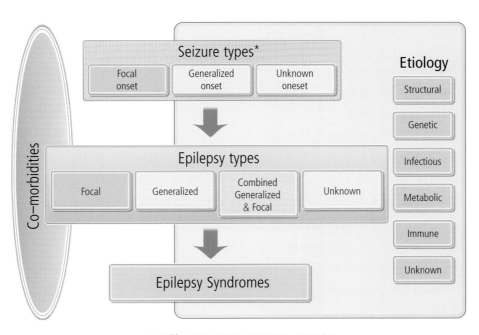

■ 그림 6-33. 뇌전증 구분 체계. *발작시작
(Scheffer IE, et al. Epilepsia 58(4) : 512-521, 2017)

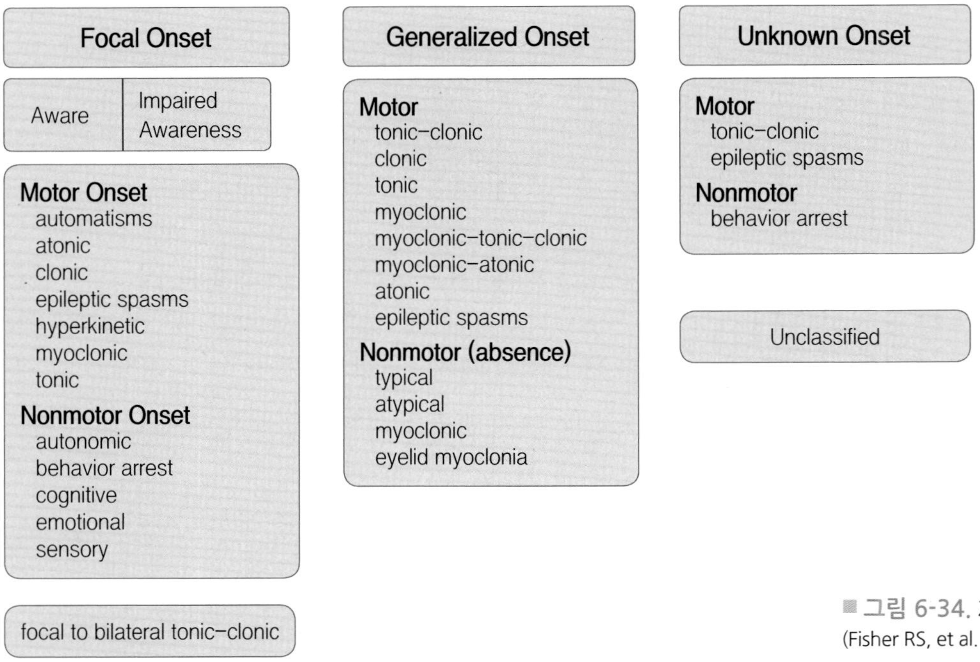

```
┌─────────────────────┐   ┌─────────────────────┐   ┌─────────────────────┐
│     Focal Onset     │   │  Generalized Onset  │   │    Unknown Onset    │
└─────────────────────┘   └─────────────────────┘   └─────────────────────┘
```

Aware	Impaired Awareness

Motor Onset
  automatisms
  atonic
  clonic
  epileptic spasms
  hyperkinetic
  myoclonic
  tonic
Nonmotor Onset
  autonomic
  behavior arrest
  cognitive
  emotional
  sensory

Motor
  tonic-clonic
  clonic
  tonic
  myoclonic
  myoclonic-tonic-clonic
  myoclonic-atonic
  atonic
  epileptic spasms
Nonmotor (absence)
  typical
  atypical
  myoclonic
  eyelid myoclonia

Motor
  tonic-clonic
  epileptic spasms
Nonmotor
  behavior arrest

Unclassified

focal to bilateral tonic-clonic

■ 그림 6-34. 2017년 ILAE 발작 형태의 구분
(Fisher RS, et al. Epilepsia 58(4): 531-542, 2017)

(1) 발작 및 뇌전증 구분

1단계 구분 발작은 뇌전증 여부와 상관없는 첫 번째 단계 구분으로서, 우선 국소(focal)와 전신(generalized) 그리고 불명(unknown)으로 구분한다. 다음은 운동(motor)과 비운동(nonmotor)으로 구분하며 운동과 비운동에 포함되는 발작의 양상은 그림 6-34와 같고 용어의 정의는 표 6-3을 참고한다. 더불어 국소발작의 경우 각성 상태에 따라 각성(aware)과 각성 손상(impaired awareness)를 구분한다.

특징적으로 1981년 구분과 차이점은 (1) 부분(partial)이나 국소-연관(localization-related) 용어 대신 국소(focal)를 그리고 이차 전신화(secondary generalized) 대신 양측(bilateral)을 사용하고, (2) 각성(awareness)의 용어를 기존의 인지이상(dyscognitive), 단순(simple), 복잡(complex), 정신병적(psychic) 용어 대신 사용하며, (3) 국소발작 양상으로 자동증(automatisms), 자율신경계(autonomic), 행동 정지(behavior arrest), 인지(cognitive), 정서(emotional), 과행동(hyperkinetic), 감각(sensory) 그리고 국소 이후 양측 강직간대발작(focal to bilateral tonic-clonic seizures)이 정식 채택되었고, (4) 무긴장(atonic), 간대(clonic), 뇌전증 연축(epileptic spasms), 근간대(myoclonic), 강직(tonic) 발작이 국소 또는 전신발작에 포함되었으며, (5) 전신발작 양상으로 결신 안검 근간대 동반(absence with eyelid myoclonia), 근간대성 결신(myoclonic absence), 근간대성 강직성 간대(myoclonic-tonic-clonic), 근간대성 무긴장(myoclonic-atonic) 그리고 뇌전증 연축(epileptic spasms)이 포함되었다.

2단계 구분 뇌전증은 발작의 다음 단계 구분이고, 추가 특징적인 임상경과 등을 포함하여 구분하는 뇌전증증후군의 전 단계 구분으로 국소(focal), 전신(generalized), 전신 국소 동반(combined generalized and focal), 불명(unknown)으로 구분하고, 전신발작과 국소발작의 구체적인 의미는 다음과 같으며 발작기 뇌파 양상이 고려된다. 전신발작과 국소발작이 혼합되어 발생하는 전신 국소 동반 뇌전증의 대표적인 예는 드라벳 증후군(Dravet syndrome)과 레녹스 가스타우 증후군(Lennox-Gastaut syndrome)이 있다.

① 전신발작(generalized seizures)

전신발작은 어떤 부위에서 시작하여 뇌 양쪽으로 연결된 신경망을 통해 빠르게 전체적으로 퍼지는 것으로 특징지을 수 있는데, 양쪽 신경망은 겉질 및 겉질밑 구조물로 구성되지만 전체 겉질을 다 포함할 필요는 없으며, 발작의 형태도 비대칭일 수 있다.

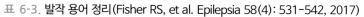

표 6-3. 발작 용어 정리(Fisher RS, et al. Epilepsia 58(4): 531-542, 2017)

Word	Definition
Absence, typical	A sudden onset, interruption of ongoing activities, a blank stare, possibly a brief upward deviation of the eyes. Usually the patient will be unresponsive when spoken to. Duration is a few seconds to half a minute with very rapid recovery. Although not always available, an EEG would show generalized epileptiform discharges during the event. An absence seizure is by definition a seizure of generalized onset. The word is not synonymous with a blank stare, which also can be encountered with focal onset seizures
Absence, atypical	An absence seizure with changes in tone that are more pronounced than in typical absence or the onset and/or cessation is not abrupt, often associated with slow, irregular, generalized spike-wave activity
Arrest	See behavior arrest
Atonic	Sudden loss or diminution of muscle tone without apparent preceding myoclonic or tonic event lasting 1-2 s, involving head, trunk, jaw, or limb musculature
Automatism	A more or less coordinated motor activity usually occurring when cognition is impaired and for which the subject is usually (but not always) amnesic afterward. This often resembles a voluntary movement and may consist of an inappropriate continuation of preictal motor activity
Autonomic seizure	A distinct alteration of autonomic nervous system function involving cardiovascular, pupillary, gastrointestinal, sudomotor, vasomotor, and thermoregulatory functions
Aura	A subjective ictal phenomenon that, in a given patient, may precede an observable seizure (popular usage)
Awareness	Knowledge of self or environment
Bilateral	Both left and right sides, although manifestations of bilateral seizures may be symmetric or asymmetric
Clonic	Jerking, either symmetric or asymmetric, that is regularly repetitive and involves the same muscle groups
Cognitive	Pertaining to thinking and higher cortical functions, such as language, spatial perception, memory, and praxis. The previous term for similar usage as a seizure type was psychic
Consciousness	A state of mind with both subjective and objective aspects, comprising a sense of self as a unique entity, awareness, responsiveness, and memory
Dacrystic	Bursts of crying, which may or may not be associated with sadness
Dystonic	Sustained contractions of both agonist and antagonist muscles producing athetoid or twisting movements, which may produce abnormal postures
Emotional seizures	Seizures presenting with an emotion or the appearance of having an emotion as an early prominent feature, such as fear, spontaneous joy or euphoria, laughing (gelastic), or crying (dacrystic)
Epileptic spasms	A sudden flexion, extension, or mixed extension-flexion of predominantly proximal and truncal muscles that is usually more sustained than a myoclonic movement but not as sustained as a tonic seizure. Limited forms may occur: Grimacing, head nodding, or subtle eye movements. Epileptic spasms frequently occur in clusters. Infantile spasms are the best known form, but spasms can occur at all ages
Epilepsy	A disease of the brain defined by any of the following conditions: (1) At least two unprovoked (or reflex) seizures occurring >24 h apart; (2) one unprovoked (or reflex) seizure and a probability of further seizures similar to the general recurrence risk (at least 60%) after two unprovoked seizures, occurring over the next 10 years; (3) diagnosis of an epilepsy syndrome. Epilepsy is considered to be resolved for individuals who had an age-dependent epilepsy syndrome but are now past the applicable age or those who have remained seizure free for the last 10 years, with no antiseizure medicines for the last 5 years
Eyelid myoclonia	Jerking of the eyelids at frequencies of at least 3 per second, commonly with upward eye deviation, usually lasting <10 s, often precipitated by eye closure. There may or may not be associated brief loss of awareness
Fencer's posture seizure	A focal motor seizure type with extension of one arm and flexion at the contralateral elbow and wrist, giving an imitation of swordplay with a foil. This has also been called a supplementary motor area seizure
Figure of 4 seizure	Upper limbs with extension of the arm (usually contralateral to the epileptogenic zone) with elbow flexion of the other arm, forming a figure-of-4
Focal	Originating within networks limited to one hemisphere. They may be discretely localized or more widely distributed. Focal seizures may originate in subcortical structures

Focal onset bilateral tonic clonic seizure	A seizure type with focal onset, with awareness or impaired awareness, either motor or nonmotor, progressing to bilateral tonic clonic activity. The prior term was seizure with partial onset with secondary generalization
Gelastic	Bursts of laughter or giggling, usually without an appropriate affective tone
Generalized	Originating at some point within, and rapidly engaging, bilaterally distributed networks
Generalized tonic clonic	Bilateral symmetric or sometimes asymmetric tonic contraction and then bilateral clonic contraction of somatic muscles, usually associated with autonomic phenomena and loss of awareness. These seizures engage networks in both hemispheres at the start of the seizure
Hallucination	A creation of composite perceptions without corresponding external stimuli involving visual, auditory, somatosensory, olfactory, and/or gustatory phenomena. Example: "Hearing" and "seeing" people talking
Behavior arrest	Arrest (pause) of activities, freezing, immobilization, as in behavior arrest seizure
Immobility	See activity arrest
Impaired awareness	See awareness. Impaired or lost awareness is a feature of focal impaired awareness seizures, previously called complex partial seizures
Impairment of consciousness	See impaired awareness
Jacksonian seizure	Traditional term indicating spread of clonic movements through contiguous body parts unilaterally
Motor	Involves musculature in any form. The motor event could consist of an increase (positive) or decrease (negative) in muscle contraction to produce a movement
Myoclonic	Sudden, brief (<100 msec) involuntary single or multiple contraction(s) of muscles(s) or muscle groups of variable topography (axial, proximal limb, distal). Myoclonus is less regularly repetitive and less sustained than is clonus
Myoclonic atonic	A generalized seizure type with a myoclonic jerk leading to an atonic motor component. This type was previously called myoclonic astatic
Myoclonic tonic clonic	One or a few jerks of limbs bilaterally, followed by a tonic-clonic seizure. The initial jerks can be considered to be either a brief period of clonus or myoclonus. Seizures with this characteristic are common in juvenile myoclonic epilepsy
Nonmotor	Focal or generalized seizure types in which motor activity is not prominent
Propagation	Spread of seizure activity from one place in the brain to another, or engaging of additional brain networks
Responsiveness	Ability to appropriately react by movement or speech when presented with a stimulus
Seizure	A transient occurrence of signs and/or symptoms due to abnormal excessive or synchronous neuronal activity in the brain
Sensory seizure	A perceptual experience not caused by appropriate stimuli in the external world
Spasm	See epileptic spasm
Tonic	A sustained increase in muscle contraction lasting a few seconds to minutes
Tonic clonic	A sequence consisting of a tonic followed by a clonic phase
Unaware	The term unaware can be used as shorthand for impaired awareness
Unclassified	Referring to a seizure type that cannot be described by the ILAE 2017 classification either because of inadequate information or unusual clinical features. If the seizure is unclassified because the type of onset is unknown, a limited classification may still derive from observed features
Unresponsive	Not able to react appropriately by movement or speech when presented with stimulation
Versive	A sustained, forced conjugate ocular, cephalic, and/or truncal rotation or lateral deviation from the midline

② **국소발작**(focal seizures)

국소발작은 한쪽 대뇌에 국한된 신경망에서 시작되는 것으로 특징지어지는데, 이 신경망은 국소적이나 보다 넓게 분포되어 있을 수도 있고 또 겉질밑 구조에서 시작될 수 도 있다. 또한 국소발작은 한 부위에서 시작하여 다른 부위로 파급되는 양상을 보이며 반대쪽 뇌로 파급될 수도 있고, 어떤 경우에는 하나 이상의 신경망을 경유하여 여러 형태의 발작을 보일 수 있으나, 각각의 발작의 시작 부위는 동일하다.

(2) 병인 구분

1989년 분류에서 원인 유무에 따라 증상성, 특발성 및 잠재성이라는 세 가지 용어를 사용하여 분류하였다. 특히 특발성은 '유전적 외에 다른 원인이 없고 발생연령, 임상 및 전기생리적 특성, 발병 원인이 유전적으로 추정 가능한 상태'로 정의되었다. 또한, '특발성'이라는 용어는 약물에 의해 잘 조절되는 뇌전증으로 다른 장애를 동반하지 않는다는 의미로 받아들여졌다. 하지만 증후성, 특발성, 잠재성의 용어는 의미가 모호해서 실제적인 용도에 있어 단점이 거론되어왔다. 이러한 단점을 해결하고, 뇌영상 기술 및 유전체 분석 기술을 포함한 다양한 영역에서의 학문적 발전으로 구체적인 병인들이 규명되면서 2010년 분류에서는 유전(genetic), 구조/대사(structural/metabolic), 원인 미상(unknown)의 용어를 사용할 것을 제안하였고, 2017년에는 더욱 구체적으로 구조(structural), 유전(genetic), 감염(infectious), 대사(metabolic), 면역(immune) 그리고 불명(unknown)으로 구분하였다(그림 6-33). 이러한 구체적인 병인의 구분은 발작 구분, 뇌전증 구분, 뇌전증증후군 구분 모든 단계에 고려될 수 있다. 특히 특정 병인이 복수로 포함될 수도 있는데, 예를 들어 결절경화증으로 인한 뇌전증 발작의 병인은 유전과 구조가 함께 포함될 수 있다.

(3) 발달 및 뇌전증 뇌병증(developmental and epileptic encepha-lopathy)의 개념

2010년 용어 정의에서 뇌전증 뇌병증(epileptic encepha-lopathy)은 '뇌전증 환자에서 뇌파의 이상과 빈번한 발작으로 인해 인지행동 장애가 발생하는 경우'이다. 뇌전증 뇌병증을 일으키는 대표적인 뇌전증증후군들이 있으며, 대부분 약물치료에 불응하는 난치성 경과를 보이고 환자들의 인지행동 발달이 정체되거나 퇴화함을 확인할 수 있다. 일반적으로 영아기 및 유아기에서 가장 흔하고 심각하지만 성인들도 조절되지 않는 발작을 통하여 인지기능이 손상될 수 있다. 뇌전증 뇌병증의 개념은 뇌전증이 뇌기능에 미치는 영향 특히 발달하고 있는 뇌에 미치는 지속적인 악영향을 정확하게 인지하게 하였고, 따라서 발작이 조절되고 뇌파 양상이 호전되면 환자의 인지행동 장애도 호전을 기대할 수 있어 뇌전증 치료에 중요한 개념으로 인식되었다.

하지만 뇌전증 뇌병증의 호전에는 한계가 있어 발작이 조절되고 뇌파 양상이 호전되어도 인지행동 장애를 완전히 해결할 수 없음을 인정하고, 유전자 변이를 비롯한 뇌전증 병인의 규명이 수월해지면서, 2017년 분류에서는 뇌전증과 상관없이 발생하는 인지행동 이상의 병인을 고려하여 '발달 및 뇌전증 뇌병증'(developmental and epileptic encephalopathy)이라는 용어로 개념을 확대하였다. 이러한 개념은 추후 뇌전증 병인에 따른 맞춤형 치료 정밀의학과 연계될 것으로 기대한다.

(4) 뇌전증증후군

2010년에 발표된 ILAE의 제안에서는 연령에 따른 전기임상 증후군과 특수질환, 구조 및 대사이상을 가진 뇌전증으로 분류하였고 2017년 구분에서 추가 개정은 없었다(표 6-4).

1989년 분류에서는 '증후군'과 '뇌전증'의 용어가 거의 유사한 의미로 사용되었다. 그 결과 증후군이라는 용어는 특징적이며 개념이 확실한 질병(예를 들면 소아 결신발작

표 6-4. 뇌전증 관련 유전자에 따른 뇌전증증후군과 치료

유전자	뇌전증증후군	가능한 치료
SCN1A	Dravet syndrome	avoid sodium channel blockers
SCN8A	early-onset epileptic encephalopathy	sodium channel blockers (carbamazepine)
KCNQ2	early-onset epileptic encephalopathy	potassium channel openers (retigabine) or sodium channel blockers
KCNT1	migrating partial epilepsy of infancy	potassium channel openers (quinidine)
GRIN2A	early-onset epileptic encephalopathy	N-Methyl-D-aspartate (NMDA) receptor antagonist (memantine)
SCL2A1	glucose transporter-1 (GLUT-1) deficiency	ketogenic diet
TSC1/TSC2	tuberous sclerosis complex	rapamicin and analogs
ALDH7A1	pyridoxine dependency	B6 vitamin

표 6-5. 전기임상 증후군(electroclinical syndromes) (Berg AT, et al. Epilepsia 51(4) : 676-685, 2010)

Electroclinical syndromes arranged by age at onset[a]
  Neonatal period
    Benign familial neonatal epilepsy (BFNE)
    Early myoclonic encephalopathy (EME)
    Ohtahara syndrome
  Infancy
    Epilepsy of infancy with migrating focal seizures
    West syndrome
    Myoclonic epilepsy in infancy (MEI)
    Benign infantile epilepsy
    Benign familial infantile epilepsy
    Dravet syndrome
    Myoclonic encephalopathy in nonprogressive disorders
  Childhood
    Febrile seizures plus (FS+) (can start in infancy)
    Panayiotopoulos syndrome
    Epilepsy with myoclonic atonic (previously astatic) seizures
    Benign epilepsy with centrotemporal spikes (BECTS)
    Autosomal-dominant nocturnal frontal lobe epilepsy (ADNFLE)
    Late onset childhood occipital epilepsy (Gastaut type)
    Epilepsy with myoclonic absences
    Lennox-Gastaut syndrome
    Epileptic encephalopathy with continuous spike-and-wave during sleep (CSWS)[b]
    Landau-Kleffner syndrome (LKS)
    Childhood absence epilepsy (CAE)
  Adolescence - Adult
    Juvenile absence epilepsy (JAE)
    Juvenile myoclonic epilepsy (JME)
    Epilepsy with generalized tonic-clonic seizures alone
    Progressive myoclonus epilepsies (PME)
    Autosomal dominant epilepsy with auditory features (ADEAF)
    Other familial temporal lobe epilepsies
  Less specific age relationship
    Familial focal epilepsy with variable foci (childhood to adult)
    Reflex epilepsies

Distinctive constellations
  Mesial temporal lobe epilepsy with hippocampal sclerosis (MTLE with HS)
  Rasmussen syndrome
  Gelastic seizures with hypothalamic hamartoma
  Hemiconvulsion-hemiplegia-epilepsy
  Epilepsies that do not fit into any of these diagnostic categories can be
    distinguished first on the basis of the presence or absence of a known
    structural or metabolic condition (presumed cause) and then on the
    basis of the primary mode of seizure onset (generalized vs. focal)

Epilepsies attributed to and organized by structural-metabolic causes
  Malformations of cortical development (hemimegalencephaly, heterotopias, etc.)
  Neurocutaneous syndromes (tuberous sclerosis complex, Sturge-Weber, etc.)
  Tumor, Infection, Trauma, Angioma
  Perinatal insults, Stroke, Etc.

Epilepsies of unknown cause

Conditions with epileptic seizures that are traditionally not diagnosed as a form of epilepsy per se
  Benign neonatal seizures (BNS)
  Febrile seizures (FS)

[a] The arrangement of electroclinical syndromes does not reflect etiology.
[b] Sometime referred to as Electrical Status Epilepticus during Slow Sleep (ESES).

뇌전증)과 잘 정립되어 있지 않은 뇌전증(예, 잠재성 두정엽 뇌전증) 모두에 적용되어 마치 이들 진단이 비슷한 정도의 진단적 정확도를 지니는 것으로 알려질 위험이 있었다. 그러나 2010년 이후 분류에서는 증후군은 임상양상, 증상, 징후 등에 있어 특징적으로 구분되는 임상질환으로 정의된다.

2. 뇌전증증후군

2010년에 발표된 ILAE의 제안에서는 연령에 따라 전기임상 증후군(표 6-5)을 분류하고, 특수질환, 구조 및 대사이상을 가진 뇌전증으로 분류(표 6-6)하여 서술하였다.

1) 신생아기

(1) 양성가족신생아발작

(Benign familial neonatal convulsions, BFNC)

환자의 85%에서 상염색체 우성 유전의 가족력이 확인된다. 일반적으로 생후 2-3일에 첫 발작이 시작되며 흔히 자동증을 동반하는 국소, 간대, 또는 강직발작의 형태로 나타난다. 드물게 근간대발작을 동반한다. 신경학적 검사에서 정상 소견을 보이며 뇌파도 정상이다. 발작은 1세까지 지속될 수 있으며 대부분 자연히 소실된다. 신생아기 이후 뇌전증으로 이행되는 비율이 10-15%로 정상군에 비해 높아서 항뇌전증약의 투약이 필요한 경우도 있다.

(2) 양성신생아경련(Benign neonatal convulsions, fifth day fit)

생후 4-6일 사이에 무호흡이나 청색증을 동반하는 부분, 간대발작 형태로 발생하며 가족력이 확인되지 않는다. 발작이 나타나는 부위가 좌우측으로 변화하고 하루에도 15-20회씩 반복하거나 뇌전증지속증으로 나타나는 경우도 흔하다. 발작은 대부분 나이가 들면서 자연히 소실된다. 신경학적 검사에서 정상 소견을 보이는 정상 만삭아에서 나타나며 뇌파에서도 특이 소견을 보이지 않는다. 약물 투여가 발작 조절에 효과적인지는 확실하지 않다.

(3) 조기근간대뇌병증(Early myoclonic encephalopathy, EME)

신생아근간대뇌병증(neonatal myoclonic encephalopathy)으로 불리기도 한다. 생후 28일 이내에 발병하며, 불규칙한 근간대발작(erratic myoclonus)이 가장 먼저 나타나는데 출생 후 수 시간 이내에 출현하지만 태어나기 전부터 발생하는 경우도 있다.

[원인]

원인은 아직 알려져 있지 않으나, 유전성 혹은 선천대사장애의 가능성이 크며, 실제로 비케톤고글라이신혈증(nonketotic hyperglycinemia), propion 산혈증 등의 선천대사장애가 동반된 환자들이 보고되고 있다.

표 6-6. 뇌전증증후군과 그 외 뇌전증(ILAE, 2010)

연령에 따른 전기생리-임상증후군(Electroclinical syndrome)
신생아기 　양성가족성신생아발작, 조기근간대뇌병증, Ohtahara증후군
영아기 　영아이주부분발작, West 증후군, 영아근간대뇌전증, 양성영아뇌전증, 양성가족성영아발작, Dravet증후군, 비진행뇌병증에 병발된 간대성근경련
소아기 　열성경련플러스(영아기부터 발생가능), Panayiotopoulos증후군, Epilepsy with myoclonic atonic seizures, 중심측두극파를 동반한 양성소아뇌전증, 상염색체우성 야간전두엽뇌증, 특발소아후두엽뇌전증(Gastaut형), 근간대소발작, Lennox-Gastaut증후군, 서파수면 시의 지속적 극서파를 동반한 뇌전증, 후천뇌전증실어증(Landau-Kleffner증후군), 소아소발작뇌전증
청소년기-성인 　청소년소발작뇌전증, 청소년근간대뇌전증, 전신강직간대발작만을 보이는 뇌전증, 진행근간대뇌전증, 상염색체우성 청각특성뇌전증, 기타 가족성관자엽뇌전증
발병 나이와 관련성이 적은 뇌전증 　다양한 병소의 가족성 국소뇌전증, 반사뇌전증
특수질환 　해마경화증을 동반한 측두엽뇌전증, Rasmussen증후군, 시상하부과오종과 동반된 웃음발작, 반경련-반신마비 뇌전증증후군, 분류에 속하지 않는 뇌전증은 확인된 구조적 혹은 대사장애의 유무 및 발작 발생의 주된 양상(전신발작과 국소발작)에 기초하여 구분된다.
구조 및 대상이상의 원인을 가진 뇌전증 　겉질발달기형(예. 반거대뇌증, 겉질이소증), 신경피부증후군, 종양, 감염, 외상, 혈관종, 허혈손상, 뇌졸중, 기타
원인 미상의 뇌전증
관습적으로 뇌전증으로 분류되지 않는 발작 　양성신생아발작, 열성경련

[임상양상]

모든 환자에서 관찰되는 불규칙한 근간대발작은 손가락이나 눈썹처럼 작은 부위에서 나타나는 경우가 대부분이나 팔다리 전체를 포함하기도 한다. 발작은 많은 환자에서 반복적 또는 지속적으로 발생하나 일부에서는 쉽게 눈에 띄지 않아 장시간 주의 깊은 관찰이 필요하다. 부분발작은 거의 모든 환자에서 나타나며 불규칙한 근간대발작과 교대로 발생하기도 한다. 일부에서는 심한 근간대발작(massive myoclonus)이 관찰되는데 초기에는 불규칙한 근간대발작과 교대로 발생하기도 한다. 강직연축은 초기 발작이 나타난 이후 3-4개월이 경과하면서 차츰 시작된다. 신경계 기능은 출생 시 또는 첫 발작 출현 시부터 매우 불량하며 근긴장도의 저하 혹은 항진 소견이 나타난다.

[뇌파소견]

뇌파에서 군발-억제(burst-suppression) 양상이 보인다 (그림 6-35).

[치료 및 예후]

Pyridoxine 의존성 뇌전증의 경우를 제외하고 이에 대한 효과적인 치료는 없다. 일반적인 항뇌전증약과 ACTH 및 부신겉질호르몬은 효과가 없다. 원인이 되는 대사질환의 치료가 도움이 되는 것으로 알려져 있다. 예후는 매우 불량하여 약 50%의 환자가 1세 이전에 사망하며 생존하더라도 심한 신경학적 장애가 남는다.

(4) 조기영아뇌전증 뇌병증(Early infantile epileptic encephalopathy with suppression burst, EIEE, Ohtahara syndrome)

1976년 Ohtahara가 처음 보고하여 Ohtahara 증후군으로 불린다. 발작은 생후 2-3개월 이내에 시작되며, 환자의 75%는 1개월 이내, 1/3에서는 생후 10일 이내에 시작된다.

[원인]

원인은 다양하며 뇌의 구조적인 이상이 주요한 원인이다.

[임상양상]

주된 발작의 형태는 강직연축(tonic spasm)으로 모든 환자에서 나타나는데 연축이 5-15초 간격으로 군집으로 나타난다. West 증후군의 영아연축과 다른 점은 각성과 수면 시에 모두 나타나며 군집 뿐만 아니라 개별 발작으로도 나타난다는 점이다.

발작은 매우 빈번해서 하루에 100-300회의 개별 발작 또는 10-20회의 군집발작으로 나타난다. 강직연축 외에 불규칙 국소 운동발작이나 반신경련(hemiconvulsion)이 1/3-1/2의 환자에서 관찰된다. 반면에 근간대발작은 드물며 불규칙 근간대발작(erratic myoclonus)은 나타나지 않는다.

[뇌파소견]

뇌파는 군발-억제 양상으로 고진폭 군발파가 거의 평탄한 억제기와 거의 일정한 주기를 보이며 교대로 나타나는 것이 특징적이다(그림 6-36).

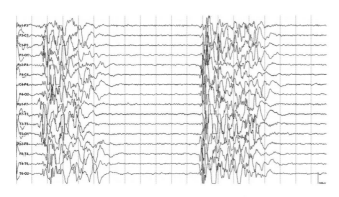

■ 그림 6-35. 조기근간대 뇌병증 환자의 뇌파
군발-억제 양상이 보인다.

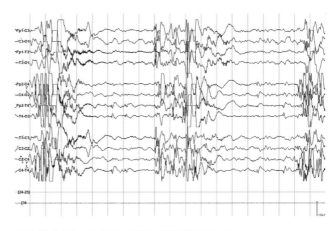

■ 그림 6-36. 조기영아뇌전증 뇌병증 환자의 뇌파
군발-억제 양상이 보인다.

[치료 및 예후]

치료에 대한 반응은 매우 나쁘다. ACTH 혹은 부신겉 질호르몬에 효과적인 증례가 보고되었다. 고용량 비타민 B6, 면역글로불린, valproate, vigabatrin, zonisamide, clonazepam, acetazolamide를 사용해 볼 수도 있다. 케톤생성 식이요법, TRH 또는 그 유도체, chloral hydrate가 드물게 효과를 보이기도 한다. 대뇌반구절제술이나 국소 피질이형성(focal cortical dysplasia) 병소를 제거하는 등 수술적인 방법을 사용할 수도 있다. 예후는 매우 불량하여 환자의 50% 정도는 2세 이전에 사망한다. 심한 인지발달 지연을 보이며 나중에 West 증후군이나 Lennox-Gastaut 증후군으로 이행하기도 한다.

2) 영아기

(1) 영아기 양성 근간대뇌전증(Benign myoclonic epilepsy in infancy, BMEI)

정상 발달을 보이는 영아에서 6개월-2세에 발병하며, 머리, 눈, 상체 등이 저절로 혹은 소리나 접촉 등 자극에 대해 반사적으로 움찔하는 근간대발작(myoclonic jerk)이 주된 증상이다. 발작간기 뇌파는 대부분 정상이고 발작기 뇌파는 근간대발작이 발생할 때 1-3초 지속되는 전반 다발극파 혹은 극서파를 보인다. 치료는 valproate 또는 clonazepam이나 levetiracetam 등도 사용 가능하다. 예후는 대부분 수 개월에서 수 년 이내 자연 치유되나 드물게 전신강직간대발작이 발생하거나, 사춘기에 청소년 근간대뇌전증이 발생한 환자가 보고되었다.

(2) West 증후군(West syndrome, infantile spasms)

1841년 영국의 의사 West가 자기 아들의 발작 형태를 관찰하여 보고한 이후 알려졌으며, 1952년 Gibbs 등이 West 증후군에서 관찰되는 특징적인 뇌파 형태인 고진폭부정뇌파(hypsarrhythmia)를 처음 기술하였다.

[정의]

West 증후군은 영아연축(infantile spasms)이라는 독특한 발작, 고진폭부정뇌파, 정신운동발달의 정지/퇴행의 세 가지 특징을 보이는 뇌전증증후군이다. 엄밀하게 구분하면 영아연축은 여러 뇌전증 발작 중 한 형태이고 West 증후군은 뇌전증증후군으로 그 의미가 다르지만, 영아연축과 West 증후군을 동의어로 사용하고 있는 문헌이 많다.

[역학]

남자에서 조금 더 호발하며 신생아기부터 4세까지 나타날 수 있지만 생후 3-7개월에 가장 흔하며 1세 이후에 발생하는 경우는 2% 정도이고, 나이가 들면서 연축 형태의 발작은 소멸되는 연령 의존이 특징적이다.

[원인]

West 증후군은 현재까지 원인의 유무에 따라 잠재성과 증상성으로 구분하였으며, 전자는 명백한 원인을 찾을 수 없는 경우로 발작 출현 전까지 정상 발육을 보이는 군을 말하며 환자의 10-20%를 차지한다. 후자는 대부분 출생 전후의 여러가지 병적 요인과 관련되어 있으며 대개 뇌영상 검사에서 다양한 구조적 병변을 나타내는 군을 말한다.

증상성의 중요한 원인질환으로 선천 중추신경계 발달기형(결절경화증, Aicardi 증후군, 뇌량무형성, 평평뇌증, 신경세포이소증 등), 선천대사질환(페닐케톤뇨증, 단풍시럽뇨병, 피리독신 의존증, 사립체 뇌근병증 등), 태내 감염(cytomegalovirus, toxoplasmosis 등) 및 주산기의 저산소성 허혈 뇌병증 등이 있다. 그러나 2010년 ILAE의 새로운 분류에 의하면, 이전의 증상성은 대부분 구조/대사성에 해당되고 잠재성은 원인 미상에 해당된다.

[임상양상]

West 증후군의 독특한 발작형태인 연축은 짧고 갑작스런 근수축으로 인하여 머리, 몸통 및 팔다리가 일시에 굽혀지는 발작이다. 잭나이프가 접히는 모양과 흡사하여 잭나이프 발작이라고도 하고, 절을 하는 모양처럼 보여 salaam attack이라고도 한다.

근수축은 굽히는 형태 뿐만 아니라 펴거나 혹은 혼합된 형태가 나타날 수 있으며 대칭 혹은 비대칭으로도 나타난다. 발작은 주로 잠이 들거나 깨어날 무렵에 일어나며 음식 섭취 혹은 손으로 만지거나 감정 변화 같은 여러 자극에 의해서도 심해진다. 발작과 발작 사이에는 자발운동이나 주위에 대한 반응이 줄어들고 불쾌한 표정을 짓기도 한다.

발작 전후에 소리를 지르거나 배가 아픈 듯이 울기도 하고 (colic과 유사함) 때로는 웃기도 한다.

일회성으로 나타나기도 하지만 대개는 반복되어 군집 (cluster) 형태로 관찰되는데, 처음에는 포착하기 어려울 정도로 짧은 발작으로 시작할 수도 있지만 점차 연축의 강도와 빈도가 증가하여 정점에 이르다가 그 후 멎을 때까지 점차 강도가 약해지면서 종료 시점에는 육안으로는 움직임이 관찰되지 않고 이상 뇌파만 출현하는 미세 연축(subtle spasm) 형태로 이행되어 멎게 된다. 미세 연축은 얼굴근육 수축, 안구 움직임, 고개 끄덕임, 어깨 으쓱임, 얼굴 찡그림, 하품, 행동 정지(motion arrest), 멍한 응시와 같은 미세 증상이 연축의 특징적인 뇌파와 연관되어 나타나는 것을 말한다.

발작이 시작되면 수십 초 간격으로 반복하여 나타나기도 하며 하루에도 수십 회에서 많으면 백회 이상 발작이 나타난다. 육안으로 관찰되는 발작 양상만으로 보면 연축은 근간대발작이나 강직발작과 유사한 점이 많다. 그러나 근간대발작은 지속 시간이 200-500 msec 미만으로 대단히 짧고 마치 충격을 받은 듯한 근수축을 보이며 발작 뇌파에서 광범위한 극서파 복합체가 관찰된다. 강직발작은 점진적으로 수축 강도가 증가하고 보다 지속적인 근수축을 보이며 발작 뇌파는 광범위하고 새로 발생되는 속파(recruiting fast activity)의 형태를 보인다. 연축은 1-2초 정도의 근수축으로 정점에 이르는 양상이 근간대발작보다는 완만하지만 강직발작보다는 빠르고 발작 뇌파는 특징적인 고진폭의 서파가 나타난다. 강직연축(tonic spasm)은 연축에 이어 지속적으로 근육이 강직수축을 하는 경우를 말하며 발작 뇌파는 전형적인 고진폭 서파에 이어 마치 강직발작에서의 뇌파처럼 광범위한 속파가 이어지는 모양으로 관찰된다(그림 6-37).

[뇌파소견]

West 증후군에서 특징적으로 볼 수 있는 고진폭부정뇌파는 발작간기 뇌파에서 관찰되는데 정상적인 배경파가 거의 보이지 않고 고진폭의 서파가 뇌의 여러 부위에서 일정한 양식없이 나타나며 단발 혹은 다발 예파, 극파가 혼재되어 출현한다(그림 6-37).

일반적으로 전형적인 고진폭부정뇌파는 각성기에 나타나며 수면 시에는 분절되거나 무리지어 나타난다. 또한 고진폭부정뇌파의 변형된 형태가 관찰되기도 한다.

[치료]

일반적으로 발작 조절과 지적 예후는 원인 미상인 경우가 다소 양호하다. West 증후군의 치료에서 약물의 종류, 사용기간, 용량 등에 대해 논란이 많다.

ACTH나 경구용 부신겉질호르몬(corticosteroid)이 일차선택약으로 권장되는 경우가 많다. 그런데 ACTH는 2000년 이후 생산과 수입이 중단되어 국내에서는 그 대신 경구용 corticosteroid인 prednisone이 처방되고 있다. ACTH나 prednisone을 사용하는 경우 그 부작용으로 나타나는 혈압상승, 전해질 장애, 감염 감수성의 증가, 심하게 보채는 증상이 발생할 수 있으므로 주의해야 한다. Valproate, clonazepam, vigabatrin, 혹은 topiramate가 사용된다. 그 외에도 nitrazepam, lamotrigine, zonisamide, felbamate 등의 약물과 면역글로불린 주사요법, TRH와 고용량 피리독신 등이 사용될 수도 있지만 그 효과는 제한적이다. 약물로 조절되지 않는 경우에는 케톤생성 식이요법과 미주신경자극술 혹은 뇌전증 수술치료를 고려할 수 있다. 2012년 미국 신경학회에서 발표한 근거기반 치료지침에 의하면 ACTH나 prednisolone 등의 부신겉질호르몬, 그리고 vigabatrin이 근거가 있는 것으로 보고되었으며, 이외의 약제와 케톤생성식이는 아직 근거가 부족한 것으로 보고되었다.

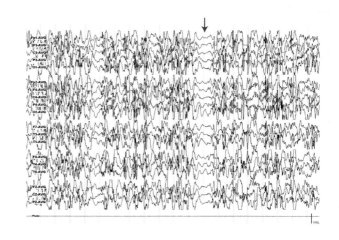

■ 그림 6-37. 고진폭부정뇌파
전체적으로 진폭이 크고 불규칙한 서파와 함께 뇌의 전 영역에서 특히 후두엽을 중심으로 다초점의 극파, 예파, 서파 등이 관찰되며, 일시적인 배경파의 크기감소가 보인다(화살표).

[예후]

예후는 원인질환에 따라서 큰 영향을 받지만 생존자의 대부분은 지능발달 지체가 동반되므로 장기적인 예후는 전반적으로 불량하다. 사망률은 15-20% 정도로 높고, 나이가 들면서 연축과 고진폭부정뇌파의 특징은 점차 사라져서 만 2세경에는 50%에서, 5세 이후에는 대부분 소멸되지만 환자 중 50-70%에서 다른 형태의 발작이 발생하게 된다. 환자의 20-30%는 Lennox-Gastaut 증후군으로 이행되며 약물에 반응하지 않는 난치성 뇌전증이 되는 경우가 50%에 이를 뿐만 아니라 70-90%에서 지능 장애를 보인다. 원인미상인 경우에는 구조/대사 원인을 가진 환자에 비해 발작 조절과 지적 예후가 더 양호하다. 간혹 발작 출현 전 환자의 신경계 발달이 정상이고 치료 시작이 빠르고 원인질환을 전혀 찾을 수 없을 때에는 정상 지능 발달을 보이는 등 예후가 좋은 경우도 있다. 그러나 일반적으로 조기 치료가 장기 예후에 영향을 미치는지에 대해서는 아직 통일된 견해가 없다.

(3) Dravet 증후군(Dravet syndrome, severe myoclonic epilepsy in infancy, SMEI)

1978년 Dravet에 의해 처음 기술되었으며 유병률이 1/40,000명 이하로 드문 질환이고 남녀 비는 2:1이다. 환자의 약 25%가 뇌전증과 열성경련의 가족력을 가지고 있다. Lennox-Gastaut 증후군과 더불어 가장 난치성 경과를 보이는 뇌전증증후군으로 알려져 있다.

[발생기전]

2001년 Claes 등이 SCN1A의 돌연변이가 Dravet 증후군의 발생과 관련이 있음을 최초로 밝혔으며, 이후 Dravet 증후군 환자의 약 70%가 SCN1A의 돌연변이를 보이는 것으로 확인되었다. SCN1A 돌연변이가 없는 여자 환자의 약 25%는 PCDH19 돌연변이를 보이는 것으로 보고되었으며 이외에도 GABRG2, SCN1B, SCN9A 등의 유전자 돌연변이가 보고되고 있다.

[임상양상]

정상 발육을 보이던 영아에서 비전형적이며 반복되는 열성경련 후에 근간대발작 혹은 다른 유형의 발작이 출현한다. 발작은 모두 1세 이전에 시작되고 근간대발작보다는 국소 또는 전신간대발작의 양상으로 시작된다. 처음에는 열성경련이 전신 혹은 편측간대발작으로 시작된다. 비열성경련도 발생할 수 있으며, 대부분 예방접종, 감염 혹은 목욕 후에 발생한다. 첫 발작은 대부분 열성경련으로 시작하지만 1-4세 사이에 다른 비열성경련이 나타나고 정신운동발달이 지연되기 시작한다. 병이 진행하는 동안 다양한 형태의 발작이 출현하는데, 전신강직간대발작을 비롯하여 전신간대발작 또는 한쪽씩 번갈아가며 나타나는 간대발작, 근간대발작, 비정형 소발작, 부분발작, 강직발작 등이 나타날수 있다. 정신운동발달 장애는 2세부터 뚜렷해지며 점차 진행한다. 정상적인 나이에 걷기 시작하지만, 이후 오랫동안 보행이 불안정한 상태로 지속되는 경향을 보인다.

[뇌파소견 및 검사결과]

뇌파는 초기에는 정상 또는 비특이적 소견을 보인다. 전반예파 또는 다발극서파가 특히 빛자극과 수면에 의해 유발되는 경향을 보이고 전반적인 배경파 역시 임상경과와 함께 비정상 소견을 보이게 된다. 뇌 MRI를 비롯한 영상검사는 특별한 이상 소견이 없는 경우가 많고, 임상 경과에 따라 전반적인 뇌위축 소견이 보일 수 있다.

[치료 및 예후]

Dravet 증후군은 약물치료에 잘 반응하지 않는다. Valproate와 clobazam이 시도되고 있으며, 유럽에서는 stiripentol (Diacomit)이 사용되며, 케톤생성 식이요법에 반응을 보이는 경우도 있다. 예후는 대단히 나쁘며 대부분의 환자는 발작이 지속되고 인지장애를 동반하고 사망률도 높다.

3) 소아기

(1) 중심-측두부 극파를 동반한 양성소아뇌전증(Benign childhood epilepsy with centrotemporal spike, BCECTS)

흔히 양성Rolando뇌전증(benign rolandic epilepsy, BRE)으로 일컬어지며 소아기의 가장 흔한 뇌전증이다.

[역학]

전체 뇌전증 환자의 15-24%를 차지하며 발병률은

100,000명당 21명 정도이다. 발병 연령은 3-13세인데 환자의 75%가 5-10세에 발병한다. 15-16세 이전에 회복되고 유전적 경향이 강하다. 남녀 비는 3:2로 남아에서 조금 더 흔히 발병한다.

[임상양상]

신경학적으로 정상인 소아에서 발병하며, 발작은 수면 중에 특히 잠든 직후와 아침에 일어나기 1-2시간 전에 흔히 관찰되고 얼굴 한쪽의 경련, 입 주위 경련, 침 흘림 등 국소발작의 양상으로 시작하는 경우가 많으나 전신강직간대발작으로 이행하는 경향이 있다. 70-80%의 환자에서 수면 중에 발작이 발생하지만, 10-20%에서는 각성 시에만 나타나기도 한다. 일부 환자의 경우에는 수면과 각성 시 모두에서 발작이 일어난다. 발작 후에는 구음장애가 나타나는 경우가 많다. 나이가 많은 환자일수록 발작 부위가 국한되고 발작 시간은 수초 내지 수분이며 각성 시에도 발작이 일어난다. 그러나 나이가 어릴수록 발작 부위가 넓어서 오랫동안 지속되는 반신경련이 일어나기 쉽고, 이차적으로 전신화되기도 한다.

[뇌파소견]

발작간기 뇌파에서 특징적인 중심-측두부 극파(centro-temporal spike)를 관찰할 수 있다(그림 6-38). 60%의 환자에서 한쪽 대뇌반구에 발작파가 나타나고 40%에서 양쪽에서 관찰된다. 특징적인 횡단 이중극(transverse dipole)을

갖는 고진폭 이상성(diphasic) 극파가 군집을 이루어 나타나며, 흔히 서파가 동반된다. 중심-측두부 극파는 기면상태나 수면상태에서 증가하고, 양측화 또는 전반화 경향이 있다. 30%에서는 수면상태에서만 극파가 나타날 수 있다. 극파가 나타나는 정도와 발작의 빈도나 심한 정도와는 관련이 없다고 알려져 있다.

[치료 및 예후]

치료에 대한 반응은 매우 좋으며 carbamazepine 등 대부분의 약물치료로 쉽게 발작 조절이 가능하다. 15-16세 이전에 대부분의 환자에서 발작이 조절되어 항뇌전증약을 중단할 수 있다. 적절한 치료를 할 경우에는 일반 소아에 비해 학습에 문제가 있거나 행동에 장애가 있는 경우는 거의 없는 것으로 알려져 있다.

(2) 후두부 발작파를 동반한 소아뇌전증(Childhood epilepsy with occipital paroxysms)

후두부 발작파를 보이는 소아뇌전증에는 Panayiotopoulos증후군과 상대적으로 드문 Gastaut형 소아 후두엽뇌전증(Gastaut type childhood occipital epilepsy)이 있다.

○ Panayiotopoulos 증후군

발병연령은 1-15세이며 4-5세에 가장 호발한다. 증상으로는 자율신경증상과 행동변화, 일반적인 운동발작이 나타난다. 자율신경증상으로는 구토가 가장 흔하며 실신, 창

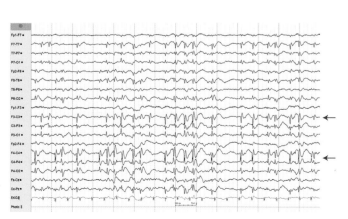

■ 그림 6-38. 중심-측두부 극파를 동반한 양성소아뇌전증 환자의 뇌파
양측 중심측두부위에 고진폭의 이상성 극파가 관찰된다(화살표).

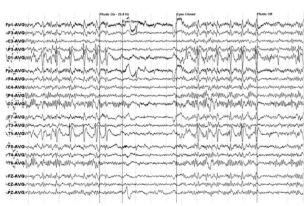

■ 그림 6-39. Panayiotopoulos 증후군 환자의 뇌파
각성 시에 좌측 후두부위에서 극파 혹은 극서파가 관찰되고, 눈을 떴을 때 일시적으로 사라지는 현상을 보인다(fixation-off).

백, 홍조 등도 나타날 수 있고, 발작 중 행동변화로는 안절부절 못하는 증세, 초조, 공포 또는 침묵 등이 있다. 일부 환자의 뇌파에서 후두엽에서 우세하지만 뇌 전반에 파급되는 다초점 고진폭 극서파 복합체가 관찰된다(그림 6-39). 그러나 뇌파소견은 비특이적이다.

발작은 약 50%의 환자에서 저절로 치유되어 치료가 필요없으며, 나머지 환자에서는 자율신경성 뇌전증지속증으로 나타날 수 있다. 이러한 경우 정확한 평가 및 진단이 필요하다.

일반적으로 예방치료는 추천되지 않으나 여러 번 발생하거나 환자 혹은 부모가 원하는 경우 carbamazepine, valproate, levetiracetam 등이 사용된다.

○ Gastaut형 특발 소아 후두엽뇌전증

호발 연령은 3-15세이고 남녀 차이는 없다. 발작의 양상은 단순 환시가 가장 흔하고 일시적인 실명, 착시, 안구 운동, 안통, 눈꺼풀 떨림 또는 반복적인 눈감기 등이 나타나기도 한다. 발작 후 두통이 동반된다. 뇌파검사 시 눈을 감았을 때 후두부에 고진폭의 극파, 예파, 또는 극서파복합체 등이 나타나는데, 눈을 감을 때 활성화되고, 눈을 뜰 때 사라지는 특징을 가지고 있다(그림 6-40). Carbamazepine을 비롯한 대부분의 약물치료로 발작 조절이 잘 되며, 예후는 비교적 좋아서 환자의 50-60%는 2-4년만에 완치된다.

(3) 소아기 소발작뇌전증(Childhood absence epilepsy, CAE, pyknolepsy)

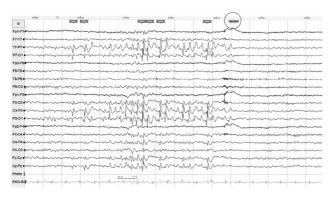

■ 그림 6-40. Gastaut형 특발 소아 후두엽뇌전증 환자의 뇌파
좌측 후두부위의 극파가 눈을 뜨면 소실된다(원).

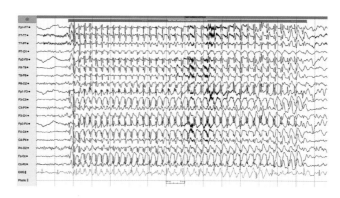

■ 그림 6-41. 소아기 소발작뇌전증 환자의 뇌파
3 Hz의 전반극서파복합이 갑자기 나타나서 지속되다가 덜 갑작스럽게 소실된다.

발병연령은 4-8세이며 주로 6-7세에 호발하고 여자에서 조금 더 많이 발생한다.

[임상양상]

조짐(aura)이 없이 갑작스럽게 5-20초 정도의 짧은 의식소실이 하루에 수십 회 정도 발생하고 때로는 단순한 자동증이나 눈을 위로 치켜뜨거나 눈꺼풀이 떨리는 증상이 동반되기도 한다. 또한 이러한 소발작은 약 3분 동안 과호흡을 시키면 쉽게 유발되므로 진료실에서의 진단에 도움이 된다.

[뇌파소견]

뇌파는 특징적으로 약 3 Hz의 전반 극서파 복합체를 보이며 과호흡에 의해 쉽게 유발되는 경향이 있다(그림 6-41). 또한 환자의 10-20%에서 광과민성을 보인다.

[치료 및 예후]

치료는 valproate나 ethosuximide를 단독으로 사용하여도 대부분 조절이 가능하며 필요시 lamotrigine을 사용할 수도 있다. 2-3년동안 발작이 없는 경우 수개월에 걸쳐 약물을 줄여 끊을 수 있지만, 일부에서는 소발작이 지속되거나 다른 형태의 특발전신뇌전증으로 이행되기도 한다.

(4) Doose 증후군(Epilepsy with myoclonic-astatic seizures)

1970년 Doose 등이 Lennox-Gastaut 증후군과 유사한 특징을 가지지만 뇌병변이 없는 환자들을 모아서 보고하면서 알려지게 되었다.

[역학 및 임상양상]

전체 뇌전증 환자의 1-2%를 차지하는 드문 질환이며 18-60개월에 발병하며 3세 무렵에 호발하고 9세 이후 발병은 드물다. 모든 환자에서 근간대발작과 근간대-불안정 발작이 나타나는데 0.3-1초 정도 대단히 짧게 나타나며 1회의 발작을 보이거나 2-3회 연속적으로 발생할 수도 있다. 그밖에도 전신강직간대발작, 소발작 등이 일어날 수 있으며, 환자의 15-95%에서 비경련 뇌전증지속증이 나타난다.

[뇌파소견]

발작간기 뇌파는 발병 시점에 정상일 수 있으며 전반적인 양쪽 4-7 Hz 세타 서파가 나타날 수 있으며 불규칙한 극서파가 수면 시 발생할 수 있다.

[진단]

이 질환은 발병 전에 정상적인 발달을 보였던 18-60개월의 소아에서 근간대발작을 비롯한 다양한 형태의 발작이 발생하고 뇌영상검사에 이상이 없는 임상적인 특징을 근거로 진단한다.

[치료]

약물치료 효과는 병의 중증도에 따라 다양하게 나타난다. Valproate가 일차선택약으로 추천되며 lamotrigine을 추가하여 사용할 수 있다. Ethosuximide는 소발작이 뚜렷한 환자에서 효과적일 수 있다. Topiramate나 levetiracetam도 사용할 수 있다. 그러나 carbamazepine과 vigabatrin은 발작을 악화시키고 근간대발작지속증을 일으킬 수 있으므로 피해야 한다.

[예후]

예후는 다양한데 발병 시점에서 3년간 약물 투여로 발작이 소실되고 정상적인 인지발달을 보이는 경우도 있지만, 약물에 반응을 보이지 않고 인지기능 장애를 보이면서 예후가 불량한 경우도 있다.

(5) 근간대소발작뇌전증(Epilepsy with myoclonic absences)

1969년 Tassinari 등이 처음 기술하였다.

[임상양상]

임상적으로 강력한 율동성 양쪽 근간대발작을 보이며 이어서 소발작과 함께 뇌파에서 대칭적이고 동기성의 3 Hz 율동성 극서파를 나타내고, 근전도에서 3 Hz의 근간대발작과 강직수축이 증가되는 것을 볼 수 있다. 전체 뇌전증 환자의 0.5-1%에서 관찰되는 드문 뇌전증이며 70%가 남자에서 발생한다. 첫 발작이 출현하는 연령은 평균 7세(11개월-12년 6개월)이다. 환자의 1/3에서 근간대소발작만 나타나고 2/3에서는 소발작 혹은 전신강직간대발작 등 다른 형태의 발작이 동반된다.

[진단]

진단은 근간대소발작이 임상적으로 의심되면 근전도를 포함한 다원기록(polygraphic recording)이 필수적이다.

[치료 및 예후]

치료로는 전신강직간대발작과 연관이 없는 근간대소발작일 경우 valproate와 ethosuximide를 병합하여 사용하면 효과적이다. Phenobarbital, benzodiazepine, lamotrigine의 병합요법도 효과적일 수 있다. 근간대소발작이 다른 형태의 발작과 함께 나타나는 경우 특히 전신강직간대발작이 동반되는 경우는 예후가 불량하다.

(6) Lennox-Gastaut 증후군(Lennox-Gastaut syndrome, LGS)

1930년대부터 Lennox에 의해 언급되기 시작하였고, 1939년에는 Gibbs 등에 의하여 느린 극서파(slow spike and wave, SSW)의 특징적인 뇌파 소견과 함께 변형 소발작(petit mal variant)으로 명명되어 보고되었으며, 1966년 Gastaut가 다양한 원인들에 의하여 발생되는 인지발달 장애, 비정형 소발작과 강직발작을 보이는 뇌전증증후군으로 보고하였다. 이후 1985년 Beaumanoir에 의하여 LGS로 정립되었다.

[역학]

LGS는 소아 뇌전증의 약 1-5%를 차지하고 있으며 다양한 종류의 전신발작과 전형적인 뇌파 소견, 그리고 진행되는 정신발달 이상을 특징으로 한다. 1-8세에 발병하는데, 3-5세에 첫 발작이 나타나는 경우가 가장 많다.

[원인]

LGS 환자의 20-30%는 발병 이전의 발달 상태가 정상이며 여러 검사에서 기질적인 뇌의 이상 소견을 보이지 않는다. 그러나 원인 미상의 LGS의 경우에도 열성경련이나 뇌전증의 가족력이 48%에서 나타나므로 유전적 소인을 고려해야 한다. 구조/대사성 LGS의 흔한 원인은 선천 뇌기형, 저산소성 허혈 뇌병증, 뇌염, 수막염, 결절경화증 등이다. 국소 뇌병변, 특히 전두엽의 병변이 LGS와 관련될 수 있다.

[임상양상]

첫 발작은 부분발작 또는 강직간대발작으로 시작된다. 이후 차츰 여러 형태의 발작이 출현하는데 주로 강직발작, 비정형 소발작, 근간대발작, 무긴장발작 등이 나타나며 그 외에도 강직간대발작, 간대발작, 부분발작이 나타날 수 있다. 대부분의 환자에서는 매일 여러차례 발작을 보이게 되며 한 환자에서 다양한 유형의 발작이 나타나는데, 장시간 비디오뇌파검사를 시행하면 정확한 발작 유형을 파악하는데 도움이 된다. 강직발작은 LGS 환자의 74-90%에서 관찰되는 가장 흔하고 특징적인 발작 형태로 수면 중에 주로 나타나며 인지발달의 예후와 관련이 있다. 가벼운 형태는 눈을 위로 치켜뜨거나 잠깐 동안의 호흡장애로 나타나는데 주로 수면 중에 발생하기 때문에 비디오뇌파검사를 시행하지 않고서는 관찰하기 어렵다. 강직발작은 목이나 얼굴, 씹기 근육에 국한되기도 하며 팔다리의 근위부나 원위부에 국한되기도 한다. 강직발작이 팔다리에 나타날 때에는 갑자기 쓰러지기도 하며 이 경우 무 긴장 또는 근간대발작과의 감별이 어렵다. 의식은 발작 후 곧 회복된다. 호흡근의 강직으로 무호흡이 나타나기도한다. 발작 후 자동증이 나타나기도 하며 자율신경계 증상을 보이기도 한다. 비정형 소발작은 LGS 환자의 대부분에서 나타나는데 의식이 서서히 소실되고 서서히 회복되며 때로는 쓰러지거나 고개를 떨어뜨리는 현상이 동반된다. 이때 눈꺼풀의 떨림, 가벼운 강직, 자율신경계 증상, 자동증 등이 함께 출현할 수 있으며, 정형 소발작과는 달리 빛자극에 의해 유발되지 않는다. 무긴장발작도 LGS에서 관찰되는데, 근간대-불안정발작, 근간대발작, 강직발작 등 갑자기 머리를 앞으로 떨어뜨리거나 바닥에 쓰러지게 되는 다른 넘어짐발작(drop attack)들과 육안으로 구별하기 어렵다. 실제로 비디오뇌파검사를 통하여 분석해 보면 무긴장발작도 있지만 넘어짐발작의 대부분은 강직발작임을 알 수 있다. 근간대발작은 LGS 환자의 약 30%에서 관찰되는데, LGS의 근간대 변형이라고 부르기도 한다. 근간대발작이 뚜렷할수록 인지발달의 예후는 좋은 것으로 알려져 있다. 비경련 뇌전증지속증(nonconvulsive status epilepticus)이 LGS 환자의 54-97%

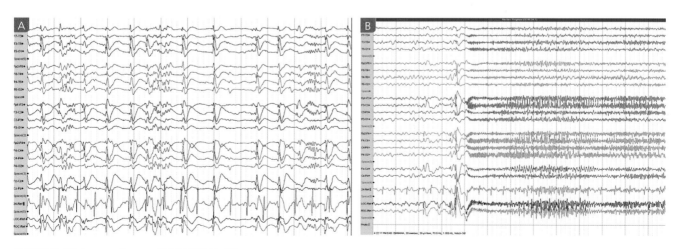

■ 그림 6-42. Lennox-Gastaut 증후군 환자의 뇌파
(A) 발작간기에는 전반 느린 극서파가 관찰된다. **(B)** 강직발작의 발작기 뇌파 : 배경파의 억제 및 전반돌발속파가 관찰된다.

에서 관찰되는 것으로 알려져 있는데 강직발작과 의식 혼미가 주된 증상이다. 비경련 뇌전증지속증은 각성에 의해 억제되고 졸음에 의해 촉진되므로 LGS 환자에서는 약물을 과도하게 사용하지 않는 것이 좋다.

[뇌파소견]

각성 시에 볼 수 있는 LGS의 특징적인 발작간기 뇌파 소견은 전두부 우위의 양쪽 동기성 1-2.5 Hz의 느린 극서파이다(그림 6-42). 때로는 초점 또는 다초점 극서파가 전두부나 측두부에 보이기도 한다. 느린 극서파는 과호흡에 의해 유발될 수 있으나 빛자극에 의해 유발되지 않는다. 서파 수면 시에 느린 극서파는 양쪽 동기성이 더욱 강해지고 때로 다발극파가 보이기도 한다. LGS의 초기에는 느린 극서파가 보이지 않을 수도 있으며 소아기 후반에는 점차 느린 극서파의 빈도가 감소하여 소실되기도 한다. 서파 수면 시에 특징적으로 10 Hz 이상의 전반돌발속파(generalized paroxysmal fast activity)가 전두부에 나타나는데 REM 수면 시에 감소되며 강직발작과 관련이 있다.

[진단]

LGS의 특징적인 임상증상과 뇌파 소견은 시간이 흐르면서 뚜렷해지기 때문에 초기에는 증후군의 진단이 쉽지 않다. 인지기능의 저하는 LGS 초기에는 명확하지 않으나 시간이 흐를수록 점차 뚜렷해져서 환자의 78-96%에서 정신지연을 보이게 된다. LGS 환자의 약 1/4은 영아연축의 과거력을 가지고 있다. 대뇌 피질이형성증이나 대뇌의 병변을 진단하는 데에는 MRI가 가장 좋으며, CT 검사로도 75%에서 광범위 뇌위축이 발견된다. PET에서 일관된 이상이 보이지는 않지만 절반에서 광범위 대사활동 저하나 전두엽과 측두엽의 국소 대사저하소견을 보일 수 있다.

[치료]

LGS는 치료에 가장 반응이 좋지 않은 뇌전증증후군 중의 하나이다. 치료 도중 발작과 인지기능의 상태가 호전되거나 악화되는 시기를 반복하는 경우가 많으므로 치료를 평가할 때 단기간의 관찰로 충분하지 않은 경우가 많다는 것을 유념해야 한다. 약물에 잘 반응하지 않아서 여러 종류의 약제를 함께 써야 할 경우가 많으므로, 주로 주간

의 발작 억제와 손상 방지에 집중하는 것이 좋으며 과량의 약물투여로 인한 부작용을 최소화하도록 노력해야 한다. Clonazepam, clobazam 등 benzodiazepine이 널리 사용되고 있으나 졸림, 과다행동 등의 부작용과 약물내성이 발생하기 쉽고 diazepam을 정맥주사하는 경우에는 뇌전증지속증이 발생할 수 있다고 한다. 소발작과 근간대발작의 조절에 valproate가 효과적이다. Lamotrigine은 의식과 행동의 개선에도 도움이 된다고 하며, topiramate는 강직발작과 넘어짐발작에 효과가 있다. Vigabatrin, zonisamide, levetiracetam 등도 많이 사용되고 있으며, phenytoin, carbamazepine 등은 소발작을 악화시킬 수 있기 때문에 신중히 사용해야 한다. Corticosteroid, ACTH, TRH, 면역글로불린 등을 사용해 보는 경우도 있다. 약물치료에 반응이 없던 일부 환자에서는 케톤생성 식이요법으로 호전을 보이기도 한다. LGS의 치료에는 발작의 조절뿐만 아니라 인지 및 행동장애에 대한 관리, 가족에 대한 지지 등이 필요하며, 특히 발작 시 자주 넘어지게 되므로 머리의 부상을 방지하기 위하여 헬멧을 씌우거나 가구의 모서리를 감싸는 등의 보호 조치가 필요하다. 최근 수술적 요법으로 뇌량절개술(corpus callosotomy)을 시도하거나 혹은 원발 병변이 확인된 경우에 뇌전증병소 절제술이 도움이 되기도 한다. 또 미주신경자극술(vagal nerve stimulation)이 시도되기도 한다.

[예후]

LGS의 예후는 매우 나쁘다. 극히 소수에서 발작이 조절될 뿐이며 80% 이상에서 발작이 조절되지 않는 상태로 지속되며 지능장애와 행동장애로 인하여 독립적인 생활이 불가능하게 된다. 뇌전증지속증으로 인한 단기 사망률은 4-7%로 알려져 있다.

4) 청소년기

(1) 청소년 소발작뇌전증(Juvenile absence epilepsy, JAE)

대개 9-13세에 발병하고 남녀간 차이는 없다. 소발작의 양상은 CAE와 유사하지만 의식변화가 덜 뚜렷하고 그 빈도가 낮다. 대부분의 환자에서 가끔 아침에 전신강직간대발작을 일으키는 경향이 있고 일부에서는 근간대발작이나 소발작 뇌전증지속증을 보이기도 한다. 뇌파에서는 CAE

와 유사하게 전반극서파 혹은 다발극서파를 보이지만 3.5-4 Hz 정도로 다소 빠른 경향을 보이며 일부에서 때로는 광유발 돌발반응(photoparoxysmal response)을 보이기도 한다. 치료는 valproate 단독 혹은 ethosuximide, lamotrigine 등 다른 약물과 함께 사용할 수 있는데, 일반적으로 약물에 대한 반응은 좋지만 장기간 치료를 필요로 하는 경우가 많다.

(2) 청소년 근간대뇌전증(Juvenile myoclonic epilepsy, JME)

사춘기 전후에 발병하며 대부분 12-18세에 발병하는데, 사춘기 이후의 연령에서 매우 흔한 뇌전증증후군이며 전체 뇌전증 환자의 5-10%를 차지한다.

[원인]

원인은 유전적 요소가 강한 것으로 알려져 있으며, 유전자 위치는 6p21.3, 6p12.11 등이 밝혀져 있다. 가족 중 뇌전증의 유병률이나 뇌파의 이상은 일반인보다 높다.

[임상양상]

어깨나 팔다리에 대칭으로 나타나는 단일 혹은 반복적인 근간대발작을 특징으로 하며 발작 중 몸의 균형을 잃거나 들고 있던 물건을 떨어뜨리기도 한다. 발작은 잠에서 깬 직후에 가장 많이 일어나며 수면부족과 음주가 유발요인이 된다. 환자의 50-80%에서 전신강직간대발작이 동반되는데 주로 근간대발작 이후에 보이며 조짐이 없고 대칭적으로 나타나며 비교적 강직 기간이 긴 양상으로 활모양 강직의 양상과 함께 심한 청색증을 보일 수 있다. 환자의 15-30%에서 소발작이 발견되는데 대부분 경미하며 짧은 양상이지만 소수에서는 눈꺼풀, 눈, 머리 또는 팔다리에서 간대운동이 보일 때도 있다. JME에서의 근간대발작은 깜짝 놀라는 양상으로 의식 변화가 없고 생활에 지장이 없는 경우가 많아서 발작으로 인식되지 못해 진단이 늦어지거나 다른 뇌전증증후군으로 오인되는 경우가 많다.

[진단 및 뇌파소견]

진단은 임상적으로 이루어지며 뇌파에서 배경파는 대부분 정상이고 발작기 뇌파는 양쪽 대칭 다발극서파 복합체 소견을 보인다. 발작간기 뇌파는 전반극파 혹은 극서파 복합체가 함께 나타난다(그림 6-43). 그러나 이러한 뇌파 소

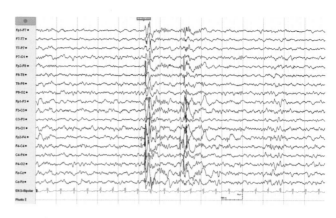

■ 그림 6-43. 청소년 근간대뇌전증 환자의 뇌파
좌우 대칭적인 다발극서파 복합체 소견이 관찰된다.

견은 이 증후군에서만 나타나는 것이 아니므로 정확한 진단을 위해서는 임상양상과 뇌파 소견 모두를 참고하여야 한다. 그리고 다른 어떤 뇌전증에서보다 광과민성 양상을 보이는 경우가 많다. 대부분의 환자에서 신경학적 검사 소견, 뇌영상 소견, 지능 등이 정상이지만, 심리검사에서 신경증 성향과 사회부적응, 인격장애 등의 소견이 일반인보다 높게 보고되어 있다.

[치료 및 예후]

치료는 불규칙한 수면과 기상시간, 알코올 섭취, 빛자극 등이 유발인자가 되므로 이에 대한 교육 및 개선, 약물치료로 이루어진다. 일차선택약은 valproate이며 완전히 조절이 되지 않거나 valproate를 사용할 수 없는 환자에게는 lamotrigine, zonisamide, levetiracetam, topiramate 등의 약제를 사용할 수 있다. Carbamazepine은 이 증후군에서 근간대발작을 악화시킬 수 있다. 일반적으로 약물치료에 대한 반응은 양호하지만, 오랜 기간 치료 후에도 약물을 끊으면 재발하므로 평생 투약해야 하는 경우가 많다.

(3) 각성 시 전신강직간대발작을 동반한 뇌전증(Epilepsy with grand mal seizures on awakening)

대부분 10대에서 발병하며 하루 중 시간에 관계없이 잠에서 깬 직후 전신강직간대발작이 나타나는 것이 특징이다. 이러한 양상으로 전신강직간대발작이 6회 이상 발견될 때 임상적으로 진단하며 대부분의 경우 신경학적 검사,

뇌영상 소견은 정상이다. 뇌파는 전반서파의 증가, 비조직적 배경파, 또는 전반극서파 등을 보인다. 발작은 수면부족에 의해 유발되는 경향을 보이며 광감수성을 보인다. 소수에서는 근간대발작이나 소발작이 동반되기도 한다. 유전적인 경향을 보이며, 발병시기가 6-35세까지 넓게 분포하며 평균 발병연령은 17.1세로 CAE (7.5세), JAE (13.3세), JME (14.2세)에 비해 가장 늦게 나타난다고 보고되어 있다. 이러한 연령-연관 특발전신뇌전증들은 임상양상 및 발병시기가 유사하고 서로 중복되기도 하며 일부에서는 관련된 다른 뇌전증증후군으로 변화해 가는 경우도 보고되었다. 치료는 약물치료와 함께 수면부족과 알코올 섭취 등 외부 유발인자의 조정으로 이루어진다. 일차 선택약으로는 valproate가 추천되며 새로 개발된 약제들도 효과가 있는 것으로 알려져 있다. JME와 유사하게 약물치료 종료 후 재발률이 매우 높아서 평생 투약해야 하는 경우가 대부분이다.

5) 해마경화증을 동반한 측두엽 뇌전증(Temporal lobe epilepsy with hippocampal sclerosis, TLE with HS)

측두엽 뇌전증(temporal lobe epilepsy, TLE)이란 용어는 측두엽에서 기인하는 국소발작(1981년 분류의 복합부분발작)을 지칭하는 말로 사용되어 왔다. 1985년 ILAE는 발작의 시점을 해부학적으로 분류하여 증상 국소화뇌전증으로 분류하였다. 또한, 내측두엽 뇌전증(mesial TLE, MTLE)의 흔한 병리학적 원인은 해마경화증으로 알려져 왔다. 해마경화증을 동반한 내측두엽 뇌전증은 다양한 원인과 연관된 내측두엽 뇌전증의 일부로 이를 진단하기 위해서는 다양한 진단적 검사가 필요하다. 해마경화증과 연관된 내측두엽 뇌전증은 수술에 의한 완치율이 60-80%에 달하기 때문에 질병의 초기단계부터 이를 정확하게 진단하는 것이 필요하다.

[역학]

해마경화증을 동반한 측두엽 뇌전증의 정확한 빈도는 알려져 있지 않다. 전체 뇌전증 환자의 약 40%가 국소발작을 보이며, 이 환자의 일부가 측두엽 뇌전증으로 추정된다. 뇌전증 수술을 받은 환자에 관한 연구에서 측두엽 뇌전증의 약 70%가 해마경화증을 보이는 것으로 알려져 있다. 측

두엽 뇌전증 환자가 난치성 뇌전증으로 판정되기에는 평균 9년이 소요되는 것으로 나타났다.

[원인 및 발병기전]

이 질환의 발병기전은 해마에 존재하는 특정 신경세포가 어떠한 원인에 의해 소실되고, 생존한 신경세포 간에 시냅스가 새로이 생성되면서 과동기화 및 과흥분성을 지니게 되는 것으로 알려져 있다. 그 동안 열성경련과 내측두엽경화증의 연관성에 대해 많은 보고가 있어 원인으로 추정되고 있으나, 열성경련의 과거력이 없는 환자가 다수 존재하고 동물실험에서 장시간의 열성경련이 해마경화증을 반드시 일으키지 않는 것으로 확인되어 인과관계가 증명되지 않았다. 그러나 최근의 연구에 의하면 약 66%의 환자가 긴 열성경련을 했던 것으로 나타났으며, 외상이나 감염 등도 연관이 된 것으로 보고되었다. 이 질환에서 일단 발작이 발생하면, 시간이 지남에 따라 증상이 반복하여 발생할 확률이 높은 것으로 알려졌다. 일부 환자에서는 해마경화증과 함께 과오종이나 이소회질 등의 미세이형성증(microdysgenesis)이 동반되어 있는 것이 확인되었다. 또한 일부에서는 뇌전증이나 열성경련의 가족력이 있는 경우가 유의하게 높은 것으로 확인되었다. 따라서 유전학적 혹은 선천적인 이상과 함께 어린 연령에 해로운 자극에 노출되는 것이 내측두엽 뇌전증에서 존재하는 신경세포의 소실 및 새로운 시냅스의 형성과 연관되는 것으로 추정된다.

[임상양상]

현재까지 알려진 내측두엽 뇌전증의 특징적인 임상양상은 대부분 난치성 뇌전증으로 뇌전증 수술을 받은 환자를 대상으로 한 연구에 의해 밝혀졌다. 특징적인 발작은 만 10세에 가까운 연령에 시작되며, 초기에는 뇌전증 약제에 잘 반응하는 것이 일반적이다. 그러나 수년이 지나, 청소년기나 성인기 초기에 이르면 다시 발작이 심해져서 뇌전증 약제에 반응하지 않는 난치성 뇌전증으로 진행한다. 이러한 환자의 대다수는 복합열성경련이나 열성경련과 관련된 뇌전증지속증의 과거력이 있거나 어린 연령에 중추신경계 손상을 받은 병력이 있는 것으로 알려졌다. 내측두엽 뇌전증이 시간이 지남에 따라 악화하는가에 대하여는 서로 상충되는 연구결과가 발표되었다. Kindling 동물실험 모델에

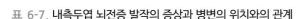

표 6-7. 내측두엽 뇌전증 발작의 증상과 병변의 위치와의 관계

증상	병변	병변의 반대	기타
머리 혹은 안구의 편위	초기에 발생할 경우	나중에 발생하는 경우	
한 쪽 사지의 강직 혹은 이상강직		환자의 15~70%에서 발생함	
발작 중 구토(ictal vomiting)			오른쪽 측두엽에서 기인함
한 쪽 눈을 깜빡거림(blinking)	병변쪽을 시사		
발작 중 실어증(ictal aphasia)			우성반구(이견이 있음)
발작 중 말하기			비우성반구
발작 후 실어증(postictal aphasia)			우성반구(이견이 있음)
발작 후 마비		드물지만 가능함	
코를 만지는 동작(nose wiping)	병변쪽의 손을 사용		
발작 후 증상			우성반구의 경우 길다

서는 명확하게 진행하는 것으로 확인되었으며, 반복되는 발작에 의해 신경세포의 소실과 시냅스의 재구성이 발생하는 것이 병리학적 소견을 이용한 연구에서 확인되었다. 또한, 어린 연령에 발생한 유발요인과 실제 발작이 발생하는 시간간격이 매우 길고, 처음에는 뇌전증 약제에 반응하다가 나중에 난치성 뇌전증으로 변화하는 현상도 내측두엽 뇌전증이 악화하는 증거가 된다. 그러나 뇌전증 수술 후에 환자의 발작이 없어지면 인지기능이 어느 정도 회복이 되는 현상은 이에 반하는 증거이다. 진행하는 내측두엽 뇌전증 환자들에서 뇌전증 발작과는 별도로 심리적인 혹은 정신과적인 증상이 발생하기도 한다. 해마경화증과 연관된 측두엽 뇌전증의 증상과 다른 원인에 의한 측두엽 뇌전증의 증상은 임상적으로 구분하기 힘들다. 그러나 병변 쪽에서 발생하는 사지의 자동증, 반대쪽의 비정상적인 자세, 그리고 입이나 소화기계의 자동증 등은 내측두엽 뇌전증에만 발생하는 것으로 알려져 있다. 발작기 증상은 주관적인 증상과 객관적인 증상으로 구분된다. 주관적인 증상은 조짐으로 매우 흔한 증상이며 환자의 90% 이상에서 발생한다. 이는 단독으로 발생하거나 의식의 변화를 동반한 국소발작으로 넘어가는 초기에 나타난다. 가장 흔한 조짐은 내장기관과 연관된 것으로 주로 위에서 치밀어 오르는 느낌이 가장 흔하다. 공포감이 일부에서 나타나며, 기시감 및 미시감, 거대시증(macropsia)이나 소시증(micropsia), 후각 환각, 이인증(depersonalization) 등은 환자에서 발생하기는

하나 흔하지는 않다. 이외에도 말로 표현할 수 없는 느낌도 나타난다. 객관적인 증상은 관찰자나 비디오-뇌파검사에서 확인되는 증상으로 의식이 소실될 때 나타나는 증상이어서 환자는 대부분 기억하지 못한다. 초기에는 갑자기 동작을 멈추고, 멍하게 쳐다보는 증상을 보인다. 일부의 환자는 이 단계에서 발작이 끝나고 다른 환자는 이후 무의식적인 행동으로 마치 목적이 있는 듯이 행동하는 자동증을 보인다. 자주 관찰되는 자동증은 입맛을 다시거나 침을 꿀꺽꿀꺽 삼키거나 손으로 물건을 만지작거리는 행동을 반복하는 것이다. 이러한 증상 중에서 한 쪽에만 발생하는 동작, 언어 증상, 발작 후 증상 등은 이러한 증상이 병변 쪽에서 발생하는 지 반대쪽에서 발생하는지에 대한 정보를 주기도 한다(표 6-7). 3세 이하의 소아 환자에서는 이러한 전형적인 증상이 발생하지 않으며 주로 강직발작이나 간대발작으로 나타난다. 이후 연령이 증가하면서 서서히 동작이 적은 형태의 발작과 경미한 자동증이 나타나고, 약 10세 경에는 전형적인 형태의 발작이 나타난다. 내측두엽 발작은 다양한 지속시간을 보이는 발작 후 증상을 동반하는 것이 특징이다. 발작 후에는 자동증이 지속되는 경우가 흔하고, 혼돈이나 지남력의 상실, 언어 혼돈 등을 보인다.

[진단]

발작간기 뇌파는 정상이거나 비특이적이지만, 장시간 뇌파를 기록하는 경우 대부분의 경우 앞 측두엽 전극에서

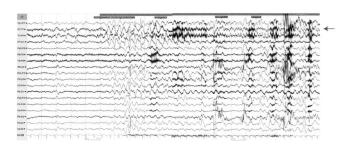

■ 그림 6-44. 내측두엽 뇌전증 환자의 발작기 뇌파
좌측 측두엽 부위의 발작기 율동성파형을 관찰할 수 있다(화살표).

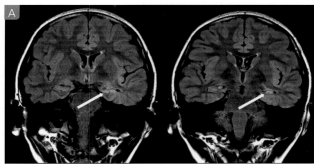

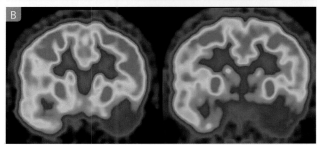

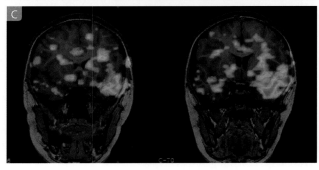

■ 그림 6-45. 내측두엽 뇌전증 환자의 MRI, PET, SPECT 소견
(A) FLAIR 영상에서 좌측 해마의 위축 및 신호증강이 관찰된다(화살표). (B) FDG-PET 영상에서 좌측 측두엽의 대사저하가 관찰된다. (C) SISCOM (subtracted ictal SPECT co-registered to MRI) 영상에서 좌측 측두엽의 혈류량 증가가 관찰된다.

기인하는 극파, 예파, 혹은 서파 등의 이상소견을 보이며 약 1/3의 환자에서는 양쪽 대뇌반구에서 독립적으로 나타난다. 이러한 발작파는 특징적으로 나비전극, 측두엽전극, 귀볼(earlobe)전극 등에서 최고 전위를 가진다. 비록 양쪽에서 동기화된 이상파가 나올 수 있으나 흔하지 않으며, 때때로 양쪽 전두엽에서 동기화된 극파가 관찰되나 임상적인 의미는 없다. 발작기 뇌파는 4-9 Hz의 율동성 파가 한쪽 측두엽에서 초기 30초 정도에 시작된다(그림 6-44). 조짐이 발생한 시점에서는 일반적으로 발작기 뇌파가 관찰되지 않으나, 발작간기의 뇌전증모양파가 감소하는 경우가 많다. 6-18%의 환자에서 발작기 뇌파가 발작초점의 반대쪽에서 나타나는 것으로 보고된다. 이러한 환자들에서 두개골 내 전극을 삽입하면 비정상적인 해마(burned out hippocampus)에서 발작이 시작되나 병변 쪽으로 퍼지지 않고 반대쪽으로 발작파가 퍼지는 것을 관찰할 수 있다. 난치성 내측두엽 뇌전증 환자의 대부분은 고해상도 뇌 MRI에서 해마경화증을 보이며, 해마의 구조가 비정상적으로 변화하고, T2 강조영상이나 FLAIR 영상에서 고신호 강도를 보인다(그림 6-45A). FDG-PET는 해마경화증과 관련된 국소적인 기능저하를 나타내는 민감도가 가장 높은 발작간기 영상검사이다. FDG-PET에서 확인되는 대사저하 부위는 발작초점인 측두엽보다 더 넓게 나타나며, 병변 쪽의 기저핵, 시상, 그리고 다른 겉질 부위를 포함하기도 한다(그림 6-45B). 발작간기 SPECT는 마찬가지로 병변 쪽 측두엽의 혈류저하를 나타내지만 FDG-PET보다 민감도가 낮다(그림 6-45C). 그러나 발작기 SPECT는 발작의 초기에 동위원소가 주입되는 경우 병변 쪽 측두엽의 혈류증가를 분명하게 나타낸다(그림 6-45C).

[치료 및 경과]

내측두엽 뇌전증은 초기에는 항뇌전증약에 잘 반응하나 수년 후에는 난치성 뇌전증으로 변화할 가능성이 높다. 이러한 경우 다양한 조합의 항뇌전증약이 어느 정도 치료 성공률을 보여주는 지 잘 알려져 있지 않으나 매우 낮아서 뇌전증 수술의 대상이 된다. 전측두엽 절제 및 편도해마 절제술을 통한 치료 성공률은 60-80%로 알려져 있다. 이러한 뇌전증 수술을 위해서 수술 전 검사로 장시간 비디오-뇌파검사, 발작기/발작간기 SPECT, FDG-PET, 신경심리검사, 속목동맥 amobarbital 검사, 고해상도 뇌 MRI 검사 등이 시행된다.

3. 특수한 임상상황에서의 발작

1) 뇌전증지속증(Status epilepticus)

뇌전증지속증은 신경학적 응급질환 중 하나이며 발작이 30분 이상 지속되거나 의식의 회복이 없이 발작이 반복되어 30분 이상 지속되는 상태로 정의된다. 현재 사용되는 30분이라는 기준은 동물실험에서 발작파가 30분 이상 지속되면 기능적으로나 형태학적으로 뇌의 비가역적 변화를 초래한다는 결과에 근거한다. 그러나 전신발작이 3분 이상 지속되는 경우가 드물고 이의 지속기간이 길수록 치료가 어렵고, 예후가 나쁜 것으로 알려져 최근에는 5분 이상 계속되는 발작이나 의식 회복이 없이 반복하는 2회 이상의 발작을 실용적인 정의로 제안되고 있다. 뇌전증지속증의 빈도는 뇌전증 환자의 약 3.7%이고 소아에서 85%가 생후 5세 이내에, 25%는 생후 1세 이내에 발생한다.

(1) 원인

소아기에 발생하는 뇌전증지속증은 지속적인 열성경련, 특발성 뇌전증지속증, 급성 증상 뇌전증지속증으로 구분된다. 지속적 열성경련은 소아기에 가장 흔한 뇌전증지속증으로 3세 이하의 연령에 자주 발생한다. 특발 뇌전증지속증은 항뇌전증약을 갑자기 중단하거나 불규칙하게 복용하는 경우 발생하며, 갑작스런 수면박탈에 의해 발생하기도 한다. 급성 증상 뇌전증지속증은 중추신경계의 질병이나 대사 이상에 의해 발생한다. 신생아기에는 대부분 저산소성 허혈 뇌병증이나 대사 뇌병증에 의해 발생하는 경우가 흔하며, 소아기에는 중추신경계의 감염에 의한 경우가 많다. 전해질 이상, Reye 증후군, 중독, 뇌종양 등도 뇌전증지속증의 원인이 된다.

(2) 치료

뇌전증지속증의 치료는 심폐기능의 평가 및 기도확보, 호흡 및 순환의 유지부터 시작된다. 일반혈액검사, 일반화학검사, 전해질, 항뇌전증약 약물농도측정 등을 위한 혈액검사를 실시하며, 대사이상 및 독성검사 등을 위하여 혈액

표 6-8. 소아 뇌전증지속증 환자의 치료 순서

단계	내원 후 경과시간	치료 방법
1	0~5분	① 뇌전증지속증의 진단(병력청취를 통해 발생시간을 확인) ② 생체징후 감시, 심전도, 뇌파검사 시행, 필요한 경우 oral airway 삽입 및 산소 투여 ③ 정맥도관 삽입, 채혈(항뇌전증약 농도, 혈당, 전해질농도, 칼슘, 일반혈액검사), 기도이물의 흡입
2	5~10분	생리식염수로 정맥주사를 유지, 50%포도당을 2 mL/kg로 투여
3	10~30분	① IV lorazepam 0.1 mg/kg (1~2 mg/분), 최대 8 mg
		② phenytoin (fosphenytoin) 18~20 mg/kg, rate <1 mg/kg/분, <50 mg/분, ECG 및 BP 감시
		③ phenytoin 10 mg/kg 추가
		④ phenytoin 대신 IV valproate 20~40 mg/kg, rate: 3~6 mg/kg/분
		⑤ 혹은 IV levetiracetam 30~60 mg/kg 15분 이상에 걸쳐
4	30~60분	발작이 지속되면 phenobarbital loading 20 mg/kg
		또는 phenobarbital을 발작이 멈출 때까지 50 mg/분으로 투여
5	60분	① midazolam loading 0.15 mg/kg → 1~2 μg/kg/분
		→ 이후 뇌파를 확인하며 증량, 12~48시간 동안 유지
		② pentobarbital loading 5 mg/kg, 뇌파에서 burst-suppression이 나타날 때까지 반복투여
		→ 이후 4시간 동안 1~5 mg/kg/시간으로 투여
		→ 용량을 낮추면 뇌파에서 발작이 나타나는지 확인
		→ 나타나는 경우 pentobarbital loading과 유지용량을 반복
		→ 나타나지 않는 경우 12~24시간에 걸쳐 감량
6	60~80분	발작이 멈추지 않으면 마취과에 연락하여 halothane을 이용한 전신마취와 neuromuscular blockade를 시도

및 소변검체를 보관한다. 저혈당이 의심되는 경우 25% 포도당용액을 2-4 mL/kg로 정맥주사 한다. 신체진찰 및 신경학적 검사를 신속히 실시하고 두부외상 및 두개 내압 상승을 시사하는 징후 등을 확인한다.

① 뇌전증지속증 치료에서 가장 중요한 것은 심폐기능의 유지와 적절한 양의 항뇌전증약을 투여하는 것이다. 적은 양의 항뇌전증약을 투여한 경우 효과를 기다리는 시간까지 발작이 지속되며 뚜렷한 효과가 없는 경우가 흔하다. 일반적으로 미리 정해진 치료계획에 따라 신속히 약물치료를 시행하는 것이 권장된다(표 6-8).

② 원인으로 중추신경계 감염을 구분행야 하며 의심되는 경우 금기 사항에 해당하지 않는 경우 뇌척수액 검사를 실시하고 경험적인 치료를 시작한다.

③ 이후 발생하는 경련에 대한 예방과 준비도 필요하다.

(3) 예후

뇌전증지속증은 심각한 후유증과 높은 사망률을 보이는 신경계의 응급질환이다. 흔한 합병증은 지적장애, 영구적인 신경학적 기능저하 그리고 난치성 뇌전증 등이다. 소아 환자의 뇌전증지속증과 관련된 사망률은 성인보다 낮아서 5% 정도이나, 나이가 어릴수록 사망률이 높아 1세 미만의 영아에서는 17.8%의 연 사망률을 보인다. 사망은 대부분 기존에 신경학적 이상이 있던 환자들이나, 바이러스 뇌염, 대사이상 등의 질병을 가진 소아에서 발생한다. 소아 환자에서 뇌전증지속증은 자주 재발하며 이러한 환자들은 만성 신경학적 장애를 가진 경우가 흔하다. 뇌전증지속증에 대한 조기진단과 신속한 치료가 예후에 중요하며, 뇌전증지속증의 치료에서 발작에 대한 치료뿐만 아니라 그의 원인에 대한 치료를 병행하는 것이 필요하다.

2) 열성경련(Febrile seizures)

열성경련은 소아에서 가장 흔한 발작성 질환 중 하나이며 첫 열성경련은 일반적으로 생후 3개월에서 6세 사이에 발생한다. 발열의 원인이 신경계 감염이나 다른 원인이 없는 상태에서 경련이 발생하는 질환이다. 대부분 최소한 37.8도에서 38.5도 이상의 발열이 시작되거나 지속되는 경우 경련이 발생한다. 발병률은 약 4-10%로 알려져 있으며, 서양보다 우리나라나 일본의 유병률이 더 높고 여아보다

남아에서 발병률이 더 높다.

(1) 원인

열성경련의 발생기전은 아직 명확히 밝혀지지 않았지만 열성경련 환자의 약 24%가 부모나 형제 중에서 열성경련의 가족력이 있으며 부모 형제가 열성경련의 병력이 있으면 일반인보다 약 3-4배 높은 발생률을 보인다. 재발성 열성경련과 연관된 요인인 1세 이하의 연령에서 시작된 것과 가족력이 있는 것은 비열성경련이나 뇌전증의 발생과는 연관이 없는 것으로 알려져 있다. 대부분의 경우 발열이 경련을 유발하는 중요한 요소이며, 체온이 상승하는 속도는 경련의 발생을 자극하는 요소로 추정되나 확실하지는 않다. 그러나 발열 초기에 경련이 발생할 확률이 높아서 44%의 환자가 열이 시작된 후 1시간 이내에 발작이 발생하였고 13%는 24시간 이후에 발작이 나타났다. 현재까지 어떠한 감염 질환에서도 병원체가 직접 뇌를 침범하여 열성경련이 발생한다는 근거는 없으며, 유전적인 성향을 가진 개체의 미성숙한 신경계가 체온 상승에 영향을 받아 정상적인 평형상태를 유지하지 못하고 이상흥분 상태로 변화하여 발작이 나타난다는 가설이 우세하다.

(2) 임상양상

대부분의 열성경련은 14-18개월 사이가 가장 흔하고 대부분 생후 6개월에서 3년 사이에 처음으로 발생한다. 열성경련은 단순열성경련과 복합열성경련으로 분류되며, 복합열성경련은 발작이 15분 이상 지속되거나, 하루에 여러 번 반복되거나, 발작의 양상이 전신강직간대발작이 아닌 부분발작과 같은 다른 형태가 나타나는 것이다. 복합열성경련이 있는 경우 향후 발열 시 발작의 재발가능성이 높고, 나이가 들어 비열성경련의 발생률이 높은 것으로 알려져 있다. 열성경련 후 간질 발생은 2-10%로 일반인구의 간질 발생율 보다 2-10배 높다.

(3) 검사 및 감별진단

처음 열성경련이 발생하였을 때 요추천자나 뇌영상 촬영, 뇌파 등의 검사가 필요한지 판단한다. 요추천자는 뇌수막염이나 뇌염 등의 중추신경계 감염을 감별 진단하기 위해 필요하며, 발작 전이나 후에 지속적인 의식변화 혹은 국

소 신경학적 증상이나 신경계진찰의 이상소견 등이나 뇌수막염과 뇌염을 의심할 수 있는 소견이 있을 경우에 고려하여야 한다. 뇌영상검사는 경련이 반복되거나 신경학적 검사에서 비정상적인 경우에 필요하다. 뇌파는 경련이 발생한 후 1주에서 3주까지 75% 정도에서 서파 등의 비정상 소견을 보인다. 뇌파검사에서 뇌전증파형이 확인되는 경우라 하더라도 항뇌전증약을 투여하지 않으나 향후 발생하는 환자의 발작을 잘 관찰하여야 한다.

(4) 치료

경련이 발생하였을 경우 보호자를 안심시키고 질식의 위험을 줄이기 위해 환자를 옆으로 눕히거나 고개가 한 쪽으로 향하도록 하여 입안의 분비물이 옆으로 배출되어 기도를 막지 않도록 자세를 취하고, 발작시간과 발작의 양상을 확인하도록 교육한다. 발작 시 체온을 측정하여 발열 유무를 확인하고 발작의 지속시간이 5분 이상 지속되면 구급대에 전화하여 응급실을 방문하도록 한다. 응급실 내원 시 환자가 발작을 하고 있는 경우에는 지속 시간을 확인하고 lorazepam을 0.05-0.1 mg/kg의 용량으로 투여한다. 발작이 지속되는 경우에는 뇌전증지속증에 준하여 치료한다. 응급실 내원 시 발작이 멈춘 상태에서는 환자의 의식상태를 변화를 파악하고 발열의 원인을 밝히고 치료한다. 처음으로 발열을 동반한 발작을 주소로 내원한 환자에서는 뇌염 등의 중추신경계 감염의 가능성을 염두에 두고 병력청취와 진찰을 실시하고 환자의 의식상태를 반복하여 평가한다.

(5) 예후

일반적으로 1/3 이상에서 1회 이상 열성경련이 재발하며, 50% 이상이 첫 해에 90% 이상이 2년 이내에 발생한다. 열성경련의 가족력이 있으면 재발률이 더 높고 1세 이하의 어린 나이에 발생하거나 하루에 여러 번 경련이 반복된 경우 재발 위험이 높다. 경련의 지속시간과 재발률 사이에는 유의한 연관 관계는 없었다.

향후 뇌전증으로 이행될 확률이 높은 위험인자는 열성경련의 발생 이전에 이미 발달지연이나 신경계 이상이 있는 경우, 뇌전증의 가족력, 복합열성경련, 1세 이전에 열성경련이 시작되고 재발이 잦은 경우 등이다. 이러한 위험

인자를 모두 가진 경우에는 뇌전증의 발병률이 50%에 이르는 것으로 알려져 있다. 난치성의 측두엽 뇌전증 환자의 40%가 열성경련의 과거력을 가지고 있어 연관성이 의심된다. 단순열성경련의 합병증은 매우 드물고, 열성경련의 재발이 지능에 나쁜 영향을 미친다는 것은 증거는 없다.

3) 신생아 경련(Neonatal seizures)

신생아기에는 뇌의 발달이 빠르게 진행되고 뇌손상을 위험이 높아 경련이 쉽게 유발되어 다른 시기에 비해 상대적으로 빈번하게 관찰되며, 진단 및 치료에 특별한 문제들이 있으므로 이 시기의 경련은 따로 분리하여 고려하여야 한다.

(1) 역학

신생아기의 경련은 만삭아에서 1,000명 출생당 2-2.8명의 비율로 발생한다. 2,500 g 미만으로 출생한 저체중출생아의 경우 1,000명 출생당 13.5명, 1,500 g 미만으로 출생한 극소 저체중출생아의 경우는 1,000명 출생당 57.5명의 비율로 증가하게 된다.

(2) 원인

신생아기에 경련을 하게 되는 원인은 다양하며, 그 중에서도 저산소성 허혈 뇌병증(hypoxic ischemic encephalopathy)이나 패혈증, 세균성 뇌수막염과 같은 감염에 의해 경련이 생기는 것이 가장 흔하다(표 6-9). 특징적으로 주산기 가사 및 그 합병증에 의해 생기는 경련은 생후 24시간 이내에 발생하는 경우가 많다. 저혈당에 의한 경련도 신생아 시기에는 흔한 편이다. 특히 부당경량아나 당뇨병을 갖고 있는 어머니에게서 태어난 아기에서 흔하며, 일반적으로 생후 2일쯤 나타나는 경우가 많다. 저칼슘혈증, 저마그네슘혈증 등에 의해서도 경련을 할 수 있다. 또한 산모가 barbiturate 계열의 약물을 복용하거나 알코올 중독인 경우에도 신생아 경련이 발생할 수 있다. 이런 약물 금단에 의해 발생하는 경우, 생후 1-2일경에 나타날 수 있으나, 종종 지연되기도 한다. 드물게는 다양한 대사질환이나, 유전적 질환에 의해서 신생아 경련이 발생할 수 있다.

표 6-9. 신생아 경련의 원인

급성대사(Acute metabolic)
　저혈당(hypoglycemia)
　저칼슘혈증(hypocalcemia)
　저마그네슘혈증(hypomagnesemia)
　저 또는 고 나트륨혈증(hypo- or hypernatremia)
　모체 약물사용으로 인한 금단증상(withdrawal syndromes as-
　　sociated with maternal drug use)
　부주의한 국소마취제 투여에 의한 의인성 증상(Iatrogenic as-
　　sociated with inadvertent fetal administration of local anes-
　　thetic)
　희귀선천대사질환(rare inborn errors of metabolism (including
　　pyridoxine-responsive))
뇌혈관(Cerebrovascular)
　저산소성허혈뇌병증(hypoxic ischemic encephalopathy)
　동맥 및 정맥 허혈 뇌경색(arterial and venous ischemic stroke)
　뇌출혈(intracerebral hemorrhage)
　뇌실내출혈(intraventricular hemorrhage)
　경막하출혈(subdural hemorrhage)
　지주막하출혈(subarachnoid hemorrhage)
중추신경감염(CNS infection)
　세균뇌수막염(bacterial meningitis)
　바이러스뇌수막염(viral meningoencephalitis)
　태아감염(fetal infection)
발달(Developmental)
　다양한 형태의 뇌 발생장애(multiple forms of cerebral dysgen-
　　esis)
기타(Other)
　희귀유전질환(rare genetic disorders(inborn errors of metabo-
　　lism; vitamin dependency))
　양성가족신생아경련(benign neonatal familial convulsion(sodium
　　and potassium channel mutations))
　조기근간대뇌병증(early myoclonic encephalopathy)

(3) 임상양상

신생아 경련은 축삭과 수상돌기의 수초화가 덜 된 상태인 것 같이 신경계가 미성숙하여, 뇌전증파가 다른 곳으로 잘 전달되지 않아 전신강직간대발작은 잘 나타나지 않으며, 종종 경련을 인식하기 어려운 경우도 많다.

① 비정형적인 발작(subtle seizure)

미숙아나 만삭아 모두에서 가장 자주 관찰되는 가장 흔한 형태이다. 종종 증상이 약해 간과되기도 한다. 무호흡, 청색증, 주기적인 안구 회전, 침을 흘리거나 씹는 것처럼 입을 움직이고 이상한 소리를 내며 수영을 하거나 자전거를 타는 것 또는 노를 젓는 것처럼 사지를 움직이는 것 등

이 발작의 양상이다.

② 강직발작(tonic seizure)

대부분 미숙아에서 관찰되고 뇌실내출혈이 있을 때나 Ohtahara 증후군과 같은 중증의 뇌손상 환자에서 자주 관찰된다. 발작의 형태는 사지를 뻗거나 상지는 굴곡하고 하지는 신전하는 자세를 취하고 호흡은 정지되고 청색증이 나타날때도 있다. 예후가 좋지 않고 신경학적인 후유증이 발생하는 경우가 많다.

③ 다국소간대발작(multifocal clonic seizure)

대부분 만삭아에서 관찰된다. 신체의 여러 곳에 간대성 경련이 나타나는데 저칼슘혈증, 저마그네슘혈증 때 잘 일어난다. 신체의 여러 부위에서 동시에 있을 수도 있고 한 곳에서 발생하면 계속해서 다른 곳에서 일어나기도 한다. 보통 청색증은 동반되지 않으며, 의식소실이 없어 발작 중에도 우유를 계속 먹는다.

④ 국소간대발작(focal clonic seizure)

신체의 일부에 국한된 간대성 발작으로 손, 발, 얼굴에 국한되어 나타난다. 발작 후 마비를 남기는 수가 있으며, 의식은 장애를 받지 않고 청색증은 동반되지 않는다. 진전이나 떨림(jitteriness)과 구별되어야 한다. 이러한 발작은 대사성 뇌병증이나 국소적 뇌손상을 받은 만삭아에서 볼 수 있다.

⑤ 근간대발작(myoclonic seizure)

신생아에서는 드물게 나타나는 경련의 형태로, 사지 혹은 상지나 하지를 한 번 혹은 여러 번 구부리는 발작을 일으킨다. 이 형태는 자극에 예민하고 심한 뇌손상이나 약물금단 같은 경우에 볼 수 있다.

(4) 진단

신생아가 발작을 하는 경우 기본적인 임상양상에 대해 파악해야 하며, 혈액검사를 통해 감염이나 치료 가능한 원인이 있는지 확인해야 한다. 그리고 대뇌에 구조적으로 이상이 있는지 유무를 확인하기 위해 영상검사가 필요하다. 뇌파검사는 진단의 중요한 도구가 될 수 있다.

(5) 치료

치료의 목표는 경련에 의한 생리 및 대사장애를 최소화하는 것이다. 신생아가 발작을 하게 되면 치료 가능한 원인에 의한 것인지에 대한 확인이 우선적으로 필요하다. 따라서 패혈증, 뇌수막염, 저혈당증, 저나트륨혈증, 저칼슘혈증, 저마그네슘혈증 등이 있는지 확인해야 하며, 피리독신 결핍에 의해 발작이 일어나는 경우도 있으므로 피리독신을 투여해보는 것이 반드시 필요하다.

기저 원인을 교정할 수 없는 경우에도 발작 자체를 조절하여야 하며, 신생아 시기에는 항뇌전증약 중에서 phenobarbital을 가장 흔하게 사용하게 된다. Phenobarbital은 또한 대뇌 대사율을 낮추는 이점이 있어 저산소성 허혈 뇌병증에 좋다. 부하용량으로 20 mg/kg를 정맥 주사하고, 필요 시 추가로 10 mg/kg를 주사하면 혈중 농도가 20-40 μg/mL에 도달할 수 있다. 최고 혈중 농도는 투여 후 1-6시간 후에 도달하게 되며 이후 유지용량을 3-4 mg/kg/day로 투여하면 혈중 농도가15-20 μg/mL가 유지된다. Phenobarbital은 신생아에서는 반감기가 길기 때문에 호흡부전이나 서맥을 잘 관찰하여야 한다. 그 외에 phenytoin을 부하용량으로 20 mg/kg로 투여하거나 diazepam 등도 사용할 수 있다.

(6) 예후

신생아 경련의 예후는 원인질환에 달려 있다. 기저 질환으로 주산기 가사나 뇌기형에 의해 발생한 경련을 갖고 있는 영아는 정상 지능발달에 문제가 있을 수 있고 경련이 지속될 가능성이 많다. 길고 반복적인 경련을 하는 것은 나쁜 예후를 시사한다. 발작간기 뇌파를 통해서도 예후를 예측해 볼 수 있는데, 군발억제, 저전압 배경파, 다국소예파가 관찰되면 좋지 않은 현상이다.

4) 외상후발작(Post-traumatic seizures)

두부 외상 후 비유발성 발작이 반복적으로 발생하는 것으로 두부 외상에 의한 발작은 전체 뇌전증 환자의 5%에서 발생하는 것으로 알려져 있다. 외상 후 발작은 수상 후 몇 년이지나 발생할 수 있으나, 약 70% 이상의 환자에서 수상 후 2년 이내에 발생한다.

(1) 임상양상

외상 후 발작은 외상 후 발생 시기에 따라 조기발현 발작과 후기발현 발작으로 분류한다. 조기발현 발작은 외상 후 1주 이내에 경련이 발생한 경우이며 50%는 두부 외상이 발생한지 24시간 이내에 발생하는 즉각 발작이며 대부분이 전신발작으로 나타난다. 두부 외상이 발생한지 수초 이내에 나타나는 충격에 의한 발작은 양성질환으로 지속적인 항뇌전증약의 치료는 필요 없다. 그러나 두부외상 후 1주 이후에 발생하는 후기발현 발작은 뇌의 영구적인 손상에 의한 재발성 위험이 높아 치료가 필요한 외상 후 뇌전증의 시작인 경우가 많다.

외상의 심한 정도에 따라 발작의 위험성은 증가한다. 발작의 발생률은 외상 후 혼수상태 기간이나 기억력 상실이 24시간 이내였는지, Glasgow 혼수척도, 두개골 골절이나 뇌출혈의 정도 등에 비례한다. 소아는 성인보다 후기발현의 발작으로 발전될 위험성은 낮으나, 5세 이하에 발생한 경우 경미한 두부외상에도 수 시간 내에 발작이 발생할 확률은 성인보다 높다. 임상적으로 조기발현 발작은 전신 발작, 후기발현 발작은 부분발작, 특히 복합부분발작의 빈도가 높다.

(2) 치료 및 예후

치료는 조기발작 예방을 위한 항경련제 투여, 만기발작인 경우 경련재발 방지를 위한 항경련제 투여, 외상 후 뇌전증 예방을 위한 기타 약물치료 등이 있다. 예방적으로 스테로이드, 항산화제 복용의 방법이 제시되었으나 임상적으로 효과가 증명되지는 않았다. 조기발현 발작인 경우 두부 외상 후 급성기 치료, 즉 두개 내 압력을 낮추고 뇌전증지속증을 예방하기 위한 항뇌전증약 치료를 한다. 항뇌전증약은 환자의 의식에 영향이 적은 phenytoin을 혈중농도를 감시하며 급성기가 지날 때까지 투여한다.

외상 후 발작이 1년 이상 반복하여 발생하면 예후가 나쁜 것으로 알려져 있다. 두부 외상 후 발작은 특별한 신경학적인 후유증이 없고 초기 치료에 반응이 좋은 경우에 50% 이상이 2년 이내에 완치된다. 소아에서 많이 발생하는 낙상의 경우, 낙상의 높이가 약 90 cm 이내이면 예후가 좋은 것으로 알려져 있다.

5) 뇌혈관질환과 연관된 뇌전증(Epilepsy associated with cerebrovascular disease)

소아의 뇌혈관질환은 성인과 비교하여 발생 빈도가 매우 낮다. 뇌혈관질환과 연관된 신경학적 후유증은 반신마비가 가장 많고 시야결손과 발작 등이 있다. 발작의 빈도는 여러 연구에서 다양하게 나타나는데, 보통 40-60% 정도로 매우 높고 발작의 형태는 국소운동발작, 복합부분발작, 이차전신발작, 일차전신발작 등이고 대부분 2가지 이상이 복합적으로 발생한다.

(1) 역학 및 발병기전

신생아 뇌혈관질환이 전체 소아의 뇌혈관질환의 25%를 차지한다. 신생아기 이후의 소아에서는 50% 이상이 뇌의 작은 혈관의 이상인데 반해 신생아의 경우는 3분의 2가 대혈관을 침범한다. 혈관이상 중 80%가 허혈성 뇌졸중이고 20%는 출혈성이다. 앞 순환영역의 뇌졸중이 뒤순환보다 5배 정도 발생률이 높다. 뇌졸중 후 발작의 80-90%는 뇌졸중 후 24-48시간에 발생한다.

허혈성 뇌졸중의 원인은 주로 색전증이며, 이는 태반에서 발생하거나 신생아의 패혈증, 주산기 가사, 수술 후 합병증, 선천성이나 유전적인 요인 등에 의해 발생한다. 그러나 이러한 원인이 확인되지 않는 경우가 더 많다.

(2) 치료

치료는 허혈성 뇌졸중이나 출혈성 뇌졸중의 원인에 따라 수술, 항응고제 등의 사용을 결정한다. 항뇌전증약은 주로 phenobarbital이나 phenytoin을 정맥으로 투여한다. 2세이상의 연령에서는 valproate의 정맥 투여도 가능하다.

6) 전해질, 혈당 이상과 발작

대부분의 전해질 이상에 의한 발작은 원인질환의 결과로 발생되는 이차적인 증상이므로 전해질 교정과 동시에 원인질환의 정확한 진단과 치료가 필요하다.

(1) 저나트륨혈증

저나트륨혈증은 전해질 이상으로 발생하는 발작의 가장 흔한 원인이다. 일반적으로 혈중 나트륨 농도가 115 mEq/L 이하이면 발작의 위험이 높아지고 사망률도 높아 50% 이상이 된다. 교정은 하루 12 mEq/L 정도로 서서히 하여야 하며 120 mEq/L 이상으로 유지하도록 천천히 높인다. 너무 빠르게 교정하면 연수 중심부의 용해가 발생하여 전신마비와 같은 신경학적인 손상을 야기할 수 있다. 저나트륨혈증의 원인은 항이뇨호르몬의 분비 이상, 갑상샘저하증, 심부전이나 신증후군에 의한 부종, 세로토닌 재흡수 억제제나 이뇨제 과다투여와 같은 약물 부작용, 고혈당이나 고지질혈증에 의한 고삼투압성 질환 등이 있다. 치료는 원인질환에 따라 수분조절이나 수액치료를 한다.

(2) 저칼슘혈증

칼슘은 근육과 신경전달물질 방출에 중요한 역할을 한다. 미숙아나 신생아에서 흔히 발생하며 혈중 칼슘 농도가 6 mEq/L 이하인 경우를 말한다. 청소년기에는 드물지만 갑상샘, 부갑상샘 질환 수술 후, 신부전이나 췌장염의 합병증으로 발생할 수 있다. 20-25%에서 발작이 일어나며 전신간대발작이나 국소운동발작이 흔하다. 신경학적인 증상으로 섬망이나 테타니가 발생할 수 있는데 테타니는 말초신경의 이상으로 비자발적이고 불규칙적으로 반복되는 신경 발작으로 인한다. 치료는 원인질환의 치료와 calcium gluconate의 투여이다. 정맥으로 칼슘을 투여할 경우 심전도 모니터를 하면서 서서히 주입하여야 한다.

(3) 저마그네슘혈증

혈중 마그네슘 농도가 0.8 mEq/L 이하인 경우 발작을 유발할 수 있다. 비교적 드물지만 저마그네슘혈증이 저칼슘혈증을 야기할 수 있으므로 칼슘 투여에도 반응하지 않는 경우에 반드시 혈중 마그네슘 농도를 확인하여야 한다. 치료는 50% magnesium sulfate를 6시간마다 근육주사로 투여한다. 투여 중 갑작스런 혈중마그네슘 증가는 호흡근마비를 유발할 수 있으므로 주의한다. 칼슘 투여도 함께 진행한다.

(4) 저인산혈증

혈중 농도가 1 mg/dL 이하인 경우 전신강직간대발작이 발생할 수 있고, 이 경우 항뇌전증약에 반응을 잘 하지 않는다. 주로 당뇨성 케톤산증, 심한 화상, 오랫동안 굶거나 인산결합 제산제를 투여한 경우, 심한 호흡성 알칼리혈증 등의 상태에서 발생한다. 증상은 근위축이나 마비, 혼돈, 과민성 증가, 부정확한 발음 등이며 심한 경우 혼수상태에 빠진다.

(5) 혈당 이상

고혈당, 저혈당 상태 모두에서 급성 발작이 발생할 수 있다. 비케톤성 과혈당증이나 저혈당증에서는 주로 부분발작이 발생한다. 케톤성저혈당증에서는 오히려 발작이 억제되는데 이는 케톤에 의해 세포 내가 산성화되고 아미노부티릭산이 증가하여 발작의 역치가 상승하기 때문이다. 비케톤성 고혈당은 뇌의 탈수를 유발하여 발작이 증가하며, 항뇌전증약 치료에 반응을 잘 안한다. 저혈당은 신경계가 미숙한 미숙아나 신생아에서 주로 발작을 유발하며, 소아에서는 당뇨환자에서 인슐린 제재의 과사용 이나 부작용으로 발생된다. 고혈당 시에 페니토인은 인슐린 분비를 억제하여 혈당을 높이기 때문에 벤조디아제핀 계열을 사용한다.

7) 장애아에서의 발작

뇌전증을 동반한 장애아는 의사소통이 잘 안되는 경우가 많아서 진단이나 검사가 힘들고 치료 후에도 부작용 발견이 어려운 경우가 많다. 보통 경련양상도 복잡하고 약물에 잘 반응하지 않는 난치성이 많으며 뇌전증지속증이 더 흔하게 발생한다. 항경련제 이외의 여러가지 약제를 복합적으로 사용하게 되어 약물 부작용의 위험성도 높아서 조심해야 하고 뇌전증 완치율도 매우 떨어져서 평생 약물을 복용해야 하는 경우가 많다.

(1) 지적장애

뇌전증은 일반인구의 1-5%이지만 지적장애 환자에서는 성인에서 20% 소아에서 40% 정도로 발생률이 높다. 지적장애는 독립된 질병이 아니고 선천성 혹은 후천성의 뇌질환, 신경근질환, 염색체나 대사이상 질환, 정신질환 등의 증상이며, 원인을 알 수 없는 경우도 많다. 보통 전체 인구의 2-3%를 차지한다. 뇌성마비의 50% 정도가 지적장애를 가지고 있으며 지적장애와 뇌성마비 환자의 15-38%에서 뇌전증이 발생한다고 한다. 뇌전증의 발생률은 발달이나 정신지연이 심할수록, 여러 종류의 장애를 가질수록, 사회경제적으로 낮은 상태일수록 증가한다. 반대로 발작이 조절되지 않고 심하여 정신신경계 장애를 유발할 수도 있다. 발작의 치료는 정신지연의 원인질환에 대한 정확한 진단하여 여러 가지 장애에 합당한 치료를 선택해야 한다. 뇌의 선천적 구조적인 이상은 수술이 필요하고 염색체나 대사이상인 경우는 그에 맞는 약물이나 식이요법, 미주신경치료를 선택한다. 여러 장애를 가지고 있는 환자의 발작은 난치성인 경우가 많고 치료 중에 뇌전증지속증이 발생할 확률이 높다. 지능이 정상인 환자보다 치료의 기간도 길어지고 약물 조절 중 많은 약물을 투여해야 하기 때문에 혈액이상이나 진정작용과 같은 부작용도 자주 발생할 수 있다. 성장도중에 새로운 종류의 발작이나 신경학적인 이상이 발생할 확률도 높으므로 정기적인 검사와 재평가가 필요하다.

(2) 뇌성마비

영아 초기에 발생하는 중추신경계의 손상에 의해 발생하며 비진행성으로 여러 장애가 복합적으로 나타날 수 있다. 뇌전증을 동반하는 비율은 약 30% 이상이고 장애 정도가 심하거나 정신지연 등 동반 질환이 많을수록 뇌전증의 발생률이 높아진다.

뇌성마비는 편마비, 하지마비, 사지마비, 무정위운동마비로 분류한다. 편마비는 주로 생후 2-3개월에 운동신경 마비증상으로 나타나는데 대뇌 주요혈관 이상에 의한 뇌실질의 결손으로 발생하므로 부분발작이 주로 나타난다. 가장 심한 사지마비의 경우는 뇌전반의 기형이나 전체적인 허혈성 손상이 원인으로 여러가지 발작 형태가 동반되는 이차적인 전신발작이 주로 발생한다. 비진행형인 질환이므로 환자의 상태가 중간에 나빠지는 경우는 즉각적인 재평가 검사를 시행하여야 하고 강직이나 운동이상에 대한 물리치료나 약물치료 시 경련 조절에 영향을 미칠 수 있으므로 주의하여야 한다. 발작의 재발률도 일반인보다 높아서 평균 30% 정도이고 심한 장애가 동반된 뇌성마비 환자의 재발률은 54%까지 증가한다.

(3) 자폐증

자폐증은 사회적인 관계나 대화 등 인간관계 형성의 이상으로 언어나 행동발달에 문제가 생기는 질환으로 주로 3세 이전에 발견된다. 자폐증 환자는 부모나 자신을 돌보는 사람에 대한 정상적인 애착이나 관심이 없고, 부모와 떨어졌을 때의 정상적인 분리에 대한 두려움도 거의 없다. 증상은 같은 단어나 말을 반복하거나 발음의 높낮이나 속도가 부자연스러우며 한 가지 사물에 대해 집착하거나 부자연스런 행동을 계속 반복한다. 행동이 충동적이고 주의력이 짧고 소리나 자극에 대해 과민반응을 한다.

발생률은 소아 1,000명당 6명 정도이고 남아가 여아보다 3배 높다. 70% 정도는 지능저하를 동반하고 뇌전증은 25-35%에서 발생한다. 뇌전증의 발작양상은 복합부분발작이 가장 흔하다. 뇌파는 발작이 없는 경우에도 30-65%의 환자에서 비정상 소견이 관찰된다.

자폐증의 치료 약제 대부분은 발작을 악화시키지 않으나 고용량의 bupropion은 발작을 유발하고 악화시킬 수 있다. 그러나 여러가지 약제를 투여할 경우 약물 상호작용으로 뇌전증의 치료에 직접적으로나 간접적으로 영향을 미칠 수 있으므로 주의하여야 한다.

자폐증과 뇌전증이 관련된 질환 증후군은 결절경화증, Prader-Willi 증후군, Angelman 증후군 Fragile-X 증후군, Rett 증후군, 페닐케톤뇨증, 다운증후군, 영아연축, 드라베 증후군, Lennox-Gastaut 증후군 등이 있다.

4. 뇌전증의 감별진단

뇌전증의 오진율은 5-40%에 달할 만큼 높으며 이는 많은 환자들에게 불필요한 치료나 검사를 받게 한다. 뇌전증과 비뇌전증 발작을 구별하기 위해서는 주의 깊고 자세한 병력청취와 뇌파 등의 검사가 필요할 수 있다. 비뇌전증 발작은 발병 나이와 임상 양상에 따라서 다음과 같이 구분할 수 있다. 1) 실신과 그 외의 전신발작 2) 운동장애와 그 외의 비정상적 운동 및 자세 3) 눈 운동 이상 및 환시 4)수면 관련 장애

1) 실신과 그 외의 전신발작

(1) 수면 무호흡

신생아 시기의 수면무호흡은 흔히 서맥이 동반되고 일반적으로 뇌간의 압박에 의해 발생한다. 반면 발작에 의한 무호흡은 주로 빈맥이 동반된다. 그러나 예외적으로 서맥

이 동반되는 경련도 있으며, 심한 무호흡은 원인과 관계없이 저산소성 발작을 일으킬 수 있다.

(2) 호흡정지발작

호흡정지발작은 자율신경계의 미성숙 때문에 발생하며 크게 두 가지 형태가 있다. 첫째는 미주신경의 작용으로 서맥과 심장 무수축에 의해 발생하는 창백한 형태의 호흡정지발작이며 둘째는 지속되는 호기 시 무호흡에 의해 발생하는 청색증이 동반되는 호흡정지발작이다. 주로 울음이 선행하며 이후에 무호흡과 청색증이 생긴다. 6개월에서 18개월에 주로 발생하고 심한 경우에는 강직되며 저산소성 발작이 동반될 수 있다. 분노, 손상, 좌절, 놀람 등으로 유발된다. 보통 시간이 지나면서 좋아지기 때문에 부모를 안심시키는 것이 중요하다. 만약 철결핍 빈혈이 있다면 증세를 악화 시킬 수 있으므로 치료가 필요하다. 증세가 매우 심한 경우에는 부모가 심폐소생술을 익혀야할 수 있으며 심장 무수축이 심한 경우 심장박동조율기 삽입이 필요할 수 있다.

(3) 신경 관련 실신(neurally mediated syncope)

실신은 쓰러짐 발작으로 나타날 수 있으며 전신발작을 일으킬 수 있다. 이런 발작은 뇌의 산소결핍에 의해 발생하며 전신뇌전증발작으로 오진하기 쉽다. 미주신경성 실신은 전신뇌전증발작으로 오인되는 가장 흔한 형태 중 하나로 주로 탈수, 발열, 장기간 서 있는 자세, 목욕, 통증, 구토, 스트레스 등으로 발생할 수 있다. 뇌전증발작과의 감별을 위해서는 병력청취가 중요하다. 초기에 창백해지고 땀을 흘리며 이에 따라서 시야가 뿌옇게 보이고 어지럽다가 쓰러지는 형태를 보인다. 중요한 것은 이런 전구 증상이 서서히 발생한다는 것이다. 뇌전증발작에 동반되는 유사 증상은 갑작스럽게 발생하는 경향이 있고 지속시간이 짧다. 소변실금이나 짧은 발작성 움찔거림은 미주신경성 실신에서 드물지 않게 발생한다. 증상 발작 후 착란은 드물며 금방 정상 기능을 회복할 수 있다. 기립경사대 검사로 진단할 수 있는 경우가 있으나 전형적인 경우에는 검사가 필요하지 않다. 기립성 저혈압은 똑바로 서 있을 때 발생하며 누우면 좋아진다.

(4) 심장성 실신

긴QT증후군은 치명적이고 창백한 실신을 유발할 수 있다. 유전자 이상에 따라서 10가지 이상의 긴QT증후군이 있다. 따라서 새로 진단되는 뇌전증 환자는 긴QT증후군과의 감별을 위해서 심전도를 반드시 시행해야 한다. 심장성 실신은 일반적으로 매우 갑작스럽게 나타난다.

(5) 산발성 그리고 가족성 편마비편두통

운동기능의 약화가 전조증상으로 나타나는 편두통의 한 형태이다. 5세에서 7세 사이에 주로 시작되며 유전적으로 감수성이 있는 환자에서 나타나고 두부 외상이나, 운동, 감정적인 스트레스가 선행될 수 있다. 3개의 유전자(SCN1A, CACNA1A, ATP1A2) 이상이 알려져 있다. 그러나 증상이 있는 환자 가족의 4분의 1 이상과 산발적인 환자의 대부분은 이 세가지 유전자의 돌연변이를 가지고 있지 않다. 무감각, 암점과 깜빡거리는 빛 및 시각, 감각, 운동, 기저(basilar) 증상 및 징후가 보일 수 있다. 환자가 나이가 많은 경우 이런 증상들은 뇌전증발작의 감별에 도움이 된다. Verapamil, Acetazolimide, Lamotrigine이 효과가 좋으며 nimodipine, triptan, propranolol은 증상을 악화시킬 수 있다.

2) 운동장애와 그 외의 비정상적 운동 및 자세

(1) 영아기 떨림(jitteriness) 및 간대

떨림은 사지에서 주로 일어나며 저절로 발생하거나 큰 소리, 접촉에 의해 발생할 수 있다. 자극이 없어지거나 떨리는 부분을 이완시키면 약화되며 자율신경계와 관련된 증상이 없고 빠른 수축과정과 느린 이완과정이 뚜렷하게 구별되는 간대 운동을 보이는 등의 특징은 비뇌전증 발작을 시사한다. 저칼슘혈증, 저혈당, 약물 금단, 저산소성 허혈 뇌병증이 원인이 될 수 있다. 늦은 영아기나 소아 시기에 피질척수로의 손상으로 간대가 발생할 수 있으며 자세를 바꾸면 멈출 수 있다.

(2) 발작 운동이상증과 다른 운동장애

무도증이나 근긴장 이상 움직임 혹은 혼합된 형태가 갑작스럽게 발생하는 것이 특징이다. 증상 발생 전에 편측에 국한된 피로감이나 위약감을 느낄 수 있다. 의식은 유지되고 운동기능은 유지되어 증상이 있을 때도 걸을 수 있는 경우가 있다. 뇌전증발작과 달리 증상 간에도 형태나 증상의 강도가 다르다. 청소년기에 발생 빈도가 높아지고 30대에 빈도가 점차적으로 감소한다. phenytoin, carbamazepine, clonazepine이 증상 조절에 효과적이다. 운동장애는 또한 항구토제나, 항도파민작용성 약제 등에 의해 발생할 수 있다. 운동유발성 운동이상 환자에서는 포도당 전달체1(GLUT1/SLC2A1)의 유전이상이 보고되고 있다.

(3) 운동틱

틱은 어느 정도 본인이 조절할 수 있으나 환자는 그 움직임을 하고 싶어하며 하고 나면 만족을 얻는다. 보통 감정에 영향을 받아 악화되는 양상을 보이며 시간이 지남에 따라서 모양이 바뀐다.

(4) 영아기 양성근간대, 몸서리 및 볼떨림

사지의 근간대 수축이 깨어있거나 자는 동안 발생한다. 이는 몸서리와 같은 범주의 증상이다. 몸서리는 머리, 어깨, 몸통이 수초 동안 빠르게 떨리는 것이 특징이다. 주로 식사와 관련이 있으며 하루에도 수회 발생한다. 수개월 내에 저절로 좋아진다. 유전성 볼떨림은 출생 후 3 Hz 이상으로 빠르게 떠는 증상을 말하며 스트레스에 의해서 유발된다.

(5) 영아기 양성 발작성 사경

주로 오전에 발생하며 통증 없이 목후굴을 보이고 자세의 변화에 의해 유발된다. 시작 시 비정상적인 눈운동이 동반될 수 있고 이후 비정상적인 자세가 고정된다. 이 증상은 수분 동안에서 심지어 수일 지속될 수 있다. 증세가 있을 때 신경학적 검진이나 뇌파, 영상검사는 정상 소견을 보인다. 여아가 남자보다 3배 정도 많으며 보통 3개월 이전에 시작되고 5세 전에 없어진다. 약물치료는 필요하지 않다.

3) 눈운동 이상 및 환시

(1) Paroxysmal Tonic Upgaze of Childhood

주로 3개월 전에 시작하며 지속적(수시간에서 수일)

으로 혹은 반복적으로 눈을 위로 치켜뜬다. 눈의 수평 움직임은 정상이다. 눈을 아래 방향으로 응시하면 하방안진이 발생한다. 증상은 수면에 의해 완화되고 피로나 감염에 의해서 악화된다. 수년 이내에 저절로 좋아진다. 환자의 50% 이상에서 정신운동과 언어 발달지연이 있다. 영상검사, 혈액검사, 신경심리검사는 도움이 되지 않으며 저용량 levodopa가 도움이 된다

(2) Behavior Staring

결신발작의 증상일 수 있기 때문에 감별이 필요하다. 이 증상은 주로 피로나 주의력결핍 시에 나타나며 학교와 같은 특정 환경에 의해서 자주 유발된다. 경련과 달리 자극에 의해서 중단 된다.

4) 수면장애

(1) 양성 수면 근간대와 영아기 수면 근간대

영아기 수면 근간대는 비급속 안구운동 수면 중에 반복적이고 양측성인 율동 수축이 사지에서 발생한다. 머리에서 발끝까지 1 Hz 정도로의 흔들리는 증상은 진단에 특이적이다. 자율신경계 증상이 없으며 잘 때만 나타나고 각성 시에는 사라지는 특징은 뇌전증발작과의 감별점이다. 보통 생후 2-3개월에 사라진다. 나이든 소아나 어른에서 수면 근간대는 사지의 불규칙한 근간대 움직임을 말한다.

(2) 그 밖의 수면장애와 뇌전증발작과의 감별

수면장애는 일반적으로 하루에 1-2회 이하로 발생하며 그보다 높은 빈도는 뇌전증발작을 시사한다. 발생 시점, 증후학(semiology), 수면다원검사가 감별진단에 도움을 준다. 야경증, 악몽, 혼동성 각성이 뇌전증성 발작으로 오인될 수 있다.

05

뇌전증의 치료

Treatment of Epilepsy

| 고태성, 김세희 |

1. 약물치료

뇌전증은 소아청소년 환자 기준으로 약 70%에서 약물 치료로 발작의 조절 또는 완치가 가능하다. 따라서 뇌전증 환자의 치료에 있어서 무엇보다 중요한 것은 우선적으로 정확한 진단과 분류를 한 다음, 환자에게 장기적이고 또한 규칙적으로 약물치료를 하여야 한다.

1) 약제의 선택과 순서

보통 초기 치료는 한 가지의 항뇌전증약으로 시작하게 된다(monotherapy). 항뇌전증약의 선택은 뇌전증의 세부 진단에 따라 효과있다고 알려진 약물을 선택하고, 소량부터 복용하여 점차 증량해가며, 발작이 조절될 때까지 혹은 약물의 부작용이 나타날 때까지 증량하며, 치료 반응에 따라 적절한 복용량을 결정하게 된다.

약물치료를 하는 과정 중에, 첫 번째 약물로 조절이 안되는 환자의 경우에는, 두 번째 약물을 추가해서 치료하거나(add-on therapy), 바꾸어서 치료한다(2nd monotherapy or switch therapy). 두 번째 약물로도 조절이 되지 않는 경우에는 세 가지 이상의 약물을 추가해서 치료한다(poly-therapy).

2) 약제 치료의 목적

항뇌전증약을 사용하는 목적은 발작의 빈도나 강도를

감소시키거나 발작을 없앰으로써 예측할 수 없는 발작으로 인한 위험한 사태를 예방하고 환자를 보호하는 데 1차적인 목적이 있다. 항뇌전증약은 전기생리학적으로는 뇌전증의 병소부위로부터 전파되는 비정상적인 전기활동을 억제시키는 역할을 하는데, 만일 이러한 비정상적인 전기활동이 장기간 완전히 억제될 수 있다면 때로는 소멸되기도 하고 약을 끊은 후에도 발작은 재발하지 않게 된다. 이렇게 하여 약을 끊은 후에 발작이 재발하지 않으면, 비로소 뇌전증이 치료되었다고 할 수 있다. 그러나, 이러한 정도까지에는 발작없이 최소한 2-3년 이상의 기간이 필요한 것으로 알려져 있다.

항뇌전증약은 발작의 전파를 방지하는 작용을 하지만, 정상적인 뇌세포의 흥분과 억제작용에는 미약한 영향을 주므로, 특히 한 가지 약제로 치료할 때에는 정상적인 뇌기능에는 심각한 영향을 미치지 않는다.

3) 항뇌전증약의 종류

항뇌전증약의 종류에는 과거로부터 사용되어 왔던 phenobarbital, phenytoin, carbamazepine, valproic acid, ethosuximide, diazepam, clonazepam, nitrazepam, clobazam 등의 약물뿐만 아니라, 최근 30여년 사이에 개발되어 임상에서 널리 사용 중인 약물도 여러 가지가 있다.

1990년대 이후에 개발된 약물로는 vigabatrin, zonisamide, gabapentin, pregabalin, lamotrigine, topiramate, oxcarbazepine, levetiracetam 등이 있고, 이후에 사용 중인 약물로는 rufinamide, lacosamide, eliscarbazepine, tiagabine, stiripentol, perampanel 등이 있고, 그 외에도 carisbamate, brivaracetam 등의 신약물이 있고, 대마성분에서 추출한 cannabidiol은 Dravet 증후군과 Lennox-Gastaut 증후군에서 부분적인 허가를 받고 있으므로 약물치료율 또는 약물조절율은 앞으로 더욱 높아질 전망이다.

4) 항뇌전증약의 작용기전

항뇌전증약은 세포 수준에서 직접적으로 또는 신경전달물질을 통하여 간접적으로 다양한 이온통로들에 영향을 끼쳐 신경세포의 흥분을 감소시키는 작용을 한다. Phenytoin과 carbamazepine은 지속적인 고빈도의 반복적 발화를 감소시켜 전압 의존 Na통로(voltage-gated Na channel)에서 Na이온의 전도를 차단한다. Na통로에 작용하는 작용은 oxcarbazepine, eliscarbazepine, valproic acid, lamotrigine, topiramate, rufinamide, lacosamide 등에서도 관찰된다.

Ethosuximide는 시상 신경세포의 율동적인 발화에 의하여 나타나는 낮은 역치의 T형 Ca 전류(low threshold T-type Ca current)를 차단한다. Zonisamide는 전압의존 Na통로와 T형 Ca통로에 모두 작용한다. Barbiturate와 benzodiazepine은 GABA 수용체에 결합하여 GABA 매개 Cl 전류를 증강시켜 신경세포막을 과분극(hyperpolarization)시킨다.

Topiramate도 동일한 작용을 한다. Tiagabine은 GABA의 재흡수를 차단하고, vigabatrin은 GABA transaminase를 억제함으로써 GABA 수용체와 직접 결합하지 않고도 GABA의 활성을 증가시킨다. Topiramate는 흥분 신경전달물질인 glutamate가 kainate나 AMPA 같은 non-NMDA수용체들과 결합하여 유발되는 Na 전류를 억제한다.

Felbamate는 glutamate의 NMDA 수용체를 억제하여 신경세포의 흥분성을 감소시키며, Perampanel은 glutamate의 AMPA 수용체에 선택적 길항체로 작용하는 항뇌전증약이다.

Levetiracetam과 brivaracetam은 신경 시냅스 소포 단백질 SV2A에 작용하여 신경전달물질의 방출을 억제하여 발작 감소효과를 가져온다.

5) 약물치료의 원칙

① 항뇌전증약은 발작의 형태에 근거하여 가장 효과적이고 부작용이 적은 약을 선택한다.

② 치료는 한 가지 약으로 시작하며(단일요법, monotherapy), 용량은 발작이 조절되거나 독성 증상이 나타날 때까지 증량한다. 첫 약으로 발작이 조절되지 않을 경우에는 서서히 감량하면서 두 번째 약으로 대치하여 차츰 증량한다. 단일요법은 복합요법(polytherapy)보다 약물의 독성을 줄이고, 상호작용을 감소시키며, 부작용의 원인을 명확히 알 수 있게 하므로 가능한 단일요법을 하는 것이 좋다.

③ 약 용량의 변경은 서서히 하여야 하며, 한 번 변경하는 데 대개 5-7일 이상 소요되어야 한다.

④ 1차 약이 실패하였을 경우 두 번째 약으로 발작이 조절될 확률은 감소하며 부작용이 나타날 확률은 증가한다.

⑤ 발작이 조절되어도 투약을 지속해야 하며, 기간은 뇌전증 또는 뇌전증증후군의 종류에 따라 다르나 일반적으로 최소한 2년 이상 발작이 없고 뇌파가 정상이 될 때까지 지속한다.

⑥ 항뇌전증약의 혈중 농도를 모든 환자에서 일상적으로 검사할 필요는 없다. Phenobarbital, phenytoin, carbamazepine, valproic acid 등의 약에 대해서는 혈중 농도를 측정하는 것이 도움이 된다. 약물의 혈중 농도를 측정하여 유효 치료 농도를 결정할 수 있으며, 약물이 효과가 없는 경우 그 이유를 밝히는 데 도움이 되고, 독성 증상의 원인 등을 알 수 있다. Lamotrigine, levetiracetam, tiagabine, topiramate, vigabatrin, zonisamide 등 신약의 경우에는 혈중 농도와 효과 간의 관련성에 대해 잘 알려지지 않았다. 발작이 잘 조절되는 환자에서 약물 농도를 반드시 측정해야 하는지에 대해서는 논란의 여지가 있으나, 성장하는 소아에서는 대사의 변화 가능성이 있으므로 정기적인 측정이 도움이 될 수 있다.

⑦ 일반 혈액검사와 간 기능 검사는 모든 환자에서 정기적으로 시행할 필요는 없다.

⑧ 항뇌전증약의 감량은 서서히 진행되어야 한다. 특히, barbiturate 계열의 약은 갑자기 중단할 경우 뇌전증지속증을 초래하기 쉽다.

6) 항뇌전증약의 종류 및 선택(표 6-10)

① Benzodiazepines

Diazepam과 lorazepam은 뇌전증지속증의 치료 시에 정맥 주사로 사용된다. Midazolam은 뇌전증지속증의 치료 시 지속적 정맥 주사요법으로 사용된다. Clonazepam은 근간대발작, 무긴장발작, 부분발작 등에 효과적이며 Lennox-Gastaut 증후군에 사용가능하다. 졸음, 행동장애, 타액분비 증가 등의 부작용이 올 수 있다. Nitrazepam은 근간대발작의 치료에 사용된다. Clobazam은 복합부분발작의 추가적 요법에 사용되며 0.25-1 mg/kg/일의 용량으로 사용한다. Phenytoin, phenobarbital, carbamazepine 및 valproic acid의 혈중 농도를 상승시키고, 어지러움증이나 졸림 등의 부작용이 올 수 있다(표 6-11).

② Carbamazepine

Carbamazepine은 전신강직간대발작과 부분발작에 효과적이지만, 정형적 및 비정형적 소발작과 근간대발작은 오히려 악화시킬 수 있다. 최초 용량은 10 mg/kg/일이며 점차 증량하여 유지용량은 20-30 mg/kg/일을 2-3회 분복한다. 적절한 치료 혈중 농도는 8-12 μg/mL이나, 혈장 단백과 결합을 하고 대사산물인 10,11-epoxide로 전환되므로 혈중 농도의 해석에 어려움이 있을 수 있다. 또, 대사산물인 10,11-epoxide에 의한 독성 부작용을 보일 수도 있다. 복용 초기에 백혈구 감소와 간독성을 초래할 수 있으므로 주의해야 하고 일반 혈액 검사 및 간 기능 검사가 필요하다. 부작용으로 졸음, 복시, 어지러움 및 조화운동불능 등이 나타날 수 있으며, 피부 발진이나 저나트륨혈증도 발생할 수 있다. Phenobarbital이나 phenytoin보다 인지기능에 미치는 영향이 적다.

③ Ethosuximide

소발작에만 효과가 있다. 다른 발작 유형의 병력이 없을 경우에 사용되며, 다른 발작이 있는 경우에는 valproic acid 또는 lamotrigine을 사용하는 것이 좋다.

용량은 최초 20 mg/kg/일 bid, 최대 40 mg/kg/일 또는 1.5 g/일 사용하며, 유효치료 혈중 농도는 50-100 μg/mL 이다. Phenytoin은 소발작을 악화시키므로 같이 투여하지 않는다. 부작용으로 소화기 장애, 피부 발진, 두통 등이 있으며, 백혈구 감소가 나타날 수도 있다.

④ Felbamate

14세 이상의 부분발작의 단독요법 또는 추가요법, Lennox-Gastaut 증후군의 추가 치료제로 사용 가능하나, 재생불량성 빈혈과 간부전의 부작용으로 인하여 사용은 제한적이다.

⑤ Gabapentin

표 6-10. 소아뇌전증 약물치료 지침안

발작형태 또는 뇌전증증후군	FDA	ILAE (2013)
부분뇌전증	CBZ, OXC, Ezogabine, LCS, LEV, LTG, PB, PHT, PER, TPM, VGB	OXC, CBZ, PB, PHT, TPM, VGB, VPA, CLB, CZP, LTG, ZNS
양성롤란드뇌전증(BCECTS)	None	CBZ, VPA, GBP, LEV, STM
소아기 소발작뇌전증	ESM, VPA	ESM, VPA, LTG
청소년 근간대뇌전증	LEV, LTG, TPM	TPM, VPA
Lennox-Gastaut 증후군	CLB, FLB, LTG, RFM, TPM,	None
영아연축	ACTH, VGB	None
일차성 전신성 강직간대발작	LEV, LTG, TPM, PER	CBZ, PB, PHT, TPM, VPA, OXC

FDA: Food and Drug Administration; ILAE: International League against Epilepsy.
ACTH: adrenocorticotropic hormone; BCECTS: benign childhood epilepsy with centrotemporal spikes; CBZ: carbamazepine; CLB: clobazam; ESM: ethosuximide; FLB: felbamate; GBP: gabapentin; LCS: lacosamide; LEV: levetiracetam; LTG: lamotrigine; OXC: oxcarbazepine; PB: phenobarbital; PER: perampanel; PHT: phenytoin; RFM: rufinamide; STM: sulthiame; TPM: topiramate; VGB: vigabatrin; VPA: valproate; ZNS: zonisamide.

표 6-11. 주요 항뇌전증약의 용량 및 부작용

약품명 (상품명)	1일 유지 용량 (mg/kg/d)	유효 혈중 농도 (mg/L)	부작용	
			용량과 관련된 부작용	과민성 반응 및 중요사항
Carbamazepine (Tegretol)	10–20	5–12	복시, 졸림, 현훈, 두통, 설사, SIADH, 백혈구 감소증	재생불량성 빈혈, 피부 발진, 간독성, 부정맥
Clobazam (Sentil, Onfi)	10–40 (mg/day)	60–200 (ug/L)	졸림, 진정	Stevens-Johnson 증후군
Clonazepam (Rivotril)	0.1–0.2	25–85 (ug/L)	기면, 운동실조, 과운동증, 흥분, 집중 결여	백혈구 감소증, 혈소판 감소증, 피부 발진
Ethosuximide (Zarontin)	20–30	40–100	구역, 구토, 운동 실조, 기면, 두통, 식욕 부진	피부 발진, 백혈구 감소증, 행동장애
Felbamate (Felbatol)	15–45	50–110	두통, 현훈, 복시, 졸림, 불면증, 식욕감퇴	피부 발진, 악성 빈혈, 간독성
Gabapentin (Neurontin)	30–60	2–20	졸림, 현훈, 운동 실조, 두통, 안구 진탕, 피로, 체중증가	–
Lacosamide (Vimpat)	4–12	≤15 (ug/L)	현훈, 두통, 구역, 복시	–
Lamotrigine (Lamictal)	5–15	1–15	졸림, 구역, 구토, 복시, 운동 실조	피부 발진, Stevens-Johnson 증후군
Levetiracetam (Keppra)	20–60	6–40	졸림, 현훈, 보챔 및 행동장애	–
Oxcarbezepine (Trileptal)	20–60	13–35	졸림, 두통, 현훈, 저나트륨혈증	피부 발진
Perampanel (Fycompa)	2–12 (mg/day)	20–800 (ng/mL)	운동실조, 공격성, 자살충동	–
Phenobarbital (Luminal)	3–5	15–40	졸림, 과잉운동, 흥분	피부 발진, 발열, 박탈성 피부염
Phenytoin (Dilantin)	5–10	5–20	안구 진탕, 운동 실조, 기면, 구역, 잇몸 비후, 다모증, folic acid 결핍, 비타민 D 결핍	피부 발진, 림프절 종대, 간독성, Stevens-Johnson 증후군
Primidone (Mysoline)	10–20	4–13	졸림, 현훈, 행동 장애	피부 발진, 발열
Rufinamide (Inovelon, Banzel)	30–45	≤60 (ug/mL)	졸림, 구역, 구토	short QT interval 에서 금기
Topiramate (Topamax)	1–9	2–25	피로, 인지 저하, 체중감소, 땀감소증	신결석
Valproate (Depakene, Depakote, Orfil)	10–30	50–100	졸림, 구역, 구토, 복통, 탈모, 체중 증가, SGOT/SGPT상승	백혈구 감소증, 혈소판 감소증, 간염, 췌장염
Vigabatrin (Sabril)	50–150	20–160	졸림, 현훈, 두통, 복시, 체중 증가	피부 발진
Zonisamide (Excegran)	4–8	10–40	졸림, 두통, 구토, 복통, 식욕부진, 체중감소, 땀감소증	피부 발진, 백혈구 감소증, 신결석

Gabapentin은 성인의 난치성 부분발작 및 이차성 전신 강직간대발작에 추가요법으로 사용된다. 소아에서의 용량은 아직 확립되지 않았으나 부분발작의 추가요법으로 20-50 mg/kg/일을 3회 분복한다. 부작용은 졸림, 피로, 어지럼, 구역, 체중 증가 등이 있다.

⑥ Lacosamide

최근 개발된 약물로서, 아직은 16세 이상의 부분발작 환자에서 부가적 요법으로 사용되는 약물이다. 100 mg/d로 시작하여 200-400 mg/d 까지 증량하여 사용한다. 부작용으로는 두통, 어지러움증, 복시, 구역 등이 있다.

⑦ Lamotrigine

Lamotrigine은 대발작 및 부분발작에 효과적으로 작용하는 광범위한 항경련 효과를 가진 약물로서, Lennox-Gastaut 증후군, 유년기 근간대뇌전증, 소발작뇌전증 등에 유용하다. 단독요법을 하거나 valproate를 사용하지 않을 경우에는 1-2 mg/kg/일로 시작하여 점차 증량하여 5-15 mg/kg/일을 유지한다. Valproate는 lamotrigine의 대사를 억제하므로 기존에 valproate를 복용 중인 경우에는 0.1-0.5 mg/kg/일로 시작하여 최대 5 mg/kg/일까지 서서히 증량한다. 부작용으로 두통, 구역, 어지럼 등이 있다. 복용 초기에 피부 발진이 나타날 수 있으며, 심한 경우 Stevens-Johnson 증후군 또는 독성 표피 괴사 용해(toxic epidermal necrolysis) 등을 초래할 수 있다. 그러나, 장기간 사용 시에도 인지기능에 미치는 영향이 적은 장점이 있는 약물이다.

⑧ Levetiracetam

부분발작 및 전신발작의 부가적 요법으로 주로 사용되는 약물이다. 전신발작 중에서는 청소년 근간대뇌전증 및 일차성 전신강직간대발작에서 효과가 있다. 용량은 10-20 mg/kg/일로 시작하여 40-60 mg/kg/일까지 증량할 수 있다. 부작용으로는 졸림, 피로감, 공격적 행동, 불안감 등의 중추신경계 증상이 있다.

⑨ Oxcarbazepine

Oxcarbazepine은 10, 11-epoxide로 전환되지 못하게 한 carbamazepine으로부터의 합성체로 항경련 효과는 동일하면서 부작용은 감소시킨 약이다. 부분발작 및 전신강직간대발작에 효과적이다. 최초 용량은 10 mg/kg/일 이며 점차 증량하여 최대 30 mg/kg/일을 2회 분복한다. 부작용으로 carbamazepine과 같이 피부 발진 및 저나트륨혈증이 나타날 수 있다.

⑩ Perampanel

전신발작을 동반하거나 동반하지않는 부분발작, 일차성 전신강직간대발작에 사용가능하며, 12세 이상의 환자에서 하루 한번 2 mg의 저용량에서 시작하여 일정 기간에 걸쳐서 서서히 하루 12 mg까지 증량 가능하다. 부작용을 최소화하기 위하여 자기전에 한번 복용을 권한다.

⑪ Phenobarbital

전신강직간대발작과 부분발작에 효과적이다. 용량은 4-5 mg/kg/일을 2회 분복한다. 뇌전증지속증 시의 부하용량은 20 mg/kg (신생아는 20-30 mg/kg)이고, 유효 혈중 농도는 15-40 μg/mL이다. 주된 부작용은 졸림, 행동 과다, 주의력결핍 등이 있고, 피부 발진 및 Stevens-Johnson 증후군이 나타나는 경우도 있다. 장기간 사용할 경우 약 25%에서 거친 행동 등 행동의 이상이 나타나며, 특히 인지기능의 저하를 초래할 수 있다. 부작용 때문에 최근에는 주로 뇌전증지속증 등 급성기의 치료에 비경구적으로 쓰이며, 장기적인 투여는 가급적 하지 않는다.

⑫ Phenytoin

전신강직간대발작 및 부분발작에 효과적이다. 용량은 3-9 mg/kg/일을 2회 분복한다. 뇌전증지속증 시의 부하용량은 20 mg/kg이고, 유효 혈중 농도는 10-20 μg/mL/이다. 혈중 농도의 증가에 따라 독성 증상의 양상이 변하게 되는데, 혈중 농도가 15-30 μg/mL에서는 눈떨림이 있으며, 30 μg/mL 이상에서는 조화운동불능이 나타나게 된다. 혈중 농도가 40 μg/mL 이상으로 증가하면 발작의 악화가 나타날 수 있다. 복용 초기에 발진이 있을 수 있으며 심한 경우 Stevens-Johnson 증후군이 나타날 수 있다. 장기간 사용 시 잇몸의 비후, 다모증, 얼굴 모양의 변형, 빈혈 등이 발생할 수 있다. 기형 발생 효과가 있으며 태아 hydantoin 증후군을 초래할 수 있다. 부작용이 많아서 최근에는 주로 뇌전증지속증 등 급성기의 치료에 비경구적으로 쓰이며, 장기적인 투여는 피하는 것이 좋다.

⑬ Rufinamide

Lennox-Gastaut 증후군에서 부가적 요법으로 사용되는 새로운 약물이다. 30 kg 미만의 환자에서는 200 mg/d로 시작하여, valproate를 사용하는 경우에는 600 mg/d까지 증량하고 valproate를 사용하지 않을 경우에는 1,000 mg/d까지 증량한다. 30 kg 이상의 환자에서는 400 mg/d로 시작하여 최대 권장용량(체중 50 kg에서는 1,800 mg/d)까지 증량 가능하다. 부작용으로는 졸음, 두통, 어지러움 등의 중추신경계 증상과 구역, 구토 등의 위장관 증상이 있다.

⑭ Topiramate

Topiramate는 주로 난치성 뇌전증의 부가요법으로 사용되며, 대발작 및 부분발작에 효과가 있다. 최초 용량은 1-2 mg/kg/일로 시작하여 4-8 mg/kg/일을 유지한다.

부작용으로 식욕 저하, 체중 감소, 발한 감소 등이 있으며, 인지기능 장애로 음성 기억력과 정신운동 속도를 저하시킬 수 있다.

⑮ Valproic acid

광범위한 항뇌전증약으로 전신강직간대발작, 소발작, 근간대발작, 무긴장발작에 효과가 있으며, 부분발작에도 효과가 있다. 최초 용량은 10-15 mg/kg/일을 2-3회 분복하며, 1주일 단위로 증량하고 유지용량은 30-60 mg/kg/일이다. 항뇌전증 작용과 직접적인 관련은 적지만 적절한 혈중 농도는 50-100 μg/mL로 순응도 확인에 도움이 된다. 흔한 부작용으로 오심, 구토 등의 위장관 장애, 체중 증가, 탈모, 떨림 등이 있다.

간기능에 영향을 끼칠 수 있으며, 용량과 관련된 간 효소의 증가는 일시적 현상으로 용량을 감소하면 호전되나, 약물 특이 반응으로 전격 간부전을 초래할 수 있으므로 주의해야 한다. 고암모니아 혈증, 혈소판 감소가 있을 수 있으며, 드물게 췌장염을 초래할 수 있다. 여러 부작용에도 불구하고 발작 조절이 우수하고 인지기능에 영향이 적어 널리 사용되고 있다.

⑯ Vigabatrin

Vigabatrin은 부분발작에 효과적이며, 그 외 영아연축, 특히 결절경화증에 의한 환자의 치료에 효과가 있다. 최초 용량은 40 mg/kg/일에서 시작하여 80-100 mg/kg/일까지 증량하며, 영아연축에서는 100-150 mg/kg/일까지도 사용된다. 부작용으로 행동 과다, 흥분, 기면, 체중 증가 등이 있

다. 특히, 비가역적인 시야감소가 발생 할 수 있으므로 주의해야 한다.

⑰ Zonisamide

부분발작의 부가요법으로 사용되며, 근간대발작에도 효과가 있다. 최초 용량은 2-4 mg/kg/일로 시작하여 8-12 mg/kg/일까지 증량할 수 있다. 부작용으로 신결석이 생길 수 있다.

2. 수술적 치료, 미주신경자극술, 케톤생성식이요법

1) 뇌전증 수술

뇌전증 수술은 난치성 뇌전증 치료 중 가장 중요한 치료법 중 하나이다. 두 가지 이상의 약물을 사용하여도 경련이 지속되는 난치성 뇌전증의 경우, 추가적인 약물요법으로 경련이 완치될 가능성은 매우 적다. 수술의 적응증이 되는 환자를 조기에 파악하여, 뇌전증 수술을 시행하면, 환자의 경련을 조절하고, 삶의 질을 향상시킬 수 있다.

수술치료는 병소 절제술과 회로 차단술로 구분할 수 있는데, 병소 절제술은 수술 전 검사에서 뇌전증 병소가 확인되고, 수술로 인한 주요기능 장애 등의 합병증이 수술로 인한 이득보다 클 때 고려된다.

병소 절제술은 발작의 소실을 목적으로 하지만, 회로 차단술의 목적은 발작 강도를 완화시켜 발작으로부터 초래되는 장애를 완화시키고 뇌 기능을 호전시키는 데 있다. 소아에서는 뇌의 가소성이 높기 때문에 수술 후에 손상된 기능의 개선을 기대할 수 있으며, 수술에 따른 기능장애를 최소화할 수 있다.

(1) 수술 전 검사

뇌전증 발작 유발 부위를 찾기 위해 발작 형태를 포함한 정확한 병력 확인, 신경학적 검사, MRI, 장기간 지속적 비디오 뇌파검사, PET, 발작기와 발작간기의 SPECT, 신경심리검사 등이 필요하다. 소아는 전조증상에 대한 표현을 잘하지 못하는 경우가 많지만, 전조증상은 국소발작의 시작 부위를 예측할 수 있는 증상이다. 대표적으로 시각증상을

보일 경우는 후두엽, 어지럼증이나 감각증상을 보일 때는 두정엽, 기억관련 증상이나 소화기 자율신경 증상은 측두엽, 운동관련 증상은 전두엽에서 발생하는 발작으로 추정할 수 있다. 병력상 열성경련에 의한 뇌전증지속증의 병력이 있을 때 내측두엽 경화증의 가능성이 높다. 신경학적 검사에서 한쪽 운동기능 저하가 있을 경우에 동측의 대뇌 반구에 병소가 있을 가능성이 높다.

① MRI

뇌전증 병소를 진단하는 가장 기본이 되는 검사 방법이다. 발육 종양, 신경세포 이주장애, dysembryoplastic neuro-epithelioma (DNET), 손상성 뇌병증 같은 질환들은 진단율이 높지만 국소 피질이형성증의 진단율은 좀 더 낮다.

② 장기간 비디오/뇌파 검사

발작의 형태를 직접 제공하여 발작 발생 부위를 예측할 수 있는 정보를 제공하며, 이 시기에 발생하는 뇌파를 확인할 수 있기 때문에 발작기 뇌파가 발생하는 부위의 진단에 필수적이다. 또 장기간 기록된 뇌파에서 대뇌 기능이 저하된 부위나 발작을 일으킬 수 있는 활동이 많이 발생하는 부위를 예측하고, 소아에서는 뇌전증 뇌병증의 성향을 어느 정도 가지고 있는지에 대한 정보를 얻는 데에도 큰 도움이 된다.

③ 단일 광전자 방출 단층촬영(single-photon emission computed tomography: SPECT)

조영제 투입 직후의 뇌혈류량을 평가하는 영상 진단법이다. 발작간기에 혈류량이 떨어져있고, 발작기에는 혈류량이 증가한 부위를 확인하여 발작 유발 부위를 진단한다. 발작시간이 짧거나 발작이 단시간 내에 주변 또는 반대쪽 뇌에 퍼지는 경우, 또는 발작 시작 후 조영제 주입까지의 시간이 늦어지는 경우에는 정확한 영상을 얻는 것이 제한적이다.

④ 양전자 방출 단층촬영(positron emission tomography: PET)

대뇌의 활성도에 따라 당성분의 침착 정도가 차이 나는 것을 이용해서 기능이 떨어진 부위의 조영제 흡수율이 떨어지는 것을 영상으로 확인하는 방법이다. 발작 유발 부위의 조영강도가 떨어지는 것으로 진단에 도움을 받을 수 있

으며, 감수성 및 특이성이 내측두엽 뇌전증에서는 90% 정도이고 측두엽외 뇌전증에서는 70-80% 정도에 이르는 것으로 알려져 있다.

이상의 비침습적 검사를 통해 발작 생성 병소가 완벽히 확인되지 않을 경우에는 수술을 통해 병소로 예측되는 부분에 두개강 내 전극을 삽입한 후 다시 장기간 비디오/뇌파 검사를 시행하여 발작 생성 병소를 확인하고 절제하는 방법을 사용하기도 한다.

대뇌의 중요 기능을 담당하는 부위가 수술에 의해 손상되지 않도록 보전하는 것 역시 중요한데, 이 부위를 확인하기 위해서 functional MRI, 뇌회로 영상, 뇌자도(magneto-encephalography), 그리고 겉질 유발전위 및 자극 방법 등을 사용한다. 신경심리검사는 뇌전증에 흔히 동반되는 발달 지연의 정도를 평가하거나, 발작 병소의 추정 또는 언어, 기억 중추의 편측화에 도움이 될 수 있다.

(2) 수술 방법

수술 방법은 근치적 수술과 증상 완화 수술로 나눈다. 근치적 수술은 뇌전증 병소의 종류와 범위에 따라 병소 절제술, 겉질 절제술, 뇌엽 절제술, 반구 절제술로 구분된다. 증상 완화 수술에는 회로 차단술 뇌량 절개술(corpus callosotomy), 연막밑 절연술(subpial transection) 등이 있다.

① 병소 절제술

MRI로 뚜렷한 병소가 확인되고 이 병소에서 발작이 발생하는 경우에 시행되고, 겉질 절제술은 MRI의 이상 여부와 관계없이 발작을 일으키는 겉질을 국소화하여 발작 유발 병변으로 확인된 겉질을 절제하는 방법이다.

② 뇌엽 절제술

내측두엽 경화증 또는 해마경화증에서 사용되어 온 측두엽 절제술과 측두엽 외의 뇌엽 절제술로 나눌 수 있고, 소아에서의 근치적 수술로는 다엽 절제술이 적용되는 경우가 많다. 성인 뇌전증 수술에서 가장 많은 내측두엽 뇌전증은 소아에서는 전체 뇌전증 수술의 20%를 넘지 않는다.

③ 반구 절제술

Rasmussen 뇌염, 거대반구증, Sturge-Weber 증후군, 한

쪽 반구 전체를 포함하는 병소를 가지고 있는 뇌전증이 대상이다. 반구 절제술은 병적인 반구를 완전히 고립시키는 기능적 절제술이 주로 이용되며, 최근에는 여러 접근 방법들이 개발되어 있다.

④ 뇌량 절개술

외상을 초래하는 무긴장발작의 정도와 빈도를 완화하는데 매우 효과적이며, 소발작, 근간대발작, 전신경련성 발작 같은 다른 형태의 전신발작을 완화시키는 목적으로도 이용된다. 양측 대뇌의 분리증후군(disconnection syndrome) 증상을 완화하기 위해 앞쪽 2/3의 뇌량만 절제하는 방법이 이용되기도 하지만, 약간의 분리증후군 증상을 감수하고라도 전체 뇌량을 절제하는 방법을 선호하기도 한다.

⑤ 다중 연막밑 절연술

언어중추 같은 기능 보전이 중요한 겉질 내에서 수직으로 간격을 두고 절연만 시키는 수술 방법으로, 기능 유지에 필요한 종단 회로를 보전하면서 발작의 확산에 주된 작용을 하는 횡단 회로만 차단하는 방법으로, Landau-Kleffner 증후군에 효과적인 치료로 소개되면서 다른 종류의 뇌전증 수술에도 대뇌 중추기능의 보전을 위해 이용되었지만, 완치율이 높지는 않다. 최근에는 거의 사용되지 않고 있다.

(3) 수술 후 예후

발작 호전의 계측은 Engel 분류를 주로 사용하며, 발작 소실(class 1), 현저한 발작 호전(class 2), 유효한 발작 호전(class 3), 호전 없음(class 4)으로 구분하여 평가한다. 발작 소실의 예측치는 측두엽 절제술에서 80-90%이고, 대뇌 반구 절제술은 70-80%, 외측두엽 절제술은 50-60%이다. 발작 경감에 의해 행동과 인지기능의 호전을 기대할 수 있으며, 또한 사회성 기능의 전반적 호전이 올 수 있다.

2) 미주신경자극술

미주신경자극술은 전기자극 발생기를 쇄골 아래 부위에 삽입시키고, 연결선을 통해 전극을 좌측 미주신경에 위치시켜, 미주신경을 반복해서 자극하는 치료 방법이다.

좌측 미주신경은 구심신경이 주 구성원으로 미주신경

에 주어진 자극은 신경을 통하여 뇌간의 nucleus track solitarius와 nucleus locus solitarius를 포함한 여러 신경핵을 자극하고, 이러한 신경핵의 활성화가 직-간접적으로 대뇌 겉질의 전기 방출을 억제하여 발작을 완화시키는 것으로 알려져 있다.

미주신경의 반복 자극에 의해 전체적인 발작 횟수가 감소될 수 있으며, 특히 발작이 시작될 때 손자석으로 외부에서 자극을 유발하여 발작을 멈추게 할 수 있는 장점이 있다. 또한 장기간의 반복 자극에 의해 뇌간 신경핵 또는 대뇌 겉질이 활성화 되어 인지-행동 개선에 도움이 되는 것으로 알려져 있다. 소아에서도 발작 억제에 효과적으로 알려져 있고, 일반적으로는 뇌전증 수술을 통해 발작 조절이 보장되지 않는 난치성 환자들이 치료 대상이다. 부분발작과 Lennox-Gastaut 증후군 같은 전신발작에 모두 효과적이다.

3) 케톤생성 식이요법(Ketogenic diet)

케톤생성 식이요법은 효과가 잘 알려진 비약물성 뇌전증 치료법으로, 고지방, 저탄수화물 섭취를 기본으로 하는 식이요법이다. 성인과 소아의 난치성 뇌전증에서 자주 활용된다.

(1) 케톤생성 식이요법의 기전

케톤생성 식이요법은 여러 대사과정을 변화시켜 항경련 효과를 나타낸다. 고지방, 저탄수화물 식이는 공복 상태와 비슷한 상태를 유발하여, 혈중 케톤 농도를 높이고, 인슐린, 혈당, 글루카곤 대사를 변화시킨다. 신경세포 흥분성이 감소하고, gamma aminobutyric acid 수치가 증가하고, 미토콘드리아 대사, oxidative phosphorylation 등이 변화하게 된다. 케톤이 직접적으로 항경련 효과를 보이는지 여부는 확실치 않다.

(2) 적응증과 금기

케톤생성 식이요법은 모든 뇌전증에서 나이와 상관없이 효과적으로 활용될 수 있다. 하지만, 탄수화물과 단백질 섭취를 제한해야하는 어려움 때문에, 사회생활을 하는 성인에서는 유지가 좀 더 어려운 경향이 있다. 뛰어난 효과 때문에 난치성 뇌전증 환자라면 꼭 고려되는 치료 방법이다.

특히 pyruvate dehydrogenase deficiency, epilepsy with myoclonic-atonic seizures, 영아연축, 결절경화증, 드라벳 증후군, 위루관이 있는 뇌전증 환자에서는 특별히 효과가 좋기 때문에, 질병 초기에 케톤생성 식이요법을 고려하는 것이 필요하다.

Glucose transporter 1 deficiency 증후군에서는 특히 케톤생성 식이요법이 가장 중요한 치료법이다. 가능한 전통적인 케톤생성 식이요법을 사용하지만, 청소년이나 성인에서는 전통적인 케톤생성 식이요법을 유지하는 것이 어려운 경우들이 있다. 이럴 때는 변형 Atkins 식이요법을 대신 사용해 볼 수 있다.

지방을 에너지로 만들지 못하는 지질대사이상 질환들(carnitine 대사이상 질환, 지방산 대사이상, porphyria 등)과 pyruvate carboxylase 결핍증 같은 질환에서는 이 치료가 금기이다.

(3) 케톤생성 식이요법 방법

전통적 케톤생성 식이요법에서는 보통 지방과 비지방 성분의 비율을 4:1 또는 3:1로 유지한다. 지방 비율을 일정하게 유지하는 것이 가장 중요하며, 단백질은 환자의 성장을 유지하기 위해 최소 1 g/kg 이상을 유지하고, 탄수화물은 최소한의 양만 섭취한다. 케톤생성 식이요법을 진행할 때는 환자의 체중, 영양상태, 기타 검사 결과, 합병증 동반 여부 등을 관찰하며, 지속적으로 열량과 단백질 및 지방의 비율을 조절한다. 최근에는 변형 Atkins 식이요법, low glycemic index 식이와 같이 지방 비율을 많이 떨어뜨린 방법들에 의한 항경련 효과도 보고되고 있어, 보다 쉽게 식이치료를 적용할 수 있다.

일상적인 섭취 음식 또는 약물 등 당분이 포함되어 있는지를 반드시 확인하여야 하며, 비타민 B, C 및 칼슘을 보충해 주는 것이 권장된다. L-carnitine의 결핍 상태는 식이치료의 유효성을 떨어뜨릴 수 있기 때문에, 결핍이 있는 경우에는 보충하는 것이 권유된다.

케톤생성 식이요법의 항경련 효과가 확실한 경우 다른 항뇌전증약을 줄이거나 끊는 것이 가능하다. 케톤생성 식이요법과 함께 식욕저하, 음식거부, 설사, 변비, 구토 등의 위장관 증상이 동반될 수 있다. 이럴 때 식사 구성을 조절하거나 위장관 약물을 투여하여 증상을 완화시킬 수 있다. 또 약간의 성장장애나 골밀도의 저하 등이 동반되기도 하나, 식이요법 중지 후에는 정상화되는 것으로 알려져 있고, 비타민 D의 보조요법으로 예방할 수 있다. 요로 결석, 혈중 요산 증가, 지방 흡인 폐렴, 췌장염, 심근병증 또는 패혈증의 발생 증가와 같은 합병증이 보고되고 있어 이에 대해 정기적 검사가 필요하고, 증상 발현 시에 초기 대응이 매우 중요하다. 케톤생성 식이요법에 의해 발작이 완전히 조절될 경우, 2년 이후 서서히 정상 식이로 환원해 볼 수 있다. 단, 항경련제를 사용할 때와 같이 뇌전증의 원인과 종류에 따라 케톤생성 식이요법 유지 기간은 환자마다 다를 수 있다.

참고문헌

1. Aksu F. Nature and prognosis of seizures in patients with cerebral palsy. Dev Med Child Neurol 1990;32:661-8.

2. Alger BE, Nicoll RA. Epileptiform burst afterhyperolarization: calcium-dependent potassium potential in hippocampal CA1 pyramidal cells. Science 1980;210:1122-4.

3. American Electroencephalographic Society. Guideline two: minimum technical standards for pediatric electroencephalography. J Clin Neurophysiol 1994;11:6-9.

4. Asano E, Chugani DC, Muzik O, et al. Multimodality imaging for improved detection of epileptogenic foci in tuberous sclerosis complex. Neurology 2000;54:1976-84.

5. Ashcroft FM. The Yin and Yang of the K (ATP) channel. J Physiol 2000;528:405.

6. Binder DK, Steinhäuser C. Functional changes in astroglial cells in epilepsy. Glia 2006;54:358-68.

7. Barkovich AJ, Guerrini R, Kuzniecky RI, Jackson GD, Dobyns WB. A developmental and genetic classification for malformations of cortical development:update 2012. Brain 2012;135:1348-69.

8. Bear MF, Connors BW, Paradiso MA, Neuroscience, 3rd ed. Lippincott William & Wilkins, 2007

9. Berg AT, Berkovic SF, Bordie MJ, et al. Revised terminology and concepts of seizures and epilepsies: Report of the ILAE Commission on Classification and Terminology, 2005-2009. Epilepsia 2010;51:676-85.

10. Berg AT, Shinnar S, Hauser WA, et al. A prospective study of recurrent febrile seizures. N Engl J Med 1992;327:1122-7.

11. Blume WT, Blume WT, Lüders HO, et al: Glossary of descriptive terminology for ictal semiology: report of the ILAE task force on classification and terminology. Epilepsia 2001;42:1212-8.

12. Bruton C, The neuropathology of temporal lobe epilepsy, Oxford University Press, 1988

13. Bouvard S, Costes N, Bonnefoi F, et al. Seizure-related short-term plasticity of benzodiazepine receptors in partial epilepsy: a [11C] flumazenil-PET study. Brain 2005;128:1330-43.

14. Camfield PR and Camfield CS. Pediatric Epilepsy: an overview. In: Swaiman KF, Ashwal S, Ferriero DM, and Schor NF, editor. Swaiman's Pediatric Neurology. 5th ed. Elsevier; 2012. p.703-10.

15. Catterall WA. From ionic currents to molecular mechanisms: the structure and function of voltage-gated sodium channels. Neuron 2000;26:13-25.

16. Catterall WA. Structure and regulation of voltage-gated Ca2+ channels. Annu Rev Cell Dev Biol 2000;16:521-55.

17. Chugani DC, Muzik O. α [C-11] Methyl-L-tryptophan PET maps brain serotonin synthesis and kynurenine pathway metabolism. Journal of Cerebral Blood Flow & Metabolism 2000;20:2-9.

18. Chugani HT, Neuroimaging in epilepsy, 1st ed. Oxford, 2011. p. 210-25.

19. Commission on Classification and Terminology of International League Against Epilepsy. Proposal for classification of epilepsy and epileptic syndromes. Epilepsia 1985;26:268-278.

20. Commission on Classification and Terminology of International League Against Epilepsy. Proposal for classification of epilepsy and epileptic syndromes. Epilepsia 1989;30:389-399.

21. Coulter dL. Comprehensive management of epilepsy in persons with mental retardation. Epilepsia 1997;38:24-31.

22. Cross JH. Epilepsy surgery in childhood. Epilepsia 2002;43(suppl.3): 65-70.

23. Curatolo P, Tuberous sclerosis complex: from basic science to clinical phenotypes, Cambridge University Press, 2003

24. Delagro-Escueta A, Olsen R, Basaic mechanisms of the epilepsies. 3rd ed. Lippincott Williams & Wilkins, 1999.

25. Depositario-Cabacar DF, Zelleke TG. Treatment of epilepsy in children with developmental disabilities. Dev Disabil Res Rev 2010;16:239-47.

26. Detre JA, Maccotta L, King D, et al. Functional MRI lateralization of memory in temporal lobe epilepsy. Neurology 1998;50:926-32.

27. Dingledine R, McBain CJ, McNamara JO. Excitatory amino acid receptors in epilepsy. Trends Pharmacol Sci 1990;11:334-8.

28. Doose H, EEG in childhood epilepsy. Initial presentation and long-term follow-up. John Libbey, 2003

29. Ebersole JS, Current practice of clinical electroencephalography, 4th ed. Wolters Kluwer, 2014

30. Elaine Wyllie, Treatment of epilepsy: Principles and practice, 5th ed. Lippincott William & Wilkins, 2011

31. Engel J Jr. A proposed diagnostic scheme for people with epileptic seizures and with epilepsy: report of the ILAE Task Force on Classifica- tion and Terminology. Epilepsia 2001;42:796-803.

32. Engel J Jr. Classifications of the International League Against Epilepsy: time for reappraisal. Epilepsia 1998;39:1014-7.

33. Engel J Jr. Report of the ILAE classification core group. Epilepsia 2006;47:1558-69.

34. Engel J Jr. Epilepsy. A comprehensive textbook, 2nd ed. Lippincott Williams & Wilkins, 2008

35. Engel J Jr, Brown WJ, Kuhl DE, Phelps ME, Mazziotta JC, Crandall PH. Pathological findings underlying focal temporal lobe hypometabolism in partial epilepsy. Ann Neurol 1982;12:518-28.

36. Engel J Jr and Pedley TA, Epilepsy: A comprehensive textbook, 2nd ed. Wolters Kluwer/Lippincott Williams & Wilkins, 2008

37. Fisher RS, Cross JH, D'Souza C, et al. Instruction manual for the

ILAE 2017 operational classification of seizure types. Epilepsia 2017;58:531-42.

38. Fisher RS, Cross JH, French JA, et al. Operational classification of seizure types by the International League Against Epilepsy: Position Paper of the ILAE Commission for Classification and Terminology. Epilepsia 2017;58:522-30.

39. Fisher RS, van Emde Boas W, Blume W, et al. Epileptic seizures and epilepsy: definitions proposed by the Inter- national League Against Epilepsy (ILAE) and the International Bureau for Epilepsy (IBE). Epilepsia 2005;46:470-2.

40. Foreman B and Classsen J. Quantitative EEG for the detection of brain ischemia. Crit Care 2012;16:21620.

41. Gaillard WD, Balsamo L, Xu B, et al. Language dominance in partial epilepsy patients identified with an fMRI reading task. Neurology 2002;59:256-65.

42. Gaillard WD, Chiron C, Helen Cross J, et al. Guidelines for imaging infants and children with recent‐onset epilepsy. Epilepsia 2009;50:2147-53.

43. Gastaut H. Clinical and electroencephalographical classification of epileptic seizures. Epilepsia 1970;11:101-13.

44. Glauser T, Ben-Menachem E, Bourgeois B, et al. ILAE Subcommission on AED Guidelines: Updated ILAE evidence review of antiepileptic drug efficacy and effectiveness as initial monotherapy for epileptic seizures and syndromes. Epilepsia 2013;54:551-63.

45. Hahn JS and Tharp BR. Neonatal and pediatric electroencephalography. In: Aminoff MJ, editor. Electrodiagnosis in Clinical Neurology, 4th ed. Churchill Livingstons; 1999. p.81-127.

46. Hahn JS, Monyer H, Tharp BR. Interburst interval measurements in the EEG of premature infants with normal neurological outcome. Electroencephalogr Clin Neurophysiol 1985;67:27-8.

47. Hartman AL, Zheng X, Bergbower E, Kennedy M, Hardwick JM. Seizure tests distinguish intermittent fasting from the ketogenic diet. Epilepsia 2010;51:1395-402.

48. Hartman AL, Stafstrom CE. Harnessing the power of metabolism for seizure prevention: focus on dietary treatments. Epilepsy Behav 2013;26:266-72.

49. Engel J Jr. Epilepsy: a comprehensive textbook, Lippincott-Raven, 1998

50. Helbig I, Swinkels ME, Aten E, et al. Structural genomic variation in childhood epilepsies with complex phenotypes. Eur J Hum Genet 2014;22:896-901.

51. Heron SE, Scheffer IE, Berkovic SF, Dibbens LM, Mulley JC. Channelopathies in idiopathic epilepsy. Neurotherapeutics 2007;4:295-304.

52. Hille B. Modulation of ion-channel function by G-protein-coupled receptors. Trends Neurosci 1994;17:531-6.

53. Hirtz D, Ashwal S, Berg A, et al. Practice parameter: evaluating a first nonfebrile seizure in children: report of the quality standards subcommittee of the American Academy of Neurology, The Child Neurology Society, and The American Epilepsy Society. Neurology 2000;55:616-23.

54. John M Pellock, Douglas R Nordli., Pellock's Pediatric Epilepsy, 5th ed. Demos Medical Publishing, 2016

55. Jones SW. Overview of voltage-dependent calcium channels. J Bioenerg Biomembr 1998;30:299-312.

56. Kang HC, Kim HD. Diet therapy in refractory pediatric epilepsy: increased efficacy and tolerability. Epileptic Disord 2006;8:309-16.

57. Kliegman, St Geme, Blum, Shah, Robert C, Nelson Textbook of Pediatrics, 21th Ed. Elsevier Saunders, 2019

58. Knake S, Triantafyllou C, Wald LL, et al. 3T phased array MRI improves the presurgical evaluation in focal epilepsies: a prospective study. Neurology 2005;65:1026-31.

59. Kossoff EH, Zupec-Kania BA, Auvin S, et al. Optimal clinical management of children receiving dietary therapies for epilepsy: Updated recommendations of the International Ketogenic Diet Study Group. Epilepsia Open 2018;3:175-92.

60. Kuhl DE, Engel J, Jr., Phelps ME, Kowell AP. Epileptic patterns of local cerebral metabolism and perfusion in man: investigation by emission computed tomography of 18F-fluorodeoxyglucose and 13N-ammonia. Trans Am Neurol Assoc 1978;103:52‐3.

61. Kuhl DE, Phelps ME, Hoffman EJ, Robinson GD Jr MacDonald NS. Initial clinical experience with 18F-2-fluoro-2-deoxy-D-glucose for determination of local cerebral glucose utilization by emission computed tomography. Acta Neurologica Scandinavica 1977;64:192‐3.

62. Lerche H, Shah M, Beck H, Noebels J, Johnston D, Vincent A. Ion channels in genetic and acquired forms of epilepsy. J Physiol 2013;591:753-64.

63. Lerner JT, Salamon N, Hauptman JS, et al. Assessment and surgical outcomes for mild type I and severe type II cortical dysplasia: a critical review and the UCLA experience. Epilepsia 2009;50:1310-35.

64. Malenka RC. Synaptic plasticity in the hippocampus: LTP and LTD. Cell 1994;78:535-8.

65. Maytal J, Krauss JM, Novak G, Nagelberg J, Patel M. The role of brain computed tomography in evaluating children with new onset of seizures in the emergency department. Epilepsia 2000;41: 950-4.

66. McCormick DA, Contreras D. On the cellular and network bases of epileptic seizures. Annu Rev Physiol 2001;63:815-46.

67. Mac TL, Tran DS, Quet F, et al. Epidemiology, aetiology, and clinical management of epilepsy in Asia: a systematic review. Lancet neurology 2007;6:533-43.

68. Meierkord H, Shorvon S, Lightman S, Trimble M. Comparison of the effects of frontal and temporal lobe partial seizures on prolactin levels. Arch Neurol 1992;49:225-30.

69. Menkes JH, Sarnat HB, Child neurology, 7th ed. Lippincott William & Wilkins, 2005

70. Merlis JK. Proposal for an international classification of the epilepsies. Epilepsia 1970;11:114-9.

71. Miller JW, Petersen RC, Metter EJ, Millikan CH, Yanagihara T. Transient global amnesia: clinical characteristics and prognosis. Neurology 1987;37:733-7.

72. Commission on Classification and Terminology of the International League Against Epilepsy. Proposal for classification of epilepsies and epileptic syndromes. Epilepsia 1985;26:268-78.

73. Ngugi AK, BottomLe C, Kleinschmidt I, et al. Estimation of the burden of active and life-time epilepsy: a meta-analytic approach. Epilepsia 2010;51:883-90.

74. Ogawa S, Lee TM, Kay AR, Tank DW. Brain magnetic resonance imaging with contrast dependent on blood oxygenation. Proc Natl Acad Sci USA 1990;87:9868−72.

75. Oyrer J, Maljevic S, Scheffer IE, Berkovic SF, Petrou S, Reid CA. Ion Channels in Genetic Epilepsy: From Genes and Mechanisms to Disease-Targeted Therapies. Pharmacol Rev 2018;70:142-73.

76. Pandolfo M. Pediatric epilepsy genetics. Curr Opin Neurol 2013;26:137-45.

77. Perez-Reyes E. Molecular physiology of low-voltage-activated t-type calcium channels. Physiol Rev 2003;83:117-61.

78. Perry MS, Duchowny M. Surgical management of intractable childhood epilepsy: Curative and palliative procedures. Semin Pediatr Neurol 2011;18:195-202.

79. Pressl C, Brandner P, Schaffelhofer S, et al. Resting state functional connectivity patterns associated with pharmacological treatment resistance in temporal lobe epilepsy. Epilepsy research 2019;149:37-43.

80. Commission on Classification and Terminology of the International League Against Epilepsy. Proposal for revised classification of epilepsies and epileptic syndromes. Epilepsia 1989;30:389-99.

81. Proposal for revised clinical and electroencephalographic classification of epileptic seizures. From the Commission on Classification and Terminology of the International League Against Epilepsy. Epilepsia 1981;22:489-501.

82. Ptácek LJ, Fu YH. Channels and disease: past, present, and future. Arch Neurol 2004;61:1665-8.

83. Puri BK, Laking PJ, Treasaden IH. Textbook of psychiatry. Churchill Livingstone, 1996

84. Rintahaka PJ, Chugani HT, Messa C, Phelps ME. Hemimegalencephaly: evaluation with positron emission tomography. Pediatric neurology 1993;9:21-8.

85. Rossi PG, Posar A, Parmeggiani A. Epilepsy in adolescents and young adults with autistic disorder. Brain Dev 2000;22:102-6.

86. Salinsky M, R Kanter, RM Dasheiff. Effectiveness of multiple EEGs in supporting the diagnosis of epilepsy: an operational curve. Epilepsia 1987;28:331-334

87. Scheffer IE, Berkovic S, Capovilla G, et al. ILAE classification of the epilepsies: position paper of the ILAE Commission for Classification and Terminology. Epilepsia 2017;58:512-21.

88. Seino M. Classification criteria of epileptic seizures and syndromes. Epilepsy Res 2006;70S:S27-33.

89. Sharma NK, Pedreira C, Chaudhary UJ, et al. BOLD mapping of human epileptic spikes recorded during simultaneous intracranial EEG-fMRI: The impact of automated spike classification. NeuroImage 2019;184:981-92.

90. Sheth RD, Stafstrom CE. Intractable pediatric epilepsy: vagal nerve stimulation and the ketogenic diet. Neurol Clin 2002;20:1183-94.

91. Simeone TA, Simeone KA, Stafstrom CE, Rho JM. Do ketone bodies mediate the anti-seizure effects of the ketogenic diet? Neuropharmacology 2018;133:233-41.

92. Slater GE, Torres F. Frequency-amplitude gradient: new parameter for interpreting pediatric sleep EEGs. Arch Neurol 1979;36:465-70.

93. Spencer SS. Selection of candidates for invasive monitoring. In: Cascino GG and Jack CR Jr, editor. Neuroimaging in epilepsy: Principle & practice. Butterworth-Heinemann; 1996. p.219-34.

94. Spencer SS. The relative contributions of MRI, SPECT, and PET imaging in epilepsy. Epilepsia 1994;35:S72-89.

95. Tassi L, Colombo N, Garbelli R, et al. Focal cortical dysplasia: neuropathological subtypes, EEG, neuroimaging and surgical outcome. Brain 2002;125:1719-32.

96. Wolf P. Basic principles of the ILAE syndrome classification. Epilepsy Res 2006;70S:S20-6.

97. Thurman DJ, Beghi E, Begle CE, et al. Standards for epidemiologic studies and surveillance of epilepsy. Epilepsia 2011;52:2-26.

98. Van Bogaert P, Massager N, Tugendhaft P, et al. Statistical parametric mapping of regional glucose metabolism in mesial temporal lobe epilepsy. Neuroimage 2000;12:129-38.

99. Williams RL, Gokcebay N, Hirshkowitz M, Moore CA. Ontogenesis of sleep. In: Cooper R, editor. Sleep. Chapman & Hall Medical; 1994. p.60-75.

100. Youmans HR, Neurological Surgery, 5th ed. WB Saunders Co, 2004

101. 대한뇌전증학회. 임상뇌전증학, 3판. 범문에듀케이션, 2018

102. 대한소아신경학회, 소아신경학, 2판, 군자출판사, 2013

소 아 신 경 학
PEDIATRIC NEUROLOGY

제 **7** 장

 두통

Headache

01

소아 두통의 진단과 분류

Diagnosis and Classification in Pediatric Headache

| 이건희 |

두통은 소아에서 흔한 질환이며 청소년이 되면서 더 자주 발생한다. 국내 연구에 의하면 7세에 약 1/3, 15세가 되면 약 3/4의 소아에서 두통이 발생하고, 학동기에는 약 29%에서 두통을 경험한다. 소아 두통은 대개 편두통이나, 긴장성두통 같은 원발두통으로 양호한 경과를 취하지만, 두통이 반복되거나 만성적으로 발생하면 일상생활에 심각한 지장을 초래하고, 삶의 질을 저하시킨다. 그러므로 우선 심각하게 위험한 두통 질환을 감별할 수 있어야 하며, 두통 질환의 정확한 진단과 급성기 및 예방적 치료를 포함한 소아 두통 환자의 포괄적인 진료를 할 수 있어야 한다.

1. 소아 두통의 진단

소아 두통의 원인은 매우 다양하지만 전체 두통 환자들은 대략적으로 특별한 기질적 질환없이 두통이 발생하는 원발두통과 신경계의 기질적 질환 또는 전신 질환 등에 의하여 발생하는 이차두통으로 나눌 수 있다. 두통 환자가 방문하면 우선 생명에 위험한 두통을 확인한 후에 이차두통의 원인을 감별하게 되면, 원발두통만 남게 되어 임상증상에 따라 최종진단을 하게 된다(그림 7-1). 그러므로 두통 환자를 진료할 때에는 철저한 문진과 신체진찰 및 신경학적

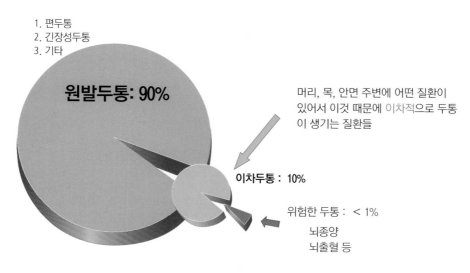

1. 편두통
2. 긴장성두통
3. 기타

원발두통: 90%

머리, 목, 안면 주변에 어떤 질환이 있어서 이것 때문에 이차적으로 두통이 생기는 질환들

이차두통 : 10%

위험한 두통 : < 1%
뇌종양
뇌출혈 등

■ 그림 7-1. 소아 두통

표 7-1 두통 환자의 문진 내용

두통 유형	• 언제, 어떻게 두통이 시작하나요? • 두통이 그 동안 어떤 형태로 발생했나요? 갑자기 처음 발생한 두통, 가끔씩 발생하는 두통, 매일 두통, 점차 나빠지는 두통 혹은 여러 형태가 섞여 있는 두통
시간	• 두통이 얼마나 자주 생기고, 얼마나 오래 지속되나요?
두통 특징	• 두통이 한 형태인가요 아니면 여러가지 형태인가요? • 아픈 부위, 통증 양상(지끈거림, 쿡쿡, 쥐어짬, 찌름 등)은? • 두통이 발생하면 활동을 중지하나요? • 두통이 동반되는 다른 증상(구역, 구토, 어지럼, 저림, 근력약화 등)이 있나요? • 두통이 오는 것을 알 수 있나요? • 두통 사이에 다른 증상이 있나요?
두통 원인	• 특별한 상황이나 특정 시간에 두통이 발생하나요? • 무엇이 두통을 덜하게 하거나 악화시키나요? 활동하거나, 약물 혹은 음식이 두통을 일으키거나 악화시키나요? • 다른 질환이 있나요? • 무엇 때문에 두통이 발생하는 것 같나요? • 복용하고 있는 약이 있나요? (두통이나 다른 이유로)
두통 가족력	• 두통이 있는 가족이 있나요?

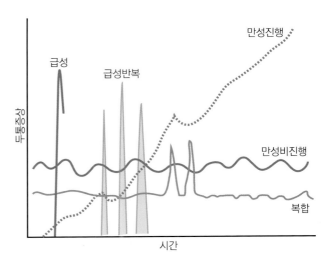

■ 그림 7-2. 두통의 형태

로 접근할 수 있다(그림 7-2). 급성 두통에는 외래에서 흔히 보는 전염성 질환(상기도염, 급성 부비동염, 드물게 수막염 등), 혈관성(뇌졸중, 두개내 출혈 등), 외상 등도 있다, 급성 반복에는 특징적인 편두통, 긴장성두통, 삼차자율신경두통 등이 있고, 만성진행에는 두개내 심각한 병변인 뇌종양, 뇌수종, 특발 두개내압 상승, 키아리 기형 등을 의심해 봐야 한다. 만성비진행은 만성 편두통, 만성 긴장성두통이나 정신과적 문제 등을 의심해 보고, 복합형태는 만성 원발두통이나 이차적 원인이 겹쳐 있는 경우를 생각할 수 있다.

신체진찰에서 혈압측정, 두위측정 등을 해야 하며, 안저검사를 포함한 철저한 신경학적 검사를 해야 한다. 신경학적 검사에서 이상이 있는 경우는 이차두통의 가능성이 높기 때문에 반드시 영상진단 검사를 해야 한다. 그 외에도 6

검사가 매우 중요하며, 필요한 때에는 영상검사 등을 실시하여 감별하도록 한다. 원발두통의 진단은 임상증상이 매우 중요하므로 문진은 충분한 시간을 가지고 자세하게 청취해야 하며 두통이 언제부터 발생했는지, 두통의 지속시간, 특징, 동반증상, 조짐 증상, 심한 정도, 장애 정도, 유발요인 및 두통 가족력 등을 자세히 물어봐야 한다(표 7-1). 두통 설문지, 두통일기 등을 활용하면 더 많은 정보를 얻을 수 있다. 특히 6세 미만의 소아는 두통에 대하여 표현하기가 어려우므로 두통그림 등을 이용하는 것도 좋다.

실제 임상에서는 두통의 다양한 원인을 감별하고, 수 많은 임상증상을 전부 파악하기는 매우 힘들고 복잡해서 진단에 어려움이 있을 수 있다. 그래서 환자가 오면 두통이 시간이 경과하면서 어떤 형태로 발생하는지 '두통의 시간적 형태(temporal pattern)' 별로 나누어 접근하면 진단에 도움이 된다. 두통에 대해 자세히 문진하면 급성(acute), 급성반복(acute recurrent), 만성진행(chronic progressive), 만성비진행(chronic nonprogressive), 복합(mixed)의 5가지 두통형태로 나눌 수 있으며 각각 형태에 해당하는 원인질환들

표 7-2 두통 환자에서 뇌 영상검사의 적응증

비정상적인 신경학적 검사소견
두통 혹은 조짐발작시에 비정상적인 또는 국소 신경학적 징후(합병 편두통)
경련 혹은 짧은 조짐이 동반될 때
소아기에 드문 두통
  • 비정형적인 조짐 증상(기저 편두통, 편마비 편두통)
  • 소아에서 발생한 삼차자율신경두통(군발두통 포함)
  • 알고 있는 질환에서 급격하게 발생한 이차두통
6세 미만의 소아 두통이나 두통을 잘 표현 못하는 소아
기침에 유발되는 두통
두통 때문에 잠이 깨거나, 깨어나자 마자 심해지는 두통
편두통 가족력이 없는 소아 편두통

표 7-3 국제두통 질환분류 3판(ICHD-III)

원발두통	1. 편두통 2. 긴장성두통 3. 삼차자율신경두통 4. 기타 원발두통
이차두통	5. 머리와 목의 외상 및 손상에 기인한 두통 6. 두개 또는 경부의 혈관질환에 기인한 두통 7. 비혈관성 두개내 질환에 기인한 두통 8. 물질 또는 물질금단에 기인한 두통 9. 감염에 기인한 두통 10. 항상성질환에 기인한 두통 11. 두개골, 목, 눈, 귀, 코, 부비동, 치아, 입 또는 기타 얼굴 및 경부구조물의 질환에 기인한 두통 또는 얼굴통증 12. 정신과 질환에 기인한 두통
통증성 뇌신경병변, 기타 안면통과 기타 두통	13. 뇌신경의 통증성 병변과 기타 안면통 14. 기타 두통 질환

세 미만의 두통 환자는 자세한 문진 및 신경학적 검사를 실시해도 두통을 정확히 기술하는데 한계가 있고, 신경학적 검사 등이 어렵기 때문에 뇌 영상검사 적응이 된다(표 7-2).

2. 소아 두통의 분류

소아 두통의 진단은 1988년 국제두통 질환분류 제1판(International Classification of Headache Disorders, ICHD-I)이 공표된 후에 진단기준으로 사용되었으나, 성인을 중심으로 작성되어 소아청소년의 두통 진단에 어려움이 많았다. 그 후에 소아에 대한 여러 진단항목들이 반영되어 국제두통 질환분류 제2판(2004년)에 이어 제3판이 2018년에 발표된 후에, 소아 및 청소년기의 두통을 보다 용이하게 진단하게 되었다.

국제두통 질환분류에서는 두통을 총 14개 범주로 구분하여 1부 원발두통, 2부 이차두통 그리고 3부 통증성 뇌신경병변, 기타 안면통과 기타 두통 등으로 나누어 분류하였다(표 7-3). 또한 부록에는 타당성이 아직 검증되지 않은 새로운 범주에 속하는 두통 질환들이나, 진단적 가치를 개선한 진단기준 등이 제시되어 있어 연구목적으로 사용할 수 있다. 두통 가족력은 진단 항목에 없으나 여진히 소아 두통 환자의 진단에 참고사항으로 중요하다.

원발두통에는 편두통, 긴장성두통, 군발두통 등이 있으며 진단에 기본이 되는 것은 무조짐 편두통이므로 진단기준을 잘 숙지하여 문진을 하면 도움이된다.

02

소아 원발두통

Primary Headaches in Children and Adolescents

| 김성구, 은백린, 이건희 |

1. 소아 편두통

편두통은 반복적인 두통 중에서 흔하게 발생하며, 학교생활이나 방과 후 활동 등 환자의 삶에 심각한 영향을 준다. 두통이 빈번해질수록 더 안 좋은 영향을 주게 되고, 학교결석, 학업중단 등의 결과를 초래하기도 한다. 또한 두통이 만성화되면 치료도 어려워지므로 부모나 일차진료 의사가 반드시 관심을 가져야 하는 질환이다.

편두통은 원발두통 질환으로 중등도 이상의 통증, 머리의 편측 통증, 박동성, 일상활동에 악화, 구역 혹은 구토, 밝은 빛, 소음에 민감함 등을 특징으로 한다. 편두통은 또한 시각, 청각, 언어장애 같은 전형적인 조짐이나 편마비 편두통, 뇌간조짐 편두통 등에서 근력감소, 의식저하, 실조, 청각장애 등 비전형적인 조짐을 동반할 수도 있다. 어린 소아에서는 편두통보다는 어지럼, 복통 혹은 구토 증상이 더 심한 편두통과 관련된 삽화증후군(과거; 소아기주기성증후군)이 발생하기도 한다.

[역학]

두통은 소아 및 청소년기에 흔한 질환으로 15세까지 소아의 75% 이상에서 심한 두통을 경험하고, 반복적인 두통도 높은 유병율을 보이고 있다. 편두통은 5-15세 소아 중 10.6%이고, 15세 이상의 청소년에서 23% 이상으로 보고되고 있다. 대체적으로 사춘기 전에는 편두통 유병률이 여아에서 보다 남아에서 높다. 사춘기가 시작되면서 편두통은 여아에서 급격히 증가하고 40대까지 지속된다.

우리나라 학생들은 29.1%에서 반복적인 두통이 있으며, 이중 편두통은 유병율이 8.7%이고, 남자 7.0%, 여자 10.3%로 여자에서 남자보다 더 높고, 초등학생 4.9%, 중학생 8.8%, 고등학생 14.2%로 나이가 들면서 점차 증가하는 추세를 보인다.

[발생기전]

편두통의 발생기전으로 신경염증(neurogenic inflamation)이 중요한 역할을 하고 있다. 신경염증 반응은 어떤 자극에 의해서 두부에 분포하는 삼차신경의 말단이 활성화되면 두통을 유발할 수 있는 신경물질이 분비된다. 그 후에 주위에 있는 뇌혈관이나 경막혈관의 세로토닌수용체(5-hydroxytryptaimine: 5-HT1B receptor)에 작용하여 혈관을 확장시키고 그 내용물이 혈관 밖으로 나온다. 분비된 신경펩타이드(calicitonin gene-related peptide; CGRP), substance P, neurokinin A)은 다시 삼차신경 수용체(5-HT1D)에 작용하여 통증신호를 뇌간의 삼차신경 말단핵(trigeminal nucleus caudalis)에 전달된다. 이 신호가 시상을 거쳐서 두뇌에 전달되면 뇌가 통증을 느끼게 된다. 동시에 뇌간 주변에 있는 구토유발 센터가 자극되고, 감각기관의 과민상태를 초래하여 구역, 구토, 밝은 빛이나 시끄러운 소리에 민감하게 반응하는 증상들이 나타난다.

편두통의 조짐 증상은 대뇌의 전기적 활동 억제가 순차적으로 펴져나가는 현상(피질확산성 억제, cortical spreding depression)으로 설명하고 있다(Leao, 2011). 이때 조짐 증상으로 주로 시각조짐 증상이 나타나고, 이 외에도 감각조짐 증상, 언어장애도 나타난다.

[임상양상]

(1) 무조짐 편두통(Migraine without aura)

무조짐 편두통은 편두통 중 60-85%로 가장 흔한 형태이다. 진단기준은 표 7-4와 같다. 편두통이 발생하기 전에 전구증상(premonitory symptoms)이 나타나는 경우가 있는데 기분변화(우울 혹은 다행감), 예민함, 무기력, 하품, 음식갈망, 갈증 등이 있다. 두통 지속시간은 치료하지 않았거나 치료에 효과가 없을 때 2-72시간으로 성인보다 짧다. 소아에서는 두통이 있는 상태로 잠이 들었다면 수면시간 전체를 두통 지속시간에 포함시킨다. 두통 지속시간이 72시간 이상이면 편두통지속증으로 분류한다. 두통양상은 흔히 박동성(throbbing 또는 pounding)이나, 소아는 이런 양상을 정확히 표현하기가 어렵기 때문에 그림 등으로 묘사하면 박동성을 확인하는데 도움이 된다. 통증의 위치는 일

표 7-4 소아청소년 무조짐 편두통 진단기준

A. 기준 B-D를 만족시키는 발작이 최소한 5번 이상 발생[1]
B. 치료하지 않거나 치료가 불완전할 경우 두통 발작이 2-72시간 지속[2]
C. 두통은 다음 중 최소한 두 가지 이상
 • 양측성 혹은 일측성(전두 혹은 측두부)[3]
 • 박동성
 • 중등도 또는 심도의 통증강도
 • 일상적인 신체활동(걷거나 계단을 오르는 등)에 의해 악화됨
D. 두통이 있는 동안 다음 중 최소한 한 가지 이상
 • 구역 그리고/또는 구토[4]
 • 빛공포증과 소리공포증[5]
E. 다른 질환에 기인하지 않음

1. 다른 요건이 적합하면서 5번 미만이면 개연 무조짐 편두통으로 진단할 수 있다
2. 소아에서 두통 지속시간이 성인보다 짧을 수 있다. 또한 위의 요건에 해당하면서 3개월 이상 한달에 15일 이상 두통발작이 일어나면서 약물과용이 없으면 무조짐 편두통과 만성 편두통을 함께 진단한다
3. 유소아에서는 두통이 흔히 양측성이나 청소년기 후반부터는 일측성의 성인 형태로 나타난다
4. 소아에서는 양측성 두통이 흔하며 소화기 증상이 더 뚜렷할 수 있다
5. 유소아에서 빛공포증과 소리공포증은 행동을 보고 추정할 수도 있다

반적으로 편측이지만 소아에서는 양측성이 더 흔하다. 특히 소아에서 후두부에 두통을 호소하는 경우 비록 편두통이더라도 다른 원인일 수 있으므로 뇌 영상검사로 이차적인 원인을 배제해야 한다. 편두통은 대부분 중등도 이상의 심한 두통이고 일상생활 활동(걷기나 계단 오르기 등)이 두통을 악화시키거나 일상생활에 지장을 초래하는 경우가 많아 긴장성두통과 구별된다.

편두통에는 다양한 증상을 동반된다. 어린 소아는 구역(혹은 구토), 어지럼 혹은 복통 등이 반복되어 흔히 두통 그 자체보다 더 심할 수 있다. 이런 증상들은 편두통과 관련된 삽화증후군(반복소화기장애, 주기성구토증후군, 복부편두통, 양성돌발성현훈 및 양성돌발성사경)과 감별을 해야 한다.

소아는 성인보다 빛과 소리에 대한 민감성이 더 흔하다. 빛, 소리공포증은 부모가 말하거나 부모가 빛이 밝으면 눈을 감거나 시끄러우면 귀를 막는 등의 아이의 행동을 보고 의사에게 말하게 된다. 이런 증상은 편두통 발작동안 일어나는 과민반응이고 냄새에 민감, 촉감 민감(중추감작화에 의한 피부무해자극통증; allodynia)도 있다.

소아 편두통에서 두통 가족력이 ICHD-III 진단기준에는 포함되어 있지 않지만, 두통 가족력이 있는 경우가 많기 때문에 꼭 확인해봐야 한다. 편두통 환자의 90% 이상에서 1도 혹은 2도 가족 중에 편두통을 경험한 병력이 있다. 소아 두통에서 가족 중에 편두통이 없거나 표 7-2에 해당하는 사항이 있으면 두통의 원인을 찾기 위해 뇌 영상검사를 할 수도 있다.

편두통을 진단하는 데 도움이 되는 부가적인 단서는 유발인자(공복, 부적절한 혹은 불규칙적인 수면, 탈수, 기후변화), 두통 패턴(생리관련 두통, 주말 수면패턴 변화에 의한 월요일 아침 두통), 조짐(예민함, 피곤, 두통 시작 전 음식에 대한 갈망) 등이 있다.

(2) 조짐 편두통(Migaine with aura)

진단기준은 무조짐 편두통이면서 조짐 증상의 조건을 만족하는 경우이다. 편두통의 조짐 증상은 편두통이 일어날 것이라는 신경학적 경고증상이다. 조짐 편두통은 전형조짐 편두통, 두통을 동반한 전형조짐, 두통을 동반하지 않는 전형조짐, 뇌간조짐 편두통, 편마비 편두통 및 망막 편두통으로 세분된다. 여기에서, 전형조짐 편두통은 소아의 15-

표 7-5. 소아 조짐 편두통 진단기준

A. 기준 B와 C를 충족시키는 2번 이상의 발작
B. 다음 완전히 가역적인 조짐 증상 중 한 가지 이상:
   1. 시각
   2. 감각
   3. 말 또는 언어
   4. 운동
   5. 뇌간
   6. 망막
C. 다음 2개 이상
   1. 한 가지 이상의 증상이 5분 이상 진행되거나 또는 2가지 이상의 증상이 연속해서 발생
   2. 각 조짐 증상이 5-60분 지속
   3. 최소한 한 가지 조짐 증상이 편측
   4. 두통은 조짐과 동시에 또는 조짐 60분 이내에 발생
D. 이차적 원인이 아님

표 7-6. 소아 뇌간조짐 편두통 진단기준

A. 기준 B-D를 충족하며 적어도 2번 발생하는 발작:
B. 조짐으로 시각, 감각, 언어/말 증상인데, 운동 또는 망막 증상은 아니다
C. 다음 뇌간증상 중 최소한 두 가지: 구음장애, 현훈, 이명, 청력장애, 복시, 실조, 의식저하
D. 다음 네 가지 특징 중 최소한 두 가지:
   1. 최소한 한 가지 조짐 증상이 5분 이상에 걸쳐 서서히 퍼짐, 그리고/또는 두 가지 이상의 증상이 연속해서 발생함
   2. 각각의 조짐 증상은 5-60분 동안 지속됨
   3. 최소한 한 가지의 조짐 증상은 편측임
   4. 두통은 조짐과 동시에 또는 조짐 60분 이내에 발생함
A. 2차적 원인 없음

30%에서 나타나며 대개 무조짐 편두통과 공존한다. 소아 조짐 편두통에 대한 ICHD-3 기준은 성인과 같다(표 7-5). 무조짐 편두통보다 더 어린 나이에 발생하는데, 편두통 환자의 약 15%에서 발생하고, 반면에 환자의 13%는 무조짐과 조짐 편두통이 혼합되어 나타난다. 소아와 청소년에서 두통을 동반하지 않는 조짐 편두통은 거의 볼 수 없다.

전형적인 조짐은 시각, 감각, 언어장애가 있으며, 시각 조짐이 가장 흔하다. 조짐 증상은 가역적이고 한 가지 이상의 조짐 증상이 5분 이상 60분 이하로 지속된다. 시각조짐 증상은 광시증(photopsia; 빛이 반짝거리거나, 흐리게 보이거나, 보이지 않음)이다. 이러한 증상은 흔히 여러가지 색으로 보이다가 사라지고, 아이는 반짝거림이 일어나는 곳을 보고 서 있을 수 없다고 한다. 감각조짐은 손이나 팔 혹은 다리에 저리는 느낌이 들거나 벌레가 기어 다닌다고 말하거나 혹은 얼굴에 감각이 이상하다고 호소한다. 감각이상이 있을 때는 손을 사용하기 어려울 때가 있는데 편마비 편두통으로 잘못 진단될 수 있다. 언어장애 조짐 증상은 매우 드물다. 환자는 말하기 어렵다거나 말을 할 수 없다고 한다. 두통일기나 그림 등이 조짐 증상을 알아내는데 도움이 되고 드물게는 시각조짐과 후두엽뇌전증을 감별하기 위한 뇌파검사가 필요하다.

조짐 편두통에는 편마비 편두통, 뇌간조짐 편두통도 있다. 편마비 편두통은 운동약화가 동반되며, 뇌간조짐 편두통은 조짐 편두통 외에 구음장애, 현훈, 이명, 청각장애, 복시, 감각이상, 양측 시야장애, 실조, 의식저하(GCS 13이하) 등의 다양한 뇌간증상이 동반된다(표 7-6).

편마비 편두통은 가족성과 산발성이 있다. 가족 편마비 편두통(familial hemiplegic migraine, FHM)은 운동약화를 동반하는 조짐 편두통을 보이고 1차, 2차 친족 중에서 편마비 편두통이 있을 때로 정의되며 발병연령은 10-18세이다. 상염색체 우성의 단일유전자 유전방식을 갖는다. 원인 유전자에 따라 19p13에 위치하는 CACNA1A 유전자 변이에 의한 FHM1, 1q21-23에 위치하는 APT1A2 유전자 변이에 의한 FHM2, 2q24에 위치하는 SCN1A 유전자 변이에 의한 FHM3로 분류된다. 산발 편마비 편두통은 1차 친족 중에서 편마비 편두통이 없고 조짐기간에 운동약화나 마비가 동반되는 편두통 발작이다. 임상증상은 가족 편마비 편두통과 동일하다. 무조짐 편두통의 빈도는 높지 않으나 조짐 편두통의 발생 가능성은 매우 높다. 편마비 편두통의 급성기 치료는 비강내 ketamine, naloxone 정맥주사, verapamil 정맥주사 등이 사용된다. 조짐 후 두통 완화에는 경구진통제, 비스테로이드 항염증약물을 사용한다. 편마비 편두통은 대부분 흔하지 않기 때문에 예방치료는 필요하지 않지만 다른 유형의 편두통이 흔하거나, 심한 경우 치료가 필요하다. 경구용 verapamil이 효과가 있다. 스트레스, 밝은 빛, 수면장애, 감정장애 등의 유발인자가 있는 경우는 이를 피하도록 교육한다.

[치료]

소아 두통은 일상생활과 학교생활의 수행, 그리고 그들

의 가족과 친구들과의 관계에 상당한 영향을 줄 수 있다. 그러므로 두통을 조기에 진단하고 치료하는 것은 소아의 삶의 질에 대한 영향을 최소로 하는데 필수적이고, 장기간 지속될 수 있는 장애를 예방하는데 매우 중요하다. 소아청소년의 두통을 치료하기 전에는 먼저 이차두통을 배제하는 것이 우선적으로 이루어져야 하며, 만약 신경계 진찰에서 이상이 있거나, 신경기능 이상을 보인다면 반드시 신경영상검사를 해야 하며, 병력에서 최근에 갑자기 발생한 심한 두통이 있거나, 두통 양상의 변화가 있다면 고려해야 한다.

소아청소년에 있어서 두통 치료목표는 다음과 같다. ① 두통의 빈도와 심한 정도 감소, ② 효과가 없고 원하지 않은 약물을 줄임, ③ 삶의 질 향상, ④ 급성기 두통약물 감소, ⑤ 환자와 가족이 질환을 다루도록 교육 및 ⑥ 두통과 동반된 불안감소 등이다.

일반적인 두통 치료원칙은 다음과 같다. ① 정확한 진단, ② 삶의 질에서 장애정도 파악(학교결석, 학업수행 평가, 특히 집중, 수학 및 수행평가 및 학생이 자주 결석하거나 두통이 다른 가족 구성원들의 일이나 야외활동에 참여하는 능력에 영향을 미친다면, 스트레스 혹은 우울과 관련된 원인 고찰), ③ 환자와 부모에게 환자의 상태와 선택한 치료방법의 이익과 위험에 대해 설명, ④ 실제적인 기대를 설명하고 접근목표를 세움(치료의 기대되는 이익들과 그것을 위한 시간에 관하여 논의하고 치료를 하기 위해 환자와 가족들에게 두통일기나 달력에 두통에 관한 사항을 기입하도록 함), ⑤ 개별적 형식에 맞는 처치계획을 세움(환자의 약물에 대한 반응과 내성을 검토하고 동반질환에 따른 치료 선택을 검토하여 유발인자를 발견하여 피하게 한다).

두통 치료 구성에서의 가장 중요한 개념은 환자의 증상, 치료에 대한 반응, 치료 선택에 대한 환자 및 가족의 선호도에 바탕을 두고 개별적이어야 한다는 것이다. 여러 가지 치료방법의 선택은 두통 감소를 최대로 기대할 수 있는 복합요법을 하기 전에 시도되어야 한다. 치료의 선택방법은 약물요법, 행동요법, 비약물요법, 그리고 보조 혹은 대체요법의 네 가지 주요방법이 있다. 일반적으로 이러한 방법들은 위에서 언급한 목표와 치료원칙에 따라 선택하게 된다.

(1) 비약물요법

환자나 가족 그리고 의료진이 가장 간과하기 쉬운 것이 비약물요법이다. 즉 환자와 보호자 교육, 환자의 일상생활 교정, 스트레스 해결, 생활태도 등이 정상화가 안되면 두통이 치료가 잘 안되고 만성화 되거나 아니면 다시 재발하기 쉽다. 그러므로 이 부분이 가장 기본이 되어야 한다.

우선 편두통을 이해하고 약물복용을 잘하도록 환자와 부모를 교육하는 것이 매우 중요하다. 다음은 학동기에 반복적인 편두통을 경험한 소아들은 학교나 학원에서 공부에 대한 과도한 스트레스, 친구들이나 선생님과의 관계에서 스트레스, 집의 환경이나 가족관계에서의 스트레스가 두통을 일으키는데 중요한 역할을 하기 때문에 자세히 파악하여 스트레스를 줄이거나 해결해 주도록 한다. 약물요법이나 대체요법의 효과를 증가시키기 위해 생체되먹임이나 인지행동요법이 있으며, 이런 방법은 병합하여 치료하면 더 효과적이다.

규칙적인 생활습관은 특히 규칙적인 수면습관, 아침식사하기 등의 규형잡힌 식사, 충분한 수분섭취 등의 생활방식 개선이다. 청소년들은 하루에 6-8컵의 충분한 수분을 섭취하는 것이 좋다. 하지만 카페인은 두통을 유발할 수 있기 때문에 섭취하지 않는 것이 좋다. 잠은 너무 많지도 않고 적지도 않게 일정한 시간에 자고 일어나야 한다. 청소년은 적어도 6시간 자야 하고 8시간 정도가 좋다. 운동은 두통이 빈번한 환자에게 권유하는데 일주일에 3회, 30분 정도의 규칙적인 유산소운동을 하면 도움이 된다.

두통 유발인자가 있는 경우에는 유발인자를 회피하는 것이 치료에서 필요하다. 편두통을 일으키는 음식이나 음료는 주로 카페인, 초콜릿, 통조림 햄, 숙성치즈, 모노소디움 글루타메이트 음식 등이 있다. 두통이 있다고 해서 무작정 이런 음식을 피해서는 안되며, 성장하는 아이들에게 나쁜 영향을 줄 수 있다. 어떤 음식섭취와 두통의 시작 사이에 밀접한 관계가 의심되고 원인이 되는 경우에 그 식품의 제거가 필요하다. 또한 우리나라 청소년들은 아침을 안 먹고 학교에 가는 경우가 많은데 식사를 빼먹는 경우 두통이 잘 발생하기 때문에 규칙적인 식사를 해야 치료에도 도움이 된다.

약물로 치료가 잘 안 되는 경우에는 불안, 우울 등 다른 질환이 동반되었는지 확인하여 치료해야 한다. 동반질환으로는 비만, 우울증, 수면장애, 뇌전증, 양극성장애 등이 있는데, 치료약물 중에 어떤 약은 효과가 있고, 어떤 약은 병을 악화시킬 수 있기 때문에 잘 선택하여 사용해야한다. 비만이 동반된 두통은 식욕을 감소시키는 효과가 있는 편두통 예방약으로 topiramate가 좋고, 식욕을 증가시키는 valproate는 피하는 것이 좋다. 우울증이 동반된 두통은항우울제가 좋고, 베타차단제는 피하는 것이 좋다. 수면장애가 있는 경우 적극적으로 수면장애를 치료하고, 뇌전증이 있는 경우는 두통과 발작에 같이 쓸 수 있는 항뇌전증약이 좋다. 양극성장애가 있는 두통 환자는 valproate가 좋다. 편마비 편두통과 뇌간조짐 편두통은 triptan 제제를 사용할경우 편두통 합병증인 편두통경색증을 유발할 수 있으므로 특히 주의해야 한다.

(2) 급성기 약물치료

급성기 응급약물은 일주일에 2일로 제한되어야 한다. 소아에서 편두통의 급성기 약물치료에 대한 지침은 아직 제한적이지만 대개 4종류로 분류한다(표 7-7). 두통이 발생하면 환자를 쾌적하고 조용한 어두운 환경에서 쉬게 한다. 수면을 취하면 소아 두통이 많이 완화되고 심지어 완전히 없어지기도 한다. 선호되는 소아 진정제는 디페닐하이드라민이며 부작용이 드물다. 구역이나 구토가 두드러지면 항구토제가 적응증으로 경구형인 온단세트론이 효과적이

표 7-7 소아 편두통 급성기 치료약물

Sedatives
  Diphenhydramine
Antiemetics
  Metoclopramide (0.1 mg/kg, max single dose 10 mg)
  Prochlorperazine (0.1–0.15 mg/kg/dose; max. single dose: 10 mg)
  Ondansetron (4–8 mg)
Analgesics
  NSAIDs: Ibuprofen or Naproxen (10 mg/kg)
  Acetaminophen (15 mg/kg)
Abortives/Migraine Specific/Triptans
  Sumatriptan (Nasal spray spproved for adolescents in Europe)
  Rizatriptan (FDA-approved in patients 7 years and older)
  Zolmitrptan (Nasal spray approved for adolescents in Europe)
  Almotriptan (FDA-approved for adolescent migraine)
  Eletriptan
  Naratriptan
  Frovatriptan

며 아주 잘 견뎌낸다. 신경이완제인 메토클로르프라마이드나 프로클로페라진은 조심해서 사용해야 하는데, 근긴장이상 등이 나타날 수가 있다. 2-18세의 소아청소년 두통의 급성기 치료약물은 흔히 ibuprofen과 naproxen이 처방되며 그 외 여러 약물이 일반적으로 사용된다. 비스테로이드성 소염제 약물은 아세타미노펜보다 효과적이다. 나프록센소디움을 kg당 10 mg으로 660 mg을 초과하지 않는 용량을 추천한다. 급성기 치료에서 진통제를 흔하게 사용하게 되는데 약물과용 두통이 발생하지 않도록 주의해야 한다.

두통 시작시기를 인지하여 조기에 적절한 양의 약물을 복용해야 하며, 과다하게 복용은 피해야 한다. 소아의 두통은 빨리 나빠지는 경향이 있으며 흔히 심한 두통이나 구토가 있을 때까지 인지하지 못한다. 두통의 치료는 조기에 치료해야 효과가 좋기 때문에 소아에게 조기에 인지하여 약을 복용해야 하는 것을 교육해야 한다. 이런 약물들을 2, 3번의 편두통 발작 후에도 효과가 없다면 triptan 제제를 고려한다.

Triptan 제제는 대부분 12세 이상에서 사용되며 만약 소아가 편두통 발생 전에 조짐 증상이 있다면 두통이 발생할 때까지 기다렸다가 사용해야 한다. 환자 부모들은 이 약물에 대한 정보를 알아야 하는데, 예외적으로 알모트립탄이 청소년에서 사용하고 있고, 리자트립탄은 7세 이상에서 지금은 허가되었으며, FDA에서 허가받은 것은 아니지만 많은 연구가 진행되었고 안전하다. 다른 트립탄 약물들이 유럽에서는 소아에게 허가되어 있다. 최근 성인에서 편두통이 있는 동안 무해자극통증 발생이 급성기 치료반응과 관련이 있기 때문에 무해자극통증이 있을 때는 조기에 약을 복용해야 효과가 더 좋고, 늦어도 2시간 이내에 복용하는 것이 좋다. 소아도 무해자극 두통 증상을 인지하여 표현할 수 있으며 댕기머리를 하거나, 모자를 쓰거나, 가방을 등에 메거나, 안경을 쓰거나, 콘택트렌즈 착용을 했을 때 머리가 더 아프다고 하는 등의 증상이다.

(3) 예방적 약물치료

환자가 주 3회 이상 편두통 발작, 혹은 주 3-4일 이상 두통, 그리고 생활습관 개선, 식단조절, 스트레스 관리가 안되거나 급성기 응급약물에 듣지 않는다면, 매일 먹는 두통예방약(표 7-8)을 고려해야 한다. 이런 결정은 환자와 그 부

표 7-8. 소아 두통 예방약

Antihistamines
- Cyproheptadine

Antidepressants
- Amitriptyline (1 mg/kg/day)

Anticonvulsants
- Topiramate (50–150 mg/day)
- Gabapentin (600–2,400 mg/day)
- Valproic acid (avoid in girls due to teratogenicity, and other adverse side effects)

Others
- Beta blockers
  - Propranolol
- Calcium channel blockers

모와 함께 결정해야 한다.

Amitriptyline은 두통의 빈도와 강도를 감소시키지만, 지속시간에는 효과가 없다. 적은 용량(0.25 mg/kg/일)으로 시작하여 2주간격으로 0.25 mg/kg/일씩 서서히 증량하고, 용량을 올리는 중에 효과가 있으면 그 용량으로 유지하고, 부작용이 있을 때는 용량을 줄이거나 다른 약물로 대치한다. 유지량은 일반적으로 1 mg/kg/일 투여하고, 잠자기 2-3시간 전에 복용하는 것이 좋다. 효과는 치료용량의 첫 주에 나타나므로 유지량을 투여 3-4주 후에도 효과가 없다면 다른 예방약물로 바꾸는 것을 고려해야 한다. 부작용은 입이 마르고, 소변이 잘 안 나오고, 혼미, 어지러움, 변비, 체중증가, 기립성 저혈압과 눈 흐려짐 등이 있으나 일반적으로 경미해서 내성이 좋은 편이다.

칼슘차단제는 선택적으로 대뇌 혈관의 평활근에서 혈관 활성물질을 차단한다. Flunarizine은 몇몇 연구에서 효과가 증명되었지만, nimodipine은 효과에 대해서는 일치되지 않고 있다. Propranolol은 베타차단제로 혈관확장을 예방하고 혈소판에 대한 epinephrine의 응집을 차단한다. 소아에서 propranolol 효과는 의문이고, timolol, atenolol, metaprolol과 nadolol의 효과는 입증되지 않았다. 천식의 병력이 있거나, 만성 폐질환 환자에서는 사용하면 안 되고, 우울증 병력이 있는 환자에서는 주의해서 사용하여야 한다. 항뇌전증약 등의 신경조절제는 편두통의 치료에서 점차 더 중요한 역할을 하고 있는데, 대뇌 겉질의 과흥분성을 감소 목적으로 사용되며, 특히 뇌전증, 조울증 등이 동반

된 경우 매우 유용하다. Topiramate, valproate, gabapentin, levetiracetam 등이 유용하다고 보고되고 있으나 소아에서의 연구는 미흡한 상태이다. Valproate는 소아청소년에서 효과적이지만, 청소년 여성에서는 체중증가, 탈모, 태아기형의 가능성 등 부작용 때문에 주의해서 사용해야 한다. 항히스타민제제인 cyproheptadine은 항세로토닌과 칼슘차단 효과를 함께 가지고 있으며, 어린 소아에서 편두통 예방에 사용되고 있지만, 아직 연구가 부족하고, 졸림과 식욕증가의 부작용이 있기 때문에 10대에게는 부적절하다. 예방적 약물요법은 다음과 같은 기본원칙을 지키는 것이 바람직하다. 효과가 가장 좋고 부작용이 가장 적은 약제를 선택하며, 되도록 장시간 작용하는 약제를 선택함으로써 순응도를 높인다. 동반질환을 고려하여 한가지 이상의 질환에 동시에 작용하는 약제를 선택하고, 이와 함께 동반질환을 악화시키지 않을 약물을 선택한다. 그리고 약물 상호작용을 고려해야 하며 가능하면 저용량으로 시작하여, 효과가 있을 때까지 또는 부작용이 발현할 때까지 서서히 증량한다. 예방약의 효과를 최대로 하기 위하여 보통 4-6개월 동안 복용하며, 두통이 한달에 한번 정도 있을 만큼 빈도가 줄어서 생활에 지장이 없을 때까지 복용한다. 약물을 갑자기 중단하면 반동현상이 일어나서 다시 두통이 심해질 수 있기 때문에 서서히 줄여서 중단해야 한다.

2. 소아기 주기성 증후군(Childhood Periodic Syndromes)

소아기 주기성 증후군(childhood periodic syndromes)은 2004년 국제두통 질환분류 제2판(ICHD-II)에서는 편두통의 전 단계로 언급하였으며 2013년 국제두통 질환분류 제3판 베타판(ICHD-III beta version)에서는 편두통과 관련된 삽화증후군(Episodic syndromes that may be associated with migraine)으로 개정하였다. 새로운 용어인 반복성 위장관장애(recurrent gastrointestinal disturbance)를 사용해서 여기에 주기성구토증후군(cyclic vomiting syndrome), 복부편두통(abdominal migraine)을 포함시켰다. 이 질환들은 나이에 따라 다른 임상양상으로 나타날 수 있다. 영아기에 영아산통을 시작으로 영아 후기에는 양성돌발성사경, 학동전기에는 소아기 양성돌발성현훈(benign paroxysmal

표 7-9. 주기성구토증후군 진단기준

A. 진단기준 B와 C를 충족하며 최소한 5번 발생하는 심한 구역과 구토 발작
B. 각 환자마다 일정한 형태로 예측 가능한 주기성을 가지고 발생
C. 다음 모두를 충족:
　1. 심한 구역과 구토가 1시간에 최소한 4번
　2. 발작이 최소한 1시간 이상에서 10일까지 지속
　3. 발작은 1주 이상의 간격을 두고 발생
D. 발작과 발작 사이에는 증상이 전혀 없음
E. 다른 질환으로 더 잘 설명되지 않음

주석: 1. 특히, 병력이나 이학적 검사에서는 위장관질환을 시사하는 소견이 없다.

vertigo of childhood), 이후 6-7세경의 학동기에는 주기성구토증후군, 복부편두통이 주로 발생한다(그림 21-1). 모든 편두통과 관련된 삽화증후군의 가장 중요한 특징은 발작 사이에는 건강하고 정상 신경학적 소견을 보인다는 점이다. 구토, 복통, 어지럼이 돌발적으로 나타나는 등 여러 특징이 이 질환과 비슷해도 증상이 회복된 후 일정기간 동안 정상 상태가 없으면 이 질환의 영역에서 제외된다.

(1) 주기성구토증후군

이 증후군은 반복적이면서 자연히 소실되는 심한 오심, 구토와 발작 사이에는 전혀 증상이 없는 기간이 있는 특징이 있다. 진단기준은 다음과 같다(표 7-9). 발작은 이른 아침이나 기상 직후에 흔한데 환자는 전구기, 구토기, 회복기로 이루어진 같은 형태의 발작을 반복하며 전구기는 약 1.5시간 정도 지속되며 환자는 악화하는 오심과 근긴장도 감소, 창백, 기면 같은 자율신경증상을 경험한다. 이후 지속적인 오심, 식욕부진, 구역질, 타액분비 증가, 복통, 두통, 창백, 빛공포증, 소리공포증을 동반한 심각하고 잦은 담즙성 구토를 보이는 구토기로 이행하여 평균 24시간 정도 지속된다. 증상은 시작 후 1-2시간 사이가 가장 심하다. 이후 오심이 없어지고 정상 식욕을 회복하는 회복기로 접어든다. 발작 후에 수시간 동안의 수면에 빠지고 나서 정상으로 돌아온다. 일반적으로 주기성구토증후군은 6세 전에 일어나고 발작빈도는 년 3-12회 정도 일어난다. 주기성구토증후군은 하나의 진단영역에 속하는 질환이기보다는 이질적인 질환들(heterogenous disorders)이므로 주의 깊고 철저한 감별진단이 필요하다. 감별해야 할 소화기질환으로는 장폐색, 크론병, 췌장염, 호산구성 식도염 등이 있으며 기계적 장폐쇄를 일으키는 질환(장회전이상을 동반한 장꼬임, 중복이상, 협착, 장중첩증)도 있다. 신경계질환으로는 뇌압상승을 일으키는 질환(뇌종양, 경막하삼출, 뇌수종), 자율신경 경련(automonic seizure), 대마초제제 과다 구토증후군(cannabinoid hyperemesis syndrome)과도 감별진단해야 한다. 비뇨기계 질환으로는 요관신우접합부폐쇄와의 감별이 필요하다. 감별진단을 위해 필요한 검사로는 전해질, 혈당, 혈액요소질소, 아미노산, ALT, r-GTP, 젖산, 암모니아, 카르니틴, 아실카르니틴, 아밀라아제, 리파제 등의 혈액검사와 소변으로 D-aminolevulinic acid, 유기산, 케톤, 포필리노젠(porphilinogen)의 검사가 필요하다. 영상검사로는 상부위장관 조영술, 복부 초음파검사, 복부 컴퓨터단층 촬영, 뇌 자기공명영상 검사가 필요하며 내시경검사, 소변독성물질(urine toxicology) 검사도 필요하다. 주기성구토증후군의 39-87%가 편두통으로 진행하고 성인 주기성구토증후군의 24-70%가 편두통을 동반하고 있어 주기성구토증후군의 병태생리는 편두통과 같은 것으로 추정된다. 대표적인 병인기전 가설은 뇌와 장이 서로 양방향으로 관련성을 갖는다는 가설로 시상하부와 뇌간이 중요한 역할을 한다. 우선 감염성 혹은 육체적, 정신적인 스트레스가 시상하부-뇌하수체-부신 축(hypothalamic-pituitary-adrenal axis)을 과도하게 활성화시켜 주기성구토증후군이 발생하게 되는데, 과도한 스트레스가 시상하부에서 코티코트로핀분비인자(corticotrophin releasing factor)를 증가시키면 이것이 뇌하수체에서 과도하게 부신피질자극호르몬(ACTH) 분비를 증가시키고, 그 결과 부신에서 코티솔(cortisol)과 카테콜라민(catecholamine)이 과도하게 분비되어 미주신경 자극에 의한 위정체(gastric stasis)와 구토가 발생한다. 이와 함께 수도관주위 회백질(periaqueductal gray matter)도 통증과 자율신경조절 기능을 못하여 심혈관기능 이상과 기능성 소화기장애 같은 자율신경조절 이상(autonomic dysregulation) 현상이 나타난다.

치료는 발작간기 예방치료와 급성기 치료가 있다. 먼저 악화요인을 찾아서 교정하는 것이 필요한데 초콜릿, 치즈 등을 먹지 않는 것 만으로도 호전되는 경우가 있으며 생리시 유발되는 경우에는 경구피임약으로 호전될 수 있다. 불안 경향이 있는 환자, 수면장애가 있는 환자는 이를 회복시

킴으로서 발작을 막을 수 있다. 급성기 치료는 구토 시작 전 오심을 느끼는 전구기 동안에 시작되어야 하며 환자는 일반적으로 어둡고 조용한 환경을 좋아한다. 구토기가 시작되었을 때는 오심, 구토, 복통을 호전시키는 치료가 필요하다. 수분과 전해질균형을 유지하는 것이 중요하며 10% 포도당액이나 생리식염수가 사용되며 항구토제와 진정제 등이 사용된다. 나이와 체중을 고려하여 트립탄제제를 선택적으로 사용할 수 있다. 편두통 치료제, 항구토제가 사용될 수 있는데 편두통 경향이나 가족력이 있는 경우에 효과적이다. 항구토제로는 ondansetron, promethazine, diphen-hydramine 등이 효과적이다. 벤조다이아제핀(benzodiaz-epine)은 수면유도로 증상을 호전시키는 효과가 있다. 빈도가 한 달에 1회 이상으로 잦고 발작 시 심한 증상을 보여 호전이 쉽지 않은 경우에는 예방치료를 고려할 수 있는데 편두통 약제, 항경련제, 위장운동촉진제(에리트로마이신) 등이 사용될 수 있다. 5세 이전에는 싸이프로헵타딘(cypro-heptadine), 프로프라놀롤(propranolol)이 연장아에서는 아미트립틸린(amitriptyline), 프로프라놀롤(propranolol)이 1차 선택약제이다. 13년간의 추적관찰 연구에 의하면 61%가 구토는 호전되었으며 42%가 규칙적 두통, 37%가 복통 증세를 보였다. 증상이 호전되는 시기는 평균 10세 경이며 18세까지 75%의 환자가 편두통으로 이행했다는 연구가 있으며 드물게 어른까지 지속되거나 성인시기에 처음 시작되는 경우도 있다.

(2) 복부편두통

복부편두통은 돌발적으로 심한 강도의 복통이 복부중앙에서 1시간 이상 지속되고 통증이 일상행동을 방해하며 발작이 없는 무증상 기간이 수주에서 수개월 지속할 때 의심해 볼 수 있다. 일반적으로 소아에서 발생하는 삽화증후군으로 심각한 복통과 혈관운동성 증상(안면창백, 눈 밑의 검은 그림자, 홍조), 오심과 구토가 삽화성으로 일어나는 것을 특징으로 한다. 복통은 둔통으로 주로 복부 중앙이나 미만성으로 나타난다. 국제두통학회는 복부편두통을 소아에서 주로 발생하는 특발성 질환으로 반복적인 중등도에서 중증의 중앙부 복통, 관련된 혈관운동성 증상, 오심과 구토가 발생하여 2-72시간 지속되면서 증상 발생 사이에 정상 기간이 존재하는 경우로 정의하고 있다. 증상 발생

표 7-10. 복부편두통 진단기준

A. 진단기준 B-D를 충족하며 최소한 5번 발생하는 복통 발작
B. 통증은 다음 세 가지 특성 중 최소한 두 가지를 충족
1. 중앙부위, 배꼽주위 또는 불분명한 위치
2. 둔하거나 '그냥 아픈' 통증
3. 중등도 또는 심도의 강도
C. 복통발작 중에는, 다음 중 최소한 두 가지
1. 식욕부진
2. 구역
3. 구토
4. 안면창백
D. 치료가 안 되었거나 불충분할 경우 발작이 2-72시간 지속
E. 발작과 발작 사이에는 증상이 전혀 없음
F. 다른 질환으로 더 잘 설명되지 않음

주석: 특히, 병력이나 이학적 검사에서는 위장관 질환이나 신장질환 등의 질환을 시사하는 소견이 없거나 적절한 검사로서 이러한 질환은 배제됨.

기간에는 두통을 포함하지 않고 삽화 사이에는 긴 정상기간이 존재해야 한다(표 7-10). 다른 주기성 복통의 원인들인 위장관 질환(염증성 장질환 등), 신장질환을 제외한 후에 복부편두통을 진단할 수 있다. 흔한 유발인자로는 편두통과 유사해서 스트레스, 피곤함, 흥분 등이며, 복통은 휴식과 식사에 의해서 호전된다. 편두통의 가족력을 가지고 있으며 잦은 멀미를 보이는 경우가 보고된다. 복부편두통에서 제외해야 하는 경우는 복통이 경미하여 일상생활에 지장을 초래하지 않는 경우, 찌르는 듯한 통증(burning pain)의 복통, 복부 중앙에 위치하지 않은 통증, 음식 불내성, 흡수장애, 혹은 설사나 체중감소를 동반하는 등 소화기 질환을 시사하는 증세가 있는 복통, 2시간 미만인 발작시간, 발작 사이의 기간 중에도 경미하나마 복통 증세가 있을 때이다. 삽화성 기능성 위장관 질환과 미토콘드리아 질환, 유전자 돌연변이, 시상하부-뇌하수체 축 이상과의 관계가 알려지고 있으나 아직 복부편두통과의 관련성에 대해서는 연구가 필요한 상태이다. 신경생리검사를 이용한 연구에서는 시각유발전위 검사는 복부편두통 환자와 정상인에서 속파 활성도에서(fast wave activity) 차이를 보인다는 연구가 있으며 쌍생아 연구에서 유전이 편두통(유전률 약 50%)과 염증성 장질환(유전률 약 25%)에 중요하다고 알려지고 있으나 복부편두통의 유전에 대해서는 아직 알려진 바 없다.

복부편두통 치료는 먼저 다른 내과적, 외과적 위장관 질환에 대한 병리가 없으면서 성장과 발달에 이상이 없고 발

작 간기에는 정상인 것을 확인해야 한다. 기질적 질환에 대한 경고 징후인 체중감소, 우하복부 통증, 성장부진, 만성 설사, 토혈이 없어야 하며 발열, 빈맥 등의 전신질환이 있는 경우에는 다른 검사를 고려해야 한다. 국소징후가 없는 경우에는 내시경, 산도 모니터링, 복부 초음파를 반드시 시행해야 할 필요는 없다. 밝은 빛, 수면부족, 여행, 긴 공복과 같은 유발요인은 피하는 것이 필요하다. 학교, 가족 활동과 관련된 스트레스가 요인이 되는 경우도 있다. 바이오피드백, 상담치료가 도움이 될 수 있으며 염증성 장질환과 편두통이 같이 있는 경우에는 제거식이가 도움이 될 수 있다. 급성기 치료는 대부분이 편두통의 급성기 치료원칙에 근거하고 있으며 복부편두통의 급성기 초기 치료로 아세토아미노펜(15 mg/kg, 6시간 간격), 이부프로펜(10 mg/kg, 6시간 간격) 등이 효과적이다. 복부편두통은 오심, 구토가 동반되는 경우가 많아 prochlorperazine, chlorpromazine 등의 진토제가 사용되나 추체외로 증후군 발생 가능성이 있으므로 주의해야 한다. Metoclopromide는 이상 근긴장증 발생 우려로 인해 일상적 사용이 추천되지는 않는다. 트립탄 약물의 복부편두통에 대한 효과는 명확하지 않으나 청소년 환자에서 almotriptan이 효과적인 것으로 알려지고 있으며 sumatriptan이 복부편두통에 효과적이었다는 보고가 있다. 학교결석, 심리적 불안 등의 정상적 일상생활에 문제를 일으키는 경우 예방치료가 필요하며 베타차단제, cyproheptadine, 삼환계 항우울제, flunarizine 등이 사용된다. 세로토닌과 히스타민 길항제인 cyproheptadine은 0.3 mg/kg로 6세 이상 소아에게 효과적이다. Propranolol은 복부편두통에서 75% 정도가 증상 조절에 효과적이었으며 3 mg/kg/day 이상은 투여하지 않는다. Flunarizine은 7.5 mg/일 정도가 사용되는데 부작용이 적고 하루 1회 투여로 복부편두통에 효과적이었다. Pizotifen도 복부편두통 예방에 효과적인 것으로 알려지고 있다. 주기성 증상은 2세경에 멀미, 3세경에 주기성구토증후군, 5세경에 복부편두통, 7세경에 양성돌발성현훈으로 나타나 복부편두통이 편두통의 전구증상으로 생각된다. 1/3 정도의 환자가 10대 후반까지 통증을 경험하는 것으로 알려지고 있으나 성인기까지의 추적관찰 연구가 더 필요한 상태이다.

(3) 소아기 양성돌발성현훈(benign paroxysmal vertigo of childhood)

양성돌발성현훈은 소아에서 설명하기 어려운 놀람과 함께 균형감각을 잃거나 심하면 쓰러지는 증상을 보이는 발작으로 현재 양성돌발성현훈은 편두통대리증(migraine equivalent) 혹은 편두통의 전구증상으로 여겨지며 소아기 주기성 증후군에 속한다. 일부 저자들은 뇌간조짐 편두통의 변형으로 여기기도 한다. 발병은 평균 6세이며 일반적으로 4세 이전에 일어나며 8세 이후에는 드물다. 발작은 하루 1회부터 6개월-1년 주기로 발생할 수도 있으며 치료 없이 저절로 사라진다. 초기에는 자주 발생하나 시간과 나이가 들어가면서 줄어든다. 발작은 수일 동안 군발성으로 나타난 후 수주에서 수개월간 없을 수 있다. 유발요인은 미로를 자극하는 그네, 시소타기가 있으며 이외에 발열, 피곤, 스트레스 등이 있다. 전형적으로 갑작스러운 시작과 수초에서 수분 지속된 후에 사라진다. 양성돌발성위치현훈과는 달리 머리의 움직임이나 특정 위치에서 유발되지는 않으며 때때로 오심과 구토가 동반된다. 환자는 발작 시 놀라며 넘어지지 않기 위해 주변의 지지대를 찾고 안진이 동반될 수 있으나 의식이나 기타 신경학적 변화를 보이지는 않는다. 창백, 오심, 발한, 빛공포증, 소리공포증, 비정상적인 머리 위치 등의 신경식물 증상(neurovegetative sign)과 말을 할 수 있는 환자는 어지럼증, 오심을 호소한다. 증상 지속시간은 대개 수초에서 5분 이내로 짧지만 드물게 수시간에서 48시간 지속되기도 한다. 일반적으로 발작은 수면

표 7-11. 양성돌발성현훈 진단기준

A. 진단기준 B와 C를 충족하며 최소한 5번 발생하는 발작
B. 경고 증상 없이 갑자기 나타나며, 발생 당시가 가장 심하고, 의식소실은 동반하지 않고, 수분에서 수시간 후 저절로 사라지는 현훈
C. 다음 관련 증상 또는 징후 중 적어도 하나
　1. 안진
　2. 실조
　3. 구토
　4. 창백
　5. 두려움
D. 발작과 발작 사이에는 신경학적 검사와 청력검사 및 전정신경 기능이 정상
E. 다른 질환으로 더 잘 설명되지 않음

주석: 현훈이 있는 유아는 현훈 증상들을 표현하지 못할 수도 있다. 유아에서는 보호자들이 삽화성으로 나타나는 불안정한 상태를 관찰하는 것이 현훈으로 해석될 수도 있다.

과 함께 소실되며 앉거나 누우면서 호전되기도 한다. 건강한 소아에서 반복적이고 짧은 발작이 경고 없이 나타났다가 사라지는 특징을 보이는 이질적 질환이며(heterogenous disorder) 진단기준은 표와 같다(표 7-11).

검사소견은 대부분 음성이며 가족력과 눈의 안진 등으로 질환을 의심하게 되는데 병력청취에서 수면습관, 호르몬 변화, 음식섭취, 스트레스 등을 물어보는 것이 필요하다. 온수안진검사(caloric test)와 전정유발 근성전위 검사(vestibular evoked myogenic potential)의 이상이 70%에서 나타나 진단에 도움을 받을 수 있다. 두부외상은 평형감각 이상의 흔한 원인이며 증상이 수일에서 수개월간 지속될 수 있다. 정신적 위현훈(psychiatric pseudo vertigo)과 볼거리, 풍진, 수두, 홍역 등의 감염과 관련해서 발생하는 전정 신경염과의 감별도 필요하다. 소아에서 드물지만 양성돌 발성위치현훈은 머리의 위치 변화에 따라 안진이 발생하면서 현훈이 일어난다. 발병기전은 알려지지 않았지만 혈관 가설로 혈관 변화에 따라 전정핵과 전정경로에 일시적 저산소증이 발생하여 현훈을 유발하는 것으로 추정하는 가설이 있다. 치료는 예방목적으로 가능한 유발요인을 제거하고 발작 시에는 진토제를 사용할 수 있으며 발작이 잦은 경우에는 cyproheptadine과 같은 예방약제를 고려할 수 있다. 예후는 양호하여 증상은 수개월에서 수년 후에 사라지며 일반적으로 5세까지 사라지지만 청소년기까지 지속되는 경우도 있다. 일부 환자에서는 현훈이 없어지는 시기에 두통이 나타난다.

3. 양성돌발성사경(Benign Paroxysmal Torticollis)

목을 포함한 운동이상증이 갑작스럽게 시작되고 반복적으로 나타난다. 발작 동안에 머리와 경부가 침범된 쪽으로 비정상적으로 회전하게 되며 구토와 실조가 동반되기도 한다. 체간 혹은 골반의 염전, 근긴장 이상이 나타날 수 있다. 첫 발작은 2-8개월 사이에 나타난다. 편두통에서 볼 수 있는 창백, 기면, 빛공포증, 눈물 흘림증 등이 일어날 수 있다. 발작은 수시간에서 1주일 이내의 수일간 지속될 수 있으며 후유증 없이 저절로 회복된다. 수일에서 수개월마다 나타날 수 있다. 발작빈도와 강도는 나이가 들어가면

표 7-12. 양성돌발성사경

A. 유아에서 진단기준 B와 C를 충족하며 반복되는[1] 발작
B. 머리가 어느 한쪽으로 기울며, 약간의 회전이 있을 수도 있고 없을 수도 있으며, 수분에서 수일 이후에 저절로 호전
C. 다음 관련 증상 또는 징후 중 적어도 하나:
   1. 창백
   2. 과민성
   3. 권태감
   4. 구토
   5. 실조[2]
D. 발작과 발작 사이에는 신경학적 검사와 청력검사 및 전정신경 기능이 정상
E. 다른 질환으로 더 잘 설명되지 않음.

주석:
1. 발작은 한 달에 한 번씩 발생하는 경향이 있음.
2. 실조는 이환가능 연령대 중 좀 더 나이가 많은 소아에서 더 흔하다.

서 감소해서 2세까지 호전되며 일반적으로 3세에는 사라진다. 사경이 좋아지면서 운동지연도 약 1/2-1/3에서 호전된다. 양성돌발성사경은 나이와 관련해서 일어나는 편두통 연관 질환으로 추정되며 여자에서 더 흔하며 멀미와 편두통의 가족력이 흔하다. 편두통과 삽화성 질환의 가계에서 칼슘채널 CACNA1A 돌연변이가 보고되어 왔으며 이것은 양성돌발성사경이 편두통의 전구질환을 의미하는 것으로 생각되고 있으며 국제두통분류-3판에서는 양성돌발성사경이 삽화성 질환의 일부로 포함되었다. 진단기준은 다음과 같다(표 7-12). 감별해야할 질환으로는 위식도역류(예. Sandifer 증후군), 특발성 염전 근육이상증(idiopathic torsional dystonia), 복합부분발작 등이 있으며 특히 후두와(posterior fossa)와 두개경추이음부(craniocervical junction)의 선천적 혹은 후천적 질환이 사경을 일으킬 수 있으므로 주의해야 한다. 드물게 활차신경 이상이 사경을 유발할 수도 있다. 치료에 대한 연구는 부족하지만 대부분의 환자에서 안심시키기 이외의 치료가 필요하지 않다. 발작이 매우 잦거나 통증이 있으면 cyproheptadine을 시도해 볼 수 있다.

4. 소아청소년 긴장성두통(Tension type headache in Children and Adolescents)

긴장성두통(tension-type headache)은 편두통과 함께 소

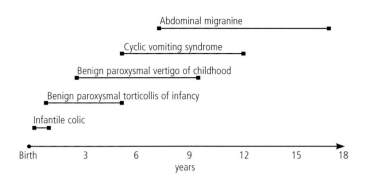

■ 그림 21-1. 편두통 전구증상인 소아기 주기성 증후군의 나이에 따른 표현형태
복부편두통(abdominal migraine), 주기성구토증후군(cyclic vomiting syndrome), 소아기 양성돌발성현훈(benign paroxysmal vertigo of childhood), 양성돌발성사경(benign paroxysmal torticollis of infancy), 양아산통(infantile colic), 출생(birth)
출처: Spiri D, Rinaldi VE, Titomanlio L. Pediatric migraine and episodic syndromes that may be associated with migraine. Ital J Pediatr. 2014 Nov 19;40:92.

아 및 청소년기에 발생하는 두통의 가장 흔한 유형이며 중등도 이하 강도의 비박동성 통증이 양측으로 나타나는 경우가 흔하다. '목이 뻣뻣하다', '이마에 띠를 두른 듯 띵하다' 또는 '머리 전체가 띵하고 아프다' 등의 형태로 증상을 호소하며 신체적 피로, 골치 아픈 일, 혹은 기타 스트레스 등과 연관되어 우둔하고 막연한 형태의 두통을 호소하는 두경부 통증을 말한다. 긴장성두통이란 병명이 쓰인 지는 그리 오래되지 않았다. 이전에는 긴장두통, 근수축두통, 정신근육두통, 스트레스두통, 보통두통, 본태두통, 특발두통, 정신성두통 등으로 불렸으며, 마음이나 근육의 긴장이 중요한 원인이 될 것이라 생각하여 1988년도 제1판 두통 질환분류(International Classification of Headache Disorders, ICHD-I)을 통해 긴장성두통으로 명명하였다.

분류

1988년 제1판 두통 질환분류부터 한 달에 15일 미만으로 보이는 삽화 긴장성 두통(episodic tension-type head-ache)과 15일 이상 보이는 만성 긴장성두통(chronic ten-sion-type headache)으로 분리하기 시작하였다. ICHD-II에서는 삽화성을 더 세분하여 한 달에 1회 이하일 때를 저빈도 아형으로 그 이상의 빈도일 때를 고빈도 아형으로 나누었다. 저빈도 삽화 긴장성두통은 누구나 한 번쯤은 경험할 수 있는 형태로, 대개 환자 개인 생활에 별다른 영향을 주지 않고 전문적인 의학적인 도움을 필요로 하는 경우가 거

의 없으나, 고빈도 삽화긴장성 두통은 최소 3개월 이상 한 달에 1일 이상, 15일 미만의 경우로 환자에게 상당한 장애를 초래할 수도 있고 때로는 약물치료가 필요할 수 있기 때문에 세분하였다. 만성 긴장성두통은 심한 삶의 질 저하와 높은 장애정도를 유발하는 심각한 질환이다. 또한 각각을 두개주변 압통과 연관되어 있는지 또는 없는지(associated or not associated with pericranial tenderness)에 따라 세분하였다. 그리고 무조짐 편두통의 진단기준에 맞지 않으면서 삽화 긴장성 두통의 기준 중 한 가지를 만족하지 못하는 두통은 개연긴장성 두통(probable tension-type headache)으로 분류하였다(표 7-13). 이러한 세부분류는 ICHD-3 베타판에서도 유지하고 있다.

표 7-13. 긴장성두통의 분류 (ICHD-3 beta, 2010)

2.1 저빈도 삽화 긴장성두통
2.1.1 두개주변 압통과 관련된 저빈도 삽화 긴장성두통
2.1.2 두개주변 압통과 관련되지 않은 저빈도 삽화 긴장성두통
2.2 고빈도 삽화 긴장성두통
2.2.1 두개주변 압통과 관련된 고빈도 삽화 긴장성두통
2.2.2 두개주변 압통과 관련되지 않은 고빈도 삽화 긴장성두통
2.3 만성 긴장성두통
2.3.1 두개주변 압통과 관련된 만성 긴장성두통
2.3.2 두개주변 압통과 관련되지 않은 만성 긴장성두통
2.4 개연 긴장성두통
2.4.1 개연 저빈도 삽화 긴장성두통
2.4.2 개연 고빈도 삽화 긴장성두통
2.4.3 개연 만성 긴장성두통

역학

긴장성두통은 일반 인구의 평생 유병률이 30-78%에 달하는 매우 흔한 두통으로, 소아 및 청소년기에도 편두통과 비슷한 10-25%의 유병률을 보인다. 소아기의 만성 긴장성두통의 유병률은 1-1.5% 정도로 보고되고 있으나 나이가 들수록 증가한다. 긴장성두통은 가장 흔한 원발두통임에도 불구하고 통증의 강도가 약하고 그로 인한 장애가 적어 환자들이 스스로 진단하고 치료하는 경우가 흔하여 편두통만큼 그 연구가 활발히 이루어지지 않았다. 만성 긴장성두통의 경우 환자들의 삶의 질뿐만 아니라 개인적 및 사회경제적으로 위협을 가할 만큼 심각한 두통 질환임에도 주목을 받지 못하고 있으며, 의사들도 흔히 과도한 스트레스로 인한 신경성 두통으로 치부해 버리고 방치해 두는 경우가 많은 질환이다.

병태생리

긴장성두통의 정확한 기전은 아직 정확히 알려져 있지 않다. 과거에는 긴장성두통이 단순히 정신적 원인에 의해 발생한다고 생각하였으나, 최근의 연구들에 의하면 신경생물학적 기전이 발병에 관여하는 것으로 보고되고 있다. 저빈도 삽화 긴장성두통과 고빈도 삽화 긴장성두통에서는 근막의 동통 예민도 증가와 근긴장 항진과 같은 말초 통증 기전이 주요 기전으로 생각되는 반면, 만성 긴장성두통에서는 통증조절에 관여하는 대뇌 변연계 및 뇌간 통각신경의 변화와 같은 중추 통증기전이 더 중요하다고 간주된다. 긴장성두통이 반복적으로 일어나면 이는 곧 근막조직의 변화로 이어져 새로운 삽화 발생의 역치를 감소시키며 여기에 더하여 중추신경계의 회로가 활성화되어 통각신경의 장기강화(longterm potentiation)와 항통각계의 기능저하로 이어져 만성화의 경향을 띠게 된다. 따라서 저빈도와 고빈도 삽화 긴장성두통의 치료는 두경부 주변조직의 통증 예민도를 조절함으로써, 만성 긴장성두통은 중추신경계의 통증 예민도를 조절함으로써 효과적 대응방안을 찾을 수 있을 것이다. 그러나 근막 통증이 긴장성두통의 일차적인 것인지 이차적으로 발생하는 것인지는 잘 알려져 있지 않으며, 소아에서는 두개 주변 근육의 통증과 삽화 긴장성두통간에는 연관이 없다는 보고도 있다.

긴장성두통의 유전적인 연구는 거의 없지만 편두통과는 달리 긴장성두통에서는 유전적인 원인이 적다는 것이 대체적인 의견이다. 그러나 일란성과 이란성 쌍생아의 삽화 긴장성두통 연구에서는 의미 있는 차이점을 발견하지 못하였지만, 만성 긴장성두통 환자의 직계가족은 일반 인구에 비하여 약 3배 정도 높은 발병률을 보이는 것으로 보아 삽화 긴장성두통에는 환경적인 영향이 기여할 것으로 보이는 반면 만성 긴장성두통은 조금 더 유전적인 요인이 작용할 것이라고 생각한다.

임상증상과 진단

삽화 긴장성두통은 발작 지속시간이 30분에서 7일까지로 매우 다양하고, 전형적인 두통 양상은 경도에서 중등도 강도와 압박하고 조이는 느낌의 비박동성 통증이 양측으로 나타난다. 통증은 일상 신체활동에 의해 악화되지 않고, 구역을 동반하지 않으나 빛공포증이나 소리공포증은 있을 수 있다(표 7-14). 저빈도 삽화 긴장성두통은 한 달 평균 하루 미만(일년에 12일 미만)의 빈도로 최소한 10번 이상 발생하고, 고빈도 삽화 긴장성두통은 3개월을 초과하여 한 달 평균 1-14일(일 년에 12일 이상 180일 미만)의 빈도로 최소한 10회 이상 발생하는 두통이다. 고빈도 삽화 긴장성두통은 종종 무조짐 편두통과 공존한다.

만성 긴장성두통은 고빈도 삽화 긴장성두통에서 이행된 질환으로, 매일 또는 매우 고빈도의 두통이, 전형적으로 양측에, 압박감 또는 조이는 통증, 경도에서 중등도의 강도로, 수시간에서 수일 지속하거나 끊임없이 계속된다. 통증은 일상 신체 활동에 의해 악화되지 않으나, 경도의 구역이나 빛공포증, 소리공포증이 있을 수 있다.

표 7-14. 긴장성두통 진단기준 (ICHD-3 beta, 2010)

A. 진단기준 B-D를 충족하며 최소한 10번 이상 발생하는 두통
B. 두통은 30분에서 7일간 지속됨
C. 두통은 다음 네 가지 양상 중 최소한 두 가지 이상을 충족함:
  1. 양측위치
  2. 압박감/조이는 느낌(비박동성)
  3. 경도 또는 중등도의 강도
  4. 걷기나 계단 오르기 같은 일상 신체 활동에 의해 악화되지 않음
D. 다음 두 가지를 모두 충족함:
  1. 구역이나 구토가 없음
  2. 빛공포증이나 소리공포증 중 한 가지는 있을 수 있음
E. 다른 ICHD-3 진단으로 더 잘 설명되지 않음.

두개주변 압통은 긴장성두통의 강도와 빈도에 밀접하게 연관되어 있으며 쉽게 찾아낼 수 있다. 또한 두통 이외에 불면증, 피로감, 초조, 식욕부진 및 집중력 저하 등의 증상이 동반될 수 있다.

긴장성두통은 병인이 아직 불확실하고 전형적인 임상 양상이 없어 주로 편두통이 배제된 상태에서 진단이 내려지지만 경미한 무조짐 편두통이나 뇌종양 등의 기질적 원인에 의한 두통과 유사한 점이 많아 진단이 어려운 경우가 있다. 또한 많은 기질적 질환이 질병 자체의 특이 증상이 없이 긴장성두통과 비슷한 증상으로 나타날 수가 있으므로 일차두통의 진단을 위해서는 이차두통을 배제할 필요가 있다. 이러한 두통의 진단을 위해서는 체계적인 두통 병력청취와 함께 주의 깊은 진찰 및 두통일지를 사용한 추적이 필요하다. 진찰 시에는 혈압과 안저검사를 포함한 철저한 신경학적 진찰이 중요하다. 두통의 병력과 진찰에서 기저질환을 시사하는 소견이 없을 때는 신경영상검사를 하더라도 진단에 도움되는 경우는 거의 없기 때문에 빈번한 두통을 보이는 소아라도 신경학적 진찰이 정상이라면 신경영상검사를 일상적으로 시행할 필요는 없다. 반면 신경학적인 진찰에 이상을 보이거나 경련발작이 있었다면 신경영상검사를 시행해야 한다. 만약 소아의 병력상 최근에 갑자기 발생한 심한 두통이 있거나 두통의 양상의 변화가 있었던 경우에도 신경영상검사를 고려해야 한다.

치료

적절한 치료를 위해서는 철저한 병력청취와 신경학적 진찰로 이차두통을 감별하고, 유발인자, 동반 이환된 질환을 찾아내며, 편두통 동반 유무를 알아내는 것이 중요하다. 두통일지는 두통의 빈도, 심한 정도, 유발요인, 약물의 사용횟수 등을 알 수 있어서 환자 상태를 파악하는데 도움이 되고, 치료 후 효과를 판단하는 데에도 유용하다.

저빈도 삽화 긴장성두통일 경우에는 통증이 경미하고 사회생활에 제약을 주는 경우가 많지 않기 때문에 대개 스스로 약물을 복용하게 되며, 치료 방법도 비의료인의 추천을 많이 따르게 된다. 나중에 만성 긴장성두통으로 발전하거나, 편두통이 동반되면 비로소 병원을 찾는다. 아직까지 병태생리가 완전히 밝혀져 있지 않아서 긴장성두통의 정립된 치료 방법은 없지만, 급성기 증상을 완화시키는 치료

는 단순히 한 가지 진통제를 복용하는 것에서 부터 다른 약제와의 복합치료까지 다양하다. 그러나 편두통처럼 긴장성두통의 급성기 치료도 빨리 시작할수록 효과가 좋다. 또한 적절한 용량을 복용하여 기대하는 효과를 얻을 수 있도록 하고, 1주일에 3회 이상 약물을 복용하지 않도록 투여 일수를 줄이고, 하루에 복용하는 횟수도 제한하여 약물과용 두통의 발생을 항상 염두에 두고 치료해야 한다. 삽화 긴장성두통의 치료는 급성기 약물치료와 비약물적 예방치료를 하고, 고빈도 삽화 긴장성두통과 만성 긴장성두통은 예방적 약물치료와 비약물적 치료를 한다. 대부분의 소아 긴장성두통은 일차적 치료에 잘 반응한다.

(1) 급성기 약물치료

삽화 긴장성 두통의 급성기 약물치료로 아세트아미노펜과 비스테로이드성 항염증 약물들이 일차적으로 사용된다. 소아에서는 아세트아미노펜과 이부프로펜(ibuprofen)이 추천된다. 아세트아미노펜은 두통 발생 시 15 mg/kg/dose을 복용하고, 이부프로펜은 7.5-10 mg/kg/dose 복용하며, 이들 약물은 효과적이고 내성이 우수한 약물이다. Ketoprofen(25 mg)은 삽화 긴장성 두통의 급성 치료로 아세트아미노펜과 비슷한 효과를 보이고, 이부프로펜보다는 더 효과적이며, 저용량(12.5 mg)에서도 위약군보다 더 효과적인 것으로 보고되었다. Naproxen sodium은 강력한 진통, 항염, 해열작용이 있으며, 흡수가 빨라서 1시간 이내에 최고 혈중 농도에 도달하여 신속한 진통 효과를 나타낸다. 주사용 ketolorac은 60 mg을 삽화 긴장성 두통 환자에게 근주하였을 때 30분에서 1시간 뒤 진통 효과가 위약군보다 더 좋았다. 긴장성두통의 치료로 트립탄의 역할은 명확하지가 않지만, 편두통과 동반되어 있는 긴장성두통 환자에서는 트립탄이 유용하다.

(2) 비약물적 예방치료

환자와 부모에게 교육을 통하여 질병을 잘 이해하도록 한다, 환자의 삶의 방식을 평가하여 두통을 유발하는 스트레스 요인을 찾는 것도 중요하다. 충분한 수분섭취, 적절한 규칙적인 수면, 일주일에 3회 이상 약 30분 정도의 규칙적인 운동과 균형잡힌 규칙적인 식사를 한다. 긴장성두통 치료에 효과가 있는 생체 행동요법은 긴장완화 훈련, 생체 되

먹이기 훈련, 인지-행동요법 등이 있다.

(3) 예방적 약물치료

빈번한 긴장성두통이 있거나 만성 긴장성두통이 있는 환자는 예방적 치료가 필요하다. 만성 긴장성두통은 부적절한 양의 약물을 복용하거나 너무 자주 복용하여 발생하는 경우도 있기 때문에 약물과용 두통을 구별하여 진단하고, 약물과용 두통으로 진단이 되면 잘못 사용된 약물을 중단해야 한다.

만성 긴장성두통 치료에 흔히 사용되는 약물은 항우울제, 항경련제, 근육이완제 등이 있다. Amitriptyline은 적은 용량(0.25 mg/kg/day)으로 시작하여 2주 간격으로 0.25 mg/kg/day씩 서서히 증량하고, 용량을 올리는 동안에 효과가 있으면 그 용량으로 유지하고, 부작용이 나타나면 용량을 줄이거나 다른 약물로 대치한다. 유지 용량은 일반적으로 1 mg/kg/day을 투여 하고, 잠자기 2-3시간 전에 복용하는 것이 좋다. Amitriptyline의 효과는 치료용량의 첫 주에 보이기 때문에, 유지용량을 투여 후 3-4주 후에 효과가 없다면 다른 예방약물로 바꾸는 것을 고려해야 한다. 부작용은 일반적으로 경미해서 내성이 좋은 편이나 입이 마르고, 소변이 잘 안 나오고, 혼미, 어지러움, 변비, 체중 증가, 기립성 저혈압, 눈 흐려짐 등이 있다. 가장 심한 부작용은 심부정맥, 녹내장, 요 잔류 등이 있다. 다른 약물로는 칼슘통로 차단제인 flunarizine (5-10 mg/day), 항경련제인 topiramate (1-3 mg/kg/day)와 divalproate sodium (15-20 mg/kg/day), 항히스타민제인 cyproheptadine (0.2-0.4 mg/kg/day)이 사용된다. 이러한 예방적 약물치료는 긴장완화 같은 스트레스 완화요법과 같이 하면 더 효과적이다. 중추 신경계에 작용하는 근이완제(tizanidine)는 항우울제에 효과가 없는 환자에게 사용해 볼 수 있다. 긴장성두통에서 예방적 약물은 편두통에서와 마찬가지로 치료 6개월 후에 서서히 용량을 줄여서 중단한다. 그러나 만성 긴장성두통 환자들은 약물을 중단한 후 많은 환자에서 다시 재발하기 때문에 장기간 약물을 복용하는 경우가 많다.

소아 이차두통

Secondary Headaches in Children and Adolescents

| 이건희 |

두통은 소아 및 청소년시기에 매우 흔한 질환이며, 편두통이나 긴장성두통인 원발두통(primary headache)과 어떤 원인질환에 기인한 이차두통(secondary headache)으로 크게 나눌 수 있다. 국제두통 질환분류(제3판, 2018)에서는 이차두통을 총 8개의 질환군으로 분류를 하고 있다(표 7-15).

이차두통에서는 원인질환을 확인하는 것이 매우 중요하므로 두통에 중점을 둔 자세한 병력과 신체진찰을 통해 진단에 접근하여야 한다. 이 때에 심각한 뇌병변이나 뇌종양 등을 시사하는 적신호를 항상 유의해야 한다(표 7-16). 소아에서는 첫 번째 진찰에서 두통 원인에 대한 결론을 내리기 힘들므로, 정기적인 추적검사나 재평가를 함으로써 진단 오류를 피할 수 있는 가장 좋은 방법이라고 생각해야 한다.

1. 외상 후 두통

두경부 외상은 심한 정도에 관계없이 소아에게나 그 부모들에게 오랫동안 기억에 남아 있으며 두통이 지속되는 경우는 불안감을 야기시킨다. 급성 두통은 비교적 흔하며

표 7-15. 이차두통의 분류 (국제두통 질환분류 제3판, 2018)

1. 머리와 목의 외상 및 손상에 기인한 두통: 두경부 외상 후 급성 혹은 지속 두통 등
2. 두개 또는 경부의 혈관질환에 기인한 두통: 뇌경색, 비외상성 뇌출혈, 동정맥기형, 가역 뇌혈관수축 증후군, 모야모야 혈관병증 등
3. 비혈관성 두개내질환에 기인한 두통: 특발성 두개뇌압 상승, 뇌척수액 누공 두통, 뇌종양, 뇌전증발작 관련 두통, I형 키아리기형 등
4. 물질 또는 물질금단에 기인한 두통: 일산화탄소 유발 두통, 음식 첨가제, 외인성 호르몬, 약물과용 두통 등
5. 감염에 기인한 두통: 두개 내 감염, 전신감염 등
6. 항상성질환에 기인한 두통: 고산두통, 동맥고혈압 관련 두통, 갑상샘저하증, 자율신경반사 이상 관련 두통 등
7. 두개골, 목, 눈, 귀, 코, 부비동, 치아, 입 또는 기타 얼굴 및 경부 구조물의 질환에 기인한 두통 또는 얼굴통증
8. 정신과 질환에 기인한 두통: 신체화장애, 정신증장애 등
9. 뇌신경의 통증성 병변과 기타 안면통: 삼차신경통, 안면신경 병변 등
10. 기타 두통 질환

표 7-16 소아 두통 환자의 병력청취에서 적신호

- 갑작스러운 극심한 두통(이전에 경험해보지 못한)
- 통증의 급격한 변화 혹은 점진적으로 악화되는 두통
- 이른 아침 두통
- 후두부 두통
- 야간 수면 중 두통으로 깨는 경우
- 기침, 쪼그려 앉기, 발살바 수기, 운동 등으로 악화 혹은 유발되는 두통
- 신경학적 이상 소견이 동반되는 경우(의식변화, 경련, 운동/감각 이상, 경부강직 등)
- 5세 이하에서 발생한 두통
- 이전에 진단된 원발두통에서 두통양상이 달라진 새로운 두통
- 두통 가족력이 없는 두통
- 한 곳에서만 지속적으로 반복되는 편측성 두통

외상 후 7일 이내에 발생할 경우에 진단할 수 있으므로 다른 원인이 뚜렷하지 않다면 의심할 수 있다. 그러나 외상 후에 두통이 처음 발생했다기 보다 외상 전에 있었던 두통이 악화된 경우가 많다.

두부 외상후 3개월 미만인 급성 두통의 대부분은 소실되지만, 두부 외상후 3개월을 초과하는 지속 두통으로 이행되는 경우는 3-6% 정도로 보고되고 있다. 급성 두통의 경우 신경학적 징후가 동반되지 않으면 뇌 영상검사가 필요한 경우가 많지 않으나 주의 깊은 관찰이 필요하다. 지속 두통의 발생은 두통이 발생하기 쉬운 사람에게는 외상이 유발인자로서의 역할을 하는 것으로 여겨지며 대부분 3-27개월(평균 13개월) 정도면 소실된다.

치료로는 심한 급성 두통의 경우 아편 유사제의 시간제한적 사용을 고려할 수 있으며 경증 및 중등도의 경우에는 acetaminophen이나 비스테로이드성 소염제를 제한적으로 투여할 수 있다. 경추 통증이 연관되어 있을 경우에는 조심스러운 운동치료를 시작한다. 지속 두통이거나 잘 조절되지 않는 두통은 이완요법, 바이오피드백이나 인지행동치료를 포함한 치료를 고려해 볼 수 있다.

2. 혈관성 두통

특별한 증상이 없다가 우연히 발견되는 동정맥기형이나 정맥혈관종의 경우 대부분 두통과 연관성이 없는 것으로 알려져 있다. 3개월을 기준으로 급성과 만성 두통으로 나눌 수 있다. Sturge-Weber 증후군이나 모야모야병, 혈관염 등이 원인이 되기도 한다. 중추신경계 혈관염은 드물지만 감염, 교원성 혈관질환, 전신혈관염 및 악성종양과 관련하여 발생하는데, 두통이 가장 흔한 증상이다. 뇌척수액 분석, 뇌 MRI, 혈관조영술 등을 이용하여 진단할 수 있다.

3. 특발 두개내압 상승에 기인한 두통(Idiopathic intracranial hypertension)

두개내 병적 변화(공간점유병변, 수두증)나 이차적으로 두개내압력 상승을 초래할 만한 원인이 없으면서 뇌압이

표 7-17. 진단기준(특발성 두개내압 상승에 기인한 두통)

A. 진단기준 C를 충족하는 새로운 두통 또는 기존의 두통이 의미있게 악화된 두통
B. 다음 중 두 가지 모두:
  1. 특발성 두개내압 상승이 진단됨
  2. 250 mm CSF 이상의 뇌척수압 상승(비만 아동의 경우 280 mm CSF 이상)
C. 다음 중 한 가지 또는 두 가지 모두:
  1. 특발성 두개내압 상승과 시간연관성을 가지고 두통이 발생 또는 기존의 두통이 의미있게 악화되었거나, 두통으로 그것이 발견됨
  2. 두통은 다음 중 한 가지 또는 두 가지 모두를 동반함:
    a) 박동성 이명, b) 유두부종
D. 다른 ICHD-3 진단으로 더 잘 설명되지 않음.

상승된 경우이다(표 7-17). 이차적인 원인으로는 비만, 내분비질환(갑상샘기능저하, Addison병 등), 기타(전신루푸스, 요독증, 철분결핍성빈혈 등)와 다양한 약물(항생제, 비타민 A 과용, 성장호르몬) 등이 있다.

전형적인 환자는 임신 중인 비만 여성이나 소아와 청소년을 포함하여 어느 연령대에서도 발생할 수 있다. 발생기전은 명확하지 않으나 한 가지 이론보다는 뇌척수액 역동학적 변화, 비만, 성호르몬과 혈전형성 이상 등이 복합적으로 작용한다. 뇌척수액의 압력 상승은 가장 일반적인 발생기전으로 받아들여지고 있으며 뇌척수액의 흡수장애나 횡정맥동 협착에 의해 발생한다. 또한 비만도 연관성이 많은 것으로 알려지고 있으며 비만으로 인한 복압 상승이 심장충만압 증가를 초래하여 발생하나 비만과 연관된 만성 염증도 원인적 요인이다.

두통이 가장 흔한 증상으로 약 90%에서 동반된다고 하며 미만성이고 아침에 악화되는 특징이 있다. 이 밖에도 경부통증, 어깨와 등의 통증, 박동성 두개내 잡음, 어지러움, 오심과 구토 등이 있고 시각증상은 약 40-70% 정도에서 관찰되며 일시적으로 시각이 어두워지고 눈부시거나 복시가 나타난다. 저절로 좋아지거나 요추천자를 시행한 직후 호전되는 경우가 많으나 재발로 인해 일부 환자에서는 만성이 되기도 한다. 진단은 뇌 영상검사가 정상소견이고 정상적 구성을 보이는 뇌척수액의 압력 상승과 뇌척수액 압력 상승의 다른 원인이 배제되었을 때 가능하다.

두통이 지속되거나 시신경 침범이 있으면 치료를 시작한다. 치료에는 체중감소, 약물치료, 반복적 요추천자

와 수술치료가 있다. 뇌척수액 생산을 감소시키는 약물로 acetazolamide 250 mg을 1일 2회로 시작하여 하루 1,000-2,000 mg(또는 20-30 mg/kg/일)까지 서서히 증량하여 사용한다. 부작용이 있거나 효과가 없을 경우에는 furosemide나 topiramate를 투여할 수도 있다. 수술요법은 약물치료로도 시력저하가 진행하거나 심한 시신경병증이 있을 때 시행하는데, 시신경 감압술(optic nerve decompression)과 뇌척수액 지름술(cerebrospinal fluid diversion procedure)이 있다.

4. 자발성 두개내 저압(Spontaneous intracranial hypotension)

최근 MRI의 도입으로 발견이 증가되고 있는 질환으로 경막의 찢어진 곳으로 뇌척수액이 유출되어 발생하는데, 경추신경근이 거미막밑 공간을 벗어나는 부위가 흔하다. 청소년을 포함한 어느 연령에서나 발생할 수 있으며 중년 여성에서 흔하다. 요추천자 후에 발생하는 두통과 그 원인적 기전이 비슷하며, 뇌척수액의 뇌를 지탱하는 기능과 뇌척수액의 생성 및 흡수가 방해를 받는다. 특징적인 증상은 자세 변화에 따른 급성 두통으로 누워있을 때 약하고, 앉거나 서 있으면 갑작스럽게 악화된다. 다른 증상으로는 경부 통증과 뻣뻣함, 복시, 오심, 구토, 이명, 현기증, 청력이상, 경련 및 인지이상 등이 있다. 진단은 증상으로 의심하고 MRI으로 확인한다. 급성 증상의 치료는 엄격한 침상 안정이며 호전되지 않을 경우에는 경막외 혈액 봉합술(epidural blood patch)이나 섬유소 아교의 경피적 주입술(percutaneous injection of fibrin glue)을 시행한다.

5. 뇌종양

구토를 동반한 두통은 소아신경과 의사에게서 가장 긴장을 하게 하는 증상 중의 하나이며 확실한 원인이 밝혀지기까지 신중하게 접근하는 것이 중요하다. 소아 암환자 중에서 백혈병 다음으로 유병률이 높으며, 매년 발생률은 15세까지의 소아 10만명당 3명 정도이다.

뇌종양 환자에 대한 보고를 보면 두통은 64%에서 발생하였고, 구토 동반은 34%, 이른 아침 구토는 28%였고 성격 변화는 47%였다. 뇌종양으로 진단되기 전에 증상 지속 시간은 평균 약 5개월이었다. 천막상부 뇌종양인 경우는 뇌전증, 국소 신경학적 이상이 있으면서 첫 증상 후에 약 17개월에 진단되었고, 천막하 뇌종양은 두통, 구토, 실조증 등의 증상이 있으면서 첫 증상 후에 3개월 정도에서 진단되었다.

뇌종양을 의심할 수 있는 증상이나 징후로는 두통으로 자다가 자주 깨거나, 4세 이하의 아동이 머리가 자주 아파하는 등이다. 의식소실이 있는 두통, 기존 편두통 혹은 긴장성두통의 양상 변화, 수면 시 구토, 감염 증상 없이 2주 이상의 구역 혹은 구토, 시력악화, 유두부종, 시신경위축, 새로 발생한 안진, 시야제한, 안구돌출 등이 있다. 그 외에 운동기능이 떨어짐, 국소적 근력저하, 비정상 보행장애, 성장장애, 다뇨/다식, 성격변화 등이므로 영상의학적인 검사를 해 보는 것이 좋다.

소아 두통 환자에서 뇌종양이나 심각한 뇌병변은 0.5%에서 1%로 추측하고 있다. 우리나라에서는 반복되는 학동기 두통 환자의 약 0.7%에서 영상의학적 검사상 신경외과적 치료가 필요한 심각한 경우였다. 여러 연구를 종합해보면 두통 기간이 6개월 미만으로 짧은 경우, 두통이 빈도나 정도가 더 악화되는 경우, 수면 중 두통, 의식혼탁, 비정상적인 신경학적 검사소견, 실조증, 편마비 증상 및 유두부종 등이 있으면 뇌종양이나 심각한 뇌병변을 의심하여 영상의학 검사를 권한다.

뇌종양으로 인한 두통의 발생기전은 견인가설, 두개부 신경 또는 경부신경의 압박, 통증의 말초 및 중심 감작화와 뇌간 통증조절 장애 등이 제시되고 있다. 이 중에서 가장 흔하게 거론되는 것이 견인가설인데 뇌의 외부와 내부의 통증감지 구조물에 대한 견인이다. 이런 구조물로는 동정맥, 경막혈관과 뇌동맥, 경막, 피부, 피하와 근육조직 및 두개골의 골막 등이며 뇌실질은 통증을 느끼지는 못한다. 종양의 성장속도 또한 견인과 두통의 발생을 예측하는 데 중요한 역할을 하는 것으로 알려져 있다. 신경의 압박으로 인해 두통이 발생할 가능성은 많지 않은 것으로 여겨지고 있으며, 감작화는 최근에 두통의 발생에 있어 중요한 역할을 하는 것으로 밝혀지고 있다.

6. 감염

소아 두통으로 응급실을 방문하는 경우에 발열이 동반된 두통은 대부분 상기도 감염 특히 바이러스 감염과 연관된 경우가 많다. 때로는 심각한 감염이 있으므로 주의가 필요한데 두개내 감염으로는 비세균성 수막염, 세균성 수막염, 뇌염, 뇌농양 등이 있으며, 구토, 발열, 의식의 변화, 경부 강직, 경련 등의 증상과 함께 수막자극 징후가 동반된다. 두개외 감염으로 부비동염, 중이염, 상기도 감염 등이 흔하며, 때로 치아 농양이 있는 경우도 있다. 부비동과 귀 주변부는 삼차신경의 분지에 의해 신경지배가 이루어지므로 안면통이나 두통이 쉽게 유발된다. 엡스타인-바 바이러스는 이상한 나라의 엘리스증후군 같은 증상을 일으키기도 한다. 두통이 있는 환자에서 부비동염이 있을 경우 이로 인한 두통으로 쉽게 생각할 수 있으나, 급성기나 만성경과 중 악화되어 발생하는 일부 두통에서만 연관성이 있는 것으로 여겨지고 있다.

7. 이비인후과 및 안과 질환

급성 세균성 부비동염은 소아 상기도 감염의 상당 부분을 차지하지만, 특히 접형동염은 약 3% 정도이며 임상적으로 중요하다. 보통 비부비동염이 임상, 영상검사 등에서 확인된 환자에서 두통 발생과 시간연관성이 있고, 비부비동염의 악화 혹은 완화에 따라 두통이 악화/완화되면 비부비동염에 기인한 두통으로 진단할 수 있다.

안과적 문제가 두통과 연관된 경우는 드물며 대부분 안과적 이상이 없다. 그러나 때로는 치료를 하지 않은 사시나 중등도 이상의 굴절이상, 급성 포도막염, 시신경염 등이 두통의 원인이 되는 경우가 있다. 굴절이상으로 인한 두통은 수정체의 움직임과 관련이 있는 근육이나 섬유조직의 피로도, 안구주변 근육의 과다이용 등으로 인하여 통증이 유발되는 것으로 생각하고 있다. 단순 난시보다는 복합성 난시일 경우, 부동 시, 굴절이상의 잘못된 교정 등의 경우에 두통이 잘 동반된다.

8. 정신과 질환에 기인한 두통

두통이 정신과 질환과 밀접한 시간적 연관성을 가지고 나타나는 것으로 이 분류에서는 신체화장애(somatization disorder)와 정신병장애(psychotic disorder)에 기인한 두통으로 나뉜다. 두통이 없는 소아와 소아 두통 환자를 비교하면 소아 두통 환자에서 더 많이 정신사회적 문제나 정신과적 질환(불안과 우울증)과 신체장애 증상을 호소하였다. 즉 우울증, 기분저하, 공황장애, 불안장애, 신체형장애, 적응장애 등의 많은 정신 질환들이 편두통이나 긴장성두통의 동반 이환 증상으로 나타나며, 이런 경우에는 원발두통의 진단에 덧붙여 동반 이환하는 정신과적 진단을 한다. 치료는 정신과적인 문제를 기본으로 하여 약물치료와 이완요법, 바이오피드백이나 인지행동치료를 포함한 행동치료를 고려해 볼 수 있다.

참고문헌

1. Collins BS, Thomas DW. Chronic abdominal pain. Pediatr Rev 2007;28:323-31.

2. Cuvellier JC, Lépine A. Childhood periodic syndromes. Pediatr Neurol 2010;42:1-11.

3. Evans RW, Whyte C. Cyclic vomiting syndrome and abdominal migraine in adults and children. Headache 2013;53:984-93.

4. Fitzpatrick E, Bourke B, Drumm B, Rowland M. The incidence of cyclic vomiting syndrome in children: population-based study. Am J Gastroenterol 2008;103:991-5.

5. Gelfand AA. Episodic Syndromes That May Be Associated With Migraine: A.K.A. "the Childhood Periodic Syndromes". Headache 2015;55:1358-64.

6. Gelfand AA. Migraine and childhood periodic syndromes in children and adolescents. Curr Opin Neurol 2013;26:262- 8.

7. Jahn K, Langhagen T, Heinen F. Vertigo and dizziness in children. Curr Opin Neurol 2015;28):78-82.

8. Kaul A, Kaul KK. Cyclic Vomiting Syndrome: A Functional Disorder. Pediatr Gastroenterol Hepatol Nutr 2015;18:224-9.

9. Lindskog U, Odkvist L, Noaksson L, Wallquist J. Benign paroxysmal vertigo in childhood: a long-term follow-up. Headache 1999;39:33-7.

10. Napthali K, Koloski N, Talley NJ. Abdominal migraine. Cephalalgia 2016;36:980-6.

11. Ralli G, Atturo F, de Filippis C. Idiopathic benign paroxysmal vertigo in children, a migraine precursor. Int J Pediatr Otorhinolaryngol 2009;73 Suppl 1:S16-8.

12. Spiri D, Rinaldi VE, Titomanlio L. Pediatric migraine and episodic syndromes that may be associated with migraine. Ital J Pediatr 2014;40:92.

소 아 신 경 학
PEDIATRIC NEUROLOGY

제 **8** 장

수면장애

Sleep Disorders

정상 수면의 발달과 생리

Ontogeny and Physiology of Sleep

| 채규영 |

정상적인 수면은 인간을 포함한 고등동물들에서 기본적인 기능을 유지하는데 필수적이다. 특히 소아에서 적절한 수면은 정상적인 성장과 발달, 정서적인 건강과 면역력의 유지에 중요하다. 수면은 단지 깨어 있지 않은 피동적인 상태가 아니라 중추신경계에서 신경원들과 신경회로 사이에 고도의 상호작용을 통해 유지되는 능동적인 상태이다.

1) 수면의 기능

수면은 각성 시에 발생한 손상을 회복시키는 생리적인 과정들을 수행한다. 비렘수면(non-rapid eye movement: NREM)은 전신의 신체조직, 렘수면은 뇌조직의 재생을 주로 담당한다. 비렘수면 시기에는 성장호르몬이 방출되고 코티졸의 분비는 최저 상태가 되며 신체조직의 회복이 일어난다. 렘(rapid eye movement: REM)수면 시기에는 중추신경계의 단백질 합성이 증가하고 뇌기능이 회복된다. 2세 이하의 영유아는 자는 시간이 깨어있는 시간보다 길고, 2-5세는 수면과 각성시간이 거의 비슷하며, 후기 소아기와 청소년기에는 수면이 하루의 40% 정도를 차지한다. 이렇게 뇌의 발달이 활발한 어린 연령일수록 수면양이 상대적으로 많은 것은 수면이 뇌 발달에 중요한 역할을 함을 시사한다. 한편 수면은 지나치게 긴 시간 동안 활동하는 것으로부터 강제적인 휴식을 마련해 주어 신체에너지를 보존하는 기능을 가진다. 수면 시에는 깨어서 쉴 때보다 8-10% 정도 대사율이 감소한다. 수면은 학습과 기억과정에 중요하며 새로운 정보를 기억하게 하는 정보고정 과정이 렘수면 중에 이루어진다. 렘수면 시기에는 뇌의 산소 소비량, 뇌 혈류량이 증가하며 뇌겉질 및 망상계 신경들이 강한 활성도를 보여 기능적으로 활성화된 시기임을 보여 주며, 수면손실은 연상기억에 나쁜 영향을 준다.

2) 수면의 단계

수면은 빠른 눈운동을 동반하는 렘수면과 비렘수면으로 구분된다. 수면은 3개월 이상의 소아에서 비렘수면으로 시작하며 비렘-렘수면주기가 하루 밤에 90-120분 간격으로 4-5회 반복된다. 비렘수면은 3단계로 나눠지며 단계가 진행함에 따라 수면이 깊어지고 깨우려면 더 큰 자극이 필요하다. 학령기 이후 각성기의 뇌파는 눈을 감은 상태에서 8-12 Hz의 알파(α)파가 후두부에서 관찰되며 안구운동과 눈 깜빡거림 등에 의한 잡파가 섞일 수 있다. 수면이 진행하면 뇌파는 4-7 Hz의 세타(θ)파를 보이며 차츰 전위가 낮아지고 느린 안구운동(slow eye movements, SEM)을 동반하며 두정부 예파(vertex sharp transient)가 나타나는데 이를 제 1단계(N1) 수면이라고 한다. 제 2단계(N2) 수면에서는 특징적으로 K복합체(K-complex)와 함께 12-14 Hz의 수면방추파(sleep spindles)가 두정엽 부위에 나타난다. 제 3단계(N3) 수면에서는 고진폭(>75 μV)의 0.5-2 Hz 델타(δ)파가 20% 이상 관찰되면 이를 깊은 수면(deep sleep), 혹은 서파 수면(slow wave sleep)이라고 부른다. 서파 수면은 주

표 8-1. 연령에 따른 정상 수면구조

	영아기	청소년기	노년기
입면시작 후 깬 시간	<5%	<5%	10 – 25%
수면효율	>90%	>90%	75 – 85%
제1기(N1)	정수면(quiet sleep)	2 – 5%	5 – 10%
제2기(N2)	정수면	45 – 55%	55 – 6%
제3기(N3)	정수면	10 – 20%	2 – 10%
렘수면(R)	50%	20 – 25%	15 – 20%
렘/비렘 비율	50:50	20:80	20:80
수면 사이클 시간	45 – 60분	90 – 110분	90 – 110분
총 수면시간	14 – 16시간	7–8시간	7시간

Avidan AY. Review of sleep medicine 4th edition. Elsevier, 2018

로 수면주기의 첫 1/3에서 가장 많이 나타나고, 수면 후반부로 가면서 점차 사라진다. 첫 렘수면은 잠들고 약 80-100분 후에 나타나는데 뇌파 소견상 저진폭의 8-13 Hz의 알파파와 함께 간헐적인 2-6 Hz의 톱니파(sawtooth waves)가 중앙 중심엽(mid-central) 부위에서 관찰되며 주기적인 눈의 빠른 움직임과 근긴장도 소실을 보이는 것이 특징이다. 이 시기에 주로 꿈이 나타나며(80%) 마치 각성 시의 뇌파와 비슷하기 때문에 이러한 렘수면을 활성수면(active sleep)이라고도 한다. 렘수면은 다시 비동기성(desynchronized) 뇌파와 근무력이 지속적으로 나타나는 긴장성(tonic) 렘수면과 간간히 빠른 눈운동과 함께 불규칙적인 호흡 및 심박동수를 보이는 위상성(phasic) 렘수면으로 나눌 수 있다. 렘수면은 수면의 후반부 1/3에서 가장 잘 나타난다.

3) 연령에 따른 수면발달

수면의 지속성과 단계별 분포에 가장 큰 영향을 주는 것은 나이이다. 신생아에서의 수면은 어린이나 성인과는 달리 특징적으로 렘수면으로 시작하여 비렘수면으로 들어가며 약 50분 정도의 짧은 수면주기를 가진다. 수면 단계는 첫 생후 1년 동안 뇌의 성숙과 함께 차츰 구분된다. 출생 시에는 렘수면이 전체 수면의 약 50%를 차지하지만 만 3세가 되면 약 20-25% 수준으로 감소하며 이후 렘수면 양은 학동기를 거쳐 노년기에 이르기까지 비슷하다. 청소년기 이후 수면의 단계별 분포는 제1단계 수면이 3-5%, 제2단계 50-60%, 제3-4단계 10-20% 그리고 렘수면은 20-25%

정도를 유지한다. 서파 수면은 청소년기에 이르러 그 이전의 약 40% 정도로 감소한다(표 8-1). 출생 후 첫 몇 주간 동안의 신생아들은 낮과 밤의 구분 없이 여러 차례로 10-18시간 동안 잠을 자는데 미숙아는 자는 시간이 더 길다. 생후 3개월에 들어서면 수면 형태가 비로소 밤낮 주기를 가지게 된다. 아기들은 밤 동안에 대략 10-12시간 정도 자게되고 낮잠을 2-3회에 걸쳐 3-4시간 동안 잔다. 생후 6개월이 되면 90%의 아기들이 낮잠을 두 번만 자게 되며 차츰 밤에 자는 시간이 늘어난다. 생후 18개월이 되면 대부분 낮잠을 한 번만 자게 되고 밤에 10-12시간을 지속적으로 잔다. 학동기전(3-5세) 아이들은 대부분 낮잠을 자지 않기 때문에 전체 수면시간이 감소하게 된다. 5세가 되면 75%의 아이들이 낮잠을 자지 않고 밤에 11-12시간의 수면을 취한다. 학동기(6-12세) 시기의 아이들은 최소한 하루 9.25-

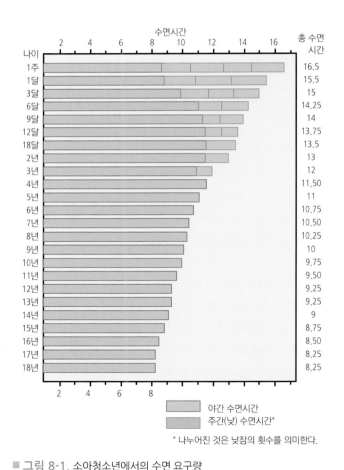

■ 그림 8-1. 소아청소년에서의 수면 요구량

(From Ferber R: Solve your child's sleep problems, New York, 1985, Simon & Schuster. In: Nelson Textbook of Pediatrics 19th ed. Philadelphia: Elsevier Saunders Co. 2011)

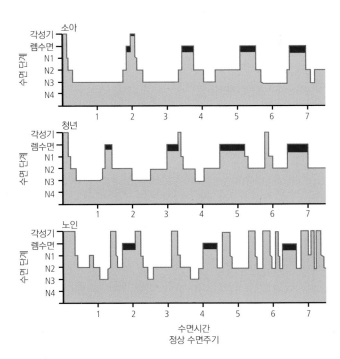

■ 그림 8-2. 연령에 따른 수면구조 (sleep architecture)의 변화 (hypnogram)
Mindell JA, Owens JA. A clinical guide to pediatric sleep: diagnosis
and management of sleep problems 3rd edition. Philadelphia: Wolters
Kluwer/LWW, 2015.

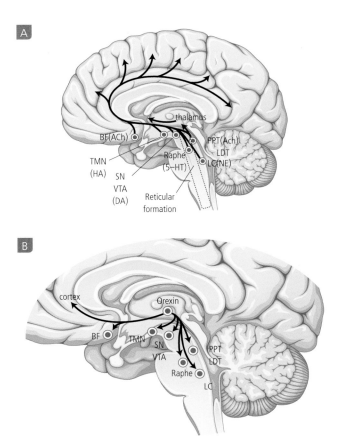

■ 그림 8-3. 각성담당 뇌 영역.
(A) 뇌간 및 시상하부 후방의 상행성 각성계(Ascending arousal system)
는 앞뇌 전체에 걸쳐 신경분지를 낸다. (B) 시상후부 측후부의 Orexin 분비
신경원들은 상행성 각성계 뿐만 아니라 대뇌 겉질에 신경분포 한다.
(España RA, Scammell TE. Sleep neurobiology for the clinician. Sleep
2004;27(4):811-20)

11시간동안 수면을 필요로 하고 청소년(12-18세)들도 하루 최소한 8.25-9.25시간 정도의 수면을 필요로 한다(그림 8-1). 일주기 리듬(circadian rhythm)도 나이가 들면서 성숙한다. 자궁 내에서 태아는 모체에서 분비되는 멜라토닌의 영향으로 엄마의 일주기 리듬에 맞추다가 태어난 후에는 엄마와 분리되어 출생 후 6개월 정도에 걸쳐 점차 자신의 일주기 리듬을 형성하게 된다. 한편 취학 전에는 가족과 동조를 보이던 일주기 리듬이 청소년기가 되면서 점차 취침과 기상시간이 늦어지는 수면위상 지연(delayed sleep phase) 현상을 보이게 된다. 또한 주중의 부족한 수면시간으로 인해 주말에 수면을 몰아서 취하는 경향을 보이게 된다. 노년기에 접어들면 일찍 자고 일찍 깨는 경향을 보이는 한편 취침 중에 자주 깨어 수면효율이 떨어지게 된다(그림 8-2).

4) 수면의 해부학

수면과 각성에 가장 필수적인 부위는 시상하부(hypothalamus), 전뇌 기저부(basal forebrain), 뇌간(brain stem)이

다. 이 구조물들에는 수면과 각성에 관여하는 다양한 신경세포 집단이 존재하고 각 신경세포 집단에서 그 신경세포에 따른 특이한 신경전달물질이 분비되어 수면과 각성을 유발하거나 억제하는 기능을 한다.

전뇌 기저부는 아세틸콜린을 분비하여 해마(hippocampus), 편도체(amygdala), 대뇌겉질(cerebral cortex)을 활성화한다. 시상하부는 전엽의 ventrolateral preoptic area (VLPO)에서 GABA와 galanin을, 후엽의 결절유두핵(tuberomamillary nucleus, TMN)에서 히스타민을, 측후엽에서는 orexin (hypocretin)을 분비한다. 뇌간의 여러 핵들에서도 다양한 신경전달물질을 분비하는데 망상체(reticular formation)에서 글루타메이트, substantia nigra/ventral

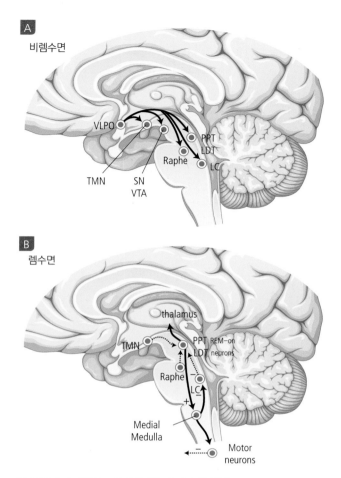

■ 그림 8-4. 비렘(NREM) 및 렘(REM) 수면 경로
비렘수면 동안 시상하부 전엽의 Ventrolateral preoptic area (VLPO)에서 GABA와 galanin 분비는 모든 각성계를 억제한다. Pedunculopontine/ laterodorsal tegmental areas (PPT/LDT)부터의 아세틸콜린은 렘수면을 야기시키며 이는 다시 청색반점, 솔기핵, 결절유두핵(tuberomammillary neuclus) 등으로부터의 도파민 신경원들에 의해 억제된다.
España RA, Scammell TE. Sleep neurobiology for the clinician. Sleep 2004;27(4):811-20.

tegmental area (SN/VTA)에서 도파민, pedunculopontine nucleus and lateral dorsal tegmentum (PPT-LDT)에서 아세틸콜린, 청색반점(locus ceruleus)에서 노르에피네프린, 솔기핵(raphe nucleus)에서 세로토닌을 분비한다. 각성 시에는 GABA와 galanin을 분비하는 시상하부 전엽을 제외한 모든 부위가 활성화된다(그림 8-3).

시상하부 후엽에 있는 TMN에서 분비되는 히스타민은 전체 뇌와 연결되어 각성을 촉진하므로 diphenylhydr-amine과 같은 H1형 항히스타민제는 수면을 유발하게 된다. 시상하부의 측후엽에서 분비되는 orexin도 광범위하게

각성에 관련하는 신경핵에 작용하여 각성을 유지하는데 기여하므로 orexin이 결핍되면 각성 중 갑자기 깊은 잠에 빠지는 기면증(narcolepsy)이 발생하게 된다(그림 8-4). 망상계(reticular formation)는 그물처럼 느슨하게 뇌간에 걸쳐 있으면서 글루타메이트를 통해 시상-대뇌겉질계를 활성화하여 각성을 유지하는데 특히 망상체의 윗부분이 각성에 중요한 역할을 하므로 뇌교(pons) 상부와 중뇌 부위에 손상을 받으면 혼수상태에 빠지게 된다. 도파민을 분비하는 SN/VTA 부위도 각성에 관여하므로 도파민 분비가 부족한 파킨슨병에서는 흔히 졸리는 증상이 나타난다. 스트레스 상황일 때는 특히 청색반점에서 노르에피네프린을 활발하게 분비하여 각성을 촉진하게 된다.

각성상태에서 수면으로의 이행에는 시상하부 전엽이 가장 중요한 역할을 한다. 시상하부 전엽에서 GABA와 galanin이 분비되면 다른 모든 각성관련 부위를 억제하여 수면에 들어가게 되는데 렘수면보다 특히 비렘수면에서 가장 많은 양이 분비된다. 렘수면 시작 신경원(REM-on neuron)이라고도 부르는 PPT-LDT와 전뇌 기저부는 각성뿐 아니라 렘수면기에도 활성화되면서 아세틸콜린을 분비하여 렘수면을 시작시킨다(그림 8-4).

이에 반해 렘수면 종료 신경원(REM-off neuron)으로 작용하는 솔기핵과 청색반점은 각각 세로토닌과 노르에피네프린을 분비하여 PPT-LDT을 억제함으로써 비렘수면을 시작시킨다. 이러한 렘수면과 비렘수면은 상호억제를 통해 반복되면서 수면주기가 아침까지 순환하게 된다. 렘수면기에는 PPT-LDT의 활성으로 인해 뇌의 다양한 부위가 반응하여 신체변화를 일으킨다. 뇌간에서 안구운동을 지배하는 3, 4, 6번 뇌신경에 작용하여 안구운동이 일어나고, 상행성 망상활성계(ascending reticular activating system)를 통해 시상-대뇌겉질계가 활성화되어 뇌파에서 대뇌의 비동기화와 함께 꿈이 나타나게 된다. 동시에 자율신경계에 작용을 하여 불규칙적인 호흡과 맥박, 체온조절 능력의 감소현상이 나타나며 척수의 전각세포에 직접적인 억제효과로 근육의 무긴장이 나타난다.

5) 일주기 리듬(circadian rhythm)

자려고 하는 힘은 이전의 각성시간 양에 따른 항상성 과정(sleep homeostatic process: process S)과, 내재적인 일주기

리듬(circadian process: process C)에 의해 조절된다. 항상성이란 이전에 깨어 있는 시간이 증가할수록 수면에 대한 필요성이 증가되는 것(수면 압력)을 말한다. 정상적인 수면양이 감소한 경우 수면 압력이 높아지게 되어 낮 시간 동안에 졸음이 오게 되고 밤에 깊은 잠을 자게 된다. 정상적인 수면이 이루어진 경우, 수면 압력은 깨어 있는 동안 차츰 증진되어 취침시간에 이르러 최고치에 도달하며 아침에 깰 때에 최저치를 보인다. 한편 일주기 리듬을 만들어 내는 생체 시계는 시상하부의 전방부에 양측으로 놓인 한쌍의 상시각교차핵(suprachiasmatic nuclei, SCN)에 존재한다. SCN의 진동주기는 24시간을 약간 넘기 때문에(24.3시간) 일주기 리듬은 동조(entrainment) 과정을 통해 외부 환경신호(zeitgeber)에 맞추게 된다. 가장 강력한 동조 자극은 빛이

며 이 외에도 식사시간, 운동, 사회활동, 그리고 온도의 변화 등도 동조 과정에 영향을 준다. 야간에 빛에 노출 되면 일주기 시계는 뒤로 물러가지만 이른 아침에 노출되면 앞으로 당겨진다.

빛이 망막에 도달하면 글루타메이트가 활성화되어 NMDA (N-methly-D-aspartate) 수용체를 자극하고 이 신호가 망막시상하부로(retinohypothalamic tract)를 따라 SCN에 도달하여 SCN 세포 동조가 일어나며 이러한 일주기 신호는 시상하부로 들어가서 나머지 신체부위로 전달된다. 일주기 리듬에 대한 신체기관의 각 반응(수면-각성 주기, 중심체온, 코티솔, 갑상샘자극호르몬, 멜라토닌의 분비)은 SCN이 제어하고 시상하부에 의해 조절된다(그림 8-5). 멜라토닌은 송과체에서 빛이 차단되는 야간에 분비

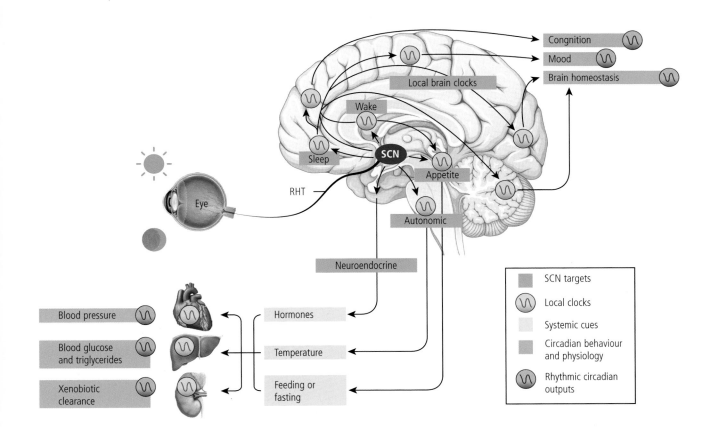

■ 그림 8-5. SCN (suprachiasmatic nucleus)에 의한 일주기 조절 SCN은 밤낮 주기의 동조화를 확실하게 하기 위해 망막시상하부로를 통해 직접적으로 망막 신경과 연결된다. SCN 시계는 수면-각성, 자율신경, 신경내분비 일주기 리듬 등의 국소 일주기 시계들을 포함하는 다양한 뇌 영역으로 투사된다. 이러한 체계적 신호들은 말초조직들에 있는 국소 분자시계들을 동기화시키며 이러한 국소 시계들은 결국 건강(예, 정신 각성, 혈압, triglyceride 대사와 신장기능과 관련된 리듬 등)에 중요한 생리주기들을 조절하는 일주기 유전자 발현과 연관된 국소 프로그램을 조절한다.
(Generation of circadian rhythms in the suprachiasmatic nucleus. Nat Rev Neurosci 19, 453-469.)

되며 정상적인 취침시간에 이르러 높은 혈중 농도를 보이고 깨어 있는 동안에는 낮은 수준을 유지한다. 멜라토닌 분비의 일주기 리듬은 수면을 취하고자 하는 내부 리듬과 밀접한 연관성을 가진다. 생물학적인 낮에는 체온이 증가하면서 졸림 현상이 사라져 각성을 하게 되고 생물학적인 밤에는 체온이 감소하면서 졸림이 증가하여 수면에 들게 된다.

일주기 전체가 당겨지거나 늦추어져 일상생활 또는 학교생활 등에 문제가 발생하는 것을 일주기 수면장애(circadian sleep disorder)라고 한다. 일주기 수면장애는 일찍 자고 일찍 일어나는 종달새형(morningness)으로 나타나는 수면위상 전진증후군(advanced sleep phase syndrome)과 늦게 자고 늦게 일어나는 올빼미형(eveningness)으로 나타나는 수면위상 지연증후군(delayed sleep phase syndrome)이 있다. SCN은 멜라토닌 수용체를 가지고 있기 때문에 외부에서 멜라토닌을 투여한 경우, 되먹임 기전을 통해 일주기 시계가 재조정될 수 있다. 수면 주기의 위상은 빛 자극을 통해 늦추거나 당길 수가 있는데 이때 기준이 되는 시점이 바로 체온의 최저점(nadir)이며 이를 특이점(point of singularity)이라고 한다. 즉, 특이점 이전 시간대에 빛 자극을 주면 중심체온, 코티졸 분비, 렘수면이 모두 감소되면서 수면위상이 지연되는 효과가 나타나고, 특이점 이후 시간대에 빛 자극을 주면 중심체온, 코티졸 분비, 렘수면이 모두 증가되면서 수면위상이 전진되는 효과가 나타나게 된다. 그러므로 수면각성 주기의 일주기 리듬에 작용하는 멜라토닌과 빛 자극의 반응을 이용하면 일주기 수면장애가 있는 환자에서 원하는 새로운 일주기를 재설정하는 치료로 이용할 수 있다.

02

수면평가

Evaluation of Pediatric Sleep Disorders

| 은소희 |

1) 병력청취

수면장애의 진단에 가장 중요한 단계는 문진(history taking)이다. 수면에 대한 질문은 아침 기상에서부터 오전, 오후, 저녁에 잠자리에 들 때, 그리고 밤 동안의 사건 또는 활동을 순서대로 또는 역순서로 문진하여 확인하는 것이 좋으며, 질문지를 이용하여 체계적으로 시행하는 것이 효율적이다. 'BEARS'를 이용한 체계적인 질문을 통해 진료실에서 수면 관련 병력청취를 용이하게 할 수 있다.

> Bedtime problems: 아이가 잠자리에 들거나 또는 잠이 드는데 어떤 문제가 있습니까?
> Excessive daytime sleepiness: 아이가 낮 동안 심하게 졸려하거나 아침에 일어나기 어렵습니까?
> Awakening during the night: 아이가 밤에 깨거나 밤 동안 비정상적인 행동을 보입니까?
> Regularity and duration of sleep: 규칙적으로 자는지, 수면시간은 어떤지요?
> Sleep-disordered breathing: 밤에 코골이나 다른 수면장애가 있습니까?

이러한 선별 질문을 통해 수면문제를 찾으면 확인된 문제와 관련된 상황이나 낮 동안의 증상, 관련된 수면문제, 의학적 또는 심리적인 문제들을 파악해야 한다. 수면질환이 의심되는 소아의 초기 평가는 수면병력, 과거 질병력, 발달력/학교생활 파악, 수면장애 가족력, 사회적 병력, 행동평가, 그리고 신체진찰을 통해 이루어진다. 또한 알레르기 질환의 유무, 약물사용 여부, 카페인 음료 복용에 대한

확인과 등/하교시간, 과외/학원공부가 끝나고 집에 오는 시간, 그리고 인터넷, 컴퓨터 게임, 스마트폰 등을 이용한 문자메시지 서비스의 이용시간 역시 파악해야 한다.

(1) 낮 동안의 병력

아침 기상 시에 어떤가는 적절한 수면을 취했는지를 시사하는 중요한 질문이다. 즉, 아침에 일어날 때 힘들고 상쾌하지 못하다면 이는 수면부족 또는 수면에 문제가 있다는 것을 암시한다. 주간 졸림증은 모든 수면질환의 공통적인 증상으로서 낮 시간 동안 얼마나 졸리는가에 대해 반드시 파악해야 한다. 밤에 잠을 잘 자지 못한 소아는 낮 동안 과잉행동과 주의력 결핍 같은 증상으로 나타날 수 있다. 5세 이후에도 주기적인 낮잠이 항상 필요하거나 낮에 과도하게 졸려하는 경우 수면부족 또는 기저의 수면질환을 의심할 수 있다.

(2) 밤 동안의 병력

주말과 주중의 잠자리에 드는 시간과 실제로 잠을 자기 시작하는 시간, 수면이 끝나는 시간을 확인해야 한다. 하지불안 증후군이 있는 아이는 잠들기 전 주로 다리의 이상 감각을 호소하며 증상 호전을 위해 다리를 움직이거나 주무르라는 요청을 한다. 코골이, 구강호흡, 입 마름 등은 기저의 수면무호흡증을 시사한다. 수면무호흡증이 있는 환자들은 가만히 누워서 잠을 자지 못하며 잦은 자세변동을

보이고 수면 중 땀을 많이 흘린다. 간혹 위식도 역류, 야뇨증 등을 동반하기도 한다. 야경증과 몽유병은 수면 초반부 2-3시간 이내 일어나며, 다음 날 자신의 행동을 기억하지 못한다.

2) 진찰

일반적인 신체진찰과 함께 호흡기, 심혈관계, 코, 목구멍, 두개골과 얼굴의 형태, 신경학적 진찰이 이루어져야 한다. 또한 키, 몸무게, 체질량 지수, 머리둘레, 혈압 측정이 필요하다. 체중저하 또는 비만, 작은 턱, 부정교합, 큰 혀, 높은 구개 천정, 얼굴 중앙부 저형성, 비중격 만곡, 하비갑개 부종, 편도비대, 구강호흡, 아데노이드 비대 등의 두개골 및 얼굴의 형태는 폐쇄성 수면무호흡증과 관련이 있다. 수면무호흡 증후군이 있는 영아는 특징적으로 몸무게가 잘 늘지 않으나, 나이가 든 아이들에서는 비만한 경향이 있다. Chiari 기형과 같은 뇌간 장애와 신경근질환(긴장성 근이영양증, 선천성 근이영양증, 선천성 비진행성 근병증, 척

수성 근위축증, 중증 근무력증) 등의 질환들은 만성적인 폐쇄성 저환기 상태를 유발시킬 수 있다.

3) 수면-각성 평가척도

(1) 수면일기

최소 2-3주 동안 연속하여 잠자리에 드는 시각(주중 및 주말), 잠이 든 시각, 자다가 깨는 횟수 및 시간, 아침에 일어나는 시각(주중 및 주말), 낮잠 자는 횟수 및 시간, 낮 동안의 각성의 정도, 운동시간, 카페인 음료, 복용하는 약물 등을 기록한다.

(2) 주간 졸림 척도

낮 시간 동안의 졸림에 대한 평가 척도는 Epworth 졸림 척도, Stanford 졸림 척도, 소아청소년 주간 졸림 척도(Pediatric Daytime Sleepiness Scale) 등이 있다(표 8-2).

표 8-2. 흔히 사용되는 졸림 평가 척도

종류	Stanford sleepiness scale (SSS)	Epworth sleepiness scale for children and adolescents (ESS-CHAD)	Pediatric daytime sleepiness scale (PDSS)
설명	특정 시간에서의 졸림의 정도를 숫자로 표시	8개 문항의 환경에서 얼마나 졸거나 잠이 들 가능성이 있는지 표시, 각각 문항 당 0-3점(0점 전혀 없다. 1점 조금 있다. 2점 중간 정도. 3점 상당히 높다)	8개의 문항에 대해 전혀 아니다(0), 거의 그렇지 않다(1), 가끔(2), 자주(3), 항상(4)으로 점수를 준다. 3번 문항 점수는 반대로 준다.
문항	1. 활기차며 완전히 깨어 있음 2. 어려운 일을 할 수 있으나 최상은 아님, 집중할 수 있음 3. 휴식상태로 깨어 있으나 완전히 맑지 않음 4. 약간 졸림 5. 졸리고, 깨어있기가 어려움 6. 눕고 싶고, 깨어 있기 힘듦 7. 깰 수 없음	1. 앉아서 책 등을 읽을 때 2. 앉아서 TV나 비디오를 볼 때 3. 아침에 수업 중의 교실에 앉아 있을 때 4. 약 30분 동안 승용차나 버스에 앉아서 갈 때 5. 오후에 쉬거나 졸기 위해 누워 있을 때 6. 앉아서 상대방과 이야기할 때 7. 점심식사 후 조용히 혼자 앉아 있을 때 8. 앉아서 식사 할 때	1. 수업시간 중에 얼마나 자주 졸거나 혹 잠이 들게 됩니까? 2. 숙제하는 동안 얼마나 자주 졸리거나 멍한 상태가 됩니까? 3. 대부분의 낮 시간 동안 맑은 정신으로 있습니까? 4. 낮 시간 동안 얼마나 자주 피곤하여 신경이 예민해지는 것을 느낍니까? 5. 얼마나 자주 아침에 잠자리에서 일어나기 힘듭니까? 6. 아침에 잠자리에서 깬 뒤 얼마나 자주 다시 잠이 듭니까? 7. 아침에 일어나기 위해 얼마나 자주 다른 사람(어머니 등)의 도움이 필요합니까? 8. 잠이 더 필요하다고 얼마나 자주 생각합니까?
해석		평가 0-10 : 정상 11-16 : 심한 졸림(Excessive daytime sleepiness) 17-24 : 극심한 졸림(High level of sleepiness) 의미있는 수면장애 고려	최고점수 32점 50th, 75th, 90th Percentile : 16, 20 and 23점 우리나라 학생 PDSS 평균점수* 초등학교 5-6학년: 11.89±5.56 중학생: 16.57±5.57 고등학생: 17.71±5.24

4) 검사

(1) 활동기록기(actigraphy)

활동기록기는 손목에 시계처럼 착용하는 기구로서 장기간(1-3주간) 수면시간이나 활동시간을 확인하는 기구이다. 수면 중에는 움직임이 없고, 깨어있을 때 움직임이 많은 것을 이용하여 수면 및 각성시간을 측정하며 수면다원검사와 비교적 높은 상관관계를 가진다. 이는 불면증, 수면 일주기 장애, 주간 졸림증과 하지불안 증후군에서 유용한 평가도구이다.

(2) 산소포화도 측정

야간 산소포화도 측정은 수면무호흡 증후군의 선별검사로 이용할 수 있다. 수면무호흡/저호흡으로 인한 산소포화도의 주기적인 오르내림을 확인할 수 있다. 1-10세 사이의 야간 평균 산소포화도는 96.8%이며, 나이가 들수록 약간씩 감소하여, 정상 성인의 평균은 96.5%이다. 성별과 인종에 영향이 없으며, 정상 어린이의 가장 낮은 산소포화도는 92%인다. 수면무호흡 증후군이 있는 환자의 25%에서 산소포화도의 이상이 있으며, 산소포화도가 낮게 나올 경우 수면무호흡 증후군이 있을 확률은 97%이다. 하지만, 산소포화도가 정상이라고 하더라도 경도 또는 중등도의 수면무호흡장애를 배제할 수 없다.

(3) 야간 수면다원검사(Nocturnal polysomnography)

수면장애의 진단에 가장 도움이 되는 검사로서 수면 중 뇌파, 안구운동, 턱과 다리의 근전도, 심전도, 산소포화도, 코의 압력과 공기의 흐름, 가슴과 배의 호흡운동을 동시에 기록한다. 수면다원검사를 통해 기면증이나 과다수면증, 수면무호흡증, 저호흡 증후군, 중추성 수면무호흡 등을 진단한다. 또한 수면 중 증상이 나타나는 경련이나, 렘/비렘 수면사건에 대한 감별진단에 유용하게 사용된다.

표 8-3. 성 성숙도에 따른 평균 입면잠복기 시간

성 성숙도 (Tanner Stage)	평균 입면시간 (분)	표준편차 (분)
1단계	18.8	1.8
2단계	18.3	2.1
3단계	16.5	2.8
4단계	15.5	3.3
5단계	16.2	1.5
청년	15.8	3.5
성인	13.3	4.3

(4) 입면 잠복기 반복검사(Multiple sleep latency test, MSLT)

얼마나 빨리 잠드는지 시간을 측정하는 방법으로서 평균 수면잠복기(sleep latency) 측정을 통해 낮 시간에 졸린 정도를 객관적으로 평가한다. 기면증(narcolepsy)과 특발성 수면과다증(idiophatic hypersomnia)의 진단과 치료경과 판정, 수면무호흡증이나 기타 불면증의 주간 졸림을 평가에 사용된다. MSLT를 시행하기 전 수면에 영향을 줄 수 있는 benzodiazepine, 항우울제, 카페인 등은 최소 2주 전부터 끊어야 한다. 평균 입면 잠복기 시간은 성 성숙도(tanner stage)와 밀접한 관련이 있으므로 검사 전 성 성숙도를 파악하는 것이 중요하다(표 8-3).

MSLT는 아침에 일어난 후 최소 1.5-3시간 이후에 시행하며, 그 전날 밤 충분한 양의 수면을 취해야 한다. 성인에서는 전날 최소 6시간 수면을 취해야만 올바른 결과를 기대할 수 있다. 이 검사는 2시간 간격으로 20분간 다섯 차례의 낮잠을 자도록 하며(예를 들면, 9시, 11시, 1시, 3시, 5시) 잠든 후 15분간 검사를 지속한다. 입면 후 15분 이내에 렘수면이 2회 이상 나온 경우(sleep onset REM)에는 4차례만 시행해도 기면증 진단이 가능하다.

03

소아청소년기의 수면장애

Sleep Disorders in Childhood and Adolescence

| 김승수, 김은희, 유희준, 이선경, 정고운, 채규영 |

1. 영유아기의 야간 각성(Nightwakings in Young Children)과 불면증(insomnia)

1) 수면 개시 연관형(sleep onset association type)

야간 수면 중의 빈번한 각성은 영유아에서 흔히 발생하는 수면문제이다. 야간 각성은 수면주기에 따라 한 주기가 끝난 후 60-90분 간격으로 하루 밤에 4-6회 정도 정상적으로 발생한다. 정상 발달 중인 생후 4-5개월 된 아기는 깨었다는 신호를 보내지 않고도 밤새도록 잘 수 있게 되고 6개월에 이르러서는 야간 수유가 필요하지 않게 된다. 그러나 평소에 아기가 깨어 울거나 신호를 보낼 때마다 먹이거나 안고 두들겨 재운다거나 흔들어 주게 되면 이러한 부모의 행동중재가 아기의 수면개시에 필요한 것으로 학습되며, 깨었다가 다시 자기 위해서는 지속적으로 동일한 중재를 필요로 하게 된다. 취침 시에 부모가 함께 있어주는 행동 자체가 아기의 수면습관을 형성하는데 가장 방해요인이 되며, 총 수면시간을 감소시키는 것으로 알려져 있다.

[역학]

북미에서의 발생 빈도는 생후 6-12개월 된 영아에서 25-50%, 1세에서는 30%, 1-3세에서는 15-20% 정도이며, 학동기 아동에서도 약 15-20% 정도에서 지속되는 것으로 알려져 있다. 이는 이와 같은 형태의 행동학적 불면증이 영유아기를 넘어 지속되는 문제임을 시사해 준다. 야간 각성을 증가시키는 원인과 위험인자들로는 부모와 함께 자는 경우, 모유수유, 수면을 방해하는 아기의 신체상태(중이염 등의 질병, 예방접종, 수면환경의 변화, 영아산통 등)이 있다. 부모의 불안도가 높거나 어머니가 우울증이 있는 경우, 어머니와 아기의 애착관계가 느슨한 경우에도 영유아의 야간 각성이 증가한다.

[임상양상]

수면 개시 연관형 불면증이 발생한 아이들은 밤에 자다가 각성이 발생한 경우 학습된 중재활동(먹이기, 안고 두들겨 주기, 흔들기 등)이 없으면 스스로 잠들지 못하며 울게 되어 다시 잠들기까지 오랜 시간이 걸리게 된다. 낮잠을 잘 때에도 부모의 중재가 있어야 잠이 들 수 있어 수면부족이 발생하며 이로 인해 늘 보채고 우는 등의 피곤한 상태가 지속된다. 부모들 또한 수면부족으로 인한 어려움을 겪게 되어 정서적 불안과 우울을 보일 수 있으며, 가정 내 긴장도가 증가할 수 있다.

[진단] 표 8-4.

[치료]

수면 개시 연관형 야간 각성은 잘못 습득한 수면습관에 의한 것이므로 행동학적 교정을 통해 치료가 가능하다. 아기가 스스로 잠 들 수 있도록 수면습관을 들이기 위해서는

표 8-4. 소아에서의 행동학적 불면증 진단기준*

A. 소아의 증상이 부모 또는 다른 양육자들의 보고에 기초한 불면증에 합당하여야 한다.
B. 해당 아동은 아래에 기술된 내용과 같은 수면 개시 연관형 또는 취침시간 통제 결여에 의한 불면증에 합당한 증상을 가진다.
  1. 수면 개시 연관형은 다음과 같은 사항을 포함한다.
    a. 잠들기까지 특별한 조건들을 필요로 하여 긴 시간이 걸린다.
    b. 수면 개시 연관 내용들은 문제가 많은 것들 또는 지나치게 요구되는 것들이다.
    c. 조건이 충족되지 않으면 수면 개시 시간이 의미 있게 늦어지거나 수면이 방해된다.
    d. 야간 각성 시 다시 잠들기 위해서 부모의 중재를 필요로 한다.
  2. 취침시간 통제 결여형은 다음과 같은 사항을 포함한다.
    a. 수면을 개시하거나 유지하는 데 어려움이 있다.
    b. 적절한 시간에 잠자러 가기를 거부하거나 떼를 쓰고, 야간 각성 시에 다시 잠자리로 가기를 거부한다.
    c. 보호자가 아동에게 적절한 수면행동을 위해 취침시간을 통제하는 습관을 충분히 또는 적절하게 들이지 못한 것이 증명된다.
C. 이러한 수면문제는 다른 수면질환, 의학적 또는 신경학적, 정신적 또는 약물 사용에 의한 것으로 설명되지 않는다.

*American Academy of Sleep Medicine. International classification of sleep disorders, 2nd edition: Diagnostic and coding manual. American Academy of Sleep Medicine, 2005.

아기를 재운 다음 자리에 누이는 것이 아니라 졸려 할 때, 그러나 아직은 깨어 있을 때 제 자리에 눕혀 평소에 스스로 잠들도록 습관을 들이는 것이 매우 중요하다. 또한 밤에 깨어 울 때 특별한 이유가 없다면 즉각적으로 아이에게 반응하지 않아야 한다. 야간 각성의 치료에는 반드시 수면 스케줄 만들기와 규칙적인 잠재우기 활동(잠들기 전 20-40분 동안 같은 순서로 씻고 잠옷 갈아입고 책 읽기 등)을 포함해야 한다. 좋아하는 곰돌이 인형 등을 수면 도우미로 아이 잠자리에 넣어 주는 것도 도움이 된다. 세 살 반까지는 낮잠을 자도록 해야 야간 각성이 덜 발생한다. 6개월 이상 된 아이들에서는 야간수유를 중지하여야 한다. 기다렸다가 보기 방법(wait and see approach)은 밤중에 아기의 움직임이나 소리에 즉각적으로 부모가 반응하는 것을 피하는 방법으로서 이는 아기로 하여금 부모의 중재 없이 독자적으로 다시 잠이 들 수 있게 하며 야간 각성이 강화되는 것을 막는다. 수면훈련이 잠재적으로 아기에게 정신적인 해가 될 가능성이 있다는 증거는 아직까지 없다. 오히려 수면훈련 후 아기들은 더 안정되고 덜 울고 덜 보챈다. 또한 모유

수유에도 부정적인 영향이 없이 수면시간이 늘어나고 수면의 질이 향상된다. 행동치료의 성공은 보통 부모가 얼마나 일관되게 지속하는지에 달려있다. 부모들은 첫 며칠 밤 동안에는 아이들이 폭발해서 더 길고 심하게 울기 때문에 더 힘들 것임에 대해 인지하고 있어야 하며 이러한 문제들에 대해 예상하고 행동치료를 지속하는 것에 대해 격려 받아야 한다. 대개 아기의 증상은 3-7일 밤사이에 의미 있게 개선된다. 아이를 데리고 자는 문제에 대해서는 문화와 관습에 따라 여러 가지 의견이 있지만 미국 소아과학회에서는 생후 첫 일 년간에는 영아 돌연사의 예방을 위해 부모와 아기가 같은 침대를 사용하지 말 것과 야간 울음 방지를 위해 반응적으로 아기를 데리고 자지 말 것을 권고한다.

[예후]

부적절한 수면 연관들(inappropriate sleep associations)은 보통 3-4세경에 사라지기 시작하지만 야간 각성은 중재 치료가 없으면 지속되는 경향을 가진다. 아이가 잠들 때 부모가 옆에 있어 주기를 요구한다면 이와 같은 수면 이상 소견은 아동기 중반까지도 지속될 수 있다.

수면훈련 단계
1 단계 취침시간과 규칙적인 수면 스케줄을 정한다.
2 단계 아이가 잠드는 방에서 소등 시간 전에 일정한 수면준비 활동(수면의례)을 만든다. 6개월 이상의 아이에게는 잠드는 방편으로 먹이지 않는다.
3 단계 밤새 항상 일정한 수면 환경을 유지한다(빛, 음악 등).
4 단계 아이가 졸려할 때, 그렇지만 아직 깨어있는 상태에서 자리에 눕힌다.
5 단계 기존의 수면 스케줄을 아이의 기질, 아이의 울음에 견디는 부모의 내성에 따라 새롭게 조절한다. 목표는 아이가 독립적으로 잠을 드는 것이다.
6 단계 수면 후 야간 각성 시에는 원래대로 아이를 흔들어 주거나 달래 줄 수 있다. 취침 시에 아이가 익히는 자기 달래기(self-soothing skills) 기술은 2주 이내에 효과적인 자기 달래기를 달성하게 한다.

2) 취침시간 통제 결여형(limited setting type) 불면증

자야하는 시간에 잠자러 가기를 거부하거나 취침저항 형태로 발생하는 소아에서의 불면증은 부모들이 아이들의 취침행동을 일관성 있게 통제하지 못해 발생한다. 이러한 수면문제는 아기가 침대 밖으로 돌아다니기 시작하는 시

기인 2세 이후에 발생하며 TV를 더 보겠다든지, 이야기책을 더 읽어 달라고 조르는 등 취침시간을 늦추려 시도하는 행동이나, 또는 한 번 더 안아 달라거나 불을 끈 후 물을 달라고 하는 등의 계속 부모를 찾는 행동들로 나타난다. 부모의 반응을 이끌어 내는 아이의 이와 같은 요구들은 자신들이 배워 온 경험에 기반을 둔 것이다.

[임상양상]

취침 거부는 잠자러 가는 것을 거부하거나 잠자리 또는 침실에 있기를 거부하는 형태로 나타나는데 종종 부모를 따라 거실로 나오거나 다른 방으로 가기도 한다. 이 형태의 행동학적 불면증은 부모 또는 보호자에 의해 취침시간 통제가 부적절하게 시행되어 발생하는 것으로서, 정해진 취침 행동이나 취침시간이 없거나, 혹은 제어되지 않거나 부정기적으로만 강요될 때 발생한다. 그 결과로 30분 이상 수면시간이 늦추어지고 총 수면시간이 필요량에 비해 부족하게 될 수 있다. 유아와 학동기 전 아동의 10-30%에서 발생하며 대개 야간 각성도 동반된다. 행동학적인 기반을 둔 이와 같은 수면문제는 종종 만성화된다. 취침시간 저항은 종종 아동과 부모, 부부 사이의 언쟁 등 심각한 정도로 가족 내 긴장을 높이며 이러한 긴장은 아이의 각성도를 더 높여 아이가 잠들기 더 어렵게 만들기도 한다.

[진단] 표 8-4.

[치료]

적절한 수면습관의 형성, 아이의 일주기와 부합하는 수면 스케줄의 개발, 그리고 적절하고 일관성 있는 수면행동 통제로 이루어진다. 적절한 수면습관 형성을 위해서 아이에게 맞는 취침시간을 정해주어야 하며, 아이의 각성도가 높은 시간을 피해서 선택해야 한다. 너무 늦게 잠자리에 드는 경우에는 짧은 간격을 두고 매일 15분씩 서서히 앞으로 당기는 것이 좋다. 낮 시간 동아의 수면습관은 어떤지 조사하여, 아이가 너무 낮잠을 자는 것은 아닌지(오후 4시 이후 등), 카페인을 섭취하는지 등을 확인한다.

일관된 수면의례는 약 20-45분 정도의 3-4가지의 수면 준비활동(목욕, 잠옷 갈아입기, 이야기책 읽기)으로 구성된다. 수면의례를 제대로 행하는 횟수가 많을수록 아이는

더 잘 자게 된다. 잠잘 때 친구로 토끼나 곰돌이 인형을 수면 도우미로 제공한다. 아침시간에 밝은 빛에 노출시키며, 저녁시간에는 빛 노출을 피하게 하는 것이 아이의 일주기를 잘 형성 시키고 취침시간에 졸림을 증가시킨다. 큰 아이들에서는 규칙적인 운동을 시키거나, 취침시간에 전자기기의 사용을 피하게 하는 것이 도움이 된다.

취침시간 저항에 대한 성공적인 행동학적 중재는 아이의 수면문제를 개선할 뿐만 아니라 부모의 스트레스를 경감시키며 부모의 수면 또한 좋게 한다.

2. 소아기 및 청소년기에서의 불면증

이 시기의 불면증은 성인과 동일하게 나이에 따른 적절한 수면시간이 주어졌음에도 불구하고 반복적으로 수면 시작과 전체 수면시간, 수면의 깊이와 질에 어려움을 가져오고 이로 인해 아이/또는 가족의 낮 기능의 장애를 가져오는 것으로 정의된다. 이러한 불면은 낮의 기능에 영향을 주어 피로, 과민, 무력증, 인지기능의 저하를 유발하고, 더 심하게는 정서나 학업수행에 심각한 영향을 주게 된다. 성인과 소아의 불면증은 비슷한 점을 많이 가지고 있지만 소아에서는 잠이 오지 않는 것보다 야간 각성이나 잠들기 싫어하지 않는 것이 주증상이 경우가 더 많다. 국제 수면장애분류 3판(International Classification of Sleep Disorder-3, ICSD-3)에서는 3개월 동안 일주일에 3회 이상 증상이 지속되는지 여부에 따라 만성 불면장애(chronic insomnia disorder)와 단기 불면장애(short-term insomnia disorder)로 분류하였다. 불면증은 또한 일차 불면증과 이차 불면증으로 분류할 수 있으며 ICSD-3와 정신장애 진단 통계 매뉴얼 5판(Diagnostic and Statistical Manual, 5th edition, DSM-5)에서는 우울증, 불안, 통증 등의 원인이 동반된 불면이 아닌 경우 일차 불면증이라고 하였다. 하지불안 증후군, 폐쇄성 수면무호흡 증후군, 일주기 수면장애와 같은 다른 수면장애와 동반해서도 불면증이 나타날 수 있다.

[역학]

유병률은 청소년에서 9-24%가 만성 불면증을 가지고 있고, 35%는 한 달에 수차례의 불면을 경험한다. 학동기부

터 성인기까지 모든 시기에서 여성의 유병률이 더 높다.

[임상양상]

소아의 불면증은 쉽게 잠들지 못하거나, 자다가 자꾸 깨는 증상을 보이며, 흔하지 않지만 새벽에 깨는 증상을 보이기도 한다. 전체적인 수면효율이 감소하고, 잠들 때까지 20-30분 이상 소요된다.

정신생리 불면증(psychophysiologic insomnia)은 가장 대표적인 일차 불면증으로 학습화된 과다각성(hyper-arousal)과 수면방해 연상(sleep-preventing association)으로 인해 발생한다. 정신생리 불면증의 특징은 잠이 잘 드는지 여부와 잠을 제대로 못 잘 경우 미칠 낮 시간 동안의 잠재적 어려움에 대한 과도한 걱정이다. 생리적인 각성은 계속 떠오르는 생각과 같은 인지적 과도 경각(cognitive hyper-vigilance) 형태를 보이며, 수면감소에 대한 불안으로 인해 증가된 기본각성상태가 더 강화되기도 한다. 환자는 잠을 자려고 지나치게 노력하면서도 잠을 잘 수 없으나, 자려는 노력이 없이 단조로운 일을 하다가 쉽게 잠이 들기도 하며, 평소와 다른 장소에서 잠을 더 잘 자기도 한다. 따라서 부모의 행동에 의한 소아에서의 행동학적인 불면과 달리, 정신생리 불면증은 개인의 유전적인 성향과 수면에 대한 부적응 행동의 조합으로 볼 수 있다. 위험인자로서는 잘못 적응된 수면행동과 수면에 대한 과도한 걱정이다. 불면증은 선행요인(유전적 경향, 의학적 정신적 상태 등)과 유발인자(급성 스트레스), 지속인자(잘못된 수면습관, 카페인, 수면에 대한 잘못된 인지) 등이 복합되어 발생한다. 성인에서의 위험인자로서는 과도 각성상태(계속 떠오르는 생각, 과도 경각), 강박적 사고형태, 감정적 억압과 같은 개인성향, 울혈성 심부전, 만성 폐쇄성 폐질환, 불안장애, 우울증 등의 의학적, 정신적 문제가 있을 때, 그리고 여성인 경우와 가족력이 있는 경우이다.

[진단]

만성 불면장애의 진단 기준은 **표 8-5**와 같다. 불면이 지속될 때에는 수면의 시작이나 유지를 방해할 수 있는 의학적 원인에 대한 자세한 병력청취가 필요하며 수면장애(수면무호흡 증후군, 하지불안 증후군), 급성/만성 내과적 질환(특히 통증이 동반되는 경우) 정신적 질환, 술이나 약물

남용 등이 동반되었는지 살펴보아야 한다. 또한 현재 사용하는 약물(각성성분 등)이 유발요인이 될 수 있는지 확인해야 하며 카페인과 흡연 여부도 확인해야 한다. 수면일기는 잘못 형성된 수면습관이나 행동에 대해 중요한 정보를 제공할 수 있다. 활동기록기(actigraphy)가 장기적인 수면/각성상태에 대해 객관적인 정보를 줄 수 있다. 수면다원 검사는 다른 수면질환이 동반되지 않은 경우에는 도움이 되지 않는다.

[치료]

불면증의 원인이나 유발요인을 주의 깊게 확인하는 것이 우선되어야 하며 적절한 수면 위생을 유지하는 것이 매우 중요하다. 낮잠, 카페인을 피해야 하고 늦은 시간에 눈에 빛을 쏘이는 컴퓨터 사용을 금해야 한다. 또한 잠든 시

표 8-5 만성 불면장애의 진단기준(ICSD-3: Chronic Insomnia Disorder*)

A-F를 만족하여야 한다.

A. 다음 중 하나 이상이 관찰된다.
- 수면 개시의 어려움
- 수면 유지의 어려움
- 너무 일찍 깬다.
- 적절한 시간대에 자려기 하지 않는다.
- 부모나 보호자의 도움 없이 잠을 자지 못한다.

B. 야간 수면의 어려움으로 인해 다음 중 하나 이상의 증상이 관찰된다.
- 피로/무기력
- 주의, 집중, 기억장애
- 사회, 가족, 직업 내 생활 및 학업수행 장애
- 기분장애/과민
- 주간 졸림
- 행동문제 (과다행동, 강박, 공격적인 행동)
- 활력 및 동기 감소
- 실수 및 안전사고의 증가
- 수면에 대한 걱정이나 불만족

C. 잠을 잘 수 있는 충분한 시간 및 수면환경이 주어졌다.
D. 불면 증상과 주간 증상이 일주일에 3회 이상 발생한다.
E. 불면 증상과 주간 증상이 3개월 이상 지속되었다.
F. 이러한 불면 증상과 주간 증상이 다른 수면장애로 설명되지 않는다.

*American Academy of Sleep Medicine. International classification of sleep disorders: Diagnostic and coding manual. 3rd ed. American Academy of Sleep Medicine, 2014

각에 관계없이 항상 동일한 기상시간을 유지해야 하며 주중과 주말의 취침시간을 동일하게 해야 한다. 행동치료로는 잠자리는 수면 시에만 이용하도록 해야 하고 잠자러 누운 지 20분 후에도 잠이 들지 않으면 일어나서 다른 장소로 옮겨 독서 등의 다른 활동을 한 후 다시 졸리기 시작하면 잠자리로 돌아가야 한다.

다시 잠이 들지 않는다면 위와 같은 행동을 반복하여 밤새 시행해야 한다. 수면효율(실제 잔 시간/실제 누운 시간 × 100)이 85% 이하인 경우에는 잠자리에 누울 수 있는 시간을 제한하는 것이 수면효율을 증가시키는데 도움이 된다. 이때는 정확한 수면일기를 작성하게 해야 하며 소아와 청소년기에서는 6시간 이내로 줄여서는 안 된다. 수면효율이 85% 이상으로 증가하면 하루에 15분 정도씩 누울 수 있는 차츰 시간을 늘려 준다. 잘못된 수면에 대한 지식과 생각을 생산적인 것으로 바꾸는 인지-행동요법과 완화요법도 불면증의 치료에 큰 도움이 된다. 예외적인 경우에 수면제를 사용할 수 있으나 수면제 사용은 일차성 불면증에서의 첫 치료로서 권유되지 않으며 사용하는 경우에도 반드시 수면 위생의 실천과 더불어 행동학적 요법이 병행되어야 한다(표 8-5).

3. 수면 연관성 호흡장애와 폐쇄성 수면무호흡 증후군(sleep related breathing disorder and obstructive sleep apnea syndrome)

수면 연관성 호흡장애는 수면에 의해 악화되는 일련의 호흡장애로서 일차성 코골이(primary snoring), 상기도 저항 증후군(upper airway resistance syndrome), 폐쇄성 저환기 증후군(obstructive hypoventilation)과 폐쇄성 수면무호흡 증후군을 포함한다. 일차성 코골이는 무호흡이나 저호흡과 같은 환기의 이상 소견이 없이 코골이만 지속되는 것을 말하며 상기도 저항 증후군은 수면 시 분명한 무호흡 또는 저호흡(hypopnea)과 같은 호흡 사건(respiratory events) 없이 흡기 동안 흉강 내 음압이 증가하다가 각성이 반복되는 것을 특징으로 한다. 폐쇄성 저환기 증후군은 주로 비만한 아동에서 발생하며 무호흡이나 저호흡없이 코골이와 고탄소혈증이 발생할 때 진단할 수 있다. 폐쇄성 수면무호

흡 증후군은 수면 연관성 호흡장애의 가장 심한 형태로서 상기도의 지속적인 부분 폐쇄 또는 반복적인 완전 폐쇄가 발생하여 저산소증과 고이산화탄소증을 동반하며 수면 중 반복적인 각성이 지속되고 교감신경계의 활성도가 높아지는 것을 특징으로 한다. 수면 연관성 호흡장애는 성장 및 발달의 지연, 폐동맥 고혈압과 전신성 고혈압, 당내성 증가 등의 원인이 되며 심한 낮 졸림증, 피곤감 등과 함께 행동학적으로는 ADHD와 비슷한 증상과 학업장애, 수행능력의 감퇴 등을 발생시킨다. 그러나 단순 코골이만 있는 소아에서도 학업, 신경인지, 행동학적인 이상 소견 등이 발생하는 것으로 보고된다.

[역학]

2-8세 사이의 소아에서 일차성 코골이의 유병률은 약 8-12%이며 폐쇄성 무호흡증은 2-3.5%에서 발생한다. 이 시기의 수면무호흡증은 대부분 아데노이드/편도 비대와 연관성을 가진다. 사춘기 이전에서의 성비 차이는 없으나 사춘기 이후에는 남아에서 더 많이 발생하게 된다.

[발병기전]

폐쇄성 수면무호흡증의 병태생리로는 반복적인 수면 중 각성에 의한 교감신경계의 활성화와 이로 인한 혈관운동 긴장도의 변화와 혈관 내피세포의 이상, 반복적인 저산소증과 고이산화탄소증, 염증인자의 증가, 응고인자의 증가, 부착 분자(adhesion molecules)의 상승, 야간 및 주간 혈압상승 등으로 설명되며 이는 결국 심혈관계 및 뇌혈관계의 이상을 초래한다. 반복적으로 지속되는 수면 중 각성과 저산소증은 또한 전전두엽(prefrontal cortex)에 기능이상을 초래하여 인지수행 능력을 감퇴시키며 사고력, 판단과 기억, 통찰력 등의 저하를 초래한다. 상기도는 코, 인두부, 후두부, 흉곽외 기관지(extrathoracic treachea)로 구성되며, 인두부는 골조직 등으로 지탱되지 않는 찌부러질 수 있는 부분으로서 확장근과 수축근의 균형을 통해 개방상태를 유지한다. 상기도 폐쇄는 구조적으로 상기도가 좁거나 근긴장도가 감소한 경우, 호흡 구동이 감소된 경우에 잘 발생할 수 있다. 특별히 꿈 수면 중에는 근긴장도가 최저 상태가 되어 상기도의 폐쇄가 더 잘 발생할 수 있다. 소아에서의 폐쇄성 수면무호흡증의 가장 흔한 원인은 편도 및 아

표 8-6.. 소아 폐쇄성 수면무호흡증이 발생하기 쉬운 위험 질환

두개안면 증후군(상악 또는 하악의 저성장)
- Apert's 증후군
- Crouzon's disease
- Pierre Robin 증후군
- Treacher Collins 증후군

골격 및 두개안면 질환
- 연골무형성
- 후비공 폐쇄증
- 구개열, 특히 외과적 복원술 이후
- 입천장심장얼굴 (Velocardiofacial) 증후군

유전 및 대사이상 질환
- Down 증후군
- 갑상샘저하증
- 점액다당류 질환: Hunter, Hurler's 증후군
- Prader-Willi 증후군

기타 내과 및 신경학적 질환
- 뇌간 및 뇌신경 질환: 연수구멍증(syringobulbia), Chiari's 기형
- 만성 비강 폐쇄: 비중격만곡, 알러지 비염, 비용종, 감염
- 비만
- 겸상적혈구병

데노이드 비대이며 최근에는 비만도 중요한 원인이 되고 있다. 하악이 작거나 구개열 재건술 병력, 또는 다운증후군, 신경근질환으로 근긴장도의 저하가 있는 아동은 기도 폐쇄가 더 잘 발생할 수 있기 때문에 이 질환의 발생 위험이 높다. 알레르기, 천식, 위-식도역류증이나 부비동염이 있는 경우에도 수면 연관성 호흡장애의 발생 위험이 증가

한다(표 8-6).

[임상양상]

폐쇄성 수면무호흡증의 가장 흔한 증상은 코골이이며 나이에 따라 다양한 증상 및 징후를 보인다(표 8-7). 구강 호흡을 하거나, 온 방을 굴러다니면서 자기도 하고 땀을 많이 흘리며 자기도 한다. 수면 중 자주 깨게 되어(micro-arousal) 지속적인 수면을 유지할 수 없다. 특히 어린 영유아에서는 바로 자지 못하고 기도확보를 위해 특이한 수면자세(knee-chest position, neck extension) 등을 취하기도 하고 갑자기 일어나 심하게 울거나 반쯤 깨서 돌아다니는 야경증과 몽유병이 서파 수면 중에 발생하기도 한다. 아침에 일어나기 힘들어하고 때로는 오전 중의 두통을 발생하기도 하며 드물지 않게 야뇨증 증상이 지속되는 경우도 있다. 학동기 전 아동에서는 차츰 집중력이 떨어지고 산만해져 마치 ADHD와 비슷한 양상을 보이기도 한다. 사춘기 이후의 청소년들은 주간 졸림이 심해져 학교에서 많이 졸게 되고 학업성적이 떨어지며 행동과다와 공격적인 성향을 보일 수 있다. 성장장애는 수면 무호흡증이 지속될 때 발생하는 중요한 증상으로 깊은 수면이 방해 받음으로 인해 발생하는 성장호르몬 분비장애에 기인한다. 폐쇄성 수면무호흡증이 동반 될 때는 흉곽 내 음압이 증가하여 식도-위역류를 조장하여 드물게 천명, 후두경련, 무호흡 등과 같은 급

표 8-7. 나이에 따른 폐쇄성 수면무호흡증의 빈도별 증상 및 징후

영아기(1-12개월)	유아기(1-3세)	학동 전기	학동기 및 청소년기
반복적인 야간 수면장애와 보챔	거친 숨소리 또는 코골이	규칙적으로 크게 고는 코골이	규칙적으로 크게 고는 코골이
거친 숨소리 또는 코골이	굴러다니며 자기	구강호흡	굴러다니며 자기
야간 발한 증가	이상 수면자세(개구리 자세 등)	굴러다니며 자기	몽유병
젖을 잘 빨지 못함	야간 발한 증가	몽유병	잠꼬대
성장 장애	야경증	야경증	심한 이갈이
발달 지연	젖을 잘 빨지 못함	야뇨증	아침 기상의 어려움
영아 돌연사 증후군	성장지연	ADHD 비슷한 증상	아침 두통
분명한 생명 위협 사건	발달지연	낮잠 증가	식욕 저하
		불량한 섭식	심한 낮 시간 졸림
		성장 문제	정서적 불안정
			학습장애

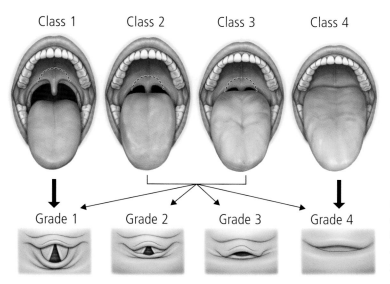

■ 그림 8-6. Mallampati 점수:
Class 1: 편도, 목젖, 연구개가 모든 보인다. Class 2: 경구개와 연구개, 편도와 목젖의 상부가 보인다. Class 3: 경구개, 연구개, 목젖의 기저부가 보인다. Class 4: 단지 경구개만 보인다. 점수가 높을수록 폐쇄성 무호흡증과 연관된다.

성, 만성 호흡기 증상으로도 나타날 수도 있다. 이와 같은 다양한 문제들은 폐쇄성 수면무호흡증을 조기에 발견하고 치료를 시행함으로써 예방되고 개선될 수 있다.

[진단]

○ 임상적 진단

수면무호흡증의 진단은 자세한 수면력과 함께 진찰 소견, 수면다원검사를 통해 내릴 수 있다. 비중격만곡, 하비갑개 비후, 과밀치아(overcrowding of teeth), 아데노이드 및 편도 비대, 좁고 높은 경구개 등 해부학적으로 좁아진 부분이 있는지 자세히 살펴보아야 한다. 비만한 아동에서의 편도 크기 평가는 Mallampati 점수가 도움이 된다(그림

8-6). 각성 시에 구강호흡과 함께 아데노이드형 얼굴을 가진 아동은 수면 시 수면 연관성 호흡장애를 가질 가능성이 많다. 청진상 두 번째 폐심음(pulmonary heart sound)이 크게 들리는 것은 폐성 고혈압이 있다는 증거이다. 경부 측면 X-ray는 아데노이드 비후 여부를 볼 수 있는 간단한 방법이다. 선천적인 두개안면부 기형이 있는 아동에서는 내시경을 통해 기도의 개방성 정도를 확인할 수 있다.

○ 수면다원검사(polysomnography: PSG)

수면의 구조와 효율, 수면 중 발생한 호흡 또는 운동사건 등을 객관적으로 평가하는 검사 방법으로서 수면 중의 뇌파, 안구운동, 근육의 움직임, 입과 코를 통한 공기의 흐

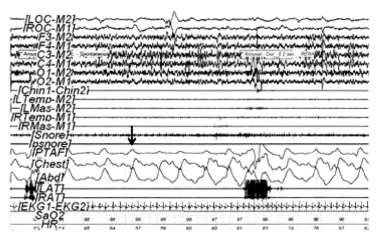

■ 그림 8-7. 렘(REM)수면 중 발생한 폐쇄성 저호흡(60초 PSG 화면).
호흡사건(respiratory event)은 비강 기류 압력(nasal pressure airflow:PTAF) 감소로부터 시작하며(화살표), 역설 호흡(paradoxical respiration)을 동반하고 결국 각성상태를 유발한다. 이와 같은 호흡사건은 비강압력 신호가 50% 이상 감소되는 것과 연관된다. 눈 운동이 안구전극 부위(LOC-M2, ROC-M1)에서 잘 관찰된다.

름, 코골이, 혈압, 호흡운동, 동맥혈 내 산소포화도, 심전도 등을 종합적으로 측정하며, 동시에 환자의 수면 중 행동을 비디오로 기록한다. 소아에서는 호기말 이산화탄소 (End-tidal CO2) 측정이 비만 아동이나 신경근질환, 또는 저환기를 가진 환자의 가스교환 평가에 도움을 준다. 수면무호흡 증후군을 평가하기 위한 매개변수는 무호흡 지수 (apnea index: AI), 무호흡-저호흡 지수(apnea-hypopnea index: AHI), 호흡노력 연관성 각성(respiratory effort related arousal: RERA) 등을 사용한다. 무호흡은 성인에서 최소한 10초 이상, 소아에서는 최소한 두 차례의 호흡기간 동안 호흡진폭(respiratory signal amplitude)이 기저 호흡진폭 (baseline amplitude)에 비하여 90% 이상 감소된 상태로 호흡에 대한 노력이 유지되거나 증가되어 있는 경우로 정의된다. 저호흡은 비강 압력(nasal pressure)를 이용하여 같은 시간 동안 호흡진폭이 30% 이상으로 감소하며 이러한 호흡감소 상태가 각성을 일으키거나 3% 이상의 혈중 산소포화농도 감소를 가져오는 것으로 정의된다(그림 8-7).

호흡노력 연관성 각성(RERA)은 공기 흐름 진폭의 감소가 무호흡 또는 저호흡으로 진단될 정도는 아니지만 기도가 부분적으로 폐쇄되어 코를 통한 호흡이 감소하거나 코골이를 보이거나 호흡 노력이 증가되어 흉강 내 음압이 차츰 증가하다가 각성상태에 이르는 것으로 정의되며 식도 내 압력측정을 통해 정확히 진단할 수 있다. AI는 수면 중 시간 당 발생하는 무호흡수, AHI는 시간 당 발생하는 무호흡과 저호흡수를 말하며, 호흡방해 지수(respiratory disturbance index: RDI)는 AHI와 RERA를 합친 값으로 정의된다. 수면 연관성 폐쇄성 저환기는 지속적인 부분적 상기도 폐쇄에 의한 환기장애로 인하여 혈중 이산화탄소농도가 증가하여 발생하며 경피적 또는 호기말(transcutaneous PCO2 or End-tidal) CO2가 50 mmHg 이상으로 증가된 상태가 총 수면시간(total sleep time) 중 25% 이상 지속되는 경우로 정의된다. 소아 폐쇄성 무호흡 증후군은 관련 증상이 있고 수면다원검사 결과에서 AHI가 1이상(13세 이상의 소아는 5이상) 이거나 폐쇄성 저환기 소견이 있을 때 진단되며(표 8-8) 수면다원검사의 AHI, 산소포화도 최저치, 호기말 CO2, 각성 횟수 등으로 수면 연관성 호흡장애를 분류해서 진단할 수 있다(표 8-9).

소아에서 수면다원검사는 단순 코골이와 폐쇄성 수면무호흡증을 감별이 필요한 경우, 나이가 3세보다 어리거나 다운증후군, 악안면기형, 심각한 비만 등이 있어 편도 및 아데노이드 절제술 후 기도폐쇄와 같은 합병증이 발생할 가능성이 높고 수술 후에도 증상의 완전한 회복이 어려울 것으로 예상되는 경우에 시행한다. 또한 주기성 하지운동 증후군과 같은 다른 수면질환이 동반된 것을 확인하기 위

표 8-8. 소아 폐쇄성 수면무호흡 진단 기준 (ICSD-3, 2014)

A와 B 모두 만족해야 진단
A. 다음 증상 중 한 가지 이상을 만족함:
　1. 코골이
　2. 수면 중 힘이 들어가는 호흡 또는 역설적 호흡 또는 폐쇄성 호흡
　3. 낮 졸림증, 과잉행동, 행동 문제, 학습 문제 등
B. PSG 검사에서 다음 중 한 가지 이상의 소견을 보임:
　1. AHI 또는 RDI: ≥1 (12세 이하), ≥5 (13세 이상)
　2. 수면 연관성 폐쇄성 저환기 (호기말 CO2가 50 mmHg이상으로 증가된 상태가 총 수면시간 중 25% 이상) 소견이 코골이, 코를 통한 호흡 감소, 역설적 흉복부 움직임 등과 연관되어 보이는 경우

표 8-9. 소아 수면 연관성 호흡장애의 수면다원검사 진단기준(12세 이하)

		AHI	산소포화도 최저치	호기말 CO$_2$	각성(횟수/시간)
일차성 코골이		≤1	>92%	≤53 mmHg	EEG <11
상기도 저항 증후군		≤1	>92%	≤53 mmHg	RERA >1, EEG>11
폐쇄성 수면무호흡	경도	1–4	86–91%	>53 mmHg	EEG >11
	중등도	5–10	76–85%	>60 mmHg	EEG >11
	중증	>10	≤75	>65 mmHg	EEG >11

EEG: electrocortical arousal
Adopted from principles & practice of pediatric sleep medicine, 2nd edition, Stephen H. Sheldon at al.

하여 시행할 수도 있다. 수면다원검사 검사가 수면무호흡증의 진단에 가장 필수적인 검사이나 소아에서는 폐쇄성 수면무호흡이 심하더라도 수면효율과 수면단계의 비율이 정상범위에 속하는 경우가 많아 수면의 구조(sleep architecture)가 비교적 잘 유지되기 때문에 각종 지수들뿐만 아니라 반드시 환자의 증상 및 진찰소견을 더하여 정확한 진단과 치료방침을 정해야 한다.

[치료]

수면다원검사에서 이상 지수가 높게 나오지 않았더라도 분명한 야간 증상과 함께 낮 생활의 이상 소견이 동반된다면 심혈관계 및 신경인지 기능의 보호를 위해 반드시 치료를 시행해야 한다. 소아 폐쇄성 수면무호흡증의 가장 흔한 원인은 편도 및 아데노이드 비대이므로 일차적인 치료는 편도와 아데노이드를 제거해 주는 것이다. 하지만 비만한 아동인 경우, 천식, 두개안면질환, Down 증후군, 수술 당시 연령이 8세 이상인 경우, 수술 전 중증의 폐쇄성 무호흡(특히 AHI≥20)인 경우에는 수술 후에도 증상이 지속될 수 있으므로 수술 후 재평가가 필요하다. 그리고 수술 당시 폐심장증(cor pulmonale)이나 성장장애와 같은 현저한 합병증이 있는 경우, 초기 수면검사에서 심한 폐쇄성 수면무호흡증이 있거나 3세 이하의 어린 소아, 구강안면질환, 신경근질환, 최근 호흡기 감염이 있었던 환자에서는 수술 후 호흡기계 합병증이 발생할 위험이 높으므로 수술 후 면밀한 감시 및 중환자실 치료가 필요할 수 있다. 편도와 아데노이드 수술 후에도 무호흡이 지속되는 경우, 두개안면부 기형, 저긴장증 등이 동반된 환자에서는 지속적 양압기(Continuous Positive Airway Pressure, CPAP) 치료를 통해 수면무호흡을 크게 개선시킬 수 있다. 양압기 치료를 성공적으로 지속하기 위해서는 환자에 적절한 압력을 찾는 것과 습도를 잘 맞추어주는 것이 중요하다. 또한 얼굴 구조에 잘 맞는 마스크를 사용하여 압력이 새지 않게 고정하는 것이 순응도의 개선에 매우 중요하다. 비만이 동반된 경우에는 체중감소와 운동요법이 병행되어야 하며 알레르기성 비염과 축농증이 동반된 경우, 특히 경도의 폐쇄성 수면무호흡의 경우에는 비강 내 스테로이드와 항알러지 약물치료가 도움이 된다. 이 외에도 혀와 안면근육의 움직임을 바르게 훈련하는 근기능 요법(myofunctional therapy)을 통해 안면 성장의 균형을 맞춰 구강호흡을 줄일 수 있고 상악이 좁고 높은 경우에는 급속 상악확대술(rapid maxillary expansion)을 통해 비강을 넓혀 주는 것이 도움이 된다.

[예후]

폐쇄성 무호흡증이 성공적으로 치료가 된 경우에는 주간 졸림증, 정서, 행동, 인지, 학업성취도 및 삶의 질이 크게 개선된다. 아데노이드/편도선 절제술을 통해 70-90%의 증상이 호전되지만 비만한 아동에서는 수술 후에도 약 50%에서 증상이 남는다. 따라서 비만환자들에게는 반드시 체중감소와 운동요법을 병행하여 기도폐쇄를 감소시켜야 한다. 하지만 비만 외에도 유전적 소인, 환경적 요인, 다른 수면질환의 동반 등으로 증상이 지속될 수 있으며 아데노이드/편도선 절제술 후에도 코골이 또는 상기도 폐쇄 증상이 남아 있는 경우에는 추적 수면다원검사를 시행해야 한다.

4. 과다 수면장애(Disorders of Hypersomnia)

1) 기면증(Narcolepsy)

기면증은 주간의 과다한 졸림(excessive daytime sleepiness)과 함께 특징적인 탈력발작(cataplexy), 렘수면 현상과 관련된 수면마비(sleep paralysis), 입면(hypnagogic) 또는 출면(hypnapompic)시의 생생한 꿈이나 환각이 발생하고, 밤에는 빈번한 각성으로 인해 불량한 야간수면을 가지는 것을 특징으로 하는 만성질환이다. 낮 시간 동안의 과다한 졸림 현상은 상황에 맞지 않는 부적절한 시간(식사나 대화 또는 시험 중)에 졸음이 참을 수 없게 발생하는 것을 말한다. 기면증 증상들은 대부분 수개월에서 수년간의 간격을 두고 발생하며 모든 증상이 동시에 발생하기 보다는 몇 가지 증상으로 시작하는 경우가 많아 소아 연령에서는 진단이 쉽지 않고 지연되는 경우가 많다. 탈력발작이 동반된 경우를 제1형, 탈력발작이 동반되지 않은 경우를 제2형으로 분류한다. 제2형 기면증은 성인 기면증 환자의 15-36%를 차지한다. 제2형으로 분류된 이후 탈력발작이 새로 시작되거나 뇌척수액의 hypocretin이 110 pg/mL 이하로 측정되는 경우에는 제1형 기면증으로 재분류된다.

[역학]

제1형 기면증의 유병률은 미국과 유럽에서 인구의 약 0.02 - 0.18%로 알려져 있다. 탈력발작이 동반되지 않은 제2형 기면증은 전체 기면증의 약 10-50% 정도를 차지할 것으로 추정된다. 소아에서의 유병률은 명확하지 않으나 중국에서 발표된 병원 외래에서의 소아 발생률은 약 0.04%이다. 14-19세 사이의 청소년을 대상으로 한 국내 연구에서는 기면증의 유병률이 0.015%로 보고되었다. 기면증은 특징적으로 사춘기 이후에 가장 많이 발생하고 대부분 15세에서 30세 사이에 첫 증상이 발생한다. 기면증은 10대에 가장 높은 발생률을 보이고 그 다음 20대와 30대 그리고 10대 미만 순으로 발생한다.

[발병기전]

기면증은 hypocretin (orexin) 신경 펩타이드 1과 2의 심각한 감소 또는 결핍에 의해 발생하며 이는 후방 시상하부에 위치한 Hypocretin 분비 신경원들의 자가면역성 파괴가 그 원인으로 추정되고 있으나 명확한 병태생리학적인 기작은 아직 밝혀지지 않았다.

Hypocretin은 흥분성 신경전달물질로서 serotonin, histamine, acetylcholine, dopamine, GABA와 글루탄산염(glutamate)의 활성도를 조절하며 각성의 유지와 수면-각성주기의 안정화에 중요한 역할을 한다. 탈력발작을 동반한 기면증의 경우 90% 이상에서 HLA 유전자형 DQB1*0602를 가진다. 탈력발작을 동반하지 않은 기면증에서는 40%만 이 유전자형을 가지며 건강한 정상인에서도 약 12-38%에서 이 유전자형이 발견된다. 기면증의 대부분은 산발적으로 발생하지만 드물게 가족력이 있기도 하다. 기면증이 직계가족에서 있는 경우에는 일반인에 비해 약 10-40배의 발생률을 보인다. 그러나 쌍생아 연구에서 일치하는 경우는 25-31%에 불과하여 환경적인 영향이 질환의 발생에 영향을 줄 것이라고 추측된다.

[임상양상]

과다 졸림은 기면증의 첫 증상이며 나머지 증상들은 대부분 수년 후에 발생한다(그림 8-8). 졸림은 야간에 얼마나 수면을 취했는지에 관계없이 발생하며 앉아 있거나 지루한 상황에서 잘 발생한다. 어린 소아에서의 과다한 주간 졸림은 부모들에 의해 정상적인 현상으로 받아들여지기 때문에 이에 대한 평가 시기가 늦어지는 경우가 많다. 같은 연령의 아이들에 비해 더 길게 수면을 취하거나 5세 이후에도 일상적으로 낮잠이 필요한 경우, 늘 졸려 하는 경우 그리고 이전에 비해 더 많은 수면을 취하는 경우 과다한 주간 졸림 여부를 반드시 확인해야 한다. 탈력발작은 기면증에서 볼 수 있는 특이 증상으로서 갑자기 웃거나 놀라는 등의 감정적인 변화에 반응하여 근육의 긴장도가 급격히 부분적 또는 전신적으로 소실되는 현상이다. 얼굴 근육이 처지거나 고개를 떨어뜨린다든지 하는 경미한 증상에서부

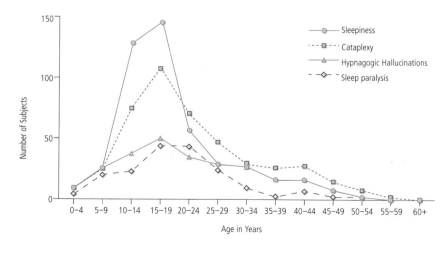

■ 그림 8-8. 과다한 주간 졸림증, 탈력발작, 입면기 환각, 수면마비의 발생 연령(순서대로 각각 469, 438, 210, 189명의 환자들에서 관찰소견). 주간 졸림증이 다른 증상들에 비해 비교적 일찍 발생함을 주목해야 한다(Cited from Okun ML, Sleep 2002).

터 무릎이 떨어지기도 하고 심한 경우에는 바닥에 쓰러지기까지 한다. 그러나 의식의 소실은 없고 주위 환경에 대해 인식과 기억이 가능하다. 이와 같은 현상은 수 초에서 수 분간 지속된 후 회복된다. 심한 경우에는 지속적인 탈력발작(status cataplecticus)이 온 후 잠이 들기도 한다. 탈력발작의 빈도는 일년에 한두 번에서 하루에 수십 번에 이르기까지 다양하며 10-20%의 환자에서는 연령 증가와 더불어 증상이 호전되기도 한다. 탈력발작은 5세 이하의 소아에서 무긴장발작(atonic seizure) 또는 실신으로 오진될 수 있어 주의가 필요하다.

수면마비는 대개 잠에서 깨어나는 시기에 발생하는 현상으로 의식은 깬 상태이나 일시적으로 몸을 움직일 수 없는 상태를 말하는 것으로 수면마비가 있는 동안 환자는 온몸이 눌리고 있거나 숨을 못 쉴 수도 있다는 느낌을 받으며 무서운 경험으로 받아들이게 된다. 호흡근과 외안근을 제외한 모든 근육이 마비되며 몸이 건드려지거나 이름이 불릴 때 갑자기 회복된다. 이는 기면증 환자의 약 40-80%에서 발생하며 정상인에서도 가위눌림이라는 이름으로 드물

지 않게 관찰된다.

입면 또는 출면시의 환각은 수면마비와 함께 발생할 수 있으며 생생한 형태의 환시가 많고 환청도 올 수 있다. 드물게 체감이상증(cenesthopathic feeling)이 발생하기도 한다. 야간 증상으로는 야간 수면분절 현상(sleep fragmentation)을 보이며 렘수면동안 근긴장도의 이상 소견을 보여 지속적으로 근긴장도가 증가되어 있거나 과다한 비틀림(excessive twitching), 주기적인 사지운동이 나타나기도 한다. 꿈과 연관된 이상행동을 보이는 렘수면 행동장애(REM sleep behavior disorder, RBD)도 나타날 수 있다.

[진단]

기면증이 의심되면 자세한 수면력을 파악하고 수면일기를 작성하게 한다. 증상의 첫 발현이 학동기나 그 이전 시기에 시작되는 경우에는 졸린 증상이 발달단계의 정상적인 것으로 오인될 수 있고 탈력발작이 주간 졸림보다 먼저 발생하는 경우에는 경련성 질환으로 잘못 진단될 수 있다. 동영상으로 촬영된 탈력발작형 얼굴(Cataplectic face)

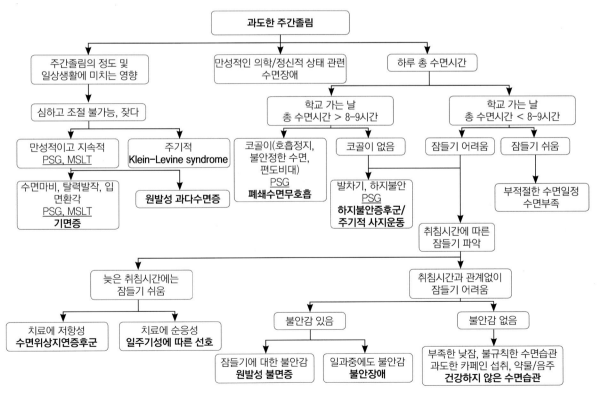

■ 그림 8-9. 과도한 주간졸림(excessive daytime sleepiness) 진단
Modified from Mindell JA, Owens JA. A Clinical Guide to Pediatric Sleep: Diagnosis and Management of Sleep Problems. 3rd ed. LWW, 2015.

을 확인하는 것이 감별진단에 도움이 될 수도 있다.

검사로는 야간의 수면다원검사 후 다음 날 수면잠복기 (잠들기까지 걸리는 시간) 반복검사(multiple sleep latency test; MSLT)를 시행한다. 수면잠복기 반복검사는 6시간 이상의 충분한 야간 수면을 취한 다음날 보통 오전 10시부터 2시간 간격으로 4-5회 시행하게 되며 수면잠복기의 평균 시간이 짧을수록 졸림의 정도가 심한 것으로 평가한다. 입면 후 15분 이내에 수면이 시작되면 이를 입면 렘수면 (sleep onset REM; SOREM)이라고 한다. 정상적인 렘수면은 입면 후 60-90분에 시작된다. 정상 아이에서 수면잠복기 평균 시간은 15-20분 정도이나 기면증을 가진 아동들에서는 보통 8분 이내이다. 수면잠복기 반복 검사에서 두 번 이상의 입면 렘수면기와 함께 8분 이내의 평균 수면잠복기를 가지면 기면증이라고 진단할 수 있다. 그러나 해석에는 검사 전 충분한 수면을 취했는지 혹은 수면위상 지연 증후군이 동반되었는지에 대한 주의가 필요하다. 기면증이 강력히 의심되는 환자에서 두 번 이상의 입면 렘수면기가 나타나지 않을 때에는 반복검사가 반드시 필요하다(그림 8-9).

뇌척수액내의 hypocretin-1의 농도 측정과 HLA 검사는 수면잠복기 반복검사 결과가 명확하지 않은 경우 기면증의 진단에 도움을 준다. 특히 DQB1*0602는 탈력발작을 동반한 기면증 환자의 76-90%에서 존재하며 DQB1*0602를 가진 환자에서의 뇌척수액 hypocretin-1의 농도는 대부분 110 pg/mL 이하이다. 따라서 HLA DQB1*0602 가 양성인 환자에서 뇌척수액 hypocretin-1이 감소한 경우에는 기면증의 초기 경과에서도 진단적인 가치가 높다.

뇌 질환에 의한 이차성 기면증은 전체 소아 기면증의 약 1/5-1/3정도이다. 발생 연령은 6세경으로 일차성 기면증에 비해 어린 나이에 증상이 시작되고 특징적으로 탈력발작이 현저하여 이차성 기면증의 약 1/4에서 탈력발작 중첩증(status cataplecticus)이 발생한다. 가장 흔한 원인은 시상하부를 침범하는 유전성 질환(Prader Willi 증후군, Niemann Pick type C병, Myotonic dystrophy type I, Norrie병, Coffin-Lowry 증후군 등), 뇌종양(두개인두종, 성상종 등), 혈관성 질환 등이고 드물게 뇌염이나 머리 부상 후에도 발생한다.

[치료]

○ 약물치료

중추신경자극 약물을 통해 과다한 졸림을 감소시키고 각성 시 렘수면의 갑작스런 발현을 억제하는 약물을 통해 탈력발작과 수면마비, 입면 또는 탈면 환각을 치료하는 것이 근간이 된다. 또한 야간의 수면장애에 대한 치료 또한 중요하다. 경한 탈력발작은 과다한 졸림이 호전되면서 호전되는 경우도 있기 때문에, 먼저 주간의 과다한 졸림을 조절한 후 탈력발작에 대한 치료를 시작한다. 주간 졸림의 치료에는 modafinil, armodafinil 혹은 sodium oxybate를 일차선택제로 쓰고, methylphenidat와 pitolisant를 이차선택제로 쓰며, amphetamine을 삼차선택제로 사용한다. Modafinil은 부작용이 거의 없이 각성상태를 향상시키는 가장 효과적인 약물이다. 작용기전은 모노아민 (monoamine)을 활성화하고 시상하부와 편도(amygdala)의 histamine의 분비를 증가시키는 것으로 알려져 있다. 초기 용량은 비교적 낮은 용량인 100 mg을 하루 한번으로 시작하여 차츰 100-200 mg씩 하루 두 번(200-400 mg/day)으로 줄 수 있다. 두 번째 주는 시간은 가능하면 오후 2시 이전에 투여하는 것이 효과적이다. Modafinil과 armodafinil은 경구피임약의 효과를 떨어뜨릴 수 있으므로, 가임기 여성에서 피임이 요구되는 경우에는 피임약의 증량 혹은 차단식 피임(barrier contraceptive)의 사용, methylphenidate와 같은 비유도성(noninducing) 중추신경자극 약물의 사용을 고려해야 한다. Methylphenidate는 아침과 점심에 5 mg을 투여하는 것으로 시작하여 한 주에 5-10 mg씩 증량하며 최대 하루 60 mg을 사용할 수 있다. 체중이 25 kg 이하의 소아에서는 하루 최대 45 mg까지 사용한다. 중추신경자극 약물의 흔한 부작용으로는 진전, 심계항진, 흔들림(jitteriness)이 있으며, 고혈압 발생에 주의해야 한다. 또한 methylphenidate 혹은 amphetamine을 복용하는 환자는 목표 용량에 도달하면 심전도 검사를 통해 QTc 연장에 대해 평가해야 한다. Sodium oxybate는 최근 미국 식품의약품안전청 (FDA)으로부터 7세 이상의 소아 기면증 환자들에게서도 사용을 승인받은 약으로, 탈력발작과 주간 졸림을 감소시킬 뿐만 아니라 야간 수면장애를 개선시키고 수면마비 및 입면 환각에도 효과를 보인다. 유럽에서 사용 중인 선택적 H3 수용체 역작동제(selective H3 receptor inverse agonist)

인 pitolisant는 주간 졸림과 탈력발작 모두에 효과가 있는 것으로 보고되었으며, FDA의 허가를 기다리고 있다. 탈력발작을 방지하는 약물로는 항콜린성 활성을 가지는 삼환계 항우울제(Tricyclic antidepressant)가 렘수면 현상이 각성 상태에 나타나는 것을 억제하는 약물로서 사용되어 왔다. 삼환계 항우울제는 또한 norepinephrine과 serotonin의 재흡수를 감소시켜 이들의 활성을 높인다. 선택적 세로토닌 재흡수 억제제(selective serotonin reuptake inhibitor)는 삼환계 항우울제보다 부작용이 덜 하여 탈력발작의 조절에 많이 사용된다. Venlafaxine, atomoxetine 등도 효과적으로 알려져 있다.

○ 행동치료

기면증은 과다한 주간 졸림으로 인해 학습과 행동장애가 잘 동반되며, 잦은 지각, 수업 중 졸림 등으로 인해 체벌 또는 놀림의 대상이 되기 쉽다. 또한 졸림을 극복하는 과정에서 신경이 매우 예민해지거나 폭력적이 될 수 있고, 청소년기에서의 관계 고립과 우울증이 발생 할 수도 있다. 따라서 환자뿐만 아니라 가족, 동료, 학교에 충분한 정보를 제공하여 환자를 잘 이해하고 도울 수 있는 환경을 조성하는 것이 매우 중요하다. 일상생활 중 점심식사 후와 오후 4-5시경 15분 정도의 짧은 시간 동안 규칙적으로 낮잠을 자는 것이 삶의 질을 크게 향상시킬 수 있다. 수면 위생을 철저히 지키도록 하여 규칙적인 수면습관을 가지는 것 역시 규칙적인 약물복용과 함께 매우 중요하다.

2) 원발성 과다 졸림/과다 수면증(Idiopathic Hypersomnia)

Hypersomnia

과다 졸림 상태나 과다한 수면시간을 특징으로 하며 깨어있기 힘들고 매우 쉽게 잠들 수 있는 상태를 말한다. 이 범주의 질환은 심한 낮 졸림이 최소 3개월 이상 지속될 때 의심할 수 있고 기면증과 여러 가지 특징을 공유하지만 탈력발작과 불량한 야간 수면을 갖지는 않는다. 원발성 과다 졸림증을 가진 환자들은 종종 깬 후에도 오랫동안 잠에 취해 혼돈된 상태를 경험하며 낮잠 후에도 잔 것 같지 않은 느낌을 호소한다. 평균 수면잠복기 시간(mean sleep laten-

cy)이 8분 이내이기는 하지만 입면 렘수면은 1개 이하이다. 이 질환의 표현형은 긴 수면시간(long sleep time)을 동반한 형과 긴 수면시간을 동반하지 않은 형 두 가지로 나누어진다. 긴 수면시간을 동반한 일차성 과다 졸림증(idiopathic hypersomnia with long sleep time)에서는 10시간 이상의 긴 야간수면과 수면무력증(sleep inertia)로 알려진 아침에 일어나기 힘든 증상을 동반하며, 낮잠은 수 시간까지 길어지나 피로는 회복되지 않는다. 긴 수면시간을 동반하지 않은 일차성 과다 졸림증(idiopathic hypersomnia without long sleep time)은 정상적인 시간(6시간에서 10시간)의 야간수면을 가지며 수면무력증을 보이지 않고, 낮잠도 짧으며 피로도 회복된다. 일차성 과다졸림증의 유병률은 과다수면으로 수면클리닉을 방문하는 환자들의 약 10-15%를 차지하는 것으로 알려져 있고 청소년기 이전에는 매우 드물지만 때로 가족 내에서 발생하는 것을 볼 수 있다. 몇몇 경우에는 길랑바레 증후군, 간염, Epstein Barr 바이러스 감염, 두부 외상 후 발생하기도 한다. 치료는 기면증과 같으나 때로 낮 졸림이 기면증에 비해 치료에 더 저항성을 가지기도 한다. 50%의 환자는 시간이 지나면서 증상의 호전을 보인다.

클레인-레빈 증후군

반복적으로 이틀에서 다섯 주간(중앙값 10일)까지의 심한 과다 졸림과 수면이 삽화성으로 나타나는 드문 수면 질환이다. 이 질환은 인지 저하와 더불어 섭식장애(식욕부진 혹은 폭식) 혹은 성욕 과다증과 같은 행동장애를 함께 동반하며 시상하부 기능의 이상을 반영하는 것으로 보인다. 감염과 음주와 같은 유발인자가 보고되기도 한다. 환자는 과다 수면 삽화가 지나면 정상적인 수면 형태와 정상적인 인지, 행동을 보인다. 이는 남성에서 흔하고, 대부분 청소년기에 발생한다. 뇌의 구조적 이상 또는 중추신경계 바이러스에 의해 발생하기도 하지만 대부분은 원발성으로 발생하며 HLA형도 음성이다. 증상 치료로는 modafinil과 같은 중추신경자극 약물을 사용할 수 있으나, 역설적 초조(paradoxical agitation)를 초래할 수 있다. 또한 각성에는 도움이 되나 인지와 행동문제에는 도움이 되지 않는 것으로 알려져 있다. Lithium과 같은 기분안정제 혹은 항경련제(valproic acid, carbamazepine, phenytoin, gabapentin, lamotrigine)를 예방적으로 사용기도 하며 삽화의 횟수와 기간이 줄었다는 보고도 있다. 하지만 대개는 시간이 지나며 발생 빈도와 기간이 차츰 감소하다가 회복된다(중위값 14년). 삽화가 드물게 발생하고 일상생활에 영향이 크지 않은 경우는 약물치료가 필수적이지는 않다.

월경 연관성 주기적 과다 수면 역시 드문 삽화성 과다 수면증으로서 초경 이후에 발생하며 주기적으로 발생하는 뚜렷한 심한 낮 졸림을 특징으로 한다.

정신질환과 우울증

심한 졸림증과 함께 신경행동학적인 이상소견을 보이는 소아청소년에서 반드시 고려해야 할 질환이다. 전환반응(conversion reaction)은 탈력발작처럼 보일 수 있다. 특정 정신질환에 사용되는 약물이 기면증의 증상 또한 좋아지게 할 수 있음을 기억해야 한다(예. ADHD에 대한 중추신경자극제 치료와 우울증에 대한 삼환계 항우울제 치료는 기면증의 심한 낮 졸림증과 탈력발작을 좋게 한다). 따라서 이들 약물에 대한 치료 효과를 통해 기면증과 정신질환을 감별하려고 해서는 안 된다.

그 밖의 다른 신경학적 원인들로서는 외상 후 과다 수면증, 약물, 알콜 또는 약물 남용 등이 있다.

3) 지연 수면-각성위상 장애(Delayed sleep-wake phase disorder)

생체시계(biological clock)는 시상외측의 양쪽에 위치한 시교차상핵(suprachiasmatic nucleus)에 위치하며 일주기리듬(circadian rhythm)을 담당한다. 생체시계의 하루는 24시간보다 약간 더 긴 24.2-24.5 시간이지만 우리 몸은 빛, 일상적 사회생활, 식사 등을 통해 외부의 24시간 주기에 동조하고 있으며, 망막을 통해 시교차상핵에 들어오는 빛이 생체시계를 가장 강력하게 재조정한다. 일주기 수면장애(circadian rhythm sleep-wake disorder)는 생체시계의 수면시간과 외부환경의 24시간 활동 사이의 불일치로 인해 발생하며, 일반적인 수면시간대에서는 불면을 호소하고 각성이 필요한 시간대에서 과다한 졸림을 호소하게 된다.

지연 수면-각성위상 장애는 청소년기에 흔한 일주기리듬 장애로서 생체시계의 수면/각성 스케쥴이 외부환경에서 요구하는 것보다 지속적으로 2시간 이상 지연되어 결과

적으로 밤에 일찍 잠들기 힘들고 아침에는 일어나기 어려운 것을 특징으로 한다. 휴일 동안의 일반적인 취침시간은 자정을 넘어 새벽 2-6시 사이이며 기상은 대개 오전 10시 이후이다. 그러나 일상 학교생활 중에는 자신의 생체시계상의 기상시간보다 일찍 일어나야 하기 때문에 만성적인 수면박탈을 경험하게 된다. 오전 시간에는 심한 졸림과 행동문제를 동반하지만 늦은 밤에는 정신이 맑아지며 활동적이 된다. 심한 경우에는 학교생활 자체가 힘들어지고 학업수행 능력의 큰 저하를 초래한다. 일주기검사상에서 멜라토닌 리듬과 중심부 체온 리듬이 지연되어 있음을 보인다.

[역학]

전체 인구의 약 0.13-0.17%에서 경험되지만 청소년기와 젊은 성인에서는 7-16%로 높게 발생한다.

[발생 기전]

유전적, 생리적인 측면과 행동적 요소가 작용한다고 알려지고 있으며 약 40% 정도에서 가족력을 보인다.

[진단]

수면패턴을 파악하는 것이 가장 중요하며, 수면일기를 작성하거나 활동측정기(actigraphy)를 착용하는 것이 큰 도움이 된다. 일주일 이상 기록하며, 평일과 휴일을 모두 기

표 8-10. 지연 수면-각성위상 장애 진단기준(ICSD-3: Delayed sleep-wake phase disorder)

A-E를 만족하여야 한다.
A. 적정한 시간에 잠들지 못하고 정해진 시간에 일어나지 못하는 수면시간의 지연이 뚜렷하게 관찰된다.
B. 증상이 3개월 이상 지속된다.
C. 환자가 임의로 일정을 선택할 수 있게 되면, 연령에 맞는 적절한 수면의 질이 개선되며 지연된 24시간의 수면-각성 패턴을 유지한다.
D. 수면일기와 (가능하면) 활동측정기를 최소 7일 이상 작성하며 14일이 추천된다. 관찰 기간에 평일과 휴일이 모두 포함되도록 한다.
E. 이러한 불면증상과 주간증상이 다른 수면장애로 설명되지 않는다.

American Academy of Sleep Medicine. International classification of sleep disorders, 3rd edition: Diagnostic and coding manual. Westchester, IL: American Academy of Sleep Medicine, 2014

록해야 한다. 진단기준은 표 8-10과 같다.

[치료]

생체 내 일주기리듬을 외부환경의 시계에 맞추는 것이 치료의 목적이며 동기부여가 매우 중요하다. 가장 효과적인 치료는 밝은 광선을 통해 시교차상핵의 리듬을 재조정해주는 것이다. 광 치료는 기상 직후에 2500-10000 룩스의 광선을 40-50 cm 떨어진 곳에서 30분간 2-4주간 지속 쪼이게 하는 것이다. 이때 광선을 직접 쳐다보지는 않게 한다. 부작용으로는 구역질, 두통, 안구자극 등이 발생할 수 있지만 대개 빠른 시간 내 저절로 회복된다. 광 치료 기간 동안에는 저녁시간대에 강한 빛에 노출되지 않도록 하며 어두운 선글라스를 착용하여 생체시계가 지연되는 것을 방지한다. 다른 방법으로는 2일마다 약 3시간씩 수면/각성시간을 점진적으로 지연시키거나 매일 15분씩 일찍 자도록 하여 생체시계가 원하는 시간에 이르도록 재조정할 수 있으나 방학이나 휴가 중에만 가능하다는 어려움이 있다. 멜라토닌 0.3-0.5 mg을 일상적인 수면시간보다 5-7시간 전에 복용하였을 때도 수면위상의 전진 효과를 가져 올 수 있다. 중요한 점은 새로 조정된 수면/각성시간을 휴일이나 방학 중에도 그대로 유지하여 규칙적인 수면/각성시간을 항상 유지하는 것이다.

5. 사건수면(Parasominas)

사건수면은 수면과 연관되어 일시적으로 간혹 발생하는 이상 행동으로 정의되며 크게 렘수면 중 발생하는 사건수면들(악몽, 입면기 환각, 수면 마비, 렘수면 행동장애)과 비렘수면 중 발생하는 부분 각성에 의한 사건수면들(야경증, 수면 보행증, 혼돈성 각성)로서 구분된다. 그밖의 사건수면에는 수면과 관련된 두통(cluster headache), 이갈기(bruxism), 잠꼬대(sleep talking, somniloqui), 야뇨증 등이 있다.

1) 부분 각성에 의한 사건수면(Partial arousal parasomnias)

야경증(night terror), 수면 보행증(몽유병, sleepwalking or somnambulism)과 혼돈성 각성(confusional arousal) 등은 서로 연관된 수면질환으로서 공통적인 병태생리학을 가지며 비슷한 임상양상을 보이고 동시에 함께 발생하기도 한다. 흔한 공통된 양상은 서파 수면이 가장 많은 잠자기 시작한 후 1-2시간 후에 잘 발생하며, 일어난 후 깨어나지 못하고, 불안, 흥분, 혼돈 상태를 보인다. 호흡이 가쁘고, 동공이 확산되며, 땀이 많이 나고, 심박동이 항진되는 자율신경계의 흥분이 동반되며, 부모가 달래 주어도 달래지지 않으며 더욱 흥분하기도 하고 주위에 대한 감각이 없다. 아침에 일어나서는 전혀 기억하지 못한다. 수면무호흡증이나 주기적 사지운동 등으로 인해 수면분절(sleep fragmentation) 현상이 증가되는 환경에서 더 악화되며 가족력이 강하다. 이 증상은 수면 중 뇌의 일부만 각성되는 수면분리(sleep dissociation) 상태가 발생함으로써 발현되며 뇌파상 수면

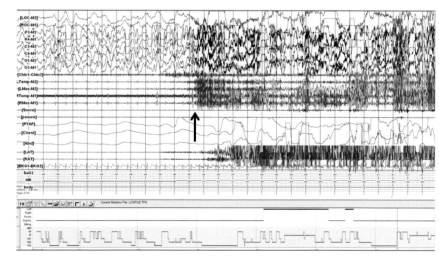

■ 그림 8-10. 사건수면의 수면다원검사 소견
화살표는 수면 보행장애가 시작되는 지점을 표시한다. 뇌파상 서파 수면상태에서 발생하고 수면과 각성이 혼재되어 있는 상태를 보인다.

과 각성이 혼재되어 있다(그림 8-10).

야경증은 깊은 서파 수면 중 갑자기 깨어 무엇에 놀란 것처럼 극심한 공포를 보이며 심하게 울거나 소리 지르는 것을 말한다. 자율신경계 항진이 동반되며 달래지지 않는다. 아이가 극심하게 놀란 것처럼 보이며 큰 스트레스를 받고 있는 것처럼 보이지만 실제로는 아이는 자고 있기 때문에 본인보다는 돌보는 사람의 스트레스가 크다. 몽유병 역시 수면 후 첫 1-2시간 내 서파 수면에서 발생하며 창문을 넘거나 계단을 내려간다던지, 밖으로 돌아다닐 수 있기 때문에 환자의 안전에 유의해야 한다. 대개는 청소년기에 들어서면서 대부분 좋아진다. 혼돈성 각성은 서파 수면 중 갑자기 일어나 잠에 취한 상태로 외부에 대한 지남력을 상실하고 혼돈된 상태를 보이는 것을 특징으로 한다. 진단은 상기 수면증상을 통해 내릴 수 있으나 경련성 질환과의 감별이 필요한 경우나 수면무호흡 또는 주기적 사지운동 증후군 동반이 의심되는 경우에는 수면다원검사가 필요하다. 비디오 촬영과 수면일지를 쓰게 하는 것도 진단에 도움이 된다.

야경증은 전체 소아의 약 1-6%가 경험하며 몽유병 환자의 약 10%는 야경증을 동반한다. 몽유병은 약 15-40%의 소아가 일생에 한 번은 경험한다고 하며 가족력이 있는 경우에는 10배 정도 더 잘 발생한다. 성인까지 지속되는 경우는 약 4% 정도이다. 혼돈성 각성은 3-13세 소아의 약 17%에서 경험하는 것으로 알려져 있다. 대개 8살이 되면 야경증이나 몽유병의 50%가 더 이상 발생하지 않는다. 사건수면을 악화시키는 요인들로는 부적절하게 짧은 수면시간, 불규칙적인 수면스케줄, 수면분절을 증가시키는 질환, 열과 질병들, 서파 수면을 증가시키는 약물의 사용(리튬) 또는 삼환계 항우울제 사용 중단으로 인한 서파 수면의 반동적 증가, 커피, 스트레스와 불안, 수면 중 시끄러운 소리 또는 빛에 노출된 경우 등이다. 치료에서 가장 중요한 점은 질환에 대한 부모교육, 수면 중 안전한 환경 확보와 보호자 안심시키기이다. 청소년들에서는 카페인이 많은 음료를 자제시켜야 하며 수면 위생을 좋게 하는 것이 중요하다. 사건수면이 발생했을 때 부모는 아이를 무리하게 깨우려고 시도하거나 달래려고 하지 말고 조용히 다시 잠자리로 데리고 가게 교육한다. 발생 빈도와 심한 정도에 따라 약물사용을 결정하는데 치료의 주 목적은 환자나 다른 가족의 잠을 깨우는 것을 최소화하는 것이다. 약물은 서파 수면을 억제하는 것으로서 benzodiazepines와 삼환계 항우울제(imipramine)를 사용한다. diazepam 1-2 mg 또는 clonazepam 0.5 mg을 잠들기 전 복용시켜 효과를 볼 수 있다.

2) 악몽(nightmares)

악몽은 말 그대로 놀랄 정도로 무서운 꿈을 말하며 램 수면 중에 발생하고 대개 놀라서 잠에서 깨게 된다. 램 수면이 많은 수면 중반 이후 주로 새벽에 많이 발생한다. 무서운 꿈 내용의 일부 또는 전체를 생생하게 기억하며 깬 후에 혼돈 상태를 보이지 않는다. 대개는 부모로부터 꿈이니 괜찮다는 확인을 받은 후 다시 잘 수 있다. 악몽은 6-10세 사이의 아동에서 가장 많고 12세 이상에서는 여아에서 더 흔하다. 75%의 소아가 일생에 한 번 이상 악몽을 경험한다고 한다. 악몽의 내용은 대개 정상적인 발달 과정에서 겪게 되는 쟁점들이나 스트레스와 관련이 있다. 치료는 공포의 실제와 특성을 이해하는 것이 중요하며, 원인이 될 만한 사건을 피하게 하면 호전되는 경우가 많으며, 일반적으로 약물치료는 필요하지 않다. 심한 악몽이 지속되거나 간단한 행동학적 요법으로 호전되지 않는 경우에는 불안장애를 동반 여부를 감별해야 한다.

3) 야뇨증(enuresis)

야뇨증은 5세 이후에도 수면 중에 최소 일주일에 2회 이상 반복적으로 본의 아니게 소변을 가리지 못하는 것을 말한다. 6개월 이상 한 번도 소변을 가려 본 적이 없을 때를 일차성이라 하고 6개월 이상 소변을 잘 가리다가 다시 일주일에 2회 이상 최소 3개월 지속되었을 때를 이차성이라고 한다. 야뇨증은 수면 중 방광이 찬 느낌에 깨어나는 것이 안 되든지, 방광 수축을 억제하는 것이 실패하는 것에서 발생한다. 이는 발달과 함께 습득하는 기술이므로 5세 이전에서는 야뇨증으로서 진단하지 않으며 7세 이후에 치료한다.

[역학]

일차성 야뇨증의 빈도는 6세에 10%, 7세에 7%, 10세에 5%, 12세에 3%며 18세에도 1-2% 가량 지속된다.

[발병원인]

성숙지연, 낮은 각성 역치를 가진 경우, 야뇨증 가족

력, ADHD가 동반된 경우, 야간의 방광용적 감소, 수면 중 vasopressin의 감소 등이다. 이차성 야뇨증의 원인으로는 당뇨, 요붕증 등으로 인해 소변 농축이 잘 되지 않는 경우, 카페인이나 약물에 의한 소변양 증가, 요로감염, 야간 경련과 같은 신경학적 질환 또는 정신과적 스트레스 등이 있다. 특히 폐쇄성 수면무호흡증과 같은 수면질환은 일차성 및 이차성 야뇨증과 모두 연관성이 있으며 수면무호흡증 환자의 8-47%가 야뇨증을 가진다. 이는 무호흡증으로 인한 수면분절의 증가가 항이뇨호르몬의 분비를 방해하며 부분적인 각성상태를 만드는 것과 연관성이 있다.

[검사]

소변검사와 야뇨증 일지를 쓰는 것이 진단에 도움이 되며 수면무호흡증이 의심되는 경우에는 수면다원검사를 시행할 수 있다.

[치료]

저녁에 음료수, 카페인 음료 제한, 규칙적으로 깨우기 등의 간단한 행동치료로부터 소변이 묻으면 경보가 울리는 야뇨경보기를 사용할 수도 있다. 소아 수면무호흡증이 동반된 환자에서는 편도선 제거술 후에 55-74%의 환자에서 야뇨증이 좋아진다. 약물은 7세 이후부터 사용할 수 있는데, imipramine이나 desmopressin이 많이 사용된다. Imipramine은 6세 이상의 환아에서 2.5 mg/kg/일(최대용량)을 자기 전에 준다(대개 7-8세 25 mg, 8-12세 50 mg, 이후 75 mg). 대개 치료 시작 2주 내에 증상의 호전을 보이며, 약 50%의 환자에서 효과를 보이지만 약물복용을 중단하였을 때 30% 정도에서 재발을 보인다. 심장질환이 있거나, 안압이 높은 경우 혹은 갑상샘기능 항진증이나, 경련의 병력이 있는 경우에는 특히 주의를 요한다. Desmopressin은 야뇨증 환자에서 수면 중 정상인과 달리 항이뇨호르몬 분비가 증가하지 않는다는 것이 중요한 원인으로 밝혀진 이후에 야뇨증의 치료제로 널리 쓰이고 있는 약제이다. Desmopressin은 비강 내 주입하는 방법과 경구로 복용하는 방법이 있는데 비강 내 주입의 경우, 저나트륨혈증으로 인한 발작의 우려로 소아의 경우에는 경구 복용만 승인되어 있으며 야뇨경보기와 함께 사용하면 더 효과적이다.

4) 렘수면 행동장애(REM sleep behavior disorder: RBD)

렘수면 행동장애는 렘수면 시 정상적인 근이완(atonia)이 소실됨으로써 발생하며 꿈을 꾸며 심하게 소리 지르고 때리는 폭력적인 이상행동이 나타나 본인 또는 함께 잠 잔 사람이 부상을 입게 된다. 이는 대개 60-70대의 노인에서 신경퇴행성 질환의 전조로서 발생한다. 파킨슨 증후군 환자의 25-50%가 렘수면 행동장애를 가지며 Lew body dementia, multiple system atrophy 환자에서는 50% 이상 발생한다. 신경퇴행성 질환을 가진 아동에서도 극히 드물게 보고되며 기면증을 가진 환자들에서 발생하기도 한다.

6. 수면 연관성 운동장애(Sleep-related Movement Disorders)

수면 연관성 운동장애로는 하지불안 증후군(restless legs syndrome), 주기적 사지운동 장애(periodic limb movement disorder), 수면 연관성 다리경련(sleep-related leg cramps), 수면 연관성 이갈기(sleep-related bruxism), 수면 연관성 리듬운동 장애(sleep-related rhythmic movement disorder), 영아기 양성 수면 근간대(benign sleep myoclonus of infancy), 입면 시 척수성 근경련(propriospinal myoclonus at sleep onset) 등이 있다. 또한 병적이지 않은 경우로 수면 근간대, 입면 시 다리 주기떨림(hypnagogic foot tremor and alternating leg muscle activation; ALMA), 과도한 단편적 근간대(excessive fragmentary myoclonus) 등도 있다.

1) 수면 연관성 리듬 운동 장애: 머리 박기(head banging), 몸통 흔들기(body rocking), 머리 구르기(head rolling)

이들은 특징적으로 수면 시작 시에 발생하며 반복적이고 정형화된 형태의 율동성 운동을 보인다. 대개는 수면 시작 전 깨어있지만 졸린 상태에 나타나고, 때로는 수면 1-2기에도 지속되기도 하며 수분에서 수 시간 동안 지속될 수 있다. 대개는 0.5-2 Hz로, 진전보다 느린 특징을 가지며, '음음' 등의 목소리를 내기도 하고, 주로 그 증상이 머리와 목에 국한된 경우가 가장 많다. 머리 박기는 엎드린 자세, 또는 일어나 앉은 자세에서 바닥이나 벽에 머리를 부딪치는 형태로 나타나고, 몸통 흔들기는 머리를 고정시킨 자세로 몸통만 앞뒤로 흔드는 형태로 나타나며, 머리 구르기는 바로 누운 자세에서 좌우로 굴리는 형태로 나타난다. 주로 어린 영유아에서 발생하며, 이러한 리듬운동으로 스스로 진정시켜 다시 잠들게 된다. 유아기 아동의 약 2/3에서 몸통 흔들기가 나타나고, 18개월에는 33%, 5세에는 5%로 감소한다. 매우 드물게 성인기까지 지속되는 경우도 있다. 대부분 이와 같은 운동으로 인한 수면 방해는 나타나지 않으며 저절로 좋아지는 양성 경과를 밟는다. 그러나 지속적으로 발생하며 낮 시간 동안에도 비슷한 행동이 나타나는 경우에는 지적장애, 자폐증 등의 동반 여부를 살펴보아야 하고 신경학적 또는 정신과적 질환이 있을 때에는 그 빈도와 심한 정도에 따라 부상의 위험에 대비하여 주위의 위험한 물체를 치우고 바닥에 두껍게 담요 등을 깔아 주어야 한다. 감별질환으로 경련 등이나 중이염, 통증 등이 있다. 아이의 이와 같은 행동이 병적인 것은 아닐지라도 부모에게는 큰 스트레스로 작용하며, 치료는 부모교육과 수면 시 부상에 대비하여 안전한 수면환경을 만들어 주는 것이다. 어릴 때 생길수록 매우 좋은 예후를 가지며, 대부분 3세 이후에는 사라지지만 심한 경우에는 빠른 작용을 하는 GABA 약물이나 clonazepam, imipramine 등이 도움이 될 수 있다.

2) 하지불안 증후군(Restless legs syndrome)과 주기적 사지운동 장애(Periodic limb movement disorder)

(1) 하지불안 증후군(Restless legs syndrome, RLS)

하지불안 증후군은 감각신경성 질환으로서, 수면 전, 또는 쉴 때에 다리에 이상한 느낌 혹은 불편한 감각이 발생하여 이를 완화시키기 위해 다리를 움직이고 싶은 강한 충동을 느껴, 지속적으로 다리를 움직이거나 만지거나 문지르게 되는 것이며 이러한 일련의 과정으로 수면이 방해된다. 주로 다리에서 발생하지만 팔에서도 같은 증상이 동반되기도 한다. 벌레가 기어가거나 감전 또는 뜨거운 느낌 등 다양한 이상감각 소견을 호소하며 구체적으로 표현하기 어려운 불편한 느낌을 호소하는 경우가 많다.

[역학]

유병율은 성인에서 5-10%, 학동기 및 청소년기에서는 약 2%이다. 성인 RLS 환자의 50-60%는 가족력을 가지고 있다. 특히 35세 이전에 증상이 발생하는 군에서는 40-92%가 가족적으로 발생하며 이들 환자의 직계 가족은 일반군에 비해 6-7배 정도 발생률이 높다.

2차적인 RLS를 일으킬 수 있는 의학적 상태로는 말기 신부전, 임신, 철결핍성 빈혈 등이 있다.

[진단]

진단할 수 있는 특징적인 임상증상은 하지의 불편하고 불쾌한 느낌으로 인해 다리를 움직이고 싶은 강한 충동이다. 이러한 증상은 앉아 있거나 누워있을 때 더 심해지고, 다리를 움직이거나 주물러 주면 불편함이 부분적이라도 완화되며, 낮 시간보다 쉬는 시간인 저녁이나 밤에 더 심해진다. 이 특징적인 증상을 모두 충족하면서 다른 의학적 행동학적 장애가 없을 때 진단을 내릴 수 있다. 또한 병의 중증도는 이러한 증상으로 인해 수면이나 행동, 인지, 기능 등의 장애를 일으키는 정도로서 구분한다. 소아에서는 상기 증상을 명확히 표현하지 못하고, 아이가 스스로 자신의 언어로 증상을 표현해야 하는 등 진단이 쉽지 않다. 다만 수면 중 PLM이 1시간에 5회 이상 있거나, RLS 가족력이 있거나, 가족이 수면 중 PLM이 1시간에 5회 이상 있거나, 가족 중 PLMD 장애가 있을 때 의심해볼 수 있다.

[발병기전]

RLS를 악화시키는 요인으로 신경계의 철분 부족과 도파민 시스템의 이상이 잘 알려져 있다. 철은 도파민 합성 과정 중의 tyrosine hydroxylase의 조효소로서 작용하는데, 뇌 내에 철분 부족이 있으면서, 철 조절능에 이상이 생기는 경우 RLS와 유사한 증상이 생기는 것이 동물 모델에서 확인되었다. 도파민 조절 역시 RLS의 병리기전에 강한 영향을 미칠 것으로 생각되며, 동물 연구 등에서 뇌내 도파민 생성과 도파민이 증가하고, 도파민 수용체가 감소하는 것을 확인하였다.

[치료]

충분한 양의 수면을 취하며 주말과 주중에 관계없이 늘 같은 시간에 자고 일어나는 건강한 수면 위생의 실천이 중요하다. 모든 환자에서는 하지불안 증후군을 악화시키는 약물(항히스타민, 술, 카페인, SSRI 등)을 피하고, 혈청 ferritin 이 50 ug/L 미만인 경우 철분 치료를 할 수 있다. 그 이외에도 증상에 따라서 pramipexol (starting dose 0.125 mg)과 ropinirole (starting dose 0.25-0.5 mg) 등을 사용한다.

(2) 수면 중 주기적 사지운동(periodic limb movement during sleep: PLMS)

소아에서의 수면 중 주기적 사지운동은 드물지만 하지불안 증후군을 가진 소아 환자의 상당수는 수면 중 주기적 사지운동을 가진다. 따라서 수면다원검사 중 PLMS가 발견되는 경우에는 하지불안 증후군 동반 여부를 반드시 확인해야 한다. 전형적인 PLMS는 군집적으로 발생하는데, 20-40초 간격으로 하지에 나타나며 주로 규칙적으로 발목을 위로 굽혀 올리는 운동, 발가락을 위로 들어 올리면서 펴는 운동 등이 수면 중 활발히 나타난다. 주기적 사지운동 장애는 수면다원검사를 통해 반복적인 정형화된 형태의 사지운동이 비정상적인 각성 증가의 원인이 되며. 이로 인해 수면에 방해를 받아 일상생활에 지장을 줄 때 진단할 수 있다(그림 8-11). 검사소견으로서는 0.5-10초간 지속되는 최소 4개 이상의 연속된 일련의 운동이 하지에서 나타나며, 그 진폭이 휴식기의 근전도보다 8 uV 이상 되고, 5초 이상 90초 이하의 사이의 간격을 두고 발생할 때 시간 당 발생횟수를 점수로 주게 된다. 이를 PLMS 지수라고 하며 소아에서는 5 이상, 성인에서는 15 이상 일 때 질환이 있다고 정의한다.

나이가 들면서 주기적 사지운동의 유병률도 늘어나, 30-50대에서 4-11%, 그 이상에서는 25-58%로 증가한다. 주기적 사지운동들은 수면 중 각성을 일으켜 수면분절 현상을 일으키며 낮 동안의 과다한 졸림을 유발하기도 한다. 치료는 아직까지 대규모 연구를 통해 FDA 승인된 것은 없다. 도파민 약물은 하지불안 증후군이 없는 주기적 사지운동 증후군에서 사용했을 때, 오히려 하지불안 증후군이 나타날 수 있어 그 치료에 주의를 요한다. 수면제 등을 사용했을 때 수면 자체는 잘 유도되나 주기적 사지운동 자체는 호전되지 않는다. 다만 특히나 소아에서는 주기적 사지운동장애가 있을 때 철분 상태를 확인하고 철분을 보충해 주어야 한다.

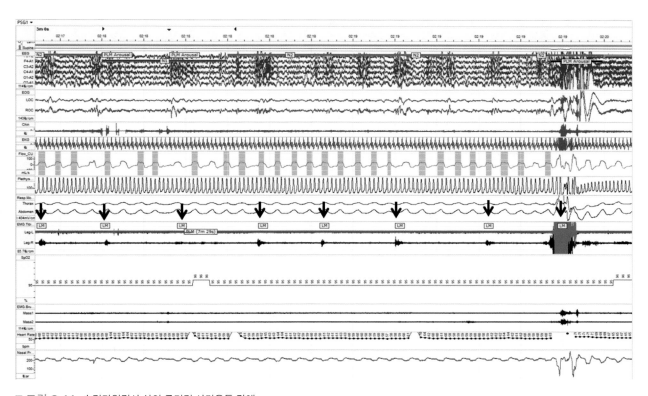

■ 그림 8-11. 수면다원검사 상의 주기적 사지운동 장애
화살표들은 주기적으로 발생하는 사지운동을 나타낸다. 마지막 사지운동은 각성을 동반하였다(PLM arousal).

표 8-11. 수면 연과성 이갈기의 진단기준

A와 B를 만족하여야 한다.
A. 수면 중에 발생하는 규칙적 또는 빈번한 이갈기 소리가 존재하는 경우
B. 다음의 임상징후가 한 가지 이상 존재하는 경우
　1. 비정상적인 치아 마모가 상기에 보고한 수면 중 이갈기에 의한 경우
　2. 아침에 발생하는 일시적인 턱의 근육통 또는 피로, 그리고/또는 일시적인 두통, 그리고/또는 턱을 악물고 깨는 경우가 상기에 보고한 수면 중 이갈기에 의한 경우

American Academy of Sleep Medicine. International classification of sleep disorders, 3rd edition: Diagnostic and coding manual. Westchester, IL: American Academy of Sleep Medicine, 2014.

3) 수면 연관성 이갈기(Sleep related bruxism)

수면 중의 이갈기는 비교적 흔하게 볼 수 있는 수면 중의 운동장애로 학동기 미만 어린이의 45%에서 관찰된다. 이갈기가 지속되는 경우 치아의 마모, 턱관절의 동통, 주위 조직의 부상, 두통 등을 초래할 수 있다. 이갈기는 주로 수면 중 각성현상과 연관되어 발생하며 모든 단계의 수면에서 발생할 수 있지만 1, 2기 비렘수면에서 많이 나타나고 렘수면에서도 나타날 수 있다. 이갈기와 연관된 수면분절이 심한 경우에는 부주의, 산만 등 낮 시간 동안의 행동문제가 동반되기도 한다. 원인 인자는 밝혀져 있지 않지만 유전적 소양, 각성도의 증가, 자율신경계 교감신경의 활성화, 불안, 약물 등이 이갈기를 증가시키는 요인이 된다. 이갈기 환자의 20-50%는 가족력을 동반하며 양 부모 모두 이갈기가 있었던 아이의 경우는 이를 갈 위험성이 두 배로 증가한다. 진단기준은 다음과 같다(표 8-11). 이갈기는 수면 중 각성이 증가하는 모든 환경에서 증가할 수 있기 때문에 다른 수면질환의 동반 유무에 대한 검사가 필요하다. 따라서 수면과 연관된 호흡장애, 수면 중의 주기적인 사지운동 또는 비렘수면 중의 빈번한 사건수면이 동반된 것으로 의심되는 경우에는 수면다원검사의 적응증이 된다. 수면다원검사에서 턱의 근전도(EMG)의 높이가 배경 근전도의 진폭의 두 배일 때 긴장성(tonic) 또는 위상성(phasic) 이갈기로 채점한다. 긴장성 이갈기는 EMG 고도가 2초 이상 지속되어야 한다. 또한 수면다원검사에서 이갈기로 진단하려면 최소한 2회 이상의 이갈기 소리가 확인되어야 한다(그림 8-12). 수면 중의 이갈기는 저절로 좋아질 수 있으나 만성화되거나 스트레스 등으로 악화될 수 있다. 이갈기가 심한 경우에는 구강 내 장치를 통해 치아의 마모를 방지해 주어야 한다.

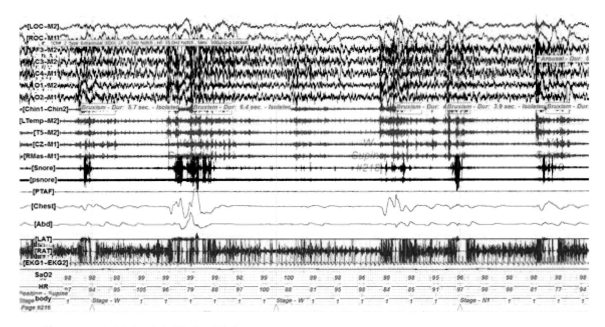

■ 그림 8-12. 수면다원검사에서 관찰되는 이갈기
최소한 3회 이상 지속되는 0.25-2초 사이의 규칙적인 근전도의 상승이 턱과 양측 측두엽 및 유양돌기 전극에서 잘 관찰된다.

7. 수면과 신경발달장애
(sleep and Neurodevelopmental Disorders)

  신경발달장애 아동들은 다양한 수면문제를 동반할 수 있으며 이로 인한 불충분한 수면은 본래 아이가 가진 문제에 영향을 끼치며 발작이나 불안 등의 동반된 증상을 악화시키고 인지, 정서, 사회적 발달 및 행동에 지장을 초래하며 돌보는 가족에게 큰 스트레스 요인으로 작용한다. 이들의 수면장애를 파악할 때는 의학적, 신경학적, 정신적 원인들을 함께 고려해야 한다(표 8-12) 중추신경계 기형 또는 손상은 전두엽이나 시상을 통해 수면-각성 주기에 영향을 미치고 뇌교를 통해 호흡에 영향을 주어 수면장애 및 수면 호흡장애를 초래하며, 두개안면 기형과 비만은 상기도의 폐쇄로 인해 수면무호흡을 증가시킨다. 신경근육질환은 호흡근육 약화를 동반하여 저환기를 가져오며 전두엽 및 측두엽 뇌전증은 야간 수면장애가 잘 동반된다. 사용하는 약물 역시 수면구조의 이상을 초래할 수 있다. Angelman 증후군, Prader-Willi 증후군, Williams 증후군 및 자폐성 질환 등의 신경발달장애의 진단 기준에는 수면장애가 포함되어

있으며 이들의 공통된 수면문제는 수면 개시 및 유지의 문제와 짧은 수면시간으로 분류 기준으로는 불면증에 해당된다. 자폐질환(Autism spectrum disorders)에서 흔히 관찰되는 수면문제는 잠들기 힘들고(수면 개시 장애 및 지연 수면), 반복적으로 자다가 자주 깨며, 짧은 수면시간과 이른 기상으로 인해 본인과 가족들이 고통을 겪는다. 또한 렘수면장애, 폐쇄성 호흡장애, 이갈이 등 다양한 수면질환이 동반될 수 있으며 야간 공포, 분리불안, 강박적 행동과 관련되는 다양한 수면장애가 나타난다. Angelman 증후군에서도 수면시간의 감소, 반복적인 야간 기상, 불규칙한 수면-각성 등의 문제가 자주 나타난다. Down 증후군은 전신적 저긴장, 비만, 얼굴 중앙부의 저형성, 뒤로 처진 큰 혀, 갑상샘기능 저하증, 아데노이드 비대 등으로 인해 폐쇄성 수면호흡 장애의 빈도가 높아 이에 대한 평가가 반드시 필요하다. Prader-Willi 증후군은 비만과 관련된 수면 무호흡증의 동반이 흔하다. 레트 증후군은 낮 시간 동안 나타나는 호흡장애(과호흡과 무호흡)와 야간의 수면 개시 장애, 분절수면, 소리를 지르거나 웃는 등의 행동이상, 짧은 수면시간과 아침 일찍 기상하는 수면문제가 잘 동반된다. Smith-Magenis 증후군과 Williams 증후군도 수면 개시 장애와 짧은 수면시간, 빈번한 야간 각성, 주간 졸림 등을 가진다(표 8-13). 적절한 수면환경의 제공, 지속적인 수면훈련과 기저 수면질환의 진단과 치료, 멜라토닌과 같은 수면 유도 약물 사용이 신경발달장애를 가진 환자들에게 필수적이다.

표 8-12. 신경발달장애 환자에서 동반되는 수면장애의 원인

의학적 또는 신경학적 질환(발작, 위식도역류, 야뇨증)
수면장애(수면무호흡, 하지불안 증후군, 주기성 사지운동 장애, 일주기리듬 장애)
정신적 문제(불안, 주의력결핍 과잉행동 장애)
약물(항우울제, 중추신경자극제)
행동요인
수면과 연관된 발작
수면과 연관된 이상운동
렘수면 행동장애

표 8-13. 신경발달장애와 연관된 수면장애

	자폐증	Angelman 증후군	Prader-Willi 증후군	Williams / Smith-Magenis 증후군
수면 개시 불면증	++	+	+	+
수면 유지 불면증	+	++	+	+
폐쇄성 수면장애			+	
주간 졸림증			++	+
야간 발작	+	++		

참고문헌

1. Alon Y. Avidan. Review of sleep medicine. 4th ed. Elsevier, 2017

2. American Academy of Sleep Medicine. International classification of sleep disorders: Diagnostic and coding manual, 2nd ed. American Academy of Sleep Medicine, 2005

3. American Academy of Sleep Medicine. International classification of sleep disorders: Diagnostic and coding manual, 3rd ed. American Academy of Sleep Medicine, 2014

4. Berry RB, Brooks R, Gamaldo C, et al. AASM Scoring Manual Updates for 2017 (Version 2.4). J Clin Sleep Med 2017;13:665-6.

5. Berry RB, Wagner MH. Sleep medicine pearls, 3rd ed. Elsevier/Saunders, 2015

6. Carskadon MA. The second decade. In: Guilleminault C, editor. Sleeping and Waking disorders. Indication and techniques. Addison-Wesley; 1982. p99-125.

7. Dauvilliers Y, Barateau L. Narcolepsy and Other Central Hypersomnias. Continuum (Minneap Minn) 2017;23:989-1004.

8. España RA, Scammell TE. Sleep neurobiology for the clinician. Sleep 2004;27:811-20.

9. Iglowstein I, Jenni OG, Molinari L, Largo RH. Sleep duration from infancy to adolescence: Reference values and generational trends. Pediatrics 2003;111:302-7.

10. Jenni O, Carskadon M. Sleep behavior and sleep regulation from infancy through adolescence. In: Jenni O and Carskadon M, editor. Sleep in Children and Adolescents, Sleep Medicine Clinics, 2007

11. Kryger MH, Roth T, Dement WC. Principles and practice of sleep medicine. 6th ed. Elsevier, 2017

12. Kushida CA, Littner MR, Morgenthaler T, et al. Practice parameters for the indications for polysomnog-raphy and related procedures: An Update for 2005. Sleep 2005;28:499-521.

13. Mindell JA and Owens JA. A Clinical Guide to Pediatric Sleep: Diagnosis and Management of Sleep Problems, 3rd ed. Wolters Kluwer, 2015

14. Pavlova M. Circadian rhythm sleep-wake disorders. Continuum (Minneap Minn) 2017;23:1051-63.

15. Rhie SK, Lee SH, Chae KY. Sleep patterns and school performance of Korean adolescents assessed using a Korean version of the pediatric daytime sleepiness scale. Korean J Pediatric 2011;54:29-35.

16. Sadeh A, Gruber R, Raviv A. Sleep, neurobehavioral functioning, and behavior problems in school-age children. Child Development 2007;73:405-17.

17. Saper CB, Scammell TE, Lu J. Hypothalamic regulation of sleep and circadian rhythms. Nature 2005;437:1257-63.

18. Sateria MJ, Buysse DJ, Krystal AD, Neubauer DN, Heald JL. Clinical Practice Guideline for the Pharmacologic Treatment of Chronic Insomnia in Adults: An American Academy of Sleep Medicine Clincial Practice Guideline. J Clin Sleep Med 2017;13:307-49

19. Shin YK, Yoon IY, Han EK, et al. Prevalence of narcolepsy-cataplexy in Korean adolescents. Acta Neurol Scand. 2008;117:273-8.

소 아 신 경 학
PEDIATRIC NEUROLOGY

제 9 장

운동장애

Movement Disorder

01

운동실조

Ataxia

| 권순학 |

운동장애는 자발적인 움직임에 문제가 발생하여 잘 움직이지 못하는 증상과 비자발 움직임이 예상하지 못하게 나타나서 이러한 두 가지 증상이 각각 나타나거나 또는 동시에 나타나는 것을 의미한다. 운동장애에서 나타날 수 있는 증상은 몸이나 팔다리를 움직여 목표물에 적절히 도달하지 못하는 것, 자발적인 움직임의 속도에 문제가 생기는 것, 비정상적인 불수의 움직임이 나타나는 것, 비정상적인 자세가 지속되는 것, 혹은 과도한 움직임이 나타나는 것 등이다. 운동장애에는 무정위운동(athetosis), 무도병(chorea), 근긴장이상(dystonia), 근간대(myoclonus), 파킨슨병(parkinsonism), 상동행동(stereotypies), 틱(tics), 그리고 진전(tremor) 등이 포함된다.

운동장애는 움직임이 정상보다 많아지는 과운동상태(hyperkinetic)가 동반되는 질환들과 반대로 움직임이 감소하는 저운동상태(hypokinetic)를 특징으로 하는 질환으로 구별할 수 있다. 과운동상태(hyperkinetic)가 동반되는 질환들은 비정상적이고 반복되는 자발운동이 나타나며, 무정위운동(athetosis), 무도병(chorea), 근긴장이상(dystonia), 근간대(myoclonus), 파킨슨병(parkinsonism), 상동행동(stereotypies), 틱(tics), 그리고 진전(tremor) 등이 포함된다. 저운동상태(hypokinetic)를 특징으로 하는 질환들에는 일차적으로 움직임이 감소하거나 경직이 심해지는 질환으로 파킨슨병이 대표적인 질환으로 주로 성인에서 호발한다.

1. 운동실조(Ataxia)

운동실조(Ataxia)란 부정확하고 부자연스러운 또는 조화롭지 못한 동작을 특징으로 한다. 근력이 감소하지 않는 것이 일반적이며 주로 전정계(vestibular system), 소뇌(cerebellum), 감각계(sensory system)의 장애로 발생한다.

8번 뇌신경의 전정계, 내이의 미로(labyrinth), 그리고 뇌간(brainstem)의 전정신경핵(vestibular nuclei), 혹은 이들의 연결에 문제가 있을 때 전정계의 장애로 인한 운동실조가 발생한다.

소뇌 자체 특히 중심 충부(midline vermis)에 이상이 발생하거나, 소뇌와 연결되어 평형을 유지하고 조화로운 움직임을 가능하게 하는 것에 관여하는 대뇌 전두엽(frontal lobe), 시상핵(thalamic nuclei), 적핵(red nuclei), 뇌간(brain stem) 및 이러한 구조간의 연결에 병적인 문제가 발생하면 소뇌성 운동실조라 한다.

고유수용 감각경로(proprioceptive pathways), 즉 말초감각신경(peripheral sensory nerves), 감각신경근(sensory roots), 척수의 뒤기둥(posterior columns of spinal cord), 내측섬유대(medial lemnisci) 등에 문제가 발생하면 감각신경 장애에 의한 운동실조가 발생한다.

운동실조는 원인에 따라 매우 다양한 양상으로 나타난다. 운동실조가 전신적 혹은 국소적인지, 체간(truncus) 혹은 사지, 편측 혹은 양측으로 발생하는지를 파악하고 운동

표 9-1. 운동실조의 원인

약물/독소	향정신성 약물, Benzodiazepines, 알코올, 항뇌전증약물 (phenytoin, carbamazepines 등.) 항히스타민제, 납 등
손상	출혈, 뇌진탕(전두엽/소뇌), 척추뇌기저동맥박리, 등
감염	소뇌농양, Typhoid, Diphtheria, Pertussis, Tuberculosis, Mycoplasma, Epstein-Barr virus, Varicella, Coxsakievirus, Echovirus, Mumps, Measles, Japanese B encephalitis 등
감염후/면역	급성 소뇌실조, Miller Fisher 증후군, ADEM, 다발성경화증, 신경모세포종 등
혈관	편두통, 뇌경색, 가와사키병 등
대사	Abetalipoproteinemia, 비타민 E 결핍, Hartnup disease, 단풍당뇨병, Pyruvate dehydrogenase 결핍, 미토콘드리아병증, 요소회로병, 등
선천성	소뇌 충부 또는 반구 무형성, Chiari 기형, Dandy-Walker 증후군, 뇌수종, 뇌기저동맥 자국(basilar impression) 등
종양	전두엽종양, 소뇌 별세포종, 수모세포종, 뇌실막세포종, 교뇌 교종, 소뇌 혈관모세포종 등
내분비	갑상샘기능저하증
유전	상염색체 우성 　척수소뇌 운동실조(SCAs), 간헐성 실조(Episodic ataxia), Dentatorubral-Pallidoluysian atrophy 등 상염색체 열성 　Friedreich 운동실조, 모세혈관확장실조(Ataxia telangiectasia) X-linked 　척수소뇌 운동실조, 부신백질형성장애(Adrenoleukodystrophy) 등
기타	뇌전증, 뇌성마비, 전환장애 등

실조의 경과가, 급성, 아급성 혹은 만성인지, 진행성 혹은 비진행성인지, 일시적, 간헐적, 혹은 지속적인지를 정확하게 파악하는 것이 그 원인을 감별하는 것에 도움이 된다.

급성 운동실조(acute ataxia)는 주로 약물 혹은 독극물 중독, 외상, 감염 혹은 감염과 연관된 면역반응 등에 의해 초래된다. 간헐적 혹은 반복적으로 생기는 경우(intermittent or recurrent ataxia)는 흔히 편두통, 뇌전증, 유전성 대사장애 등에 의해 발생한다. 아급성 혹은 만성 운동실조(subacute or chronic ataxia)의 경우는 뇌종양, 선천 뇌기형, 뇌성마비, 각종 유전성 운동실조 등이 원인이다(표 9-1).

원인에 따라 임상양상의 차이가 날 수 있으나, 보행장애가 가장 뚜렷한 증상이다. 걸을 때 몸의 균형을 유지하기

어려워 다리를 넓게 벌리고(wide-based) 비틀거리며 걷는다. 그리고 동작의 부조화(incoordination) 때문에 자발적으로 움직일 때(voluntary movement) 중심을 잘 잡지 못하거나 손을 뻗쳐 무엇을 잡으려 할 때 불규칙하게 떠는 증상을 보인다. 이러한 동작의 리듬, 진폭, 및 강도가 불규칙하게 나타난다. 안구진탕(nystagmus)이 자주 동반되며 사물을 주시할 때에는 안구의 움직임이 자연스럽지 못하고 흔히 사물을 지나쳤다가(overshooting) 재고정(refixation)하는 증상을 나타낸다.

머리떨림(cranial titubation, head bobbing), 근긴장저하(muscle hypotonia), 겨냥이상(dysmetria), 손바닥을 반복적으로 뒤집는 것과 같은 동작을 잘 못하는 상반운동반복장애(dysdiadochokinesia), 음량이나 음의 고저가 불규칙하거나 지나치게 음절을 띄워서 말하는 구음장애(dysarthria), 마치 시계추처럼 요동치는 심부건반사(deep tendon reflexes), 현훈(vertigo) 등의 증상이 나타난다.

운동실조의 원인을 감별하기 위해서는 자세한 병력청취와 신경학적 진찰이 중요하다. 증상의 발현이 급성, 아급성, 혹은 만성인지 구분한다. 급성의 경우 외상의 병력, 약물 복용력, 독극물 노출, 선행 혹은 동반된 감염여부 등을 확인하는 것이 필요하다. 아급성 혹은 만성인 경우 운동실조가 간헐적인지 지속적인지 확인하고, 지속적인 경우 진행성/비진행성을 구분한다. 동반되는 다른 증상들도 확인한다. 유전대사질환이나 유전 퇴행질환의 경우에는 가족력을 확인하는 것이 필요하다.

진찰 시에는 두경부 혹은 안면기형, 감염소견, 피부 및 근골계의 이상소견 등을 관찰한다. 신경학적 진찰에서 운동실조 외에 현훈(vertigo), 안구진탕(nystagmus) 등 전정계 이상소견, 보행장애, 안구진탕(nystagmus), 구음장애(dysarthria), 근긴장저하(hypotonia), 머리떨림(titubation), 손가락코검사(finger to nose test)나 뒤꿈치정강이검사(heel to shin test)에서 겨냥이상(dysmetria), 상반운동반복이상(dysdiadochokinesis) 또는 일직선을 따라 걷는 일자걸음(tandem gait)의 이상 등 소뇌기능의 이상 소견, 진동감각 및 위치감각의 이상, 심부건반사(deep tendon reflexes)의 이상, Romberg 징후 등 감각신경계의 이상소견 등을 확인한다.

검사로는 원인을 알 수 없는 급성 운동실조의 경우 반

드시 독성검사(toxic screen)를 시행한다. 약물중독이 의심되는 경우 약물의 농도를 측정한다. 중추신경계 감염이 의심되면 척수천자를 시행하여 뇌척수액 분석을 하고 외상이나 탈수초질환(demyelinating disease), 종괴성 병변(mass lesion), 선천성 기형 등을 의심할 때는 영상검사 특히 뇌 자기공명영상(MRI)을 시행한다.

그 외에도 필요에 따라, 혈액과 소변의 아미노산 및 유기산 분석, 젖산(lactate) 및 피루브산(pyruvate) 농도, 암모니아 수치, lysosome 효소(lysosomal enzymes) 분석, 그리고 세포유전학 검사 혹은 분자생물학적 방법을 이용한 유전검사들을 시행할 수 있다.

운동실조의 치료는 그 원인에 따른다. 약물중독의 경우, 원인 약물의 중단이 필요하고 독극물 중독시에는 해독제 사용과 기타 독극물 제거를 위한 처치가 필요하다. 감염연관 시에는 원인인자에 대한 항균 혹은 항바이러스제를 사용할 수 있고, 면역반응과 관련된 경우 면역억제제, 정맥투여 면역글로불린, 혈장분리교환술(plasmapheresis) 등을 고려한다.

외상이나 뇌종양이 원인인 경우 수술적 치료를 고려할 수 있다. 유전대사 장애로 인한 운동실조 혹은 유전성 운동실조의 경우, 일부에서 비교적 효과적인 치료방편이 개발되었으나 대부분 특이치료가 없다. 한편 경미한 운동실조의 경우 물리치료(physical therapy) 및 작업치료(occupational therapy)가 도움이 되나 중증인 경우 큰 도움이 되지 않는다.

2. 급성 운동실조(acute ataxia)

1) 급성 소뇌 운동실조(acute cerebellar ataxia of childhood)

소아기의 어느 때나 생길 수 있으나 주로 3세 이하의 영유아에서 흔하다. 대개 1-3주 전 varicella, coxsackie virus, echovirus, influenza, diphtheria, pertussis, typhoid fever 등과 같은 바이러스성 혹은 세균성 질환이 선행하며 자가면역 기전에 의한 소뇌 손상이 원인으로 추정된다.

임상양상은 대개 갑자기 몸의 중심을 잡지 못하여 앉거나 서기가 불가능하며, 간혹 초기에 구토를 동반하기도 한다. 뇌염이나 뇌수막염 때 보는 고열, 의식장애, 두통, 뇌막자극 증상, 경련 등은 대개 없고 안구진탕(nystagmus), 구음장애(dysarthria), 동작의 부조화(incoordination) 등 다른 소뇌 증상을 동반한다. 발목간대(ankle clonus) 및 신근족저반응(extensor plantar response, positive Babinski sign) 등 상부운동 신경원(upper motor neuron) 증상들이 나타날 수 있다.

뇌척수액 소견은 초기에는 대개 정상 소견이나 간혹 림프구가 약간 증가하는 백혈구 증다증(pleocytosis)을 보일 수 있고 병이 진행되면 뇌척수액 단백이 중등도로 증가할 수 있다.

뇌 MRI 등을 이용하여 후두와 종양(posterior cranial fossa tumor)이나 뇌졸중(stroke) 등 다른 질환들을 배제가 필요하다.

대부분의 경우 자연 치유되므로 특별한 치료는 없으며 일부에서는 ACTH 혹은 corticosteroid를 사용하나 그 효과는 불확실하다. 예후는 양호하여 대개 2개월 이내에 별다른 후유증 없이 회복되나 드물게 일부에서는 회복이 아주 느리고 약간의 후유증을 남긴다.

2) 약물 혹은 독극물로 인한 운동실조

소아에서 원인미상으로 갑작스런 운동실조가 있을 때 반드시 중독을 감별해야 한다. 실수나 부주의로 인한 약물의 과량 투여 혹은 복용이 대부분이나, 드물게 독극물에 의한 경우도 있다.

향정신의약품의 과량 복용은 운동실조, 성격변화 및 감각의 장애를 초래할 수 있다. 항뇌전증약물 특히 phenytoin의 경우 혈중농도가 30 μg/mL 이상이 될 때 운동실조를 일으키며 안구진탕을 흔히 동반한다. 어린 영유아의 경우 감기나 알레르기 치료 목적으로 사용되는 항히스타민제의 과량 투여도 운동실조를 초래한다. 알코올의 경우 소아에서는 흔히 간과하기 쉬운데 부모의 방치로 인해 소아가 대량 복용하는 경우가 있으므로 주의해야 한다. 그 외에도 납 중독, thallium을 함유하는 살충제의 중독 등에도 운동실조를 일으킨다.

진단을 하기 위해서는 주의 깊고 세심한 병력청취가 결정적이다. 혈중 약물농도 측정 및 소변의 독극물 선별검사(toxic screen) 등이 도움이 된다. 대부분의 경우 약물투여를 중지하면 큰 후유증 없이 서서히 회복되나 주요 장기의 기능에 장애를 동반한 경우나 산염기 평형에 문제가 있는 경우는 혈액투석 등의 보다 적극적인 처치를 요한다.

3) 안구근간대, 근간대, 소뇌실조 증후군(opsoclonus, myoclonus, ataxia syndrome)

급성 소뇌성 운동실조와 비슷한 임상소견들이 있어 감별진단에 있어 주의를 요한다. 불규칙적인 안구운동, 근간대경련 운동실조, 의식장애, 성격변화 등을 특징으로 하며, 대개 영유아기에 호발한다. 갑자기 안구와 팔다리의 움직임이 불규칙적으로 모든 방향으로 마치 춤추듯이 움직이는 증상('dancing eyes, dancing feet'; opsoclonus/myoclonus)이 나타난다. 이러한 증상은 세심히 관찰하면 동작 자체에 차이가 있으며, 시간에 따라 양상이 변하고, 안정 시에도 증상이 나타나며, 동작에 의해 악화되지 않아서 급성 소뇌성 운동실조와 구분할 수 있다. 또한 이환된 아이들의 약 반 정도는 많이 보채거나 성격변화 등 뇌병증의 소견을 보인다. 환자들은 대개 눈을 감고 있으려는 경향을 보인다.

이 질환은 10만 명당 한 명에서 발현하는 것으로 알려져 있으며, 신경모세포종 환자의 2-3%에서 발병한다. 약 50%의 환자가 신경모세포종과 연관되어 있는 것으로 알려져 있다. 성인에서는 약 20%가 유방암이나 여성 생식기 종양과 연관되어 있는 것으로 보고된다.

대개 뚜렷한 원인이 발견되지 않는 경우가 많고 일부에서 바이러스 감염 혹은 예방접종, 무균성 뇌막염 등과 관련되어 발생하기도 하나 신경모세포종(neuroblastoma)과 밀접한 관계가 있으므로 흉부 및 복부의 전산화 단층촬영 혹은 자기공명영상, 소변의 homovanillic acid (HVA) 및 vanillylmandelic acid (VMA), metaiodobenzylguanidine (MIBG)를 이용한 방사선 동위원소 검사 등을 시행하여 반드시 종양의 존재 유무를 확인해야 한다.

3. 간헐성/반복성 운동실조

1) 편두통(migraine)

편두통과 연관된 뇌간이나 소뇌기능의 장애나 이와 유사한 증상을 반복적으로 보이는 경우가 드물지 않다. 그 대표적인 예로는 기저편두통(basilar migraine)과 변이형 편두통(migraine variant)이라 할 수 있는 양성돌발성현훈(benign paroxysmal vertigo)을 들 수 있다. 기저편두통의 경우 주로 사춘기 여아에 호발하나 어느 연령에서나 있을 수 있고 대개 운동실조 외에도 시각장애, 현훈, 이명(tinnitus), 손가락 및 발가락의 감각장애, 드물게 의식소실 등을 보이고 이어 심한 박동성 후두부 두통을 동반한다.

양성돌발성현훈은 주로 반복적으로 갑작스레 생기는 현훈을 특징으로 하며 실제적으로 소뇌성 운동실조는 없으나 현훈이 너무 심하여 자세유지나 보행에 심한 장애를 보인다. 두 경우 모두 시간이 지나면 전형적 편두통으로 바뀌는 경우가 흔하며 치료는 대개 편두통에 준한 치료를 시행한다.

2) 뇌전증 운동실조(epileptic ataxia; pseudoataxia)

운동실조 및 기타 보행장애가 경련의 유일한 증상인 경우가 있다. 그래서 흔히 상당히 오랜 기간동안 환자가 뇌전증이 있는 줄 모르고 지내는 경우가 있으며 또 소아가 항뇌전증약물을 복용하고 있는 경우 약물중독으로 오인되기도 한다. 임상적 특징은 다른 경련증상과 마찬가지로 갑작스런 운동실조가 반복적으로 생기며 때론 주의가 산만하거나 의식이 혼탁해진다. 안구진탕(nystagmus)이 없는 것이 특징이며 뇌파 상에 분당 2-3회 정도의 전신성 극서파(generalized 2-3 Hz spike and wave)가 발작 시 기록되면 그 진단적 의의가 크다. 항뇌전증약물에 대한 반응은 대개 좋고 주로 valproic acid, clonazepam, topiramate, levetiracetam 등을 사용한다.

3) 유전성 운동실조

유전성 운동실조는 그 임상적 표현형이 아주 다양하고 유전양식도 복잡하나 크게 상염색체 열성 유전형(autosomal recessive inheritance), 상염색체 우성 유전형(autosomal dominant inheritance), 반성유전형(X-linked inheritance), 기타 사립체유전형(mitochondrial inheritance) 등으로 구분할 수 있다.

(1) 상염색체 열성 유전형

① Friedreich 운동실조(Friedreich ataxia)

상염색체 열성 유전성 운동실조 가운데 가장 흔한 질환

이다. 대개 인구 10만명 당 1-2명 정도의 비율로 발생하며 운동실조, 피질척수로(corticospinal tract)의 이상소견, 휜발(pes cavus)등을 특징으로 한다. 주로 10세 이전에 진행성의 보행장애, 사지 동작의 부조화, 하지의 심부건반사의 소실, 신근족저 반응(extensor plantar response) 등을 나타내고 점차 진행하면서 구음장애, 하지의 마비 및 위축, 하지의 위치 및 진동감각의 소실, 상지의 진전(tremor) 혹은 무도성 동작(choreiform movement), 안구진탕, 시각 및 청각장애, 그리고 첨내반족(equinovarus), 휜발(pes cavus), 척추측후만증(kyphoscoliosis) 등의 골격이상을 동반하게 된다. 이외 증상으로 초기에는 심전도 이상 또는 당부하검사(glucose tolerance test)의 경한 이상이 있다가, 후기에 심근병증(cardiomyopathy) 혹은 당뇨병 등으로 진행할 수 있다.

9번 염색체에 존재하는 FXN 유전자의 GAA 삼핵산의 반복서열이 정상(5-33반복)에 비해 증가해서 발생한다. FXN 유전자에 의해 생성되는 'frataxin'이라는 사립체 단백질의 표현(expression) 저하가 이 질환의 원인으로 여겨진다.

많은 연구에도 불구하고 아직까지 별다른 치료법이 없고 대개 증상 치료에 국한되어 있다. Coenzyme Q10 및 vitamin E 등 antioxidant 치료가 권장되기도 한다. 환자의 대부분이 대개 20-30대가 되면 혼자서 보행하기 힘들어지며 40대가 되면 거의 모두 휠체어에 의존하게 되고 보통 30-40대에 주로 심부전 혹은 드물게 부정맥 등으로 사망한다.

그밖에도 정신지체, 청각이상 등을 동반하며, 비슷한 임상양상을 보이는 Behr's syndrome, Fisher syndrome, Ramsay Hunt syndrome 등이 있다.

② 모세혈관 확장성 운동실조증(Ataxia-Telangiectasia; Louis-Bar syndrome)

Friedreich 운동실조와 함께 유전 운동실조의 흔한 원인 중 하나로 11번 염색체(11q22-q23)에 위치한 ATM유전자의 변이로 발생한다. 대개 2세경 운동실조 증상이 나타나고 사춘기 무렵에는 보행 장애가 심해진다. 모세혈관확장은 주로 학동기 무렵 저명해져서, 안구결막, 코, 귀 등에서 뚜렷이 볼 수 있다. 또한 alpha-fetoprotein의 증가와 염색체 파괴(Chromosomal breakage)가 잘 동반되며 면역기능

의 저하로 잦은 호흡기 감염을 초래하고 IgA, IgG2, IgG4, IgE 등이 떨어지기도 하며 나중에 림프세망내피성 종양(Lymphoreticular tumor)이나 뇌종양 등이 발생할 수 있다.

③ 유전대사장애

운동실조가 간헐적 혹은 반복적으로 구토, 경련, 의식장애 등 다른 증상들과 함께 발생할 경우 유전대사장애를 감별해야 한다. 그 대표적인 예로 leucine, isoleucine 및 valine 등 branched chain 아미노산 대사장애, 소변에 단풍당(maple syrup)과 비슷한 단 냄새가 나는 단풍당뇨증(maple syrup urine disease), 신세뇨관 및 장관에서 tryptophan의 흡수장애로 인해 가벼운 지능장애, 운동실조, pellagra와 비슷한 피부병변 등을 보이는 Hartnup병, 요소대사 회로의 장애로 특징적으로 짧고 오그라든 모발, 의식장애, 발달장애 등을 보이는 argininosuccinic acidemia 등이 있다.

(2) 상염색체 우성 유전형

① 간헐성 운동실조(episodic ataxia)

간헐성 운동실조는 상염색체 우성으로 유전되는 드문 질환으로 운동실조가 간헐적으로 생기는 것이 특징이며 임상양상에 따라 주로 1형과 2형으로 나누어지며 발병원인에 있어 차이가 있으며 acetazolamide에 반응한다.

1형은 간헐성 운동실조가 대개 운동, 고열, 스트레스, 갑작스런 몸동작 변화 등에 의해 유발된다. 이러한 발작이 보통 수초에서 수분 지속되고 하루에도 여러번 일어나며 눈 주위 혹은 손에 근육이 꿈틀거리는 섬유성 근간대경련(myokymia)이 동반될 수 있다. 2형은 운동실조 및 구음장애가 간헐적으로 생기는데 보통 수분에서 수일간 지속될 수 있으며 그밖에도 구토, 현훈, 복시 등을 동반할 수 있으며 발작 사이에 안구진탕이 있는 것이 특징이다. 그리고 발작의 정도와 빈도는 나이가 들면서 점차 완화된다.

1형은 12번 염색체에 유전자가 있는 칼륨통로(K channel, KCNA1)의 변이에 의해 발생한다고 알려져 있다.

2형은 가족성 편마비편두통(familial hemiplegic migraine)에서처럼 19번 염색체의 단완에 유전자가 있는 것으로 여겨지며 칼슘통로(calcium channel, CACNA1A)의 변이와 깊은 관계가 있는 것으로 보고되고 있다.

Acetazolamide에 잘 반응하며 그 용량은 대개 어린 소아의 경우 125 mg을 1일 2회, 좀 더 큰 소아의 경우 250 mg을 1일 2회 정도로 권한다. Acetazolamide를 사용하기 힘든 경우는 flunarizine을 하루 5-10 mg 정도로 사용할 수 있다.

② 척수소뇌 운동실조(spinocerebellar ataxias, SCAs)

상염색체 우성으로 유전하는 척수소뇌 운동실조(spino-cerebellar ataxias, SCAs)는 소뇌 신경세포가 조기에 소실되어 보행실조(gait ataxia), 구음장애, 안구운동장애 등을 나타내는 일련의 질환군으로 일부에 있어서는 시신경(optic nerve), 기저핵(basal ganglia), 뇌간(brain stem), 척수(spinal cord) 등을 침범하기도 한다. 이들 중 일부는 올리브교소뇌위축(olivopontocerebellar atrophy, OPCA)으로 불리기도 하는데 이는 올리브핵(olivary nuclei), 뇌교(pons), 소뇌의 위축을 동반하기 때문이다.

임상양상이 아주 다양하여 아형(subtype)간의 차이도 많고 심지어는 한가족 내에서도 다양한 양상을 보여 분류가 매우 어렵다. 현재 1형에서 12형까지 보고되었고 대부분 성인에서 발병하나 1형(SCA1), 2형(SCA2), 3형(SCA3 혹은 Machado-Joseph disease), 7형, 17형 등은 소아에서 발병할 수 있다. 1형(SCA1)의 경우 대개 20-30대에 발병하나 6세에서 60세까지 다양한 연령층에서 생기며 주로 보행실조, 구음장애, 그리고 주시마비(gaze palsy)와 같은 안구운동장애, 추체로 혹은 추체외로 징후(pyramidal or extrapyramidal sign), 경한 치매(dementia) 등을 특징으로 하고 진행되면서 심부건반사의 소실, 연하곤란(dysphagia) 등을 보이기도 한다.

1형의 유전자는 6번 염색체(6p22-p23)에 위치하는 ATXN1 유전자의 삼핵산 반복서열(CAG 반복)의 증가가 'Ataxin 1' 단백의 불안정한 polyglutamine 구역(tract)을 생성한다. 이것이 척수소뇌성 운동실조의 발병과 아주 밀접한 관계가 있어 CAG 반복수가 증가된 환자에서 조기에 증상이 발현한다.

2형(SCA2)의 경우 약 40%에서 25세 이전에 증상을 나타내나 2세에서 65세까지 폭 넓게 발병할 수 있고 임상양상은 1형과 비슷하나 망막변성, 시신경위축, 근육의 강직은 보이지 않는다. 유전자는 12번 염색체(12q24)에 위치하는 ATXN2의 CAG 반복서열의 증가가 질환을 초래한다.

3형(SCA3)/Machado-Joseph Disease는 진행성 운동실조, 건반사 소실, 말초 근위축, 외안근마비, 안구돌출, 얼굴과 혀의 근육섬유다발 수축(fasciculation), 파킨슨 양상, 근긴장이상, 강직 등을 특징으로 한다. 14번 염색체(14q24.3-q31)의 ATXN3 유전자의 CAG 반복서열 증가로 발생한다.

6형(SCA6)은 다른 척수소뇌 운동실조들과 임상적으로 비슷하나 인지기능은 정상이다. 19번 염색체(19p13)에 있는 CACNA1A4 (Calcium Channel voltage dependent P/Q type Alpha-1A subunit) 유전자에 보다 경한 CAG 반복서열의 증가로 생긴다.

그 외에도 지금까지 4형, 5형, 7형, 8형, 10형, 12형, 14형, 17형 등 20여 가지 형들이 보고되어 이들의 표현 양상이 얼마나 다양한지 알 수 있다. 치료는 아직도 뚜렷한 개선점이 없고 대개 보존적 요법이 주를 이룬다.

③ Dentatorubral-Pallidoluysian Atrophy

Dentatorubral-Pallidoluysian Atrophy는 상염색체 우성으로 유전하는 드문 퇴행성 신경질환으로 진행성 운동실조, 뇌전증, 무도병(chorea), 근간대경련, 치매(dementia) 등을 특징으로 하여 마치 헌팅톤무도병(Huntington's disease)과 비슷한 소견을 보인다. 12번 염색체(12p13.31)의 DRPLA 유전자에 CAG 반복서열의 증가와 관련이 있는 것으로 알려져 있다.

④ Roussy-Levy Disease

Roussy-Levy Disease는 상염색체 우성으로 유전하는 드문 질환으로 주로 소아나 젊은 성인에 발병하며 심한 운동실조, 기립 불안정, 하지 원위부 근육의 위축, 휜발(pes cavus), 심부건반사의 소실 등의 소견들을 보여 Charcot-Marie-Tooth disease와 비슷한 임상양상을 보인다. 이들 중 일부에서는 17번 염색체(17p11.2)에 전형적인 CMT1A 중복(duplication)을 가지기도 하여 두 질환 사이에 밀접한 관계가 있는 것으로 여겨진다.

(3) 반성유전형

반성유전의 방식을 따르는 진행성 운동실조 질환들을 포괄한다. 주로 10대 후반에서 20대 초반에 발생하나 훨씬 어린 나이에서도 발병할 수 있다. 운동실조 외에도 근긴장저하(hypotonia), 시신경위축, 청력소실을 보이나 보통 추체외로(extrapyramidal tract) 증상이나 척수 뒤기둥(posterior column) 증상은 없다. 발병연령이 어릴수록 그 경과가 비교적 빠르게 진행되는 경향을 보이며 때로는 소아기에 사망할 수도 있다.

(4) 사립체유전형

사립체유전으로 전달되는 각종 사립체질환들은 핵 DNA (nuclear DNA) 또는 사립체 DNA (mitochondrial DNA)의 돌연변이나 구조이상에 의해 발생한다. 주로 중추신경, 안구, 근조직 등과 같은 장기의 이상을 초래한다.

운동실조는 이들 질환의 신경증상의 하나로 생길 수 있고 대부분의 경우 진행성이다.

소아에서 생길 수 있는 대표적인 질환들로는 Leigh disease, MELAS (Mitochondrial Encephalomyopathy, Lactic Acidosis and Stroke like episodes), MERRF (Myoclonus Epilepsy and Ragged-Red Fibers), LHON (Leber Hereditary Optic Neuropathy), NARP (Neuropathy, Ataxia, Retinitis Pigmentosa), Kearns-sayre syndrome 등이 있다.

아직까지 특이 치료는 없으나 일부에서 coenzyme Q10, carnitine, riboflavin 등과 같은 mitochondrial cocktail에 어느 정도 반응이 있다.

02

무도병

Chorea

| 이지훈 |

무도병은 원위부 또는 근위부의 근육 또는 근육군에서 다른 근육으로 진행하는, 비정형적, 무작위적 움직임을 말한다. 다른 운동장애 증상과 구별되어지는 가장 특징적 소견은 '비예측(unpredictable)'과 '혼란스러움(chaotic)'이다. 무도병 동작의 진폭이 매우 크고 몸을 던지는 듯한 양상일 때 ballismus라고 한다. 이의 원인은 표 9-2와 같다.

무도병은 움직일 때나 멈추어 있을 때, 계속 발생하며 가만히 있지 못하고 꼼지락거리는 모습을 보인다. 이러한 불수의적 동작은 심각한 장애를 초래할 수 있으며 팔, 다리를 빠르게 내던지는 움직임으로 자신이나 타인을 다치게 할 수 있다. 다른 운동질환들처럼 무도병은 수면 시에 사라지나 잠들 무렵이나 졸려할 때 증상이 더 심하게 나타날 수 있다. 증상이 뚜렷하지 않을 때는 악수를 해서 일정한 긴장을 유지하지 못하고 마치 젖소의 젖을 짜는듯한 양상(milking movement)을 관찰하여 조기진단할 수 있다. 무도병의 운동은 근긴장이상의 지속적 근육 수축보다는 짧지만 근간대보다 길다. 일반적으로 무도병에서 근긴장도는 정상이거나 떨어지나, 소아의 경우 무도병은 근긴장이상과 같이 근긴장도가 올라가는 질병과 동반될 수 있다.

무도병을 치료하기 전에 항상 사용되고 있는 약물을 확인하여 외인적 이유에 의한 증상인지 감별하는 것이 필요하다. 도파민을 억제하는 신경이완제(neuroleptics) 또는 clonazepam과 valproic acid가 무도병 완화에 도움이 된다. 반대로 Trihexyphenidyl, L-dopa, carbamazepine, phenytoin 은 무도병을 악화시킬 수 있으므로 사용을 피해야 한다. 근긴장이상과 무도병이 함께 있을 경우, 근이완제는 도파민 수용체의 붕괴를 일으켜 급성 또는 지발 운동실조를 촉진시키고 근긴장이상을 악화시킬 수 있기에 근이완제의 사용에 매우 조심해야 한다. 일부 무도병은 시간이 흐름에 따라 좋아지며 단기간의 치료만을 요하는 경우가 있지만 약물로 조절되지 않을 경우 심부 뇌자극이 일부 환자에 있어서 효과가 있다.

1. Sydenham 무도병

이차 소아 무도병 중 가장 흔하다. Group A beta-hemolytic streptococcus (A군 연쇄구균)에 급성 감염된 후 수주 또는 수개월 후 발병하는 류마티스열(rheumatic fever)의 주요 증상이다. 증상은 수주 또는 수개월간 지속될 수 있지만 대부분의 경우, 6개월 이내에 자연 소실되며 증상이 지속되거나 재발되는 경우는 거의 없다. 특징적으로 원위부 근육조직을 침범하며 한쪽 손에서 시작하여 양쪽 모두로 이행되어 마치 피아노를 치는 양상으로 보이기도 한다. 그러나 동작이 큰 ballismus 양상의 무도병도 관찰된다. 일부 소아에서 기저핵에 대한 항체가 발견되어, streptococcus 항원에 대한 항체로 촉발된다고 생각되고 있다. 임상적 증상으로 대부분의 진단이 가능하지만 다른 신경학적 증상이 동

표 9-2. 소아기 무도병의 원인

비진행성 손상/구조적 병변
- 뇌성마비
- 뇌경색
- 외상
- 모야모야병
- 혈관염
- 종양
- 선천성 기형
- Joubert 증후군

유전/퇴행질환
- 모세혈관확장실조(Ataxia-telangiectasia)
- Ataxia oculomotor apraxia(AOA)(AOA-1, AOA-2, early-onset cerebellar ataxia and hypoalbuminemia; EOCA-HA)
- Fahr병
- Pantothenate kinase연관 신경퇴행(neurodegeneration, PKAN, associated with mutations in PANK-2, pantothenate kinase-2 gene)
- Huntington disease-like 2 disorder
- Rett 증후군
- HARP 증후군(hypoprebetalipoproteinemia, acanthocytosis, retinitis pigmentosa)

대사질환
- Acyl-CoA dehydrogenase 결핍
- 미토콘드리아병(Leigh's 증후군 등)
- Wilson병
- GM1 gangliosidosis
- 이염색백질장애(Metachromatic leukodystrophy)
- Lesch-Nyhan병
- Niemann-Pick type C
- Methylmalonic aciduria
- Nonketotic hyperglycemia
- Pelizaeus-Merzbacher disease
- Kernicterus
- 부갑상샘기능저하증(Hypoparathyroidism)
- 갑상샘기능항진증(Hyperthyroidism)
- Propionic acidemia
- 저나트륨혈증
- 저마그네슘혈증
- 저칼슘혈증
- 저혈당 또는 고혈당
- Vitamin E 결핍 또는 흡수장애
- Bassen-Kornzweig병
- 심우회술 합병증

감염/부감염병
- 뇌염/뇌염 후 증상

면역/탈수초병
- Sydenham 무도병
- 홍반성 루프스
- Henoch-Schönlein purpura
- Anticardiolipin 또는 antiphospholipid antibody syndrome
- Chorea gravidarum

약물/독소
- Neuroleptic medications, including antiemetics (haloperidol, chlorpromazine, pimozide, prochlorperazine, metoclopramide)
- Calcium channel blockers (flunarizine, cinnarizine)
- 항뇌전증약물(phenytoin, carbamazepine, valproate, phenobarbital)
- 항콜린제(trihexyphenidyl, benztropine)
- 항히스타민제
- 삼환항우울제
- Clomipramine
- Benzodiazepines
- 자극제(methylphenidate, dexamphetamine, pemoline, and bronchodilators)
- Clonidine
- L-DOPA
- Cocaine
- Bismuth
- Lithium
- Manganese
- 에탄올
- 일산화탄소
- 경구피임약
- 전신마취약(propofol)

발작 질환
- 복합 편두통
- Alternating hemiplegia
- 돌발 운동유발 무도무정위 운동(Paroxysmal kinesigenic choreoathetosis, PKC)
- 돌발 비운동유발 무도무정위 운동(Paroxysmal nonkinesigenic choreoathetosis; PNKC)
- 돌발 무도무정위 운동과 강직(Paroxysmal choreoathetosis and spasticity)
- 돌발 노력유발 무도무정위운동(Paroxysmal exercise-induced choreoathetosis; PEC)

내분비질환
- 갑상샘기능항진증
- 갈색세포종
- 생리적 무도병
- 1세 이하의 정상 영아

무도병 유사증상
- Spasmus nutans
- 틱(Tics)
- Shaking/shuddering spells
- 고유감각 소실
- 자위행위
- 심인성 장애

반될 갑상샘 기능이상, 독성 반응, 유전대사이상 질환, 뇌염 등을 감별하여야 한다.

무도병은 benzodiazepine이나 신경이완제(neuroleptics)

로 쉽게 조절되나 대부분의 경우 약물치료를 필요로 하지 않는다.

대신 Sydenham 무도병을 가진 모든 환자들은, 증상이 무도병 밖에 없는 경우에도 급성 연쇄구균에 대한 급성기의 치료와 장기적 예방치료가 필요하다. Penicillin과 그에 대응하는 항생제들은 반복적인 무도병의 발생을 막고 가장 중요하게는 streptococcus 감염으로 인한 심염과 영구적인 심장판막 손상을 예방함으로 무도병의 발병연령에 관계없이 21세까지 예방적 치료가 권장된다.

강박증이나 행동장애가 동반되는 경우는 선택적 세로토닌 재흡수 억제제들에 의해 치료할 수 있다.

2. Huntington병

무도병, 근긴장이상, 근간대경련, 행동장애, 운동실조 증상이 나타나는 상염색체 우성질환으로 최종적으로 치매에 이르게 된다. 어릴 때 발병한 경우 일반적으로 나타나는 운동장애는 무도병이 아니라 근긴장이상과 경직이다. 소아 Huntington병에서는 발작이 첫 증상으로 발생하기도 하고 우울증과 같은 정신과 질환도 동반될 수 있다.

HTT 유전자의 CAG 삼핵산 반복수가 증가하여 발생하며, 염기서열의 반복수가 많은 경우 발병의 시기가 더 이르다. 아버지에게서 유전될 경우, 염기서열의 반복수가 더 많이 증폭된다. 병리학적으로는 기저핵, 소뇌, 대뇌의 변성이 나타난다. 무도병의 원인은 선조체(striatum)에 존재하는 D2 수용체를 가진 medium spiny cell의 소실에 의한다고 생각되는데, 소아의 경우 D1 수용체를 가진 세포와 D2 수용체를 가진 세포가 동일하게 소실되어 무도병보다는 근긴장이상이 상대적으로 우세하다.

HTT 유전자의 CAG 삼핵산 반복수의 증가를 확인하여 진단한다. 일반적으로 성인에서 증상이 나타나기 위해 반복수가 38개 이상인 경우 유의하다. 뇌 자기공명영상에서는 미상핵(caudate nucleus)의 위축이 관찰되며 후기에는 대뇌와 소뇌의 전반적 위축도 관찰된다.

아직까지 Huntington병의 근본적 치료법은 개발되지 않았다. 무도병에 대해서는 신경이완제(neuroleptics)가 가장 흔히 사용되고 다른 약제들로는 tetrabenazine, clonaz-epam, valproic acid가 있다. 근긴장이상과 강직을 주로 보이는 소아의 경우 신경이완제(neuroleptics)를 거의 사용하지 않는다. 소아에서 발병한 경우 예후가 불량하며, 진단 이후 운동장애가 진행한다. 생존 기간은 증상의 정도와 염기서열 반복수와 연관 있으나, 일반적으로 소아의 경우 진단 후 10-15년간 생존한다.

3. 약물유발 무도병

무도병은 종종 약물과 연관되어 발생하므로 무도병 증상을 보이는 소아를 검사할 때, 이러한 원인을 신중하게 검토해야 한다. 대표적으로 trihexyphenidyl과 같은 다른 운동장애에 쓰이는 항콜린성 약물의 경우 상대적으로 낮은 농도에서도 무도병을 악화시킬 수 있다. Carbamazepine과 phenytoin등의 항경련제도 무도병을 악화시킬 수 있고 진정제도 종종 무도병을 악화시킨다. 무도병은 약물을 복용 중이거나 끊은 이후에도 몇 달 동안 지연 증상으로 나타날 수 있다. 지연 무도병은 지연 이상운동(tardive dyskinesia) 또는 지연 근긴장이상에 비해서 드물지만 신경이완제나 항콜린성 약물 사용 후 수개월 또는 수년 이후에 무도병이 나타날 수 있다.

4. 기타 무도병

뇌염 발병 이후 수주가 지난 후 무도병을 보이게 되며 이러한 무도병은 6개월에서 12개월 정도 지속된다.

무도병의 치료가 전체 병의 경과를 호전시키는지에 대해서는 불분명하나 식이진행과 재활에 도움을 주므로, clonazepam을 포함한 benzodiazepine계열 약물, valproic acid를 사용한다.

갑상샘기능항진증이 무도병의 원인이 될 수 있으며 급성 또는 지속되는 원인 모를 무도병 소아에게서 갑상샘 기능검사는 꼭 시행되어야 한다.

Lupus와 같은 자가면역질환도 무도병의 원인이 될 수 있으며, 기저 질환의 치료로 무도병이 호전될 수 있다.

03

근긴장이상과 무정위운동

Dystonia and Athetosis

| 이지훈 |

근긴장이상은 특정 동작을 위해 근육을 수축할 때 정상적으로 수축에 참여하지 않는 근육의 수축에 의해 발생하는 꼬임과 이상 자세를 일컫는다. 이러한 상태에서 사지의 원위부 또는 얼굴 근육의 불규칙적이고 벌레가 기어가는 듯한(worm-like) 움직임을 무정위운동이라고 한다.

근긴장이상과 무정위운동은 표현은 다르지만, 같은 병리기전에 의해 발생하는 증상으로 '지속 또는 간헐적, 불수의적 근육 수축에 의한 반복적인 꼬임이나 이상 자세'로 두 가지 운동장애를 함께 정의할 수도 있다. 이하에서는 두 운동장애를 따로 구분하지 않고 근긴장이상으로 설명한다.

근긴장이상은 비록 용어는 근긴장(tone)의 이상을 의미하는 것처럼 보이지만 근긴장의 장애라기보다는 자세 또는 운동질환을 의미한다. 비록 심한 근긴장이상에서는 불수의적인 근육수축이 안정시에도 지속되고 긴장이 증가할 수는 있지만 대부분 안정시에 긴장은 감소한다. 일반적으로 자발운동에 의해 촉발되거나 악화되고 근긴장이상의 유무나 정도는 수분, 수주, 수개월이 지남에 따라 변동이 있을 수 있다.

근긴장이상은 운동특이적이어서 일부 수의적 운동 중에만 불수의적 근육수축이 나타날 수 있고 그 외의 경우는 나타나지 않는다. 예를 들면 앞으로 걸으면 하지와 몸통이 심하게 꼬이지만, 뒤로 걷거나 뛰거나 수영을 할 때에는 전혀 증상이 나타나지 않는다. 또한 근긴장이상이 있는 경우 환자는 때로는 몸의 다른 부분을 만지면 근긴장이 호전되는 것을 발견하는데 이런 현상을 감각 속임수(sensory trick)라고 한다. 근긴장이상은 스트레스나 흥분에 의해 악화되고 수면 중에는 소실된다.

근긴장이상은 소아에서 틱 다음으로 흔한 운동장애이며, 다양한 정적인 또는 퇴행질환에서 관련 증상으로 나타날 수 있다. 소아기에 나타날 수 있는 근긴장이상의 원인은 다음 표 9-3와 같다.

원인에 따라 일차 및 이차로 분류하며, 침범 부위에 따라 국소(focal), 분절(segmental), 반신(hemi), 다초점(multi-focal), 전신(generalized) 근긴장이상으로 분류한다.

국소 근긴장이상은 팔, 다리나 목, 얼굴 등 몸의 한 부분을 침범하고, 눈꺼풀 경련(강제로 눈이 감기는 증상), 입턱 근긴장이상(아래턱이나 입의 근육 침범), 연축 근긴장이상(성대 침범), 사경(목근육의 비틀림), 국소성 손 또는 발의 근긴장이상 등이 있다.

분절 근긴장이상은 인접한 두 부위의 근육을 침범한다. 예를 들면 두경부(cranial) 근긴장이상은 얼굴과 목 근육을, 축성(axial) 근긴장이상은 목과 몸통을, 상지(brachial) 근긴장이상은 팔과 몸통을, 하지(crural) 근긴장이상은 한쪽 또는 양쪽 다리와 몸통 침범을 의미한다. 반신 근긴장이상은 몸 한쪽의 모든 근육 또는 대부분의 근육을 침범한다.

다초점 근긴장이상은 인접하지 않은 둘 이상의 부위를 침범한다. 전신 근긴장이상은 양쪽의 팔 또는 다리를 침범하는데 적어도 한쪽 다리는 포함해야 한다. 소아기에 발병하는 근긴장이상은 보통 손이나 발 등 원위부에서 시작되지만 성인에서보다 전신화되는 경향이 있다. 어떤 특정한

표 9-3. 소아기 근긴장이상의 원인

비진행 손상/구조적 병변
- 뇌성마비
- 저산소 뇌손상
- Kernicterus
- 외상
- 뇌염
- 종양
- 기저핵의 뇌경색(혈관기형 또는 varicella)
- 선천 기형

유전/퇴행질환
- DYT1 (9q34, encodes torsin A)
- DYT2 (autosomal-recessive)
- DYT3 (X-linked dystonia-parkinsonism syndrome of Lubag - Xq13)
- DYT4
- DYT5 (14q22.1-2, encodes GTP cyclohydrolase I, leading to dopa-responsive dystonia)
- DYT6 (8p21 - q22)
- DYT7 (18p)
- DYT8 (2q33 - q35, causing paroxysmal nonkinesigenic choreoathetosis [PNKC])
- DYT9 (1p, causing paroxysmal nonkinesigenic dyskinesia [PNKD] and spasticity)
- DYT10 (16p11.2 - q12.1, causing paroxysmal kinesigenic choreoathetosis [PKC])
- DYT11 (heterogeneous, causing familial myoclonus-dystonia)
- Rapid-onset dystonia-parkinsonism (linked to chromosome 19)
- Fahr's disease (often due to hypoparathyroid disease)
- Pantothenate kinase-associated neurodegeneration (PKAN; neuronal brain iron accumulation type 1, formerly Hallervorden-Spatz disease, due to mutations in PANK2)
- Huntington병(particularly the Westphal variant, IT15-4p16.3)
- 척수소뇌 운동실조(SCAs, including SCA3/Machado-Joseph disease)
- Neuronal ceroid-lipofuscinosis
- Rett 증후군
- 선조체 괴사
- Leigh병
- Neuroacanthocytosis
- HARP syndrome (hypoprebetalipoproteinemia, acanthocytosis, retinitis pigmentosa)
- 모세혈관확장실조(Ataxia-telangiectasia)
- Tay - Sachs disease
- Sandhoff's disease
- Niemann - Pick type C
- GM1 gangliosidosis
- Metachromatic leukodystrophy (MLD)
- Lesch - Nyhan disease

대사질환
- Glutaric aciduria types 1 and 2
- Acyl-CoA dehydrogenase deficiencies
- Dopa-responsive dystonia (tyrosine hydroxylase deficiency, GTP cyclohydrolase 1 deficiency, DYT5)
- Dopamine agonist-responsive dystonia (aromatic l-amino acid decarboxylase deficiency, ALAD)
- 미토콘드리아 질환
- Wilson병
- Vitamin E 결핍
- Homocystinuria
- Methylmalonic aciduria
- Tyrosinemia

약물/독소
- 신경이완제 및 항구토제(haloperidol, chlorpromazine, olanzapine, risperidone, prochlorperazine)
- Calcium channel blockers
- 중추신경자극제(amphetamine, cocaine, ergot alkaloids)
- 항뇌전증약물(carbamazepine, phenytoin)
- Thallium
- Manganese
- Carbon monoxide
- Ethylene glycol
- Cyanide
- Methanol
- 말벌쏘임

발작 질환
- 복합 편두통
- 돌발 운동유발 근긴장이상(Paroxysmal kinesigenic dystonia, PKD)
- 돌발 비운동유발 근긴장이상(Paroxysmal nonkinesigenic dystonia, PNKD)
- 노력유발 근긴장이상(exercise-induced dystonia)
- Alternating hemiplegia of childhood (AHC)
- 양성돌발성사경

근긴장이상 유사 질환
- 강직발작(nocturnal frontal lobe seizures)
- Arnold - Chiari 기형 type II
- Atlantoaxial subluxation
- Syringomyelia
- 후두와 종양
- 경추기형(Klippel - Feil syndrome)
- Skew deviation with vertical diplopia causing neck twisting
- Juvenile rheumatoid arthritis
- Sandifer's syndrome (associated with hiatus hernia in infants)
- Spasmus nutans
- 틱
- 영아 자위행위
- 강직
- 근긴장증
- 경직(rigidity)
- Stiff-person 증후군
- Isaac's syndrome (neuromyotonia)
- Startle disease (hyperekplexia)
- 신경이완제 악성 증후군
- Central herniation with posturing
- 심인성 근긴장이상

숙련된 동작 예를 들면 '글쓰기'을 수행할 때만 증상이 나타나는 작업특이 근긴장이상은 소아에서 흔하지 않다.

감별해야 하는 증상으로 강직(spasticity), 경직(rigidity), 운동실조(ataxia)가 있다.

강직(spasticity)은 운동시작 시점에 긴장이 증가하지만 이후 긴장이 완화되는 것이 특징이다. 경직(rigidity)은 고정된 자세를 취하지는 않으나 팔, 다리의 수동적인 움직임에 저항감이 있는 증상으로, 수동적인 움직임에 대해 규칙적인 저항을 보이는 톱니바퀴(cog wheel) 또는 쇠파이프(lead pipe) 양상의 지속적인 저항을 보인다. 운동실조는 균형을 유지하기 위한 보상 행동으로 천천히 움직이면 증상이 호전되는 것으로 구별이 가능하다.

근긴장이상 폭풍(Dystonic storm)

주로 근긴장이상, 뇌성마비 등 선행 운동질환을 가지고 있는 소아에서 급성질환과 함께 근긴장이상이 매우 극적으로 발생할 때를 일컫는다. 호흡기질환 등 뚜렷한 질환이 없이도 갑자기 조절이 안 되는 과활동성 근긴장이상이나 무도증으로 진행하여, 심한 사지의 신장이나 목이나 몸통의 활모양강직 자세가 나타날 수 있다. Benzodiazepine, L-dopa, 항콜린제, tetrabenazine, reserpine, dantrolene, baclofen 등 많은 약물치료가 시도된다. 고체온증이나 횡문근융해, 마이오글로빈뇨증 등을 주의깊게 관찰하고 보존적 치료를 해야 한다. 치료가 어려워, 심한 증상이 발생한 경우 전신마취가 필요할 수 있다. 약물치료에 효과가 없을 때는 척추강 내 baclofen 주사나 뇌심부자극술이 도움이 될 수 있다. 근긴장이상 폭풍은 수개월 이상 지속될 수 있고 생명을 위협할 수 있으므로 중환자실에서 집중감시가 필요하다.

L-dopa는 이차 근긴장이상에서 사용할 수 있다. 도파반응 근긴장이상에서 필요로 하는 L-dopa의 용량은 50-100 mg/day로 적은 용량이지만 청소년 파킨슨병과 뇌성마비 등 이차 근긴장이상의 조절을 위해서 10 mg/kg/day정도의 고용량이 필요하다.

항콜린제(anticholinergics)는 특히 만성 근긴장이상에 효과적이다. Trihexyphenidyl은 기저핵과 겉질에 전반으로 작용하는 것으로 생각된다. 보통 1 mg/kg/day 이상의 많은 용량을 필요로 한다. 소아에서 더 효과적이어서 특히 조음과 손기능이 가장 많이 좋아진다. 적절한 초기용량은 0.05-0.1 mg/kg/day 또는 그 이하로 시작하여 서서히 증량한다. 하루 3번 나누어서 낮에 투약하며 적정용량에 도달하려면 3-4개월이 소요된다. 부작용으로 무도증과 무정위운동의 악화, 성인에서 주의력감소가 보고되었다. 항콜린제의 근긴장이상에 대한 효과는 보통 투약 수개월 후에야 나타난다. 고용량에서 갑자기 약을 중단하는 것은 신경이완제 악성 증후군을 발생시킬 수 있다. Diazepam과 다른 benzodiazepines 또는 진정제도 종종 도움이 된다.

국소 근긴장이상에는 botulinum이 매우 효과적이다. 근긴장도가 증가된 근육에 직접 긴장을 감소시키는 효과도 있고, 또한 전체적인 근긴장이상 양상을 바꾸는 데에도 효과가 있다. 특히 한 근육에 botulinum 독소를 주사했을 때 같은 사지의 다른 근육도 더불어 이완이 되는 것을 가끔 관찰한다. botulinum 독소를 주사할 때에는 근전도 검사로 주사할 부위를 찾는데 전신마취 또는 국소마취로 진행한다. 주기적으로 botulinum을 반복해서 투약해야 하는데 너무 빈번하게 투약할 경우 중화항체가 생길 수 있기 때문에 3개월 이상 간격을 두고 시술한다.

Baclofen 경우 투약은 그 작용기전이 알려지지는 않았지만 가끔 효과적이다. 최근 척수강내 Baclofen 주입의 효과를 보고하고 있는데 카테터가 경추 부위에 위치하면 전신성 근긴장이상을 감소시킬 수 있으나 합병증 발생률이 높아 연구에 따라 35%에 이른다. 감염 또는 펌프장애나 카테터 단절로 생명을 위협하는 급성 Baclofen 중단이 발생하기도 하여 소아에서의 사용은 제한적이다.

최근에는 뇌심부 자극술이 성인의 치료에 사용되고 있다. 복외측 시상(ventrolateral thalamus), 내측 담창구(internal globus pallidus), 시상하핵(subthalamic nucleus) 등에 전극을 삽입한다. 전지는 3-5년마다 교체해야 하며 뇌심부 자극술의 장기간 효과는 알려져 있지 않고 특히 소아에서의 경험은 제한적이다.

1. DYT-1 근긴장이상

DYT-1 근긴장이상은 특발성 비틀림 근긴장이상(idiopathic torsion dystonia)라고도 하며 상염색체 우성 유전이고 침투도는 약 30퍼센트 정도이다. TOR1A 유전자는 9번 염색체 q34에 위치하고 torsin-A를 생성한다. 유병률은 전 세계적으로 약 15,000명당 1명 정도이다. 평균 발병연령은 10세로, 4세 소아부터 성인에서 발생할 수 있다. 근긴장이상의 시작은 보통 팔이나 다리에서 나타나고 점차적으로 진행하여 사지를 침범하고 전신 근긴장이상으로 발전한다. 흔히 원위부와 근위부를 모두 침범한다. 진행정도와 중증도는 다양하여 DYT-1 근긴장이상이 성인에서 발생하면 보통 증상이 심하지 않다.

약물은 주로 매우 고용량의 항콜린제가 쓰이며 도파민에는 반응이 없다. Benzodiazepines, baclofen, carbamazepine, 신경이완제 또는 tetrabenazine 등 약물에 효과도 보고되었다. 더불어 담창구절단술(pallidotomy) 또는 뇌심부자극술이 이차 근긴장이상에 비해 특히 DYT-1 근긴장이상 환자에서 도움이 되는 것으로 알려져 있다. 치료받지 않은 DYT-1 근긴장이상 환자는 전형적으로 수년간 점차적으로 진행하다가 성인이 되면 안정기에 들어간다. 예후와 수명은 질병의 중증도에 따라 다르며, 사망은 주로 운동장애의 호흡기 합병증과 관련이 있다.

2. 도파민 반응 근긴장이상(dopamine responsive dystonia)

DYT-5 근긴장이상으로 분류된다. 상염색체 우성으로 발현하며 다양한 침투도를 보이지만 여아에서 남아보다 유병율이 높다. 평균 발병연령은 6세로 초기 증상은 DYT-1과 매우 유사하며, 흔히 소아에서 하나의 팔이나 다리에서 시작하며 한쪽 하지에서 호발한다. 자연경과로 청소년과 성인에서 파킨슨병의 증상이 동반되는데 신경계 성숙에 따른 차이라고 할 수 있다. 일중변동은 도파민 합성에 기여하는 또 다른 효소인 tyrosine hydroxylase의 생리적인 일중변동에 의하며, 소아의 77%에서 나타난다. 아침에 일어났을 때나 낮잠 후 일어났을 때에는 증상이 호전되고 일어난 후 시간이 지날수록 점차 증상이 악화된다. 뇌성마비로 혼동되기도 하고 관절구축이나 근육 또는 인대의 단축, 척추측만 등 정형외과적인 문제로 오인되기도 한다.

1976년 처음 기술된 이후 Segawa병으로 알려졌으며 14번 염색체 q22.1-2에 위치하는 GCH1 유전자의 돌연변이로 발생한다. GCH1은 도파민 합성과정에 관여하는 GTP cyclohydrolase를 전사하는데, 이의 결함에 의해 도파민 합성이 감소되어 증상이 나타난다.

임상적으로는 50-100 mg/day의 저용량 L-dopa 사용에 증상이 확연히 좋아지면 도파민 반응 근긴장이상의 진단을 강력히 의심할 수 있다. 진단은 임상양상과 유전자 검사로 확진이 가능하다. 뇌척수액의 신경전달물질과 pterin의 정량분석이 보조적인 수단이 될 수 있는데 특히 뇌척수액에서 biopterin, neopterin, homovanillic acid의 농도가 낮다.

3. 근간대경련 근긴장이상 증후군(myoclonus-dystonia syndrome)

근간대경련과 근긴장이상의 두 가지 증상이 나타나는 질환이다. 발병은 청소년기에 시작되며, 근간대경련은 목, 몸통, 팔을 침범하고 종종 알코올에 효과가 있다. 근긴장이상은 약 반 정도의 환자에서 나타나는데 보통 사경이나 팔의 근긴장이상으로 나타난다. 행동증상과 강박증도 관련이 있다.

일부 가계에서 이 질환은 염색체 7q21에 위치하는 epsilon-sarcoglycan 유전자의 돌연변이로 발생하며, 이는 DYT-11로 분류되어 있다. DYT-11은 상염색체 우성유전이고 새로운 돌연변이가 흔한데, 아버지로부터 epsilon-sarcoglycan 유전자를 받으면 100%에서 증상이 나타나고 어머니로부터 받으면 약 10%에서만 증상이 나타난다. Epsilon-sarcoglycan 유전자 분석을 통해서 가능하고 침범된 가계의 95%에서 발견된다.

Benzodiazepine, valproate, 알코올 등이 효과가 있으나 알코올은 오래 사용하면 흔히 의존성이 생겨서 장기간의 치료로 적절하지는 않다. 몇몇 보고에서 gamma-hydroxybutyrate가 알코올과 같은 효과를 가지고 몇몇 케이스에서 효과가 있었다고 한다. 담창구나 시상의 배측 중간핵(ventral intermediate nucleus)에 뇌심부자극술을 하는 것도 증상 완화에 도움이 된다는 보고들도 있다.

04

진전

Tremor

| 이지훈 |

진전은 특정 신체 부위의 규칙적, 불수의적 진동운동이 반복되는 것이며, 규칙성(rhythmicity)이 가장 큰 특징이다.

소아에서 나타날 수 있는 진전의 원인은 일차성 진전과 이차성 진전으로 나눌 수 있고 다음 표 9-4와 같다.

1) 신생아 떨림(neonatal jitteriness)

소아에서만 볼 수 있는 일과성 진전이다. 신생아기에 주로 발생하여 수개월간 지속되기도 하며, 전신의 대칭적이고 규칙적인 동작으로 울거나 자극 또는 동작에 의해 유발되는 경향이 있다. 자세를 바꾸거나 팔다리를 부드럽게 굽혀주면 소실된다. 잡아도 멈추지 않으면 저칼슘혈증이나 저마그네슘혈증과의 감별이 필요하다.

2) 몸서리 발작(shuddering attacks)

6개월에서 7세 사이 발현하며 이후 자연 소실되는 증상으로 각성 중 주로 흥분하거나 놀라면서 진저리치는 행동(shiver-like movement) 양상이다. 하루 수십회에서 수개월에 한번까지 다양한 빈도로 나타날 수 있다. 증상이 전형적이지 않을 때는 신생아 양성 근간대 뇌전증(benign myoclonic epilepsy in infancy)과의 감별이 요구되는데, 뇌전증은 수면 중에도 발생 가능하고 근간대(myoclonus) 양상이며 비디오 뇌파검사로 감별이 가능하다.

3) 본태성 진전(Essential tremor)

상염색체 우성 유전질환으로 소아기에 발생하여 보통 수년에 걸쳐서 점차적으로 진행한다. 임상적으로는 8가지 주 진단기준과 2가지 부 진단기준으로 진단된다. 주 진단기준을 요약하면 특발성, 진전의 특별한 원인이 없으며, 1년 이상 지속되어야 하고, 체위성(postural) 진전양상으로, 출생력 및 발달력이 정상이고, 뇌신경계 영상검사가 정상이어야 한다. 두 가지 부 진단기준은 60% 정도에서 보이는 가족력과, 알콜섭취 후 호전양상이다. 특징으로 상지에서 호발하는 경향이 있고 소아에서는 일반적으로 양손에 국한되어 나타난다. 컵을 들고 있을 때나 필기를 할 때 진전이 나타나는 것이 보통 첫 증상이나, 두부나 몸통, 음성도 영향을 받을 수 있다. 진전이 생활에 불편을 심각하게 야기할 때는 propranolol을 투약해볼 수 있다.

4) 심인성 진전

불안장애 등 심인성(psychogenic) 질환에서도 진전을 흔히 관찰할 수 있다. 심인성 진전은 심각한 정신과질환을 동반하는 경우가 흔하며, 감별방법으로는 어려운 인지수행을 하게 하거나 주의를 딴 데로 유도하면 심인성 진전의 강도가 완화되거나 빈도가 줄어드는 양상을 관찰함으로서 기질적 진전과 감별할 수 있다.

표 9-4. 소아기 진전의 원인

양성질환 　• 생리적 진전 　• Shaking/shuddering 발작 　• Spasmus nutans
비진행성 손상/구조적 병변 　• 뇌경색(주로 중뇌 및 소뇌) 　• 다발성경화증
유전/퇴행성질환 　• 가족성 본태성 진전 　• 연소형 파킨슨병 　• 담창구흑색질 퇴행 　• Wilson병 　• Huntington병
대사질환 　• 갑상샘기능항진증 　• 아드레날린 과잉상태(갈색세포종/신경모세포종) 　• 저마그네슘혈증 　• 저칼슘혈증 　• 저혈당 　• 간성혼수 　• 비타민 B12 결핍
약물/독소 　• Valproate 　• 리튬 　• 삼환항우울제 　• 중추신경자극제(cocaine, amphetamine, caffeine, thyroxine, 기관지확장제) 　• 신경이완제 　• Cyclosporine 　• Toluene 　• 수은 　• Thallium 　• Amiodarone 　• 니코틴 　• 납 　• 망간 　• 비소 　• 시안화물(Cyanide) 　• 나프탈렌 　• 에탄올 　• 살충제(Lindane) 　• Serotonin reuptake inhibitors
진전의 기타원인 　• 말초신경병증 　• 소뇌질환 또는 기형 　• 불안 　• 심인성 진전

5) 기타 질환

파킨슨병도 진전의 원인으로 포함되는데, 진전이 우세한 형은 소아보다 성인에서 훨씬 흔하다. Huntington병도 진전을 일으킬 수 있으나 대부분 다른 증상이 더 주가 된다.

생리적 진전은 정상적으로 나타나며 특이 근육이 강한 힘을 가하고 있을 때 뚜렷해진다. 무거운 물체를 들고 있을 때나 근육을 강하게 수축해야 할 필요가 있는 상황에서만 진전이 나타나거나 심해진다는 점에서 다른 진전들과 구별된다. 불편함을 느끼는 경우는 매우 드물며 증상이 악화되는 경우는 드문 것으로 알려져 있다.

소아에서의 진전은 다른 원인질환에 의한 경우가 대부분이므로 주의가 필요하며, 전해질이상, 저혈당, 비타민 B12 결핍의 증상일 수 있고, 특히 진전을 유발하는 valproate, theophylline, beta-agonists, corticosteroids, methylphenidate, lithium, 삼환계 항우울제(tricyclic antidepressants)등의 약물복용력이 중요하다. 갑상샘기능항진증에 대한 평가도 반드시 이루어져야 하며, 교감신경계를 자극할 수 있는 갈색세포종(phenochromcytoma)와 신경모세포종(neuroblastoma)의 가능성도 고려해야한다.

Wilson병의 감별도 중요한데 진전은 보통 팔의 내전근에 침범하여, 환아에게 팔꿈치를 구부린 채로 팔을 외전하도록 시켰을 때 증상이 심해지는 진전을 특징으로 한다. 이 진전은 근본적으로 체위성 진전이지만 안정시에도 나타날 수도 있다.

진전은 가장 심할 때의 시간을 기준으로 안정(rest), 체위성(postural), 활동(action), 또는 의도(intention) 진전으로 분류될 수 있다.

① 안정진전은 수의적인 동작이 없는 상태에서 발생하고 수의적인 행동에 멈추거나 감소하는 양상으로 파킨슨병의 대표적인 증상으로, 소아에서는 약물에 의해 유발되기도 한다.

② 체위성 진전은 환자가 양팔을 앞으로 쭉 뻗었을 때나 코에 양쪽 손가락을 번갈아 대는 것과 같이 어떠한 자세를 중력에 반하여 유지하려고 할 때 심해진다. 체위성 진전은 움직임이나 안정에 의해 호전될 수 있다.

③ 활동진전은 움직일 때 증상이 발생하고 특히 의도(intention)진전은 어떠한 지점이나 목표를 향해 팔을 뻗을

때 더 심해지며 소뇌 기능장애와 관련되어 나타나는 특징적인 진전이다.

적색(Rubral) 진전은 큰 진폭의 규칙적이지만 부분적으로는 무도병과 유사한 움직임을 말한다. 보통 한쪽 팔을 침범하며 안정상태에서도 발생하고 안정진정이나 체위성 진전과는 달리 동작에 의해 증상이 더 심해진다. 이는 시상, 중뇌, 교, 소뇌의 병변과 관련이 있고, 적색핵과는 관련이 없다.

진전은 빈도에 따라서도 나눌 수 있다. 파킨슨병이나 파킨소니즘(parkinsonism)과 관련된 진전은 4-6 Hz 사이이고, 본태성 진전은 5-8 Hz 사이이며, 생리적 진전은 8-12 Hz와 20-25 Hz의 두 가지 양상이다.

우선 유발요인이 되는 대사이상, 호르몬 장애 등이 교정되어야 한다. 만약 진전이 불안에 의해 유발되거나 악화된다면 serotonin reuptake inhibitor가 유용할 수 있다. 본태성 진전은 propranolol이나 primidone, benzodiazepines, gabapentin으로 치료한다. 적색진전은 약물에 난치성 경과를 보이는 경우가 흔하지만 L-dopa나 clonazepam, 시상의 심부뇌자극(deep brain stimulation)에 반응을 보이기도 한다.

근간대경련

Myoclonus

| 이지훈 |

근간대경련은 아주 짧고, 돌발적이고, 무의식적이며, 억제할 수 없는 움찔거리는 움직임을 말한다. 하나 또는 일련의 근육들의 수축하여 발생한다. 다른 운동장애와 차별되는 특징은 산발적(sporadic)이며 감전과 같은(shock like) 빠른 속도이다.

근간대경련의 구분은 임상적, 해부학적, 병인적 기준 등 여러 가지가 있다. 성인에서는 겉질, 시상, 연수, 척수와 같이 예상되는 증상이 나타나는 신경해부학적 위치를 기준으로 분류하는 것이 도움이 되지만, 소아에서는 표 9-5에서 요약되어 있듯이 병인적 기준이 유용하다. 즉 근간대경련이 일어나는 상황을 기준으로 하는 것이다.

1) 생리적 및 발달성 근간대경련

생리적 근간대경련은 정상인이 특정한 상황에서 보일 수 있는 증상이다. 딸꾹질, 수면개시 근간대경련, 수면 근간대경련이 있다.

수면개시(hypnic 또는 hypnagogic) 근간대경련은 수면이 시작하면서 발생하고 보통 추락하는 느낌이 동반된다. 수면개시 근간대경련은 생리적인 현상이며 치료할 필요는 없다.

수면 근간대경련 또한 정상 수면생리의 한 부분으로, REM 수면 도중, 일시적 뇌간 방해(brainstem inhibition)의 장애로 인한 역설 흥분(paradoxical excitation)에 의해 발생한다. 특히 수면 근간대경련은 특정 발달단계와 연관되어

나타날 수 있으며 양성 신생아기 수면 근간대경련(benign neonatal sleep myoclonus)와 양성 조기 영아기 근간대경련(benign myoclonus of early infancy)가 있다. 전형적으로 상지의 원위부에 수초간 여러번 발생하며 대부분 자연소실되지만 드물게 지속되는 경우도 있다. 특히 학동기 소아에서 수면 근간대경련은 신생아의 수면 근간대경련보다 지속되는 경향이 있지만 치료는 필요하지 않다. 드물게 축성으로 몸 전체가 움직이면 뇌전증과의 감별을 위해 뇌파를 시행하여야 한다. 근간대경련은 또한 정상 소아에서 열과 동반되어 나타날 수도 있으며 열이 없으면 멈추고 치료는 필요하지 않다.

본태성 근간대경련(essential myoclonus)은 10-20대의 나이에 발병하는 비교적 경증의 근간대경련으로 상염색체 우성 질환이다. 보통 발병 후 몇 년간 천천히 진행하고 이후 안정화된다. 근간대경련은 해마다 약간의 변동을 보이거나 저절로 약간의 호전을 보일 수도 있다. 근간대경련은 보통 ethanol에 반응을 보이나 개인에 따라 호전이 되는 격차가 있으며 또한 ethanol은 장기적 치료로는 유용하지 않다. 원인은 7번 염색체 q21-q31에 존재하는 epsilon-sarcoglycan 유전자의 결함에 의해 발생한다. 이 유전자는 근간대경련-근긴장이상 증후군(myoclonus-dystonia syndrome)과도 연관이 있는데, 본태성 근간대경련 환자 중 많은 수가 근긴장이상을 동반하게 되며, 이 두 임상적 증후군은 같은 유전적 결함의 근원을 갖는 것으로 보인다. 가계에 따라 어

표 9-5. 근간대경련의 원인별 분류

생리적
• 딸꾹질 • 수면개시 근간대경련(Hypnic jerks) • 수면근간대경련(Nocturnal (sleep) myoclonus)

발달성
• 양성 신생아 수면 근간대경련(Benign neonatal sleep myoclonus) • 양성 조기 영아기 근간대경련(Benign myoclonus of early infancy) • 발열 근간대경련(Myoclonus with fever)

본태성
• 가족 근간대경련-근긴장이상 증후군(Familial myoclonus dystonia syndrome)

심인성

증후성

축적질환
• Juvenile Gaucher's disease (type III) • Sialidosis type 1 (cherry-red spot-myoclonus) • GM1 gangliosidosis • Neuronal ceroid-lipofuscinosis (late infantile ≫ juvenile)

퇴행질환
• Dentato-rubro-pallido-luysian atrophy (DRPLA) • Huntington병 • Progressive myoclonus ataxia • Ramsay-Hunt 증후군

치매
• Bovine spongiform encephalopathy • Creutzfeldt-Jakob disease

감염/후감염
• 뇌수막염(바이러스성 또는 세균성) • 뇌염 • Epstein-Barr virus (EBV) • Coxsackie virus • Influenza • Human immunodeficiency virus (HIV) • 급성 파종성 뇌척수염(ADEM)

대사성
• 요독증 • 간부전 • 전해질장애 • 저혈당 또는 고혈당 • Aminoacidurias • Organic acidurias • 요소회로장애 • Myoclonic epilepsy with ragged red fibers (MERRF) • Mitochondrial encephalomyopathy, lactic acidosis, and strokelike episodes (MELAS) • Biotinidase deficiency (usually epileptic) • Cobalamin 결핍(영아기) • 눈간대경련-근간대경련 증후군(myoclonic encephalopathy of infancy)

독성
• 향정신성 약물(삼환항우울제, 리튬, 선택적 serotonin reuptake 억제제, monoamine oxidase inhibitors, 신경이완제) • 항생제(penicillin, cephalosporins, quinolones) • 항뇌전증약물(phenytoin, carbamazepine, lamotrigine, gabapentin) • 아편유사제 • 전신마취제 • 항암제 • Strychnine, toluene, 납, 일산화탄소, 수은

저산소증
• Lance-Adams syndrome

떤 환자들은 근간대경련만 가지고, 다른 환자들은 근긴장이상만을 그리고 또 다른 환자들은 근간대경련과 근긴장이상을 함께 동반한다.

본태성 근간대경련의 치료제로는 benzodiazepines나 primidone, propranolol을 사용할 수 있다.

2) 과도놀람(hyperekplexia)

예상하지 못한 시각, 청각, 촉각 자극에 대한 과도한 놀람반응(startle response)이 지속적이고 일관되게 나타나는 것이 임상적인 특징이다. 출생 시부터 심한 증상이 발생하여 갑자기 강직이 나타나거나 후궁반장의 자세를 보이기도 한다. 전반적으로 뻣뻣하게 굳은 양상을 보여 굳은 아이 증후군(stiff-baby syndrome)이라고 불리기도 한다. 가장 흔한 형태의 과도놀람증은 HKPX1으로 GLRA1 유전자의 변이에 의해 발생한다. clonazepam이나 다른 benzodiazepine에 효과가 있다.

06

돌발 운동이상

Paroxysmal Dyskinesia

| 이지훈 |

증상의 발현이 갑작스럽고 증상이 없을 때는 정상 신경학적 소견을 보이는 삽화적(episodic) 성격을 특징으로 하는 질환군이다. 증상은 의식소실 없이 갑작스런 무도병이나, 근긴장이상 또는 여러 운동장애 증상이 복합되어 나타날 수 있다.

돌발 운동이상의 구분은 특징적인 임상적 경과 및 유발요인에 따라 세분되며 다음과 같이 대표적인 3개 질환으로 구분된다.

돌발 운동유발 운동이상(paroxysmal kinesigenic dyskinesia)은 돌발성 운동이상을 보이는 질환들 중 가장 흔하며 일정한 특정 동작 예를 들어 하품 등에도 유발된다. 돌발성 비운동유발 운동이상(paroxysmal non-kinesigenic dyskinesia)은 알코올, 카페인(caffeine)을 함유한 음료의 섭취와 피곤함에 의해 유발되고, 마지막으로 돌발성 노력유발 운동이상(paroxysmal exertion induced dyskinesia)은 지속적인 운동에 의해 유발되는 차이점이 있다. 이러한 유발요인은 약물치료에 대한 반응의 가장 좋은 예측 변수이다.

1) 돌발 운동유발 운동이상(paroxysmal kinesigenic dyskinesia)

돌발 운동유발 무도무정위운동(paroxysmal kinesigenic choreoathetosis)으로도 불리며, 종종 16번 염색체에 위치한 PRRT2 유전자와 관련하여 상염색체 우성유전되거나 산발적으로 발생한다. 남자가 여자보다 4:1의 비율로 더 흔발생한다. 남자가 여자보다 4:1의 비율로 더 흔

하다. 증상이 나타나는 시기는 가족력이 있는 경우 5-15세 사이이지만 산발적으로 발생하는 경우는 발병시기가 다양하다. 증상 발생은 전형적으로 놀람이나 휴식 후 갑자기 움직일 때 하루에도 수회 또는 100회 이상 유발된다. 증상 지속시간은 전형적으로 수초에서 수분이나 더 길게 지속되기도 한다. 보통 팔, 다리의 비정상적인 감각이 선행되는데 일부 환자들은 불수의적인 동작이 생기지 않고 오직 비정상적인 감각만 느끼는 경우도 있다. 대부분의 환자들은 근긴장이상 양상이지만 무도병 그리고 드물게 ballismus도 가능하다. 특징적으로 몸의 한쪽 또는 사지 중 한 곳에 제한되어 나타나기도 한다.

Carbamazepine, phenytoin, phenobarbital, levetiracetam 같은 항뇌전증약물로 잘 조절되며 필요한 약용량은 보통 표준 항뇌전증 목적으로 사용하는 용량보다 적다. 환자들은 약물치료와 상관없이 성인이 되면 증상이 감소하는 경향을 보이고, 진행성 신경학적 장애는 나타내지 않는다. 간혹 다발성 경화증, 뇌성마비, 머리 외상, 뇌졸중, 부갑상샘 기능저하증, 단풍당뇨병, 감염, methylphenidate 치료 등에 의해 비슷한 증상이 발생할 수 있으므로 의심 증상이 있을 때 감별을 요한다.

2) 돌발 비운동유발 운동이상(paroxysmal nonkinesigenic dyskinesia)

이 질환은 이상근긴장증(dystonia), 무도증, 무정위운동

등의 증상이 저절로 혹은 알콜, 카페인, 스트레스, 월경, 수면부족, 운동 등에 의해 유발된다. 증상이 발생하는 연령은 영아부터 노인 연령까지 다양하며, 100만 명에 한 명 정도에서 발생하는 매우 드문 질환이다. 약 60%의 환자가 PNKD 유전자(2q35)의 변이를 보인다. 빈도는 일 년에 두 세번에서 하루 세 번까지 다양하다. 증상은 사지 중 하나의 불수의적인 동작으로부터 시작하게 되는데 사지 모두 그리고 얼굴까지 진행될 수 있다. 증상의 기간은 운동유발보다 다소 길어 수분에서 3-4시간 정도이며, 증상이 나타나는 동안 환자는 의식이 있고 정상적으로 호흡을 유지할 수 있다. 운동장애의 종류는 대부분 근긴장이상이지만 무도병도 가능하다. 증상은 수면에 의해 완화될 수 있다. 돌발 비운동유발 운동이상의 치료는 피로, 알코올, 카페인 등 유발인자 회피가 중요하다. Clonazepam, oxazepam, halo-peridol, valproate, acetazolamide, anticholinergics를 포함하여 몇가지 약제들이 사용되어 왔지만, 항경련제는 대부분의 경우 효과가 없다. 예후는 다양하다. 결절성 경화증, 감염, 저혈당, 갑상샘중독증, 부갑상샘기능항진증, 모야모야병, 거짓부갑상샘기능저하증, biopterin 합성장애와 관련하여 비슷한 증상이 발생할 수 있으므로 의심증상이 있을 때 감별을 요한다.

3) 돌발 노력유발 운동이상(paroxysmal exertion-induced dyskinesia)

보통 산발적으로 발생하지만 1번, 2번, 16번 다양한 염색체에 위치한 유전자와 관련한 상염색체 우성유전이 보고되었다. 증상은 지속적인 운동에 의해 유발되며 빈도는 하루 한번에서부터 한달에 두 번 정도까지 다양하며 보통 증상이 나타나는 기간은 5분에서 30분 정도이다. 지속적 운동의 회피는 증상의 빈도를 줄이는데 도움이 될 수 있다. 약물치료는 보통 효과가 없으나, L-dopa와 acetazolamide로 증상이 호전된 보고가 있다. 예후는 다양하다.

07

틱, 틱장애, 뚜렛증후군

Tics, Tic Disorders, Tourette Syndrome

| 권순학 |

1. 틱

틱장애나 뚜렛증후군의 주요 증상이다. 환자는 자신의 의지와 관계없이 갑작스럽게 일정한 형태로 반복하며 움직이거나 소리를 낸다. 움직임을 주로 하는 나타낼 때 운동 틱(motor tics)이라고 하고 소리를 내는 것을 음성 틱(vocal tics)이라고 한다. 이들은 어떠한 형태의 움직임이나 소리를 총 망라하는 다양한 양상을 띤다. 즉, 똑같은 증상을 가진 사람이 두 명이 없다고 할 정도로 지속기간, 심한 정도, 복합성 등에 있어 다양하다.

운동 틱에는 일반적으로 얼굴, 목, 어깨, 몸통, 손 등에서 증상을 보이며 눈을 깜박이거나, 고개를 움찔하거나, 어깨를 으쓱거리는 것과 같이 한 근육군만 침범하는 단순 운동 틱(simple motor tics)과 뭔가 목적을 가지고 하는 것 같은 행동 즉, 냄새를 꿍꿍거리며 맡는 시늉, 물건을 만지는 것, 옷을 당기는 것, 몸을 뒤트는 것, 한발로 뛰는 것 등 일련의 동작이 보다 오래 지속되는 복합 운동 틱(complex motor tics)이 있다.

음성 틱에는 코를 꿍꿍 거리는 소리를 내거나, 가래 해소하는 소리, 개 짖는 소리나 신음소리 등 이상한 소리를 내는 단순 음성 틱(simple vocal tics)과 환자에게 한 말을 따라하거나, 자신의 말을 반복하거나, 혹은 욕설을 하는 복합 음성 틱(complex motor tics)이 있다.

틱이 다른 여러 가지 운동장애나 비정상적 행동과의 차

이점은 정확한 원인은 알 수 없으나 치료와 관계없이 틱의 빈도, 강도, 복합성 등에 기복이 있다는 것이다. 또한 틱은 불안하거나 흥분하면 악화되고 안정상태나 수면 시 완화된다. 환자는 흔히 일정 기간 동안 틱 증상을 억제할 수 있으나, 이러한 경우 긴장감으로 인해 이후 틱 증상이 오히려 악화될 수 있다. 경우에 따라서는 긴장감, 압박감, 특정 부위에 국한되는 감각이상 등이 선행 할 수 있다. 적지 않은 경우에 다른 질환으로 오진이 되며 심한 경우 척수손상, 망막분리 등이 생길 수 있다.

2. 틱장애

틱장애는 그 증상이 경하고 일과성인 경우에서 가장 심한 형태인 뚜렛증후군까지 총 망라하는 일련의 임상질환이다. 후향적 분석을 근거로 한 틱 증상의 유병기간에 따른 뚜렛증후군 분류에 의하면, 12개월 미만은 일과성, 12개월 이상이 경우는 만성으로 정의한다.

일과성 틱장애는 가장 흔하고 가장 경한 형태로 보통 1년 미만 지속되는 경우를 말하며 소아기의 유병율은 4-24% 이다.

만성 틱장애는 1년 이상 증상이 지속되는 경우로 주로 운동 틱이 대부분을 차지한다. 다양한 틱 증상이 있는 경우는 유전 소인이 있으며 뚜렛증후군의 경한 형태로 보는 경향이 있다. 틱장애의 경우 강박신경증, 주의력결핍 과잉행동 장애, 학습부진, 불안장애, 우울증 등 다른 정신과적 문제들을 잘 동반한다. 진단 시에 반드시 약물이나 뇌 손상, Huntington병과 같은 다른 신경질환으로 인한 것인지를 확인해야 하며 근긴장이상, 근간대경련, 기타 여러 가지 상동행위나 습관 등과 감별할 필요가 있다.

3. 뚜렛증후군

틱장애 가운데 가장 심한 형태로 다양한 운동 및 음성 틱을 가지는 것을 특징으로 한다. 만 명당 4-5명 정도에서 발생하며 남자아이에서 더 많이 생긴다. 대개 7세 이전에 단순 운동 틱으로 시작하여 시간이 경과하면 다양한 운동 및 음성 틱이 생기고 10-12세경 가장 심해진다. 욕설을 하고 괴성을 지르고 하는 것이 특징적이라고는 하나 실제로는 약 10% 정도에서만 볼 수 있다. 증상은 어느 정도 억제할 수 있으나 사회생활이나 학교생활에 심각한 지장을 초래한다.

뚜렛증후군은 유전적 소인이 있는 것으로 알려지고 있으며 직계가족이 질환이 있을 때 보다 많이 생길 가능성이 있다. 남자가 여자보다 3-4배 더 많이 발생하며 일부에서는 남자에서 증가된 발현양상을 띤 상염색체 우성으로 유전된다는 보고도 있다.

일부에서는 겉질-선조체-시상-겉질 회로(cortical-striatal-thalamic-cortical circuit) 내의 다양한 신경전달물질들의 불균형으로 생긴다고도 알려져 있다. 또한 유전적 요인 외에도 용혈성 구균의 감염 후 자가면역 반응에 의해 강박증이나 뚜렛증후군이 발생한다는 보고도 있다(pediatric autoimmune neuropsychiatric disorders associated with a streptococcal infection, PANDAS). 많은 환경적 요소 중에도 정서 스트레스는 뚜렛증후군을 유발시키거나 증상의 악화를 초래할 수 있다.

진단기준은 다양한 운동 틱과 동시가 아니더라도 적어도 한 가지의 음성 틱이 공존하고, 틱의 정도가 점차 악화되고, 증상이 1년 이상 지속, 21세 이전에 시작되며, 뇌염이나 뇌졸중 혹은 약물 등과 같은 다른 유발요소가 없어야 한다. 이는 경험과 지식을 갖춘 전문가에 의해 관찰평가 되어야 한다. Yale Global Tic Severity Scale (YGTSS)이 가장 많이 사용되는 tic-severity ranking score이다. Total Tic Score (TTS)는 운동 틱과 음성 틱의 숫자, 빈도, 강도, 복합성, 상호작용을 기준으로 점수를 매긴다. Tic Impairment Score (TIS)는 장애의 정도를 나타낸다.

치료여부는 환자의 틱 증상으로 인한 생활기능의 제한 정도, 동반질환의 유무, 약물을 사용함으로 얻을 수 있는 효과와 잠재적 위험성 등을 충분히 검토한 후에 결정한다. 많은 경우 대증치료가 전부이고 틱 증상을 완전히 없애는 것은 불가능하다. 강박증에 대해서는 fluvoxamine, fluoxetine, sertraline, clomipramine 등 세로토닌 재흡수 억제제가 권장된다. 중추신경자극제가 잠재된 틱 증상을 발현시킨다는 보고도 있으나 주의력결핍 과잉행동 장애에 대해서는 methylphenidate 등을 조심해서 사용할 수 있다.

틱 증상에 대한 치료로는 단계적으로 처치하는 것이 권장된다. 가벼운 틱에는 clonidine, guanfacine와 같은 알파 2 작용제나 baclofen, clonazepam, topiramate, levetiracetam 등을 사용할 수 있다. 보다 심한 틱 증상에 대해서는 전통적으로 haloperidol 같은 도파민 2형 수용체(D2) 길항제를 사용하여 왔고 일부에서는 pimozide를 1차 약제로 사용하기도 한다. 그러나 최근에는 추체외로 증상에 대한 안정성이 입증된 risperidone이나 olanzapine과 같은 약제를 사용하는 추세에 있고 그 외에도 tetrabenazine, botulinum toxin 등을 사용할 수 있다. 약제에도 반응하지 않는 심한 틱의 경우 transcranial magnetic stimulation이나 deep brain stimulation 같은 수술적 요법도 시도되고 있다.

뚜렛증후군의 예후는 평생 지속되는 질환이기는 하나 일반적으로 예후에 결정적인 영향을 주는 것은 사춘기 동안에 증상이 얼마나 심한가에 달려있다.

참고문헌

1. Bain PG, Findley LJ, Thompson PD, et al. A study of hereditary essential tremor. Brain 1994;117:805-24.

2. Eric Pina-Garza. Fenichel's Clinical Pediatric Neurology. 7th ed. Elsvier Saunders, 2013

3. Fahn S. Concept and classification of dystonia. In: Fahn S, Mars\den CD, Calne DB, editors. Advances in Neurology, Vol. 50, Dystonia 2. NewYork: RavenPress, 1988:1-9.

4. Guerrini R, Belmante A, Corrozzo R. Paroxysmal tonic upgaze of childhood with ataxia: A benign transient dystonia with auto\somal dominant inheritance. Brain Dev 1998;20:116-8.

5. Gualtieri CT, Quade D, Hicks RE, Mayo JP, Schroeder SR. Tar\dive dyskinesia and other clinical consequences of neuroleptic treatment in children and adolesencts. Am J Psychiatr y 1984;141:20-3.

6. Jankovic J, Stacy M. Movement disorders. In: Goetz CG, Pappert EJ, editors. Textbook of clinical neurology. 1st ed. Philadeemeia: WB Saunders Co, 1999:655-79.

7. Kenneth F. Swaiman, Stephen Ashwal, Donna M. Ferriero, Pedi\-atric Neurology:

8. Principles and Practice, 6th ed. Elsevier, 2017

9. Kurlan R, Hamill R, Shoulson Y. Neuroleptic malignant syn\drome. Clin Neurophamacol 1984;7:109-20.

10. McMahon WM, Filloux FM, Ashworth JC, Jensen J. Movement disorders in children and adolescents. Neurol Clin 2002;20:1101-24.

11. Robert M. Kliegman, Nelson Textbook of Pediatrics, 21st ed. W.B. Saunders, 2019

12. Aicardi J, Fermandez-Alvarez E. Movement disorders in chil\dren. 1st ed. England: Cambridge University Press, 2001:1-23.

13. Schlaggar BL, Mink JW. Movement disorders in children. Pediatr Rev 2003;24:39-51.

14. Segawa M. Hereditary progressive dystonia with marked diurnal fluctuation. Brain & Development 2000;22 Suppl 22:65-80.

15. Serratosa JM. Myoclonic seizures. In: Elaine Wyllie. The treate\ment of epilepsy, principles & practice. 3rd ed. Philadelphia: Lip\pincott Williams&Wilkins Co, 2001:395-404.

16. Waxman SG. Clinical neuroanatomy. 25th ed. Seoul: McGraw-Hill Co, 2003:189-201.

17. Yokochi M, Narabayashi H, Jzuka R, Nagtsu T. Juvenile parkin\sonism. Some clinical, pharmacological and neuropathological aspects. In: Hassler RG, Christ JF, editors. Advances in Neurolo\gy, Vol. 40. NewYork: RavenPress, 1984:407-13.

소 아 신 경 학
PEDIATRIC NEUROLOGY

제10장

변성 질환

Degenerative Disorders

회백질을 주로 침범하는 변성 질환

Degenerative Disorders Primarily Associated with Gray Matter

| 이진숙 |

뇌 회백질을 주로 침범하는 대표적인 변성 질환은 Rett 증후군, Menkes병, neuronal ceroid lipofuscinosis 등이다. 일부 환자에서 골수이식을 조기에 시행하면 도움이 될 수 있으며, 유전자 교정 등 병의 진행을 억제하거나 예방하려는 치료법도 시도되고 있다.

1. Rett 증후군

주로 여아에서 나타나며, 여아 10,000-22,000명당 1명에서 발생한다. 환자는 정상적으로 발달하다가 언어가 퇴행하며 반복적인 상동적 손 움직임이 나타나는 것이 특징이다. 염색체 Xq28에 위치하는 MECP2가 대표적인 원인 유전자로, MECP2 단백은 신경세포가 발달하여 완성된 후 유지되는데 필요한 것으로 알려졌다. 이 질환의 임상증상은 다양하고 정도도 심하지만 환자들의 1/2정도는 30대까지 생존한다.

[병태생리]

대표적인 원인 유전자는 MECP2 (Xq28)이며, CDKL5 (Xp22)와 FOXG1 (14q12)도 연관 유전자로 알려졌다.

MECP2 단백은 메틸화된 DNA에 선택적으로 결합하여 전사 억제를 조절한다. Rett 증후군 환자의 약 80% 이상에서 MECP2 유전자의 돌연변이가 발견된다. 대부분 부계에서 기원한 X염색체에 새로운 돌연변이가 발생하여 여아에서만 증상이 나타나며, 이환된 남아는 출생 후 대부분 사망한다. 대부분은 산발적 돌연변이에 의해 발병하지만, 이상 X염색체가 비활성화되어 증상이 나타나지 않는 보인자 어머니로부터 유전될 수 있다. Missense 돌연변이에 의한 발병 환자가 nonsense 돌연변이에 의한 경우보다 임상증상이 경할 수 있다.

[임상양상]

임상양상은 다양하지만, 전형적인 경우에는 진행 양상이 단계적으로 구분된다. 출생 후 6-18개월까지는 정상 발달을 하다가 그 후 발달이 퇴행하고 두뇌가 자라지 않아 후

■ 그림 10-1. Rett 증후군 환자의 상동행동
박수를 치거나 손을 씻는 등의 손을 사용하는 행동을 반복한다.

천적 소두증을 보이게 된다. 시기별로 보면, 3개월-4세에 머리의 성장속도가 저하되고, 9-30개월에 목적이 있는 손 운동이 없어지고, 양손을 비틀고 손을 씻거나 입에 갖다 대는 양상이 나타난다(그림 10-1). 2-4세에 비틀거리는 보행을 한다. 2세 전후에 불규칙한 호흡양상이 나타나며, 간헐적인 과다호흡을 한다. 이러한 신경증상은 빠른 퇴행 후 비교적 변화가 없는 정지기를 보이고, 이후 활동력이 저하되고 경직이 증가하며, 척추측만증 및 발 골격의 이상 등이 나타난다.

대부분 뇌파 이상이 있지만 발작은 60% 정도에서 나타난다. 뇌 영상검사는 진행성 겉질 위축과 뇌량 형성 저하를 보이며, 뇌량의 병변은 신경세포의 감소에 의한 이차적인 소견으로 여겨진다.

[진단]

특징적인 임상양상은 손 기능 소실, 반복적인 손 움직임, 언어상실, 보행이상 등이며, 진단기준은 표 10-1과 같다. 대사이상, 다른 변성 질환, 발달저하와 함께 발작, 소뇌증상 및 자폐성향을 유발할 수 있는 질환들, Angelman 증후군 및 척수소뇌 변성증 등과 감별이 필요하다.

유전자검사가 가능하며, MECP2 유전자의 돌연변이에 대한 검사가 일반적으로 시행된다. 전형적인 Rett 증후군 여자 환자의 80%에서 MECP2 유전자의 돌연변이가 관찰된다. 전형적인 임상양상을 보여도 약 25%의 환자에서는 MECP2 유전자 이상이 발견되지 않는다. 또한 Rett 증후군의 증상이 없는 환자에서 MECP2 유전자 이상과 함께 자폐증, 정신지연 등 유사 Angelman 증후군의 증상을 보이기도 하는데, 이 경우는 대부분 섞임증에 의한 것으로 추정된다.

[치료 및 예후]

뚜렷한 치료방법은 없다. 대증요법으로, 발작에 대하여 carbamazepine, valproate, lamotrigine 등이 사용된다. 보존적 치료로 영양공급과 변비에 대한 치료가 필요하며, 관절의 구축을 예방하기 위해서는 물리치료가 도움이 된다. Rett 증후군 환자는 장기 생존이 가능하며 10대 이후에는 안정기에 들어서는데, 이 시기에 발작이 없어지거나 보행능력, 손의 기능, 사회성이 향상되기도 한다.

표 10-1 **Rett 증후군의 임상 진단기준**

출생후 머리 성장속도가 감소할 때 진단 고려
전형적인 Rett 증후군 　1. 퇴행기 후에 회복기 또는 정체기 　2. 모든 주요기준과 모든 제외기준을 충족
비전형적인 Rett증후군 　1. 퇴행기 후에 회복기 또는 정체기 　2. 주요기준 4항목 중 2항목 이상 충족 　3. 보조기준 11항목 중 5항목 이상 충족
주요기준 　1. 학습된 손을 사용하는 능력 상실 　2. 언어능력 상실 　3. 보행이상 　4. 반복적인 손동작(비틀기, 손 마주침, 두드림, 입에 손넣기, 손을 씻거나 문지르는 자동증)
제외기준 　1. 출생 전후 외상에 의한 뇌손상, 신경대사질환, 신경학적 손상을 래하는 심한 감염 　2. 출생 후 첫 6개월 동안 나타난 발달이상
보조기준 　1. 깨어 있는 동안 호흡장애 　2. 깨어 있는 동안 이갈이 　3. 정상적인 수면특성의 상실 　4. 근긴장도 이상 　5. 말초 혈액순환 이상 　6. 척추만곡 　7. 성장부진 　8. 작고 차가운 손과 발 　9. 부적절한 웃음/소리지르기 　10. 통증에 대한 반응 감소 　11. 강한 눈을 통한 의사소통-눈 맞춤

2. Menkes병(Kinky hair syndrome)

성염색체 열성으로 유전되는 진행성 신경퇴행질환으로 ATP7A 유전자의 돌연변이에 의해 발생하며 100,000-300,000명당 1명의 빈도를 보인다. ATP7A 단백 결손으로 인한 구리 흡수와 체내 분포장애는 뼈, 피부, 머리카락 및 혈관형성에 이상을 초래하고 뇌 기능에 영향을 준다. 전형적인 Menkes병은 생후 2-3개월 동안 정상 발달을 보이다가 발작, 근긴장저하, 시력장애, 성장부진이 나타나고 4세 이전에 사망한다. 여러 임상증상이 있지만 꼬불꼬불하고 거친 옅은 색깔의 머리카락이 진단에 특징적이어서 꼬인 모발(kinky hair) 증후군으로 불리어져 왔다.

[병태생리]

ATP7A 유전자는 Xq21.1에 위치하여 구리 이동 단백 ATP7A (P-type ATPase)를 만든다. ATP7A는 간을 제외한 대부분의 조직에서 발현되어 구리 흡수에 관여하며 많은 돌연변이가 밝혀졌다. 구리 전달 단백 결함으로 구리가 ceruloplasmin, superoxide dismutase, ascorbic acid oxidase, cytochrome oxidase, dopamine β-hydroxylase, lysyl oxidase 등의 구리 의존 효소들과 결합하지 못하여 이들 효소들의 기능저하로 인해 여러 병적 변화가 생긴다.

환자들은 구강으로 섭취한 구리를 흡수하지 못하거나 적은 양만 흡수하지만 구리가 정맥으로 주입되면 혈청 내 구리 및 ceruloplasmin이 증가한다. 구리 농도는 간과 뇌에서는 낮지만 그 외 장점막, 근육, 비장과 신장 등에서는 현저하게 증가되어 있다.

[임상양상]

증상은 체내 구리 의존 효소들의 결함에 의해 발생하며 생후 첫 수개월 이내에 나타나기 시작한다. 체온이 낮고 근긴장이 저하되며 경련이 나타난다. 통통한 얼굴과 장밋빛 뺨, 그리고 저색소 피부색을 보인다. 특징적인 머리카락은 꼬이고 윤택이 없으며 잘 부스러진다(그림 10-2). 수유 곤란으로 인해 성장장애가 유발되고, 심한 정신지연과 시신경 위축이 생긴다. 장골의 영상검사에서 골간단의 돌출 및 골간의 골막반응이 보이고, 수신증, 요관확장 및 방광게실 등의 요로계이상이 흔히 동반된다. 뇌 영상검사에서 대뇌위축과 혈관 뇌경색에 의한 뇌 회백질의 양측 허혈병변이 보

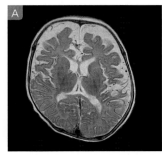
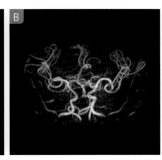

■ 그림 10-3. Menkes병 환자의 뇌 MRI 소견
T2강조영상에서 뇌피질 위축소견(A) 및 혈관영상에서 대뇌혈관의 꼬임 소견을 확인할 수 있다(B).

인다. 자기공명영상 혈관조영에서 진행성 대뇌 혈관의 꼬임 및 확장을 볼 수 있다(그림 10-3). 비슷한 변화가 전신 혈관에서도 발생한다. 비뇨기계 감염, 패혈증, 뇌수막염 등이 흔하게 반복된다. 증상의 심한 정도와 돌연변이의 연관성은 명확하지 않으며 같은 돌연변이에서도 임상양상이 차이가 있다. Occipital horn 증후군은 ATP7A 유전자의 특정 돌연변이에 발생하는 Menkes병의 경한 임상형태이다.

[진단]

영아의 특징적인 모습과 증상의 경과를 통해 진단한다. 엷은 색의 꼬인 머리카락이 보이면 강력히 의심해야 하고 낮은 혈청 구리 및 ceruloplasmin이 특징이다. 그런데 혈청 ceruloplasmin과 구리 농도는 신생아시기에 정상적으로 낮으며 생후 1개월 이후에 성인 수준에 도달하게 되므로 진단에 고려해야 한다. 이 시기의 진단은 배양 섬유모세포에서 세포내 구리의 축적 및 세포 외로 구리의 유출이 감소되면 확진할 수 있다. 산전진단은 첫 임신 3개월 기간에 융모세포에서 증가된 구리의 농도를 통해서도 진단할 수 있다. ATP7A 유전자 결손은 PCR, MLPA, Southern blot 등의 방법으로 검사한다.

[치료 및 예후]

Copper-histidine (elemental copper 50-150 μg/kg/일)을 경피 또는 정맥 주사하여 간의 구리부족을 해결하고 혈청 내 구리 및 ceruloplasmin을 정상수치까지 회복시킬 수 있다. 치료는 ATP7A의 기능이 어느 정도 있는 경한 환자에서 조기에 이루어졌을 때 가장 효과적이다. Copper-

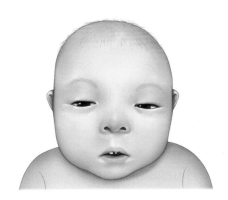

■ 그림 10-2. Menkes병 환자의 얼굴 및 머리카락 소견
통통하고 콧등이 낮으며 움직임이 감소된 얼굴, 꼬여 있고 성글며 쉽게 부서지는 머리카락

histidine 치료가 신생아기 또는 태아기에 시작된 일부 환자에서 신경학적 변화를 예방한다는 보고가 있다. 따라서 아직 신경학적 이상이 발생하지 않은 환자에서 빠른 진단과 동시에 구리 보충치료를 시작하도록 추천한다.

3. Neuronal Ceroid Lipofuscinosis

Neuronal ceroid lipofuscinosis는 자가 형광물질(fluorescent lipopigment)이 신경세포의 lysosome 안에 축적되어 신경세포 사멸과 뇌위축을 초래하여 운동과 정신기능의 점진적인 소실, 시력의 소실, 지능의 퇴화, 발작 등이 점차 진행되어 결국 사망에 이르는 신경퇴행질환이다. 발병연령, 임상경과, 병리학적인 특징에 따라 크게 영아형, 영아 후기형, 청소년형, 성인형으로 분류하지만 임상 및 유전연구가 발전하면서 여러 가지 아형이 발견되고 있다. 발생빈도는 지리적 인종별로 차이가 있지만, 100,000명 출생당 1.3명에서 7명 정도로 보고되고 있고, 하나의 아형(상염색체 우성 성인형, CLN4)을 제외하고는 모두 상염색체 열성 유전질환이다.

1) 영아형(Haltia-Santavuori병, CLN1형)

생후 12개월 전후에 시각장애 증상과 발작이 처음 나타난다. 이후 발달의 퇴행, 근긴장도 저하 및 운동실조 등이 빠른 속도로 진행된다. 2-3세경에 시각이 소실되며, 10세 전후에 대부분 사망한다. 안저검사에서 망막의 색이 열어지고, 황반이 퇴화하여 갈색으로 변하며, 시신경 유두가

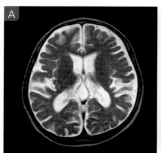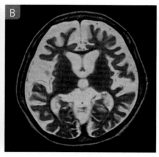

■ 그림 10-4. Neuronal ceroid lipofuscinosis 환자의 뇌 MRI 소견
2년 간격을 두고 촬영한 뇌 MRI T2강조 영상에서 뇌실질의 급격한 위축 소견을 확인할 수 있다(A→B)

위축하는 소견이 보인다. 망막 전위도에서 저전위파를 보이거나 파형이 보이지 않고, 뇌파검사 중 저주파 빛자극 검사에서 후두부에 광발작파가 관찰된다. 뇌 MRI에서 뇌위축이 보인다(그림 10-4A, B). 백혈구, 피부 또는 결막세포를 전자현미경으로 관찰하여 확진하는데, 세포내 자가 형광이물질들이 막에 의해 싸여져 곡선모양 또는 지문형태로 축적된 것을 관찰할 수 있다. 원인 유전자 PPT1은 염색체 1p34에 위치한다. 치료는 보존적 유지요법과 함께 발작에 대해 valproate, clonazepam, phenobarbital 등이 주로 사용된다.

2) 후기 영아형(Jansky-Bielschowsky병, CLN2형)

전형적으로 2-4세까지 정상적으로 자라다가 발작이 나타난 후, 인지기능 퇴화, 보행실조 등의 정신운동 발달 퇴행이 진행성 시각장애와 함께 나타난다. 대부분 5세경에는 걷지 못하고 말을 못하게 된다. 패혈증과 조절되지 않은 발작이 주요 사인으로 대개 10세경에 사망한다. 안저검사 이상은 시각증상 발현 전부터 관찰되는데, 혈관의 위축, 시신경 위축, 황반의 갈색 변성과 주변부의 검은색 가시모양의 변색 소견 등이 있다. 정신 및 운동기능 퇴행은 증상 발현 후 급격히 진행되어 수개월내에 식물상태로 악화되기도 한다. 간상세포(cone)와 추상세포(rod)에 비정상적 물질이 침착하여 망막 전위도는 병의 초기부터 비정상 소견을 보인다. 피부 또는 결막 생검에서 곡선모양의 세포내 침착물이 발견된다. 간혹 혈액 내 중성구에서 Giemsa 염색상 azurophilic 과립이 발견되기도 한다. 근본적 치료는 없으며, 항경련치료와 보존적 치료가 필요하다. 원인 유전자 TPP1은 염색체 11p15에 위치한다.

3) 청소년형(Spielmeyer-Vogt병, Batten병, CLN3형)

시각장애가 4-8세 사이에 시작되고, 이후 발작, 인지기능 저하, 행동이상 등이 나타난다. 안저검사 소견은 후기 영아형과 비슷하며, 시각유발 전위검사에서 초기에는 파의 전위가 낮아지고, 진행되면 파형이 없어지는 결과를 보인다. 후기 영아형과 달리 근경련은 심하지 않으나, 병이 진행되면 자세의 뒤틀림이 현저하게 나타난다. 소변에서 dolichol의 배설이 증가할 수 있으며, 피부조직 검사에서 비정상적인 전자현미경 소견을 보인다. 원인 유전자

CLN3은 염색체 16p12.1에 위치하며, 특이한 치료방법은 없다.

4) 성인형(Kufs병 A, CLN6형)

10세 이후에 증상이 시작되며 주된 발병연령은 30세 전후이다. 발작 또는 행동이상이 나타나며 시력소실이 없고 질병의 진행이 느린 특징을 갖는다. 보통 증상 발생 후 10년 내에 사망한다. 원인 유전자 CLN6은 염색체 15q23에 위치한다.

백질을 주로 침범하는 변성 질환

Degenerative Disorders Primarily Associated with White Matter

| 김은영 |

MRI의 도입과 기법의 발전으로, 주로 백질에 병변이 발생된 여러 질환들이 알려지게 되었다. 이 질환들은 백질을 구성하는 수초의 발달과 유지에 결함이 있어 발생되는 선천적인 질환들로 '백질형성장애(leukodystrophy)'라고 불리기도 한다. 뇌 변성 질환의 경우 이미 습득하였던 언어, 시력, 청력, 운동기능 등이 점차적으로 진행성 퇴행을 하는 것이 특징적인데, 회백질 변성 질환은 경련이나 시력 및 지능저하 등이 먼저 나타나지만, 백질 변성 질환의 경우는 강직 또는 실조 등의 운동장애 증상이 먼저 발생한다. 그러나 말기에는 중추신경계가 모두 침범되어 비슷한 임상증상을 보이고, 치명적인 상태로 발전하는 경과를 갖는다.

주된 증상, 증상이 시작된 나이, 진행속도 등의 임상양상과 MRI의 백질 이상 양상을 조합하여 가능성 있는 구체적인 질환으로 접근하는 것이 합리적이며, 일부에서는 원인이 되는 효소나 유전자 분석을 이용하여 확진이 가능하다(표 10-2). 과거에는 원인불명이었던 많은 질환들이 최근 20년 사이에 생화학 및 분자유전학적 장애가 증명되어 대사질환으로 분류되게 되었다. 따라서 백질 장애의 경우, 뇌 MRI 외에 혈중 아미노산, 젖산 및 피루빅산, 포화 장쇄 지방산(VLCFA), 소변 유기산(NAA 포함) 및 sulfatides 등의 대사질환 검사, 뇌척수액 검사, 안과검진, 신경생리검사(AEP, VEP, SSEP, NCV/EMG), 일부에서 효소나 유전자 검사 등을 시행하는 것이 진단에 도움이 된다.

일차적으로 뇌 백질의 변성을 초래하면서 신경계 증상

을 나타내는 질환들은 크게 수초형성 감소형(hypomyelinating)과 수초탈락형(demyelinating)으로 나뉜다. 수초형성 감소형은 전체의 20% 정도로, MRI T2강조 영상에서 회백질과 비교시 경한 고신호 강도, T1강조 영상에서 약간 높거나(정상 백질에 해당) 같거나 낮은 신호강도를 보이며, 돌 이후 최소 6개월 간격으로 2회 촬영하거나, 2세 이후에 첫 촬영시 수초 침착이 보이지 않으면 진단이 가능하다. 대표적인 질환으로 Pelizaeus-Merzbacher병이 있다. 수초형성 감소형 질환들의 경우 운동실조, 강직, 안구진탕이 공통의 증상이며, 치아발육 부전증은 4H 증후군(hypomyelination, hypodontia, hypogonadotropic hypogonadism)에서, 백내장은 hypomyelination with congenital cataracts에서 진단적 가치가 있다.

수초탈락형은 수초형성 감소형에 비해 T2강조 영상에서 고신호 강도와 T1강조 영상에서 저신호 강도가 더 뚜렷하며, 해당되는 질환들로 X염색체 연관 부신백질형성장애(X-linked adrenoleukodystrophy), 이염색 백질형성장애(metachromatic leukodystrophy), Krabbe병, Alexander병이 있다. 그밖에 수초내 공포를 형성하는 Canavan병, vanishing white matter병, 백질 내 낭종이 특징적인 megalencephalic leukoencephalopathy with subcortical cysts도 수초탈락형과 같은 MRI 패턴을 보인다(표 10-3).

또한 질환에 따라 호발 부위가 달라 Alexander병, Canavan병, Pelizaeus-Merzbacher병에서는 중추신경계 백질에

표 10-2. 백질형성장애의 원인 유전자

병명	유전자
Acyl-coenzyme A oxidase 결핍	ACOX
Adenylosuccinate lyase 결핍	ADSL
Aicardi-Goutières 증후군	TREX1, SMHD1, RNAseH2A, B, C
Alexander병*	GFAP
Autosomal dominant leukodystrophy with autonomic dysfunction*	Duplication LaminB1
Canavan병	ASPA
Cerebrotendinous xanthomatosis	CYP27A1
D-bifunctional protein 결핍	HSD17B4
eIF2B-related disorder/VWM disease*	EIF2B1-5
Glutaric aciduria type II/multiple acylCoA dehydrogenase 결핍	ETFA, ETFB, ETFDH
3-hydroxy-3-methylglutaryl coenzyme A reductase 결핍	HMGCR
Hypomyelination with congenital cataracts*	FAM126A
Infantile sialic acid storage disease	SLC17A5
Krabbe병	GALC
Leukoencephalopathy with brainstem and spinal cord involvement and elevated lactate*	DARS2
Lowe 증후군	OCRL
Megalencephalic leukoencephalopathy with subcortical cysts*	MLC1
Metachromatic leukodystrophy	ARSA
Mitochondrial neurogastrointestinal encephalopathy	TYMP
Mucolipidosis IV	MCOLN1
Oculodental digital dysplasia*	GJA1
Pelizaeus-Merzbacher병*	PLP1
Pelizaeus-Merzbacher-like병*	GJC2
Peroxisomal thiolase 결핍	ACAA
Polymerase gamma 1*	POLG1
Polyglucosan body disease	GBE1
RNAse T2-deficient leukoencephalopathy*	RNASET2
Sjogren-Larsson 증후군	ALDH3A2
X-linked adrenoleukodystrophy	ABCD1
18q- 증후군	Deletion of chromosome 18p

*유전자검사 이외에는 다른 유용한 확진 검사가 없는 질환임. VWM; vanishing whiter matter

표 10-3. 탈수초형 백질형성장애의 MRI 패턴

전두엽 우위: Alexander병, 이염색 백질형성장애
X염색체 연관 부신백질형성장애(전두엽 침범형)
두정후두엽 우위: X염색체 연관 부신백질형성장애, Krabbe병
뇌실주위 우위: 이염색 백질형성장애, Krabbe병, X염색체 연관 부신백질형성장애
겉질하 우위: Canavan병
미만성 대뇌: Megalencephalic leukoencephalopathy with subcortical cysts Vanishing white matter병
뇌간과 소뇌 우위: Alexander병(연소형)

만 국한되는데 반해, Krabbe병, 부신백질형성장애, 이염색 백질형성장애에서는 말초신경계도 침범한다.

1. Pelizaeus-Merzbacher병(OMIM 312080)

[역학 및 병태생리]

수초의 형성 감소를 특징으로 하는 드문 질환으로, 중추신경계 수초 형성과 oligodendrocyte의 분화에 필수적인 단백인 PLP1 (proteolipid 1)의 유전자 이상으로 발생한다. 성염색체 열성으로 유전되며, 유전자는 Xq22에 위치한다.

[임상양상]

발현하는 시기에 따라 전형적인 형(classical), 선천성(connatal), 과도기형으로 나누는데, 최근 소아기 이후에 나타나는 경한 강직 하지마비 2형(progressive spastic paraparesis type 2)도 PLP1 유전자의 돌연변이에 의한 것으로 알려졌다. 전형적인 형(전체의 60-70% 차지)은 생후 3개월 이전에 나타나는 안구진탕과 빙글거리며 두리번거리는 눈동자와 함께 고개를 끄덕이는 증상이 특징이며, 점차 발달지연, 운동실조, 무도증 및 강직마비 등이 서서히 진행되어 10-20대에 사망한다. 지적장애나 학습장애도 생기지만 운동장애가 더 뚜렷하다. 선천형은 좀 더 심한 형태로 신생아기에 발현하고, 심한 근긴장 저하, 추체외로 증상, 천명, 음식 섭취곤란, 시신경 위축 등을 보이며 빠르게 진행하여 수개월에서 수년 내에 사망한다. 과도기형은 심한 정도가 두 형의 중간이다. Pelizaeus-Merzbacher병에서 뇌전증 발생은 드물다.

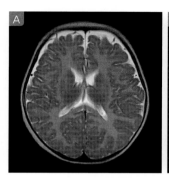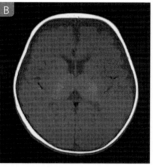

■ 그림 10-5. Pelizaeus-Merzbacher병 환자의 MRI 소견
4개월 환자의 뇌 MRI 소견으로 T2(A) 및 T1(B) 강조 영상에서 수초화가 진행하지 않은 모습을 관찰할 수 있다.

[진단]

병리소견은 백질의 감소와 전반적인 수초의 결핍을 보이는데 혈관 주변의 수초만 보존되어 있어 범무늬(tigroid) 모양으로 관찰된다. 세포면역화학법으로 검사했을 때는 PLP1 단백의 결손이 보인다. MRI에서 양측 대뇌 반구의 대칭적인 수초형성 지연이 보이며, 추적했을 때도 수초형성은 진행되지 않는다(그림 10-5). PLP1 유전자 검사를 하면 85%에서 이상이 발견되는데, 가장 흔한 이상은 전체 유전자의 중복(duplication)으로 전형적인 임상형태를 보인다.

[치료]

특별한 치료는 없다.

2. 부신백질형성장애(Adrenoleukodystrophy; ALD)

1) X염색체 연관 부신백질형성장애(X-linked adrenoleukodystrophy, OMIM 300100)

부신백질형성장애는 과산화소체(peroxisome)의 지방산 대사장애로 인하여 포화 장쇄지방산(saturated very long chain fatty acid, C22:0 이상)이 신경계의 수초와 부신 겉질에 축적되어 여러 가지 신경학적 증상과 부신 기능저하를 나타낸다.

[역학 및 병태생리]

성염색체 열성 유전되어 아들에게 증상이 나타나며, 발생빈도는 남아 21,000명당 1명이다. 원인은 Xq28에 있는 ABCD1 유전자의 돌연변이에 의한 것으로 알려져 있으며, 이는 과산화소체막 운반단백인 ALDP (ALD protein)의 결함을 초래하여 포화 장쇄지방산이 과산화소체 내로 들어가지 못해 분해가 되지 않고, 연장 반응을 통해 탄소 수가 늘어나면서 지속적으로 축적된다. Hexacosanoic acid (C26:0)의 축적이 특징적이다.

[임상양상]

임상증상의 발현 시기와 양상에 따라 소아 대뇌형, 청소년 대뇌형, 성인 대뇌형, 성인 부신척수신경병형, 부신 기능저하만 있는 형(Addison only), 무증상 등 여러 가지 형태로 나누어진다. 전체의 35-40%로 가장 많고, 잘 알려진 전형적인 형태는 소아 대뇌형(childhood cerebral ALD)이다. 소아 대뇌형은 4-8세에 증상이 나타나며, 첫 증상은 감정적으로 위축되거나 산만, 과다행동을 보이는 경우가 많고, 대부분 두정후두부 백질을 침범하므로 청력 및 시력저하, 사시 등을 호소하는 경우도 흔하다. 그 외 경련, 보행장애, 강직성 마비, 지능장애 등을 초래하며 진행된다. 이 시기에 피부의 색소침착을 보이면서, 부신 겉질의 기능저하도 85%까지 관찰된다. 증상 시작 후 대뇌 기능장애는 급격히 진행되어 대개 2년 이내에 식물인간 상태로까지 악화된다. 가끔 신경계 증상은 없이 부신 기능저하만 나타나는 형태(Addison only)도 있으므로, 부신 기능저하를 보이는 남아의 경우 X-linked ALD도 감별진단에 포함하여야 한다 (25%에서 X-linked ALD가 원인).

성인 부신척수신경병형(adrenomyeloneuropathy)은 소아 대뇌형 다음으로 흔한 형태로, 전체의 30-40%까지 보고된다. 20세 이후에 발현하는데 척수신경과 말초신경을 침범하여 5-15년에 걸쳐 서서히 진행하는 하지부전마비, 감각저하, 요 대변 실금 및 성기능저하를 나타낸다. 병리소견은 대뇌형과는 달리 염증이 없는 축삭병변을 보인다.

[진단]

임상증상과 함께 혈액이나 적혈구 또는 배양된 섬유아세포에서 포화 장쇄지방산 농도의 증가(C26:0의 증가,

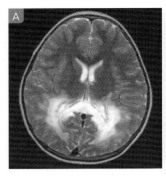
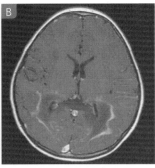

■ 그림 10-6. X염색체 연관 부신백질형성장애 환자의 뇌 MRI 소견
T2강조 영상에서 두정후두엽에 대칭적인 백질의 신호증가(A) 및 T1강조
영상에서는 신호가 감소된 백질 주변을 따라 일부 조영증강이 되는 소견
(B)이 관찰된다.

C26:22와 C24:C22의 비율 증가)를 확인하면 진단할 수 있다. 뇌 MRI 병변은 증상 초기에 나타나며 특징적인데, 주로 두정후두부 백질을 대칭적으로 침범하며, 시간이 지남에 따라 뒤에서 앞으로, 중심부에서 주변부로 진행한다(그림 10-6). 병리소견은 뇌 백질의 수초탈락과 심한 염증, 임파구 침윤 등이 발견되며, 염증이 있는 가장자리 병변에는 MRI에서 조영증강이 관찰된다. 환아의 10-15%에서는 전두부 백질에서 병변이 시작되기도 한다. 애매한 경우에는 ABCD1 유전자 분석이 진단에 도움이 되나, 가족간의 연구에서 같은 유전자 결함을 가져도 임상형태는 각각에서 달라지는 것으로 보고되어 유전상담의 한계점이 되고 있다.

[치료]

소아 대뇌형에서 증상이 진행된 경우에는 병의 진행을 완화시킬 수 있는 방법이 아직 개발되어 있지 않다. VLCFA 섭취를 제한하면서 Lorenzo oil (glycerol trioleate와 glycerol trierucate 4:1 불포화 지방산 혼합유)을 투여하면 장쇄 포화지방산 합성이 감소되어 C26:0 혈중농도는 현저히 떨어지지만, 이미 진행된 환자의 경과를 완화시키지는 못하는 것으로 알려져 있다. 그러나 Lorenzo oil이 아직 증상이 시작되지 않은 경우에 투여되면 병의 시작을 늦추거나, 증상 발현을 줄일 수 있는 것으로 보고된다. 골수이식은 초기(동작성 IQ가 80점 이상)에 행하면 신경병의 진행이 안정화되거나 일부 호전을 보여 도움이 된다. 무증상 환

자는 Lorenzo oil을 투약하면서 6개월 간격으로 뇌 MRI를 추적하다가 대뇌형으로 진행되면 조기에 골수이식을 시행해야 한다. 이미 진행된 상태에서는 보존적인 치료를 시행하며, 부신 기능저하 시는 스테로이드 호르몬 보충이 필요하다.

2) 신생아 부신백질형성장애(Neonatal adrenoleukodystrophy)

신생아 부신백질형성장애의 경우는 과산화소체 수의 심한 감소와 여러개의 효소결핍을 동시에 보인다. 따라서 정상적인 과산화소체를 가지면서 단일효소 결핍질환인 X염색체 연관성 부신백질형성장애 보다는 증상이 빨리 발현되고 더 심하다. 신생아 부신백질형성장애는 상염색체 열성으로 유전하고, 신생아기에 근긴장 저하, 경련과 발달 지연으로 발현하며, 빨리 진행하여 2세 이전에 사망한다. 사후 부검에서 부신은 위축되어 있으나, 부신의 기능은 대개 정상이다. 아직까지 효과적인 치료방법은 없다.

3) 이염색 백질형성장애(Metachromatic leukodystrophy; MLD, sulfatide lipidosis)

[역학 및 병태생리]

상염색체 열성으로 유전되며, 40,000-100,000명당 1명 꼴로 발생하는 드문 질환이다. 라이소좀 효소인 arylsulfatse A (ARSA)의 결핍(OMIM 250100)이나, 드물게 이것의 활성단백인 saposin B의 결핍(OMIM 249900)으로 cerebroside sulfate가 중추신경계와 말초신경의 수초에 축적되고, 파괴에 의해 광범위한 수초탈락을 일으킨다. 축적된 sulfatide는 cresyl violet이나 toluidine 염색 시 갈색이나 붉은 색으로 현미경하에서 관찰된다.

[임상양상]

발병연령에 따라 영아 후기형(late infantile), 연소형(juvenile) 및 성인형(adult onset)으로 구분되며 영아 후기형이 가장 흔한 형태이다. 영아 후기형은 1-2세 사이에 보행장애가 첫 증상으로 나타나며, 자주 넘어지고, 점차 운동장애 정도가 심해진다. 이후 시간이 지남에 따라 걷거나, 서거나, 앉는 기능까지 점차로 약화되고, 근긴장도 저하와 심

부건반사의 소실이 나타난다(초기 말초신경 침범에 의해). 대뇌 백질의 변성이 진행되면서 인지기능이나 언어기능이 점차로 저하되고, 이후 퇴행현상을 보이게 된다. 시각 인지기능 역시 점차로 약화되다가 결국은 소실되고, 전신 마비와 제피질 자세를 보이며 5-6세경 사망하게 된다. 연소형은 증상 발현이 5-10세에 시작되는데, 학교성적이 떨어지거나 성격의 변화를 먼저 보이다 보행장애, 요실금, 구음장애, 근긴장도 증가, 실조, 진전, 경련 등이 서서히 뒤따른다. 대개 청소년기 중반을 넘기기 못하고 사망한다. 성인형은 10대에서 50대 사이에 증상이 시작되며, 기억력 감퇴, 정신과적인 이상, 성격변화 등을 보이다, 실조, 강직, 시신경위축, 경련 등이 서서히 발생하면서 진행된다

[진단]

배양된 섬유아세포, 백혈구 등에서 arylsufatase A 활성도의 저하로 확진한다. 이외 소변검사에서 침전물에서 이염색체(metachromatic body)를 발견할 수 있으며, 뇌척수액 검사에서 단백의 증가가 관찰된다. 안저검사에서 시신경 위축 소견이 나타나며, 말초신경 전도속도의 저하, 시각유발전위, 청각유발전위 및 체감각 유발전위 검사 모두 이상소견이 관찰된다. 뇌 MRI에서 대뇌와 소뇌의 뇌실주위와 심부 백질에 탈수초에 의한 변화가 확인된다(그림 10-7). 병리소견은 백질내에는 이염색성 물질이 침착하지만 염증반응은 보이지 않으므로, 병변의 조영증강은 없다. 말초신경 조직검사에서도 축적된 sulfatide에 의해 이염색 소견이 관찰된다. ARSA 유전자는 염색체 22q13.3에 위치하며, 유

전자 돌연변이 형태와 임상형태가 관련이 있어서 arylsulfatse A의 완전결핍은 영아 후기형, 부분결핍은 연소형이나 성인형과 관련이 있다.

[치료]

질환에 대한 특별한 치료방법은 아직 개발되어 있지 않으며, 영아 후기형에서 초기에 골수이식을 시행하면 병의 진행을 늦추는데 도움이 되는 것으로 알려져 있다. 축적물들은 심한 통증을 동반한 신경근질환을 나타내며, 이때는 진통제의 처방을 필요로 한다. 앞에서 소개한 X-linked ALD와 MLD에서는 유전자치료에 대한 연구가 진행되고 있다.

4) Krabbe병(Globoid cell leukodystrophy, OMIM 245200)

[역학 및 병태생리]

유전자의 이상은 염색체 14q24-32에 있고, 상염색체 열성으로 유전하며, 100,000~200,000명에 한 명 정도로 드물게 발생 한다. 라이소좀 효소인 galactocerebroside beta-galactosidase (GALC) 결핍에 의해 galactocerebroside가 수초에 축적되고, globoid cell에 의해 수초의 파괴가 진행되는 질환이다. 여러 개의 핵을 가진 커다란 대식세포인 globoid cell이 백질의 혈관 주위에 특징적으로 보인다.

[임상양상]

주로 영아기에 발현되어 급격히 진행되나(환자의 90%에서), 소아기나 청소년기에 증상이 시작되고 더 천천히 진행하는 지연형(late onet)도 있다. 증상은 생후 3개월에서 6개월 사이에 시작되며, 자극에 대한 보챔과 과잉반응이 처음 나타난다. 뒤이어 근긴장도 증가가 점차 심해지며(초기 1기), 미열, 정신운동 발달정지 및 퇴행이 진행된다. 증상 시작 2-4개월 이내에 지속적인 활모양강직이 발생하고, 모든 발달 기술이 소실된다. 건반사는 소실되고 놀람반응과 근간대 및 발작이 발생한다. 환자는 곧 실명되며(신속 퇴행 2기), 2세 이전에 90% 이상에서 사망하거나 식물인간 상태가 된다(3기).

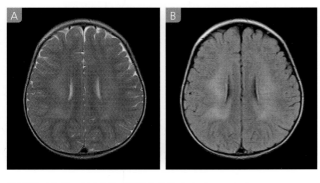

■ 그림 10-7. 이염색 백질형성장애 환자의 뇌 MRI 소견
T2(A) 및 FLAIR 영상(B)에서 뇌실 주변 백질의 신호가 증가되어 있다.

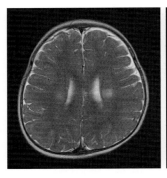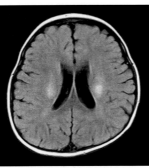

■ 그림 10-8. Krabbe병 환자의 뇌 MRI 소견
T2 및 FLAIR 영상에서 피질척수로를 따라 대칭적으로 신호가 증가한 양상을 확인할 수 있다.

[진단]

MRI 소견은 뇌실 주변 백질의 대칭적인 탈수초 현상을 보이고, 병변 가장자리의 조영증강을 나타난다(그림 10-8). 초기에 보이는 시상의 석회화, 뇌간과 소뇌 백질의 침범이 진단에 도움이 되는 소견이기도 하다. 말초신경에서 운동신경 전도속도는 느려지며, 뇌척수액검사에서 단백의 양은 증가한다. 확진은 백혈구나 배양된 섬유아세포에서 galactocerebroside beta-galactosidase의 활성도 감소를 증명하는 것이다.

[치료]

특별한 치료가 없다. 최근 영아기 이후에 늦게 발현하는 경우는 골수이식으로 질환의 진행을 막을 수 있다는 보고가 있다. 말초신경의 탈수초화는 심각한 통증을 야기하므로 병이 많이 진행된 환자에서 진통제 투여는 보조적으로 필요하다.

5) Alexander병(Fibrinoid luekodystrophy, OMIM 203450)

[역학 및 병태생리]

아교세포섬유원 산성단백(glial fibrillary acidic protein, GFAP)을 만드는 유전자의 돌연변이가 원인으로, 염색체 17q21에 위치한다. 발생빈도는 정확히 모르나 대부분 산발적으로 보고되며, 가족적으로 발생한 경우는 두 개의 대립 유전자 중 하나만 이상이 있어도 병이 발생하는 상염색체 우성유전을 보인다.

[임상양상]

임상적으로 영아형, 연소형, 성인형의 세 유형으로 나눌 수 있고, 영아형이 주된 형태이다. 영아형의 경우 1세 이전에 대두증이 나타나고, 발달의 퇴행이 진행하는 질환이다. 강직마비가 진행되고, 경련이 계속되다가 대개 5세 이전에 사망한다. 연소형은 2–12세, 성인형은 12세 이후에 주로 운동기능의 이상으로 발현한다. 보행장애, 강직성 마비, 구개 근간대, 발음 및 연하곤란, 수면 무호흡증 등이 서서히 진행한다. 이런 경우는 뇌간, 척수, 소뇌 침범이 초기에 보인다.

[진단]

영아형의 경우 MRI에서 백질의 병변이 주로 전두엽에서 보이고, 조영증강이 관찰된다(그림 10-9). 병변은 뇌량, 심부 백질, 외포 등을 통하여 후두부 쪽으로 진행한다. 거의 모든 환자에서 GFAP 유전자 돌연변이가 발견되어 새로운 진단방법으로 제시되고 있다. 병리소견상 수초형성 감소와 탈락, 별아교세포(astrocyte) 돌기 안에 Rosenthal 섬유라고 불리는 호산구성 초자체(hyaline body)가 보이는 것이 특징으로 혈관 주변에서 관찰된다. 그 안에는 돌연변이된 GFAP가 함유되어 있는데 기능획득 돌연변이로 인해 축척을 가져오고 이는 교세포의 기능장애, 수초의 파괴를 가져온다고 생각된다. 드물게 Rosenthal 섬유에 의한 수도관 주

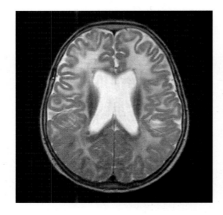

■ 그림 10-9. Alexander병 환자의 뇌 MRI 소견
T2강조 영상에서 미만성의 백질 신호증가가 보이는데, 양측 전두엽 백질이 더 뚜렷하다.

변부의 손상으로 인해 수두증을 동반 할 수 있다.

[치료]

Alexander병에 대한 특별한 치료방법은 없다.

6) Canavan병(Spongiform leukodystrophy, OMIM 271900)

[역학 및 병태생리]

상염색체 열성으로 유전되며, 뇌 백질에 스펀지 모양의 퇴행성 병변이 나타나는 질환이다. 원인은 aspartoacylase의 결핍으로 N-acetyl aspartic acid (NAA)가 백질에 축척되어 발생한다. NAA의 축적에 의해 질환이 발생되는 기전은 확실치 않으나 신경전달의 변화, 삼투압의 변화, 수초 지방의 비정상적인 형성 등이 가설로 제시되었다. 드문 질환이나, 유태인에서는 발생이 더 많다.

[임상양상]

임상적으로 선천형, 영아형, 연소형의 세 가지 형태가 있으며 이 중 영아형이 가장 흔하다. 영아형의 경우 신생아기에는 정상으로 보이나 3-6개월 사이에 대두증이 진행되며, 고개를 가누지 못하고 근긴장도가 떨어지면서 운동발달의 퇴행이 진행한다. 근긴장 저하, 머리처짐, 대두증을 보이는 영아에서는 반드시 Canavan병을 의심해 보아야 한다. 근긴장 저하는 6개월 이후에는 서서히 강직성으로 바뀌게 되고, 경련과 안구진탕 및 시신경 위축이 진행되며, 2세 이후에는 구강섭취가 힘들어져 경관영양에 의존하게 된다. 대부분 5세 이전에 사망한다. 선천형은 출생 1-2주 이내에 근긴장 저하, 섭식곤란을 나타내고 위에서 언급한 증상들이 빠르게 진행하여 수주 내에 사망한다. 연소형은 4-5세 이후에 구음장애, 경련, 발달퇴행 등을 보이며 진행이 느리다.

[진단]

MRI에서 양측 대뇌 반구 피질하 백질의 미만성 병변을 확인 할 수 있고(그림 10-10), MRS에서 creatine과 choline에 비교한 NAA의 비율이 현저히 증가되어 있다. 병리 소견으로는 수초가 갈라지면서 안에 공포형성(스펀지화), 별아교세포의 부종, 사립체의 변성을 볼 수 있다. 확진은 NAA

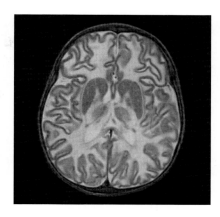

■ 그림 10-10. Canavan병 환자의 뇌 MRI 소견
양측에 미만성으로 겉질밑 백질까지 침범하는 T2 신호증가를 관찰할 수 있다.

의 양이 소변에서 증가되고, 피부 섬유아세포 배양에서 aspartoacylase의 결핍이 있는 것을 확인함으로 가능하다. 최근 염색체 17p13에 위치한 ASPA (aspartoacylase) 유전자검사가 가능하게 되면서, 유태인에서 p.Glu285Ala와 p.Tyr231X, 다른 민족에서는 p. Ala305Glu 등의 흔한 돌연변이가 알려졌다.

[치료]

특별한 치료는 현재까지 알려진 것이 없다.

7) Megalencephalic leukoencephalopathy with subcortical cysts (MLC, OMIM 604004)

최근에 알려진 질환으로 영아기에 발견되는 대두증이 특징적이며, 2세 이후에 강직성 운동장애, 운동실조가 생기고 경한 지적장애 및 언어장애 등이 서서히 진행하는 임상소견을 보인다. 뇌전증도 동반되는데 비교적 약물에 의해 잘 조절 된다. MRI 영상에서 양측성 대뇌 백질의 광범위한 병변 및 측두부 낭종을 볼 수 있는데, 주로 겉질밑 백질을 침범한다(그림 10-11). 상염색체 열성으로 유전되며, 대부분(85%) 염색체 22q13.3에 위치하는 MLC1 유전자의 이상에 의해 발생하는 것으로 알려졌다. MLC1 단백은 수초의 수분 항상성에 기여한다. 인도의 Agarwal 공동체(founder effect), 유태인의 터키나 리비아 후손, 일본 등에서 환자들이 보고되고 있다. 현재까지 운동 및 언어치료, 항경련제 투여 등의 보조적인 치료 외에 근본적인 치료방

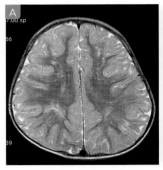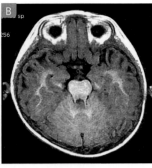

■ 그림 10-11. Megalencephalic leukoencephalopathy with subcortical cysyts의 뇌 MRI 소견.
미만성의 백질 병변이 T2에서는 신호증가(A), T1에서는 현저한 신호감소로 측두부 겉질밑 백질에서 관찰되며, 낭종처럼 보인다.

법은 없다.

8) Vanishing white matter disease (Childhood ataxia with central nervous system hypomyelination, OMIM 603896)

Vanishing white matter병은 특징적 임상양상 및 뇌 MRI 소견에 의해 진단할 수 있으며, 최근에 EIF2B (eukaryotic translation initiation factor 2B) 유전자의 돌연변이

에 의해 상염색체 열성으로 유전됨이 밝혀졌다. EIF2B는 단백합성의 첫 단계에 관여한다고 하나, 돌연변이가 있는 경우 왜 뇌 백질에만 영향을 미치는지는 알려져 있지 않다. 5개의 아단위(EIF2B1-5)를 가지며 아단위 모두에서 돌연변이가 발견되나, 주로 염색체 3q27에 위치하는 EIF2B5의 돌연변이에 의해 질환이 발생한다(돌연변이의 65%에서). 어린 소아에서 발병하는 경우가 많은데 서서히 진행하는 운동실조, 강직, 다양한 정도의 시신경 위축을 보이지만 인지기능은 상대적으로 잘 유지되는 특징이 있고, 열을 동반한 감염이나, 경미한 두부 손상, 섬뜩하게 놀라는 일 등에 의해 환자 상태가 급격히 나빠지며 때론 혼수상태로까지 빠지기도 하는 특징적인 소견을 보인다. MRI는 점차적으로 뇌 백질이 소실되어 뇌척수액으로 대체되는 양상을 보이며, 일부 남아 있는 백질이 점이나 줄처럼 보인다. 병리소견은 백질의 낭종성 변성과 전반적인 수초의 감소를 보이나, 특별한 축적물은 없다. MRS 소견도 정상 백질의 대사물인 NAA, choline, creatine은 현저하게 감소되고, 뇌척수액의 대사물인 glucose와 lactate 최고점이 대신 관찰된다. 현재까지 특별한 치료법은 없다.

03

기저핵을 주로 침범하는 변성 질환

Degenerative Disorders Primarily Associated with Basal Ganglia

| 차병호 |

1. Wilson병

Wilson병은 ATP7B 유전자의 돌연변이에 의한 ATP7B 단백 기능이상으로 간, 뇌, 각막, 신장 및 적혈구에 구리가 침착하여 발생하는 선천성 구리 대사장애로 상염색체 열성으로 유전된다.

[역학]

발생빈도는 30,000-100,000명당 1명이며, 보인자는 90명당 1명이다.

[병태생리]

인체 내 구리의 산화환원 반응은 많은 생리작용에 중요한 역할을 한다. 구리는 꼭 필요한 미량원소지만 과량으로 축적되면 자유라디칼의 발생으로 장기에 산화손상을 초래하기 때문에 많은 단백질과 복잡한 상호작용을 통해 세포 내에서 적절한 농도가 유지된다. 구리는 대부분 십이지장에서 흡수되어 혈중 내의 아미노산 또는 단백과 결합하여 간과 말초조직으로 전달된다. 간은 구리의 흡수, 분포 및 배설에 중추적인 역할을 하며, 간 내에서 구리대사는 ATP7B(구리전달 P-형 ATPase) 단백에 의해 조절된다. 간세포 내에서는 ATP7B 단백의 작용으로 apoceruloplasmin과 결합하여 혈류로 가거나 담즙으로 배출된다. Ceruloplasmin은 당단백으로 혈장 내 구리의 80% 이상을 운반하며 amine oxidase 활성을 갖기 때문에 간으로부터 다른 조직으로 구리를 운반할 수 있게 된다.

Wilson병은 ATP7B 유전자 돌연변이에 의한 ATP7B 단백의 기능이상으로 간세포 내에 있는 구리가 담즙으로 배출되지 못해 간에 침착되어 간세포를 손상시키고, 혈류로 나와 뇌, 각막에 침착되어 뇌손상과 각막에 반지모양의 구리 침착을 일으킨다. 또한 구리에 의한 적혈구와 신손상으로 용혈 빈혈과 Fanconi 증후군 등의 신세뇨관 장애를 일으킨다.

ATP7B 유전자는 염색체 13q14.3-21.1에 위치하여 P형 ATPase 생성을 조절한다. 현재까지 Wilson병 환자에서 ATP7B 유전자의 돌연변이는 300개 이상으로 알려져 있다. 돌연변이의 유형은 국가 및 종족에 따라 차이가 많으며, 우리나라와 동아시아에서 가장 흔한 돌연변이의 유형은 p.Arg778Leu이고, 서구지역에서 가장 흔한 유형은 p.His1069Glu이다.

ATP7B 단백은 간세포의 골지체(trans-Golgi network)에 위치하여 소장의 근위부에서 흡수되어 간세포로 이동한 구리와 결합하여 소포로 구리를 이동시키고, 소포 내의 구리는 세포 밖 담도로 배출된다. ATP7B 유전자의 돌연변이에 의해 ATP7B 단백의 기능이상이 오면 간세포 내에서 구리를 소포로 이동시키지 못하여 담도로 배출되지 못하고 구리가 축적된다(그림 10-12).

411

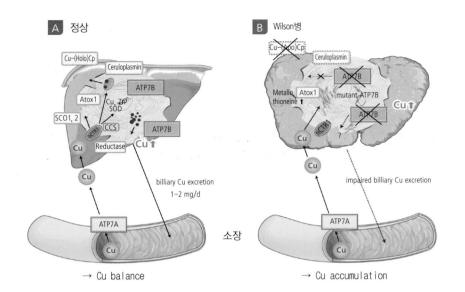

A 정상

B Wilson병

→ Cu balance

→ Cu accumulation

소장

■ 그림 10-12. 간세포 내의 구리대사 과정
Wilson병 환자(B)에서는 정상(A)에 비해
ATP7B 단백의 결핍에 의해 장내로 Cu의 배설
이 저하되어 간에 구리가 축적된다.

[임상양상]

중요한 임상적 특징은 간경화, 만성 활동 간염, 전격간
염, 자가면역간염, 반복성 황달 등으로 나타나는 간질환,
대뇌 기저핵에 구리 침착으로 인한 운동장애 및 강직성 근
긴장 이상 등의 퇴행성 신경질환, 그리고 각막 내에 구리
침착으로 인한 Kayser-Fleischer 고리이다.

Wilson병의 증상은 상당히 다양하지만 간질환과 신경
질환이 주 증상이다. 어린 소아 연령에서는 간질환이 주로
나타나며, 수 년 후에 신경질환이 발병한다. 간질환은 간효
소치만 약간 증가되거나 간비대가 동반된 무증상 형태부
터 만성 활동 간염, 간경화, 전격간염으로 나타난다. 일부
는 청소년기까지 무증상으로 있다가 전격 간부전으로 발
현하기도 한다. 간질환과 동반되어 용혈성 빈혈, 응고장애
나 급성 간부전이 발병한다. 병리학적으로 핵 내에 글리코
겐의 침착, Mallory체나 사립체의 변화 등이 관찰되지만 비
특이적인 변화이다.

신경학적 질환은 다양하게 나타나며 점진적인 운동기
능 장애를 특징으로 한다. 최초 증상은 비특이적이고 경해
서 흔히 발견되지 못할 수 있다. 손끝이 떨리는 증상이 나
타나며, 때때로 몸통과 두부의 떨림도 나타난다. 구음장애,
연하장애, 쓰기 곤란 등을 포함해서 강직, 긴장이상, 운동
완만 등이 나타날 수 있다. 약 1/3의 환자에서 주의결핍, 우
울증 등의 정신적 이상 증상이 나타나며 드물게 정신병 증
상이 나타난다. 이러한 증상은 유기화학적 대사이상으로

초래되는 증상이므로 적절한 치료가 가능하다.

Kayser-Fleischer 고리는 각막에 구리가 침착되어 발생
하는데(그림 10-13), 신경질환이 동반된 환자의 95%에서,
신경질환이 없는 경우에는 50-60%에서 나타난다.

[진단]

뚜렷한 신경학적 증상이 발현되기까지 진단이 지연되
면 불량한 예후를 보일 수 있기 때문에 원인을 알 수 없는
간질환이나 신경학적 질환이 있을 경우에 Wilson병을 의
심하고 선별검사를 시행하는 것이 중요하다. 간염을 가진
3세 이상의 소아나 젊은 성인에서 바이러스성 간염, 자가
면역성 간염, 지방간염, 약물에 의한 간손상 등의 원인이
발견되지 않는 경우 Wilson병을 우선적으로 고려해야 한
다. 사춘기와 성인에서 특징적인 신경증상이 있는 경우 또
는 급성 용혈빈혈, Fanconi 증후군이 있는 환자에서도 감별

■ 그림 10-13. Kayser-Fleischer 고리
각막에 구리가 고리모양으로 침착되어 보인다.

진단에 포함시켜야 한다. 특히 간질환 환자에서 용혈, 신경 증상이 동반되어 있는 경우 Wilson병을 감별해야 한다.

진단은 임상증상, 생화학 및 분자유전학적 검사로 이루어지며 혈청 간효소 검사, 요당, 요전해질, 각막 세극등 검사, 뇌파, 뇌 MRI 등의 검사에서 이상 소견이 보일 수 있으나 Wilson병의 진단을 위해서는 특징적인 생화학검사를 시행해야한다.

- **혈청 ceruloplasmin** : 원인불명의 간질환 환자에서 Wilson병을 진단하기 위한 가장 좋은 선별검사이다. 그러나 소아 Wilson병 환자의 85-95%만이 혈청 ceruloplasmin의 감소를 보이고, 신생아나 영아의 경우에는 진단 가치가 없다.
- **24시간 소변 구리 배출 증가** : Wilson병 환자의 24시간 소변 구리 배출량은 100 μg 이상(일반적으로 1,000 μg 이상)으로 정상(40 μg)보다 증가된다.
- **Kayser-Fleischer 고리** : 각막에 구리가 침착되어 각막 윤부에 생기는 황갈색의 고리모양의 징후이며 각막 세극등 검사로 확인한다.
- **간생검 조직 구리 함량** : 간생검을 통한 간조직 내의 구리 농도를 측정하면 정상(55 μg/g 간생검 건조 중량 이하)에 비해 현저히 증가(250 μg/g 간생검 건조 중량 이상) 되어 진단 가치가 있다.
- **분자유전학적 진단** : Wilson병에서 분자유전학적 진단은 돌연변이 수가 너무 많고 각 돌연변이의 출현 빈도가 매우 낮은 편이며, 새로운 돌연변이가 계속 발견되고 있어 효과적인 방법이 아니지만 임상 진단이 불명확한 경우에는 특이도가 높고 예민한 진단방법이다.

혈청 ceruloplasmin 감소, 24시간 소변 구리 배출 증가, 간조직 내 구리 함량의 증가 및 Kayser-Fleischer 고리 등 네 가지 소견 중 두 가지 이상이 양성이면 Wilson병으로 진단할 수 있다.

혈청 ceruloplasmin이 정상인 경우 등 Wilson병 진단이 어려울 때는 penicillamine 1 g을 투여하면 Wilson병 환자는 2시간 소변 구리 배출량이 1,200-2,000 μg(정상인 600-800 ug)으로 증가되어 진단에 도움이 된다. 소변 내 구리와 달리 혈청 구리 농도는 Wilson병 진단에 신빙성이 낮으며, 판정이 불확실한 경우 동위원소 64Cu를 이용하여 진단할 수 있으나 현재 널리 쓰이지 않고 있다.

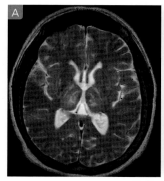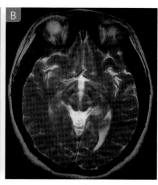

■ 그림 10-14. Wilson병 환자의 뇌 MRI 소견
(A) T2 강조 영상에서 양측 시상과 기저핵의 특징적인 신호증가 소견을 확인할 수 있다. **(B)** 중뇌의 대칭적인 신호증가 소견을 확인할 수 있다 (panda 징후).

뇌 MRI는 신경증상이 있는 환자에서 매우 유용한 진단 방법이다. 가장 흔히 발견되는 이상은 T2강조 영상에서 조가비핵(putamen) 부위 양측에 대칭적으로 고신호 강도를 보이는 것이며 치료 후 소실되는 가역적 병변이다. 또한 중간뇌의 panda 징후는 Wilson병에서 보이는 잘 알려진 소견이다(그림 10-14).

[치료]

조기진단 후 약물요법을 포함하여 적절한 치료를 받으면 대부분 정상적인 생활을 할 수 있다. 치료를 받으면 신경 및 간손상의 진행을 막을 수 있으며, 대부분의 증상과 징후를 정상으로 되돌릴 수 있다. 약물치료는 일생동안 지속되어야 하며 완전 회복상태에서도 치료를 중단하면 치명적인 간손상이 초래된다. 간, 조개 등의 어패류, 땅콩 같은 견과류, 초콜릿, 버섯 등과 같이 구리 함량이 높은 음식은 피하는 것이 좋다. 약물치료는 작용기전에 따라 D-penicillamine, trientine, tetrathiomolybdate 등 구리 배출약제(chelating agent)와 아연제제와 같은 구리 흡수 억제제로 나눌 수 있다.

Penicillamine은 구리와 결합하여 소변으로 구리를 배설시키는 약제로 현재까지 세계적을 가장 많이 사용되는 일차선택 약물이다. 소아용량은 12세 이상에서 하루 1 g을 2회로 분복하여 식전에 복용하고, 12세 이하에서는 하루 20 mg/kg(35 mg/kg까지 증량 가능)을 2회 분복한다. Penicillamine을 장기간 사용하는 경우에는 피리독신 결핍으로 오는 시신경염의 발생을 막기 위해 비타민 B6를 매일 25 mg씩 경구로 같이 투여한다. Penicillamine 투여 후 신경증상의 개선은 수주, 간기능 호전에는 수개월에서 1년 정도가 소요된다. 1-3개월마다 혈액검사, 소변검사, 간기능 검사, 비결합 혈청 구리 농도를 측정하여 부작용 여부를 관찰한다. 매년 Kayser-Fleischer 고리 검사와 간 및 신경 회복 상태를 점검한다.

Penicillamin에 부작용이 있는 경우에는 trientine과 tetrathiomolybdate를 쓸 수 있다. Trientine은 구리와 결합하여 소변으로 배설시키는 약제로 penicillamine을 투약할 수 없는 경우나 4-6주 동안의 penicillamine 치료에도 신경증상이 호전되지 않는 경우에 사용되며 최근에는 일차선택 약물로도 사용하고 있다. 초기 소아용량은 하루 500-750 mg (20 mg/kg, 2-3회 분복)으로 최대 1,500 mg까지 증량할 수 있다. 신경증상이 있는 Wilson병 환자에서 penicillamine을 사용할 때 간에 축적된 구리가 배출되는 과정에서 일시적으로 뇌에 구리가 더 많이 침착되어 신경증상이 급격히 악화될 수 있고 이중 절반은 회복되지 않는다는 보고가 있어 이러한 문제점을 해결하기 위해 tetrathiomolybdate가 개발되었으나 현재 국내에서는 사용하지 못하고 있다.

아연은 위장관 세포 내에서 구리결합 단백인 메탈로치오닌의 생성을 유발하는 약제로 메탈로치오닌이 구리와 더 잘 결합하여 장관 상피세포가 생리적으로 탈락할 때 세포 내 구리가 대변을 통하여 체외 배설된다. 간의 메탈로치오닌 생성도 증가시켜 간세포 내의 구리를 무독성화시켜 병리소견을 개선시킨다. 아연 치료는 penicillamine이나 trientine 치료로 구리를 체내에서 고갈시킨 환자에서 유지요법으로 투여한다. 경구로 150 mg (아연 원소)을 식전 30분에서 1시간 전에 3회 분복하여 투여한다. Wilson병에 의한 전격간염 환자에서는 간이식만이 유일한 치료이다.

[예후]

조기진단 후 약물요법을 포함한 적절한 치료를 받으면 대부분의 환자는 건강하게 정상적인 생활을 할 수 있다. 치료를 받으면 신경 및 간손상의 진행을 막을 수 있으며 Kayser-Fleischer 고리를 포함한 대부분의 증상을 되돌릴 수 있다. 약물치료는 평생 지속되어야 한다. Wilson병에 의한

전격간염은 약물치료에 효과가 없다. 전격간염이나 치료에 반응이 없는 말기 간경병증 Wilson병 환자에서는 간이식이 유일한 치료방법으로 수술 생존율은 70-90% 이상이다. 환자의 가족과 형제에 대하여 반드시 Wilson병 검진을 해야 한다.

2. Huntington병

Huntington 유전자의 삼뉴클레오티드 반복 확장으로 인해 불수의적 움직임 이상, 정신황폐 및 치매의 임상증상을 보이는 만성 퇴행성 질환이다.

[역학]

유병률은 미국의 경우 100,000명당 7-10명이며, 유럽은 조금 더 높다.

[병태생리]

상염색체 우성 유전되는 질환으로 원인 유전자는 염색체 4p16.3에 위치한다. 정상 Huntington 유전자가 지정하는 Huntington 단백은 정상 태아의 발달 및 전뇌의 발달에 필수적이다.

Huntington병은 글루타민을 암호화하는 삼뉴클레오티드 cytosine-adenine-guanine (CAG) 반복 서열 증가로 인해 발병하는데, Huntington 유전자는 67개의 exon을 포함하는 11 kb 크기로 삼뉴클레오티드의 반복은 첫 exon에서 나타난다. 반복의 정도에 따라 29-35 copy의 반복 대립 유전자는 질병을 유발하지 않고, 35-39개의 반복 대립 유전자는 다양한 형태로 유전되며 아주 늦게까지 증상이 나타나지 않기도 한다. 삼뉴클레오티드 확장의 규모는 발병연령과 역비례하여 발병시기가 어릴수록 반복이 많으며 아버지로부터 유전될 경우가 더 많아서 대부분의 소아기 Huntington병은 아버지로부터 유전된 경우이다. 60-70 삼뉴클레오티드 반복 확장은 아주 어린 나이의 발병과 연관되며, 보인자의 약 90%는 40-45 copy의 확장을 보이고 청장년기에 임상증상이 발현된다. 병리학적으로 전반적인 뇌 위축과 미상핵, 조가비핵의 심한 위축이 관찰된다. 해마 및 시상, 뇌량을 포함한 뇌 백질도 위축된다. 진행하면서 운동

감각 겉질, 후두부, 두정부 및 변연엽 겉질의 광범위한 뇌위축이 나타난다.

[임상양상]

운동, 인지 및 행동이상을 특징으로 청년기에 서서히 발병하여 평균 40세경에 진단되는 근긴장이상, 무도증, 근간대경련, 행동장애, 실조 및 치매 등을 보이는 질환이다. 이상운동 증상은 불수의적 및 수의적 운동장애로 나타난다.

불수의적 운동장애는 이상성(biphasic) 양상을 보여 처음에는 과잉행동이 나타나고 시간이 지나면서 심해지다가 행동이 느려지며 운동이상(dyskinesia) 및 경직이 나타나고 결국에는 운동감소(hypokinesia)나 강직-운동불능(rigidakinesia)이 된다. 좌불안석증(akathisia), 씰룩거림(twitching) 등이 있다가 무도병이 나타나는데 사지와 몸통, 얼굴에 나타나는 불규칙한 불수의 운동으로 병의 초기에 나타나서 중기에 악화되다가 질병이 진행되면서 점차 완화되고 강직이 나타난다. 강직은 병의 진행과 관련하여 뇌 겉질의 위축과 추체로 침범을 의미하기도 한다. 수의적 운동장애도 진행되어 운동실조와 같은 보행장애를 보이며 점차 움직임이 줄고 자주 넘어진다. 구음장애, 연하장애 등이 수의적 및 불수의적 운동장애의 악화로 나타나서 점차 악화되어 막을 수 없게 된다. 미세운동 장애는 글쓰기가 어려운 증상으로 시작되어 사지의 자발적 통제가 거의 되지 않게 된다.

인지기능 장애는 Huntington병을 진단하기 전에는 미약하다. 질병 초기에는 negative emotion recognition task, stroop color word association test, spot the change task 등이 정확한 인지기능 평가에 사용될 수 있다. 인지기능 이상 증상은 정신완서(bradyphrenia), 회상장애(defective recall), 복잡한 인지기능 장애 및 인격변화 등이다. 질병 후기에는 치매의 특징적인 증상인 실어증(aphasia), 인식불능증(agnosia), 질병인식 불능증(anosognosia)이 나타난다. 전두엽에 병변이 있는 환자에서는 치매보다는 실행능력 장애가 나타난다. 질병 초기에 주의집중 결여로 쉽게 산만해지고 실행능력 장애로 행동조절이 잘 안되며 판단에 문제가 발생하여 계획을 수립하고 실행하는 능력에 문제가 생긴다. 이러한 인지기능의 장애는 점진적으로 악화되어 전반적인 장애로 치매가 발생한다.

정신이상 증상은 다양하게 나타나며 우울증, 흥분성, 충동성이 가장 흔하다. 강박장애, 공격적 행동, 조현증, 조증, 불안장애, 약물남용 등이 나타날 수 있고 미세한 정신장애가 정상인에 비해 흔하다. 우울증은 40%에서 나타나고 자살률은 일반인에 비해 4-6배가 높다. 질병 말기에 체중감소가 흔하고 수면장애가 발생하기도 한다.

뇌 MRI 소견으로 미상핵에 위축이 관찰되며 질병이 진행되면 전반적인 대뇌와 소뇌의 위축이 관찰된다. 병리소견으로 기저핵, 소뇌, 대뇌 겉질의 변성이 관찰된다.

소아기 발병형 : 전체 Huntington병의 5-10%는 10대 이전에 발병한다. 대개 아버지로부터 유전되며 성인형과는 다른 임상양상을 보인다. 10세 이전에 미세한 언어지연이 약 2년 정도 나타나다가 운동기능 부전이 나타나면서 진단되기도 한다. 무도증은 10세 이하에서는 드물고 강직, 운동완만 및 심한 근긴장이상 등이 나타난다. 인지기능저하, 구음장애 및 연하장애를 포함한 구강근육 운동이상이 특징적이며 발작이 25-50%에서 나타난다. 발병연령이 어릴수록 증상이 심하고 병이 빠르게 진행하여 수명이 짧다.

[진단]

삼뉴클레오티드 CAG 반복 서열의 증가를 확인하여 진단한다. 삼뉴클레오티드 반복 copy 수가 26 이하는 질환과 관련이 없고, 27-35 copy는 부계 유전을 하는 경우 질병유발 가능성을 가질 수 있으며, 36-39 copy는 Huntington병 임상형과 관련되거나 또는 질병에 이환되지 않는 경우일 수 있고, 40 copy 이상은 질환에 이환된 경우로 판단한다.

임상적 진단은 신경계진찰, 가족력 그리고 뇌 MRI 검사 결과에 근거하여 이루어진다. 감별해야 할 질환은 특발꼬임근긴장이상, Hallervorden Spatz병, Wilson병, 연소기 Parkinson병 등의 소아기 및 청소년기에 발병하는 운동 질환과 연쇄상구균 감염 후 발생하는 Sydenham 무도병이며, 인지장애가 주증상일 때는 다양한 지질침착 질환의 가능성을 고려해야 한다.

[치료 및 예후]

여러 전문분야의 협력치료가 필요하며 가족 중에 여러 사람이 질병에 이환될 위험이 있기 때문에 가족 구성원들의 질병에 대한 이해가 필요하다. 현재 이 질환의 경과를 호전시킬 수 있는 치료는 없으며 불수의적 운동장애, 치매, 체중감소, 수면장애 및 정신질환과 행동장애 등의 증상에 대한 치료를 한다. Risperidone이나 olanzepine과 같은 신경이완제가 무도증, 공격행동과 망상을 포함한 정신병적 증상에 도움이 되고, olanzepine은 체중감소 치료에 도움이 될 수 있다. Tetrabenazine, clonazepam 등이 무도증 치료에 사용되며 강박장애 치료를 위해 선택적 세로토닌재흡수억제제가 흔히 사용되며, 불면증이나 수면장애 치료를 위해 mirtrazapine이나 trazodone이 사용된다.

진단이 이루어진 후 사망에 이르기까지 15-20년 정도가 소요되며, 오랜 기간에 걸쳐 병이 진행되면 과다근긴장증과 심한 강직상태에 이르게 되며 주로 흡인성 폐렴으로 사망한다.

3. Pantothenate kinase 연관 신경변성
(Hallervorden-Spatz병)

Pantothenate-kinase 연관 신경변성(pantothenate kinase-associated neurodegeneration, PKAN)은 창백핵(globus pallidus)과 흑색질(substantia nigra)에 다량의 철분이 침착되는 상염색체 열성으로 유전되는 질환이다. 10세 이전에 발의 만곡변형으로 시작해서 전신이 뻣뻣해지고 언어장애 및 치매가 나타나는 드문 가족성 질환으로, Hallervorden-Spatz병으로 불렸으나, 제2차 세계대전 중 정신질환 환자의 안락사와 연루된 Hallervorden과 Spatz의 비윤리적인 행동 때문에 질병 명칭이 변경되었다.

[병태생리]

염색체 20p13에 위치하는 PANK2 (panthothenate kinase 2) 유전자의 변이에 의해 발병한다. 정상에서 PANK2 유전자는 coenzyme A 합성의 첫 단계 효소인 PANK2 단백을 합성하여, N-pantothenoyl-cysteine과 pantotheine의 축적을 막는다. 유전자 변이에 의해 N-pantothenoyl-cysteine과 pantotheine이 축적되면 직접 또는 자유라디칼에 의해 세포손상이 초래된다.

[임상양상]

일반적으로 10세 이전에 발병하며 강직, 심부건반사 항진, 간대 및 Babinski 징후와 같은 피질척수로 침범 증상을 보인다. 수년 후에 근긴장이상과 같은 추체외로 기능장애 증상 및 징후가 나타나고 무도무정위운동증, 진전을 보이기도 한다. 대부분에서 지능저하가 있으며, 시신경 위축이 흔하고 색소망막염이 동반된다. 병이 진행되어 대개 성인기 초기에 사망에 이르지만 일부 환자는 서서히 병이 진행되며 30대까지 생존하기도 하고, 일부는 빠르게 악화되어 진단 후 1-2년 내에 사망에 이른다.

발병연령 및 임상경과에 따라 조기발병 소아형(10세 이전에 발병하는 경우로 빠른 진행형과 느린 진행형으로 구분), 후기발병형(10세 이후부터 18세 사이에 발병하는 경우), 성인형으로 분류한다. 조기발병 소아형 중 빠른 진행형은 수년동안 강직을 시사하는 비특이적인 운동장애를 보이다가 급속히 진행되어 일 년 이내에 심한 활모양강직을 특징으로 하는 운동장애를 보인다. 색소망막염과 시신경 위축이 흔하며 대부분의 환자는 5-8세 사이에 증상이 심해진다. 느린 진행형은 가장 흔한 형태로 대부분 5세경에 증상이 시작된다. 근긴장이상이 가장 흔한 증상이며 시신경 위축, 색소망막염, 지능장애 등이 나타난다. 후기발병형은 조기발병형보다 천천히 진행되며 효과적인 약물치료로 증상을 완화시킬 수 있다. 구음장애가 특징적인 증상이며 근육경련, 보행장애 등이 나타날 수 있다. 성인형은 아주 드물며 무도증, 무정위운동 및 근간대경련 등 다양한 운동장애 증상이 나타난다.

[진단]

진단을 위해서는 20세 이전에 발병하여 점차 진행하는 임상양상을 보이면서 근긴장이상, 강직, 무도무정위운동증과 같은 추체외로 이상 증상이 있고, 뇌 MRI에서 창백핵이나 흑색질에 음영감소 부위가 존재해야 한다.

임상적으로 강직이나 Babinski 증후와 같은 피질척수로 침범 증상, 인지장애, 시신경 위축이나 색소망막염, 임파구 내에 세포질체나 골수 내에 sea-blue 조직구 소견 중 2개 이상을 만족하면 진단할 수 있다.

제외기준은 비정상적인 ceruloplasmin 수치 또는 구리 농도 및 대사의 이상 소견, neuronal ceroid lipofuscinosis가

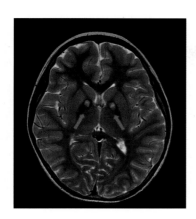

■ 그림 10-15. Pantothenate kinase-associated neurodegeneration 환자의 뇌 MRI 소견
T2강조 영상에서 양측 창백핵의 국소적인 신호증가를 확인할 수 있다(eye of tiger sign).

의심되는 확실한 증상이 있는 경우, Huntington병이나 상염색체 우성 운동장애의 가족력이 있는 경우, hexosaminidase A 결손이 있는 경우, 비진행인 경우, 추체외로 이상 징후가 없는 경우이다.

전자현미경 검사에서 공포성 임파구 내에 지문 형태의 과립형 multilaminated체를 포함하는 비정상적인 세포질체가 발견된다. 뇌간 청각유발 전위검사는 대부분 정상이나 뇌간 시각유발 전위검사나 망막전위도 검사는 비정상이다.

뇌 MRI 검사에서 기저핵에 철분 침착과 신경괴사에 의

한 음영저하 소견이 보이며, 창백핵에 특히 두드러지게 나타난다. 그러나 조직의 공포화와 신경아교증으로 인해 창백핵의 중앙부나 앞안쪽 부위에 음영증가 소견(eye of tiger 징후)이 흔히 보인다(그림 10-15). 이러한 소견은 organic aciduria, Leigh병, 경색이나 감염 후 근긴장이상에서도 보일 수 있어 감별이 필요하다. PANK2 유전자의 분석을 통해 돌연변이를 확인할 수 있으며, 유전상담에 도움이 된다.

[치료]

특별한 치료방법이 없으며 대부분 대증치료이다. 정위 창백핵 절제술(stereotaxic pallidotomy)이 기능향상에 도움이 되었다는 보고가 있고, 철분흡착제(desferrioxamine)는 효과가 없는 것으로 알려져 있다. 가장 흔한 운동장애 증상인 근긴장이상 치료는 levodopa/carbidopa 제제가 효과적이며 효과가 없을 경우 bromocriptine으로 대체하거나 병행 투여한다. Trihexyphenidyl이 대체약물로 사용할 수 있다. 진전이나 강직 증상의 치료로 benztropine이 효과적일 수 있으나 소아에서 사용할 경우에 부작용에 대한 세밀한 감시가 필요하다. 무도무정위운동증의 치료는 diazepam이 유용할 수 있다. Baclofen은 피질척수로 이상으로 인한 강직을 완화하는데 사용한다. 경련의 조절을 위해 항뇌전증약을 투여할 수 있으며 시신경 위축에 의한 시력 저하나 인지기능 저하에 대한 특별한 치료방법은 알려져 있지 않다.

참고문헌

1. Ahn HS, Textbook of pediatrics, 10th ed. Miraeen, 2012

2. Barkovich AJ, Diagnostic imaging: Pediatric neuroradiology. Amirsys, 2007

3. Biglan KM, Ross CA, Langbehn DR, et al. Motor abnormalities in premanifest persons with Huntington's disease: the PREDICT-HD study. Mov Disord 2009;24:1763-772.

4. Biglan KM, Shoulson I. Huntington's disease. In: Hallett M, Poewe W, editor. Therapeutics of Parkinson's disease and other movement disorders. John Wiley & Sons; 2008. p.295-15.

5. Boustany RN, El-Bitar MK. Degenerative disorders primarily of gray matter. In: Swiman KF, Ashwal S, Ferriero DM, Schor NF, editor. Swaiman's pediatric neurology. Principles and practice. 5th ed. Elsevier Sounders; 2012. p.528-43.

6. Brocklebank D, Gayan J, Andresen JM, et al. Repeat instability in the 27-9 CAG range of the HD gene in the Venezuelan kindreds: counseling implications. Am J Med Genet B Neuropsychiatr Genet 2009;150B:425-29.

7. Bugiani M, Boor I, Poewrs JM, et. al. Leukoencephalopathy with vanishing white matter: a review. J Neuropathol Exp Neurol 2010;69:987-96.

8. Fernanades J, Saudubray J, van den Berghe G, Walter JH, Inborn metabolic diseases. Diagnosis and tratment, 5th ed. Springer, 2006

9. Glykys J and Sims KB. The neuronal ceroid lipofuscinosis Disorders. In: Swaiman KF, Ashwal S, and Ferriero DM, editor. Swaiman's Pediatric Neurology: Principles and Practice. 6th ed. Elsevier, 2017. p.390-404.

10. Hayflick SJ, Westaway SK, Levinson B, et al. Genetic, clinical, and radiographic delineation of Hallervorden-Spatz syndrome. N Engl J Med 2003;348:33-40.

11. Huntington Study Group. Tetrabenazine as antichorea therapy in Huntington disease: a randomized controlled trial. Neurology 2006;66:366-72.

12. Kenney SM, Cox DW. Sequence variation database for the Wilson disease copper transporter, ATP7B. Hum Mutat 2007;28:1171-7.

13. Kim HJ. Sphingolipid disorders. In: Dongwhan Lee, editor. Inherited metabolic diseases. 1st ed. Korea Medical Book Publishing; 2008. p.611-34.

14. Kohlschutter A, Bley A, Brockmann K, et al. Leukodystrophies and other genetic metabolic leukoencephalopathies in children and adults. Brain Development 2010;32:82-9.

15. Kwon JM. Neurodegenerative disorders of childhood. In: Kliegman RM, Stanton BF, Schor NF, St Geme JW, Behrman RE, ediotor. Nelson textbook of pediatrics. 19th ed. Elsevier Saunders; 2011. p.2069-76.

16. Lutsenko S, Efremov RG, Tsivkovskii R, et al. Human copper-transporting ATPase ATP7B(the Wilson's disease protein): biochemical properties and regulation. J Bioenerg Biomembr 2002;34:351-62.

17. Menkes JH. Heredodegenerative diseases. Degenerative disorders primarily of gray matter. In: Menkes JH, Sarnat HB, Maria BL, editor. Child Neurology. 7th ed. Lippincott Williams and Wilkins; 2006. p.163-226.

18. Merle U, Schaefer M, Ferenci P, et al. Clinical presentation, diagnosis and long-term outcome of Wilson disease-a cohort study. Gut 2007;56:115-20.

19. Moser HW, Smith KD, Watkins PA, et al. X-linked adrenoleukodystrophy. In: Scriver CR, Beaudet AL, Sly WS, Valle D, editor. The metabolic & molecular bases of inherited disease. 8th ed. McGraw-Hill; 2001. p.3257-301.

20. Nyhan WL, Barshop BA, AI-Aqeel AI, Atlas of inherited metabolic disease, 3rd ed. Hodder Arnold, 2012

21. Paulsen JS, Langbehn DR, Stout JC, et al. Detection of Huntington's disease decades before diagnosis: the Predict-HD study. J Neurol Neurosurg Psychiatry 2008;79:874-80.

22. Paulsen JS, Ready RE, Hamilton JM, et al. Neuropsychiatric aspects of Huntington'disease. J Neurol Neurosurg Psychiatry 2001;71:310-4.

23. Percy AK. Inherited neurodegenerative disorders. In: Carney PR, Geyer JD, editor. Pediatric practice neurology. 1st ed. McGraw-Hill; 2010. p.278-309.

24. Schiffmann R, van der Knaap MS. Invited article: an MRI based approach to the diagnosis of white matter disorders. Neurology 2009;72:750-9.

25. Tsivkovskii R, Purnat T, Lutsenko S. Copperi-reansporting ATPase: key regulators of intracellular copper concentration. In: Futai M, Wada Y, Kaplan J, editor. Handbook of ATPase. Wiley-VCH Verlag GmbH & Co.; 2004. p.99-158.

26. Vanderver A and Wolf NI. Genetic and metabolic disorders of the white matter. In: Swiman KF, Ashwal S, Ferriero DM, Schor NF, editor. Swaiman's pediatric neurology. Principles and practice. 5th ed. Elsevier Sounders; 2012. p.1020-51.

소 아 신 경 학
PEDIATRIC NEUROLOGY

제11장

감염성 질환

Infections of Nervous System

01

서론

Introduction

| 김원섭 |

발열로 나타나는 중추신경계 질환의 대부분은 중추신경계 감염질환이다. 많은 미생물들이 감염을 일으킬 수 있으나 특정 원인균만 동정 가능하다. 또한 이러한 원인균은 환자나 나이, 숙주의 면역상태, 원인균의 역학 등에 의해 좌우되는데, 일반적으로 중추신경계에서는 바이러스성 감염이 세균성 감염보다 흔하고, 진균, 기생충 감염 등은 비교적 드물다. 중추신경계의 리케치아 감염은 매우 드물지만 특정 환경에서는 중요한 원인균으로 고려된다. 정확한 인과관계의 평가가 어려우나, mycoplasma 역시 중추신경계 감염을 일으킬 수 있다.

그러나 원인과 무관하게, 대부분의 중추신경계 감염 환자들은 대부분 비슷한 임상양상, 즉, 두통, 구역, 구토, 식욕부진, 안절부절 못함, 의식장애, 보챔 등의 비특이적 증상들을 보인다. 이외에도 빛공포증, 경부강직, 의식저하, 혼수, 발작과 국소 신경학적 증상 등이 나타날 수 있으며, 원인균, 숙주, 감염영역 등에 따라 증상의 종류나 중증도가 결정된다.

중추신경계 감염은 초점성일 수도 있으며, 광범위하게 나타나기도 한다. 예를 들어, 수막염 및 뇌염은 광범위한 감염이다. 정의상 수막염은 수막을 주로 침범할 때를, 뇌염은 뇌실질을 침범할 때를 의미하나, 이들 간의 해부학적 경계가 불분명하므로 대부분의 환자들이 수막과 뇌실질의 감염을 동시에 가지고 있는 수막뇌염으로 진단한다. 뇌농양은 중추신경계 국소감염의 가장 좋은 예로, 농양의 위치와 크기에 따라 신경학적 증상이 나타난다.

02

수막염

Meningitis

| 김원섭, 김준식, 정승연 |

1. 신생아기 세균수막염(Neonatal Bacterial Meningitis)

세균수막염은 신생아의 중추신경 감염 중 가장 흔하고 매우 중대한 질환으로, 만삭아보다는 미숙아에 더 흔하고 패혈증이나 국소감염과 연관되어 발생한다. 신생아 세균수막염은 진행은 빠르지만 진단하기 어렵고, 치료에는 잘 반응하지 않기 때문에, 즉각적인 진단과 적절한 치료가 절대적으로 필요하다.

신생아 세균수막염은 흔히 패혈증과 연관되어 발생하며, 전체 패혈증의 1/4-1/3에서 수막염이 발생한다. 신생아 패혈증을 감염 시기에 따라 조발형과 지발형으로 나누는데, 이중 조발형은 출생 후 수일 이내에 발생하는 것으로 조기 양막파수, 조기 진통, 양막염, 산모의 발열 등 산과적 합병증에 동반되어 발생하고 미숙아나 저출생체중아에서 많이 발생한다. 임상증상은 급격히 진행되며, 여러 장기를 침범하는 경우가 흔하고 사망률도 높다. 생후 수일 후에 발생하는 지발형의 경우 감염은 산모에게서 있을 수도 있고, 다른 신생아나 의료진, 오염된 시설이나 기구에 의할 수 있다. 지발형 수막염은, 일반적으로 조발형보다는 사망률이 낮다.

조발형과 지발형 모두에게 group B β-hemolytic streptococcus (GBS, B군 streptococcus), Escherichia coli, Listeria monocytogenes가 중요한 원인균이고, Staphylococcus au-reus나 Pseudomonas aeruginosa는 주로 오염된 기구 등에 의하므로 지발형에 흔하다.

(1) 원인

각각의 의료기관마다 발생빈도가 다소간의 차이를 보이기는 하지만, 선진국에서 신생아 수막염의 가장 흔한 원인균은 GBS이고 그 다음으로 E. coli와 L. monocytogenes로 이 3가지 균주가 전체의 75% 이상을 차지한다. 반면, 개발도상국에서는 아직도 그람음성균이 주요 원인균이다.

우리나라의 경우 정확한 자료는 없으나 일부 병원에서의 보고들을 종합해보면 GBS가 40-50% 이상으로 가장 흔하며, 그 다음으로 E. coli, 포도알균 및 다른 사슬알균이 주요한 원인균이다. 특기할만한 것은 신경외과적 시술과 같이 도관을 사용하는 경우에는 S. aureus나 S. epidermidis가 원인균인 경우가 많고, 습한 증기가 포함된 인공호흡장치를 사용하는 경우 Proteus multocida, Proteus cepacia, Pseudomonas aeruginosa, Serratia marcescens, Flavobacterium meningosepicum 등의 균에 의해서도 드물게 발생한다.

(2) 역학

생존아 1,000명당 0.2-0.4명의 빈도로 발생하지만, 일부 신생아실에서는 1,000명당 1명 이상인 경우도 있으며, 만삭아보다는 미숙아에서 발생률이 더 높다. 패혈증 환자의 1/4-1/3에서 패혈증과 연관되어 발생한다. 신생아의 세균 수막염은 신생아기 이후의 수막염과는 임상양상이 다르며 그람음성 균주의 빈도가 높고, 일반적으로 예후가 좋지 않다. 대개 남아에서 호발하나, GBS 수막염은 여아에서 호발한다.

(3) 발병기전

신생아 수막염은 주로 혈행성으로 전파되나, 드물게 신경관 결손, 선천 굴로(congenital sinus tract)를 통한 감염이나 태아 두피 채혈, 태아 감시장치 등을 통한 관통상으로 발생한다. 대부분의 신생아 수막염, 특히 조발형은 조기 진통, 조기 양막파수, 융모양수염, 산모의 발열 및 감염 등의 분만 전후에 일어날 수 있는 산과 합병증이 위험요인들로 작용한다.

특히 미숙아에서는 IgG는 임신 말기에 태반을 통과하고, IgM과 IgA는 태반을 통과하지 못하므로 수막염이 더 잘 생긴다. 이외에도 기관지삽관을 포함한 인공호흡처치, 배꼽동맥도관, 중심정맥도관, 요도도관 삽관 등으로 병원균에 노출될 가능성이 높아진다.

신생아 수막염의 신경병리 소견은 그 원인균에 관계없이 동일하다. 다양한 정도의 혈관염과 그에 따른 뇌경색과 뇌실염 등이 나타나고 50% 이상에서 수두증 및 뇌증 소견을 보인다. 신생아에서는 소아보다 뇌염과 패혈색전증, 뇌농양, 뇌실염, 수두증 및 경막하 삼출이 더 자주 나타난다.

(4) 증상

신생아 수막염의 임상상은 그 발생 시기에 따라 조발형 및 지발형의 2가지로 나누어 생각할 수 있다.

조발형 수막염은 대개 생후 72시간 이내에 임상증상이 보이는 경우로 신경학적 이상보다는 비신경학적 임상증상이 보이는 경우로 신경학적 이상보다는 비신경학적 증상이 흔해서 패혈증이나 호흡기질환의 증상들과 유사하다. 경부강직이나 kernig 징후, Brudzinski 징후와 같은 신경학적 이상은 조발형의 2/3에서는 나타나지 않는다.

가장 흔한 증상은 체온 불안정, 무호흡, 호흡곤란, 수유곤란 또는 구토 등이고, 신경학적 증상은 보챔이나 늘어짐 정도이다.

지발형 수막염은 생후 1주 이후에 증상이 있는 경우로 조발형과 같이 발열이나 수유곤란과 같은 비특이적 증상도 있으나, 신경학적 증상이 비교적 뚜렷하게 나타난다. 정도의 차이는 있지만 대부분에서 의식의 변화가 있어 60% 정도에서 혼미 또는 혼수상태를 보인다. 발작은 75%에서 나타나며, 애매한 발작도 있으나 부분발작이 절반 이상을 차지한다.

중추신경 이상 징후는 뇌신경 이상의 경우 뇌신경 VII, III, VI 순으로 나타나며, 숫구멍 팽대(20-30%), 경부강직(10-20%), 활모양강직 등이 나타날 수 있다. 하지만 뇌막자극 증상들을 보이지 않는 경우도 종종 있으므로 신생아 패혈증 환자에서는 항생제를 투여하기 전에 반드시 뇌척수액 검사를 하여야 한다.

(5) 진단

진단은 뇌척수액검사와 배양에 의한 세균검출, 항원 또는 PCR검사를 하여 확진할 수 있다. 신생아 뇌척수액의 정상 소견은 표 11-1과 같다.

신생아 세균성 수막염의 경우, 뇌수척액의 백혈구수 증가, 단백증가, 당량 특히 뇌척수액/혈액 당량 감소를 보인

표 11-1. 신생아의 뇌척수액 정상소견

	만삭아(평균)		미숙아(평균)	
뇌척수액	0-7일	8-28일	0-7일	8-28일
백혈구	8 (1-30)	6 (1-18)	4 (1-10)	7 (0-44)
다핵구 비율(%)	5	3	7	9
단백(mg/dL)	81	64	150 (85-222)	148 (54-370)
당(mg/dL)	46	51	72 (4-96)	64 (33-217)
뇌척수액/혈액 당 비율(%)	0.73	0.62	보고 없음	보고 없음

다. 백혈구는 대개 1,000/mm³ 이상이고 호중구 우위(>70-90%)를 나타내는데, 수막염의 초기나 말초혈액 백혈구 감소를 보이는 영아에서는 100 미만인 경우도 있어, 뇌수척액의 배양과 그람염색이 반드시 필요하다. 특히 그람음성 장내세균의 경우는 75%에서 백혈구가 1,000/mm³ 이상이고 백혈구수가 정상범위면서 배양검사에서 양성인 경우가 4%에 불과한데 반해, GBS의 경우는 30% 정도에서만 1,000/mm³ 이상이고, 정상 백혈구수임에도 배양검사에서 양성인 경우가 30%에 이른다. 또 GBS 수막염의 경우 단백이나 뇌척수액/혈액 당량비가 정상인 경우도 50%에 이르므로, GBS 수막염에서 배양검사가 더 중요하다. 또 실제로 백혈구수, 단백, 당량 모두가 정상인 경우도 종종 있으므로, 뇌척수액 검사가 모두 정상인 경우라도 임상적으로 수막염이 의심되면 빠른 시일 내에 다시 요추천자를 실시해야 한다.

뇌척수액 배양으로 원인균을 확인하는데, 항생제를 투여받지 않은 환자 대부분에서 48시간 이내에 양성이다. 뇌척수액의 그람염색은 GBS 수막염 환자의 85%, 그람음성 수막염 환자의 61%에서 양성이다. GBS 수막염 진단에서 라텍스 응집반응 검사는 신속하고 정확해서 도움이 되나, 그람음성 수막염의 경우에는 정확성이 다소 떨어진다. 신생아 수막염의 50-80%는 혈액배양이 양성이므로 혈액배양검사를 초기에 실시한다. 호흡이 불안정한 상태라면, 혈액배양이나 항원검사 후 항생제 치료를 시작하며, 요추천자는 안전하게 시행할 수 있을 때까지 연기할 수 있다.

뇌초음파 검사 또는 조영증강 CT가 뇌실염과 뇌종양을 진단하는데 도움이 된다.

(6) 치료

신생아 수막염 환자는 항생제 투여 외에 기계환기요법, 수액조절, 경련조절, SIADH 치료, 심혈관 및 호흡계 감시 등이 필요하므로 극히 일부를 제외하고는 중환자실에서 치료한다.

① 항생제 요법

세균수막염의 진단을 위한 균배양 조치가 이루어지면 즉시 항생제를 투여하는데, 원인균이 밝혀지기 전까지는 경험적으로 ampicillin과 cefotaxime 또는 ampicillin과 ami-noglycoside의 병용투여가 추천된다. 일단 균이 분리되고 항생제 감수성 검사 결과가 나오면 가장 적절한 약물을 선택한다. GBS는 penicillin (ampicillin 혹은 penicillin G) 단독으로 치료가 가능하다.

정맥으로 투여된 대부분의 aminoglycoside는 척수액과 뇌실에서 그람음성균의 성장을 억제할 만큼 충분한 농도에 도달하지 못하기 때문에 대장균을 비롯한 그람음성 장내세균은 ampicillin과 cefotaxime의 병용 투여를 추천한다. L. monocytogenes에 대해서는 ampicillin 단독으로 충분하고 장내구균에는 ampicillin과 aminoglycoside의 병용투여가 바람직하다. S. epidermidis에는 vancomycin, S. aureus에는 methicillin이나 vancomycin, 그리고 P. aeruginosa에는 aminoglycoside와 ceftazidime을 병용 투여하여야 한다.

치료기간은 일반적으로 뇌척수액이 멸균된 후 2주가 적당하며, GBS에 의한 수막염은 14일 이상, 그람음성 수막염의 치료는 21일이상 치료해야 한다.

② 지지요법

대부분의 신생아 수막염은 패혈증을 동반하여, 여러 기관에 질병을 일으키므로, 항생제 외에도 적극적인 지지요법과 호흡, 순환, 체온, 대사상태, 파종 혈관내 응고 등에 대한 감시체계가 중요하다. 경련이 발생했을 경우 항뇌전증약물을 사용하고, 뇌부종과 항이뇨호르몬 부적절 분비증후군, 전해질 이상에 대하여는 혈액과 소변의 삼투압 측정과 함께 수액제한이 필요하고, 드물지만 급성 수두증에 대한 감압치료가 필요한 경우도 있다.

6주 이상의 dexamethasone 사용이 뇌부종을 감소시키고 신경학적 후유증 특히 난청을 줄였다는 보고가 있으나, 신생아 수막염에는 별 효과가 없다. 빈혈과 출혈경향도 자주 출현하므로 혈색소, 적혈구 용적률, 혈소판수, 혈액응고 검사 등을 자주 해야 하며, 경우에 따라서는 과립구 수혈이나 신선 동결 혈장 수혈이 필요하다. 정주용 감마글로불린은 수막염의 합병증과 사망률을 줄일 수 있다.

(7) 예후

사망률은 원인균과 병원에 따라 다소 차이가 있지만 대체로 20-25%이다. 흔히 합병증이 동반되는데, 뇌종양, 수두증, 뇌실염, 뇌경색, 경막하 삼출, 난청, 시력상실 등이 보일 수 있다. 합병증의 정도는 수막염의 중증도와 깊은 관련이 있다. 퇴원 시에는 대부분 거의 정상으로 보이나 계속적인 추적관찰 시 인지장애, 읽기장애 등 경도의 신경학적 장애가 생존자의 40-50%에서 발견되고, 심각한 후유증을 남기는 경우도 11%에 이른다. 따라서 신생아 수막염의 생존자에 대하여는 적어도 취학할 때까지 청력검사와 언어장애 및 신경학적 이상에 대한 정기적인 검진이 필요하다.

2. 신생아기 이후의 세균수막염

세균수막염은 세균과 세균 생성물에 의한 연질막, 지주막 및 지주막하 공간의 염증으로서 영아와 소아의 질병 이환과 사망의 중요한 원인이다. 일반적으로 신생아기 이후의 세균수막염은 신생아기 세균수막염과는 임상양상과 치료가 다르지만, 임상양상은 중복될 수 있다.

[원인]

1개월 이후부터 12세까지의 소아에서는 H. influenzae type b (Hib), Streptococcus pneumoniae (pneumococcus) 및 Neisseria menningitidis가 혈행성으로 발생하는 세균수막염의 가장 흔한 원인이다(3개월 미만에서는 Group B streptococcus, E.coli, Listeria monocytoneges가 가능 중요한 원인균이다). Hib 백신이 사용되기 전에는 5세 미만의 소아에서 세균수막염의 70%가 Hib에 의하였으며, 1990년대에 백신이 보급되기 시작하면서 감소하여 백신이 기본 예방접종에 포함된 국가에서는 현저히 감소하였다. S. pneumoniae도 단백결합 백신이 2000년대에 보급되기 시작하였고 기본 예방접종에 포함된 국가에서는 S. pneumoniae 수막염의 발생빈도가 감소하고 있다. 두 백신이 광범위하게 사용되기 시작한 미국과 같은 국가에서는 N. meningitidis가 가장 흔한 세균수막염의 원인이다.

우리나라 소아에서의 세균수막염의 원인을 파악하기 위한 후향적 연구조사가 1986년부터 1995년까지와 1996년부터 2005년까지 두 차례 실시된 바 있는데, 두 시기 모두 S. pneumoniae, Hib, N. meningitidis 순으로 나타났다. 해부학적 결손(비장 기능이상, 와우결손 및 이식)이나 면역학적 결핍(HIV 감염, IgG subclass 부족)으로 인해 결함

이 있는 경우에는 Pseudomonas aeruginosa, S.aureus, Coagulase negative staphylococci, Salmonella 및 L. monoytogenes에 의한 수막염에 걸릴 위험이 증가한다.

[역학]

수막염에 걸릴 위험인자는 어린 소아에서의 특정 병원균에 대한 면역력 부족, 병원균의 새로운 집락화, Hib 및 N. meningitidis에 의한 감염자와의 긴밀한 접촉(가족, 어린이 보호시설, 대학 기숙사, 군대 막사), 최근의 감염(특히 호흡기, 귀), 해부학적 결함(dermal sinus, 요로계통 이상), 최근의 신경외과적 시술(ventricular shunt placement 에서 S.aureus, E.coli 같은 장관계 그람음성균 감염 빈도가 높음), 빈곤, 밀집 및 남자 등이다. 전파 양식은 아마도 호흡기 분비물이나 비말을 통한 사람과 사람의 접촉에 의한다. 잠재 균혈증이 있는 소아에서는 수막염이 발생할 위험이 크고, 특히 수막알균과 Hib에 의한 수막염이 발생할 위험성은 폐렴사슬알균에 비하여 각각 85배, 12배 크다.

피막 병원균에 대한 면역글로불린 생성에 이상이 있으면 수막염 이환율이 높고, 보체계(C5-C8)에 결함이 있으면 N. meningitidis에 의한 반복 감염의 위험성이 증가하며 properdin계에 결함이 있으면 치명적인 N. meningitidis 질환에 걸릴 위험이 높다. 비장 기능이상(겸상 적혈구성 빈혈)이나 무비증(손상 및 선천결함)이 있으면 폐렴사슬알균, Hib에 의한 감염의 빈도는 증가되지만 수막알균에 의한 패혈증과 수막염은 잘 발병하지 않는다. T림프구 결함(선천결함 혹은 화학용법에 의한 후천결함, AIDS, 악성종양)이 있으면 중추신경계에 L. monoytogenes 감염의 위험성이 증가한다.

두개 혹은 안면 중앙부의 결함, 중이 또는 내이의 샛길의 점막피부 장벽을 통해 선천 혹은 후천으로 뇌척수액의 누출이나 머리뼈의 기저골절로 인한 수막 손상을 통해 체판(cribriform plate)이나 부비동으로 뇌척수액의 누출이 있으면 폐렴사슬알균에 의한 수막염의 위험성이 증가한다. 허리엉치 피부굴 및 수막척수 탈출증은 포도알균 감염이나 그람음성 장내세균에 의한 수막염의 위험성을 증가시킨다. 뇌척수액 검사는 포도알균 및 다른 피부세균에 의한 수막염의 위험성을 증가시킨다.

[발병기전]

세균수막염은 대부분 먼 곳에 발생한 감염으로부터 원인균이 혈행으로 파급되어 발생하며 균혈증을 선행하거나 동반한다. 비인강이 병원균으로 집락화되며 바이러스 상기도감염이 병원성을 심화시킬 수 있다. N. meningitidis와 Hib는 털(pili)을 이용하여 점막 상피세포의 수용체에 부착하여 점막을 뚫고 혈류로 들어가는데 N. meningitidis는 점막 상피세포에 섭취된 후 포식 공포로 점막 표면을 통과한다. 두꺼운 피막을 가진 세균은 옵소닌 포식을 당하지 않아 혈류내 생존기간이 길어지며, 세포 옵소닌 포식 기전에 장애가 있는 소아는 균혈증에 걸릴 위험이 증가한다. 면역이 없는 어린 소아에서는 피막에 대한 IgM이나 IgG 항체가 형성되어 있지 않으며, 면역결핍자, 보체 또는 properdine이 결핍된 경우 및 비장 부전인 경우에는 효과적인 옵소닌 포식이 감소된다. 이러한 환자들의 혈류에서 생존한 세균은 맥락얼기 세포와 뇌 모세혈관 세포에 있는 수용체를 통하여 혈액뇌 장벽의 세포 가로지르기(transcellulary), 세포 사이(paracellular)를 통과하기, 감염된 포식세포(트로이 목마 기전)가 혈액뇌 장벽을 통과하기 등으로 뇌척수액 내로 들어간다.

뇌척수액 내로 들어간 세균은 뇌척수액 내 보체나 항체의 농도가 충분하지 못하여 빨리 증식한다. 그람음성 세균(Hib, N. meningitidis) 세포벽 지질다당질인 내독소와 폐렴사슬알균 세포벽의 구조(teichoic acid, peptidoglycan)은 tumor necrosis factor, interleukin 1, prostaglandin E, 및 다른 염증성 매개체를 생산하는 현저한 염증반응을 통해 중성구 침윤, 혈관투과력 증가, 혈액뇌 장벽 변화, 혈전 등을 초래한다. Cytokine 유발 염증은 뇌척수액이 멸균된 후에도 진행되어 후유증을 일으킨다.

수막염은 드물게 부비동염, 중이염, 꼭지돌기염(mastoiditis), 안와연조직염 등과 같이 근접 부위의 감염소로부터 세균이 침입하여 발생할 수 있고, 외상, 피부굴로, 수막척수 탈출증을 통해 세균이 침입하여 발생할 수 있다. 또한 신경외과 수술, 척수마취, 뇌실창냄술(ventriculostomy) 등의 합병증으로도 세균이 뇌척수액으로 들어간다. 뇌척수액 지름도 수막염을 초래할 수 있는데, 대부분은 수술중 균이 침입하여 지름 삽입 후 조만간에 발생하나 삽입 후 수년 후에도 후기 지름 감염이 발생할 수 있다. 포도알균, 특히

혈장 응고효소 음성 포도알균(coagulase-negative staphylococcus)이 지름 감염의 주 원인균이다. 포도알균은 특이 표면 단백(clumping factor, fibronectin binding protein)을 가지고 있어 숙주 유래의 단백인 섬유소와 섬유결합소 같은 것으로 코팅한 카테터의 표면에 부착되어 집락화는 능력을 가지고 있다. 부착된 균은 균막을 빠르게 형성하므로 항생제나 숙주방어로 이물질 표면으로부터 균막을 제거하는 것이 매우 어렵다.

[병태생리]

다양한 정도의 삼출물이 뇌 볼록면, 정맥, 정맥굴, 고랑, 실비우스 틈새, 기저수조와 척수에 분포되어 있으며 뇌실염, 경막하 삼출, 드물게 경막하 농흉이 동반할 수 있다. 뇌혈관 및 뇌실질에 다핵구 침윤, 혈관염, 작은 겉질 정맥의 혈전, 큰 정맥굴의 폐쇄, 괴사성 동맥염이 동반되며, 드물게는 혈전이 동반되지 않은 뇌 겉질 괴사 소견이 기술된 바 있다. 염증, 혈관 연축 및 혈전으로 인하여 다양한 크기로 뇌경색증이 올수 있다. 척수신경과 척수 뿌리의 염증은 수막자극 징후를 야기하고, 뇌신경의 염증은 시신경, 동안신경, 안면신경, 내이신경의 신경병증을 야기한다. 뇌압상승에 의해 천막탈출 시에 측두엽의 압박으로 안면신경 마비가 야기될 수 있으며, 외전신경의 마비는 뇌압상승의 비국소 징후이다.

뇌압상승은 세포사로 인한 세포독성 뇌부종, cytokine에 의한 모세혈관 투과성 증가로 인한 혈관 뇌부종 및 척수액 재흡수 저하로 인한 수압상승에 의한 간질 뇌부종에 기인한다. 뇌압은 300 mmH_2O를 넘어서면 뇌관류압이 50 cmH_2O보다 더 떨어져 뇌 관류가 더 위축될 수 있다. 항이뇨호르몬 부적절 분비증후군(SIADH)이 나타나 수액이 과잉으로 잔류하면 뇌압이 상승할 위험이 있으며 뇌 세포 외 공간이 저장성이 되어 세포독성 부종을 일으킬 수 있다. 그러나 상승한 뇌압은 지주막하 공간 전체에 미치기 때문에 천막, 낫(falx) 및 소뇌의 뇌 이탈은 대개 발생하지 않는다. 숫구멍이 열려 있으면 뇌압은 상승하지 않는다.

수두증이 급성기 합병증으로 발생할 수 있으며 대개는 뇌척수액의 흡수에 지장이 있는 교통 수두증이나, Magendie 구멍과 Luschka 구멍이나 실비우스 수도관의 섬유화와 신경교증으로 인한 폐쇄 수두증도 발생할 수 있다. 혈

액뇌 장벽의 투과성 증가와 경질막하 공간을 가로지르는 정맥과 모세혈관의 알부민 소실로 뇌척수액 내 단백질 상승이 일어나고, 세균수막염 후기에는 지속적 누출로 인하여 경막하 삼출이 생길 수 있다.

뇌척수액 중 당류 감소는 뇌 조직에 의한 포도당 운반의 감소에 의한다. 혈관폐색의 국소 혹은 광범위 효과(경색증, 괴사, 젖산 산증), 저산소증, 뇌염, 독성 뇌병증, 뇌압상승, 뇌실염 및 경막하 삼출로 대뇌 겉질의 손상이 생길 수 있다.

[임상증상]

급성 수막염은 두 가지 현저한 발병형태를 보인다. 흔하지는 않지만 극적인 발병을 보여 쇼크, 자반병 및 파종 혈관내 응고, 의식저하 및 24시간 내 혼수 혹은 사망으로 이어지는 경과를 취하거나, 보다 흔한 발병 형태로 상기도 증상, 위장관 증상을 동반한 며칠간의 발열 후 기면 및 과민성 증가 같은 비특이적인 중추신경계 감염 증상이 나타나는 경과를 취한다. 18개월 미만에서는 뇌압증가 소견의 후기 증상으로 고혈압, 서맥, 호흡저하 등이 나타날 수 있어 활력징후를 잘 관찰해야 한다.

나이에 따라 증상이 다양하게 나타나는데, 1세 미만에서는 열, 저체온, 기면, 보챔, 호흡부전, 황달, 식이저하, 구토, 설사, 경련의 증상이 주로 나타나고, 연장아에서는 열. 구토, 광과민성, 두통, 기면, 보챔이 나타난다.

비특이적 소견으로는 발열, 식욕부진, 상기도감염 증상, 근육통, 관절통, 빠른맥, 저혈압, 다양한 피부징후(점출혈, 자색반, 홍반성 반점 발진)가 있다. 자색반 피부병변은 N. meningitidis에서 흔하나 다른 균주에 의해서도 나타날 수 있다. 피부병변은 동맥염이나 균에 의한 직접적인 색전에 의해서 발생하고 발병 후 첫 수일 내에 나타난다. 관절염은, Hib, N. meningitidis 및 S. aureus에 의한 수막염에서 동반되거나 선행하여 나타나고, 단일마비로 오인될 수 있으며, 팔꿈치와 무릎 관절에 흔히 나타난다. Hib 수막염에서 균혈증으로 인해 안구주위 조직염이나 협부 조직염이 나타나기도 한다.

수막자극 징후로는 경부강직, 요통, Kernig 징후와 Brudzinski 징후가 있다. 12-18개월 미만의 영아에서는 나타나지 않을 수도 있다.

뇌압상승은 두통, 구토, 숫구멍 팽창, 봉합선의 분리, 동안(oculomotor) 또는 외전(abducens)신경 마비, 느린맥을 동반한 고혈압, 무호흡 또는 과호흡, 제피질경직자세 또는 대뇌제거경직 자세, 혼미, 혼수 및 뇌탈출의 징후로 나타난다. 유두부종은 합병증을 동반하지 않은 경우에는 흔하지 않으며 유두부종이 있으면 두개 내 농양, 경막하축농, 경질정맥굴 폐쇄 등과 같은 만성경과를 시사한다.

세균수막염 환자의 10-20%에서 국소신경 징후를 동반한다. 국소신경 징후는 대개 혈관폐쇄에 의한다. 시신경, 동안신경, 외전신경, 안면신경 및 내이신경의 뇌신경 병증은 국소 염증에 의해 발생할 수 있다. 달팽이와 전정기능이상은 고실계단(scala tympani)의 내림프계와 림프주위계 균혈증에 의해 발생하거나 세균에 의해 분비된 세포융해 독소에 의해 발생한다.

수막염 후 중이 기능이상으로 발생한 전음성 난청은 감각신경 난청과 구별해야 한다. 난청은 원인균에 따라 빈도의 차이는 없으나 1개월 이하 혹은 5세 이상의 소아, 수두증이 동반된 소아, 16일 이상 입원한 소아, 뇌척수액 내 당이 감소된 소아에서 발생할 위험성이 높다. 뇌간에도 국소 병변이 나타날 수 있으며 중간뇌와 간뇌의 접합부에 별개의 양측 병변은 선택적으로 하방 주시마비가 초래 된다. H. influenzae나 N. meningitidis 수막염에서 급성 소뇌실조가 드물게 나타날 수 있으며, 겉질 시각상실이 나타나기도 한다.

단순 경련이 수막염에서 단독 증상으로 나타나는 경우는 거의 없다.

뇌염, 경색 또는 전해질 장애에 의한 발작이 수막염 환자의 20-30%에서 나타난다. 발병 4일 이내에 발생하는 발작은 예후에 영향을 끼치지 않으나, 4일 후에도 지속되고 치료에 반응이 없는 경우는 예후가 나쁘다. 뇌압상승, 뇌염, 또는 저혈압으로 인해 정신상태가 저하될 수 있으며, 과민성, 기면, 혼미, 둔감 및 혼수를 보인다. 그 밖에는 눈부심, 뇌반(tachecrbrale)을 보인다.

[진단]

뇌척수액의 그람염색 및 배양에서 원인균 동정, 뇌척수액 내 다핵구증가증, 단백상승, 당감소를 등으로 급성 세균수막염을 진단할 수 있다.

요추천자는 세균수막염이 의심되면 반드시 실시해야

한다. 요추천자의 금기사항은 ① 의식저하를 동반한 제 3 및 6 뇌신경 마비, ② 호흡이상을 동반한 고혈압 및 서맥, ③ 즉각적인 소생술이 필요한 심폐기능 악화, ④천자 부위에 피부감염 등이다. 혈소판감소증은 요추천자의 상대적 금기사항이다. 요추천자를 지연하는 경우에는 즉각적인 경험적 항생제 투여가 필요하다. 뇌압상승이나 뇌농양을 확인하기 위한 뇌 CT를 하기 위해 치료를 지연해서는 안 된다. 뇌농양이 배제되거나 뇌압상승이 치료된 후에는 요추천자를 시행할 수 있다. 뇌압상승이 의심되지만 요추천자를 시행해야 하는 경우에는 mannitol이나 glycerol 등으로 뇌부종을 감소시킨 후에 최소한의 뇌척수액을 채취한다.

세균성 뇌수막염에서 뇌척수액은 육안으로 쌀뜨물 같은 농성 혼탁을 보이고 가만히 두면 점막양 편린 같은 부유물이 보이는데 이는 강한 염증반응에 의한 생긴 섬유소 성분을 의미한다. 정상적인 건강한 소아는 뇌척수액 내 5/mm^{3}의 백혈구를 가질 수 있으며 3개월 미만에서는 WBC가 7/mm^3 이상, 90일부터는 10/mm^3 이상일 때 비정상 수치로 간주한다. 정상적으로는 림프구 또는 단핵구 우위를 나타내는데 세균수막염에서는 뇌척수액 내 백혈구는 대개 1000/mm^3 이상으로 증가하고 호중구 우위(75-95%)를 나타낸다. 뇌척수액의 백혈구가 200-400/mm^3 를 초과하면 뇌척수액은 혼탁하게 보인다. 급성 세균수막염 환자의 20%에서 뇌척수액의 백혈구가 250/mm^3 이하를 나타낸다. 심한 패혈증과 수막염이 동반된 환자는 세포증가증이 없을 수 있으며, 이는 불량한 예후를 시사한다. 림프구 우위의 세포증가증이 급성 세균수막염의 초기 단계에 나타날 수 있으며, 반대로 호중구세포 증가증이 급성 바이러스 수막염의 초기 단계에 나타날 수 있다. 바이러스 수막염에서는 림프구-단핵구 우위로의 이동이 최초 요추천자의 12-24시간 내에 나타난다.

뇌척수액의 단백은 염증성 삼출기전에 의해 초기부터 증가하여 대부분 150 mg/dL 이상이고 때로는 1,000 mg/dL 이상이 되는 경우도 있다. 신생아기 이후의 정상 수액 내 당은 40 mg/dL 이상이다. 세균수막염 시 수액 내 당은 혈액뇌 장벽을 통한 당 운반의 결함이나 뇌의 당 이용 증가로 인해 대개 20 mg/dL 이하로 감소되며, 때로는 검출이 되지 않을 정도로 감소되기도 한다. 일반적으로 뇌척수액

당과 혈당의 비가 60% 이하이면 의미가 있다.

뇌척수액 내 당은 약 1시간 전의 혈당치에 비례하여 변동하므로 요추천자 전의 혈당치와 비교해서는 안 된다. 세균의 당분해 작용이 일어나기 때문에 가능한 신속하게 측정할 필요가 있다. 발작은 뇌척수액 내의 세포 수, 당과 단백의 농도에 변화를 초래하지 않는다. 뇌척수액 내 젖산은 저산소증 또는 부종이 해당작용 경로를 활성화시키지 않는 한 무균수막염에서는 정상이지만, 세균수막염에서는 의미 있게 증가한다.

혈청 CRP는 세균 신경계 감염에서는 12시간 후에 상승하지만 바이러스 감염에서는 상승하지 않기 때문에 뇌척수액 내 백혈구 수가 적은 경우에 세균수막염의 진단에 뇌척수액 TNF-α 혹은 IL-β의 측정보다 더 유용할 수 있다.

뇌척수액 내 원인 균주가 10^3 CFU/mL이하이면 그람염색은 대개 음성이고 10^5 CFU/mL 이상이면 대개 양성이다. 항생제 사용 전 뇌척수액 내 세균수는 평균 10^5-10^7 CFU/mL이고, 그람염색은 약 70%에서 양성을 나타낸다.

세균수막염이 의심되는 경우 그람염색이나 세포 수에 관계없이 항상 뇌척수액 배양을 실시하고 약제 감수성 시험을 시행한다. 배양 전에 이미 항생제를 투여받은 경우에는 배양이 음성이 되는 경우가 많다. 수액의 배양과 함께 동맥혈, 요, 인두점막의 배양도 동시에 시행한다.

혈액, 뇌척수액, 소변을 통해 신속하게 세균항원을 검사하는 방법으로 응집반응(latex particle agglutination), 침강반응(counter immuinoelectrophoresis), 효소면역 측정법(EIA 혹은 ELISA)이 있다. 신속진단법은 Hib, GBS, S.pneumoniae, N.meningitidis Group A, B, C, Y, W135의 다당질 항원을 검출하는 검사로 라텍스 응집은 침강반응보다 예민하고, Hib 수막염 환자의 85-90%, S.pneumoniae 수막염 환자의 50-75%, N.meningitidis 수막염 환자의 35-50%에서 양성이다. 신속항원 검사는 뇌척수액, 혈액 배양 음성인 환자에서 도움이 되고, 특히 요추천자 전에 항생제 치료를 받은 환자에게도 도움이 된다. 그 외에 분자 생물학적 검사법으로서 PCR법이 있다.

[감별진단]

결핵균, Nocardia, Treponema pallidum (syphilis), Borrelila burgdorferi (Lyme 병), 특정 지역의 유행(Coccidioides, Histoplasma, Blastomyces)하거나 면역약화된 환자에서 호발하는 진균(Candida, Cryptococcus, Aspergillus), Toxoplasma gondii와 Cysticerus cellulose 등의 기생충 및 바이러스가 중추신경계 감염을 일으켜 비슷한 임상증상을 보일 수 있다. 뇌농양과 뇌주위 농양(경막하축농, 두개와 척추의 경막외농양) 등의 중추신경계의 국소감염도 수막염과 감별이 필요하다. 감영보다는 빈도가 낮지만 악성 종양, 교원혈관 증후군 및 독소노출 등의 비감염질환도 중추신경계의 전반성 염증을 야기할 수 있다.

뇌척수액의 특이 염색(mycobacteria에 대해 Kinyoun-carbol fuchsin, 진균에 대해 india ink), 세포검사, 항원검사(Cryptococcus), 혈청검사(매독, arbocirus), 바이러스 배양(enterovirus) 및 PCR (herpes simplex, enterovirus) 등의 철저한 검사로 뇌 감염 원인을 찾을 수 있다. 그 외에 진단에 도움이 되는 검사로는 뇌 CT나 MRI, 혈액배양, 혈청학적 검사 및 뇌조직검사 등이 있다.

급성 바이러스 수막뇌염이 급성 세균수막염과 가장 흔히 혼동된다. 바이러스 수막뇌염 환자는 세균수막염보다 증상이 일반적으로 경하지만 중증도에 따라 다를 수 있다. 세균수막염 환자의 일부에서는 비교적 경한 증상과 징후를 나타내는 반면, 일부의 바이러스 수막뇌염은 증상이 심하다. 세균과 바이러스 수막염의 전형적인 뇌척수액 소견은 서로 분명히 다르지만(표 11-2), 임상양상, 검사소견은 상당히 중복된다. 바이러스 수막염의 뇌척수액 내 세포 증가는 병 초기에 다핵구 우위를 나타내지만 보통은 급속히

단핵구 우위로 된다. 세균수막염에서는 뇌척수액의 단백이 현저하게 증가하지만, 바이러스 수막염에서는 거의 변화가 없다. 또한 뇌척수액 내 당은 특히 세균수막염에서 감소하므로 혈청/뇌척수액의 당 비율이 감별의 좋은 지표가 된다. 그러나 볼거리 수막염에서는 당이 감소할 수 있고, 뇌척수액을 방치하면 세포분해가 되어 뇌척수액 당이 감소할 수 있기 때문에 감별진단 시에 주의를 요한다.

처음 시행한 뇌척수액 검사에서 이상은 없지만 세균수막염이 의심되거나, 임상양상이 악화되면 6-12시간 후에 요추천자를 재시행한다. 세균수막염이 의심되는 소아의 25-50%에서 진단 전에 이미 경구용 항생제를 복용하고 있기 때문에 이러한 환자들의 뇌척수액 분석에 주의해야 한다. 급성 세균수막염 환자에서 부분 치료는 뇌척수액의 그람염색의 양성 빈도와 세균 배양율을 감소시키지만, 뇌척수액 내 당과 단백의 농도, 호중구의 양상을 근본적으로 변화시키지는 않는다. 그 외에 혈청 CRP, 수액의 CRP, LDH, ferritin, 유산, lysozyme 활성, adenosine deaminase 활성, 뇌척수액과 혈청 알부민의 비 등이 세균수막염과 기타 수막염의 감별에 도움을 준다.

[치료]

기본원칙은 적절한 항생제 치료, 뇌대사 보호, 뇌압감시, 경련조절, 정상 혈량유지 및 발열의 조절이다. 발병 후 24시간 이내에 빠르게 진행하는 경우에, 뇌압상승을 의심하게 하는 소견이 동반되지 않았으면, 뇌척수액을 채취한

표 11-2. 중추신경계 감염의 뇌척수액 소견

구분	압력(mmH2O)	백혈구수(/μL)	다핵구(%)	단백(mg/dL)	당(mg/dL)
정상	50-80	<5	<25	20-45~	>50
세균수막염	100-300	100-10,000	>75	100-500	<40
부분 치료된 세균수막염	정상/상승	5-10,000	다핵구/단핵구	100-500	정상/감소
바이러스 수막염	100-150	10-1,000	<25	50-200	>50
결핵수막염	100-300	100-500	>255	100-500	<40
진균수막염	대개 상승	0-500	초기 다핵구, 후기 단핵구	25-500	<50
매독	상승	50-500	단핵구	50-200	>50
뇌농양	100-300	5-200	<25%	75-500	>50
경막하 축농	100-300	100-5,000	<25%	100-500	>50

후 즉시 항생제를 투여하며, 뇌압상승의 징후가 보이거나 국소신경 소견이 있으면 요추천자 및 뇌 CT를 하기 전 항생제를 투여와 함께 뇌압상승에 대한 처치를 시작한다. 동반된 쇼크, 호흡곤란 증후군과 같은 다기관 부전에 대한 치료도 중요하다.

1-7일에 걸쳐 아급성 경과를 밟는 환자에서도 뇌압상승 및 국소신경 손상에 대한 증상이 있으면 요추천자 및 뇌 CT를 하기 전 항생제를 투여하여야 하며 뇌압상승이 없으면 요추천자를 먼저 실시한다.

○ 초기 항생제 요법

면역이 정상인 환자에서 수막염에 대한 초기 경험적 치료에는 S.pneumoniae의 항생제 감수성에 의해 결정된다. S.pneumoniae에 대한 내성 빈도는 나라마다 차이가 있지만 빈도는 전 세계적으로 증가하는 추세이다. 미국에서는 S.pneumoniae 균주의 25-50%가 penicillin에 내성을 보이고 배양되는 균주의 25%에서 cefotaxime과 ceftriaxone에서도 내성을 보인다. 국내에서는 penicillin 내성 S.pneumoniae의 비율이 80%를 넘고 있다.

N.meningitidis는 대부분 penicillin 및 cephalosporin에 대한 감수성이 있으며, Hib는 30-40%에서 β-lactamase를 생산하여 ampicillin에 내성이 있고, 광범위 cephalosporin에 대해서는 감수성이 있다. 그러므로 초기 경험적 치료로 3세대 cephalosporin인 ceftriaxone (100 mg/kg/일, 1회 또는 2회 분주) 또는 cefotaxime (200 mg/kg/일, 4회 분주)과 vancomycin (60 mg/kg/일, 4회 분주)을 투여한다. β-lactamase에 과민성이 있으면 chloramphenicol (100 mg/kg/일, 4회 분주)을 투여하거나 탈민감시킬 수 있다.

L.monocytogenes 감염에는 cephalosporin이 효과가 없으므로 ampicillin (200 mg/kg/일, 4회 분주)을 같이 투여해야하며 정주 trimethoprim-sulfamethoxazole로 대치할 수 있다. 환자가 면역에 문제가 있거나 그람음성균 수막염이 의심되면 초기 치료에 ceftazidime과 aminoglycoside를 포함해야 한다.

○ 특수한 경우

면역저하된 경우, 경험적 항생제로 vancomycin과 ceftriaxone(또는 cefotaxime)을 쓰는 것이 가장 추천되나 CSF 그람염색에서 그람음성간균이 확인 되었다면 aminoglycoside (gentamicin 7.5 mg/kg/일 , 3회 분주 또는 amikacin 15-22.5 mg/kg/일, 3회 분주)를 추가하는 것이 좋다. 만약 내성 그람음성균 감염이 우려되는 경우라면 ceftriaxone/cefotaxime 대신에 meropenem을 사용한다.

암이 동반되었거나 중성구 저하가 있는 경우, 경험적 항생제는 그람염색 결과에 기반해야 한다. 초기 치료는 가능하면 vancomycin과 aminoglycoside에 ceftriaxone 또는 cefotaxime을 사용하고 녹농균이나 ESBL 관련 균주에 의한 감염 위험이 크다면 ceftriaxone (cefotaxime) 대신 meropenem을 사용한다.

T 세포 결함- 세포매개 면역이 결핍된 환자에서는 세균성 수막염의 원인균으로 S.pneumoniae와 L.monocytoneges의 가능성이 높다. 신장이식 환자에서 세균성 수막염을 의심한다면 특히 L. monocytogenes를 특히 고려해야 한다. T 세포 면역결핍이 있는 환아에서 이와 같은 원인균을 치료하기 위해서는 경험적 항생제로서 vancomycin과 ceftriaxone(또는 cefotaxime)에 고농도 ampicillin (300-400 mg/kg/일(최대농도 10-12 g/일, 4-6회 분주)을 포함시켜야 한다.

○ 항생제의 치료기간

합병증이 없고 penicillin에 감수성이 있는 S.pneumoniae 수막염은 3세대 cephalosporin이나 정주용 penicillin (400,000 U/kg/일, 4-6시간 간격)으로 10-14일간 투여하고, penicillin과 cephalosporin에 내성을 보이면 vancomycin을 끝까지 사용하여야 한다.

합병증이 동반되지 않은 N.meningitidis 수막염은 정주용 penicillin (400,000 U/kg/일)으로 5-7일간 사용한다. 합병증을 동반하지 않은 Hib 수막염은 7-10일간 치료하며, ampicillin에 감수성이 있으면 ampicillin을 사용하도록 한다.

L.monocytogenes 의 경우 14-21일간 투약하며, S.aureus는 적어도 2주를 치료한다.

뇌척수액 검사를 시행하기 전 항생제를 투여받은 환자에서는 원인균이 밝혀지지 않을 수 있으며 검사결과 급성 세균감염의 가능성이 보일 때는 ceftriaxone이나 cefotaxime을 7-10일간 사용한다. 국소징후가 보이거나 치료에 반응하지 않는 경우에는 뇌 전산 단층촬영이나 자기공명영상으로 수막주위 병소가 있는지 확인해야 한다.

대부분 뇌척수액 검사를 다시 할 필요는 없으나 β-lactamase 내성 S.pneumoniaae에 의한 경우나 신생아의 그람음성균 수막염인 경우에는 재검사를 실시하는 것이 좋다. 항생제가 적절히 사용된 경우에는 24-48시간 이내에 뇌척수액이 무균화되어야 한다. E.coli에 의한 수막염에는 cefotaxime이나 ceftriaxone을 사용하고, P.aeruginosa에 의한 수막염에는 ceftazidime을 사용한다. 그람음성 간균 수막염에는 3주 동안 또는 뇌척수액이 사멸된 후 적어도 2주 동안 투약해야 한다.

Ceftriaxone을 사용하는 경우 투여시간이 늦어지거나 저용량으로 부적절한 치료가 되는 경우를 방지하기 위해 하루에 2회로 나누어 투여하는 것이 권유된다. 몇몇 전문가들은 만약 dexamethasone이 투여가 되었다면 경험적 항생제 요법에 리팜핀을 추가하는 것을 제안하기도 한다.

항생제 치료에 따르는 부작용에는 정맥염, 약물열, 발진, 구토, 구강 칸디다증 및 설사가 있으며, ceftriaxone 무결석 담낭염을 초래할 수 있다. 무결석 담낭염은 복부초음파로 알 수 있으며, 대개 증상을 야기하지 않으나, 구토나 우측 상복부 통증이 동반된다. Cephalosporin이나 vancomycin 사용이 금기인 환아들은 소아감염 전문의에게 협진을 하도록 한다.

○ Corticosteroid

항생제 치료는 뇌척수액 내 세균을 신속히 사멸하나, 세포용해로 분비되는 독성물질이 cytokine매개 염증반응을 촉진시켜 신경손상을 증가시키고 중추신경계 징후와 증상을 악화시킨다. 이러한 염증반응을 감소시키기 위해 6주 이상된 소아에서의 Hib 수막염 치료에 정주용 dexamethasone (0.15 mg/kg/회, 6시간 간격, 2일간)이 사용되며 발열 기간을 줄이고, 뇌척수액 내 단백과 젖산을 감소시키며 감각신경 난청을 감소시킨다. 항생제 투여 1-2시간 전에 사용해야 최대 효과를 볼 수 있으나, 늦더라도 1-2시간 후에 투여해도 효과가 있을 수 있다. 그러나 다른 균에 의한 수막염에 있어서 corticosteroid의 효과는 확실하지 않다. Corticosteroid의 부작용으로 위장 출혈, 고혈압, 고혈당, 백혈구증가 및 마지막 투여 후의 반동성 발열이 있다.

○ Glycerol

혈장 삼투압을 증가시켜 중추신경계 부종을 감소시키고 뇌순환을 호전시키는 glycerol이 남아메리카 세균수막염 소아 환자에서 실명, 수두증, 중증 정신운동지연, 사지마비 등의 심한 신경계 후유증 발생을 감소시켰다는 보고가 있으나, 더 많은 연구가 필요하다.

○ 보조요법

세균수막염 환자에서 반복적인 내과적 및 신경학적 평가는 심장혈관계, 중추신경계 및 대사성 합병증의 초기 징후를 확인하는데 필수적이며, 맥박, 혈압 및 호흡 수를 자주 감시해야 한다.

신경계 합병증이 빈발하는 시기인 발병 후 첫 72시간에 동공반사, 의식수준, 근력, 뇌신경 징후 및 발작을 포함하는 신경계 평가가 자주 시행되어야 한다. 중요한 검사실 검사에는 BUN, 혈청 나트륨, 염소, 칼륨, 중탄산염, 소변량 및 비중, 전체 혈구수 및 혈소판수가 있고, 점 출혈, 자반 혹은 이상 출혈이 있으면 응고인자들(fibrinogen, prothrombin 및 partial thromboplastin times)의 평가를 포함한다.

금식 후 환자의 정상 혈압 및 혈량 유지 확인

- 뇌압상승 또는 SIADH가 없다는 것이 확인될 때까지 수액을 유지량의 1/2-1/3 또는 800-1,000 mL로 제한(혈청 나트륨 치가 정상일 때 정상 유지량 1500-1700 mL 투여)
- 전신 저혈압이 있으면 혈압이 감소되어 뇌 관류압이 감소하고 중추신경계 허혈을 유발할 수 있으므로 수분제한은 적절하지 않음
- 쇼크가 있을 시 뇌와 다른 기관의 이상(급성 세뇨관 이상, 급성 호흡곤란 증후군) 예방위해 적극적으로 치료

쇼크, 현저한 뇌압상승, 혼수 및 조절되지 않는 발작을 동반한 환자

- 중심 동맥과 정맥을 확보하고 자주 활력징후를 검사하며 소아 중환자실에 입원시켜 집중감시
- 뇌압상승 징후 : 기관 내 삽관과 과호흡(pCO2를 약 25 mmHg로 유지)으로 즉시 치료
- 발작: diazepam(0.1-0.2 mg/kg/회) 혹은 lorazepam

(0.05-0.10 mg/kg/회)을 정주하고 호흡억제 유무 관찰, 저혈당증, 저칼슘혈증 및 저나트륨혈증이 발작을 유발하였는지를 확인하기 위하여 혈청 당, 칼슘 및 나트륨치를 감시, 재발 가능성을 줄이기 위하여 phenytoin(부하량 15-20 mg/kg, 유지량 5 mg/kg/일)을 투여 혈청 phenytoin의 농도를 감시하여 10 ug/mL의 치료범위 유지

[치료에 대한 반응]

치료에 대한 반응은 대개 임상적(열 곡선, 증상의 해소)으로 감시하지만 일부 환자에서는 뇌척수액 검사나 영상검사를 반복하는 것이 필요하다. 첫 혈액배양검사에서 양성이 나왔다면 혈액배양검사는 재검을 하는 것이 필요하고, 지속적인 보챔, 경련, 국소 신경학적 이상, 머리둘레 증가, 신경학적 합병증(뇌실확장, 뇌농양) 등이 관찰되는 경우에 영상검사가 고려되어야 한다.

열의 지속기간이 8일 이상 열이 지속되거나 2차적으로 열이 발생한다면 다음을 고려한다

① 부적절한 치료
② 원내감염의 발생(정맥 내 도관 감염, 요로감염, 바이러스 감염)
③ Dexamethasone의 중단
④ 화농성 합병증(심낭염, 폐렴, 관절염, 뇌경막하 농양)
⑤ 약물에 의한 발열

뇌척수액 검사 재검은 24-36시간의 경험적 항생제 사용 이후에도 임상적으로 치료 반응이 나타나지 않는 환자(특히 cephalosporin 저항성 폐구균 뇌수막염 환자나 dexamethasone를 투여받은 폐구균 뇌수막염 환자의 경우)에게 뇌척수액 검사를 재시행하는 것을 고려해야 한다.

신경영상 검사는 급성 세균성 뇌수막염에서 다음과 같은 치료경과를 보일때 검사의 적응증이 된다.

① 국소 신경학적 증상, 머리둘레의 증가, 보챔이나 경련이 치료 72시간 이후에도 지속
② 적절한 항생제 치료 이후 지속적으로 뇌척수액 배양검사가 양성일 때
③ 표준치료의 종료 단계에서 뇌척수액 중성구가 증가되어 있을 때
④ 재발성 뇌수막염(CT가 비교적 용이하고 비침습적인 방법으로서 추천됨)

[합병증]

○ 경막하 삼출

- 수막염 환자의 10-30%에서 발생하고, 영아에서 흔하다.
- 환자의 85-90%가 무증상을 보이나 팽창된 숫구멍, 봉합의 분리, 머리둘레의 증가, 구토, 발작, 발열 및 두개 조명상 비정상 소견을 보일 수 있음
- 후두부에 국소적으로 발생하기도 하지만 대부분은 전두두정 부위에 발생
- 경막하 공간 내 연결 정맥의 혈전정맥염, 혈관투과성 이상 및 지주막염에서 감염의 전파에 의해서 발생하고 주로 양측성으로 발생
  * 세균수막염 영아에서 경막하 삼출을 의심할 수 있는 소견
- 72시간 동안 항생제를 포함한 적절한 치료에도 발열이 지속되는 경우
- 72시간 동안 적절한 항생제 치료에서 뇌척수액 배양검사가 양성일 경우
- 국소적 혹은 지속적 발작이 발생학 경우
- 구토가 지속적이거나 반복적으로 발생할 경우
- 국소 신경학적 징후가 발생할 경우
- 임상경과가 좋지 않을 경우, 특히 72시간 동안 적절한 항생제 치료에도 뇌압상승의 증거가 있는 경우

○ 항이뇨호르몬 부적절 분비증후군(SIADH)

- 일부 환자에서 발생하여 저나트륨혈증과 혈청 오스몰 농도 감소가 오며 뇌부종을 악화시키고 저나트륨혈증 발작을 일으킴
- 체중, 혈청 전해질과 삼투압, 소변양, 요 비중 및 요 오스몰 농도를 반복적으로 측정하여 진단
- Tx: 수분을 제한하고 furosemide 등의 이뇨제를 투여하고 심한 경우에는 적은 양의 나트륨 투여
- 치료경과의 후기에 시상하부 또는 뇌하수체의 기능이상으로 중추성 요붕증이 발생

○ 파종 혈관내 응고(DIC)

- N.meningitidis 수막염과 그람음성 수막염에서 흔히 동반되고, 점 출혈, 자색반 및 저혈압이 특징적으로 나타남

- 섬유소원의 감소, 혈소판 감소, 프로트롬빈 시간이 연장되면 진단 가능
- DIC와 내독성 쇼크 때문에 부신 겉질 출혈, 순환 허탈을 일으켜 급속히 진행되어 사망에 이르는 Waterhouse-Friderichsen 증후군을 야기하는 경우

○ **뇌실염**(ventriculitis)
- 지주막하 공간에서 뇌척수액의 흐름이나 운동성 세균의 이동으로 인한 균의 전파로 야기되고 신생아 수막염에서 흔히 발생
- 뇌실염이 실비우스 수도관의 폐쇄와 동반되면 감염은 국소화되어 농양을 형성
- 뇌압의 갑작스런 상승은 뇌간 이탈과 뇌실 주위에 관류장애를 초래
- Tx: 다량의 정주용 항생제로 치료하나 반복적인 세척과 배액이 필요

○ **뇌농양**
신경학적 국소 증상이 있고 뇌압상승의 소견을 보이면 뇌농양을 생각

○ **뇌실 확장과 수두증**
- 뇌척수액의 생산 증가와 흡수 감소로 인하여 뇌척수액 항상성의 장애가 발생하여 급성기에 두개내압의 증가와 뇌실 확장이 초래
- 뇌실 확장은 보통 일과성
- 만성 수두증은 뇌척수액의 배액로의 염증으로 인하여 수도관이 폐쇄되거나 뇌 실질의 위축으로 인하여 발생
- 지속하는 폐쇄성 수두증이 있으면 지름술을 시행하여 뇌압을 낮춤

○ **난청**
- 감각신경 청력장애는 세균수막염의 가장 흔한 후유증
- S.pneumoniae가 원인인 경우에 많게는 30%, N.meningitidis 10%, Hib 5-25%
- 와우 수도관으로 세균이 전파되어 나타나거나 청신경장애에 의해 발생하며 드물게 중이염에 의한 전음성 난청이 발생

- 수막염의 발병 조기부터 나타날 수 있고 회복은 대개 발병 첫 2주 말경에 나타나나 대부분에서 난청은 영구적 퇴원 전후에 청력 측정 또는 유발전위검사로 면밀한 청력검사를 받아야 하고 청력소실이 확인된 경우에는 추척관찰을 하며 심하면 와우이식을 고려

○ **심외막염과 관절염**
- 세균의 광범위 전파 혹은 면역복합체의 축적으로 발생
- N. meningitides 수막염에서 흔함
- 감염성 심외막염 또는 관절염은 일반적으로 면역유도 질환에 비하여 치료경과의 초기에 발생

○ **발열**
- 세균수막염과 동반하여 나타나는 발열은 대개 치료 시작 후 5-7일 이내 소실
- 10일 이상의 지속성 발열은 약 10%에서 발생
- 대개 바이러스 감염, 병원내 또는 속발 세균감염, 혈전정맥염 및 약물반응에 의함

[예후]
- 사망률은 적절한 치료를 하였을 때에 10% 미만이며, S.pneumoniae 수막염에서 제일 높다.
- 생존자의 10-20%에서 신경발달에 심각한 후유증을 경험하며, 50%에서 미약하지만 신경행동장애가 나타난다.
- 6개월 미만의 영,유아에서 발생했을 때와 뇌척수액 내 세균 수가 10^6 CFU/mL 이상일 때에 예후가 가장 나쁘다.
- 치료 시작 후 4일 이후에 발작이 일어나거나 첫 진찰 시 혼수나 국소적 신경증상이 보이는 경우에는 장기 후유증이 나타날 확률이 커진다.
- 수막염이 진단되기 전 증상이 있었던 기간과 예후와는 관련성이 없다.
- 가장 흔한 신경계 후유증으로 청력, 시각 및 행동장애, 정신지연, 언어습득 지연, 발작 등

[예방]
예방접종과 감수성 접촉자에서의 항생제 예방요법으로

세균수막염의 발생을 줄일 수 있다

○ N. meningitides

- 수막염 환자에 노출된 모든 사람은 연령이나 예방접종력에 관계없이 항생제 예방요법을 받아야 한다
- 긴밀한 접촉을 한 사람(가족, 어린이 보호시설, 유치원, 구강 분비물에 직접 노출된 의료기관 종사자)에게 rifampin(20 mg/kg/일, 2회 분복, 최대 용량 600 mg, 2일)을 신속히 복용하도록 하며 N.meningitidis 질환에 조기 증상을 알려주어 그러한 증상이 발생하면 즉시 진찰을 받도록 한다.
- N.meningitidis 4가지 다당질 백신(A,C,Y,W135)과 단백결합 백신이 개발되어 있으며 11-12세에 접종을 권유
- 2세 이상의 고위험군(해부적 혹은 기능적 무비증, 말단 보체 단백의 결핍이나 대학 기숙사 신입생에게 접종을 권유)

○ H.influenzae

- 충분히 예방접종을 받지 않은 4세 미만의 소아나 면역결핍 환자가 있는 가족이 Hib에 의한 침습성 질환 환자에게 노출되었다면 모든 가족 접촉자는 rifampin(20 mg/kg/일, 1회/일, 최대용량 600 mg, 4일)을 성인을 포함한 모든 접촉자에게 투여
- 가족 내 접촉이라 함은 환자와 적어도 입원하기 전에 5-7일 동안 4시간 이상 같이 보낸 경우
- Rifampin은 소변과 땀을 적오렌지색으로 착색시키며, 경구용 피임약 같은 일부 약물의 혈중 농도를 감소

○ S.pneumoniae

- 23가 다당질 백신은 2세 이상의 소아에게 접종할 수 있으며, 단백결합 백신은 생후 2개월부터 60개월까지의 소아에서 접종
- 미국 등 일부 선진국에서는 침습성 S.pneumoniae 감염의 위험이 높은 연령 2-23개월의 모든 영아 및 소아의 기본접종에 포함되어 있으며 연령에 따라 2-4회 접종
- 우리나라에서는 기본 예방접종에 포함되어 있지 않으나 고위험군 영아 및 소아에게는 접종

3. 결핵성 수막염(Tuberculous meningitis)

[역학]

화학요법의 발달에도 불구하고 Mycobacterium tuberculosis에 의한 결핵성 수막염은 전 세계적으로 소아청소년 시기에 심각한 문제로 남아 있다. 결핵균은 호흡기로 전파되고 특히 개발도상국에서는 영유아와 소아가 주로 감염된다. 다른 폐외 결핵에 비해 사망률이 높은 결핵성 수막염의 발생빈도는 초감염 결핵의 0.3%이며, 6개월에서 4세 사이의 소아에서 초감염 후 2-6개월 내에 발생하고 생후 3개월 이전 영아에서는 발생이 드물다. 그리고 결핵성 수막염은 25-50%에서 속립성 결핵을 동반하며, 결핵 환자와 접촉한 병력을 자주 발견할 수 있다.

[병인]

감염은 항산성균인 M. tuberculosis에 의해 주로 발생하나 Mycobacterium bovis에 의해서도 간혹 발생한다. 결핵균이 기도로 침입하면 폐에 원발소를, 근처 림프절에 림프절 종창이 생성하며 이 때 결핵균은 혈류나 림프를 통하여 전신의 장기로 퍼지면서 대뇌 겉질이나 수막에 들어가 전이성 건락 병소를 형성하고 소량의 결핵균이 지주막하로 침투하여 수막염 증상을 일으킨다.

병리소견으로는 수막뇌염 중에 주로 뇌기저 부위 수막염을 유발하고 뇌실질에도 국소 감염을 일으키기도 한다. 지주막하 염증성 삼출물이 대뇌 혈관에 염증을 일으켜 혈관폐색과 대뇌 겉질의 경색, 뇌간 부위를 침범하여 뇌신경 III, VI, VII의 기능장애를 유발하고, 뇌저조(basilar cistern)에서 뇌실을 막아 교통성 수두증을 유발한다. 결과적으로 혈관염, 뇌경색, 뇌부종 및 수두증으로 인한 심한 손상, 그리고 부적절한 항이뇨호르몬 분비로 인한 전해질 이상 등을 초래한다.

[임상증상]

임상증상은 아주 다양하고 비특이적으로 증상만으로 결핵성 수막염을 진단하기는 어렵다. 그러나 증상 발현 시점과 증상의 진행양상이 진단의 감별에 도움이 되는데 세균성 수막염에 비해 증상 발현 기간이 5-7일로 길고, 뇌신경 마비를 약 30%에서 보이며 약 10%는 척수를 침범하는

것으로 알려져 있다.

결핵성 수막염의 가장 흔한 형태는 수막에 직접 침범하는 건락(caseous) 수막염으로 약 70%를 차지한다. 결핵성 수막염은 생후 1-2세 사이의 영아에서는 초감염에서 발생하며 나이 든 소아에서는 전신 결핵의 합병증으로 발생한다. 치료하지 않으면 급격히 진행하여 3주 이내에 사망한다. 영아나 어린 소아에서는 빨리 진행하여 수일 이내에 수두증, 경련, 뇌부종을 나타내기도 하지만 대부분의 경우 몇 주에 걸쳐 다음과 같은 3단계의 경과를 보인다.

제 1기: 발병 후 1-2주간 지속하며 비특이적인 증상인 발열, 두통, 보챔, 기면, 권태 등을 나타낸다. 국소 신경증상은 보이지 않지만 영아에서 발달정지나 지연을 보이기도 한다. 환자의 10%에서, 특히 영아에서 열성경련을 잘 동반한다.

제 2기: 점진적인 의식의 혼탁과 피질척수로의 기능이상을 보인다. 흔한 임상양상으로는 기면, 경부강직, 경련, Kernig 징후, Brudzinski 징후, 근긴장 항진, 구토, 뇌신경마비(III, VI, VII) 및 다른 국소적 신경증상이 나타나며 이러한 임상경과는 수두증, 뇌압상승 및 혈관염의 시작과 관련이 있다. 때로는 수막자극 증상보다 의식혼탁, 지남력 상실, 운동장애, 언어장애 등의 뇌염 증상이 두드러지게 나타날 수 있다.

제 3기: 혼수, 편마비, 양측 하지마비, 고혈압, 제뇌경직, 활력징후의 악화가 나타나고 눈동자는 고정되고 사지는 경직되고 불규칙적인 호흡과 고열이 나타난다. 더 진행하면 사망하게 된다.

결핵성 수막염이 3주 이상 지속되면 환자의 약 2/3에서 수두증이 발생한다. 결핵성 수막염에 동반하는 대사장애는 대사 알칼리혈증, 저나트륨혈증, 저염소혈증, 세포외액의 저긴장성 팽창이 있으며 구토는 전해질 이상을 악화시킨다.

결핵성 수막염의 다른 형태로는 결핵종(tuberculoma)이 있다. 결핵종은 대부분 원형 혹은 타원형이고, 주로 단일 병변으로 석회화는 드물며 임상적으로 뇌종양으로 여겨질 수 있다. 소아에서는 천막 하부 즉 소뇌 근처인 뇌기저 부위에 위치한다. 결핵종의 가장 흔한 증상으로는 두통, 발열, 경련이 있다. 결핵성 수막염 환자에서 국소 신경학적 이상과 척수액 내 당의 감소가 12주 이상 지속되면 결핵성

뇌농양이나 결핵종을 의심할 수 있다.

결핵성 척수막염(tuberculous spinal arachnoiditis)의 임상증상은 주로 척수강이 막혀 양측 하지마비나 사지마비를 일으킨다. 감각소실은 신경근 분포를 따라 감각부위에서 발생하고 방광과 장도 침범한다. 증상으로는 넘어지면 허리통증이 유발되고 걸음걸이가 불안정하거나 비틀거린다. 복통이 빈번하고 의식은 정상이며 경추나 척추의 강직이 발생한다. 뇌척수액은 양이 적고 현저한 단백의 상승을 보인다.

결핵성 수막염의 혈장형(serous form)은 드물며 활동성 초감염 결핵이 있는 소아에서 나타나고 증상은 뇌막자극 증상이다. 결핵성 수막염과 달리 뇌척수액 소견은 정상이다.

[진단]

임상증상은 다양하고 비특이적이어서 증상만으로 결핵성 수막염을 의심하고 진단하기는 무척 어렵다. 그러나 아급성의 수막염 증상, 결핵에 노출된 병력, 결핵 피부반응 검사 양성, 뇌척수액 소견과 배양검사 결과가 진단에 도움이 된다.

○ 뇌척수액 검사

뇌척수액은 간유리(ground glass)양으로 보이며 뇌압은 상승되어 있다. 세포 수는 10-500/μl로 초기에는 다핵구가 많으나 곧 림프구로 대치된다. 당은 초기에는 정상을 보이다가 곧 감소하여 40 mg/dL 미만으로 나타나지만 20 mg/dL 미만으로는 감소하지 않는다. 단백은 상승하며 수두증이나 척수액의 차단이 있으면 400-5,000 mg/dL 이상으로 증가한다. 뇌척수액 내 adenosine deaminase 상승 소견이 관찰되나 다른 질환에서도 상승할 수 있다.

결핵성 수막염 환자에서 뇌척수액의 항산균 도말 양성률은 5-25% 정도로 알려져 있다. 뇌척수액 배양검사는 배양기간이 길기 때문에 항결핵제 치료 시작에는 도움이 되지 않지만 추후에 확진에 도움이 되고, 배양 시 약제 감수성 검사를 통해 내성 결핵을 감별할 수 있어 진단에 필요하다.

결핵성 수막염 환자의 뇌척수액에서 결핵균 핵산 증폭 검사는 진단 확진에는 유용하지만 진단을 배제하기는 어

렵다. Interferon-gamma releasing assay (IGRA)는 다른 폐외 결핵에 비해서 민감도가 낮고, 잠복결핵인지 혹은 결핵성 수막염과 같은 활동성 결핵에 의한 양성인지를 구별할 수 없어 해석에 주의가 필요하다.

○ 영상의학적 검사

결핵성 수막염 환자의 약 50%는 중추신경 이외 부위에 결핵의 증거가 있으므로 결핵성 수막염이 의심되는 환자에서 반드시 다른 부위에 결핵의 증거가 있는지 확인해야 한다. 뇌 CT의 경우 뇌저 수조에 수막 조영증강, 수두증, 결절성 병변, 중간대뇌동맥 부위의 뇌경색 소견이 흔하게 관찰되는 소견이다. 일반적으로 뇌 CT보다는 뇌 MRI가 결핵성 수막염이 의심될 때 더 선호되는 검사이다. 그러나 이러한 영상의학적 소견은 결핵에서만 나타나는 특징적인 소견은 아니므로 영상의학적 소견만으로 결핵을 확진하기는 어렵다.

○ 뇌파검사

미만 혹은 국소 뇌파 이상이 80%에서 나타난다. 국소 이상은 뇌연화, 뇌경색의 출현, 뇌전증 초점 등을 의미한 다. 배경파는 주로 서파를 보이는데 병의 경과를 반영하므로 염증이 호전되면 서파는 사라진다.

[치료]

결핵성 수막염의 치료는 신속하고 적절하게 시행해야 하고, 적절한 화학요법, 수분과 전해질 교정 및 뇌압의 조절을 목표로 한다. 결핵성 수막염에서 일차 항결핵제 용량은 폐결핵과 동일한 용량을 사용한다. isoniazid, rifampin, pyrazinamide, streptomycin 4제를 매일 2개월간 사용한 후 isoniazid와 rifampin을 매일 혹은 주 2회로 10개월간 투여한다. Streptomycin에 내성이 있는 경우는 streptomycin 대신에 capreomycin (15-30 mg/kg/일) 혹은 kanamycin (15-30 mg/kg/일)을 사용한다. 치료 도중 isoniazid (89%)와 pyrazinamide (91%)는 뇌척수액 내 통과에 영향이 거의 없으나 rifampin (5%)과 streptomycin (20%)은 통과가 어려워 치료농도가 감소할 수 있다.

Prednisone (1-2 mg/kg/일, 6-8주 투여)의 보조치료는 종종 수막염에서 추천된다. 스테로이드는 뇌압과 뇌부종을 감소시키고 속립 결핵의 폐 증상을 감소시킨다. 뇌압상승이 심하게 지속되면 dexamethasone (6 mg/m², 매 4-6시

표 11-3. 결핵치료에 사용되는 항결핵제

항결핵제	매일 투약시 일일 용량 (mg/kg/일)	주 2회 투약 시 매회 용량(mg/kg/회)	투약 경로 및 방법	주요 부작용
Isoniazid	10-15 (최대량 300 mg)	20-30 (최대량 900 mg)	경구, 1-2회	간장애, 말초신경염, 피부발진, 과민반응, 드물게 발열
Rifampin	10-20 (최대량 600 mg)	10-20 (최대량 600 mg)	경구, 1-2회	간장애, 혈소판감소증, 붉은 요 및 분비물, 독감 증상
Ethambutol	20 (최대량 2.5 g)	50	경구, 1회	시신경염, 위장장애, 과민반응
Pyrazinamide	20-40 (최대량 2 g)	50	경구 2-3회 분복	간장애, 고요산혈증, 관절통증, 위장 장애
Para-aminosalicylic acid (PAS)	200-300 (최대량 10 g)		경구 2-4회 분복	위장장애, 과민반응, 간독성
Ethionamide	15-20 (최대량 1 g)		경구 2-3회 분복	위장장애, 간독성, 과민반응, 갑상샘저하증
Cycloserine	10-20 (최대량 1 g)		경구 2회 분복	정신장애, 성격변화, 발작, 발진
Amikacin	15-30 (최대량 1 g)		정주, 근주	청력장애, 신장애
Kanamycin	15-30 (최대량 1 g)		정주, 근주	청력장애, 신장애
Capreomycin	15-30 (최대량 1 g)		근주	청력장애, 신장애
Streptomycin	20-40 (최대량 1 g)		근주	8차 뇌신경 장애, 신 장애, 피부 발진

간 간격)을 단기간 사용하여 뇌부종을 감소시키거나 혹은 뇌실복강 지름수술로 급성 수두증을 감소시킨다.

결핵종은 약물치료로 대개 소실되지만 때로 수두증을 동반하는 천막 하부의 결핵종은 뇌실복강 지름술을 시행해야 한다. 결핵종의 약물치료는 결핵성 수막염의 치료와 유사하나 치료기간은 18-24개월을 추천한다. 소아에서 흔히 사용하는 항결핵제는 표 11-3과 같다.

[예후]

결핵성 수막염은 치료하지 않으면 치명적이다. 치료하면 뇌척수액의 당은 1-2개월 내에 정상이 되지만 뇌척수액 단백은 4-26개월 내에 정상이 된다. 심각한 합병증으로는 수두증, 강직성 불완전 마비, 경련, 하반신 마비, 사지의 감각이상 등이 있으며 시신경 위축과 실명, 청력장애와 전정 기능 장애가 발생할 수 있다. 경한 후유증으로는 뇌신경 마비와 안구진탕, 운동실조, 경한 협조운동 장애 및 연축, 지능장애 등이 있고, 선별적인 뇌하수체의 기능이상으로 성조숙증, 고프로락틴혈증, 항이뇨호르몬, 부신피질자극호르몬 및 성선자극호르몬의 결핍 등을 보일 수 있다.

예후에 영향을 미치는 가장 중요한 요인은 치료를 시작한 시기로 제 1기에 치료한 환자는 예후가 좋지만 제 3기에 치료한 환자는 생존한 환자의 대부분이 실명, 청각장애, 양측 마비, 요붕증 및 지능장애 등의 영구적 장애를 지닌다. 또한 발병연령이 3세 이하인 경우가 나이 든 소아보다 예후가 좋지 않다. 결핵성 수막염의 사망률은 10-20%이다.

4. 호산구성 수막염(Eosinophilic meningitis)

[정의]

호산구성 수막염은 뇌척수액의 호산구가 ≥10/mm^3 또는 뇌척수액 내 백혈구 중 호산구가 10% 이상 있는 경우로 정의한다.

[원인]

가장 흔한 원인은 기생충 감염으로 중추신경계로의 침범에 의해 발생하거나 혈행을 타고 중추신경계에 도착하여 수막염을 일으킨다. Angiostrongylus cantonensis, Gnathostoma spinigerum, Baylisascaris procyonis가 가장 흔하며 기타 다른 기생충으로는 대뇌와 척수의 schistosomiasis, toxocarariasis, trichinellosis, echinococcosis, neurocysticercosis, fascioliasis, 그리고 대뇌와 척수의 paragonimiasis 등이 있다.

호산구성 수막염은 중추신경계의 세균성, 바이러스성 혹은 진균성인 Coccidioides immitis 감염이 있는 경우에도 드물게 나타난다.

비감염성 원인에는 다발성 경화증, 악성종양(Hodgkin's disease, medulloblastoma), 과호산구 증후군, 약물에 대한 반응(ciprofloxacin, ibuprofen, intraventricular vancomycin, gentamicin, amoxicillin, trimethoprim-sulfamethoxazole), 뇌실복막 지름술에 대한 반응 등이 있다. 기생충에 의한 감염이 흔한 국가가 아닌 곳에서는 호산구성 수막염의 보고가 적고 비감염성 요인이 주된 원인이다.

[역학]

A. cantonensis는 가장 흔한 호산구성 수막염의 원인이며 동남아시아, 남태평양, 인도네시아, 필리핀, 일본, 중동, 아프리카, 쿠바에서 발견된다. 쥐가 최종 숙주로 쥐의 배설물을 먹은 뱀이나 민달팽이가 중간 숙주이다. 감염은 감염성 3기 유충을 가진 뱀, 민달팽이, 보리새우 혹은 게를 날것으로 먹거나 덜 익혀 먹으면 발생된다.

G. spinigerum은 동남아시아, 태국, 일본, 중국 남부, 멕시코, 미국 남부에서 발견된다. 어류, 개구리, 뱀, 닭, 오리 등을 날 것으로 먹거나 덜 익혀 먹으면 발생된다.

B. procyonis는 너구리의 70-82%에서 발견되는데 사람에게서 치명적인 호산구성 수막뇌염을 일으킨다. 감염은 주로 너구리 서식지 근방에서 너구리와 접촉하거나 너구리 배설물이 섞인 흙을 먹으면 발생한다.

[임상증상]

증상은 원인에 상관없이 평균 4일 동안의 발열, 말초 호산구 증가, 구토, 복통, 피부발진, 감각이상, 신경근 통증, 뇌신경 이상 등의 증상이 나타나며 길게는 15일까지 증상이 지속되기도 한다. 드물게는 정신착란, 사지마비, 사망까지 일으킬 수 있다. 하지만 대개는 두통이나 약간의 뇌막자극 증상만을 보이고 저절로 호전된다.

[진단]

호산구성 수막염의 임상증상과 검사소견이 있고 기생충에 노출되거나 유행지를 여행한 경력이 있으면 기생충에 의한 호산구성 수막염으로 추정 진단할 수 있다.

A. cantonensis의 뇌척수액은 약간 혼탁하고 백혈구 수는 150-2,000/㎕로 호산구가 10% 이상이며 단백은 증가하고 당은 정상 혹은 약간 감소를 보인다. 말초혈액 검사에서도 약 2/3에서 호산구의 증가를 보인다. 뇌 CT나 MRI에서 국소 병변이 없는 것이 특징적이다. 면역진단으로 Western blot 분석을 이용한다.

G. spinigerum의 뇌척수액은 황변 혹은 혈액과 유사한 색이며 세포 수는 500/㎕ 미만이고 호산구는 15-90%이며 단백은 증가하고 당은 정상이다. 환자의 반수에서 말초 혈액에서도 호산구가 10% 이상을 보인다. 뇌 또는 척수의 CT나 MRI에서 국소 병변이 있다. 면역진단으로 Western blot 분석을 이용하여 G. spinigerum에 대한 항체를 검출한다.

B. procyonis의 감염 시 신경영상 소견에서 뇌실 주변의 백질에 미만성의 병변을 보인다. B. procyonis 유충 항원에 대한 Western blot 분석이 진단에 유용하다.

풍토병 지역 이외의 다른 국가에서는 호산구성 수막염의 진단에 있어 비감염성 원인을 우선적으로 감별하는 것이 중요하며 신경외과적 처치 및 시술 시행 여부를 주의 깊게 확인해야 할 필요가 있다.

[치료 및 예방]

대중적 치료가 주된 치료이며 대개는 항생제 투여 없이 충분히 호전되고 뇌압상승으로 인한 지속적인 두통에 대하여 반복적인 요추천자를 통해 증상을 호전시킬 수 있다.

A. cantonensis는 특별한 치료 없이 3-6주 내에 완전히 회복된다. 신경학적 증상은 수개월 지속되지만 사망률은 1% 이내이다.

G. spinigerum의 일차 치료는 두통과 신경근 통증을 경감시키는 것으로 국소적 신경손상에는 스테로이드를 사용한다. 영구적 신경장애가 흔히 동반되며 사망률은 7-25%이다.

B. procyonis의 치료 역시 대중적 치료이며 스테로이드가 염증을 감소시킬 수 있다. 예방은 이들 질환을 유발하는 기생충에 노출되는 것을 피하는 것이다.

5. 진균성 수막염(Fungal meningitis)

[원인]

진균 자체는 토양이나 주위 환경에 항상 존재하고 면역이 정상인 소아에서는 대량으로 흡입한 경우를 제외하곤 감염이 안 되지만, 면역결핍 중에서도 세포면역 이상이 있는 경우는 전신 진균감염이 발생하고 합병증으로 수막염을 동반할 수 있다. 신경계가 진균에 감염이 되면 만성 육아종 뇌수막염이나 농양을 유발한다. 두부외상, 뇌실복강 지름술 후에 균이 중추신경계로 직접 감염되어 수막염이 일어날 수 있다. 면역결핍에 의한 진균성 수막염은 대부분 난치성으로 예후가 나쁘다.

진균성 수막염의 원인균으로는 Cryptococcus neoformans가 가장 흔하고 그 다음으로 Candida albicans이다. Coccidioides immitis와 Histoplasma capsulatum 등도 원인이 되지만 대개 유행지역에 한정되어 나타난다.

C. albicans는 전신감염의 합병증으로서 수막염을 일으킨다. C. albicans 감염은 주로 장회전 이상, 태변 장폐색증 등의 선천적 기형을 동반한 경우에 발생하지만 뇌실복강 지름술의 후유증으로도 일어날 수 있다. Candida 수막염은 장기간의 항생제 혹은 스테로이드 치료, 방사선 조사, 면역억제, 수술, 광범위한 화상 등의 합병증으로 발생할 수 있다.

C. neoformans는 비둘기 둥지 근처의 토양에 존재한다. 이 수막염 환자는 말초혈액 단핵구의 자연 살해 세포독성(natural killer cytotoxic)의 활동이 저하되어 있다. 소아에서는 드물고 성인에서 흔하며 대부분 후천 면역결핍 증후군, 백혈병, 전신 홍반 루프스 또는 다른 면역저하 질병 환자에 주로 동반한다.

C. immitis는 주로 미국 남부와 중남미에 분포하며 포자 형태로 흡입되어 만성 수막염을 일으킨다. H. capsulatum 감염은 미국의 중남부의 풍토병으로 중추신경 감염은 사람 면역결핍 바이러스 감염 환자에서 흔하다.

[임상증상]

C. albicans에 의한 수막염 증상은 두통, 눈부심, 경부강직과 섬망 등이 있다. Candida 직접 감염은 농양을 잘 형성하며 이차 감염인 경우는 넓게 퍼진 미세 농양을 동반하는 대뇌염으로 진행한다. 수막에 염증을 일으키고 혈관벽을 침범하여 혈관염을 일으키며 혈전을 형성하여 괴사와 출혈을 유발한다.

C. neoformans 감염은 주로 수막자극 증상을 보이나 간혹 신경학적 증상이나 의식의 변화를 보이고 소아에서는 경련을 동반하기도 한다. C. immitis 수막염의 증상은 주로 두통, 미열, 체중감소, 진행성 의식의 혼탁과 수막 증상 등이며 수두증을 자주 동반한다.

Histoplasmosis 수막염은 3세 이하의 영유아에서는 신경학적 증상 없이 발열, 빈혈, 간비장 비대, 체중감소 등의 전신 증상으로 나타나며 소아에서는 테타니 혹은 추체외로 증상으로 나타난다. 주로 뇌기저 부위 수막염을 일으키며 뇌병변으로는 뇌실질 또는 혈관주변 부위에 육아종 또는 뇌기저 농양을 형성한다.

[진단]

C. albicans 수막염의 뇌척수액은 중성구와 단핵구 증가, 단백 증가, 당은 정상 혹은 저하 소견을 보인다. 진단에는 조직과 뇌척수액에서 균 배양이 필수적이다. 그러나 여러 이유로 진단이 지연되어 진균혈증으로 인한 사망률이 높다.

C. neoformans 수막염의 뇌척수액 소견은 결핵성 수막염과 유사하게 림프구의 중등도 증가, 단백 증가, 당 감소를 보인다. C. neoformans 수막염은 급성 환자의 약 반수에서 cryptococcal 항원 피부반응이 음성으로 진단이 어렵다. 보체결합검사(complement fixation), 라텍스응집검사(latex agglutination), 형광항체검사, 혈구응집검사(hemagglutination test) 등을 진단에 사용할 수 있다. 확진은 뇌척수액에서 균 배양과 염색, 라텍스응집 검사로 cryptococcal polysaccharidem를 검출하는 것으로 가능하다. 신경영상 검사에서 기저핵과 백질에 이상 소견을 보인다.

C. immitis 수막염의 뇌척수액 소견은 1,000/μl 이상의 단핵구 증가, 단백 증가, 당 감소를 보인다. 뇌척수액에서 coccidioides를 직접 염색 혹은 배양하여 진단한다.

Histoplasmosis 수막염의 뇌척수액은 림프구의 증가, 단백 상승, 당 감소를 보인다. 진단은 피부반응 검사와 보체결합검사를 사용하지만 신경계 환자에서는 음성 반응이 흔하여 골수생검, 뇌생검 검사를 통한 염색과 균 배양이 중요하다. 뇌척수액에서 H. capsulatum 항원이나 항체를 검출하거나 혈액 내의 항체 검출로 진단하며 뇌척수액의 균 배양은 약 50%에서 양성이다.

[치료]

치료에는 amphotericin B, 5-flucytosine 병합 치료를 우선적으로 고려하고 fluconazole을 사용하기도 한다. Amphotericin B lipid emulsion을 사용하면 amphotericin B의 신장 독성을 감소시킬 수 있으며 fluconazole도 amphotericin B만큼 효과가 있다.

Cryptococcosis는 치료하지 않으면 수개월 내에 사망한다.

Histoplasmosis의 치료에는 amphotericin B, fluconazole을 사용할 수 있으나 그 예후는 매우 나쁘다.

| 김두권, 조성민 |

1. 선천감염

TORCH (toxoplasmosis, others, rubella, cytomegalovirus, herpes) 감염은 전 세계적으로 어린 소아들에게 난청, 실명, 행동 또는 신경계 장애를 유발하는 원인으로 알려져 있다. 풍진 예방접종이 도입된 이래 선천성 풍진증후군의 발병률이 현저하게 감소됨에 따라 거대세포 바이러스의 감염이 가장 흔해졌다. 이 장에서는 자궁 내 감염을 일으키고 신경학적 합병증을 초래하는 중요한 원인균을 기술하고 병인, 임상증상, 치료, 예후 등에 대하여 알아보고자 한다.

1) 거대세포바이러스(Cytomegalovirus; CMV) 감염

[역학]

미국 등 선진국들에서 신생아의 0.4-2.5%가 출생 시 CMV에 감염된다. 성인에 이르면 인구의 40-100%가 CMV에 감염된다. 출생 후 신생아와 영아는 수유할 때 엄마로부터 감염이 되고, 어린 소아는 CMV에 감염된 친구와의 접촉을 통하여 감염된다. 성인의 경우는 수혈, 성적 접촉, 장기이식 또는 어린 소아와 접촉을 통하여 감염이 되고, 여러 사람과 성적 접촉을 하는 성인은 CMV 감염률이 증가된다.

[발병기전]

임신 중 산모가 CMV에 1차 감염된 경우는 매우 드물지만 이 경우 약 40%의 태아가 감염이 되고, 감염된 영아의 5-10%에서 CMV에 의한 질환을 앓게 된다. CMV 항체 음성인 산모에서 태아가 CMV에 감염될 위험이 매우 높지만 CMV 항체 양성인 산모가 신종 CMV에 재감염되면 태아 감염을 일으킬 수 있다. CMV가 체내에 들어오면 생식기와 구인두 근처의 림프조직에서 바이러스의 복제가 일어나고 그 후 바이러스혈증을 일으켜 태반을 포함한 전신의 장기에 전파된다. 태아 조직의 대부분에서 바이러스 복제가 나타나지만 감염의 중요한 위치는 간, 내장, 뇌, 망막 등이다. 바이러스가 맥락막총을 통해서 뇌로 들어오면 뇌실막 하부에서 퍼져나간다. 뇌에서의 병리학적 변화는 출혈, 낭성변성, 비정상적인 석회화, 혈관주위 단핵구 염증반응 등이다.

[임상증상]

CMV에 감염된 신생아는 출생시 약 90%에서 무증상이지만 이들 중 7-20%에서 후에 합병증이 나타나고, 5-10%에서 출생 시 전신증상을 나타낸다. 특징적인 증상은 황달, 간비장 비대, 자궁 내 성장지연, 혈소판 감소와 점혈반, 맥락막염, 청력장애, 대뇌 석회화 및 소두증 등이다. 특징적으로 피부에서 적혈구 조혈(dermal erythropoiesis)이 나타나서 피부가 자주색을 띠는 심각한 현상을 볼 수 있는

데 이를 'blueberry muffin face'라고 하며, 감염된 신생아의 10% 미만에서 볼 수 있다.

[진단]

CMV에 감염된 신생아의 소변과 타액에서 바이러스를 배양하는 것이 가장 정확한 방법이며, 소변과 타액을 이용하여 PCR로 DNA를 검출하거나 혈청 CMV-특이항체(IgG, M)를 측정하여 진단할 수 있다. 선천성 CMV 감염에 의하여 영아의 약 50%에서 뇌실주위 석회화가 발견되고, 영구적인 신경발달장애의 빈도가 매우 증가한다. 뇌영상 검사를 통하여 뇌실주위 백질연화증, 여러미세이랑증, 뇌갈림증, 활택뇌증 등을 발견할 수 있다.

[예방, 치료, 예후]

CMV 감염을 예방하는 백신은 없으며, 임신부는 감염된 환자의 체액 특히 소변은 바이러스의 전염원이 되므로 접촉하지 않도록 주의해야 한다. CMV에 감염된 환자는 격리시키고 환자를 간호하는 사람들은 비누와 물을 이용하여 손을 씻음으로써 피부에 있는 바이러스를 제거할 수 있다. Gancyclovir, 6 mg/kg을 6주 동안 하루에 두 번 정주하여 사용함으로써 감각신경 난청을 완화시킬 수 있으나 효과와 안전성은 아직 확실하지 않다. 대부분의 무증상 CMV 감염은 신경발달장애를 남기지 않으나 이들 중 7-10%는 후에 감각신경 난청이 나타나며, 비유전적인 청력소실의 가장 흔한 원인이다. 한편 CMV 감염에 의한 증상이 있는 경우는 90% 이상에서 뇌성마비, 경련, 감각신경 난청, 정신지체, 행동장애, 시력장애 등의 합병증이 발생한다. 미국의 경우 매년 약 9,000명의 영아가 자궁 내 CMV 감염으로 인한 합병증이 발생한다.

2) 톡소포자충증(Toxoplasmosis)

[역학]

Toxoplasma 피표유충(encysted form)의 느린분열소체(bradyzoites)에 오염된 덜 익힌 고기를 먹는다든지 전염력이 매우 강한 난포세포(oocytes)에 오염된 과일, 야채, 또는 다른 음식을 먹음으로써 감염된다. 사람의 감염에 있어서 난포세포를 대량으로 방출하는 고양이가 주 매개체이다.

성인의 0.1-2%가 매년 T. gondii에 감염이 된다고 하며, 선천성 감염률은 생존 출생아 1,000-12,000명당 1명 정도이다.

[발병기전]

임신 1기 동안에는 태아에게 잘 전파되지 않지만 자연유산을 초래할 수 있다. 반면 임신 3기에 태아 감염이 빈번이 일어나며, 대개 무증상 감염을 나타낸다. 임신 2기에 감염되면 태아에 심한 질환을 초래할 수 있다. 선천성 톡소포자충증은 광범위한 육아종 수막뇌염을 일으키고 수도관 협착증, 태아 뇌수두증을 유발할 수 있으며, 비정상적인 뇌실질 석회화를 나타낸다.

[임상증상]

T. gondii에 감염된 태아의 85%는 출생시에 증상이 나타나지 않지만, 후에 많은 영아들이 눈 또는 신경학적 합병증을 보인다. 감염된 신생아는 황달, 간비장 비대, 발열, 빈혈, 맥락망막염, 수두증, 소두증, 혈소판 감소에 의한 점상출혈, 감각신경 난청, 경련, 정신지연 등이 나타날 수 있다. T. gondii는 HIV 또는 CMV와 자궁 내 동시 감염을 일으킬 수 있다.

[진단]

의심되는 산모에서 2주 간격으로 초음파검사를 시행하고 양수를 채취하여 PCR을 시행한다. 태반에서 T. gondii가 분리되기도 한다. 출생 후 진단은 혈청학적 반응(보체결합반응, 간접 적혈구응집법, Sabin-Feldman 염색법 및 형광항체법)으로 진단이 가능하며, 최근 double sandwich IgM ELISA로 75-80%에서 진단이 가능하다. 확진은 급성기 혈액, 뇌척수액, 또는 뇌실액 침전물에서 충을 검출하는 것이다. 영상검사를 통해 뇌의 석회화, 뇌실 확장을 관찰할 수 있다.

[예방, 치료, 예후]

임산부는 고양이의 배설물을 피해야 하고 육류는 완전히 익혀서 먹도록 하며, 손씻기를 생활화해야 한다. 산모가 감염되었을 경우 spiramycin이나 pyrimethamine-sulfadiazine을 사용함으로써 선천성 톡소포자충증의 위험을 감소시킬 수 있다는 보고가 있지만 효과가 증명된 것은 아니다. 폐쇄성 수두증이 있는 경우 조기에 지름술을 한다. Sulfadiazine 100 mg/kg/일과 pyrimethamine 1 mg/kg/일을 6개월 동안 복용하고 그 후 6개월간 일주일에 3번 사용함으로써 신경학적 예후를 개선할 수 있다. 환자는 일주일에 3회 folinic acid 5-10 mg을 사용한다. 치료를 받지 않는 환자의 80%에서 뇌전증, 70%에서 뇌성마비, 60%에서 시력장애, 그리고 60%에서 정신지연이 발생한다.

3) 단순포진바이러스(Herpes simplex virus; HSP) 감염

[역학]

자궁 내 HSV 감염은 매우 드물고, 대부분이 HSV-2에 의한 감염이다. 젊은 여성의 HSV-2 감염 발생률이 제일 높으며, 매년 약 2%가 감염된다. 30대 여성은 30%가 혈청학적 검사에서 HSV-2 감염 양성반응을 보인다. 미국 여성 중에서 HSV-2 감염의 위험성은 아프리카계 미국인, 저소득층, 성적 접촉자가 많은 경우, 어린 나이에 성적 접촉을 한 경우, 약물남용 등의 사회인구학적 요소와 관련되어 높아진다.

[발병기전]

임산부의 20%가 HSV에 감염되지만 대부분 태아나 신생아에게 전염이 되지는 않는다. 산모의 1차 감염은 대부분 무증상이다. HSV-2의 태아 감염 위험은 매우 낮으며, 산모의 바이러스혈증이나 상행성 자궁 내 감염으로 인하여 태아로 전파되어, 피부, 간, 폐, 눈, 뇌 등의 조직에서 복제되고 조직괴사, 낭성변성, 비정상적인 석회화 등을 초래한다.

[임상증상]

선천성 HSV에 감염된 환자의 피부에 물집 또는 흉터가 생기고, 맥락망막염, 소두증, 소안구증, 자궁 내 성장장애 등이 관찰된다.

[진단]

피부병변이나 체액에서 세포배양이나 PCR을 이용하여 HSV-2 바이러스를 검출함으로써 진단할 수 있다. 바이러스 분리를 위해서 피부 수포액, 뇌척수액, 결막, 직장, 구인두 등에서 면봉으로 표본을 채취하여 검체로 이용할 수 있다. 안과검진으로 맥락망막염, 소안구증을 관찰할 수 있다. 영상검사에서 기저핵과 시상에 조밀한 석회화와 광범위한 반구형 낭성병변, 활택뇌증과 유사한 형태의 피질형성이상 등을 볼 수 있다.

[예방, 예후, 치료]

산모가 대부분 무증상이기 때문에 태아와 신생아에서 HSV-2 감염을 예방하는 것은 어렵다. HSV에 감염된 경우 3주간 acyclovir (60 mg/kg/일)를 사용하지만 자궁 내 HSV-2 감염에 의한 심한 중추신경계 손상이 있는 경우에는 거의 효과가 없다. 선천성 HSV-2가 감염된 경우, 심하면 영아기에 사망할 수 있으며 생존하는 경우 대개 뇌성마비, 뇌전증, 정신지연를 나타낸다.

4) 대상포진바이러스(Varicella-zoster virus; VZV) 감염

[역학]

임산부의 0.05% 정도가 VZV에 감염된다. 임신 20주 이전에 VZV에 감염된 산모에서 태어난 신생아가 태아 수두 증후군을 가지고 태어날 위험성은 2%인 반면 임신 20주 이후에 수두에 걸린 산모에서 태어난 신생아가 태아 수두 증후군에 걸릴 위험성은 매우 낮다. 산모의 대상포진은 태아에 거의 영향을 주지 않는다.

[발병기전]

VZV는 뇌, 망막, 피부, 척수의 긴 신경로(long tract)와 신경세포를 주로 침범한다. 신경세포에 용균감염(lytic infection)을 일으켜 신경세포의 집단 결손을 가져오고 이로 인하여 조직괴사, 단핵구성 염증반응, 낭성병변을 일으킨다. 중추신경의 괴사로 인하여 심한 낭성 뇌연화증 혹은 무뇌수두증이 발생한다.

[임상증상]

선천성 수두 증후군은 자궁 내 성장지연, 사지의 형성저하증, 맥락망막염, 백내장, 소안구증, 피부 흉터, 소두증, 수두증, 무뇌수두증, 경련, Horner 증후군, 뇌신경 병변 등이다.

[진단]

배양이나 PCR을 이용하여 태아 조직에서 바이러스를 검출한다. 탯줄천자를 통해서 태아 혈액을 채취하여 VZV-특이 IgM을 검출하여 진단한다. 출생 시에 신생아는 더 이상 바이러스를 배출하지 않아서 VZV-특이 IgM을 검출할 수 없다. 영상검사를 통하여 뇌 석회화, 뇌피형성이상, 무뇌수두증을 관찰할 수 있다.

[예방, 치료, 예후]

임신 중 수두 환자와 접촉한 임산부에서 96시간 이내에 varicella-zoster immune globulin (VZIG)이 추천된다. 선천성 수두 증후군을 보이는 신생아에게 acyclovir나 다른 항바이러스제를 사용하는 것은 효과가 없다. 태아 수두 증후군에 걸린 환아는 영아기에 사망할 수 있고 생존한 경우 시력이나 신경계의 영구적인 합병증이 발생한다.

5) 풍진(Rubella)

[역학]

풍진 예방접종이 도입된 이후 선천 풍진증후군의 발생은 급격히 감소했으며, 미국의 경우 발생률이 생존 출생 신생아 100,000명당 0.1명으로 보고되어 사실상 사라진 것으로 보고 있다.

[발병기전]

임신 첫 8주 동안에 산모가 풍진에 걸린 경우 백내장과 선천 심장병을 일으키고, 첫 16주 동안에 산모가 풍진에 걸린 경우 청력손실과 연관이 있다. 임신 16주 이후에 감염이 되면 감각신경 난청 이외에는 대개 합병증을 남기지 않는다. 중추신경계에서 관찰할 수 있는 병리학적 변화는 광범위한 수막뇌염, 낭성변성, 비정상적인 석회화 등이다.

[임상증상]

증상으로는 백내장, 망막염, 소안구증, 소두증, 감각신경 난청, 수막뇌염, 골병증, 간질성 폐렴, 간염, 간비대, 혈소판감소증, 황달 등이다. 심장을 침범하여 심근염, 동맥관

개존, 폐동맥판막 협착증, 심방 또는 심실중격결손 등을 초래한다.

[진단]

코분비물, 소변, 뇌척수액에서 바이러스를 검출하거나 환자의 혈청에서 풍진-특이 IgM을 검출함으로써 진단한다. 출생 후 풍진-특이 IgG가 지속적으로 검출되면 선천 풍진증후군을 진단하는데 도움이 된다. 영상검사로 뇌실주위 석회화와 백질연화증, 뇌실막밑 낭을 관찰할 수 있다.

[예방, 치료, 예후]

선천 감염 시 출생 후 항바이러스제로 치료할 수 없기 때문에 백신으로 예방하는 것이 최선이다. 산모가 임신 전이나 임신 중 풍진에 걸렸을 때 항체를 가지고 있으면 태아는 풍진에 걸릴 위험성이 없다. 임신 초기에 산모가 풍진에 걸리면 임신 중절을 고려하고, 임신 중절을 할 수 없을 때에는 임산부에게 면역글로불린을 투여할 수 있으나 효과는 확실치 않다. 생존한 환자는 소아기에 진행성의 감각신경 난청이 나타날 수 있고, 성장부전, 20-30대에 당뇨가 발생할 수 있다. 신경계 합병증으로 소두증, 언어지연, 자폐성향, 발달장애, 정신지연 등이 있다.

6) 선천매독

[역학]

미국에서 선천매독의 발병률은 낮지만, 도시 과밀지역과 남부 농촌지역에서 여전히 발생한다. 1980년대 후반에서 1990년대 초반, 미국에서 코카인 등 불법약물을 복용했던 임산부에서 선천매독의 일시적인 유행이 있었으나 그 외 대부분의 선진국에서 선천매독 발생률은 매우 낮다.

[병인]

임신 초기에 산모가 감염이 되었으나 치료하지 않으면, 태아의 40%에서 주산기 사망, 사산, 유산 등을 초래한다. 선천매독은 임신 중 모든 단계에서 발생할 수 있으나 태아 감염은 대부분 산모가 임신 2기에 감염이 되었을 때 발생하고 감염률은 60-100%이다. 선천매독의 병리학적 특징은 골막염, 골연골염, 연수막염(leptomeningitis), 동맥내막

염, 동맥주위염, 간, 폐, 피부, 눈, 내이, 중추신경계 등의 복합적인 염증성 침윤 등이다.

[임상증상]

선천감염의 초기 증상은 출생 시와 생후 첫 2년 내에 나타나는데 자궁 내 성장지연, 발진, 간비장 비대, 황달, 림프절병(lymphadenopathy), 거짓마비(pseudoparalysis of Parrot), 뼈의 이상, 용혈빈혈, 혈소판 감소, 백혈구증가 또는 감소 등이다. 주산기에 장골 방사선검사에서 골연골염을 볼 수 있다. 후기 선천매독 증상은 생후 2년 이후에 볼 수 있고 감각신경 난청, 치아 이상, 안장코, 검상경골(shin saber), 뇌수두증, 발달지연 등이다.

[진단]

혈청과 뇌척수액을 이용한 treponemal 검사와 nontreponemal 검사, 장골 방사선검사 등이 진단에 도움이 된다. 확진 검사는 암시야 검사와 면역형광법을 이용하여 분비물이나 조직에서 T. pallidum을 분리하는 것이다. Nontreponemal 검사는 VDRL, RPR (rapid plasma leagin) 등이 있고, treponemal 검사는 T. pallidum에 대한 특수항체를 측정하는 FTA-ABS, TD-PA (Treponema pallidum particle agglutination) 등이 있다. 선천매독은 조직에 spirochete가 존재할 때와 CSF VDRL, FTA-ABS, 혈청 treponemal 검사에서 항체가가 모체보다 4배 이상일 때 진단한다.

[예방, 치료]

매독에 걸린 산모는 penicillin G benzathine 2,400,000 unit을 1주일 간격으로 1-3회 근주한다. 선천매독으로 확진되거나 감염이 매우 의심되면 crystalline penicillin G 50,000 U/kg를 생후 7일 동안에 12시간 간격으로 투여하고 그 후 10일 동안 8시간 간격으로 투여한다. 대체요법으로는 procaine penicillin G 50,000 U/kg를 하루에 한번 10일 동안 근주한다. 미국 질병통제예방센터에서 추천한 치료기준은 다음과 같다. ① 분만 시 모체의 매독이 치료되지 않은 경우, ② 모체 매독의 재발 또는 재감염이 있을 때, ③ 선천매독의 증상이 있을 때, ④ 선천매독의 방사선 소견이 있을 때 ⑤ 뇌척수액의 VDRL이 양성이거나 혈청학적 검사가 양성인 모체로부터 태어난 영아의 뇌척수액 세포 수와 단백이 정상이 아닐 때, ⑥ 신생아의 혈청 nontreponemal 항체가가 모체 항체 역가의 4배 이상일 때 등이다.

7) 림프구성 맥락수막염 바이러스(Lymphocytic choriomeningitis virus; LCMV) 감염

[역학]

LCMV는 arenavirus에 속하고 주로 야생 생쥐를 감염시키나 사람도 감염될 수 있다. 미국, 캐나다, 아르헨티나 등에 살고 있는 사람들 중 혈청 양성률은 0.3-5%이다. 자궁 내 LCMV 감염은 매우 드문 것으로 보이나 정확히 조사된 바는 없다.

[발병기전]

분무 감염 또는 LCMV를 배출하는 동물과 직접 접촉 또는 감염된 동물에 오염된 물질의 섭취로 사람에게 감염된다. 성인이 감염되면 발열, 권태감, 근육통과 같은 독감과 유사한 증상이 나타난다. 태아에 감염되면 뇌실주위 석회화, 피질이형성증, 광범위한 림프구성 수막염을 유발하고 실비우스 수도의 뇌실막을 침범함으로써 발생하는 수두증 등을 일으킨다.

[임상증상]

LCMV 감염에 의한 임상적 특징은 자궁 내 CMV 감염이나 톡소포자충증과 유사하며, 맥락망막염, 대두증, 수두증 등이 보고되었고, 종종 피부에 수포성 병변이 있다.

[진단]

선천성 LCMV 감염은 모체와 신생아의 혈청과 뇌척수액에서 LCMV에 대한 항체를 검출하여 진단한다. 일반인에서 LCMV의 혈청 양성률이 매우 낮기 때문에 LCMV-특이 항체를 검출하면 진단적 가치가 매우 높다. PCR로 바이러스를 검출할 수 있지만 아직 사람 감염에서는 진단적 유용성이 없다. 영상검사에서 수두증이나 피질형성 이상이 관찰된다.

[예방, 치료, 예후]

LCMV 감염에 대한 예방 백신은 없으며, 임신 중 쥐나

햄스터 등을 피해야 한다. 출생 후 효과적인 LCMV 치료제는 없으며, 신생아 환자의 35%는 합병증으로 사망한다. 생존아 중에는 뇌성마비, 뇌전증, 시력장애, 정신지연 등이 흔하다. LCMV 감염에 의한 수두증은 지름술이 필요하다.

2. 후천성 뇌염(Acquired Encephalitis)

후천성 뇌염은 주로 바이러스성 수막뇌염으로 뇌막 및 뇌조직에 발생하는 급성 염증과정이다. 여러 바이러스에 의하여 비교적 흔하게 발생하며, 뇌척수액에 세포증가증은 있으나 그람염색이나 일반 세균배양검사에서는 세균이 발견되지 않는다. 결과는 매우 다양하여 대부분 자연적으로 회복되나 간혹 신경계 후유증 및 사망을 초래한다.

[원인]

장바이러스(enterovirus)와 parechovirus를 포함하는 Picornaviridae 가계의 바이러스가 바이러스 수막뇌염의 가장 흔한 원인이다.

○ Picornaviridae 가계의 바이러스

수막뇌염을 야기하는 장바이러스(enterovirus)는 Picornavirus에 속하며 지금까지 80여종의 작은 RNA 바이러스가 확인되었는데, echovirus(특히 6, 7, 9, 30형)가 가장 흔하고 그 외 coxsackieviruses (B1-5형)가 있다. 장바이러스 수막뇌염은 뇌막에만 국한되어 경미하고 자연적으로 회복되는 경과를 밟는 것에서부터 심한 뇌염을 동반하여 사망 및 심한 후유증을 유발시키는 경우까지 임상경과가 다양하다. 특히 coxsackievirus A7, 장바이러스 D68과 71형은 이완성 마비를 포함하는 신경학적 증상을 초래하기도 한다.

Parechovirus는 영아에서의 수막뇌염의 중요한 원인으로 수막뇌염의 임상양상은 장바이러스 수막뇌염과 유사하지만, 복부증상이나 패혈증 유사 증상을 함께 보일 수 있으며, MRI상 심한 대뇌 겉질의 병변을 보이며 뇌척수액 백혈구 증가증은 거의 미미하다.

○ Arbovirus

무균 수막뇌염을 일으키는 arbovirus는 지역마다 달라서 미국에서는 West Nile 바이러스와 St. Louis and California 뇌염 바이러스가 가장 흔하며 국내에서는 일본뇌염 바이러스가 주로 문제가 되어 왔다. Arbovirus에 의한 수막뇌염의 매개동물로는 모기와 진드기가 가장 흔하며 이들이 인간이나 다른 동물들에 바이러스를 전파한다. 일본뇌염은 세계적으로 가장 흔한 절지동물 매개 뇌염으로 동아시아에서 매년 50,000명 이상의 환자가 발생하고 있지만, 예방접종으로 그 발생이 감소하고 있다.

○ 포진 바이러스(Herpesviridae)

포진 바이러스는 DNA 바이러스로서 태내, 출생 전후, 소아 및 성인기에 걸쳐 신경학적 질환을 일으키며 특히 몇 가지 바이러스가 수막뇌염을 일으킬 수 있다. 단순 포진 바이러스 1형(herpes simplex virus type 1: HSV-1)은 소아와 성인에서 발생하는 중증의 산발적인 뇌염의 중요한 원인이다. 뇌병변은 국소적이며 항바이러스제로 치료하지 않으면 70% 정도가 혼수 및 사망에 이르게 된다.

단순 포진 바이러스 2형(HSV-2)은 출생 당시 산모에서 신생아로 전염되어 미만성 뇌손상을 초래한다. 음부 헤르페스를 앓고 있는 사춘기 소아에서 경미한 일과성 뇌수막염이 동반될 수 있으며, 대부분이 HSV-2에 의한다.

수두를 앓고 있는 소아에서 varicella-zoster virus (VZV)에 의해 중추신경계가 타격을 받을 수 있으며, 소뇌실조가 가장 흔하나 심하면 급성 뇌염이 발생한다. 재감염인 대상포진도 간혹 수막뇌염을 일으킬 수 있으며 수두와 밀접한 시간관계가 있다. 일차 감염 이후에 대상포진 바이러스는 척수와 뇌신경 뿌리 및 신경절에 잠복해 있다가 나중에 대상포진으로 발현하면서 경한 수막뇌염을 동반할 수 있다.

Cytomegalovirus (CMV)는 선천 감염 또는 면역결핍자에서만 수막뇌염을 일으키며 건강한 소아에서는 문제가 되지 않는다. Epstein-Barr virus (EBV)는 급성 뇌염, Guillain-Barre 증후군, Bell 마비, 만성 매일 두통, 급성 무도증, 이상한 나라의 앨리스 증후군 등 무수한 중추신경계 증후군들과 관련이 있으며 수막뇌염의 5% 정도에서 원인이 되는 것으로 알려져 있다.

Human herpes virus 6 (HHV-6)과 human herpes virus 7 (HHV-7)은 돌발진의 원인 바이러스이며 열성경련의 흔한 원인이 되는데 드물게 급성 뇌증이나 뇌염을 일으킬 수 있으며 특히 면역결핍자에서 그러하다. 증상으로는 고열, 전신경련 및 일시적 혹은 영구적인 반신마비, 혼수 등이 나타난다.

○ 기타 바이러스들

예방접종으로 발생빈도는 줄었지만 볼거리 환아의 0.5-2%에서 수막뇌염이 동반된다. 볼거리 수막뇌염은 경미하나 제 8뇌신경의 손상으로 인한 난청이 드물지 않게 발생한다.

예방접종으로 발생빈도는 줄었지만 홍역 또한 전세계적으로는 아직 중요한 질환이다. 홍역의 신경학적 합병증은 크게 3가지가 발생할 수 있는데, 첫째는 면역이 정상인 사람에게서 발생하는 감염 후 탈수초성 질환인 홍역 뇌척수염(measles encephalomyelitis)이고 둘째는 면역결핍자에게서 나타나는 아급성 홍역 바이러스 뇌증(subacute measles virus encephalopathy or subacute measles encephalitis)이며 셋째는 건강한 사람이 홍역 감염 수년 후에 발생하는 복잡한 발생기전을 가진 신경변성 질환인 아급성 경화성 전뇌염(subacute sclerosing panencephalitis, SSPE)이다.

수막뇌염은 호흡기 바이러스들(adenovirus, influenza virus, parainfluenza virus), 홍역, 풍진 및 광견병에 의해서도 발생할 수 있으며, HIV 감염이나 말라리아에 의해서도 발생할 수 있다. 또 소아마비, 볼거리, 풍진에 대한 생백신 접종 이후에 발생할 수도 있다.

California Encephalitis Project 등 수막뇌염의 원인을 찾으려는 많은 연구에도 불구하고 63%에 이르기까지 원인을 찾지 못하였다. 최근 next-generation sequencing 등의 새로운 방법으로 새로 밝혀진 원인으로는 Leptospira, astrovirus, Propionibacterium acnes 등이 있으며, 감염 원인이 아닌 자가면역 뇌염도 중요한 원인이다.

[역학]

가장 흔한 장바이러스에 의한 수막뇌염은 주로 여름과 가을에 발생하며, 사람에서 사람으로 전파되고, 4-6일의 잠복기를 가진다. 온대지방에서는 대부분의 사례들이 여름과 가을철에 발생한다.

호흡기 바이러스에 의한 수막뇌염은 주로 겨울철에 발생하며, 포진 바이러스 가계의 바이러스들(HSV-1, HSV-2, CMV, EBV, VZV, HHV-6, HHV-7, HHV-8)과 볼거리 바이러스에 의한 수막뇌염은 호발시기가 없이 연중 발생할 수 있다.

홍역 뇌척수염은 홍역 1,000사례 당 1례 정도로 발생하는데 대부분 10세 이하의 소아에서 홍역 발진 발생 후 7일 이내에 발생한다. 아급성 홍역 바이러스 뇌증은 면역이 결핍된 환자에서 홍역 감염이나 접종 후 1-7개월 경에 발생한다. SSPE는 평균 7세 정도의 어린 아동에서 홍역 감염 5-10년 후에 발생한다.

인플루엔자 바이러스에 의한 뇌염의 경우 5세 이하 연령에 호발하는 것으로 알려져 있다.

[발병 기전]

신경학적 손상은 활동적으로 증식하는 바이러스에 의해 신경조직이 직접적인 침투와 파괴를 받거나 바이러스 항원에 대한 숙주의 반응에 의해 발생한다. 체내에 들어온 바이러스는 림프계로 유입되어 증식된 후 혈류를 거쳐 여러 장기로 퍼지게 되며, 전신, 열성 증상이 시작된다. 각 장기에서 바이러스 증식이 다시 일어나면 대량의 바이러스가 2차 파급을 일으키고, 중추신경계를 침투하여 신경증상을 일으킨다.

HSV-1은 아마도 신경축삭을 따라 뇌로 직접 파급되는 것으로 보인다. 신경계 손상은 증식하는 바이러스가 뇌조직으로 침투하여 파괴하거나, 바이러스 항원에 대한 숙주 반응의 결과로 말이집 탈락이나 혈관 및 혈관주위 조직 파괴가 야기된다. 뇌조직 소견은 수막울혈, 단핵세포 침윤, 림프구 및 형질세포의 혈관주위 침윤, 말이집 파괴를 동반하는 혈관 주위의 조직 파괴, 신경원 식작용까지 이르는 신경 파괴, 내피증식 및 파괴 등이 있다. 감염 후 또는 알레르기성 뇌염에서는 신경원 및 축삭이 보존되면서 심한 수초 탈락을 보인다. 대뇌 겉질, 특히 측두엽은 HSV에 의하여 심하게 영향을 받고, arbovirus는 뇌 전체, 광견병은 기저 구조를 선호한다. 척수, 신경근, 말초신경에서의 병변 정도는 일정하지 않다.

[임상양상]

바이러스 수막뇌염의 임상경과와 심한 정도는 원인에 따라 다르며, 같은 원인에 의한 경우라도 수막과 뇌실질의 침범 정도에 따라 다르고 다양한 임상경과를 밟을 수 있다. 어떤 소아들은 처음에는 미약한 임상경과를 보이다가 곧 혼수에 빠져 사망하는 경우도 있으며 일부 환자에서는 고열, 과격한 경련, 이상한 행동, 환각상태 등이 일시적으로 의식이 명료한 시기와 혼재되어 나타나다가 완전히 회복하기도 한다.

수막뇌염의 임상증상은 급성으로 시작되나, 간혹 며칠에 걸쳐 비특이적인 급성 발열질환의 증상이 선행되기도 한다. 초기 증상으로는 연장아에서 두통, 지각과민, 영·유아에서는 보채거나 다루기 힘든 경우가 있다.

두통은 대개 전두부에 있거나 미만성으로 있다. 사춘기 소아는 눈 뒤 두통을 호소하며 발열, 구역, 구토, 목·허리·다리의 동통, 빛공포증이 흔하다.

체온이 상승하면 이상한 행동을 하며 의식장애 및 경련이 올 수 있다. 경련은 뇌염을 앓는 소아의 15-60%에서 나타나는데 국소 혹은 전신경련이 나타난다. 국소경련의 경우 HSV 뇌염의 가능성이 높아지기는 하지만, 비회백질 척수염(nonpolio) 장바이러스도 국소경련을 일으킬 수 있다. 이외에도 시간에 따라 진행 또는 변화하는 국소 신경증상, 배변 및 배뇨장애 및 감정폭발 등을 보인다. 실조나 인지장애, 반신마비나 실어증 등도 나타날 수 있고 비회백질 척수염 장바이러스는 척수전각 신경손상을 통한 이완성 마비를 일으키기도 한다.

피부발진이 선행 또는 동반될 수 있으며 특히 echovirus, coxsackievirus, 대상포진 바이러스, 홍역 바이러스 및 풍진 바이러스가 원인인 경우에 흔하다. 신체검진 시에 국소 신경학적 변화가 없이 경부강직이 나타나는 경우도 흔하다.

뇌량 팽대의 가역적 병변을 동반한 경증 뇌증(mild encephalopathy with a reversirble splenial lesion of the corpus callosum, MERS)의 경우는 로타바이러스, 살모넬라 바이러스, CMV, adenovirus, 인플루엔자 바이러스 등과 관련되어 있다.

중추신경계의 바이러스 감염으로 나타나는 특이 임상 유형 및 합병증으로는 Guillain-Barre 증후군, 급성 횡단성 척수염, 급성 편마비 및 급성 소뇌실조 등이 있다.

[검사소견 및 진단]

비특이적 전구 증상 후에 진행성의 중추신경계 증상이 있으면 바이러스 수막뇌염을 의심해야 한다. 말초 백혈구 수는 대부분 정상이지만 약간 감소할 수 있고 혈청 CRP는 대부분 음성이지만 약 양성을 나타내기도 한다.

뇌척수액 검사로 진단을 확실히 할 수 있는데, 뇌척수액은 비교적 투명하고 뇌압은 200-300 mmH$_2$O으로 상승되어 있으며, 세포증가증이 있어 수개에서 수천개 정도까지의 백혈구가 보인다. 뇌척수액의 백혈구는 초기에는 다핵형이 대부분이나 시간(8-12시간)이 지나면 단핵세포로 바뀐다. 뇌척수액의 단백질 농도는 정상이거나 병 초기에 약간 증가하지만 100 mg/dL 이상은 드물다. 뇌척수액 내 포도당은 볼거리 바이러스 감염 등에서 감소될 수는 있으나 대부분 정상이므로, 감소되어 있으면 보다 광범위한 뇌실질의 침범을 의미한다.

혈청학적인 진단을 위해서는 초기와 회복기 혈청을 확보하여 검사한다. 장바이러스는 혈청형의 수가 너무 많아 혈청학적인 진단은 바람직하지 않으나, 이미 원인 바이러스가 규명된 유형을 이용하여 환자에서 장바이러스를 확인하는데 이용할 수 있다. PCR로 바이러스 유전체를 검출하여 수막뇌염의 진단에 이용할 수 있으며 HSV 수막뇌염의 경우 PCR의 민감도와 특이도는 90-95% 정도로 알려져 있다. CMV, 장바이러스, HHV-6, VZV, HIV 등의 진단에도 PCR을 이용한다. 일본뇌염의 경우에는 뇌척수액에서 바이러스 RNA를 역전사효소 PCR로 검출, 바이러스 배양, 혈청학적 진단법 등이 진단에 이용된다.

바이러스성 수막뇌염의 진단에 뇌파와 뇌 영상검사가 도움이 될 수 있다. 전형적 뇌파는 국소적인 변화 없이 전반적인 서파 양상을 보이며, 뇌 영상검사는 뇌조직의 부종을 보일 수 있다. MRI는 CT에 비해 민감도가 뛰어나므로 선호되는 검사이다.

국소적 경련이나 뇌파 또는 뇌 영상검사에서 국소적 소견 특히 측두부를 침범하는 경우에는 HSV 뇌염의 가능성이 높다. 일본뇌염의 경우 기저핵 부위의 국소 이상이 나타나고, West Nile 바이러스 뇌염의 경우에는 흑색질, 뇌간, 척수 등에 이상 소견이 나타난다.

[감별 진단]

먼저 세균성 수막염을 감별해야 한다. 세균성 수막염은 상대적으로 보다 급하게 발병하며 더 심한 증상을 보인다.

세균성 수막염을 감별하기 위해 뇌척수액 검사와 적절한 혈청검사가 필요하다.

급성 파종 뇌척수염(acute disseminated encephalomyelitis, ADEM), 뇌농양, 경막하 농양 및 경막외 농양도 바이러스성 중추신경계 감염과 임상적으로 비슷하여 중추신경계의 영상진단이 필요하다.

결핵, 매독, 라임병이나 묘소병을 일으키는 Bartonella heselae에 의한 감염의 경우 상대적으로 증상은 약하나 길게 지속되는 경과를 보인다.

Mycoplasma pneumoniae도 직접적 뇌 침범이나 감염 후 반응을 통해 수막뇌염을 일으킬 수 있다.

비세균성 원인 중 감별진단을 요하는 것에는 리케차, 마이코플라스마, 기생충 및 진균감염이 있으며 동반된 증상, 지역성, 환자의 면역상태의 결과를 고려하여 감별한다.

그밖에 종양, 교원-혈관계 질환, 두개내출혈, 약물에 노출 등을 감별해야 하는데 병력과 기타 장기의 침범 등을 고려하여 감별할 수 있다.

또 anti–N-methyl-D-aspartate (anti-NMDA) receptor antibody에 의한 자가면역 뇌염도 소아에서 중요한 원인이다. 십대의 청소년이나 젊은 성인에서는 anti-NMDA receptor 뇌염이 장바이러스나 단순 포진 바이러스 뇌염보다 더 흔하게 발생할 수 있다. anti-NMDA receptor 뇌염이 단순 포진 바이러스 수막뇌염과 연관되어 나타나기도 한다.

[치료]

HSV 수막뇌염에 acyclovir를 사용하는 것을 제외하면, 대부분 특이적인 치료법은 없고 대증요법을 실시한다. 특히 경증의 경우에는 대증요법만 필요하다. 대증요법에는 체온조절, 발작조절, 수분과 전해질 유지, 통증조절, 영양유지, 운동과다증과 섬망에 대한 진정 등이 있다. 두통과 감각과민의 경우에는 일반적으로 병실의 조명 밝기를 줄이고 소음과 방문객을 줄이며, aspirin을 포함하지 않은 진통제와 휴식을 취한다. 발열에 대해서는 acetaminophen이 추천된다. codein, morphine이나 구역을 줄이기 위해 사용하는 약물들은 증상이나 증후들을 변화시킬 수 있으므로 가능하면 피해야 한다.

중증의 수막뇌염 환자의 경우 경련, 뇌부종, 부적절한 호흡, 전해질 평형 장애, 흡인이나 질식, 중추성 심장부전

혹은 호흡부전 등에 대한 감시가 중요하다. 뇌압상승이 있는 환자에서는 경막외 압력 측정기를 설치할 수 있다. 요추천자에 의한 수액의 배액은 진단 뿐만 아니라 뇌압상승에 의한 두통의 경감에도 유효하여 1주에서 10일 간격으로 요추천자를 실시하기도 한다. 중증 환자에서는 심장 혹은 호흡부전의 위험도가 높아진다. 중증의 경우 초기에는 모든 수액, 전해질, 약물들을 정맥으로 투여하고, 혼수가 장기화되는 경우 경정맥영양이 요구된다.

항이뇨호르몬 과다분비 증후군(SIADH)은 급성 중추신경계 질환에서 흔한 합병증으로, 이의 조기 발견을 위하여 혈청 나트륨 농도의 감시가 필요하다. 경련 발생의 최소화를 위하여 혈중의 당, 마그네슘, 칼슘도 정상으로 유지되어야 한다. 뇌부종이나 경련이 명확하면 적극적인 치료가 필요하다. 발작이 광범위한 뇌염으로 야기되었을 경우 항뇌전증약물을 사용한다. 전형적인 바이러스성 수막뇌염에서 뇌부종에 대한 치료가 필요한 경우는 드물다. 혼수나 보다 심각한 신경학적 증상과 징후가 있으면 심한 뇌부종을 의심하고 진단을 다시 고려한다.

HSV-1에 의한 수막뇌염은 유소아의 경우 acyclovir를 1회 20 mg/kg 용량으로 매 8시간마다 21일간 사용하고, 청소년의 경우는 acyclovir를 1500 mg/m^2 용량으로 21일간 사용한다. HSV-2에 의한 수막뇌염은 acyclovir를 1회 10 mg/kg를 1일 3회 10-14일간 치료한다. Acyclovir 사용의 부작용으로 진전, 혈뇨, 가역적 신병증 등이 가능하며, 장기간 사용 시 CBC, 혈청 크레아티닌의 감시가 필요하다. 초기에 적절히 acyclovir 치료를 했더라도 HSV 뇌염이 재발하거나 지속될 수 있는데 이 경우 뇌척수액 HSV PCR 검사, MRI 검사를 다시 시행하고, acyclovir 치료를 재시도한다. 뇌 영상검사상 급성 파종성 뇌염이 의심되면 스테로이드 치료를 병행한다.

망막염 등의 침습적 CMV 감염을 동반한 뇌염이 면역결핍 소아에서 발생한 경우 ganciclovir를 5 mg/kg 용량으로 약 14일간 정주한다. HIV 감염 등 면역이 결핍된 소아에서 이러한 감염이 있는 경우 ganciclovir를 5-10 mg/kg/일의 용량으로 장기간 유지요법이 필요할 수 있다.

대상포진 바이러스(VZV)와 관련된 소뇌실조는 8주 정도 관찰하면 항바이러스제나 스테로이드 치료 없이도 회복되지만 행동장애는 지속되는 수가 많다. 대상포진 바이

러스에 의한 뇌염이나 척수염의 경우는 acyclovir 500 mg/m²의 용량으로 일일 3회 총 10일간 투여하며 면역결핍이 있는 소아청소년의 경우에는 반드시 acyclovir를 사용해야 한다. Ramsay-Hunt 증후군의 경우에도 acyclovir가 도움이 될 수 있다. 대상포진 바이러스에 의한 척수염, 급성 파종성 뇌염, 뇌졸중이 동반된 경우에는 스테로이드 치료를 고려하여야 한다.

EBV에 의한 수막뇌염의 경우에 항바이러스제는 효과가 적으므로 지지요법이 주가 된다.

HHV-6와 HHV-7 뇌염의 경우 고용량 ganciclovir가 효과적이었다는 보고는 있으나 아직 정립된 항바이러스 치료는 없다.

장바이러스 71형에 의한 뇌염이나 무감마글로불린형증 환자에서의 장바이러스 감염에는 면역글로불린을 사용한다.

[예후]

임상양상, 원인 바이러스 및 연령에 따라 다르지만, 대부분은 완전히 회복된다. 그러나 뇌실질이 침범되고 심한 임상경과를 밟는 경우에는 예후가 상당히 불량하여 지능장애, 운동장애. 정신장애. 뇌전증, 시력장애, 청력장애 등을 후유증으로 남길 수 있다. HSV에 의한 감염인 경우에도 심한 후유증이 예상된다.

파종 HSV 뇌염이 영아에서 발생한 경우 약 30% 정도가 사망하며 생존아의 20-30% 정도가 경한 언어지연 및 운동 발달지연에서부터 강직성 팔다리 불완전마비나 심한 발달지연 등 심한 후유증을 가지게 된다.

장바이러스에 의한 수막뇌염에 걸린 2세 미만의 환아 중 약 10%는 발작, 뇌압상승, 혼수 등의 급성 합병증을 경험하나, 이들 모두 신경학적 예후는 좋다. 볼거리 수막뇌염이 의심되는 경우는 청력검사를 실시하는 것이 바람직하며, 1세 이하에서 발생한 수막뇌염은 뇌 위축을 나타낼 수 있기 때문에 어린 연령에서 발생한 수막뇌염은 신중한 추적 관찰이 요구된다.

[예방]

선진국에서 폴리오, 홍역, 풍진, 볼거리, 수두에 대한 효과적인 예방접종의 광범위한 사용으로 이들 질환에 의한

중추신경계 합병증은 많이 감소되었다. 동물에게 광견병 백신을 접종함으로써 광견병에 의한 뇌염도 줄일 수 있다.

일본뇌염의 예방대책은 매개 모기 및 숙주의 관리보다는 예방접종이다. 그러나 북미 지역에서 arbovirus에 대한 예방접종이 없어서 이에 의한 수막뇌염은 관리가 어려운 상태이다. 곤충배양 지역에 대한 관리로 곤충 매개체들을 관리하는 것은 이러한 수막뇌염 발생을 줄이는데 효과가 있다. 노출된 피부에 DEET (N,N-diethyl-m-toluamide)를 포함하는 곤충 퇴치제를 바르거나 소매가 긴 셔츠, 긴 바지를 입어서 모기에 덜 물리는 것도 arbovirus 감염 위험을 줄인다.

1) Herpesviridae

인간 헤르페스바이러스들은 DNA 바이러스로서 태내, 출생 전후, 출생 이후에 신경학적 질병을 흔히 일으킨다. HSV-1과 HSV-2는 국소성 뇌염을, CMV는 자궁 내 감염이나 면역결핍자에서 발생하는 기회감염을, EBV는 Guillain-Barre 증후군과 국소 뇌염을, HHV-6와 HHV-7은 돌발진의 원인으로 열성경련과 드물게 뇌염을, VZV는 흔히 감염 후 실조를 유발한다.

단순 포진 바이러스

HSV-1은 대부분 구강으로 전염되고 HSV-2는 대부분 성적 접촉으로 전염된다. 소아에서 단순 포진 바이러스에 의한 신경계 감염은 일차적 감염이나 재활성화에 의하며, 30세 이상의 성인에서는 대부분 재활성화에 의해 발생한다.

신생아기 이후의 소아청소년기에 발생하는 단순 포진 바이러스 뇌염은 대부분 HSV-1에 의하는데, 전형적으로 두통, 발열, 구토, 권태감, 그리고 행동변화로 시작된다. 대부분의 환자들에서 반신마비나 언어장애, 시야장애 등의 국소 신경증상들이 연이어 나타난다. 경련은 생검으로 증명된 HSV 뇌염 환자의 40% 정도에서 나타나는데 전신발작이나 국소발작이 가능하다. HSV가 특히 전두-측두엽 부위를 잘 침범하기 때문에 국소적인 증상이 나타나기 쉬우나 다른 부위를 침범할 수도 있다. HSV 뇌염의 임상경과는 보통 빠르게 진행하여 난치성의 발작, 혼수, 두개내압 상승, 사망 등이 2주 이내에 나타나는데, 기억상실이나 행

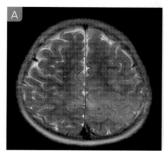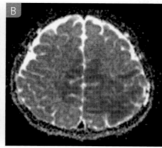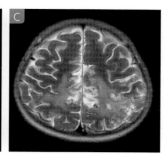

■ 그림 11-1. 헤르페스바이러스뇌염의 MRI 소견
(A,B) 발열기에 양측 전두엽 및 두정엽에 걸쳐 T2 신호증가 및 부종이 관찰되고, 확산영상검사에서 같은 부위에 확산감소를 볼 수 있다. (C) 2주 후에 촬영한 MRI에서 조직괴사가 빠르게 진행한 것이 관찰된다.

동장애 등을 보이며 천천히 진행할 수도 있다.

진단은 뇌척수액에서 바이러스를 검출하거나 PCR로 바이러스 유전체를 검출함으로써 가능하며 PCR의 민감도와 특이도는 90-95% 정도로 알려져 있고 HSV 뇌염에 대한 현재의 표준 진단방법으로 인정되고 있다.

HSV 뇌염의 전형적인 MRI 소견은 일측 혹은 양측의 내측 측두엽, 안와전두(orbitofrontal) 영역, 띠다발이랑(cingulate gyrus), 뇌섬(inslua) 부위의 T2강조 영상의 신호증가 또는, godolinium을 사용한 T1강조 영상의 조영증강을 보인다(그림 11-1).

파종 HSV 뇌염이 영아에서 발생한 경우 약 30% 정도가 사망하며 생존아의 40% 이하만이 이전의 기능수준으로 회복된다. 후유증은 정도가 경한 언어지연 및 운동발달지연에서부터 뇌전증, 행동이상, 강직 사지 불완전마비나 심한 발달지연 등에 이르기까지 다양하다.

○ CMV

출생 시 0.4-2.5%의 신생아들이 소변이나 침에서 CMV를 배출하는데 이는 선천성 감염을 의미한다(선천 뇌염 참조). 선천감염과 달리 면역이 정상인 소아청소년이 CMV에 감염될 경우 경한 한정된 경과의 뇌염이나 Guillain-Barre 증후군을 앓을 수 있다. 그러나 면역이 저하된 환자의 경우 심각한 뇌염이나 망막염, 척수증을 앓을 수 있다.

소아에서 CMV 감염은 소변, 침, 백혈구 내에서 바이러스를 검출하거나, 백혈구에서 CMV 특이항원을 검출하거나, 뇌척수액, 소변, 혈청에서 CMV DNA를 검출하여 확

인할 수 있다.

면역이 억제된 소아에서도 침습적인 CMV 감염이 있는 경우에는 ganciclovir 5 mg/kg/회 용량으로 하루 2회 정주하여 14일간 치료한다. HIV 감염이 동반되고 CMV 망막염 환자에서는 5-10 mg/kg/d 용량의 장기간 유지요법이 추가적으로 필요하다. Ganciclovir의 부작용으로 골수억제 및 신기능 저하가 가능하므로 이 약제의 사용 중 CBC와 신장기능 검사를 자주 실시한다. CMV 감염의 결과에는 면역상태가 가장 중요해서 정상적인 면역을 가진 경우 대부분 회복된다.

○ VZV

수두와 대상포진의 원인 바이러스인 VZV는 소아에서 급성 실조, 척수염, 뇌졸중, 헤르페스후 신경통, Bell 마비, Ramsay-Hunt 증후군, 무균성 뇌막염, 뇌염, 선천성 수두 증후군, Reye 증후군 등과 관련된 것으로 알려져 있다. 이러한 질환들은 면역이 정상이거나 면역이 저하된 사람에게 모두 나타날 수 있으나, 면역이 저하된 경우에 더 심하고 침습적인 감염의 위험이 커진다.

수두가 걸린 후 바이러스는 감각성 신경절에서 잠복하게 되며, 재활성화되면 대상포진을 일으키게 된다. 수두 환자의 0.1% 이하에서 신경학적 합병증을 경험하며, 그 중에서는 급성 소뇌실조가 가장 흔한데 발진 발생 10일 후 경에 증상이 시작된다. VZV 뇌염은 수두나 대상포진의 발진이 있는 3-7일 후에 나타나는데, 그 증상은 발열, 두통, 경련, 혼수, 마비 등이다.

진단은 피부병변이 있는 경우 병변의 바이러스를 검

출, 혈청 VZV 특이항체, 혹은 뇌척수액에서 VZV DNA를 PCR 검출 등을 통해 진단한다. MRI에서는 말이집탈락에 합당한 뇌의 부종이나 백질병변을 나타내며, 간혹 급성 파종성 뇌척수염의 소견과 같은 양상을 나타낸다.

실조의 경우에는 8주 이내에 대부분 회복되지만, 뇌염과 척수염의 경우에는 acyclovir 500 mg/m²의 용량으로 일일 3회 총 10일간 투여하며, 면역결핍이 있는 소아청소년의 경우에는 반드시 acyclovir를 투여한다. Ramsay-Hunt 증후군의 경우에도 acyclovir가 도움이 될 수 있다. 대상포진 바이러스에 의한 척수염, 급성 파종성 뇌염, 뇌졸중이 동반된 경우에는 스테로이드 치료를 고려하여야 한다.

○ EBV

전염성 단핵구증의 원인 바이러스인 EBV는 뇌염, Guillain-Barre 증후군, 시신경염, 벨 마비, 급성 실조, 만성 매일 두통, 급성 무도증, 이상한 나라의 앨리스 증후군 등과 관련된 바이러스이다. EBV는 구강 분비물을 통해 전염되는데, 5세 이전의 소아와 10세 이후의 소아청소년 및 젊은 성인들이 감염된다.

EBV 뇌염은 급성 뇌염의 5% 정도를 차지하며 발열, 두통, 의식장애, 뇌전증지속증을 포함한 발작 등의 증상을 나타낸다. 또 HSV 뇌염의 증상과 유사하여 오진하는 수가 많다.

EBV 감염의 경우에 혈청 transaminase 증가와 더불어 혈소판 감소증, 백혈구 감소증, 비정형 림프구 증가증 등의 혈액학적 이상이 나타나는 경우가 많다. Heterophil 반응 양성이면 최근의 감염을 뜻하지만 4세 이하의 경우에 위음성을 나타내는 경우가 많다. 따라서 EBV 감염의 진단은 viral capsid 항원(VCA), 조기 항원(EA), 핵 항원(NA) 등의 EBV 특이항원에 대한 특이항체 검사를 이용한다. EBNA IgG 항체가 음성이면서 VCA IgM이나 IgG가 양성이면 급성 감염을 뜻한다. EBV의 중추신경계 감염은 뇌척수액에서 EBV DNA를 검출함으로써 가능하다. EBV 뇌염이나 이상한 나라의 앨리스 증후군 동안 뇌파검사는 서파 양상이나 뇌전증모양 방전을 나타낸다.

EBV에 의한 수막뇌염의 경우에 항바이러스제는 효과가 적으므로 지지요법이 주 치료이며 대부분의 소아에서 잘 회복되지만 신경학적 후유증이 있을 수 있다.

○ HHV-6, HHV-7

HHV-6, HHV-7은 어린 소아에서 돌발진을 일으키는 바이러스로 1986년과 1990년에 각각 발견되었고 소아와 성인에서 신경학적 합병증을 일으킬 수 있다. 거의 모든 소아에서 5세 이전에 감염되는데, 돌발진의 경우 고열로 인해 열성경련의 상당한 원인으로 보고되고 있다. HHV-6, HHV-7 모두 어린 소아에서는 급성 뇌증이나 급성 뇌염을, 성인에서는 척수염이나 뇌염을 일으킬 수 있으며, 일시적 또는 영구적 반신마비와 혼수 등을 초래한다. 또, HHV-6, HHV-7은 HHV-8과 더불어 면역이 결핍된 환자에서 중추신경계의 기회감염을 일으키는 원인이 될 수 있다. 진단은 혈청학적으로 또는 PCR로 가능하다.

HHV-6와 HHV-7 뇌염의 경우 acyclovir는 효과가 없는 것으로 보이며, 고용량 ganciclovir 또는 foscarnet의 조기 치료가 효과적이었다는 보고는 있으나 아직 확실한 항바이러스 치료제는 없다. 대부분의 소아는 회복되지만, 영구적인 신경학적 후유증을 남기거나 사망할 수 있다. HHV-6 뇌염의 사망률이 50% 이상으로 알려져 있다.

2) Picornaviridae

Picornavirus, 특히 장바이러스는 잠재적으로 신경계 감염의 중요한 원인으로서 지금까지 80여종의 작은 RNA 바이러스가 확인되었다. Echoviruses(특히 6, 7, 9, 30형)가 가장 흔하고 그 외 coxsackievirus (B1-5형)가 있다.

장바이러스 수막뇌염은 뇌막에만 국한되어 경미하고 자연적으로 회복되는 경과를 밟는 것에서부터 심한 뇌염을 동반하여 사망 및 심한 후유증을 유발시키는 경우까지 임상경과가 다양하다. 뇌염의 증상은 발열, 경련, 졸림, 혼수, 국소 신경증상 등을 나타낼 수 있는데, 임상양상, 뇌파, 신경영상 검사에서 국소 소견이 나타날 경우 HSV 뇌염과 유사하여 감별하여야 한다. 특히 장바이러스 71형은 뇌염, 무균수막염 뿐 아니라 일측성 혹은 양측성의 이완성 마비를 보이는 신경학적 질환을 일으키기도 하므로 소아마비나 Guillain-Barre 증후군과 감별도 필요하다.

무감마글로불린혈증이 있는 소아에서는 중추신경계에 치명적인 만성 장바이러스 감염이 가능하며, 증상으로 피부근염 유사질환과 경련, 의식변화, 편마비, 두통 등의 신경증상을 보일 수 있다. 장바이러스 71형에 의한 뇌염이나 무감마글로불린형증 환자에서의 장바이러스 감염에는 면역글로불린을 사용한다.

3) Flaviviridae

이 바이러스군에 속하는 바이러스들은 절지동물 매개로 전염되는 특징을 가지며, 지역에 따라 일본뇌염 바이러스, ST. Louis 뇌염 바이러스, West Nile 바이러스 등이 대표적이다. 그 중 일본뇌염이 세계적으로 가장 흔하다.

일본뇌염

일본뇌염은 Culex 모기에 의해 전염되고 주로 15세 이하의 소아에게 발생하며 동아시아에서 주로 5월과 10월 사이에 발생하는 뇌염이다. 뇌염의 증상은 갑자기 발열, 발작, 혼수 등의 전격적인 증상이 발생하고, 두통, 구토, 근긴장 증가, 불규칙한 호흡, 국소 신경증상 등이 나타날 수 있다. 전구기는 1일 이내로 짧지만 질병의 경과는 7일 이상 지속될 수 있다. 진단은 뇌척수액이나 뇌조직의 바이러스 검출 및 혈청학적 검사, 역전사효소 PCR을 이용한 일본뇌염 바이러스 RNA 검출로써 이루어진다. MRI는 양측성의 시상이나 기저핵의 병변이 나타난다. 일본뇌염의 사망률은 8-40%에 달하며, 약 50%의 생존자들도 정신지연, 뇌전증, 운동장애, 행동장애나 지적장애 등을 갖게 된다. 불활성화 일본뇌염 백신을 2회 접종 후 80% 예방효과를 보인다.

4) Paramyxoviridae

Paramyxovirus 가계에는 볼거리 바이러스와 홍역 바이러스가 있다. 이들 바이러스에 대한 예방접종이 개발된 후 환자 발생이 감소되었지만, 2,000년에도 전 세계적으로 홍역으로 인한 사망이 777,000례에 달하며 5세 이하 소아 사망의 5% 정도가 홍역으로 인한 것으로 보고되고 있다. Paramyxovirus 가계의 다른 바이러스들로는 parainfluenza virus, respiratiory syncytial virus 등이 있는데 이들도 드물게 신경학적 합병증을 일으키기도 한다.

홍역 바이러스

홍역 뇌척수염은 홍역 1,000사례 당 1례 정도로 발생하는데 대부분 10세 이하는 소아에서 홍역 발진 발생 후 7일 이내에 발생한다. 임상양상은 두통, 보챔, 졸림, 혼수, 경련 등이 나타나고 실조, 무도증, 국소 신경장애가 나타나기도 한다. 급성기와 회복기 혈청에서 홍역 IgG 항체의 증가를 보거나 혈청 혹은 뇌척수액에서 홍역 특이 IgM 항체를 측정하여 진단하거나 역전사효소 PCR을 이용하여 홍역 바이러스 RNA를 검출할 수 있다. MRI 소견은 급성 말이집탈락에 해당하는 백질병변 소견을 보인다. 치료는 주로 지지요법이며 질병의 경과는 완전 회복에서부터 지적장애, 운동장애와 사망에 이르기까지 다양하다.

아급성 홍역 바이러스 뇌증은 급성 백혈병 등의 면역이 결핍된 소아에서 홍역 감염이나 접종 후 1-7개월경에 발생한다. 전형적 임상양상은 의식의 변화, 전신 혹은 국소 발작(발작지속증 포함) 등이 전형적이다. 15-40%의 환자에서는 반신마비, 실조, 실어증, 또는 시각장애도 나타난다. 뇌척수액 소견은 대개 정상이지만 림프구성 세포증가증을 보일 수 있다. 뇌파검사는 국소 또는 전신 서파나 뇌전증모양 방전을 나타낸다. CT 소견은 대개 정상이지만, MRI는 겉질, 백질, 또는 기저핵 부위의 비특이적 변화 소견을 보일 수 있다.

Ribavirin 치료로 일시적 호전을 보였다는 보고는 있으나, 대부분의 환자는 사망하거나 심각한 신경학적 장애를 가지게 된다.

아급성 경화 전뇌염은 평균 7세 정도의 소아에서 홍역 감염 5-10년 후에 발생한다. 비교적 전형적인 질병의 단계들이 나타나는데, 처음에는 정신질환을 의심케 하는 행동이나 인지의 저하가 서서히 나타나다가, 다음 단계에서는 특징적으로 근간대경련이 사지, 몸통, 머리 등에 나타나고 전신 또는 국소발작이 나타난다. 더 진행하면 언어와 지적장애가 심해지고 근간대경련이 심해지고 무도무정위운동, 운동완만, 경직 등의 다른 신경증상이 나타난다. 마지막 단계는 무기력, 혼수, 그리고 사망으로 이어진다. 약 과반수의 환자가 맥락망막염과 시력이상을 가진다. 소수의 환자들은 비전형적으로 빠른 경과를 보이며 사망이 이른다. 아급성 경화 전뇌염의 발생기전은 아직 명확하지 않으나 신경조직에서의 홍역 바이러스 복제의 결함이 관련된 것으로 보고 있다.

환자들의 뇌척수액 면역글로불린, oligoclonal band, IgG 생산율 등이 증가되어 있어 홍역 특이 IgG 생산이 매우 증가되어 있는 것으로 보인다. 뇌척수액에서 홍역 특이 IgG 수치가 높으면 진단할 수 있으며, 뇌척수액이나 혈장에서 역전사효소 PCR을 이용하여 홍역 바이러스 RNA를 검출할 수 있다. 뇌파검사는 양측 동기화 서파나 서파군이 나타나며 시간이 경과하면 돌발파 억제양상이 나타날 수 있다. MRI는 흔히 겉질밑 및 뇌실 주변 백질의 T2 연장 소견을 보이고 결국은 겉질 위축을 나타낸다.

대부분의 환자에서 질병의 진행에 따라 1-3년에 사망에 이르는데, 어떤 환자들에서는 안정기가 길게 유지되는 경우가 있으며 이들 중, inosine pranobex 치료나 interferon α 치료를 시도한 사례들이 있다. 다국가 연구에서 inosine pranobex 치료는 35%에서 질병진행을 안정시키는 효과가 있었지만 interferon α 치료는 도움이 되지 않는 것으로 나타났다.

볼거리 바이러스

예방접종이 개발되기 이전의 통계를 보면 볼거리 환자의 10%에서 무균뇌막염이 발생하고 약 0.2% 정도의 환자에서 뇌염이 발생했다. 볼거리로 인한 무균뇌막염과 뇌염의 증상은 고열, 두통, 구토, 경부강직, 졸림, 경련, 혼수, 국소 신경증상 등이다. 볼거리로 인한 다른 신경학적 합병증으로는 급성 소뇌실조와 뇌수막염으로 인한 수두증 등이 있다.

뇌척수액의 세포 수는 증가되고, 뇌척수액 단백은 보통 정상이며, 당은 약간 감소된다. 진단은 볼거리 바이러스 특이 IgM 또는 IgG 항체를 검출로 가능하다. 환자의 뇌파는 전신 혹은 국소 서파를 보인다. 치료는 보통 지지요법이며, 대부분 완전 회복된다.

5) Retroviridae

사람면역결핍바이러스(Human Immunodeficiency Virus; HIV)

치료 받지 않은 후천면역결핍증후군(AIDS) 여성 환자의 자녀가 HIV에 감염될 확률은 15-30%이며, 진행된 AIDS 소아 환자의 약 50%에서 HIV 관련 진행 뇌증이 발생하는 것으로 보고되었다. HIV 감염이 뇌 이상을 일으키는 발병기전은 아직 완전히 밝혀지지 않았지만, HIV는 감염 후 중추신경계의 소교세포(microglia), 대식세포, 별아교세포(astrocyte)를 침범하는 것으로 알려졌다. 신경세포와 핍지교세포(oligodendrocyte) 내에서는 HIV가 거의 발견되지 않는 것으로 보아 이들 세포들은 cytokine이나 excito-toxin을 통해서 간접적 영향을 받는 것으로 보인다.

HIV에 의한 중추신경계 감염의 전형적 증상으로는 무감동(apathy), 치매, 운동실조, 과반응, 쇠약, 발작, 근간대경련 등이 있으며, 그 밖에도 무균수막영, 수막뇌염, 근병증, Guillain-Barre 증후군 등과 관련되어 있다. 또 HIV 감염 후 면역결핍에 의한 기회감염이나 종양 등이 신경계의 합병증을 유발할 수 있다.

HIV와 관련된 뇌증 환자에서 뇌척수액 소견은 보통 정상소견을 보이지만, 뇌파검사는 광범위 서파 소견을 보인다. 신경염상 검사에서는 겉질 위축을 보이고, 기저핵이나 전두엽 백질에 석회화가 발견되기도 한다.

HIV 감염의 치료는 최근 지속적으로 발전해 왔으며 HIV 감염 환자의 생존은 향상되었지만, 아직 HIV를 근절하는 치료법은 없으며 HIV 감염에 대한 백신도 개발되지 않았다.

6) Influenza virus

인플루엔자 바이러스의 뇌염은 5세 이하 연령에서 호발하고 특히 1-2세경에 잘 발생하는 것으로 알려져 있다. 일본에서의 연구에 의하면 그 빈도가 HSV에 의한 뇌염의 빈도와 유사하여 소아 뇌염 환자 중 약 5%에 달하였다.

소아 연령에서의 인플루엔자 바이러스 뇌염의 임상양상은 연령에 따라 다양해서, 나이가 든 소아의 경우 의식의 변화가 주된 양상이며 발작은 드물고 후유증이 적다.

소아 연령의 인플루엔자 감염의 예방 및 치료에는 neuramidase 길항제, adamantene 약물 등이 사용되는데 neuramidase 길항제에는 내성의 보고가 드물지만 adamantene 약물에 대한 내성은 많이 보고되고 있다. 인플루엔자로 입원한 소아, 인플루엔자로 의심되거나 확진된 환자로 증상이 심한 경우, 합병증이 동반된 경우, 진행성 질환이 있을 때, 또 예방접종 여부에 무관하게 합병증 발생의 고위험군 등에 대해서는 항바이러스제 치료를 조기에 시작하는 것이 좋다.

7) 로타바이러스

영아나 유소아에서 겨울철에 로타바이러스 위장관염은 흔한데, 그 중 약 2%의 환자에서 발작이나 의식변화를 경험한다. 이들의 뇌척수액 소견은 정상 당, 단백, 그리고 정상 또는 증가된 백혈구수를 보인다. 뇌파 소견은 비특이적 서파를 보이며, MRI 소견은 보통 정상이다.

8) 말라리아 뇌염

말라리아는 얼룩날개모기를 매개로 인간에게 전염되는 열원충(Plasmodium spp.)이 적혈구에 기생하여 생기는 열병으로 우리나라에서 휴전선 부근 지역에서 토착적으로 발생하고 있다. 사람을 주 숙주로 하는 말라리아의 병원체는 열대열원충(Plasmodium falcifarum), 삼일열원충(P. vivax), 사일열원충(P. malariae), 난형열원충(P. ovale) 등 4가지인데 우리나라에서 유행하는 것은 삼일열원충(P. vivax)에 의한 것이다.

합병증이 동반되는 중증 말라리아 때에는 치료를 하여도 사망률이 15-20%에 이르는데, 중증 말라리아의 대표적인 예가 혼수, 발작의 증상을 보이는 뇌 말라리아(cerebral malaria)이다. 하지만 해외에서 유입된 경우를 제외하고 국내에서 발생하는 말라리아는 삼일열 말라리아로 열대열 말라리아와 비교하여 양호한 임상경과를 보이며 뇌 말라리아 등의 중증 합병증 동반이 드문 것으로 알려져 있다.

염색한 말초혈액 도말표본을 현미경으로 검사하여 열원충을 발견하여 진단하는 것이 표준 검사법이지만 항체나 항원 검출이 진단에 보조적으로 사용되며 PCR에 의한 DNA검출로 진단의 민감도를 향상시킬 수 있다.

말라리아 치료는 감염된 열원충에 감수성이 있는 약제를 경구투여하는 것이 원칙인데 chloroquine, sulfadoxinepyrimethamine, quinine과 함께 tetracyclin, doxycyclin, clindamycin 중 한 가지, meflooquine, artemisinins 등의 약물을 사용할 수 있다. 약제내성이 보고되고 있어 여러 약물을 병합하여 쓰는 것이 권장되며 뇌 말라리아 등의 중증 말라리아아 때는 비경구투여도 가능하다.

04

뇌농양

Brain Abscess

| 김원섭 |

(1) 역학

뇌농양은 모든 연령에서 발생할 수 있으나 대부분 4세에서 7세 사이에 발생한다. 뇌농양은 사망률과 후유증이 높기 때문에 초기에 진단을 하도록 주의를 기울여야 한다.

(2) 병태생리

혈행성이나 직접적으로 퍼져서 뇌농양을 일으킬 수 있다. 주로 청색증을 동반한 선천성 심장질환과 부비강 또는 중이에 감염이 있을 때 생길 수 있다. 그 이외에 신경외과 수술, 관통성 뇌손상, 면역결핍증, 만성 폐질환 때 생길 수 있다. 수막염 자체로는 뇌농양이 잘 생기지 않으나 신생아인 경우는 예외이며, 특히 Citrobacter spp.나 Cronobacter (Enterobacter) sakazaii 일 때는 생길 수 있다.

뇌 실질의 감염은 처음에는 주변의 부종을 동반한 국소 뇌염 증상을 보인다. 좀 더 진행이 되면 감염으로 인한 괴사조직 주변에 염증성 육아조직이 캡슐형태로 자리를 잡는다. 뇌농양은 혈액으로 전파되면 중뇌동맥 부위에 잘 생기고, 부비강 혹은 구강내 감염으로 생기면 전두엽에, 중이염인 경우는 측두엽이나 소뇌에 잘 생긴다.

가장 흔한 세균은 사슬알균, 포도알균, 그리고 그람음성 간균이 많다. 여러 가지 세균에 의한 감염도 있을 수 있다. 혐기성 세균에 의한 감염도 많다. 신생아에서는 수막염 특히, Cronobacter (Enterobacter) sakazaii 혹은 Citrobacter spp. 감염에 의해 생길 수 있다.

(3) 임상증상

대부분 증상이 없고, 20% 이하에서만 증상이 나오는데 두통이 제일 많고, 열, 국소 신경증상, 경련이 있을 수 있다. 그러나 경부강직 증상은 잘 안 나올 수 있으며, 다발 뇌농양인 경우는 어떤 특정 증상이 안 보일 수도 있다. 학동기나 청소년은 유두부종이 같이 나오기도 한다. 특히 청색증을 동반한 선천성 심장질환이 있는 경우는 다발성 뇌농양이 발생하기도 한다. 종양, 낭미충증, 혈관성 병변, 경막하혈종, 헤르페스 국소 뇌염과 감별을 해야 한다.

(4) 진단

CT(조형제 증강)와 MRI가 진단에 도움이 된다. 초기 뇌염 때는 CT에서 저음영의 병변이 보이며, MRI에는 국소 부종으로 보인다. 좀 더 진행하면 중심부 괴사를 동반한 원형모양의 조영증강되는 병변이 보이며 그리고 주변부에 부종이 같이 보인다(그림 11-2). 확산강조 영상을 보면 뚜렷이 구별을 할 수 있다. 뇌척수액검사는 뇌 이탈의 위험이 있고, 진단에 도움이 안 되므로 뇌농양이 의심될 때는 시행하지 않는다. 흡인이나 적출술로 원인균을 동정할 수 있다.

(5) 치료

뇌농양의 치료는 초기에 신속히 진단하여, 가능한 원인 및 가장 가능성 있는 세균을 기초한 항생제 치료를 시행한다. 원인이 밝혀지지 않은 경우에서는 vancomycin과 3세대

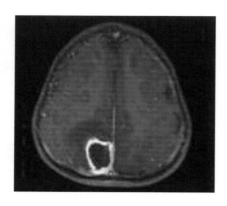

■ 그림 11-2. 뇌농양의 MRI소견
환자의 우측 후두엽에 중심부 괴사를 동반한 원형모양의 조영증강되는 뇌
농양 병변과 주변부에 부종을 시사하는 저강도 음영이 관찰된다.

cephalosporin 및 metronidazole을 병용한다.

관통손상, 두부외상 또는 신경외과 병력 후 생긴 농양은 vancomycin과 3세대 cephalosporin의 병용치료이고, 반면에 청색 심질환의 결과로 생긴 병변의 초기치료는 ampicillin-sulbactam 또는 3세대 cephalosporin과 metoronidazole을 병용한다. Meropenem은 모든 항생제에 내성을 가진 폐렴사슬알균을 포함하여 그람음성 간균, 혐기성균, 포도알균, 사슬알균에 항균력이 좋기 때문에 meropenem 단독치료로 대치할 수 있다. 뇌실복강 지름에 의하여 이차적으로 발생한 뇌농양은 초기부터 vancomycin과 ceftriaxone을 사용할 수 있다. 면역결핍이 있는 소아에서는 광범위 항생제와 함께 amphotericin B의 사용을 고려한다.

항생제 요법의 기간은 세균과 치료의 반응에 따라 다르지만, 보통 6-8주 정도 필요하다.

농양의 크기가 2 cm 이하, 2주 이내에 짧은 질병기간, 뇌압상승 징후가 없고 신경학적으로 이상이 없는 경우 항생제만으로도 치료할 수 있다.

뇌농양이 종괴 효과 또는 뇌압상승을 유발할 경우나 피막이 형성된 농양은 항생제 치료와 흡인을 병행해야 한다. 농양이 2.5 cm 이상, 농양 내 가스, 다발성, 후두와의 위치. 진균동정 시에 수술의 적응증이 된다. 꼭지염, 부비동염 또는 안와주의 농양과 같은 연관된 감염은 수술적 배액법이 필요할 수 있다.

(6) 예후

입원 시 높은 사망률과 관련된 인자로는 1세 이하, 다발농양, 면역결핍 소아 등이다. 장기 후유증은 적어도 생존자의 약 50%에서 나타나는데 편측 불완전마비, 발작, 수두증, 뇌신경 이상 및 행동과 학습장애 등이다.

척수감염, 농양

Spinal Empyema or Spinal Abscess

| 김원섭 |

(1) 경막외 농양(Epidural abscess)

척수농양(spinal abscess)은 보통 세균성 패혈성 감염이나 척수에 직접적으로 감염으로 생긴다.

소아에서는 드문 병으로서 드물게 척추 조직의 감염으로부터 잘 생기는데, 뇌척수 천자나 경막외 마취의 후유증으로도 생긴다.

[원인 및 임상증상]

S. aureus가 가장 흔한 균이고 결핵균도 항상 고려 대상이다.

증상은 허리통증이 있고 열이 나며 소아에게서는 빠르게 진행하는 것이 특징인데 간혹 척추의 골수염으로 인하여 생긴 경우는 서서히 진행한다. 수직으로 퍼져서 추체외로 압박으로 인한 증상이 나온다. 조임근을 침범하며 운동 능력의 저하가 있어서 급성 횡단 척수염이나 수질외 종양과 감별이 중요하다. 그러나 나이가 어릴수록 특별한 증상이 안 나타나서 진단을 어렵게 한다. 보통 감염 1-2주 내에 허리 통증이 나오고 움직이면 더 심해진다. 국소 압통이 있으며 며칠 지나서 압통이 뿌리 통증으로 번지고, 수의운동이 약해지고 조임근 조절이 힘들어진다. 심하면 몇 시간 혹은 며칠 내에 하반신 마비가 올 수 있다.

[진단]

척추 주변의 통증과 신경학적 증상이 있으면 의심해 보아야 한다.

조영제를 사용하여 MRI를 시행하여 진단할 수 있고 균 배양검사를 실시할 수 있으나 척수천자는 피해야 한다.

[치료]

신경학적 문제가 있는 경우는 감압술과 배액술을 동반한 척추후궁 절제술을 시행하여야 하며, 급속히 진행되는 경우는 외과적으로 빨리 치료를 해야 한다. 적절한 항생제(vancomycin과 3세대 cephalosporin)를 6-8주간 치료하고, 결핵이 의심되는 경우는 결핵약을 사용한다.

(2) 수질내 농양(Intramedullary abscess)

척수 안쪽의 감염은 아주 드물다. 그러나 면역결핍 환자에서는 생길 수 있고 인근의 감염된 부위나 피부굴로부터 올 수 있다.

보통은 서서히 진행되어 서너 달에 걸쳐 진행되기도 한다. 혈액으로 퍼진 경우는 흉부 척수 부위에 다발성으로 올 수 있다. 수질내 종양과 감별하여야 하며 빠르게 진행되는 경우는 척수병증이나 Guillain-Barre 증후군과 감별하여야 한다.

(3) 척추 원반부위 감염(Infections of intervertebral disc space)

소아에서는 S. aureus이나 diphteroid 균에 의해 생길 수 있다. 허리통증이 있으며 열이 없을 수도 있다. MRI 촬영을 하면 척추 원반부위가 좁아져 있고 조영증강된다. 대부분 적혈구 침강률이 증가되어 있다. 치료는 움직이지 않게 고정하고 항생제를 사용한다.

참고문헌

1. Amin R, Ford-Jones E, Richardson SE, MacGregor D, Tellier R, Heurter H, Fearon M, Bitnun A. Acute childhood encephalitis and encephalopathy associated with influenza: a prospective 11-year review. Pediatr Infect Dis J. 2008;27(5):390-5.

2. Baskin HJ, Hedlund G. Neuroimaging of herpesvirus infection in children. Pediatr Radiol 2007;37:949-63.

3. Bloch KC, Bailin SS. Update on fungal infections of the central nervous system: emerging pathogens and emerging diagnostics. Curr Opin Infect Dis 2019;32:277-84.

4. Bonthius DJ and Bale Jr JF. Viral Infections of the Nervous System. In: Swaiman KF, Ashwal S, Ferriero DM, Schor NF, Finkel RS, Gropman AL, Pearl PL, and Shevell MI. Swaiman's Pediatric Neurology: Principles and Practice, 6th ed. Elsevier, 2017:e2041-e2074.

5. Centers for Disease Control and Prevention (CDC). Update: influenza activity --- United States, October 3-December 11, 2010. MMWR Morb Mortal Wkly Rep. 2010;59(50):1651.

6. COMMITTEE ON INFECTIOUS DISEASES. Recommendations for Prevention and Control of Influenza in Children, 2012-2013. Pediatrics. 2012 Sep; 780-792.

7. Fujimoto S, Kobayashi M, Uemura O, Iwasa M, Ando T, Katoh T, Nakamura C, Maki N, Togari H, Wada Y. PCR on cerebrospinal fluid to show influenza-associated acute encephalopathy or encephalitis. Lancet. 1998;352(9131):873-5.

8. Jakka SR, Veena S, Atmakuri RM. Characteristic abnormalities in cerebrospinal fluid biochemistry in children with cerebral malaria compared to viral encephalitis. Cerebrospinal Fluid Research 2006, 3:8.

9. Janowski AB and Hunstad DA. Central Nervous System Infections. In: Kliegman RM, St Geme JW, Blum NJ, Shah SS, Tasker RC, and Wilson KM. Nelson Textbook of Pediatrics. 21st ed. Elsevier, 2019:3232-3234.

10. Lo Re V 3rd, Gluckman SJ. Eosinophilic meningitis. Am J Med 2003;114:217-21.

11. Maria BL, Bale Jr JF. Infections of the Nervous system. In: Menkes JH, Sarnat HB, Maria BL, editor. Child Neurology. 7th ed. Lippincott Williams & Wilkins; 2006. p. 445-448.

12. Maria BL, Bale Jr JF. Infections of the Nervous system. In: Menkes JH, Sarnat HB, Maria BL, editor. Child Neurology. 7th ed. Lippincott Williams & Wilkins; 2006. p. 508-510.

13. Whitley RJ, Gnann JW. Viral encephalitis: familiar infections and emerging pathogens. Lancet 2002;359:507-14.

14. 김성한. 결핵성 뇌수막염의 진단과 치료. J Neurocrit Care 2014;7:78-85.

15. 고원규. 국내 말라리아의 재유행. J Korean Med Assoc 20

16. 안효섭, 신희영 . 홍창의 소아과학. 제 11판. 서울: 미래엔, 2016:366- 368.

소 아 신 경 학
PEDIATRIC NEUROLOGY

제12장

신경계 염증/자가면역 질환

Neuroinflammatory/Autoimmune Disorders
of Nervous System

다발경화증

Multiple Sclerosis

| 유일한 |

다발경화증은 주로 면역매개 탈수초 중추신경계 질환이다. 병리학적 특징은 19세기 초 Cruveilhier와 Carswell에 의해 처음으로 보고된 후 임상양상과 임상경과를 포함한 진단기준을 Charcot이 제안하였고, 1948년 Kabat 등이 뇌척수액에서 올리고클론띠 증가를 보고하여 발병과정에 면역기전이 관여함을 처음으로 증명하였다.

[역학]

주로 10세에서 59세 사이에 발생하며, 발병연령이 18세 미만인 다발경화증을 소아 다발경화증이라고 정의 한다. 18세 미만에서 발생하는 소아 다발경화증은 전체 다발경화증 환자의 3-10%를 차지한다고 알려져 있으며 10세 미만의 발병은 더욱 낮아 1% 미만을 차지하는 것으로 알려져 있다. 발병률은 소아에서 1년 동안 10만명당 0.13-0.51명으로 보고되고 있다. 12세에서 16세 사이의 발병한 소아 다발경화증 환자에서 남자 여자 환자의 비율은 1:4.5로 여자에게서 발병률이 높으며 발병연령이 12세 미만인 환자들은 상대적으로 남자 환자의 비율이 높다고 알려져 있다.

[발병기전]

임상병리학적으로 일차적 염증 탈수초 중추신경계 질환이다. 발병기전은 아직 정확히 밝혀지지는 않았으나 말이집에 대하여 비정상적으로 세포면역 반응이 증가된 자가면역질환으로 여겨지고 있다. 초기 유소년기 환경인자들이 잠복기가 지난 후에 증상의 발현을 촉진하는 것으로 추정된다.

발병기전에 관여하는 인자는 크게 환경요인과 유전요인으로 나눌 수 있다.

1) 환경요인

(1) 고위도 지방 거주

사춘기 이전에 고위도 지방에 거주하는 것이 위험인자로 알려져 있다. 16세 이전에 저위도 지역으로 이동하면 다발경화증의 위험도가 낮아진다고 보고된다. 아직 출생 시 혹은 거주 국가에 따른 발병 위험도는 알려져 있지 않다.

(2) 비타민 D와 햇빛 노출

고위도 지방에서의 거주가 다발경화증의 위험도를 높인다는 현상이 알려진 후 이어진 환경요인 연구들에서 자외선에 노출되는 것이 다발경화증의 발병 위험도를 낮춘다고 보고하였다. 백인종에서는 25-하이드록시 비타민 D가 증가할수록 다발경화증의 위험도가 낮아진다고 알려져 있다. 그러나 흑인이나 히스패닉계에서는 이 관련성이 확인되지 않았으며, 낮은 비타민 D는 소아 다발경화증의 위험도를 높인다고 알려져 있다.

(3) EBV 및 다른 감염질환

EBV 감염력이 다발경화증의 위험도를 높인다고 알려져 있다. 그러나 이와 관련된 연구들은 실제로 감염이 다발경화증을 유발하였는지 혹은 다발경화증이 발병하기 쉬운 병태생리가 환자를 감염에 취약하게 만들었는지 등에 의한 의문을 완전히 배제하지 못하였다.

다발경화증 환자들의 과거 EBV 감염 항체 양성율은 건강한 대조군에 대비하여 높으며, 소아 환자군에서 이런 경향이 더 두드러진다고 알려져 있다. 또한 다발경화증 환자에서 EBV의 재활성화가 항체 양성 대조군에 비교해 높다. EBV 바이러스의 재활성화가 면역반응에 영향을 주어 염증반응을 일으킬 수 있다고 추정하고 있다.

EBV외에 CMV 감염은 소아 다발경화증에 보호효과가 있는 것으로 알려져 있으며 HHV-6 및 HSV도 다발경화증과의 관련성이 보고되었다.

(4) 비만과 장내 미생물

20세 이전의 비만은 성인에서 다발경화증을 일으키는 위험인자로 알려져 있다. 소아기의 비만 역시 여아에서 다발경화증 발생의 독립적인 위험인자로 보고하고 있으며 비만이 심할수록 위험도도 높아진다. 이른 사춘기에 높은 체질량 지수를 보이는 경우 사춘기 이후 남자와 여자 모두에서 소아 다발경화증의 위험도를 높인다고 알려져 있다. 비만이 기본적으로 염증상태이며 비타민 D 결핍의 위험인자라는 점에 기인하여 설명되고 있다.

동물실험에서 장내 미생물과 실험적 다발경화증 발생 관련성이 보고된 바 있으며 장내 미생물의 변동이 염증성 사이토카인을 억제하여 질병이 억제됨이 확인되었다. 실제로 소아 다발경화증 환자와 대조군 비교연구에서 장내 미생물의 차이가 확인된 바 있으며 면역조절 치료와 비타민 D 공급이 장내 미생물에 변화를 가져오는 것으로 보고되었다. 그러나 이러한 결과는 앞으로 대규모 연구를 통한 검증이 필요하다.

2) 유전요인

다발경화증은 산발적으로 발생한다고 여겨지나 가족 집적연구(familial aggregation study)에서 유전요인이 기여하는 증거들이 나타나고 있다.

첫째로 인종이나 민족 간에 다발경화증의 발병률이 다른데, 북유럽 혈통의 가계에서의 발병률이 같은 위도의 다른 지역보다 높다. 미국의 코호트 연구에 따르면 성인 다발경화증 중 백인종이면서 히스패닉이나 라틴계가 아닌 환자들이 70%를 차지한다. 성인 다발경화증 환자는 인종에 따라 표현형이 다르며, 아프리카 혈통의 성인 다발경화증 환자는 백인에 비교해서 장애가 빨리 발생하고 소아의 경우는 재발이 잦다고 알려져 있다.

둘째로 다발경화증 환자와 가까운 혈연관계일수록 다발경화증이 발생위험도가 높다. 일반 인구에 다발경화증의 발병률은 0.1-0.2% 정도로 알려져 있으나 일차 친척(first degree relative)에서는 2.5-5%로 위험도가 증가한다. 또한 일란성 쌍생아에서는 25-30%, 이란성 쌍생아에서는 3-5%의 위험도를 보인다.

다발경화증에 유전자가 관여하는 방식은 매우 복잡하며 멘델리안 유전형태를 따르지 않는 것으로 생각된다. 특정 주조직 적합성 복합체 인간 백혈구항원 다양성(MHC HLA polymorphism)의 과발현과 다발경화증의 연관성이 보고되어 있다. 6번 염색체에 위치하는 주조직 적합성 복합체는 다발경화증의 발생에 가장 큰 영향을 주는 것으로 보고되었다. 인간 백혈구항원의 다양성이 다발경화증의 발생과 관련이 있다는 사실은 다발경화증이 항원과 관련된 면역체계의 조절이상이라는 가설을 뒷받침해 준다. 특히 HLA-DRB1*15:01 대립유전자가 유럽계에서 다발경화증의 독립적인 위험인자임을 보고되어 있으며, HLA-DRB1*15:03 대립유전자가 아프리카계 미국인에서 위험인자로 알려져 있다. HLA-DRB1*15:01 대립유전자는 다발경화증 유전 위험요인의 약 10.5%를 차지한다고 추정되고 있다.

HLA 이외 위치한 유전자에서의 단일 뉴클레오타이드 다양성(SNPs)도 다발경화증 발생에 기여한다고 알려져 있는데 이런 뉴클레오타이드들은 선천 혹은 적응면역과 관련된 유전자에 위치한다. 그러나 이런 변이들은 일반인에서도 확인되고 있어 이들이 다발경화증의 발생에 얼마나 영향을 주는지는 불분명하다.

다발경화증과 유전요인과의 관계를 밝히는 대부분 연구는 성인을 대상으로 하였으므로 이 결과를 소아 다발경화증에 적용할 수 있는지는 확실하지 않다. 탈수초 질환을 가진 266명의 소아 환자를 대상으로 한 연구에서 HLA-DRB1*15 대립유전자를 가지는 소아가 다발경화증으로 진단될 확률이 높다는 것을 보고하였다. 그리고 일회성 탈수초 질환을 앓았던 환자들과 탈수초 질환이 없었던 대조군과는 HLA-DRB1*15 대립유전자 양성율의 차이가 없었다. 그러므로 HLA-DRB1*15 대립유전자가 소아 다발경화증의 위험인자일 가능성이 추정된다. HLA 이외 위치한 단일 뉴클레오타이드 다양성도 소아 다발경화증과 강한 연관 관계가 있음을 보고되었다. 또한 성인에 비해 변이의 영향이 더 크다고 보고되고 있다.

[병리]

중추신경계 내의 국소 탈수초 플라크(plaque)와 이와 동반된 다양한 적도의 염증 그리고 부분적인 축삭손상이 다발경화증의 특징적인 신경병리 소견이다. 이런 병변은 시신경이나 척수, 뇌간, 소뇌, 겉질주위, 뇌실주위 등에도 존재할 수 있다. 과거에는 다발경화증에서의 병변은 백질에만 위치하는 것으로 알려져 있었으나 최근 연구에 의하면 뇌 전반에 손상을 주는 것으로 알려지고 있다. MRI에서 정상으로 보이는 부위에서도 병리소견에서는 손상이 확인되며 병의 경과가 심해짐에 따라 뇌의 부피가 작아지는 것으로 알려져 있다.

[임상양상과 예후]

질병진행 형태는 재발완화형, 이차진행형 그리고 일차진행형 다발경화증으로 나눌 수 있다.

재발완화형은 뚜렷한 발병과 함께 이후 회복이 뒤따르는 형태이며, 발병 사이 시기에는 병의 진행을 보이지 않는다. 다발경화증 환자의 80-90%는 첫 발병 시 재발완화형 태를 보인다. 대부분 환자들은 반복적인 발병을 겪은 후에 이차진행형으로 발전하게 된다. 이차진행형 다발경화증이 되면 환자는 뚜렷한 재발없이 병이 점차 진행하는 양상을 보인다. 일차진행형 다발경화증은 첫 발병 시부터 점진적으로 병이 진행하는 경과를 보이며 전체 다발경화증 환자의 10% 정도를 차지한다. 소아 다발경화증 환자의 95% 이상은 재발완화형이다.

발병 시 임상양상은 시신경염, 감각이상, 뇌간 혹은 소뇌증후군, 운동증상 등 매우 다양하다. 성인에 비교해 발병 시 증상이 심하며, 다발성 병변과 함께 뇌병증을 보이는 경우가 많아서 첫 발병 시 급성 파종 뇌척수염과 구별이 힘든 경우도 있다. 또한 발병 초기에 재발률이 높다고 알려져 있다. 발병 후 회복은 성인에 비교해 잘 되어 좋은 예후를 가진다. 그러나 발병 시점이 이르기 때문에 장애가 발생하는 시기는 성인에 비교해 10년 정도 빠르다. 이차 진행형 다발경화증은 대체로 15세 이상에서 시작된다.

[진단]

주로 임상소견과 MRI 소견으로 진단하며, 2017년 Mcdonald 진단기준에서는 뇌척수액 올리고클론띠와 신경계 진찰상 백질 질환의 징후를 보이고 국제 기준에 맞추어 진단할 수 있다(표 12-1). 12세 미만의 환자의 경우 Mcdonald 진단기준을 적용할 때 주의가 필요하므로 소아에서는 2013년 IPMSSG (International Pediatric Multiple Sclerosis Study Group) 진단기준을 적용할 수 있다(표 12-2). 그러나 NMO-IgG 양성 시신경척수염이나 MOG 양성 탈수초 질환들도 Mcdonald 진단기준을 만족할 수 있기 때문에 다발경화증의 진단 전에 다른 중추신경계 탈수초 질환을 반드시 배제해야 한다.

3) 뇌척수액 검사

일반적으로 진단을 위해 필수적이지는 않으나 다음과 같은 경우에 뇌척수액 검사가 권장된다. 1) 임상 및 MRI 소견이 다발경화증을 진단하기에 부족한 경우, 특히 면역조절 치료를 고려할 때 2) 전형적인 CIS (Clinically isolated syndrome)가 아닌 경우(예를 들어 일차진행형 다발경화증) 3) 임상, 영상, 검사소견이 다발경화증에 전형적이지 않을 때 4) 다발경화증이 드문 인구집단인 경우(예. 노인, 소아청소년, 백인이 아닐 때) 뇌척수액 소견은 특징적으로 임파구 증가를 나타내며(30-70%), 세포 수는 $50/mm^3$을 넘지 않고 올리고클론띠 증가, 경막내 IgG 합성, kappa chain 같은 면역글로불린의 증가를 보인다. 세포 수가 $50/mm^3$을 초과하거나 단백질이 100 mg/dL 이상 상승하거나 중성구, 호산구, 비전형 세포(atypical cell)가 보이면 다발경화증에 비전형적인 소견이므로 다른 질병을 감별해야 한다. 일반적으로 IgG index와 뇌척수액 올리고클론띠가 이용되는데 IgG index의 경우 비특이적 중추신경계 염증지표

표 12-1. 2017년 Mcdonald 진단기준

	객관적인 임상증거를 가진 병변 개수	다발경화증 진단에 필요한 추가 자료
2회 이상 발병[a]	≥2	없음[b]
2회 이상 발병	1 (명확한 해부학 병변과 관련된 과거 발병의 뚜렷한 증거)	없음[b]
2회 이상 발병	1	공간적 산재가 다음에 의해 증명된 경우 1. 다른 위치를 의미하는 추가적인 임상 발병 2. MRI[c]
1회 발병	≥2	시간적 산재가 다음에 의해 증명된 경우 1. 추가적인 임상적 발병 2. MRI[d] 3. 뇌척수액 특이 올리고클론띠e
1회 발병	1	공간적 산재가 다음에 의해 증명된 경우 1. 다른 위치를 의미하는 추가적인 임상 발병 2. MRI[c] 그리고 시간적 산재가 다음에 의해 증명된 경우 1. 추가적인 임상적 발병 2. MRI[d] 3. 뇌척수액 특이 올리고클론 띠

제시된 진단기준에 부합하고 임상양상에 대한 더 좋은 설명이 없다면, 다발경화증으로 진단한다. 1회의 발병으로 다발경화증이 의심되는 상태이나 진단기준을 완전히 만족하지 못한다면 possible 다발경화증으로 진단할 수 있다. 만약 평가 기간 중 다른 진단이 제시되고 전반적인 임상양상에 대해 더 좋은 설명이 가능하다면 다발경화증으로 진단하지 않는다.

a: 발병: 환자가 호소하는 증상과 중추신경 탈수초 질환을 반영하는 객관적인 소견을 포함한 일회의 에피소드로 24시간 이상 유지되어야 한다. 또한 발열이나 감염이 없어야 한다.

b: 추가적인 검사는 필요하지 않다. 그러나 MRI가 가능하지 않은 경우가 아니라면 brain MRI 는 다발경화증이 의심되는 모든 환자에서 반드시 시행해야 한다. 또한 다발경화증을 뒷받침하는 임상 및 MRI 소견이 부족한 다음과 같은 경우 spinal MRI 혹은 뇌척수액검사를 고려해야 한다.
  1. 비전형적인 clinically isolated syndrome
  2. 임상양상, 영상검사, 검사실 소견이 다발경화증에 비전형적일 때
  3. 다발경화증의 발병률이 낮은 집단(소아, 노인, 유색인종)

c: 공간적 산재(space dissemination)가 MRI에 의해 증명되려면 천막밑(infratentorial), 겉질(cortical) 혹은 겉질옆(juxtacortical), 뇌실주위, 척수병변 중 두 위치 이상에서 T2 고신호강도 병변의 확인이 필요하다.

d: 시간적 산재(time dissemination)에 대한 MRI 근거는
  1. 어느 시점에서든 gadolinium에 의해 증강되는 병변과 증가되지 않는 병변을 동시에 확인할 수 있는 경우, 또는
  2. 첫 MRI 시점과 관계 없이 추가 MRI에서 조영증강되는 새로운 T2 고신호강도 병변이 확인된 경우

로 다른 질병에서도 상승할 수 있으므로 해석에 주의해야 한다. 올리고클론띠의 경우 다발경화증 진단에 IgG index 보다 유용하며 뇌척수액 올리고클론띠는 척수강 내 IgG 상승을 의미하는 믿을 만한 지표이다. 성인에서는 임상적으로 전형적인 다발경화증 환자의 95%에서 올리고클론띠가 확인된다고 알려져 있으나 소아에서는 올리고클론띠 양성율이 8-92%로 연구 간 변동이 심하다. 2017년 Macdonald 진단기준에서는 전형적인 CIS일 때 공간적 산재가 있고 비전형적 뇌척수액 소견이 없으면서 올리고클론띠가 양성이면 MRI에서 시간적 산재가 확인되지 않아도 다발경화증을 진단할 수 있다.

4) MRI

뇌 MRI는 필수이며 척수 MRI는 진단을 위한 정보가 부족할 때(뇌척수액 검사 권장 시와 동일) 시행한다. 최근에는 기존의 MRI 외에도 기능적 MRI나 확산텐서영상(diffusion-tensor imaging) 등 다양한 MRI들이 사용된다.

(1) 성인 MRI 소견

전형적인 MRI 소견은 T2, proton, FLAIR 영상에서 고강도 음영을 보이는 5 mm 이하의 원형이나 타원형의 병변이다. 병변의 수는 다양하며 백질중심부, 뇌실 옆, 뇌량, 뇌간, 소뇌, 시신경, 척수 등의 다양한 부위를 침범하고 조영

표 12-2. 2013년 IPMSSG (International Pediatric Multiple Sclerosis) 진단기준

임상양상	다발경화증 진단에 필요한 추가자료
급성파종뇌염이 아니고 염증이 원인으로 추정되는 2회 이상의 발병(각 발병은 30일 이상 떨어져 있고, 뇌실 주위, 피질 옆, 천막 밑, 척수 중 2구역 이상을 침범)	없음
급성파종뇌염이 아니고 염증이 원인으로 추정되는 1회의 발병이면서 다음 기준을 모두 만족 1. 중추신경계 4구역 중 2구역 이상을 침범하는 T2 고신호 병변에 의해 공간적 산재를 만족 2. 임상적으로 증상이 없는 조영증강 병변이 조영증강 없는 병변과 동시에 존재하여 시간적 산재를 만족	없음
급성파종뇌염이 아니고 염증이 원인으로 추정되는 1회의 발병이 중추신경계 4구역 중 2구역 이상을 침범하여 공간적 산재를 만족하나, 시간적 산재를 만족하지 못함	1) 새로운 급성파종뇌염이 아니고 염증이 원인으로 추정되는 추가적인 발병(30일 이상의 간격) 2) 추가 MRI에서 적어도 한 개의 새로운 조영증강 병변 혹은 조영증강 없는 병변이 확인
급성파종뇌염이 아니고 염증이 원인으로 추정되는 발병이 있고, 임상증상이 없고 조영증강 병변이 조영증강 없는 병변과 같이 있어 시간적 산재를 만족하나, 공간적 산재를 만족하지 못함	추가 MRI에서 이전에 침범되지 않은 구역에서 새로운 병변이 확인
1회의 급성파종뇌염에 뒤따르는 급성파종뇌염이 아니고 염증이 원인으로 추정되는 발병이 있고 (30일 이상의 간격) 새로운 병변이 공간적 산재를 만족함	없음
1회의 급성파종뇌염에 뒤따르는 급성파종뇌염이 아니고 염증이 원인으로 추정되는 발병이 있고 (30일 이상의 간격) 새로운 병변이 공간적 산재를 만족하지 못함	두 번째 발병과 30일 이상 떨어져서 세 번째의 급성파종뇌염이 아니고 염증이 원인으로 추정되는 발병이 생기고 이 발병이 공간적 산재를 만족하는 경우

증강을 보인다.

(2) 소아 MRI 소견

12세 이상 소아 다발경화증 환자는 성인과 유사한 MRI 소견을 보이나 12세 이하 소아는 성인과 비교했을 때 병변의 크기가 크고 경계가 불분명한 양상을 보인다. 또한 질병 초기에 완전히 없어질 수 있다. 따라서 초기 병변은 급성파종뇌염과 구분이 어려울 수 있다(그림 12-1). 이 병변은 종양과 유사하게 보이는 경우가 흔하나 종양에 비교하여 병변 주변 조직의 부종이 작으며 주변에 크기가 작은 전형적인 병변들이 산재해 있는 경우가 많다. 소아 다발경화증 환자는 나이와 머리 크기를 고려했을 때 정상에 비교해 MRI에서 뇌 부피가 감소해 있으며, 시상에서 특히 두드러진다.

5) 기타 검사

시각유발전위 검사나 광간섭 단층촬영(optical coherence tomography)을 현재나 과거의 시신경염의 객관적 증거를 얻기 위해 사용할 수 있다.

[치료]

치료는 크게 급성기 치료와 면역조절 치료로 나뉠 수 있다. 면역조절 치료의 목표는 재발을 줄이고 병의 진행을 막는 것이다.

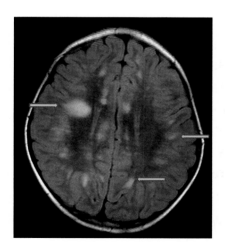

■ 그림 12-1. 다발경화증의 FLAIR MRI 소견
고강도 음영을 보이는 5 mm 이하의 원형이나 타원형의 병소로 숫자는 다양하며 전형적인 뇌실주위 백질의 병변을 보인다(화살표).

표 12-3. 치료 약제

약제	용량	흔한 부작용	검사 이상
Interferon beta 1β (Anonex®)	30ug IM 매주	Flu-like 근육통, 두통, 우울증	간효소 상승, 드물게 전격성 간부전
Interferon beta 1α (Rebif®)	22-44 ug SC 매주	Flu-like 근육통, 두통, 우울증, 주사부위(발적, 통증, 경결)	간효소 상승, 드물게 전격성 간부전
Interferon beta 1β (Betaseron®)	0.25 mg SC 격일	Flu-like 근육통, 두통, 우울증, 주사부위(발적, 통증, 경결)	간효소 상승, 드물게 전격성 간부전
Glatiramer acetate (Copaxone®)	20 mg SC 매일 또는 40 mg SC 주3회	주사부위(발적, 통증, 경결), 주사 후 급성 반응(홍조, 빈맥, 흉통)	없음

6) 초기 급성기 치료

(1) Glucocorticoid

초기 치료는 경구나 정맥으로 glucocorticoid를 투여하는 것이다. 발병 시 고용량 methylprednisolone 정맥투여가 원칙이다. 용량은 20-30mg/kg/일(최대 1g/일)을 5일간 투여하며, 증상이 완전히 회복된다면 더 이상의 스테로이드 치료를 하지 않는다. 그러나 장애가 남아있는 환자에서는 1 mg/kg 용량의 경구 prednisone을 투여를 시작하고 격일로 5 mg까지 감량해 나갈 수 있다. 스테로이드 감량 중 재발한 환자는 다시 고용량 methylprednisolone 정맥투여 치료를 투여하는 것이 권장된다.

(2) 혈청교환술

Corticosteroid 정맥주사에 호전되지 않는 소아에게 혈청교환술을 사용해 볼 수 있다. 일반적으로 2일에 한번씩 시행하며 5-6번 시행한다.

7) 면역조절 치료

(1) 1차 면역조절 치료제

Interferon-β나 glatiramer acetate가 일반적으로 사용되며 안정성이 입증되어 있다. 두 약 모두 순응도가 높으며 소아에서도 임상 효과가 입증되어 있다(표 12-3). 간효소 증가가 가장 흔한 부작용이다. 점진적으로 용량을 올리면 어느 정도 발생을 감소시킬 수 있다. 백혈구 수와 간기능 검사를 6개월 동안 매달 시행하며 이후에 3개월마다 시행한다. 갑상선기능 검사도 매년 시행해야 한다.

(2) 2차 면역조절 치료제

Interferon이나 glatiramer acetate을 충분히 사용했음에도 재발이 잦다면 면역억제 치료를 고려해 볼 수 있다. 일반적으로 6개월 이상 이차치료제를 사용했음에도 다음과 같은 기준 중 하나를 만족하면 충분하지 않은 치료 효과를 보인다고 할 수 있다. 1) 재발률이 증가하거나 감소되지 않는 경우 혹은 치료 전과 비교했을 때 새로운 T2 고신호강도 병변 또는 조영제 강조 병변이 확인되는 경우 2) 12개월 내에 적어도 2회 이상의 임상적 혹은 MRI상 발병이 있는 경우 면역억제제 Azathioprine, methotrexate, cyclophosphamide, mitoxantrone, rituximab, natalizumab이 사용될 수 있으며 장기적 효과는 아직 분명하지 않다. 최근 Natalizumab이 자주 사용되면서 사용 시 심각한 부작용 없이 재발률이 감소하였다는 보고가 있다. Natalizumab 사용 시 진행 다발백질 뇌병증의 위험도가 증가하므로 주의해야 하며, 특히 JC 바이러스가 양성일 때 위험도가 증가한다.

시신경척수염 스펙트럼 장애

Neuromyelitis Optica Spectrum Disorder, NMOSD

| 유일한 |

1984년 Eugene Devic이 양측 시신경염과 횡단척수염이 동반된 45세 환자를 처음으로 보고한 후로 시신경척수염은 대뇌를 침범하지 않고 척수염과 시신경염이 비교적 짧은 시간간격으로 발현한 경우를 지칭해왔다. 고유한 임상양상, 검사소견, MRI 소견으로 인해 시신경척수염은 다발경화증과는 다른 질환으로 생각되고 있으며, 2004년 특이 생물표적인자(biomarker)인 NMO-IgG가 발견되면서 진단적인 정확도도 증가되었다. 이후 NMO-IgG가 양성인 환자들 중에 전형적인 시신경척수염의 임상양상을 보이지 않는 환자들이 확인되면서 2007년 이런 환자들을 포함시키기 위해서 기존의 시신경척수염의 범위를 넓혀 시신경척수염 스펙트럼 장애라는 용어를 쓰기 시작하여 지금까지 사용하고 있다.

[역학]

소아에서 시신경척수염의 발병률은 잘 알려져 있지 않다. 시신경척수염은 소아 중추신경계 탈수초 질환의 약 5%를 차지한다고 알려져 있으며 소아 성인 모두에서 여자 환자의 비율이 뚜렷하게 높아서 일부 문헌에서는 9대1까지도 보고하고 있다. 백인이 아닌 인종에서 환자가 많은 것으로 알려져 있다. 발병연령은 평균 30대 후반으로 소아에서는 주로 10세에서 14세 사이에 발병한다. 대부분은 가족력 없이 산발적으로 발생하며 3% 환자에서 가족력이 있다.

[발병기전]

NMO-IgG가 대뇌 미세혈관, 연질막, Virchow-Robin space에 결합하여 발병에 핵심적인 역할을 하는 것으로 알려져 있다. NMO-IgG의 표적은 별아교세포 발돌기에 위치하는 AQP-4이다. AQP은 세포막에 있는 수분 채널로 삼투압에 반응하여 물을 이동시키는 것이 주 기능이다. AQP-4는 중추신경계에 주로 분포하는 수분 채널로 뇌의 수분 항상성에 중요한 역할을 한다. AQP-4는 척수, 시신경 그리고 뇌척수액과 접하는 연질막과 뇌실막 표면에 많이 분포하는 별아교세포에 주로 위치한다. NMO-IgG는 현재로서는 정확히 알지 못하는 자극에 의한 반응으로 말초 림프조직에서 만들어지고 AQP-4에 결합하여 보체의존 세포독성을 일으킨다. 이 과정은 전형적 보체경로를 통한다고 알려져 있다. 보체계 활성은 혈액-뇌 장벽의 투과성을 높이고 다량의 백혈구가 중추신경계 내로 침윤하게 되어 신경세포의 괴사 및 탈수초가 일어난다.

[병리]

면역조직화학 연구에서 유리질화된 혈관 주위로 보체와 면역글로불린이 침착되어 있으며 이는 로제트(rosette) 형태를 이룬다.

[임상증상과 예후]

시신경척수염의 특징적인 소견은 심한 시신경염과 횡

단척수염으로 한꺼번에 발생하기도 하고 간격을 두고 발생하는 경우에는 수개월에서 수년까지 걸리기도 한다. 발병 간격은 환자마다 다양하다. 재발은 매우 흔하며 50-93%의 환자들이 재발한다고 알려져 있다. 재발을 정확히 예측하는 것은 불가능하나 90%의 환자가 5년 이내에 재발한다고 보고되고 있다. 재발 위험군은 여성, 발병연령이 높은 경우, 전신 자가면역질환이 있는 경우이다. 또한 NMO-IgG가 양성인 경우 음성인 환자에 비교해서 재발률이 높다.

시신경척수염은 일반적으로 발병 시 증상이 심하고 잘 회복이 되지 않아서 장애가 쉽게 발생한다. 시신경염은 50% 환자에서 첫 증상이며 편측성이 더 흔하고 양측성은 약 20%에서 나타난다. 시력손실은 다발경화증에 비해 심한 것으로 알려져 있으며, 80%에서 급성 발병 시 심한 시력소실이 발생하고 60%의 환자는 7.7년 후 편측 혹은 양측 실명이 발생한다. 또한 재발한 환자의 60%, 재발이 없었던 환자의 30%에서 한쪽 눈의 실명이나 영구적인 단일마비 혹은 하지마비를 보인다. 양측 시신경염은 성인에서는 시신경척수염을 의심할 수 있는 소견이나 소아에서는 양측 시신경염은 원인이 감염인 경우가 더 흔하다.

시신경척수염 스펙트럼 장애에는 다양한 임상 표현형을 나타내는 환자들이 포함되어 있다. 반복적인 시신경염 혹은 세로로 길게 침범한 횡단척수염만 있거나 뇌 혹은 뇌간에 병변이 있는 환자들이 포함된다. 뇌나 뇌간에 병변이 있는 환자들은 침범 범위에 따라 현기증, 복시, 뇌병증, 발작, 실어증, 시상하부 뇌하수체 축 기능부전 등 다양한 증상을 보일 수 있다. 특히 맨아래 구역(area postrema)에 병변이 있는 경우 심한 딸꾹질과 구토가 매우 특징적인 증상이다. 첫 발병 시 소아의 16%에서 뇌 증상이 동반된다.

[MRI 소견]

시신경척수염에서의 시신경염은 침범 범위가 넓어서 시각교차와 주변 시상하부까지 침범하는 경우가 많다. 성인에서 넓은 범위를 침범하는 시신경염은 시신경척수염을 의심할 수 있는 소견이나 소아에서는 아직 관련성이 증명되지 않았다.

전형적인 횡단척수염은 세로로 긴 척수 병변을 보여 3개 이상의 척추분절을 침범하는 경우가 많으며 병변은 주

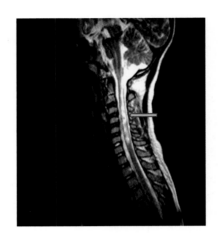

■ 그림 12-2. 횡단척수염의 T2 MRI 소견
3개 이상 연속적인 척수를 침범하며 T2 고강도 음영을 보인다(화살표).

로 척수의 중심부에 위치한다(그림 12-2). 다발경화증의 경우 경계가 분명하며 좌우 비대칭이고 3개 미만의 척추분절을 침범하는 경우가 많아 감별진단에 도움이 된다. 그러나 소아의 경우 다발경화증이나 급성 파종 뇌척수염에서도 세로로 긴 횡단척수염이 보일 수 있어서 소아에서는 이 소견으로 다발경화증을 배제할 수는 없다. 짧은 횡단척수염조차 시신경척수염 스펙트럼 장애의 첫 증상일 수가 있어, 환자가 나이가 많거나 백인이 아니거나 자가면역질환이 있거나 척수 병변이 가운데 위치한 경우 그리고 그에 더하여 뇌 병변이 다발경화증에 전형적이지 않다면 NMO-IgG 검사를 고려해 보아야 한다.

소아 시신경척수염 스펙트럼 장애 환자에서 뇌 병변은 성인과 유사하다. 뇌의 병변은 주로 AQP-4 수분 채널이 풍부한 뇌척수액과 인접한 뇌실옆 공간에서 흔하게 발생한다. 가장 흔한 침범 부위는 시상하부와 수도관주위 뇌간이다.

[진단]

(1) 진단기준

소아에의 사용될 수 있는 진단기준 표는 2가지가 있다. 첫째는 2013년 IPMSSG (International Pediatric Multiple Sclerosis Study Group) 진단기준으로 시신경염과 횡단척수염을 모두 앓았으며, 다음 3개 중 2가지 이상의 보조적

표 12-4. 성인 시신경척수염 스펙트럼 장애 진단기준

NMO-IgG 양성 시신경척수염 스펙트럼 장애 진단기준
1. 최소 1개의 주요 임상 특징
2. NMO-IgG 양성(세포기반 시험 권장)
3. 다른 가능한 진단 배제되었을 때

NMO-IgG 음성 혹은 알지 못할 때 시신경척수염 스펙트럼 장애 진단기준
1. 적어도 한번 이상의 발병과 동반된 두 가지 이상의 임상증상과 함께 아래 기준을 모두 만족
   a. 적어도 하나의 임상증상은 시신경염, 3개 이상의 척추분절 범위를 포함하는 급성 척수염 혹은 맨아래 구역 증후군이어야 함
   b. 공간적 산재 (2개 이상의 다른 주요 임상증상)
   c. 추가적인 MRI 소견을 모두 만족
2. NMO-IgG가 음성이거나 검사가 불가능할 때
3. 다른 가능한 진단 배제되었을 때

주요 임상증상
1. 시신경염
2. 급성 척수염
3. 맨아래구역 증후군(설명할 수 없는 딸꾹질이나 구역, 구토)
4. 급성 뇌간 증후군
5. 기면증(symptomatic narcolepsy) 혹은 전형적인 시신경척수염 스펙트럼 장애에 합당한 MRI 병변을 가진 급성 간뇌 증상
6. 전형적인 시신경척수염 스펙트럼 장애에 합당한 MRI 병변을 가진 대뇌 증상(symptomatic cerebral syndrome)

NMO-IgG 음성 혹은 알지 못할 때 진단에 추가로 필요한 MRI 소견
1. 급성 시신경염: 정상 뇌 MRI 소견이나 비특이적 백질병변만 있음 혹은 양측 시신경 MRI에서 T2 고신호 병변이나 T2 조영증강이 시신경 길이의 절반을 넘거나 시신경 교차를 침범함
2. 급성 척수염: 척추 3분절 이상 연속된 척수 속질 내 MRI 병변 혹은 이번에 급성 척수염의 병력이 있는 환자에서 국소 척수위축이 척추 3분절 이상 확인
3. 맨아래 구역 증후군: 관련된 배쪽 연수 혹은 맨아래 구역 병변
4. 급성 뇌간 증후군: 관련된 뇌실주변 뇌간 병변

임상증상이 있어야 확진이 가능하다. 하나는 급성기 척수병변이 3개 이상 연속적인 척수를 침범해야 하고, 두 번째는 질병 발생기 MRI 소견이 다발경화증의 진단기준에 맞지 않는 병변이여야 하며, 세 번째로는 혈청 자가항체 NMO-IgG가 양성이어야 한다. 두 번째는 2015년에 개정된 시신경척수염 스펙트럼 장애에 대한 진단기준이다(표 12-4). 소아에서 세로로 긴 횡단척수염이 시신경척수염의 특징적인 소견이 아니라는 점과 소아 시신경척수염에서 뇌병증이 흔하다는 점만 고려한다면 2015년 시신경척수염 스펙트럼 장애에 대한 진단기준을 소아에 적용해도 된다.

(2) NMO-IgG 및 뇌척수액

NMO-IgG는 일반적으로 혈청에서 검사한다. 이전 음성이었던 환자에서 급성 발병 시 재검사가 권장된다. 임상과 영상소견상 시신경척수염이 매우 의심되나 혈청에서 항체가 확인되지 않으면 뇌척수액에서 검사를 해야 한다. NMO-IgG는 매우 특이적인 생체표지자로서 임상적으로 명확한 시신경척수염 환자의 73%에서 양성을 보이며 NMO-IgG가 양성인 환자의 91%가 임상적으로도 시신경척수염으로 진단된다. 또한 NMO-IgG 양성인 환자는 병의 경과가 심하거나, 재발 위험성이 높다. 재발하는 시신경척수염 소아 환자의 78%에서, 재발이 없는 경우 12.5%에서 NMO-IgG 가 양성으로 보고되었다.

시신경척수염 환자의 뇌척수액에서는 경한 백혈구의 상승(>50 mm³)과 단백질의 상승을 보이며, 올리고클론띠는 10% 미만의 환자에서 확인된다.

[치료]

(1) 급성기

고용량 코르티코스테로이드 정맥투여가 급성기의 첫번째 치료이다. 고용량 methylprednisolone을 정맥으로 투여하며 30 mg/kg으로(최대 하루 1000 mg) 5일간 투여한다. 재발 방지를 위하여 경구용 prednisolone을 2-6개월에 걸쳐서 감량한다. 만약 고용량 corticosteroid 요법에 반응이 부족하거나 심한 임상증상의 경우 혈청교환술이나 정맥 면역글로불린 G 투여를 고려할 수 있다. 혈청교환술의 경우 매 시술당 혈장량의 1-1.5배를 교환하고 격일로 5-7회 시행한다.

(2) 예방치료

시신경척수염은 재발이 흔하고 장애가 누적되므로 진단이 된다면 가능한 빨리 장기간의 면역억제요법이 필요하다. 아직 언제까지 예방치료를 유지해야 하는지에 대한 명확한 지침은 없다. 일반적으로 많이 쓰이는 방법은 azathioprine (2-3 mg/kg/일)과 경구 prednisolone (1 mg/kg/일)을 같이 사용하거나 rituximab (4주 동안 매주 375 mg/m² 용량으로 정맥투여하고 이후 19/20 B세포 수에 따라 추가 투여)을 사용하는 것이다. 그 외 mycophenolate mofetil

이 좋은 결과를 보이는 것으로 알려져 있다. 이외에도 치료에 반응이 좋지 않다면 methotrexate, cyclophosphamide, mithotrexate 등을 사용할 수 있다.

03

급성 파종 뇌척수염/다발탈수초 병변

Acute Disseminated Encephalomyelitis/ Polyfocal Demyelination

| 최지은 |

탈수초 병변이 다발성으로 중추신경계를 침범하고 행동의 변화와 의식의 변화를 동반하는 뇌증의 증상이 보이면, 급성 파종 뇌척수염을 임상적으로 진단할 수 있다. 주로 10세 이하의 어린 소아에서 발생하며 발열이 동반되고 최근 감염력이 있는 경우가 흔하다.

[역학]

발생빈도는 10만 명당 0.1-0.6명으로, 모든 연령에서 발생할 수 있으나 소아에서 주로 발생하며, 5-8세 사이에 흔하고 남아에서 더 많은 발생빈도를 보인다. 대부분 일회성으로 발생하나 재발하는 경우도 있다. 첫 발생 3개월 이후 발생하는 것을 재발로 정의하며 이러한 경우 다발 파종 뇌척수염(multiphasic disseminated encephalomyelitis (MDEM)) 이라고 한다. 급성 파종 뇌척수염 환자의 50% 정도에서 MOG 항체가 관여된 것으로 보고되고 있으며, 다발 파종 뇌척수염의 거의 모든 환아에서 MOG 항체가 양성으로 확인된다. 급성 파종 뇌척수염 후에 탈수초 병변이 새로운 곳에 발병하고 MOG 항체가 음성인 경우 다발 경화증을 의심해야 한다. 만약 처음 급성 파종 뇌척수염 이후 시신경 부위에 새로운 병변이 발생한 경우에는 급성 파종 뇌척수염-시신경염(ADEM-ON)으로 진단해야 한다. 이때 시신경 외에 척수를 침범한 경우에는 시신경척수염 스펙트럼 장애로 진단해야 하며, 급성 파종 뇌척수염-시신경염이나 시신경척수염 스펙트럼 장애 모두 흔히 MOG 항체 양성을 보인다.

[발병 기전]

감염성 균이나 백신이 분자적으로 중추신경계와 유사하여 중추신경계의 자가항원 생성을 증가시키는 자가면역 기전으로 인해 전반적인 염증반응과 부분적인 탈수초 반응이 발생하여 발병한다고 추정되나 아직 증명되지는 못하였다. 대부분의 환자들은 급성 파종 뇌척수염 발생 1달 전에 일시적인 열성 감염을 앓은 병력이 있다. 선행하는 감염은 influenza, Epstein-Barr virus, cytomegalovirus, varicella, enterovirus, measles, mumps, rubella, herpes simplex 와 Mycoplasma pneumoniae 등이다. 백신 접종 후 발생한 급성 파종 뇌척수염은 rabies, smallpox, measles, mumps, rubella, Japanese encephalitis B, pertussis, diphtheria-polio-tetanus와 influenza 백신과 관련되어 보고되고 있다. 그러나 백신 접종 후 발생한 급성 파종 뇌척수염은 감염 후 발생하는 급성 파종 뇌척수염에 비하여 빈도가 유의하게 낮다.

[병리]

특징적인 소견은 주로 대뇌반구, 뇌간, 소뇌, 척수와 시신경 부위의 백질을 침범하는 탈수초 병변으로 정맥주위염을 동반한다. 염증반응은 주로 정맥주변에 염증 단핵구가 침범하는 모양을 보이며 미세아교세포의 증가로 이루어져 있다. 염증반응은 백질과 회백질 모두를 침범하는 데 비하여 상대적으로 축삭은 보존되어 있다. 연질 뇌척수막과 Virchow-Robin 공간에는 병의 초기에는 임파구, 형질세포, 중성구 등의 침범이 주를 이루나 병의 후기에는 섬유신경아교증을 보이며, 탈수초는 미세아교세포 활성화를 동반한다.

[임상양상]

초기 증상은 발열, 기면, 두통, 구토, 뇌막자극 증상과 경련 등이다. 뇌증은 급성 파종 뇌척수염의 특징적인 증상으로 행동의 변화나 보챔 증상부터 혼수에 이르기까지 정도가 다양하다. 국소 신경이상은 어린 영유아에서는 발견하기 힘들지만, 흔한 뇌신경 증상으로는 시력감소, 중추신경 기능이상, 운동실조, 운동기능 및 감각기능 저하와 방광/배변기능 이상 등이다. 임상경과는 대부분 수일 이내에 급성으로 진행하며 뇌압이 증가하거나 뇌간 기능이상이 동반되는 환자는 중환자실 치료가 필요한 경우가 많다.

[신경영상]

뇌 컴퓨터전산화 단층촬영은 정상이거나 저음영 부위가 보이기도 한다. 뇌 MRI 는 진단에 가장 중요한 영상검사로 특징적으로 양측에 크고, 다초점성의 종양처럼 보이는 T2 병변이 대뇌반구, 소뇌, 뇌간의 백질과 회백질에 보이며 다양한 정도의 조영증강을 보인다(그림 12-3). 시상, 기저핵과 같은 심부 회백질에도 병변이 있는 경우가 흔하

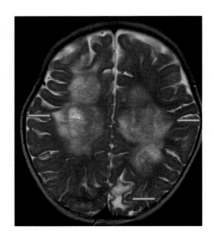

■ 그림 12-3. 급성 파종 뇌척수염의 T2 MRI 소견
백질과 회백질 모두에서 다발성으로 고강도 음영을 보이는 병변이 다발성으로 나타난다.

나 급성 파종 뇌척수염에 특징적인 병변은 아니다. 척수염의 증상이 없는데도 척수 MRI에서 비정상 T2 신호나 조영증강을 보이기도 한다. 초기 증상이후 3-12개월 후에 추적검사한 뇌 MRI 에서는 T2 비정상 신호는 대부분 호전을 보이거나 완전히 없어지는 경우가 많다.

[검사소견]

진단에 유용한 biomarker는 아직 알려져 있지 않으며 검사소견도 다양하다. 뇌척수액 검사도 정상을 보이는 경우도 있고 일부에서는 임파구성 혹은 단핵구성 pleocytosis 를 보이기도 한다. 뇌척수액 단백질은 증가되기도 하나, 올리고클론띠 양성은 드물다. 뇌파소견은 뇌증에 합당한 전반적인 서파를 보이며 일부에서 국소적 서파나 뇌전증파를 보이기도 한다.

[감별진단]

급성 파종 뇌척수염은 뇌 MRI, 뇌척수액 검사, 혈청검사를 하여 임상적으로 진단한다(그림 12-3). 그러므로 다양한 질병과 감별이 필요하며 의식장애, 국소적 운동기능 저하, 발열, 부분경련이 발생하면 급성 바이러스 뇌수막염, 특히 herpes simplex virus (HSV) 와의 감별이 꼭 필요하며

표 12-5. 다발경화증의 첫 발현과 급성 파종 뇌척수염의 감별점

	급성 파종 뇌척수염	다발경화증
발병연령 성별 경련발작 뇌증 발열/구토 가족력	〈10세 남아 여아 동일 + + + −	≥10세 주로 여아 − − − 20%
시신경염증상	양측, 다양한 증상	편측, 1종류의 증상
뇌척수액	pleocytosis oligoclonal bands 음성	acellular oligoclonal band 양성
MRI	Large fluffy poorly demarcated T2 lesions involving white and gray matter	Ovoid T2 lesions involving juxtacortical, periventricular or infratentorial areas or spinal lesion. T1 hypointense lesions
30일 후 MRI 추적검사	새로운 병변 없음	새로운 병변 있음

HSV로 인한 뇌수막염이 배제될 때까지 acyclovir 사용이 필요하다. 급성 파종 뇌척수염 후 3-12개월 후 추적 뇌 자기공명영상에서 꼭 호전을 보여야 한다. 만약 새로운 병변이 생기거나 기존 병변이 커진 경우, 즉각적으로 다른 원인에 의한 질병을 감별해야 한다. 감별해야 하는 질병으로는 다발경화증, 항체연관 질환, leukodystrophy, 종양, 혈관염, 미토콘드리아병증, 대사성 질환, 류마티스성 질환 등이다.

재발되었을 경우 다발경화증과의 감별이 중요하며 임상양상과 MRI 등으로 감별에 도움을 받을 수 있다(표 12-5).

[치료]

증상이 일상생활 기능을 저해할 정도로 심한 경우, 일반적으로 corticosteroid 치료를 시작한다(그림 12-4). 고용량 코르티코스테로이드가 급성기 뇌병증 증상을 완화하고 기간을 단축시키는데 효과적인 것으로 알려져 있다. 고용량 코르티코스테로이드 주사요법은 심한 의식장애가 있거나 시신경이나 척수를 침범한 경우, 종양효과를 보이는 경우 특히 권장된다. 용량은 methylprednisolone을 체중이 30 kg 미만인 경우 30 mg/kg/일, 체중이 30 kg 이상인 경우 1 g/일을 3-5일간 투여하는데, 대부분 투여 후 24-48시간 내에 증상의 호전을 보인다. 코르티코스테로이드 치료 후 증상의 호전이 있으나 남은 증상이 경한 경우에 경구 스테로이드를 1 mg/kg/day로 시작하여 14-21일에 걸쳐 감량한다. corticosteroid 치료후 남은 증상이 심하면 두 번째 코르티코스테로이드 3-5일 치료를 할 수 있다. 또는 정맥면역글로불린G 2 g/kg을 2-5일에 걸쳐 투여한다. 중증의 뇌증과 호흡부전이 나타나는 경우 혈장분리교환술을 시행하기도 한다. 심한 뇌병증과 뇌간을 침범한 호흡곤란을 보이는 뇌간과 상부 cervical spinal cord를 침범한 중증 환자에서 사용하며, 10일 동안 걸쳐서 5-8회의 혈장사혈을 시행하며, 44% 정도에서 반응을 보였다. 그 외에 저체온요법, cyclosporine, NOX-100 (nitric oxide scavenger) 등이 새로운 치료요법으로 고려되고 있다.

[예후]

소아 환자들은 대부분 완전히 회복되거나 양호한 결과를 보이지만, 장기간 관찰 시에는 인지기능 저하가 흔히 나타난다. 11%-17%에서 후유증으로 운동기능 저하가 남는 것으로 보고되고 있다.

급성 파종 뇌척수염은 단발질환(monophasic illness)으로 일회성으로 발병한다. 그러나 5%-29% 환자에서 탈수초성 질환의 발병이 재발되는 것으로 보고되며, 드물지만 NMO의 첫 증상으로 급성 파종 뇌척수염의 임상증상으로

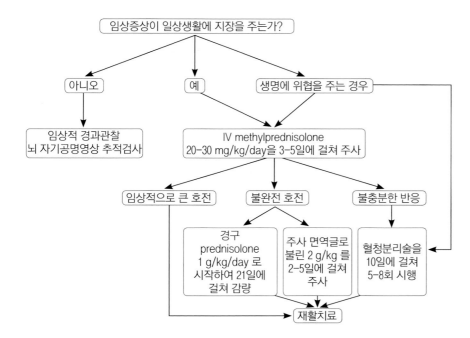

■그림 12-4. 다발성 탈수초성 신경증상으로 내원한 소아의 진단적 접근(Adapted from Swaiman KF, Ashwal S, Ferriero DM, and Schor NF, editor. Pediatric Neurology. 6th ed. Elsevier; 2018. p. 760, Figure 100-3)

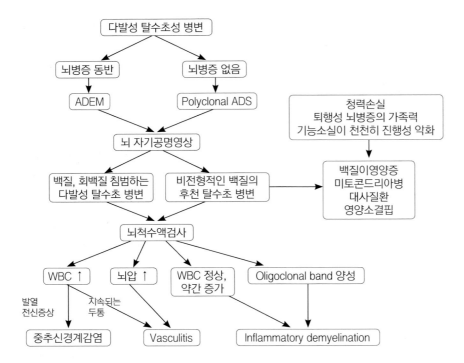

■ 그림 12-5. 급성 탈수초성 임상증상으로 내원한 소아의 치료적 접근
ADEM, acute disseminated encephalomyelitis; ADS, acquired demyelinating syndrome.
(Adapted from Swaiman KF, Ashwal S, Ferriero DM, and Schor NF, editor. Pediatric Neurology. 6th ed. Elsevier; 2018. p. 760, Figure 100-6)

나타나기도 한다. 재발은 코르티코스테로이드 감량 시 증상이 악화되는 코르티코스테로이드 의존과는 감별해야 한다. 재발 혹은 다발 급성 파종 뇌척수염의 치료도 첫 번째 발병과 동일하게 치료하며 임상적 무증상 병변은 없으므로 장기간의 면역억제요법은 필요하지 않다. 다발경화증으로 진행 가능성은 소아에서는 낮은 것으로 알려져 있다.

04

급성횡단척수염

Acute Transverse Myelitis

| 채수안 |

상기도 감염 등의 선행하는 감염 증상 후에 하지의 근력 약화와 감각소실, 괄약근 기능장애가 급속히 진행하는 급성 질병이다. 1886년 Gower가 처음으로 임상양상을 보고하였다.

연간 발생빈도는 1,000,000명당 1-4명으로 대부분 성인에서 발생하며, 10-19세 사이와 30-39세 사이에서 발생빈도의 증가를 보인다.

[발병기전]

면역기전의 가능성이 높으며, 30-60%의 환자에서 선행하는 상기도, 소화기 혹은 전신감염의 병력이 있다. 다발경화증, 전신 홍반 루푸스, 급성 파종 뇌척수염, 혈관장애(혈관염, 동맥류), 섬유연골 색전(fibrocartilage emboli) 및 예방접종과도 관련된 경우도 있다. 일부 세균의 특정 펩타이드 구조는 중추신경계의 글루타메이트 수용체 NR2a, NR2b의 세포외 부분과 분자유사성을 보이므로 자가면역 기전을 유발시키는 것으로 생각된다. 또한 세균의 초항원(superantigen)에 의하여 활성화된 전격적인 임파구 증가가 자가면역 반응을 일으킬 수 있으며, 사이토카인 증가 혹은 심한 알레르기와 동반하여 증가된 혈청 IgE 등이 일부 원인으로 알려지고 있다. 병리소견으로는 급성기에 척수 내로 중성구와 CD4 양성/CD8 양성 T세포의 침범을 보이며 혈관주위로 별아교세포와 미세아교세포의 활성화를 보인다.

[임상양상]

선행하는 감염과 신경증상 발현 사이에는 5-10일 정도의 간격이 있으며, 척수 기능부전을 보이기 전에 구역, 근육통, 발열과 같은 비특이 증상이 나타난다. 때로 척수에 미미한 외상을 입은 이후에 발생한 보고도 있다. 전형적인 신경증상은 허리통증, 하지통증, 하지 감각이상, 하지 근력약화로 인한 보행장애 등이다. 괄약근 기능저하는 90%에서 나타나며 방광기능 저하가 많으므로 요로감염으로 진단되기도 한다. 50%에서 경부강직을 보이고 경추가 침범된 경우에는 호흡부전이 발생한다. 가장 심한 신경증상은 발병 후 3-10일 이후, 때로는 4주경까지도 나타난다. 척수의 운동기능과 감각기능 모두 저하를 보이는데, 처음에는 저긴장, 저하된 심부건반사를 보이다가 후에는 고긴장, 증가된 심부건반사, Babinski 양성 등의 강직마비를 보인다. 감각기능 이상은 대부분 통증과 온도감각이 저하되며 진동과 고유감각 같은 척수 후기둥 기능은 흔히 보존된다. 항문 긴장도는 대부분 저하된다. 척수의 운동기능과 감각기능 모두 저하를 보이는데, 처음에는 저긴장, 저하된 심부건반사를 보이다가 후에는 고긴장, 증가된 심부건반사, Babinski 양성의 강직마비를 보인다. 이러한 특징들은 횡단척수염이 다른 척수질환과 감별되는 특징이다.

[진단]

임상적으로 진단하며, 비특이 감염 후 수시간에서 2주

동안 운동, 지각, 괄약근의 기능장애가 진행될 때 급성횡단척수염을 의심할 수 있다. 경부를 전방으로 숙일 때 통증이 있으면 경부 척수침범을 시사하는 소견이다(L'Hermitte 증상). 뇌척수액 검사에서 중등도의 임파구 증가와 단백 증가를 보이며 myelin basic protein과 IgG index가 증가한다. 감각신경 유발전위 검사에서 지연 혹은 소실을 보이면서 정상적인 감각신경 활동전위를 보이면 진단에 도움이 된다. 전형적인 척수 MRI 소견은 T2에서 조영증강되며 고강도 음영을 보이는 긴 방추형의 종창 병변이다. 치료 후 증상이 호전되었으나 완전히 회복되지 않은 경우에는 T2에서 저강도 음영을 보이는 척수위축을 보인다.

감별진단은 먼저 특발성인지 혹은 다른 질병과 연관된 증상인지를 구분하고, 이후 종양, 혈관기형, 염증, 출혈, 방사선치료에 의한 후유증 등에 의한 척수손상인지 감별해야 한다. MRI는 비특이적인 경우가 많으나, 급성마비를 유발할 수 있는 공간점유 병변을 감별하기 위하여 꼭 필요하다.

[치료]

코르티코스테로이드 치료가 효과적이며 methylprednisolone (1 g/1.73 m^2/일)을 3-5일간 투여 후 2-3주에 걸쳐 감량하면 운동기능이 빠른 회복을 보인다. 감각신경 유발전위 검사는 코르티코스테로이드 치료의 효과를 관찰하는 데 도움이 된다. 이외에도 루푸스와 관련된 급성횡단척수염 치료에는 면역억제제와 코르티코스테로이드 치료를 함께 사용하는 것이 효과적이다.

기타 장기간 누워있는 경우의 2차 합병증 방지와 기능회복을 위해 다양한 재활치료가 필요하다.

[예후]

다양한 예후를 보이나, 44%의 환자에서 완전 회복 혹은 약간의 소변기능 이상이나 감각저하 등의 경미한 후유증만 남아있는 좋은 예후를 보인다. 23%에서 심한 신경학적 후유증을 보이며 보행장애, 배뇨기능 장애가 남는다. 대부분 발병 1개월 이내에 신경기능 장애가 회복되기 시작하여 6개월까지 회복과정이 계속된다. 소아에서는 다발경화증으로 진행하는 경우는 3% 정도로 드물며, 사망은 아주 적다. 나쁜 예후와 관련된 인자는 어린 나이, 가장 심한 기능부전 증상이 발병 24시간 이내에 나타난 경우, 첫 증상으로 허리통증 발생, 완전 하지마비, 추체기능 소실, 경추부위까지 감각기능 이상이 나타날 때이다. 좋은 예후와 관련된 인자는 진행하지 않는 기능장애 기간이 8일 미만, 독립적으로 보행이 가능해진 기간이 발병 1달 이내이며, 고용량 코르티코스테로이드 치료를 한 경우이다.

05

신경계의 면역매개 질환

Immune Mediated Disorders

| 채수안 |

1) 종양연관 신경증후군(Paraneoplastic Neurologic Syndrome)

종양연관 신경증후군은 악성종양이 신경계에 간접적으로 끼치는 영향으로 나타난다. 이 증후군은 매우 드물고 신경학적 경과가 변화무쌍하여 진단에 어려움이 많다. 실제로 악성종양의 진행과정 중 언제든지 나타날 수 있으며, 신경축을 따라 어디에서나 발생할 수 있다. 게다가 부종양성 신경증후군이 원발종양 자체 혹은 종양 전이로 직접적인 영향을 받거나 또는 치료관련 합병증으로 인해 가려질 수 있다. 중요한 점은 적절한 시기에 적절한 치료를 하면 부종양성 신경증후군은 치료에 반응하며, 신경기능의 회복 또한 가능하다는 것이다.

[역사]

Armand Trousseau는 1865년에 암과 혈전증 사이의 관계를 밝히는 연구에서 최초로 종양연관 증후군을 보고하였다. 종양연관 신경증후군이라는 용어는 1956년 Cabanne 연구진이 암 환자에서의 종양연관 다발신경염에 대한 3개의 증례를 보고하며 처음으로 사용하였다. 종양연관 신경증후군과 관련된 첫 번째 항체는 1985년에 Graus 연구진들에 의해 공식적으로 밝혀졌다. 그 이후로 16개의 증후군과 20개 이상의 종양연관 항체가 발견되었다. 신경모세포종 관련 눈간대-근간대 조화운동불능(opsoclonus-myoclonus-ataxia, OMA)은 소아에서 발견된 최초의 종양연관 신경증후군으로 Solomon과 Chutorian에 의해 1968년 발표되었다. 최근에는 항 N-methyl-D-aspartate 항체가 성인에서 종양연관 뇌척수염과 관련이 있다는 보고가 있으나, 소아 환자에서는 굉장히 드문 것으로 알려져 있다. 통계적으로 종양연관 신경증후군은 전체 암환자의 0.01% 미만에서 발병한다.

[정의]

종양연관 신경증후군은 종양 항원에 대한 항체가 신경계의 항원과 교차반응하여 발생하는 항체관련 질환이다. 이러한 '종양-신경 항체'는 자가면역성 신경손상 및 신경학적 기능이상을 유발한다. 종양연관 신경증후군은 3가지 주요 범주로 분류된다.
1. 전형적 종양연관 신경증후군: 악성종양과 주로 연관되어 있다.
2. 비전형적 종양연관 신경증후군: 악성종양과 때때로 연관되어 있다.
3. 자가면역성 뇌염 : 성인에서는 악성종양과 주로 연관되어 있으나, 소아에서는 악성종양과의 관련성은 낮다.

전형적 종양연관 신경증후군에 관여하는 항체는 세포내 신경항원을 표적으로 하고 관련 조직손상은 세포독성 T세포 반응에 의해 매개된다. 이에 따라 전형적 종양연관 신경증후군은 치료에 대한 반응이 제한적이다. 람베르트

이튼 근무력증후군(Lambert-Eaton myasthenic syndrome, LEMS), 눈간대-근간대 조화운동불능 및 감각신경병증 등이 여기에 포함된다. 전형적 종양연관 신경증후군의 신경증상들은 일반적으로 종양이 진단되기 전에 나타난다.

대조적으로, 비전형적 종양연관 신경증후군은 시냅스 재활용을 통해 주기적으로 세포 표면에 발현되는 세포 내 시냅스 단백질에 대한 항체와 관련되어 있다. 이 항체는 악성종양과 관련이 있을 수도 있고 그렇지 않을 수도 있다. B세포와 T세포 모두의 반응으로 조직손상이 발생할 수 있으며, 따라서 치료반응도 다양하게 나타난다. 소뇌성 운동실조증(cerebellar ataxia)과 stiff-person 증후군 등이 여기에 포함된다.

마지막으로, 신경세포 표면 또는 시냅스 수용체에 대한 항체와 관련된 NMDA 수용체 뇌염을 비롯한 자가면역성 뇌염은 B세포 반응에 의해 매개되며, 치료에 반응이 좋고 신경학적으로 회복 또한 잘되는 편이다. 최근에 굉장히 관심이 높은 연구대상이었으며, 소아 인구에서 더 자주 발생한다.

[치료]

치료의 일반적인 원칙은 각종 증후군의 병태생리학적인 이해를 바탕으로 한다. 원발성 악성종양이 치료(수술, 방사선요법 또는 화학요법)에 의해 제거되지 않는 한, 종양-신경 항체의 생성을 억제해야만 한다. 신경 시스템에 손상을 줄이기 위해 항체 역가를 줄여야만 한다. 이 치료과정의 속도는 질병 자체와, 그에 관련된 특정 신경조직에 의해 결정된다. 천천히 진행하는 람베르트이튼 근무력증후군은 초기에는 외래에서 정맥 면역글로불린 G 주입과 함께 악성종양에 대한 스크리닝을 통해 관리 될 수 있다. 반대로 NMDA-수용체 뇌염 같은 급속 진행성 뇌염환자는 의심되는 종양의 외과적 절제와 동시에 중환자실 수준의 신경감시, 기도관리 및 공격적인 면역억제 치료가 필요할 수 있다.

종양연관 신경증후군은 경험적 치료가 이루어지며, 일반적인 자가면역질환의 치료를 바탕으로 진행한다. 실제로 코르티코스테로이드, 정맥 면역글로불린 G 주입, 혈장교환 및 리툭시맵을 사용한 초기치료 후에도 급격한 신경학적 손상이 진행되는 경우 cyclophosphamide, tacrolimus 또는 cyclosporine에 의한 보다 적극적인 면역억제 치료가 뒤따른다. 전형적 종양연관 신경증후군에 대한 표준 투약요법은 없는 실정이다.

2) 자가면역 운동장애

정상적인 상태에서 중추신경계의 면역감시 기능은 최소한으로 유지된다. 하지만 말초에서 획득면역 체계가 활성화되면, 활성화된 림프구와 자가항체들은 중추신경계에 도달하여 면역계의 이차적인 활성화를 유발한다. 자가면역성 중추신경계 질환은 복잡하고 다양한 요인이 관여하는데, 유전적 취약성, 감염과 같은 환경적 요인, 선천면역과 획득면역 등이 포함된다.

자가면역(Autoimmune): 자가면역질환은 종종 면역관용의 소실 또는 비정상적인 획득면역 체계 활성화의 결과로 발생한다. 자가면역은 대부분 T세포의 면역기전이나 B세포와 자가항체가 관여하는 체액면역, 또는 두 면역기전이 모두 관여한다. 자가면역질환은 대부분 면역억제 치료에 반응한다.

면역매개(Immune mediation): 면역체계가 중추신경계에 분명히 염증반응을 일으키나 이를 일으키는 작용기전이 명확하지 않을 때 사용한다. 예로는 급성 파종 뇌척수염에서 쓰이는데 이는 명확히 염증반응을 뇌에 일으키지만 정확한 면역기전은 복잡하고 완전히 밝혀지지 않았다.

면역활성(Immune activation): 뇌졸중, 신경퇴행, 대사과정, 외상과 같은 신경학적 손상 이후에 면역체계가 활성화될 때 사용한다. 이 면역반응은 이론적으로 손상을 입힐 수도, 보호할 수도 있다.

(1) Sydenham 무도병

Sydenham 무도병은 전형적인 감염 후 자가면역 운동질환으로 급성 무도병의 가장 흔한 원인이다. 베타 용혈성 사슬알균 감염 이후에 발생하며, Sydenham 무도병은 류마티스열의 신경학적 증상이다. Sydenham 무도병은 전형적으로 청소년기 여성에게 발병하며, 성인 남성이나 소아에서도 발병할 수 있다. Sydenham 무도병은 전신적인 무도병 소견을 보이지만, 간혹 반무도병 증상을 보이기도 한다. 불안, 강박, 우울과 같은 감정적인 증상 또한 나타날 수 있다.

구음장애가 나타나기도 하지만 발작이나 추체로 징후 같은 신경학적 기능의 변화는 거의 없다. 자기공명영상은 정상 소견을 보인다. 인후배양 검사와 혈청학적 검사를 시행하여 앞선 사슬알균 감염의 입증이 중요하다. 더불어 류마티스열 관련 검사도 시행하여야 한다. 치료는 21세까지 예방적 항생제 사용을 통해 추가적인 심장의 침범을 예방하는 것인데, 1개월에 1회 페니실린 주사가 경구 페니실린 복용보다 효과적인 것으로 알려져 있다. Sydenham 무도병에서 신경학적 및 정신의학적 문제를 초래할 수 있음을 시사하는 여러 증거가 있다. 예를 들어 환자의 50%에서는 질병 2년 후에도 경한 무도병이 남아있으며, Sydenham 무도병의 회복 후에 신경정신학적 문제의 발생율이 증가하는 것이다. 따라서 일부에서는 Sydenham 무도병의 급성기에 스테로이드 또는 정맥 면역글로불린 G와 같은 면역치료를 이용한 적극적인 치료를 주장한다.

(2) PANDA, PANS

1990년대에 Sydenham 무도병과 감염 후에 발생하는 다른 급성기의 신경정신 증후군들 사이의 유사성이 보고되면서, 이러한 질병들을 사슬알균 감염과 연관된 소아의 자가면역 신경정신 질환(Pediatric Autoimmune neuro-psychiatric disorders associated with streptococcal infection, PANDAS)이라고 명명하였다. PANDAS 환자들은 전형적으로 인후통 이후에 불안, 분리불안 장애, 강박장애, 때때로는 틱 증상까지 보였다. 비록 이러한 증상이 처음에는 사슬알균 감염과 연관되었지만, 최근에는 다른 감염들의 급성기 이후에도 이러한 증상을 보일 수 있다고 하여, 소아의 급성 신경정신 증후군(Pediatric Acute onset Neuropsy-chiatric Syndrome, PANS)라고 명명하였다. 주된 임상양상은 불안, 강박과 같은 감정변화, 인지기능의 변화, 야뇨증, 식습관 변화, 틱장애도 나타난다. 이 질환에 대한 확실한 biomarker는 없으며, 진단은 임상적 표현형에 의존하게 된다. 여러 자가항체들이 제기되었지만 이를 다른 환자에서 재현하는 데에는 어려움이 있었다. 이런 사실은 PANS가 자가면역질환이라기 보다는 면역매개에 의한 반응임을 시사하는 것이다. PANS에 대한 치료는 급성기에 항생제가 도움이 될 수 있다는 보고가 있고, 일부에서 스테로이드 또는 정맥면역글로불린을 사용하기도 하지만, 아직까지 확실한 치료법은 없다.

(3) 하시모토 뇌병증(Hashimoto Encephalopathy) 또는 SREAT

하시모토 뇌병증은 갑상선 자가면역질환이 있는 환자에서 급성 신경학적 기능이상을 나타내는 질환이다. 이 신경학적 증후군은 항갑상선 항체, 특히 항갑상선 과산화효소 항체가 있는 환자에서 발생한다. 하시모토 뇌병증은 다른 용어로 갑상선 자가항체 연관 스테로이드 반응 뇌병증(Steroid Responsive Encephalopathy Associated with Thy-roid autoantibodies, SREAT)라고 불린다.

[임상양상]

소아와 성인 모두에서 발생하며, 여성에서 호발한다. 정신증, 감정조절 이상 같은 행동변화와 뇌병증을 동반하는 급성 또는 아급성 신경학적 증후군을 동반한다. 60%의 환자에서 경련이 발생한다. 실어증과 근간대 경련, 진전 같은 운동장애 또한 흔하다. 자기공명영상은 대부분 정상이며 뇌척수액 검사에서는 백혈구증가증과 같은 염증반응을 보일 수 있다. 갑상선 자가항체, 특히 항갑상선 과산화효소 항체가 진단에 필요하다.

[병인론]

초기에는 갑상선 자가항체가 직접적으로 뇌에 영향을 주고, 신경학적 기능이상을 초래하는 것으로 생각되었으나, 최근 연구에서 항-NMDA 수용체 뇌염 환자에서 항갑상선 항체 양성율이 높고, 하시모토 뇌병증이 항-NMDA 수용체 뇌염 및 기타 다른 자가면역 뇌염증후군의 임상양상과 매우 유사하여 항갑상선 항체는 단순히 자가면역 소인을 나타낼 뿐이고, 실제 하시모토 뇌병증 환자는 세포-표면 항체를 갖고 있을 확률이 높으며, 항갑상선 항체는 그 자체로는 신경학적 질환을 일으키지 않을 것이라고 추측되고 있다. 따라서 하시모토 뇌병증 진단 시에는 광범위한 패널의 세포-표현 자가항체 검사를 시행하여야 한다. 하시모토 뇌병증은 스테로이드 또는 추가적인 면역치료에 잘 반응하며, 소수의 환자들에서만 재발한다.

자가면역 뇌염 및 뇌전증

Autoimmune Encephalitis and Epilepsy

| 서주희, 이윤진 |

급성 뇌염은 다양한 원인의 뇌의 염증성 질환인데, 원인은 50% 이상 밝혀지지 않고 있다. 국제 뇌염 컨소시엄(International Encephalitis Consortium)에서 기술하는 뇌염의 진단기준은, 명확한 원인 없이 24시간 이상 지속되는 의식상태 저하(주 진단조건) 및 다음의 부 진단조건들(증상 발생 72시간 전후로 38℃ 이상의 발열; 전신 혹은 부분 발작 발생; 국소 신경학적 소견; 뇌척수액의 백혈구 증가증[5/mm³이상]; 뇌 영상검사에서 뇌실질의 이상 소견; 비정상 뇌파소견) 중 2가지 이상 만족하는 경우이다.

지난 10년 동안 여러 연구에서 자가면역 기전으로 인한 뇌염의 발병이 입증되어졌다. 자가면역 뇌염이 의심되는 환자들에서 신경원 표면을 표적으로하는 항체(신경원 표면 항체, neuronal surface antibodies) 수의 증가가 밝혀져 왔다. 특징적인 임상소견으로는, 급성 또는 아급성 발병(수일에서 수주간), 현저히 잦은 빈도의 경련, 항경련제에 조절이 잘 되지 않는 경련, 자가면역질환의 과거력 또는 가족력 등이다. 그 밖에 급격히 진행하는 인지장애, 정신심리문제, 새로 발병한 운동장애도 흔히 동반되는 소견이다.

1. 신경원 표면 항원에 대한 자가항체들(Specific Neuronal Autoantibodies)

자가면역 뇌염 발병에 관련된 신경원 표면의 특이 항원들(neuronal surface antigens)은 항원의 위치에 따라 다음의 세 가지 범주로 구분된다: (1) 세포 내 단백질, (2) 시냅스 수용체, 그리고 (3) 이온채널 및 그 외 다른 세포표면 단백질(표 12-6).

세포 내 단백항원에 대한 항체는 일반적으로 암환자들, 특히 소세포암종(small-cell carcinoma)을 가진 성인에서 전형적으로 부종양항체(paraneoplastic antibodies) 혹은 종양신경항체(onconeuronal antibodies)로 정의되기도 한다. 이 범주에 포함 된 중요한 항체들로, Ma2, Hu (type 1 anti-neuronal nuclear autoantibody, ANNA1) 및 glutamic acid decarboxylase (GAD)에 대한 항체가 있다. 이들 모두에서 면역억제 치료에 대한 반응은 대체로 좋지 않다. 시냅스 수용체 또는 이온채널에 대한 항체를 가진 환자는 면역요법에 비교적 잘 반응한다. 이들 항체는 표적항원을 파괴시킴으로써 손상이 일으키는데, 약물이나 유전자변이가 표적항원을 파괴시킬 때도 같은 현상이 일어날 수 있다. 자가면역 뇌염에 관여하는 시냅스 수용체 항원으로는 N-methyl-d-aspartate receptor (NMDAR), γ-aminobutyric acid A 및 B (GABAAR,GABABR), α-amino-3-hydroxy-5-methyl-4-isoxazolepropionicacid (AMPA), metabotropicglutamatereceptor 5 (mGluR5), 그리고 도파민 2수용체(dopamine 2 receptor) 등이 있다. 이온 채널 항원들로는, leucine-rich glioma inactivated-1 (LGI1), contactin-associated protein-like 2 (Caspr2), dipeptidyl-peptidase-like protein 6 (DPPX),

표 12-6. 자가면역 또는 종양연관 뇌염 관련된 신경원 항원에 대한 항체들(neuronal surface antibodies)

표적 항원	임상양상 [주요 증후군 혹은 질환]	종양 연관성
I. 세포 내 단백항원(intracellular cytoplasmic antigens)		
ANNA-1 (anti-Hu)	정신병적 증상, 소뇌변성, 감각신경병증, 자율신경 기능저하 [변연뇌염, 뇌간뇌염, 뇌염]	소세포폐암, 그외
ANNA-2 (anti-Ri)	소뇌 변성, [뇌간뇌염], 눈간대-근간대(opsoclonus-myoclonus)	유방암, 부인과암, 소세포폐암
Anti-Ma (Ma1, Ma2)	말초신경병증, 시상하부 기능저하 [변연뇌염, 뇌간뇌염]	고환암, 폐암, 다른 고형 종양
Anti-CRMP-5	혼돈, 척수병증, 람버트-이튼(Lambert-Eaton) 근무력 증후군[뇌염, 시신경염, 각막염]	소세포폐암, 유방암
Anti-amphiphysin	[Stiff-person 증후군, 변연뇌염]	유방암, 폐암
Anti-GAD65	소뇌실조, 당뇨, 안구운동질환 [변연뇌염, stiff-person 증후군, 뇌간뇌염]	흉선종, 콩팥세포암, 유방암 혹은 대장암
II. 세포표면 항원(plasma membrane [cell-surface] antigens)		
II-1. 시냅스 수용체(synaptic receptors)		
NMDAR	정신병증, 불면증, 경련, 행동변화, 기억력 장애, 자율신경 기능저하, 긴장증(catatonia), 혼수[항-NMDAR 뇌염]	연령-의존성 난소 기형종
GABAA수용체	급속 진행성 뇌증, 난치성 경련, 뇌전증지속증	40%(흉선종)
GABAB수용체	경련, 뇌전증지속증, 소뇌실조, 눈간대-근간대 [변연뇌염]	50%(대개 소세포폐암)
AMPA 수용체	정신심리 장애, 기억력 소실 [변연뇌염]	흉선종, 소세포폐암
GlyR	근육연축 혹은 강직 [병적놀람증(hyperekplexia), 근강직 및 간대동반 진행성 뇌척수염, 변연뇌염, stiff-person 증후군]	암의 과거력 혹은 현병력
mGluR5	혼돈, 기억력 소실 [Ophelia 증후군]	호지킨병
mGluR 1	소뇌실조	호지킨병
도파민2 수용체	기면, 정신병적 증상, 운동 또는 보행장애 [기저핵 뇌염]	없음
II-2. 이온 채널 및 그 외 세포표면 단백		
LGI1	경련, 안면상완 근긴장성 경련, 급속 진행성 인지저하, 저나트륨혈증(60%) [변연뇌염]	흉선종(5-10%)
Caspr2	불면증, 말초신경 과민성(신경근긴장증), 신경성 통증, 자율신경 기능저하, 운동실조 [Morvan's 증후군, 변연뇌염]	흉선종, 다양한 고형종양
DPPX	혼돈, 놀람, 근간대, 진전, 설사 [뇌염, 병적놀람증(hyperekplexia), 근강직 및 간대동반 진행성 뇌척수염]	임파종
MOG	[급성파종뇌척수염]	없음
Aquaporin 4	[뇌염, 시신경척수염]	없음
GQ1b	[뇌간뇌염]	없음
ANNA-1, antineuronal nuclear antibody type 1; CRMP-5, collapsing response mediator protein-5; GAD, glutamic acid decarboxylase; NMDAR, N-methyl-d-aspartate receptor; GABA, γ-aminobutyric acid; AMPA, α-amino-3-hydroxy-5-methyl-4-isoxazolepropionic acid; GlyR, glycine receptors; mGluR, the metabotropic glutamate receptor; LGI1, leucine-rich glioma inactivated-1; Caspr2, contactin-associated protein-like 2; DPPX, dipeptidyl-peptidase-like protein; MOG, myelin oligodendrocyte glycoprotein		

myelin oligodendrocyte glycoprotein (MOG), aquaporin 4 그리고 ganglioside GQ1b 가 있다.

다음 세 가지 조건이 모두 만족한다면 '가능한 자가면역 뇌염(possible autoimmune encephalitis)'에 해당하므로 확진을 위한 검사를 진행하는 것을 권유하고 있다(표 12-7): (1) 작업기억(단기기억) 저하, 의식 상태 변화(의식 저하,

표 12-7. 자가면역 뇌염 가능상태(possible autoimmune encephalitis) 및 변연뇌염(limbic encephalitis)의 진단기준

I. 자가면역 뇌염 가능 소견: 다음 3가지 사항을 모두 만족해야함
1) 작업기억 저하(단기기억 소실), 의식상태 변화[a], 혹은 정신병적 증상들의 아급성 진행(3개월 이내)
2) 다음 중 적어도 한 가지 이상 만족: • 새로 발생한 중추신경계의 국소 이상소견 • 알려진 경련질환으로 설명되지 않는 경련/발작 • 뇌척수액의 백혈구증가증(> 5 WBC/mm³) • 뇌 MRI에서 뇌염을 시사하는 소견[b]
3) 다른 원인들을 배제할 수 있음
II. 자가면역 변연뇌염: 다음 4가지 조건을 모두 만족해야 함[c]
1) 작업기억 저하(단기기억 소실), 경련, 혹은 변연계 침범을 시사하는 정신병적 증상들의 아급성 진행(3개월 이내)
2) 뇌 MRI T2강조/액체감쇠역전회복 영상(T2W/FLAIR)에서 내측 측두엽의 양측 이상소견[d]
3) 다음 중 적어도 한가지 이상 만족: • 뇌척수액의 백혈구증가증(>5 WBC/mm³) • 뇌파검사에서 측두엽의 뇌전증양 방전파(epileptiform discharges) 혹은 서파 소견
4) 다른 원인들을 배제할 수 있음

a. 의식상태 변화: 의식수준 저하, 기면(졸음) 혹은 인격변화
b. MRI T2강조/액체감쇠역전회복 영상(T2W/FLAIR)에서 편측 또는 양측 안측두엽에 고신호 강도, 회백질, 백질 또는 양쪽 모두를 침범하는 다초점 병변, 혹은 탈수초 또는 염증성 소견
c. 만약 첫 3가지 조건을 만족하지 않는다면, 신경표면 항체의 양성일 때 진단 가능.
d. 안측두엽의 이상소견은 MRI보다 18-FDG-PET에서 더 민감하게 나타날 수 있다.

기면상태 혹은 성격변화) 또는 정신병적 증상들의 아급성 진행, (2) 다음 중 적어도 한가지 이상: 중추신경계의 국소 이상 소견, 설명되지 않는 발작(경련), 뇌척수액의 백혈구 증가증(> 5/mm³), MRI에서 뇌염의심 소견(한쪽 혹은 양쪽 측두엽에 고신호 강도, 변연뇌염 소견), (3) 다른 가능 원인들이 배제된 상태.

2. 특이 자가면역 뇌염(Specific Autoimmune Encephalitis Syndrome)

1) 항-NMDAR 뇌염(anti-NMDAR encephalitis)

항-NMDAR 뇌염은 자가면역 뇌염 종류 중에서 가장 흔하고 특징적인 소견을 보인다. 모든 연령층에서 발

생할 수 있지만 젊은 여성과 소아에서 호발한다. 상당수에서 종양이 동반될 수 있는데, 특히 난소 기형종(ovarian teratoma)가 가장 흔히 관련되어 있고, 고환 미성숙기형종(testicular immature teratoma)과 림프종도 동반될 수 있다.

NMDA 수용체는 흥분성 신경전달을 매개하는 이온채널로 자가항체(항-NMDAR)가 NMDA 수용체 표면밀도와 시냅스 국소화 모두를 감소시키고, 이로 인해 시냅스 구조와 기능에 손상을 일으키게 되는데, 그 정도는 항체가와 비례한다. NMDA 수용체의 자가면역 반응은 선행 감염에 의해 유발될 수 있는데, 단순헤르페스 바이러스, 마이코플라스마 폐렴, 홍역 바이러스, 유행성 이하선염, 인플루엔자 A/H1N1 감염, A군 용혈성연쇄구균 및 톡소플라즈마 감염이 연관된 바 있다.

환자들은 대개 선행 두통, 발열, 또는 바이러스 감염 증상을 보이다가 이후 며칠에 거쳐 현저한 정신병적 증상들(불안, 초조, 이상행동, 환각, 망상, 사고장애), 불면증, 기억력 및 언어장애, 경련, 운동이상(진전, 운동실조, 근긴장이상, 무도증), 및 자율신경 불안정성(고열, 혈압의 변동, 빈맥, 서맥, 기계환기가 필요한 저환기)과 같은 특징적인 증상들이 나타나게 된다. 소아는 성인과 다른 임상증상의 특징이 있다. 첫째, 종양 연관성은 소아에서는 흔하지 않다. 18세 이상의 여성의 약 50%는 난소 기형종을 가지는 반면, 14세 미만 소녀들은 9% 미만에서 기형종이 발견되었다. 청소년과 성인에서 정신병적 증상 및 기억장애가 발병 초기부터 있는데, 소아들은 50-60%에서 정신병적 증상을 보이고 그보다는 운동장애 및 경련 발생이 더 흔하다. 경련은 전신 혹은 국소발작 모두 가능하며, 대개 짧은 시간 내에 반복하는 경향을 보인다.

뇌척수액의 백혈구증가증은 성인(63%)에서 소아(43%)보다 자주 동반된다. 비정상적인 뇌파소견이 발병 초기부터 보일 수 있는데, 전반적 서파는 가장 보편적인 이상소견이다. 그밖에, 국소 서파, 뇌전증양 방전파, 비정형 서파, 전반적 속파 및 델타 브러쉬(delta brush)가 나타날 수 있다(그림 12-6). MRI 소견은 흔히 정상이거나 T2강조 영상과 조영증강 영상에서 안측두엽(medial temporal lobe)과 전두부에 고신호 강도를 보인다. MRI가 정상인 경우에, 양전자방출 단층촬영(positron emission tomography, PET)에서 이상소견을 보일 수도 있다. 이상과 같이 항-NMDAR

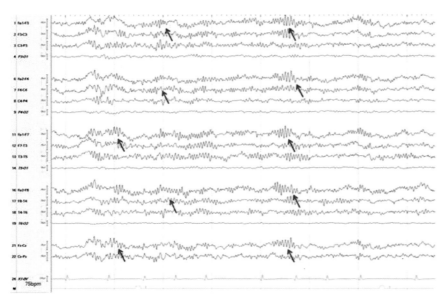

그림 12-6. 전반적 서파에 빠른 속파가 겹쳐져 관찰되는 양상의 델타 브러쉬(delta brush) 소견 (The international 10-20 system with longitudinal bipolar montage for 18 channels: Fp1-F3, F3-C3, C3-P3, P3-O1, Fp2-F4, F4-C4, C4-P4, P4-O2, Fp1-F7, F7-T3, T3-T5, T5-O1, Fp2-F8, F8-T4, T4-T6, T6-O2, Fz-Cz, Cz-Pz)

뇌염이 의심되는 환자들은, 혈청이나 뇌척수액에서 NMDA 수용체 NR1아단위에 대한 항체검출로 확진하게 된다(표 12-8). 혈청에서 항체검출은 위양성 혹은 위음성 결과의 가능성이 있지만, 뇌척수액의 항체검사는 민감도 및 특이도가 매우 높다.

2) 전압작동 칼륨채널(voltage-gated potassium channels, VGKCs) 연관 자가면역 뇌염

(1) 항-LGI1 뇌염(anti-LGI1 encephalitis)

LGI1은 뇌전증 관련 단백질인 ADAM22와 ADAM23의 리간드 역할을 하는 신경단백질인데, ADM22와 ADAM23은 시냅스전 칼륨채널에서 시냅스 후 AMPA 수용체로의 신호전달에 필수적이다. LGI1에 자가항체가 결합하게 되면 LGI1 신호전달을 방해하여 과다 흥분성을 유발하게 된다.

항-LGI1 뇌염은 주로 변연뇌염 증상을 보이는 60대 남성에서 호발한다. 임상양상은 경련과 아급성 진행성 기억력 변화, 행동 및 공간 방향이상이 가장 흔한 증상이다. 약 50%의 환자에서 특징적인 안면상완 근긴장성 경련(facio-brachial dystonic seizure, FBDS)을 보인다. 안면상완 근긴장성 경련은 anti-LGI1 뇌염의 질병특유(pathognomonic) 증상으로 간주되며 얼굴과 팔(또는 다리)의 불수의적 편측

수축이 3초 미만으로 지속되며 하루에 최대 100번까지 발생한다. 전신 강직간대발작은 병의 후기에 나타날 수 있다. 기억과 인지장애는 경련발생 이후로 보이게 된다. 저나트륨혈증(거의 60%)과 REM 수면의 행동이상이 동반되기도 한다. 뇌파는 다초점 뇌전증양 방전파 및 서파가 나타난다. 뇌척수액 검사에서는 종종 정상이거나 단지 올리고클론띠(oligoclonal bands) 양성 결과만 보일 수 있다. MRI는 변연

표 12-8. 항-NMDAR 뇌염 가능성(probable anti-NMDAR encephalitis)의 진단기준

다음 3가지 사항을 모두 만족해야 함:

1. 아래 6가지 주 증상들[a] 중 최소 4가지 이상의 빠른 진행(3개월 이내):
   - 비정상적인(정신병적) 행동 혹은 인지저하
   - 언어기능 저하
   - 경련
   - 운동질환, 운동이상증(dyskinesias), 또는 경직/이상자세 (rigidity/abnormal postures)
   - 의식수준 저하
   - 자율신경 기능저하 혹은 중추성 호흡저하
2. 다음 검사소견들 중 최소 한 가지 이상 만족:
   - 비정상 뇌파소견(국소 또는 전반적 서파, 붕괴된 파형, 뇌전증 방전파, 델타 브러쉬)
   - 뇌척수액의 백혈구증가증 혹은 올리고클론띠
3. 다른 원인들을 배제할 수 있음

NMDAR, N-methyl-D-aspartate receptor
a: 신체에 기형종이 있다면, 3가지 증상 만족으로 진단 가능함.

뇌염의 소견(안측두엽 고신호 강도) 또는 정상일 수 있다. 약 5-11%에서 종양 관련성이 있는데, 흉선종(thymoma)이 가장 흔한 동반 종양이다.

스테로이드(glucocorticoids), 정맥 면역글로불린 G (intravenous immunoglobulin G, IVIG), mycophenolate mofetil 또는 혈장교환 치료로 70-80%에서 개선되는 것으로 알려져 있다. 안면상완 근긴장성 경련에 대해 조기 면역치료를 함으로써 이후 인지장애 발생의 예방과 장기적인 치료결과에 도움이 될 수 있다. 재발은 환자의 최대 1/3에서 발생한다. 상당한 회복에도 불구하고 인지장애는 MRI에서 해마위축과 함께 지속될 수 있다.

(2) 항-Caspr2 뇌염(anti-Caspr2associated encephalitis)

항-Caspr2 뇌염은 변연뇌염, Morvan 증후군(신경근긴장증, 기억상실 및 혼란, 수면장애, 자율신경 기능장애) 및 일부 신경근긴장증(neuromyotonia) 형태로 발현될 수 있다. 표적항원은 contactin-associated protein-like 2 (Caspr2)이며 이는 중추 및 말초신경계에서 발현되는 부착 분자로, VGKC의 정상적인 기능을 유지하는 데 필수적이다.

소아에서 드물게 보고되기도 하지만, 65세 정도의 노인들에게 호발하며, 질병경과는 다른 자가면역 뇌염보다 느린 편이다. 임상증상은 거의 80% 환자들에서 뇌증(인지저하, 경련), 소뇌 증상, 말초신경계의 과민성(근육통, 근육수축/경련), 불면증, 신경성 통증 및 체중감소가 생길 수 있는데, 이는 매우 천천히 진행되어 치매와 유사해 보일 수 있다. 이 질환은 대개 암과 관련이 적은데, 흉선종은 32%까지 보고된 바 있다. 종양(주로 흉선종)이 동반된 환자들은 신경계의 단독 증상보다는 Morvan 증후군이 잘 발생하게 된다. 뇌척수액의 백혈구증가증은 30-40%에서 관찰되고, MRI는 대부분의 환자에서 정상이거나 양측 안측두엽의 고신호 강도를 보인다. 급성 뇌염의 소아에서 LGI1 및 Caspr2에 대한 자가항체의 존재는 아직 발견되지 않았으며, 소아에서 이들 자가항체의 역할은 여전히 논쟁중이다.

치료에 있어서, 동반된 종양의 제거는 우선적으로 중요하고, 면역치료는 악성종양이 없는 경우에 효과적인 편이다. 그러나, 재발이 약 25%로 흔히 나타날 수 있는데, 초기 발현 이후 몇 년 후에 중추신경계의 다른 부위를 침범하여 발생할 수 있다.

(3) 항-LGI1 및 Caspr2 항체 음성인 VGKCs 항체 뇌염

항-LGI1 과 항-Caspr2 항체 음성이면서 VGKC 항체관련 뇌염의 임상 특징은 정확하게 정의되지 않은 상태이다. 이 환자들은 대개 통증증후군, 경련, 뇌전증, 다발성 신경병증 및 근육경련을 포함한 다양한 임상양상을 보인다. 최근에는 16세 소녀에서 항-VGKC 뇌염의 급성 정신병적 증상이 보고된 바 있으나, 신경원성 새로운 항체를 밝히기 위해서는 추가 연구가 필요하다.

3) 항-GABAs 뇌염(anti-GABARs encephalitis)

γ-aminobutyric acid (GABA)는 중추신경계에서 주요한 억제성 신경전달물질이다. GABAA수용체는 Cl-유입 및 시냅스의 빠른 억제에 작용하는 리간드-게이트 이온채널이고, GABAB 수용체는 중추 및 말초신경계 모두에서 발현되는 수용체로, 시냅스전 Ca^{2+}채널 억제, postsynaptic K+ 채널 활성화 및 adenylyl cyclase의 억제를 통해 억제성 효과를 작용하게 된다.

항-GABAAR 뇌염은 난치성 경련, 뇌전증지속증 또는 부분뇌전증 지속증(epilepticus partialis continua) 소견과 함께 급속 진행성 뇌염을 일으킨다. 보고된 사례의 거의 절반이 소아에서 발생하였다. 뇌척수액에서는 종종 증가된 단백과 림프구성 백혈구증가증을 보여준다. 자가면역 뇌염의 다른 원인과는 달리, MRI의 T2강조 영상 및 액체감쇠역전회복 영상(FLAIR)에서 대뇌 겉질 및 겉질밑에 다초점 혹은 광범위한 비정상 신호를 나타낸다. 종양(주로 흉선종)은 환자의 40%에서 동반되는데 거의 모든 성인에서 발생한다. 소아에서 항-GABAAR 뇌염은 바이러스성 뇌염으로 진행될 수 있고 항-NMDAR 항체와 공존하기도 한다. 이 질환은 면역요법에 반응은 하지만, 장시간의 경련 때문에 종종 약물유발 혼수상태가 필요할 수 있다.

항-GABABR 뇌염은 주로 경련, 뇌전증지속증, 운동실조 또는 눈간대-근간대(opsoclonus-myoclonus)를 포함한 변연뇌염 증상의 성인에서 보고되고 있다. 뇌증, 난치성 경련, 운동장애를 보인 소아 1례가 보고된 바 있다. 약 50%에서 종양이 동반되는데, 대부분 소세포폐암과 연관되었다. MRI에서 변연뇌염에 합당한 소견이 나타나고, 뇌척수액 검사에서는 백혈구증가증 또는 단백증가 소견이 보일 수 있다. 종양 동반이 없는 환자에서 면역치료 반응이 좋은 편이다.

4) 항-AMPA 수용체 뇌염(anti-AMPA receptor encephalitis)

AMPA 수용체에 대한 항체연관 뇌염은 주로 50-60세의 여성에서 호발한다. 항-AMPA 수용체 항체 양성인 22명 환자 연구에서, 변연뇌염의 증상(55%)이 가장 흔한 임상양상이었고, 전반적 뇌기능 저하 및 변연뇌증(36%), 운동장애, 양극성 정신증의 증상을 보였다. 환자의 약 2/3에서 기저 종양이 발견되었는데, 폐, 흉선 또는 유방에서 흔히 발견되었다. 뇌척수액의 림프구성 백혈구증가증(5-164/mm³)이 50-90%에서 보고되고 있다. MRI 소견은 대개 비정상인데 안측두엽의 고신호 이상을 나타낸다.

5) 항-Glycine 수용체 뇌염(anti-GlyR encephalopathy)

글리신(glycine) 수용체는 리간드-관문(ligand-gated) Cl-채널로서 빠른 억제성 전달을 매개하여 신경세포의 과분극(hyperpolarization)을 유도하게 된다. 글리신 수용체는 근긴장, 협응, 호흡리듬과 감각전달에 필수적인데, 이 수용체에 대한 항체 양성의 환자들은, 근강직 및 간대 동반 진행 뇌척수염(progressive encephalomyelitis with rigidity and myoclonus, PERM)이 흔히 발생하게 된다. 발병 초기에 통증이 동반되는 근수축과 목, 몸통 또는 사지에 근육강직이 69% 환자들에서 관찰되었고, 복시, 안검하수 및 안진이 40%에서 발견되었다. 인지장애는 29%, 그리고 경련이 13%에서 나타났다.

6) 항-GAD 뇌염(anti-glutamic acid decarboxylase (GAD) encephalitis)

GAD는 신경세포와 췌장세포 모두에서 발견되는 세포내 효소이다. GAD65와 GAD67이 밝혀져 있는데, 췌장세포는 GAD65만을 포함하고 있다. 중추신경계에는 두 가지 모두 존재하며, 주요 억제성 신경전달물질인 GABA의 합성을 촉진시킨다. GAD에 대한 항체는 제1형 당뇨병과 함께 변연뇌염, stiff-person 증후군, 소뇌실조, 안구운동 장애 및 난치성 뇌전증을 포함한 여러 신경학적 징후의 발생한다. 특히, 항-GAD65 항체 양성의 변연뇌염은 급속히 진행되는 단기 기억상실, 정신병적 증상 및 경련이 특징이며, 면역치료 및 항경련제에 반응이 좋지 않은 만성 경과를 갖는다. 근강직과 이상자세의 stiff-person 증후군은 이 질환의 특징적인 임상양상이다. 악성종양(흉선종 또는 소세포폐암)은 항-GAD65 뇌염에서 약 25%에서 동반된다. 소아에게서는 거의 보고된 바 없다.

[진단]

(1) 임상증상의 특징

적절한 임상양상을 보이는 상태에서, 특정 자가항체가 양성이면 자가면역 뇌염을 확진할 수 있다. 그러나, 종양연관 증후군(paraneoplastic syndrome) 또는 자가면역 뇌염의 모든 환자에서 항체가 검출되는 것은 아니므로, 항체가 음성이라고 배제할 수는 없다. 임상의는 다음 증상을 호소하는 환자들에서 자가면역 뇌염/뇌전증을 의심할 수 있어야 한다: (1) 급성/아급성 발병의 불명확한 원인의 뇌전증, (2) 뇌전증지속증 혹은 폭발적인 경련의 발생, (3) 경련의 약물 불응성, (4) 인지장애 및 기억력 소실의 빠른 진행, (5) 선행하는 정신병적 증상, 그리고 (6) 알려진 자가면역질환의 병력. 의심환자들은 확진을 위해 뇌 MRI, 뇌파검사, 요추천자 및 혈청검사를 확진 및 감별진단을 할 수 있다(표 2). 감별해야 할 질환들로는, 감염성 뇌염, 독성 및 대사질환, 중추신경계 혈관질환, 종양, 탈수초 및 염증질환, 정신질환, 신경퇴행성 치매, 희귀 유전질환 등 다양하다(표 4).

(2) 혈액검사

뇌증에 대해 독성, 대사성 또는 감염성 원인을 배제하기 위한 일반 혈액검사(총 혈구 수, 암모니아, 포도당, C-반응성 단백질 또는 적혈구 침강속도, 전해질, 신장 및 간기능 검사), 혈액 가스분석 및 독성 약물검사(예 : 진정제)가 필수적이다. 원인 감염원에 대한 검사도 조사되어야 한다. 저나트륨혈증은 항-LGI1- 또는 Caspr2 항체관련 뇌염환자에서 흔히 동반된다.

(3) 뇌척수액 검사

뇌척수액의 일반적인 분석 외에 원인균주에 대한 배양 및 중합효소연쇄반응 검사, 올리고클론띠 등을 포함하여 검사한다. 자가면역 뇌염의 척수액 소견은 다른 바이러스성 뇌염과 유사할 수 있지만, 림프구성 백혈구증가증(일반적으로 <100/mm3), 정상 또는 약간 증가된 단백, 그리고 정상 포도당 수치를 보인다. 백혈구증가증이 없거나(특히

표 12-9. 자가면역 뇌염과의 감별 질환들

질환군	
감염질환	바이러스성 뇌염(HSV, HHV6, VZV, EBV, CMV, HIV, 장바이러스, 아르보바이러스), 세균성 뇌염(리스테리아, 바르토넬라, 마이코플라즈마, Rickettsia), 스피로헤타 뇌염(spirochetal encephalitis), 진균감염, 결핵(tuberculosis); 크로이츠펠트-야콥병, Whipple병
독성-대사성 원인	약물섭취(알코올, 케타민, 펜사이클리딘, 유기인산염), 일산화탄소 중독, 베르니케 뇌증(Wernicke encephalopathy), 신경이완제 악성증후군(neuroleptic malignant syndrome)
혈관질환	Reversible posterior leukoencephalopathy syndrome, 원발/이차 혈관염(angiitis), 베체트병, Susac 증후군(자가면역 혈관병증)
신생물/종양질환	연수막 전이, 전반적 신경아교종(glioma), 원발/이차중추신경계 임파종
탈수초 혹은 염증질환	다발경화증, 시신경척수염, 급성 파종 뇌척수염, neurosarcoidosis
신경변성 치매	알츠하이머병, 전두측두엽 치매, 레비소체(Lewy body) 치매, 혈관성 인지장애
정신질환	정신분열병, 양극성장애, 전환장애, 물질남용
유전/대사질환	사립체질환

HSV, herpes simplex virus; HHV6, human herpes virus 6; VZV, varicella zoster virus; EBV, Epstein Barr virus; CMV, cytomegalovirus; HIV, human immunodeficiency virus

항-LGI1 뇌염에서), 상승된 IgG 지수 또는 올리고클론띠가 유일한 이상소견일 수 있다. IgG1-관련 자가면역 뇌염(예: NMDAR, GABABR,AMPAR)는 IgG4-관련 뇌염(예: LGI1 및 Caspr2)보다 더 흔히 염증성 소견을 나타낸다. 하지만 비염증성 척수액 소견이 자가면역 뇌염을 배제하는 것은 아니다.

(4) 뇌파검사

뇌파는 뇌증의 초기 감별진단에 유용한 비침습적 검사로, 자가면역 뇌염 환자의 40-90%에서 비정상 뇌파소견을 보인다. 또한 비경련성 발작(non-convulsive seizure)을 파악하는 데에도 유용하다. 국소 혹은 전반적 서파, 뇌전증양 방전파, 주기성 편측성 뇌전증양 방전파가 흔히 보이는 이상소견이다. 항-NMDAR 뇌염 환자의 약 3분의 1에서 델타 브러쉬가 나타나는데(그림 1) 이 질환의 특징적인 소견으로 간주되지만, 최근 연구에서 해마경화증을 포함한 국소 피질이형성증에 의한 두개내 뇌파의 발작소견에서도 발견되었다.

(5) 뇌 MRI

자가면역 뇌염 환자의 50-70%가 뇌 MRI 검사에서 이상소견을 보이는데, 빈도와 병변의 위치는 각각의 항체관련 질환에 따라 차이가 있다. 안측두엽의 신호강도 변화는 변연뇌염의 특징이며, 특히 양측성 병변은 자가면역 뇌염을 더 명확하게 고려할 수 있다. LGI1, AMPAR, 또는 GABABR 항체관련 변연뇌염 환자들은 70-90%에서 안측두엽의 양측성 변화를 나타낸다. 항-GABAAR 뇌염은 주로 양측 대뇌 겉질 및 겉질밑 영역을 침범하는 1-2 cm 이상의 다초점 병변을 보인다. 항-NMDAR 뇌염에서 정상 MRI 소견은 흔히 관찰된다.

(6) 항체검사

종양연관 항체(paraneoplastic antibodies) 혹은 종양신경 항체(onconeuronal antibodies)는 세포 내 단백질을 표적으로 하며, ELISA, 면역탁본법 및 면역조직화학 등의 많은 기술로 검출 가능하다. 반면에, 신경원 표면단백에 대한 항체는 본래의 형태로 발현되는 경우에만 표적항원 결정인자를 인식하기 때문에 세포기반 분석법(cell-based assays)을 이용해야 검출 가능하다. 항-NMDAR 항체는 뇌척수액에서 14%까지 검출되지만 혈청에서는 거의 발견되지 않으며, 동일한 환자에서도 혈청과 척수액에서 나타나는 항체들이 다를 수 있다(예: GABAAR와 LGI1R 항체는 혈청에서만 검출). 따라서 검사할 때는 혈청과 뇌척수액 두 가지 샘플 모두를 검사하는 것이 바람직하다. 또한 신경원 표면 단백 항체의 세포분석 분석법 결과가 혈청에서는 간혹 위양성 또는 위음성을 보일 수 있지만, 뇌척수액에서는 거의 발생하지 않는다.

(7) 종양 선별검사

종양의 유형과 빈도는 대개 항체의 종류, 연령 및 임상적 증후군에 따라 다르다. 예를 들어, 흉선종은 단독 뇌염 형태보다 말초신경계를 침범하는(Morvan 증후군) 항-Caspr2 항체를 가진 환자에서 더 흔히 관찰된다. 항-NMDAR 뇌염은 가임기 여성의 약 50%에서 난소 기형종과 연관되어 있으며 노인 환자의 약 25%에서 체세포 암과 관련이 있다. 미국에서는 남성의 고환 기형종도 선별검사에 포함하고 있다. LGI1, Caspr2, GABABR 또는 AMPAR 항체 양성 환자는 흉부의 CT로 흉선종 및 폐암에 대한 검사를 받도록 한다. 종양 선별검사에서 음성인 경우 전신 FDG-PET을 고려하게 된다. 변연뇌염 기준을 충족하면서 항체가 음성이라면, 흉부 CT 선별검사와 전신 FDG-PET 검사가 권장되는데, 최소한 2년간 6개월마다 반복하는 것이 바람직하다.

[치료]

전형적인 종양연관 증후군(paraneoplastic syndrome) 또는 자가면역 뇌염 환자에서 면역억제 요법의 사용은, 다른 감염성 원인이 배제된 상태에서, 암 진단이나 항체 결과가 확인될 때까지 지연되어서는 안된다. 면역억제제 치료의 일반원칙과 약물은 소아와 성인에서 큰 차이는 없지만, 자가면역 뇌염의 유형에 따라 조금씩 다를 수 있다. 1차 면역요법은 비교적 표준화되어 있고, 후속 치료옵션은 질환과 환자 상태에 따라 맞춰서 적용시키도록 한다.

(1) 1차 면역요법

1차 면역치료법으로는, 정맥 내 메틸프레드니솔론, 정맥 면역글로불린 G, 또는 혈장교환을 포함한다. 정맥 면역글로불린 G 와 혈장교환은 임상적 중증도에 따라 메틸프레드니솔론 후 3-7일 이내에 시작한다. 좋은 치료반응을 위해서는 1차 면역치료를 조기에 시작하는 것이 중요하다. 정맥 면역글로불린 G 와 혈장교환의 선택은 정확히 비교분석된 문헌이 없는 상태이다. 코르티코스테로이드가 LGI1 관련 안면상완 근긴장성 경련 및 다른 국소경련의 조절과 변연뇌염으로 진행을 예방하는 효과는 알려져 있다.

Caspr2 관련 뇌염에서 면역요법의 반응은 좀 더 느린 편이며 1차 면역치료의 병합치료가 좀 더 적합하다. 자가면역 뇌염의 경한 발현 상태 및 의증에서는 처음 3-5일 동안 메틸프레드니솔론(1 g/일) 주사치료 후, 4-6주간 매주 정주 혹은 경구 스테로이드 요법(1 g/일)을 하면서 3개월에 걸쳐 점차 감량하는 방법을 권고하고 있다.

(2) 2차 면역요법

일차치료에도 항-NMDAR 뇌염의 명확한 호전이 보이지 않는다면, 2차 치료는 2-3주 내에 즉시 시작되어야 한다. 리툭시맙(rituximab) 치료는 일반적으로 2주 간격으로 1000mg씩 2회 또는 4주 동안 매주 375 mg/m^2 요법이 있다. Cyclophosphamide는 일반적으로 3-6개월 동안 매달 750-800 mg/m^2 용량으로 투여한다. 치료 시작 전에 혈청검사와 뇌 MRI의 후속 검사를 시행해야 한다. Rituximab을 포함한 통상적인 1차 및 2차 면역요법에 반응이 없는 항-NMDAR 뇌염에서 bortezomib(혈장 세포-고갈 프로테아좀 억제제), tocilizumab (항-인터루킨-6 항체), methotrexate 및 methylprednisolone의 수막강내 투여가 알려져 있다. Tocilizumab은 신생 난치성 뇌전증지속증(new-onset refractory status epilepticus, NORSE)의 임상양상의 소수 환자들에서 좋은 치료결과가 보고된 바 있다. 이들 치료의 안전성과 효능에 대해 지속적인 추가 연구가 필요하다.

(3) 면역치료의 유지요법

자가면역 뇌염에서 장기치료의 효능 및 안전성에 대해서는 연구결과가 아직 제한적인 상태이다. 대개 첫 발병 후 재발한 경우에 유지요법을 시작하는 반면에, 일부에서는 전체 스테로이드 부담을 줄이고 재발을 예방하기 위해 발병 후 초기부터 유지요법을 시작하기도 하였다. 유지요법으로 azathioprine, mycophenolate mofetil 또는 methotrexate가 있으며, 매월 스테로이드 펄스 요법, 경구 스테로이드, 매월 정맥 면역글로불린 G 또는 rituximab 재투약(6개월마다 1000 mg) 방법도 있다. 유지요법의 기간에 대해서는 명확한 권고사항이 없지만, 최소한 1년 혹은 2년 유지가 일반적인 의견이다.

07

발열과 관련된 뇌증/뇌전증

Fever-related Encephalopathy/Epilepsy

| 염미선 |

불응성 뇌전증지속증 상태의 성인 환자에서 초기 검사에서 원인을 찾지 못한 경우 NORSE (New Onset Refractory Status Epilepticus)란 용어가 임상에서 흔히 사용되고 소아에서는 FIRES (Febrile Infection-Related Epilepsy Syndrome)이 주로 사용된다. 이 두 가지 질환의 관련성은 아직 불분명하나 성인에서는 면역치료가, 소아에서는 케톤생성 식이요법이 효과가 있었다는 보고가 있다. 이러한 유사질환들에 대해 최근 ILAE에서는 아래와 같이 정의하고 있다.

1) New onset refractory status epilepticus (NORSE)

NORSE는 특정 진단이라기보다는 이전에 활동성 뇌전증 혹은 기저의 신경학적 질환이 없는 환자에서 분명한 급성, 구조적, 독성, 대사성 원인이 없이 발생한 불응성 뇌전증지속증 상태를 의미한다. 발작 발생 수시간에서 72시간 내에 대부분의 급성, 구조적, 독성, 대사성 원인 및 자가면역질환이나 바이러스 감염이 배제되어야 한다.

2) Febrile infection-related Epilepsy Syndromes (FIRES)

Febrile infection-related (or refractory) epilepsy syndrome (FIRES)는 NORSE에 속하는 것으로 분류된다. 따라서, NORSE와 동일하게 불응성 뇌전증지속증 상태가 발생하기 2주에서 1일 전에 발열이 시작된 경우 진단가능하며 뇌전증지속증 상태의 발생 당시에는 발열이 있을 수도 있고,

없을 수도 있다.

Febrile status epilepticus(열성경련지속증)가 열성경련이 30분 이상 지속되는 상태를 의미하는 반면, FIRES는 주로 5세 이상의 남자 소아에서 발생하는 원인불명의 뇌염과 유사한 뇌증으로 열성경련지속증과는 전혀 다른 질환이다. FIRES의 경우 대부분 감염원을 규명할 수 없다.

[발생기전]

발생기전에 대해 정확히 밝혀진 기전은 없으나 뇌조직 검사에서 뇌수막의 염증성 반응이 관찰되어 신경염증의 기전이 작용할 것으로 추정되고 있으며, 이러한 신경염증을 일으키는 원인으로, 감염성, 대사성, 유전성, 혹은 자가면역성 등 다양한 원인들이 있을 것으로 생각된다. 그렇지만 뇌척수액의 광범위한 검사를 통해서도 감염성 원인을 밝히지 못하였으며 뇌척수액의 백혈구증가도 뚜렷하지 않았다.

발열이 동반된 뇌전증지속증의 급성 발현은 에너지부족의 기전, 즉 미토콘드리아 질환 혹은 지방산 대사장애, 요산회로질환 등의 대사성 질환의 가능성을 시사하기도 하나 이 역시 광범위한 대사질환의 스크리닝에도 불구하고 뚜렷한 원인으로 규명된 바 없다. 현재까지의 여러 임상연구에서 특정 유전자와의 연관성을 찾기는 어려웠다. 자가면역 뇌염 역시 FIRES와 유사하게 발열과 연관된 폭발적 증상 발현을 나타내며 일부 FIRES 환자들이 면역치료

에 반응하는 등을 이유로, 자가항체의 연관 가능성에 대한 여러 연구가 이뤄져 왔으나 현재까지 특정 자가면역질환과의 연관성이 보고된 바 없다.

[치료]

특이 치료는 없으며 불응성 뇌전증지속증에 준하여 치료한다. 면역치료가 효과가 있었다는 보고 혹은 케톤생성 식이요법의 효과가 보고된 바 있다.

3) Infantile hemiconvulsion-hemiplegia and epilepsy syndrome

Infantile hemiconvulsion-hemiplegia and epilepsy syndrome 은 2세 미만에 나타나는 증후군으로 편측 운동발작과 불응성 뇌전증지속증이 발생할 당시의 고열, 한쪽 뇌의 영상학적 이상과 함께 24시간 이상 지속되는 편마비를 특징으로 하는 질환이다. 이 질환 역시 모든 분명한 감염성 뇌염의 배제가 필요하다.

참고문헌

1. Alparslan C, Kamit-Can F, Anil AB, Olgac-Dundar N, Cavusog\-lu D, Goc Z. Febrile infection-related epilepsy syndrome (FIRES) treated with immunomodulation in an 8-year-old boy and review of the literature. Turk J Pediatr 2017;59:463-6.

2. Alroughani R, Boyko A. Pediatric multiple sclerosis: a review. BMC Neurol 2018;18:27.

3. Ariño H, Armangué T, Petit-Pedrol M, Sabater L, Martinez-Hernandez E, Hara M, et al. Anti-LGI1-associated cognitive im\-pairment: Presentation and long-term outcome. Neurology 2016;87:759-65.

4. Armangue T, Titulaer MJ, Málaga I, Bataller L, Gabilondo I, Graus F, et al; Spanish Anti-N-methyl-D-Aspartate Receptor (NMDAR) Encephalitis Work Group. Pediatric anti-N-methyl-D-aspartate receptor encephalitis-clinical analysis and novel find\-ings in a series of 20 patients. J Pediatr 2013;162:850-6.

5. Bacchi S, Franke K, Wewegama D, Needham E, Patel S, Menon D. Magnetic resonance imaging and positron emission tomography in anti-NMDA receptor encephalitis: A systematic review. J Clin Neurosci 2018;52:54-9.

6. Banwell B, Arnold DL, Tillema JM, Rocca MA, Filippi M, Wein\-stock-Guttman B, et al. MRI in the evaluation of pediatric multi\-ple sclerosis. Neurology 2016;87:S88-96.

7. Bascić-Kes V, Kes P, Zavoreo I, Lisak M, Zadro L, Corić L, et al; Ad Hoc Comittee of the Croatian Society for Neurovascular Dis\-orders, Croatian Medical Association. Guidelines for the use of intravenous immunoglobulin in the treatment of neurologic dis\-eases. Acta Clin Croat 2012;51:673-83.

8. Ben Achour N, Ben Younes T, Rebai I, Ben Ahmed M, Kraoua I, Ben Youssef-Turki I. Severe dysautonomia as a main feature of an\-ti-GAD encephalitis: Report of a paediatric case and literature re\-view. Eur J Paediatr Neurol 2018;22:548-51.

9. Benarroch EE. GABAB receptors: structure, functions, and clini\-cal implications. Neurology 2012;78:578-84.

10. Cappa R, Theroux L, Brenton JN. Pediatric Multiple Sclerosis: Genes, Environment, and a Comprehensive Therapeutic Ap\-proach. Pediatr Neurol 2017;75:17-28.

11. Caputo D, Iorio R, Vigevano F, Fusco L. Febrile infection-related epilepsy syndrome (FIRES) with super-refractory status epilepti\-cus revealing autoimmune encephalitis due to GABAAR antibod\-ies. Eur J Paediatr Neurol 2018;22:182-5.

12. Carvajal-González A, Leite MI, Waters P, Woodhall M, Coutin\-ho E, Balint B, et al. Glycine receptor antibodies in PERM and re\-lated syndromes: characteristics, clinical features and outcomes. Brain 2014;137(Pt 8):2178-92.

13. Cheryl Hemingway. Acute disseminated encephalomyelitis. In: Kliegman RM, Geme III JW, Blum NJ, Shah SS, Tasker RC, Wil\-son KM. Nelson Textbook of Pediatrics. 21th ed. Elsevier; 2019. p. 3196-9.

14. Clardy, S.L., et al., 2013. Childhood onset of stiff-man syndrome. JAMA Neurol. 70, 1531-1536.

15. Cull-Candy S, Brickley S, Farrant M. NMDA receptor subunits: diversity, development and disease. Curr Opin Neurobiol 2001;11:327-35.

16. Dalmau J, Graus F. Antibody-Mediated Encephalitis. N Engl J Med 2018;378:840-51.

17. Carvajal-González A., Leite M.I., Waters P., et al., 2014. Glycine receptor antibodies inPERM and related syndromes: characteris\-tics, clinical features and outcomes. Brain 137 (Pt 8), 2178-2192.

18. Castillo P., Woodruff B., Caselli R., et al., 2006. Steroid-respon\-sive encephalopathy associated with autoimmune thyroiditis. Arch. Neurol. 63 (2), 197-202.

19. Dale R.C., Merheb V., Pillai S., et al., 2012. Antibodies to surface dopamine-2 receptor in autoimmune movement and psychiatric disorders. Brain 135 (Pt 11), 3453-3468

20. Dalmau J, Lancaster E, Martinez-Hernandez E, et al. Clinical ex\-perience and laboratory investigations in patients with anti-NM\-DAR encephalitis. Lancet Neurol. 2011:10 (1) 63-74.

21. Dalmau J, Rosenfeld MR. Autoimmune encephalitis update. Neuro Oncol 2014;16:771-8.

22. Darnell RB, Posner JB. A new cause of limbic encephalopathy. Brain 2005; 128:1745-6.

23. Derle E, Gunes HN, Konuskan B, Tuncer-Kurne A. Neuromyeli\-tis optica in children: a review of the literature. Turk J Pediatr 2014;56:573-580.

24. Dogan Onugoren M, Golombeck KS, Bien C, Abu-Tair M, Brand M, Bulla-Hellwig M, et al. Immunoadsorption therapy in auto\-immune encephalitides. Neurol Neuroimmunol Neuroinflamm 2016;3:e207.

25. Eker A, Saka E, Dalmau J, Kurne A, Bilen C, Ozen H, et al. Tes\-ticular teratoma and anti-N-methyl-D-aspartate receptor-associ\-ated encephalitis. J Neurol Neurosurg Psychiatry 2008;79:1082-3.

26. Escudero D, Guasp M, Ariño H, Gaig C, Martínez-Hernández E, Dalmau J, et al. Antibody-associated CNS syndromes without signs of inflammation in the elderly. Neurology 2017;89:1471-5.

27. Esposito S, Principi N, Calabresi P, Rigante D. An evolving redef\-inition of autoimmune encephalitis. Autoimmun Rev 2019;18:155-63.

28. Finke C, Prüss H, Heine J, Reuter S, Kopp UA, Wegner F, et al. Evaluation of Cognitive Deficits and Structural Hippocampal Damage in Encephalitis With Leucine-Rich, Glioma-Inactivated

1 Antibodies. JAMA Neurol 2017;74:50-9.

29. Florance, N.R., et al., 2009. Anti-N-methyl-D-aspartate receptor (NMDAR) encephalitis in children and adolescents. Ann. Neu\-rol. 66, 11-18.

30. Frischer JM, Weigand SD, Guo Y, Kale N, Parisi JE, Pirko I, et al. Clinical and pathological insights into the dynamic nature of the white matter multiple sclerosis plaque. Ann Neurol 2015;78:710-721.

31. Fukata Y, Lovero KL, Iwanaga T, Watanabe A, Yokoi N, Tabuchi K, et al. Disruption of LGI1-linked synaptic complex causes ab\-normal synaptic transmission and epilepsy. Proc Natl Acad Sci U S A 2010;107:3799-804.

32. Gaspard N, Hirsch LJ, Sculier C, Loddenkemper T, van Baalen A, Lancrenon J, et al. New-onset refractory status epilepticus (NORSE) and febrile infection-related epilepsy syndrome (FIRES): State of the art and perspectives. Epilepsia 2018;59:745-52.

33. Graus F, Delattre JY, Antoine JC, Dalmau J, Giometto B, Grisold W, Honnorat J, Smitt PS, Vedeler Ch, Verschuuren JJ, Vincent A, Voltz R. Recommended diagnostic criteria for paraneoplastic neurological sy ndromes. J Neurol Neurosurg Psychiatr y 2004;75:1135-40.

34. Graus F, Titulaer MJ, Balu R, Benseler S, Bien CG, Cellucci T, et al. A clinical approach to diagnosis of autoimmune encephalitis. Lancet Neurol 2016;15:391-404.

35. Goldberg EM, Titulaer M, de Blank PM, Sievert A, Ryan N. An\-ti-N-methyl-D-aspartate receptor-mediated encephalitis in infants and toddlers: case report and review of the literature. Pediatr Neu\-rol 2014;50:181-4.

36. Hacohen Y, Wright S, Waters P, Agrawal S, Carr L, Cross H, et al. Paediatric autoimmune encephalopathies: clinical features, laboratory investigations and outcomes in patients with or without antibodies to known central nervous system autoantigens. J Neu\-rol Neurosurg Psychiatry 2013;84:748-55.

37. Hasegawa, S., et al., 2014. A nationwide survey of opsoclonus-myoclonus syndrome in Japanese children. Brain Dev. 37, 656-660.

38. Hirsch LJ, Gaspard N, van Baalen A, Nabbout R, Demeret S, Loddenkemper T, et al. Proposed consensus definitions for new-onset refractory status epilepticus (NORSE), febrile infection-re\-lated epilepsy syndrome (FIRES), and related conditions. Epilep\-sia 2018;59:739-44.

39. Höftberger R, Titulaer MJ, Sabater L, Dome B, Rózsás A, Hege\-dus B, et al. Encephalitis and GABAB receptor antibodies: novel f ind ings in a new case series of 20 pat ients. Neu rolog y 2013;81:1500-6.

40. Höftberger R, van Sonderen A, Leypoldt F, Houghton D, Ge\-schwind M, Gelfand J, et al. Encephalitis and AMPA receptor an\-tibodies: Novel findings in a case series of 22 patients. Neurol-ogy 2015;84:2403-12.

41. Hon KL, Leung AKC, Torres AR. Febrile Infection-Related Epi\-lepsy Syndrome (FIRES): An Overview of Treatment and Recent Patents. Recent Pat Inflamm Allergy Drug Discov 2018;12:128-35.

42. Hughes EG, Peng X, Gleichman AJ, Lai M, Zhou L, Tsou R, et al. Cellular and synaptic mechanisms of anti-NMDA receptor en\-cephalitis. J Neurosci 2010;30:5866-75.

43. Iizuka T, Leite MI, Lang B, Waters P, Urano Y, Miyakawa S, et al. Glycine receptor antibodies are detected in progressive encephalo\-myelitis with rigidity and myoclonus (PERM) but not in saccadic oscillations. J Neurol 2012;259:1566-73.

44. Irani SR. 'Moonlighting' surface antigens: a paradigm for autoan\-tibody pathogenicity in neurology? Brain 2016;139(Pt 2):304-6.

45. Irani SR, Alexander S, Waters P, Kleopa KA, Pettingill P, Zuliani L, et al. Antibodies to Kv1 potassium channel-complex proteins leucine-rich, glioma inactivated 1 protein and contactin-associat\-ed protein-2 in limbic encephalitis, Morvan's syndrome and ac\-quired neuromyotonia. Brain 2010;133:2734-48.

46. Irani SR., Gelfand JM, Al-Diwani A. et al. Cell-surface central nervous system autoantibodies: clinical relevance and emerging paradigms. Ann Neurol. 2014;76(2), 168-184

47. Irani SR, Gelfand JM, Bettcher BM, Singhal NS, Geschwind MD. Effect of rituximab in patients with leucine-rich, glioma-inactivat\-ed 1 antibody-associated encephalopathy. JAMA Neu-rol 2014;71:896-900.

48. Irani SR, Michell AW, Lang B, Pettingill P, Waters P, Johnson MR, et al. Faciobrachial dystonic seizures precede Lgi1 antibody limbic encephalitis. Ann Neurol 2011;69:892-900.

49. Jarius S, Wildemann B. Aquaporin-4 antibodies (NMO-IgG) as a serological marker of neuromyelitis optica: a critical review of the literature. Brain Pathol 2013;23:661-683.

50. Joubert B, Saint-Martin M, Noraz N, Picard G, Rogemond V, Ducray F, et al. Characterization of a Subtype of Autoimmune Encephalitis With Anti-Contactin-Associated Protein-like 2 Anti\-bodies in the Cerebrospinal Fluid, Prominent Limbic Symptoms, and Seizures. JAMA Neurol 2016;73:1115-24.

51. Kanaani J, Cianciaruso C, Phelps EA, Pasquier M, Brioudes E, Billestrup N, et al. Compartmentalization of GABA synthesis by GAD67 differs between pancreatic beta cells and neurons. PLoS One. 2015;10:e0117130.

52. Ketterl, T.G., et al., 2013. Ofatumumab for refractory opsoclonus myoclonus syndrome following treatment of neuroblastoma. Pe\-diatr. Blood Cancer 60, E163-E165.

53. Kruer MC, Hoeftberger R, Lim KY, Coryell JC, Svoboda MD, Woltjer RL, et al. Aggressive course in encephalitis with opsoclo\-nus, ataxia, chorea, and seizures: the first pediatric case of γ-aminobutyric acid type B receptor autoimmunity. JAMA Neu\-rol 2014; 71:620-3.

54. Krupp LB, Tardieu M, Amato MP, Banwell B, Chitnis T, Dale RC, et al. International Pediatric Multiple Sclerosis Study Group criteria for pediatric multiple sclerosis and immune-mediated cen\-tral nervous system demyelinating disorders: revisions to the 2007 definitions. Mult Scler 2013;19:1261-1267.

55. Klein CJ, Lennon VA, Aston PA, McKeon A, O'Toole O, Quek A, et al. Insights from LGI1 and CASPR2 potassium channel com\-plex autoantibody subtyping. JAMA Neurol 2013;70:229-34.

56. Lai M, Hughes EG, Peng X, Zhou L, Gleichman AJ, Shu H, et al. AMPA receptor antibodies in limbic encephalitis alter synaptic re\-ceptor location. Ann Neurol 2009;65:424-34.

57. Lawn ND, Westmoreland BF, Kiely MJ, Lennon VA, Vernino S. Clinical, magnetic resonance imaging, and electroencephalo\-graphic findings in paraneoplastic limbic encephalitis. Mayo Clin Proc 2003;78:1363-8.

58. Lancaster E, Huijbers MG, Bar V, Boronat A, Wong A, Martinez-Hernandez E, et al. Investigations of caspr2, an autoantigen of en\-cephalitis and neuromyotonia. Ann Neurol 2011;69:303-11.

59. Leypoldt F, Wandinger KP. Paraneoplastic neurological syn\-dromes. Clin Exp Immunol 2014;175:336-48.

60. Lilleker JB, Jones MS, Mohanraj R. VGKC complex antibodies in epilepsy: diagnostic yield and therapeutic implications. Seizure 2013;22:776-9.

61. Lucchinetti CF, Mandler RN, McGavern D, Bruck W, Gleich G, Ransohoff RM, et al. A role for humoral mechanisms in the pathogen esis of Devic's neuromy elitis optica. Brain 2002;125:1450-1461.

62. Maat P, de Beukelaar JW, Jansen C, Schuur M, van Duijn CM, van Coevorden MH, et al. Pathologically confirmed autoimmune encephalitis in suspected Creutzfeldt-Jakob disease. Neurol Neu\-roimmunol Neuroinflamm 2015;2:e178.

63. MacDonald JF, Jackson MF, Beazely MA. Hippocampal long-term synaptic plasticity and signal amplification of NMDA recep\-tors. Crit Rev Neurobiol 2006;18:71-84.

64. Makhani N, Brenton JN, Banwell B. Acquired disorders affecting the white matter. In: Swaiman KF, Ashwal S, Ferriero DM, and Schor NF, editor. Pediatric Neurology. 6th ed. Elsevier; 2018. p. 759-66.

65. Malter MP, Helmstaedter C, Urbach H, Vincent A, Bien CG. Antibodies to glutamic acid decarboxylase define a form of limbic encephalitis. Ann Neurol 2010;67:470-8.

66. Mikati MA, Tchapyjnikov D. Nelson textbook of pediatrics. Edi\-tion 21 / ed. Phialdelphia, PA: Elsevier, 2019:2 volumes

67. Mohammad SS, Ramanathan S, Brilot F, et al. Autoantibody-as\-sociated movement disorders. Neuropediatrics 2013;44(6), 336-345.

68. Navarro V, Kas A, Apartis E, Chami L, Rogemond V, Levy P, et al. Motor cortex and hippocampus are the two main cortical tar\-gets in LGI1-antibody encephalitis. Brain 2016;139:1079-93.

69. Nikolaus M, Knierim E, Meisel C, Kreye J, Prüss H, Schnabel D, et al. Severe GABAA receptor encephalitis without seizures: A paediatric case successfully treated with early immunomodula\-tion. Eur J Paediatr Neurol 2018;22:558-62.

70. Ohkawa T, Fukata Y, Yamasaki M, Miyazaki T, Yokoi N, Ta\-kashima H, et al. Autoantibodies to epilepsy-related LGI1 in lim\-bic encephalitis neutralize LGI1-ADAM22 interaction and reduce synaptic AMPA receptors. J Neurosci 2013;33:18161-74.

71. Pardo CA, Nabbout R, Galanopoulou AS. Mechanisms of epi\-leptogenesis in pediatric epileptic syndromes: Rasmussen enceph\-alitis, infantile spasms, and febrile infection-related epilepsy syn\-drome (FIRES). Neurotherapeutics 2014;11:297-310.

72. Payne, M., et al., 2010. Prospective study into the incidence of Lambert Eaton myasthenic syndrome in small cell lung cancer. J. Thorac. Oncol. 5, 34-38.

73. Perucca P, Dubeau F, Gotman J. Intracranial electroencephalo\-graphic seizure-onset patterns: effect of underlying pathology. Brain 2014;137:183-96.

74. Petit-Pedrol M, Armangue T, Peng X, Bataller L, Cellucci T, Da\-vis R, et al. Encephalitis with refractory seizures, status epilepti\-cus, and antibodies to the GABAA receptor: a case series, charac\-terisation of the antigen, and analysis of the effects of antibodies. Lancet Neurol 2014;13:276-86.

75. Petit-Pedrol M, Sell J, Planagumà J, Mannara F, Radosevic M, Haselmann H, et al. LGI1 antibodies alter Kv1.1 and AMPA re\-ceptors changing synaptic excitability, plasticity and memory. Brain 2018;141:3144-59.

76. Pillai S.C., Hacohen Y., Tantsis E., et al., 2015. Infectious and au\-toantibody-associated encephalitis: clinical features and long-term outcome. Pediatrics 135 (4), e974-e984.

77. Platt MP, Agalliu D, Cutforth T. Hello from the Other Side: How Autoantibodies Circumvent the Blood-Brain Barrier in Autoim\-mune Encephalitis. Front Immunol 2017;8:442.

78. Pon NC, Houck KM, Muscal E, Idicula SA. Voltage-gated Potas\-sium Channel Antibody Autoimmune Encephalopathy Presenting With Isolated Psychosis in an Adolescent. J Psychiatr Pract 2017;23:441-5.

79. Prüss H, Dalmau J, Harms L, Höltje M, Ahnert-Hilger G, Borowski K, et al. Retrospective analysis of NMDA receptor anti\-

bodies in encephalitis of unknown origin. Neurology 2010; 75:1735-9.

80. Quek AM, Britton JW, McKeon A, So E, Lennon VA, Shin C, et al. Autoimmune epilepsy: clinical characteristics and response to immunotherapy. Arch Neurol 2012;69:582-93.

81. Rosenfeld, M.R., Dalmau, J., 2013. Diagnosis and management of paraneoplastic neurologic disorders. Curr. Treat. Options On\col. 14, 528-538.

82. Rudnick, E., et al., 2001. Opsoclonus-myoclonus-ataxia syn\drome in neuroblastoma: clinical outcome and antineuronal anti\bodies-a report from the 9. Children's Cancer Group Study. Med. Pediatr. Oncol. 36, 612-622.

83. Schmitt SE, Pargeon K, Frechette ES, Hirsch LJ, Dalmau J, Fried\man D. Extreme delta brush: a unique EEG pattern in adults with anti-NMDA receptor encephalitis. Neurology 2012;79:1094-100.

84. Spatola M, Petit-Pedrol M, Simabukuro MM, Armangue T, Cas\tro FJ, Barcelo Artigues MI, et al. Investigations in GABAA re\ceptor antibody-associated encephalitis. Neurology 2017;88:1012- 20.

85. Suleiman J., Dale R.C., 2015. The recognition and treatment of autoimmune epilepsy in children. Dev. Med. Child Neurol. 57 (5), 431-440.

86. Suleiman J., Brilot F., Lang B., et al., 2013. Autoimmune epilepsy in children: case series and proposed guidelines for identification. Epillepsia 54 (6), 1036-1045.

87. Suppiej A, Nosadini M, Zuliani L, Pelizza MF, Toldo I, Bertossi C,et al. Plasma exchange in pediatric anti-NMDAR encephalitis: A systematic review. Brain Dev 2016;38:613-22.

88. Swaiman KF. Pediatric Neurology 6th ed. Mosby Elsevier, 2015

89. Thompson AJ, Banwell BL, Barkhof F, Carroll WM, Coetzee T, Comi G, et al. Diagnosis of multiple sclerosis: 2017 revisions of the McDonald criteria. Lancet Neurol 2018;17:162-173.

90. Thompson J, Bi M, Murchison AG, Makuch M, Bien CG, Chu K, et al. The importance of early immunotherapy in patients with fa\ciobrachial dystonic seizures. Brain 2018;141:348-56.

91. Thomas RH, Chung SK, Wood SE, Cushion TD, Drew CJ, Hammond CL, et al. Genotype-phenotype correlations in hyper\ekplexia: apnoeas, learning difficulties and speech delay. Brain 2013;136(Pt 10):3085-95.

92. Titulaer MJ, McCracken L, Gabilondo I, Armangué T, Glaser C, Iizuka T, et al. Treatment and prognostic factors for long-term outcome in patients with anti-NMDA receptor encephalitis: an observational cohort study. Lancet Neurol 2013;12:157-65.

93. Toledano M, Pittock SJ. Autoimmune Epilepsy. Semin Neurol 2015;35:245-58.

94. Toledano M, Britton JW, McKeon A, Shin C, Lennon VA, Quek AM, et al. Utility of an immunotherapy trial in evaluating patients with presumed autoimmune epilepsy. Neurology 2014;82:1578-86.

95. Toothaker, TB, Rubin, M, 2009. Paraneoplastic neurological syn\dromes: a review. Neurologist 2009;15:21-33.

96. Tüzün E, Dalmau J. Limbic encephalitis and variants: classifica\tion, diagnosis and treatment. Neurologist 2007;13:261-71.

97. Venkatesan A, Tunkel AR, Bloch KC, Lauring AS, Sejvar J, Bit\nun A, et al. International Encephalitis Consortium. Case defini\tions, diagnostic algorithms, and priorities in encephalitis: con\sensus statement of the international encephalitis consortium. Clin Infect Dis 2013;57:1114-28.

98. Vincent A, Bien CG, Irani SR, Waters P. Autoantibodies associat\ed with diseases of the CNS: new developments and fu\ture chal\lenges. Lancet Neurol 2011;10:759-72.

99. van Sonderen A, Ariño H, Petit-Pedrol M, Leypoldt F, Körtvé\lyessy P, Wandinger KP, et al. The clinical spectrum of Caspr2 antibody-associated disease. Neurology 2016;87:521-8.

100. Viaccoz A, Desestret V, Ducray F, Picard G, Cavillon G, Roge\mond V, et al. Clinical specificities of adult male patients with NMDA receptor antibodies encephalitis. Neurology 2014;82:556-63.

101. Wingerchuk DM, Banwell B, Bennett JL, Cabre P, Carroll W, Chitnis T, et al. International consensus diagnostic criteria for neuromyelitis optica spectrum disorders. Neurology 2015;85:177-189.

102. Yamakura T, Shimoji K. Subunit- and site-specific pharmacolo\gy of the NMDA receptor channel. Prog Neurobiol 1999;59:279-98.

103. Zeilhofer HU, Wildner H, Yévenes GE. Fast synaptic inhibi\tion in spinal sensory processing and pain control. Physiol Rev 2012;92:193-235.

104. Zhang Y, Liu G, Jiang MD, Li LP, Su YY. Analysis of electroen\cephalogram characteristics of anti-NMDA receptor encephalitis patients in China. Clin Neurophysiol 2017;128:1227-33.

105. Zhang L, Wu MQ, Hao ZL, Chiang SM, Shuang K, Lin MT, et al. Clinical characteristics, treatments, and outcomes of patients with anti-N-methyl-d-aspartate receptor encephalitis: A system\atic review of reported cases. Epilepsy Behav 2017;68:57-65.

소 아 신 경 학
PEDIATRIC NEUROLOGY

제13장

종양

Tumors of the Nervous System

01

소아의 신경계 종양

Tumors of the Nervous System

| 빈중현, 서은숙 |

중추신경계에서 발생하는 원발 악성종양은 소아기에 발생하는 종양 중 백혈병에 이어 두 번째로 흔하며, 소아 연령에 발생하는 고형종양(solid tumor)의 40-50%로 가장 흔하다.

신경외과의 적절한 수술과, 방사선요법과 면역요법의 발달과 소아신경학, 종양학, 신경병리, 신경영상학, 방사선 종양, 안과 및 재활의학 등의 다학제 접근과 협력치료로 예후가 향상되고 있다.

[역학]

19세 이하 연령의 중추신경계의 원발성 양성 혹은 악성 종양은 100만명당 42명의 발병률을 보이며, 영아나 5세 미만에서 더 흔한 것으로 보고되고 있으며, 남아에서 더 흔하다.

[원인]

소아의 뇌종양의 원인은 잘 밝혀지지 않았다. 뇌종양이 가족력이나 유전적 요인을 가지는 가족증후군은 약 5% 정도 되는 것으로 보고되어 있으며, 대부분 상염색체 우성으로 유전된다.

신경섬유종증 1형에서는 17q11.2에 종양억제 유전자의 소실(NF1유전자)로 시신경경로의 신경아교종, 별아교세포종, 신경섬유종 등이 발생하며, 2형에서는 22q12의 NF2 유전자가 관여한다.

결절경화증 환자에서는 TSC1과 TSC2 유전자가 관여하며, 뇌실막밑 거대세포 별아교세포종이 뇌실주변에 발생하여 폐쇄성 수두증을 유발하기도 한다.

Cowden 증후군은 소뇌의 별아교세포종과, Li-Fraumeni 증후군은 다발 신경아교종과 관련된다. Gorlin 증후군, von Hippel-Landau 증후군, Turcot 증후군 등이 뇌종양 발생의 원인증후군으로 알려져 있다.

원발성 중추신경계 종양은 유전적 돌연변이 또는 화학물질, 물리적, 또는 생화학적인 요인들에 의한 DNA의 손상의 축적으로 인하여 발생한다. 휴대전화 사용의 급격한 증가로 뇌종양 증가에 대한 우려도 증가하고 있으나, 현재까지의 메타분석에서는 의미 있는 위험증가의 증거는 없었다. 출생 전 비타민 대량복용이 뇌종양을 예방할 수 있다는 연구도 있으며 방사선조사, 면역억제제나 어떤 유전적인 질환들이 중추신경계 종양의 위험을 증가시키는 요인으로 작용할 수 있다.

악성종양에 대한 중추신경 방사선조사는 수막종(meningioma), 고등급(high-grade) 신경아교종(glioma)나 육종(sarcoma)의 위험도를 증가시키고, 면역억제 환자 특히 후천 면역억제질환(AIDS) 등에서는 중추신경 림프종의 발생 위험이 증가된다.

[병리]

과거 뇌종양은 현미경하 소견에 따른 조직학적 소견

표 13-1. 소아 중추신경계 종양의 WHO 분류

구분	종양			등급
Diffuse astrocytic and oligodendroglial tumors (광범위 별아교세포 및 희소돌기아교세포 종양)	Diffuse astrocytoma			II
	Anaplastic astrocytoma			III
	Glioblastoma			IV
	Diffuse midline glioma			IV
	Oligodendroglioma			II
Other astrocytic tumors (다른 별아교세포 종양)	Pilocytic astrocytoma			I
	Subependymal giant cell astrocytoma			I
	Pleomorphic xanthoastrocytoma			II
Ependymal tumors (뇌실막세포 종양)	Ependymoma			II or III
	Ependymoma, RELA fusion-positive			II or III
Choroid plexus tumors (맥락얼기 종양)	Choroid plexus papilloma			I
	Atypical choroid plexus papilloma			II
	Choroid plexus carcinoma			III
Neuronal and mixed neuronal-glial tumors (신경/혼합 신경아교세포 종양)	Dysembryoplastic neuroepithelial tumor			I
	Ganglioglioma			I
	Desmoplastic infantile astrocytoma and ganglioglioma			I
Tumors of the pineal region(송과체 종양)	Pineoblastoma			IV
Embryonal tumors(배아세포 종양)	Medulloblastoma, genetically defined	Medulloblastoma, WNT-activated		IV
		Medulloblastoma, SHH-activated and TP53 mutant		
		Medulloblastoma, SHH-activated and TP53-wildtype		
		Medulloblastoma, non-WNT/non-SHH		
		Medulloblastoma, group 3		
		Medulloblastoma, group 4		
	Medulloblastomas, histologically defined	Medulloblastoma, classic		
		Medulloblastoma, desmoplastic/nodular		
		Medulloblastoma with extensive nodularity		
		Medulloblastoma, large cell/anaplastic		
	Atypical teratoid/rhabdoid tumor			
Germ cell tumors(생식세포 종양)	Germinoma			
	Embryonal carcinoma			
	Yolk sac tumor			
	Choriocarcinoma			
	Teratoma Teratoma	Mature teratoma		
		Immature teratoma		
	Mixed germ cell tumor			
Tumors of the sellar region(터키안 종양)	Craniopharyngioma			I

에 근거하여 분류되었다. 신경아교세포(glia), 별아교세포 (astocyte)와 뇌실막세포(ependycyte), 희소돌기세포(oligo-dendrocyte) 종양과 비아교세포에서 발생한 종양으로 구분하였다.

신경아교세포종(glioma)은 별아교세포종(astocytoma), 뇌실막세포종(ependymoma), 희소돌기아교세포종(oligo-dendroglioma), 맥락총에서 근거한 맥락총 유두종이 있다. 비아교세포 신경상피종양에는 신경세포종-혼합 신경세포-아교세포(neuronal and mixed neuronal-glial tumor), 송과체 종양(pineal gland tumor), 태생기 종양(embryonal tumor: 속질모세포 종양 medulloblastoma, 뇌실막모세포종양 등)이 포함된다.

WHO는 뇌종양의 등급을 Grade I-IV로 분류하여 Grade I과 II를 저등급(low grade), Grade III와 IV를 고등급 (high grade)이라고 한다. 최근 종양발생의 유전학적 기초에 대한 지식이 증가함에 따라 종양 분류에 이러한 소견들이 포함되게 되었고, 2016년 새로운 WHO의 중추신경계 종양 분류법이 제시되었다.

뇌종양의 예후는 조직의 악성도와 발생부위, 환자의 연령, 뇌척수 전이와 방사선 화학요법에 대한 반응과 수술적으로 종양의 적출 정도 등에 따라 다르다.

[분류]

2016년 WHO의 소아의 중추신경계 종양의 분류는 표 13-1과 같다.

뇌종앙은 발생위치에 따라 호발 종양 및 초래하는 임상 증상이 달라진다. 소아 뇌종양을 천막 상, 하부 위치에 따라 나누면, 천막상부가 40%, 천막하부 종양이 60% 정도로 하부에 더 많이 발생한다. 친막상부의 뇌종양은 저등급의 별아교세포종이 가장 흔하고, 뇌실막세포종, 고등급 별아교세포종, 배아세포 종양 등이 있고, 머리인두종, 교차 신경아교종 등이 있다. 천막하부 종양은 소뇌 속질모세포종, 별아교세포종, 뇌실막세포종과 뇌간 신경아교종 등으로 구분된다(표 13-2).

[임상증상]

소아의 중추신경계 종양의 임상증상은 종양의 위치 뿐 아니라 환자의 나이, 종양의 크기, 자라는 속도 등에 좌우

표 13-2. 소아기 두뇌와 중추신경계 종양의 발생 빈도

위치, 병리	발생빈도(%)
천막 상부	
저등급 신경아교종	16
뇌실막세포종	3
고등급 신경아교종	5
배아세포 종양	3
기타	2
터키안/교차	
머리인두종	6
시신경로 아교종	5
총계	40
천막하부	
소뇌	
속질모세포종	20
별아교세포종	18
뇌실막세포종	6
뇌간	
신경아교종	14
기타	2
총계	60

된다. 임상증상은 뇌압상승으로 인한 일반적인 증상과 종양의 위치에 따라 달라지는 국소증상으로 나눌 수 있다. 천막상부(뇌실질) 병소 종양에서는 성격, 의식, 언어의 미묘한 변화가 전형적인 증상이 나타나기 전에 보이게 된다. 천막하부 또는 중앙부위 종양의 3대 특징은 두통, 오심, 구토와 유두부종이지만 이러한 징후가 보이지 않는 경우도 있다.

특히 영유아에서는 뇌종양의 증상은 비특이적으로 진단이 어렵다. 영아는 앞 숫구멍이 열려 있고 봉합선 확대가 가능하여, 뇌압이 상승 또는 수두증이 동반되어도 대부분이 두통이 없고, 실제로 두통이 있는 경우에도 이를 감지하기 어렵다. 수두증이 있는 경우 유두부종의 여부를 확인하는 것이 진단에 도움이 되기도 한다. 영아에서 뇌압상승 시 일몰 징후(setting sun sign)가 나타날 수 있는데 폐쇄성 수두증으로 인한 압력의 증가와 제3 뇌실 확장 때문이다. 뇌종양이 오래 지속되는 경우 발달지연이 나타날 수 있고, 시상하부에 종양이 발생한 경우 국소 신경학 증상 없이 적절한 영양공급과 정상 위장관 기능에도 불구하고 극심한 체

중감소와 성장지연(failure to thrive)이 나타나는 간뇌증후군(diencephalic syndrome)이 나타날 수 있다.

종양의 위치에 따라 흔히 발생하는 증상이 다르다. 후두개(postreior fossa) 종양은 오심, 구토와 두통, 비정상적인 걸음걸이와 운동조화불능 등이 주 증상이며, 간뇌(brainstem) 종양은 비정상적인 걸음과 운동실조와 뇌신경 마비 등이 주된 증상이다. 천막상부와 중심 뇌종양은 두통 외의 증상이 비특이적이다.

(1) 뇌압상승 증상

두통

주로 아침에 일어날 때 더 흔히 나타나며, 모든 연령에서 보일 수 있으나 연장아에서 더 흔하고 구토나 오심을 동반한다. 두통이 이전과 다른 양상을 보이는 경우 오심, 구토, 국소 신경학 증상이 동반되거나 밤에는 잠에서 깰 정도이나 낮에 완화되는 경우 뇌종양을 의심할 수 있다. 두통의 위치는 비특이적으로 전두부 또는 후두부에 나타날 수 있다. 기침이나 재채기 또는 배변 시 힘을 줄 때 악화되는 경우 더 의심할 수 있다. 영유아에서는 앞 숫구멍이나 봉합선이 열려 있어 두통을 호소하는 경우가 적고, 실제로 두통을 호소할 수 없는 연령의 영아는 심하게 보챈다거나 안절부절 못하는 증상, 구토 등으로 나타난다. 대개 구토 후에는 두통이 소실된다.

구토

흔히 두통과 동반되나 영유아에서는 구토, 구역만 있는 경우가 흔하여 위장관질환과 감별이 어렵다.

복시 또는 시야장애

머리인두종이나, 천막상부의 뇌실막세포종이나 뇌간 신경아교종 등에서 나타날 수 있으며, 뇌압상승과 국소 신경증상으로 나타날 수 있다.

유두부종

이는 뇌압상승의 조기 징후이나 영유아에서는 봉합선, 앞 숫구멍이 열려 있어 보이지 않는 경우가 많고, 뇌압상승으로 인하여 유두부종이 발생하여도 실제로 안과적 증상으로 보이는 경우는 흔하지 않다. 일시적으로 시력의 흔동이 있거나 수초 동안의 시력소실이 있는 경우도 있다.

(2) 국소증상

국소 증상은 종양의 발생부위를 알려주는 특이소견이지만 소아에서는 비특이적이게 다른 질환으로 진단하거나 조기에 인식하지 못하여 진단이 늦어지는 경우가 흔하다.

천막상부 종양(supratentorial tumor)

천막상부 종양은 국소적인 근력저하, 국소감각의 변화나 언어이상이나 국소 경련 또는 비대칭적인 반사 등의 증상이 흔하다.

증상 및 징후가 연장아나 성인과 유사하며, 두통이 가장 흔하고, 두통은 비교적 조기에 발생하며, 위치는 일정하지 않다. 발작이 다음으로 흔한 증상이며, 천막상부 종양환자의 30-60%에서 나타나며, 특히 종양환자의 25%에서 경련이 종양의 첫 증상으로 발견된다. 전두엽이나 측두엽에서 발생한 종양에서 흔하며, 특히 서서히 자라는 실질의 신경아교종에서 조기 증상으로 잘 발생한다.

발작은 복잡부분발작, 단순부분발작, 전신발작 등의 다양한 형태를 보인다. 종양이 커지거나 진행되면 발작과 함께 편마비나, 시야상실, 편측의 감각마비 등의 국소 신경증상이 동반된다. 뇌전증 환자에서 발작의 양상이 바뀌거나 발작 시작부터 뇌전증지속증이거나 약물에 잘 반응하지 않는 경우에서 종양의 가능성도 고려해야 한다. 소아 전두부는 비교적 증상이 적어 종양이 진행될 때까지 행동장애나 주의력장애 등의 비특이적 증상만 나타날 수 있다. 진행되면 운동실조, 동향 안구편위, 반신마비, 운동 실어증 등의 전두부 국소 증상이 나타난다.

천막하부 종양(infratentorial tumor)

속질모세포종, 소뇌 별아교세포종, 뇌실막세포종, 뇌간 신경아교종 등이 대표적인 뇌의 후두와(posterior fossa) 종양인데, 이 중 소뇌 별아교세포종이 속질모세포종보다 더 외측에 위치하고 천천히 자라는 종양으로 임상증상이 적다. 뇌간 신경아교종은 운동, 소뇌, 감각장애를 동반하면서 뇌신경 장애가 흔하고, 폐쇄성 수두증을 유발하여 이에 따른 증상을 나타낸다. 대표적으로 제6 뇌신경 마비로 인한

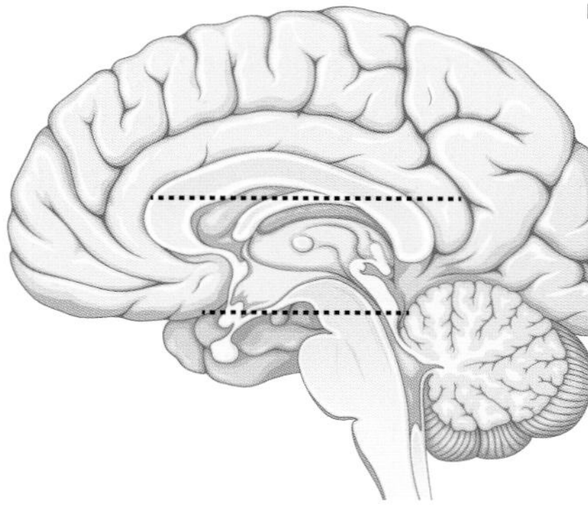

대뇌반구:
신경아교종: 37%
저등급 별아교세포종: 23%
고등급 별아교세포종: 11%
기타: 3%

중간부위:
교차 신경아교종: 4%
두개인두종: 8%
송과체 종양: 2%

후두와:
뇌간 신경아교종: 15%
속질모세포종: 15%
뇌실막세포종: 4%
소뇌 별아교세포종: 15%

■ 그림 13-1. 중추신경계에 발생하는 소아기 뇌종양의 조직학적 형태와 해부학적 위치의 상대적 빈도

외안근 마비는 뇌압상승과 관련되어 나타나는 거짓 국소 증상으로 발생한다. 교차성 편마비, 일측 안면신경마비나 반대측의 안면하부 약화 등은 뇌간의 종양을 심각하게 시사한다. Horner 증후군도 상부경추의 교감신경을 누르므로 발생하는 증상으로 나타날 수 있다. 추체로 증상으로 건반사의 항진, 얼굴표정의 소실, 눈떨림이 특징으로 나타난다.

중앙부 종양(midline tumor)

중앙부에서 발생하는 뇌종양은 저등급으로 서서히 자라며, 증상이 비특이적이고, 국소화되지 않아 진단이 어렵다. 중앙부에 발생하는 머리인두종은 학습능력의 저하나 피로, 성격변화 등 비특이적 증상으로 진단을 어렵게 한다. 안장(sella)상부에 위치하는 종양은 시각경로와 시상하부-뇌하수체 축을 압박하여 일측 혹은 양측의 시야장애를 보이거나, 불규칙적인 시력상실 또는 반맹 등이 초래된다.

[진단]

① 뇌종양이 의심되는 환자는 즉각적인 평가를 시행하여야 하며, 자세한 병력청취와 안과적 검사를 포함한 철저한 신경학적 검사가 가장 중요하다

② 진단적 신경영상 검사

진단적 MRI나 CT의 일차적인 목적은 정상과 비정상을 구별하고, 신경영상소견과 임상소견의 관련성을 분석하는 것이다. 영상검사의 2차 목적은 병변 발견 시, 병변의 성상과 대뇌의 중요부위와의 공간적인 관계를 분석하고 병기를 결정하는 것이다.

표 13-3. 발병연령에 따른 양성 및 악성종양의 종류

나이	양성종양	악성종양
0-3세	• 시신경과 시각교차 신경아교종(Optic nerve and chiasm glioma) • 맥락얼기 유두종(choroid plexus papilloma) • 결합조직 형성 영아 신경절신경교종(desmoplastic infantile ganglioglioma)	• 뇌실막세포종(ependymoma) • 속질모세포종(medulloblastoma) • 맥락얼기 암종(choroid plexus carcinoma) • 기형종(teratoma) • 중등급 또는 고등급 신경아교종(intermediate- and high-grade gliomas)
4-12세	• 이주이상(migrational abnormalities) • 청소년 털모양세포 별아교세포종(juvenile pilocytic astrocytoma) • 배아 이형성 신경상피 종양(dysembryoplastic neuroepithelial tumor) • 머리인두종(craniopharyngioma) • 소뇌 별아교세포종(cerebellar astrocytoma)	• 고등급 신경아교종 • 속질모세포종 • 뇌실막세포종 • 뇌간 신경아교종 • 비정형 기형/가로무늬근 종양(atypical teratoid/rhabdoid tumor) • 종자세포종(germinoma)
13-21세	• 신경절신경교종(ganglioglioma) • 다형태 황색별아교세포종(pleomorphic xanthoastrocytoma) • 신경집종(schwannoma) • 뇌하수체 선종(pituitary adenoma)	• 고등급 신경아교종 • 속질모세포종

뇌종양 환자에서 초기 검사를 시행할 때 병기 결정 (staging)에 따라 치료방법이 결정되므로 특히 주의해야 한다. 특정한 종양들의 감별진단에 도움을 주는 요소로 환자의 나이(표 13-3), 종양의 위치(표 13-4), 신경영상소견(표 13-5) 등이 있다.

Gadolinium을 사용하거나 하지 않는 뇌 MRI가 뇌종양의 진단에 기본이다. 뇌하수체/suprasellar, 시신경 경로, 천막하부 종양은 CT보다 진단에 더 좋다.

CT는 뼈, 공기, 지방이 대비를 이루므로 두개골 기저부를 검사하는데 효과적이며, 또한 응급상황에서도 검사를 시행할 수 있다. 그러나 후두와나 측두와 부위의 뇌종양은 CT로 발견하지 못하고 놓치는 경우가 흔하므로 조영제 투여를 포함한 MRI를 시행하여야 한다.

FLAIR 영상소견은 병리적 부종을 구분하는데 도움이 된다.

자기공명 혈관조영술(MR angiography, MRA), 디지털 감산 영상법을 이용한 관습적 동맥조영술(conventional arteriography using digital subtraction technique)로 종양의 혈관공급을 분석하고 동반된 혈관기형의 유무를 확인한다.

또 신경영상에서 뇌종양으로 오인될 수 있는 신경질환들도 있으므로 감별에 유의한다(표 13-6).

③ 뇌대사 영상진단

양자 자기공명 분광검사(Magnetic resonance spectroscopy: MRS)는 병변 뇌부위의 대사물질인 콜린, 크레아틴, N-아세틸 아스팔틱산, 유산 등을 분석하여 악성, 양성종양의 감별에 이용되며, 치료 후 잔존하는 종양의 발견에도 유용하다.

양전자 방출 단층촬영술(PET)는 FDG라는 당 형태의 radioactive 물질을 이용하여 뇌의 당대사, methionine 대사, 신경전달물질 등의 분포를 알 수 있다. FDG 섭취율 속도를 측정하여 종양의 재발여부를 감별하는 데 도움을 주는

표 13-4. 발생위치에 따른 뇌종양의 종류

천막상부 (Supratentorial)	천막상부/뇌실막하세포종(Supratentorial/subependymoma)	I
	천막상부/뇌실막세포종(Supratentorial/ependymoma/YAP1)	II/III
	천막상부/뇌실막세포종(Supratentorial/ependymoma/RELA)	II/III
후두와 (Posterior fossa)	후두와/뇌실막하세포종(Posterior fossa/subependymoma)	I
	후두와/뇌실막세포종 A (Posterior fossa/ependymoma group A)	II/III
	후두와/뇌실막세포종 B (Posterior fossa/ependymoma group B)	II/III
척추 (Spine)	척추/뇌실막하세포종(Spine/subependymoma)	I
	척추/점액유두뇌실막종(Spine/myxopapillary ependymoma)	I
	척추/뇌실막세포종(Spine/ependymoma)	II/III

표 13-5 양성종양과 악성종양의 MRI 소견 차이

	양성	악성
연차적 크기 변화	거의 없다	증가
중심의 위치	회백질의 중심	백질의 중심, 퍼지는 양상, 여러 곳의 중심, 1차 위치주변 또는 떨어진 곳의 위성병변
괴사	−(낭종은 가능)	+
석회화	+(솔방울 부위 제외)	솔방울 부위 종양 석회화
조영증강	−(회백질과 유사한 강도), 벽성 결절의 조영증강	+(연질막밑 또는 뇌실막밑)
종양의 경계	T1, T2 영상의 경계의 일치	T1, T2 영상 경계의 불일치

표 13-6. 신경영상에서 뇌종양과 유사한 질환

염증성	• 종양성 다발경화증(tumefactive multiple sclerosis) • 부신백질형성장애(adrenoleukodystrophy) • 말이집 기본단백 과민증(myelin basic protein hypersensitivity)
감염성	• 진행 다초점 백질뇌증(progressive multifocal leukoencephalopathy) • 결핵종(tuberculoma) • 크립토코코스종(cryptococcoma) • 신경유구낭미충증(neurocysticercosis) • 만성 고름집(chronic empyema)
수술 후	• 지름술 물질에 대한 반응(reaction to shunt material) • 만성 혈청종(seroma) • 만성 혈종(chronic hematoma)
방사선조사 후	• 방사선 효과(radiation effect) • 방사선 괴사(radiation necrosis)
화학용법 후	• 진행 괴사성 백질뇌증(progressive necrotizing leukoencephalopathy)
발달성	• 피질성, 피질하성, 뇌실주변성 이소증(cortical, subcortical, and periventricular heterotopias) • 결절경화증(tuberous sclerosis)
이상조직 형성	• 신경섬유종증(neurofibromatosis) • 신경피부흑색증(neurocutaneous melanosis)
혈관성	• 거대동맥 또는 정맥자루(giant arterial or venous aneurysms) • 혈전성 혈관성 기형(thromboid vascular malformations) • 해면혈관종(cavernous angioma) • 격리 뇌졸중(sequestered stroke)

데, 섭취율을 증가는 종양의 재발을 시사하며 섭취율 감소는 방사선 괴사를 의미하며, 특히 빨리 자라는 고등급 종양에 더 유효하다.

뇌기능 자기공명영상(fMRI), 뇌자도(MEG) 등도 대뇌 겉질의 운동, 감각, 언어영역 증의 위치를 파악하여 진단하며 수술 시 정상 조직의 손상을 최소화하여 후유증을 예방할 수 있다.

④ 기타 검사소견

뇌척수액 검사는 환자에서 뇌압증가가 있고, MRI로 자세한 정보를 얻을 수 있으므로 더 이상 진단을 위해 권유되지는 않는다. 뇌종양 환자에서 뇌척수액 포도당 수치는 대부분 정상이지만 뇌막에 백혈병이나 림프육종이 침범한 경우나 뇌실막세포종(ependymoma), 흑색육종(melanosarcoma), 또는 뇌막의 악성종양으로 인해 2차적으로 뇌막 암종증(meningeal carcinomatosis)이 발생한 경우는 포도당 수치가 저하될 수 있다. 뇌척수액으로 세포검사를 시행하면 속질모세포종 등에서 종양이 뇌막이나 지주막 밑에 전이가 되었는지를 감별하는데 도움을 줄 수 있다.

뇌파검사는 두개강 내 종양의 위치를 발견하는 데에는 별 도움이 되지 않으며, 다만 복잡부분발작을 보이는 병변 부위에 극파 외에 부분적인 서파가 보일 때 종양이 의심될 수도 있다.

단순 두개골촬영에서 봉합선이 벌어져 있거나 터키안이 커져 있거나 골다공증, 나비뼈가 얇아져 있을 때 뇌종양을 의심할 수 있다. 봉합선이 벌어지는 것은 10세 이상의 소아에서는 드물지만 어린 소아에서는 10일 이상 뇌압 상승이 지속되는 경우에 보일 수 있다. 석회화는 소아 대뇌 종양 환자 중 15-20%에서 방사선에서 확인되며, 석회화를 보이는 가장 흔한 종양은 머리인두종의 안상 석회화이다.

[감별진단]

뇌압은 뇌종양뿐 아니라 다양한 종괴가 있는 병변에서 증가될 수 있으므로 감별이 필요하다. 신생아의 뇌압상승 원인으로는 뇌수종, 대뇌 출현, 감염 등이 뇌종양보다 더 흔하나, 2세 이후의 소아에서는 뇌종양이 감염보다 흔하다. 뇌농양은 종괴를 만들어 뇌압상승을 일으키며, 좌우 지름을 가진 선천성 심장병 환자에서 발생하기 쉽고 뇌농양 환자의 30%에서만 고열이 동반되므로 발열이 없더라도 조영제를 포함한 MRI나 CT를 통하여 감별한다.

가짜 뇌종양(pseudotumor cerebri/idiopathic intracranial hypertension)은 종괴 병변이 없이 뇌압이 상승하는 질환으로 국소화 증상은 없으며 정상의 뇌척수액 검사소견을 보이고 신경영상은 정상 또는 약간 작은 크기의 뇌실을 보인다.

뇌종양이 원인이 아닌 뇌수종도 감별을 위하여 MRI를 실시해야 한다. 선천성 도관협착 또는 도관 주위의 뇌종양의 감별이 필요하며, 정상적 도관 뇌척수액의 흐름은 T2 영상에서 검은색의 저강도로 나타나는데 이러한 신호감소가 없으면 도관협착을 의심할 수 있다.

심한 herpes simplex 뇌염은 측두엽의 심한 부종으로 인하여 종괴효과를 나타낸다. 뇌변성질환인 급성 파종 뇌척수염이나 아급성 경화 전뇌염(subacute sclerosing panencephalitis) 등에서도 심한 뇌압증가와 시신경유두 부종이 동반된다. 이러한 환자에서 주로 편측 증상이 나타나므로 뇌종양의 감별을 위해 MRI가 권장된다.

[치료]

(1) 수술적 제거술

뇌종양 환자의 수술의 목표는 기능을 보존하면서 최대한 종양을 제거하고, 정확한 병리조직적 진단을 내리며, 종양에 의한 두개강 내압 상승을 감소하여 증상을 완화시키거나 없애는 데 있다. 수술을 결정하는데 종양의 위치, 다발성 여부, 환자의 상태 등이 중요한 요인이다.

뇌압상승은 뇌종양 환자들, 특히 후두와 부위에 뇌종양이 위치한 경우에 대부분 동반되고 심한 경우에는 수두증이 유발된다. 수두증이 동반된 환자에서는 초기 24-72시간 이내에 일시적인 뇌척수액 배액술을 시행하는 것이 도움이 되며 이러한 시술이 영구적인 뇌실복강 지름술(ventriculoperitoneal shunt)을 예방할 수도 있다. 정맥 스테로이드는 수술 전에 뇌압상승을 감소시키기 위해 거의 정규적으로 사용하는데 어린 소아에서는 dexamethasone을 0.5-1 mg/kg/일(하루 3-4회 나누어 투여), 좀 더 나이가 든 소아에서는 4-10 mg 용량으로 하루 3-4회 투여한다.

시상하부의 종양은 특히 수분균형을 맞추는데 주의를 기울여야 하며 요붕증과 항이뇨호르몬 부적절 분비증후군으로 인한 전해질의 불균형을 조정해야한다. 대뇌 겉질의 종양은 이전에 환자가 발작의 병력이 없었던 경우에도 뇌전증 예방을 위하여 phenytoin이나 fosphenytoin을 뇌전증 예방을 위해 투여한다. 만약 환자가 수술 후에 항암치료가 계획되어있는 경우에는 간대사를 거치지 않는 levetiracetam을 phenytoin 대용으로 사용하기도 한다.

대뇌 겉질 종양의 경우 수술 후 합병증으로 부종으로 인한 운동기능 저하가 있을 수 있으나, 대개 일시적이며 회복된다. 안상종양은 수술 후 시력감퇴가 동반된다. 시상하부 종양은 수술 후 호르몬 이상으로 인하여 포만감 조절에 이상이 생겨 고도비만이 발생하는 경우가 흔하다. 후두와 종양은 수술 후 뇌간 손상으로 인하여 중추신경 마비, 운동실조, 겨냥이상(dysmetria) 등이 동반될 수 있다. 또한 후두와 실어증후군이 발생하기도 하는데 수술 후 수시간에서 하루 후에 실어증, 저긴장, 소뇌기능 저하, 핵상마비(supranuclear palsy), 감정불안, 심한 보챔이 동반되는 증후군이다. 50%의 환자는 회복이 되지만 나머지 50%에서는 영구적인 언어, 근긴장도, 인지기능, 협조장애가 남아 있다.

(2) 방사선치료

방사선치료는 수술에 보조적인 요법, 또는 완벽한 수술적 제거가 불가능할 경우에 주된 치료법으로 시도된다. 방사선치료는 저등급 신경아교종, 속질모세포종, 종자세포종 등에서는 완치요법이 될 수도 있다. 전리방사선이 세포와 반응하면 반응성 종(reactive species)들이 발생하여 세포의 DNA를 손상시키는데 종양세포는 세포 조절기능에 이상이 있어 이러한 DNA 손상효과가 더 증가되므로 종양이 괴사된다.

방사선치료는 방사선 총량, 횟수, 치료받는 조직의 부피에 따라 달라진다. 천천히 자라는 종양인 털모양세포 그리고 저등급 섬유별아교세포종은 제한된 부위에만 방사선치료를 하지만 빠른 속도로 자라며 침범해 들어가는 종양인 속질모세포종, 종자세포종, 비정형 기형/가로무늬근 종양(atypical teratoid/thabdoid tumor)은 뇌척수 전장에 걸친 방사선치료가 필요하다.

신경영상기법의 발달로 한 번에 고용량의 방사선을 병변부위에만 주입할 수 있는 정위적 방사선치료가 가능하게 되었다. 정위적 방사선치료는 위치상 수술적 비적응증이 되는 종양과 방사선에 민감한 뇌간 또는 시신경에 인접한 종양이나 방사선치료 후 재발한 종양 등에서 이용된다. 선형가속기(LNAC: Linear accelerator), 사이버 나이프, 감마 나이프 등이 이에 속한다. 이 치료법은 CT 또는 MRI를 이용하여 종양의 크기와 위치를 정확하게 3차원으로 계산하여 1회에 다량의 방사선을 조사하여 종양 주위의 정상 뇌조직을 보호할 수 있어 장기적으로 발생할 수 있는 인지기능 이상, 호르몬 불균형 등을 방지할 수 있다.

(3) 화학요법

항암치료의 가장 큰 단점은 항암제가 혈액뇌 장벽(BBB)을 잘 통과하지 못한다는 사실이다. 뇌종양 내의 혈관은 정상 뇌혈관보다 통과성이 우수하지만 원래 병변에서 전이되는 종양은 새로운 혈관이 형성되므로 정상적 혈액뇌 장벽이 가동하게 되어 항암치료에 어려움이 있다. 그러므로 혈액뇌 장벽을 극복하기 위해서 펌프를 뇌척수에 심거나, 중합체 바탕질(polymer matrix)을 이용하여 종양의 국소부위에 확산이 잘 되도록 하는 방법을 사용하기도 한다.

항암치료가 일부 소아 환자에서 무병생존율(disease-freesurvival)을 증가시킨다는 것이 입증되어 영유아에서 방사선치료를 미루고 항암치료를 먼저 시행함으로 신경독성을 감소시킬 수 있게 되었다. 항암치료는 저등급 신경아교종, 시신경 신경아교종, 희소돌기아교세포종 등의 크기를 감소시킬수 있으나, 고등급 신경아교종이나 뇌실막세포종은 항암제에 저항성을 보인다.

항암치료 후에는 경도의 위축에서부터 파괴적 뇌병증에 이르기까지 다양한 변화가 있으나, 가장 심한 후유증은 진행성 괴사성 백질뇌병증(progressive necrotizing leukoencephalopathy)이다. 진행성 괴사성 백질뇌병증은 대뇌 백질 전장에 걸쳐 다발성 조영증강 병변이 나타나며, 시간이 지나면 석회화되고 지능저하, 신경행동 기능이상, 신경내분비 기능이상이 나타난다. 각각의 항암제에 따라 다른 후유증이 나타나기도 한다.

(4) 첨단 치료요법

종양세포와 표면 수용체의 결합을 방지하거나 세포 간 신호전달의 억제하여 종양침범과 전이를 막고 종양의 혈관생성을 막는 최첨단 치료요법이 개발되고 있다. 소아 뇌종양은 진행할 때 많은 성장인자, β섬유모인자 성장인자(βFGF)와 α섬유모인자 성장인자(αFGF) 등을 필요로 하므로 성장인자를 조절하거나 혈관생성과 관련이 있는 항혈관생성 물질들을 이용하는 임상실험들이 진행 중이다.

종양에서의 유전자치료는 기능이상이 있는 유전자를 대체하거나, 종양에 대한 면역반응을 증가시켜 종양세포가 항암치료에 좀 더 감수성이 생기도록 돕는 치료이다(자살유전자 치료). 현재까지 유전자를 세포 내로 이동시키기에 가장 효과적인 매개체는 adenovirus, adeno-associated virus, retrovirus 등이 알려져 있다.

[진단]

뇌종양이 의심되는 소아에서 과거에는 단순 두개골 방사선검사와 뇌파검사가 일차적으로 시행되었으나, 1970년대 이후 다양한 신경영상기법의 발달로 진단기법이 크게 향상되었다.

이와 함께 수술 후 정확한 병리학적 진단이 이후 치료방침을 결정하는 데 가장 중요하다. 병리학적 진단을 위해서는 면역조직화학, 흐름세포측정, 전자현미경 등을 이용하여 종합적인 진단이 필요하므로 수술 후 48-72시간이 필요하다. 기저핵, 시상, 중뇌 등 심부 대뇌에 위치한 뇌종양의 경우 정위(stereotactic) 조직검사를 시행한다. 이러한 조직검사를 이용하면, 95%에서 정확한 진단이 가능하며 질병 이환율은 2-5%이므로 비교적 안전하다. 조직학적 진단이 필요 없는 경우는 신경영상 소견상 일차적으로 뇌간에 생긴 범발성 종양, 1형 신경섬유종증 소아에서 시상하부를 침범한 신경교종의 경우이다.

(1) 진단적 신경영상검사

기술의 발달로 인해 소아 뇌종양을 발견하고 특징을 분석하는데 훨씬 효과적인 방법이 개발되고 있다. 진단적 MRI나 CT의 일치적인 목적은 정상과 비정상을 구별하고, 신경영상소견과 임상소견의 관련성을 분석하는 것이다. 영상검사의 2차 목적은 병변 발견 시, 병변의 성상과 대뇌의 중요부위와의 공간적인 관계를 분석하고 병기를 결정하는 것이다.

뇌종양 환자에서 초기 검사를 시행할 때 병기 결정 (staging)에 따라 치료 방법이 결정되므로 특히 주의해야 한다. 특정한 종양들의 감별진단에 도움을 주는 요소로 환자의 나이(표13-3), 종양의 위치(표13-4), 신경영상소견(표13-5) 등이 있다.

CT는 자연적으로 뼈, 공기, 지방이 대비를 이루므로 두개골 기저부를 검사하는데 효과적이며 또한 응급상황에서도 검사를 시행할 수 있다. 그러나 후두와나 측두와의 뇌종양은 CT로 발견하지 못하고 놓치는 경우가 흔하므로 조영제 투여를 포함한 MRI를 시행하여야 한다. 시각교차 수조 부위를 침범하는 뇌종양의 경우도 MRI로 촬영하여야 한다. 뇌종양의 성상을 알기 위해서는, T1, T2와 조영증강 T1 영상소견이 있어야 한다.

T1 영상에서는 양성자 이완(proton relaxation)을 증가시키는 물질들 즉 methemoglobin, 멜라닌, 사이질 석회화, 콜로이드가 포함되거나 세포 농도가 높은 종양의 고농축된 단백들이 고강도를 보인다. 반면 매우 크거나 벽내 결합조직증식증 또는 기질 석회화가 있는 비등방성 효과(anisotropic effect)와 관련된 변화나 종양 주변 조직의 부종, 낭종 형성 등으로 결합되지 않은 물을 포함한 조직이 있으면 T1 영상이 저강도로 보인다. T1 저강도는 수소의 양극상태, 너무 강한 결합을 하고 있거나 혹은 너무 느슨한 결합을 하고 있을 때를 반영한다.

T2 영상에서 저강도를 보이는 병변은 수분이적은 조직이 포함되었을 때 즉 섬유증, 골화증 등에서 보이고, T2 고강도는 뇌척수액이나 혈관부종 등 결합되지 않은 수분 분자를 포함할 때 나타난다. 척수종양은 종양의 침범부위를 T2 영상에서 더 정확하게 볼 수 있다. 표준 spin echo T2 영상에서 비정상적으로 보이는 부위가 종양이 침범한 부위와 잘 일치한다.

Gadlinium 조영증강 T1 영상은 gadolinium (gadopentetate dimeglumine 0.1 mmol/kg)을 이용하여 촬영하는데, gadolinium 조영증강은 모세혈관이 확장되어 조영제가 혈관벽으로 새어나가는 것을 의미하므로 부종, 괴사, 척수전이, 또는 종양이 연수막이나 뇌실막으로 퍼졌을 때 나타난다. 교모세포종(glioblastoma), 뇌실막모세포종(ependymo-blastoma), 속질모세포종 같은 고위험도 종양에서 조영증강되는 경향이 높으며 주변의 부종은 조영증강되지 않는다. 조영증강되지 않는 종양은 양성일 가능성을 시사한다. 또한 수술 후 부종이나 괴사조직에서 종양이 재발하거나 잔류하고 있는지 구분하는데도 조영증강 여부가 도움을 준다. CT에서 요오드(iodine)에 조영증강된 조직은 MRI 시에도 항상 gadolinium에 조영증강된다. 수술 후 MRI에서 직선형으로 조영증강되는 것은 대부분 수술 후 12주면 소실되므로 12주 후에 직선형 조영증강을 보이면 종양의 재발을 의심해야 한다. 혹 수술 후 12주 후에도 지속적으로 직선형 조영증강이 보이면 남아 있는 종양조직일 가능성이 높다. 조영증강이 없는데 새롭게 조영증강을 보인다면 방사선치료에 의한 괴사나 조직학적인 변화를 의미하고, 결절 모양의 조영증강은 비특이적으로 남아 있는 종양 조직이거나 맥락막총의 가능성이 있다.

FAIR 영상소견은 병리적 부종을 구분하는데 도움이 되고, methionine PET은 양성과 악성 조직을 구분할 수 있다.

자기공명 혈관조영술(MR angiography, MRA), 디지털 감산 영상법을 이용한 관습적 동맥조영술(conventional arteriography using digital subtraction technique)로 종양의 혈관공급을 분석하고 동반된 혈관기형의 유무를 확인한다.

또 신경영상에서 뇌종양으로 오인될 수 있는 신경질환들도 있으므로 감별에 유의한다(표13-6).

(2) 기타 검사소견

환자에서 뇌압 증가가 있을 수 있고, MRI로 자세한 정보를 얻을 수 있으므로 뇌척수액 검사는 더 이상 진단을 위해 권유되지는 않는다. 뇌종양 환자에서 뇌척수액 포도당 수치는 대부분 정상이지만 뇌막에 백혈병이나 림프육종이 침범한 경우나 뇌실막세포종(ependymoma), 흑색육종(melanosarcoma), 또는 뇌막의 악성종양으로 인해 2차적으로 뇌막 암종증(meningeal carcinomatosis)이 발생한 경우는 포도당 수치가 저하될 수 있다. 뇌척수액으로 세포검사를 시행하면 속질모세포종 등에서 종양이 뇌막이나 지주막 밑에 전이가 되었는지를 감별하는 데 도움을 줄 수 있다.

뇌파검사는 두개강 내 종양의 위치를 발견하는 데에는 별 도움이 되지 않으며, 다만 복잡한 부분발작을 보이는 병변 부위에 극파 외에 부분적인 서파가 보일 때 종양이 의심될 수도 있다.

단순 두개골 촬영에서 봉합선이 벌어져 있거나 터키안이 커져 있거나 골다공증, 나비뼈가 얇아져 있을 때 뇌종양을 의심할 수 있다. 봉합선이 벌어지는 것은 10세 이상의 소아에서는 드물지만 어린 소아에서는 10일 이상 뇌압 상승이 지속되는 경우에 보일 수 있다. 석회화는 소아 대뇌종양 환자 중 15-20%에서 방사선에서 확인되며, 석회화를 보이는 가장 흔한 종양은 머리인두종의 안상 석회화이다.

양전자방출 단층촬영술(PET)은 방사선치료 후에 FDG 섭취율 속도를 보아서 종양의 재발 여부를 감별하는데 도움을 주는데, 섭취율 증가는 종양의 재발을 시사하며 섭취율 감소는 방사선 괴사를 의미한다. 스테로이드 치료는 양전자방출 단층촬영술 영상소견에 영향을 미치지 않고, 농양은 섭취율을 증가시키므로 종양의 재발과 감별에 고려해야 한다.

[감별진단]

뇌압은 뇌종양 뿐 아니라 다양한 종괴가 있는 병변에서 증가될 수 있으므로 감별이 필요하다. 신생아의 뇌압상승 원인으로는 뇌수종, 대뇌 출혈, 감염 등이 뇌종양보다 더 흔하나, 2세 이후의 소아에서는 뇌종양이 감염보다 흔하다. 뇌농양은 종괴를 만들어 뇌압상승을 일으키며, 좌우 지름(shunt)을 가진 선천성 심장병 환자에서 발생하기 쉽고 뇌농양 환자의 30%에서만 고열이 동반되므로 발열이 없더라도 조영제를 포함한 MRI나 CT를 통하여 감별한다.

가짜 뇌종양(pseudotumor cerebri/idiopathic intracranial hypertension)은 종괴 병변이 없이 뇌압이 상승하는 질환으로 국소화 증상은 없으며 정상의 뇌척수액 검사 소견을 보이고 신경영상은 정상 내지 약간 작은 크기의 뇌실을 보인다.

뇌종양이 원인이 아닌 뇌수종도 감별을 위하여 MRI를 실시해야 한다. 선천성 도관협착 또는 도관 주위의 뇌종양의 감별이 필요하며, 정상적 도관 뇌척수액의 흐름은 T2 영상에서 검은색의 저강도로 나타나는데 이러한 신호감소가 없으면 도관협착을 의심할 수 있다.

심한 herpes simplex 뇌염은 측두엽의 심한 부종으로 인하여 종괴 효과를 나타낸다. 뇌 변성질환인 급성 파종 뇌척수염이나 아급성 경화 전뇌염(subacute sclerosing panencephalitis) 등에서도 심한 뇌압 증가와 시신경 유두부종이 동반된다. 이러한 환자에서 주로 편측 증상이 나타나므로 뇌종양의 감별을 위해 MRI가 권장된다.

[치료]

(1) 수술

수술적 적출이 소아 뇌종양 치료의 근간으로 수술장 내의 현미경, 레이저광선, 초음파 기술 등의 발전으로 인해 안전하고 완벽한 수술이 가능하게 되었다.

뇌압상승은 뇌종양 환자들, 특히 후두와에 뇌종양이 위치한 경우에 대부분 동반되고 심한 경우에는 수두증이 유발된다. 수두증이 동반된 환자에서는 초기 24-72시간 이내에 일시적인 뇌척수액 배액술을 시행하는 것이 도움이 되며 이러한 시술이 영구적인 뇌실복강 지름술(ventriculoperitoneal shunt)을 예방할 수도 있다. 정맥 스테로이드는 수술 전에 뇌압상승을 감소시키기 위해 거의 정규적으로 사용하는데 어린 소아에서는 dexamethasone을 0.5-1 mg/kg/day(하루 3-4회 나누어 투여), 좀 더 나이가 든 소아에서는 4-10 mg 용량으로 하루 3-4회 투여한다.

시상하부의 종양은 특히 수분균형을 맞추는데 주의를 기울여야 하며 요붕증과 항이뇨호르몬 부적절 분비증후군으로 인한 전해질의 불균형을 조정해야 한다. 대뇌 겉질의 종양은 이전에 환자가 발작의 병력이 없었던 경우에도 phenytoin이나 fosphenytoin을 뇌전증 예방을 위해 투여한다. 만약 환자가 수술 후에 항암치료가 계획되어 있는 경우에는 간대사를 거치지 않는 levetiracetam을 phenytoin 대용으로 사용하기도 한다.

뇌종양 수술의 중요한 목표는 기능을 보전하면서 최대한 종양을 제거하는 것이다.

수술 중에 가장 흔하게 일어나는 실수는 별아교세포종, 뇌실막세포종, 속질모세포종 등의 종양이 4차 뇌실옆의 중간 소뇌다리를 침범하는데 이는 완벽한 제거가 가능하다. 게다가 속질모세포종은 종양의 제거 정도는 환자의 예후와 밀접하게 관련이 있다. 뇌실막세포종은 커진 Luschka 공으로 밀려 들어가는데 신경외과 의사는 종양이 뇌간을 침범하는 것으로 오인하고 수술을 중단하기도 한다. 후두

509

와는 신경외과 의사에게는 도전적인 부위이지만 최근 수술장 내에서 MRI가 가능하게 되는 등의 기술 발전으로 점점 수술의 성공률이 증가하고 수술 후의 소뇌성 실어증 같은 합병증은 줄어드는 추세이다. 또한 레이저 수술, 초음파 흡입, 수술 전 종양색전술(preoperative tumor embolization) 등을 이용하여 맥락얼기 유두종(choroid plexus papilloma) 같은 혈관성 종양을 효과적으로 수술할 수 있다.

대뇌 겉질 종양의 경우 수술 후 합병증으로 부종으로 인한 운동기능 저하가 있을 수 있으나, 대개 일시적이고 이후 운동기능이 회복된다. 안상종양은 수술 후 시력감퇴가 동반된다. 시상하부 종양은 수술 후 호르몬 이상으로 인하여 포만감 조절에 이상이 생겨 고도비만이 발생하는 경우가 흔하다. 후두와 종양은 수술 후 뇌간손상으로 인하여 중추신경 마비, 운동실조, 겨냥이상(dysmetria) 등이 동반될 수 있다. 또한 후두와 실어증후군이 발생하기도 하는데 수술 후 수시간 내지 하루 후에 실어증, 저긴장, 소뇌 기능 저하, 핵상마비(supranuclear palsy), 감정불안, 심한 보챔이 동반되는 증후군이다. 50%의 환자는 회복이 되지만 나머지 50%에서는 언어, 근긴장도, 인지기능, 협조에 대한 영구적인 장애가 남는다.

수술 후 신경영상검사를 통해 종양이 완전히 제거되었는지 결정한다. 따라서 연속적 신경영상을 촬영하는 것이 필요하고, 수술 후 24-48시간 내에 기본 신경영상을 촬영해야 한다. 수술 후 부종은 수일 동안 지속되고, 혈종은 수개월간 지속되는데, 종양 기저부의 새살 형성(granulation)은 수년간 보이기도 한다. T2 영상에서 저강도 소견은 미세출혈을 의미하지만, 결절성 고강도 소견은 종양의 잔유물을 의심하게 하는 소견이다. 수술과 관련된 이상 소견은 경질막이 두꺼워지는 것으로 수술 후 수술 부위 혹은 뇌실복강 지름술의 도관을 삽입한 부위 주변의 경질막이 1-3 mm 정도로 두꺼워진다.

(2) 방사선치료

방사선치료는 수술에 보조적인 요법, 또는 완벽한 수술적 제거가 불가능할 경우에 주된 치료법으로 시도된다. 방사선치료는 저등급 신경아교종, 속질모세포종, 종자세포종 등에서는 완치요법이 될 수도 있다. 전리방사선이 세포와 반응하면 반응성 종(reactive species)들이 발생하여 세포의 DNA를 손상시키는데 종양세포는 세포 조절기능에 이상이 있어 이러한 DNA 손상효과가 더 증가되므로 종양이 괴사된다.

방사선치료는 방사선 총량, 횟수, 치료받는 조직의 부피에 따라 달라진다. 천천히 자라는 종양인 털모양세포 그리고 저등급 섬유별아교세포종은 제한된 부위에만 방사선치료를 하지만 빠른 속도로 자라며 침범해 들어가는 종양인 속질모세포종, 종자세포종, 비정형 기형/가로무늬 종양(atypical teratoid/rhabdoid tumor)은 뇌척수 전장에 걸친 방사선치료가 필요하다.

신경영상기법의 발달로 한 번에 고용량의 방사선을 병변 부위에만 주입할 수 있는 정위적 방사선치료가 가능하게 되었다. 정위적 방사선치료는 정상 뇌조직에 불필요한 방사선치료가 가해지는 것을 피함으로서 장기적으로 발생할 수 있는 인지기능 이상, 호르몬 불균형 등을 방지할 수 있다. 정위적 방사선치료는 동정맥기형, 뇌실막세포종, 속귀신경집종, 수막종과 종양의 전이가 발생했을 때 효과적임이 이미 입증되어 있다.

방사선치료는 신경세포보다 뇌혈관 내피의 손상을 더 잘 일으키므로 심부 백질 뇌혈관에 혈전증과 경색이 흔히 발생한다. 방사선치료 후 수주 내에는 혈관부종이 발생하여 신경교, 수초 등에 직접적인 손상을 일으킨다. 뇌척수 전장에 걸친 방사선치료는 위장관에 방사선이 투여되므로 치료 후 2-6시간 이내에 구역, 구토가 발생한다. 대부분 항구토제, ondansetron 등의 투여가 필요하다.

방사선치료 후 수주 후에 환자들은 탈모, 피부 통증과 발적, 목구멍 통증을 호소한다. 이러한 증상을 약화시키려면 치료 종료 후 1-2주 정도 지나야 하는데 피부에 국소 도포 약제를 바르는 것은 표면방사선 용량을 증가시키는 효과가 있어서 금기시되고 방사선치료 후에는 알로에 연고나 스테로이드 연고를 바르는 것이 추천된다. 방사선치료는 백혈구, 적혈구, 혈소판 감소를 일으키고 혈소판감소증이 있으면 방사선치료를 미뤄야 하므로 매주 혈액검사가 필요하다. 급성 방사선 뇌병증은 고용량의 방사선이 투여되는 과정 중에 발생할 수 있으며 의식저하, 구역, 구토, 경련, 기존 신경학적 이상소견의 악화 등 다양한 증상을 보인다. 뇌혈관 손상으로 인한 뇌부종으로 혈관 내와 주변에 미세출혈과 혈전을 만들며 결국 석회화를 일으킨다. 이러한 손상들은 T2 MRI에서 백질의 국소 또는 다발성의 비가역적 고강도 병변을 보이나 이후 발달장애 정도와는 상관 관계가 없다.

급성 방사선 뇌병증은 스테로이드 치료에 잘 반응하는데 소아에서는 합병증을 피하기 위해 저용량 스테로이드를 매일 투여한다. 방사선치료 중 일부 환자에서 피로 또는 인지기능 감소를 경험하는 졸림 증후군을 보이는데, 치료 후 6주에서 3개월까지 지속될 수 있다.

소아 뇌종양 환자의 생존율 증가로 장기 생존자의 삶의 질에 관한 관심이 증가되고 있으며 이에 따라 후기 방사선 효과인 인지기능 저하, 내분비 기능상실, 2차 종양의 발생 등에 대한 우려도 커지고 있다. 방사선치료를 받은 환자의 10-80%에서 지능지수의 유의한 저하를 보였으며, 뇌척수 전장에 걸친 방사선치료를 받은 환자는 지능지수가 10-20 정도 감소하였다. 지능지수가 정상으로 유지되었던 환자들에서도 집중력과 기억력 감소가 발견되었다. 인지기능 저하는 7세 이하의 소아에서 더 심하게 나타났으며, 방사선치료를 받지 않은 10세 이하 뇌종양 환자들은 지능 지수 저하를 보이지 않았다. 인지기능 저하가 있는 소아에서는 T2 또는 FLAIR 영상에서 백질 손상이 발견되었다.

환자의 70-90%에서 성장과 내분비계의 이상이 나타난다. 뇌하수체보다 시상하부가 방사선에 더 민감한데, 뇌척수 방사선치료를 받은 환자의 25%에서 방사선치료가 끝난 1-2년 후에 성장호르몬 결핍이 먼저 발생한다. 성장호르몬 치료를 시작하려면 2년 동안 종양의 재발이 없음을 확인해야 하고, 성장호르몬 치료 시작 첫해에는 신경영상 검사를 여러 번 반복해야 한다. 생식샘자극호르몬 결핍과 동반하여 사춘기 지연이나 조기 발현이 나타나고, 갑상샘 기능저하증은 약 28%의 환자에서 발생한다.

2차 종양 발생은 뇌종양 소아 환자 6명 중 1명꼴로 발생하며 68% 정도가 방사선치료를 받았던 조직에서 발생한다. 종양에 관한 유전적 감수성과 관련이 있으며, 2차 발생 종양은 대부분 심한 악성이고 치료에 잘 반응하지 않는다. 후기 방사선 뇌병증은 드물며, 치료 후 수개월 내지 수년 후에 발생하고 괴사나 위축으로 발생하는 것으로 여겨지고 있다. 증상은 두통, 발작, 편마비와 같은 국소 신경증상이 발생하고 MRI에서 저강도 병변으로 보인다.

다른 드문 후유증으로는 방사선치료가 끝난 2-3개월 후에 일시적 탈수초성 병변이 생겼다가 6-8주 이내에 저절로 회복되기도 한다. 후기 척수병증은 급성 혹은 만성 진행성으로 그 증상이 발생하는데 경한 감각이상, 하부운동신경원 질환, 급성 하지마비 혹은 사지마비로 나타난다.

편마비나 실어증을 동반한 편두통이 반복적으로 발생하기도 한다. Propranolol이나 다른 항편두통 약제에 반응하며 대뇌 동맥조영술이 편두통을 유발할 수 있다. 이와 같이 방사선치료에 따른 심각한 후유증으로 인해 3세 이하의 영유아에서는 항암치료 기간을 길게 하고 방사선치료를 미루어 실시하는 방법들을 사용하고 있다. 이러한 치료는 환자들이 더 잘 견디며, 수술 후 방사선치료 후에 보조적으로 항암치료를 하는 것과 동등한 치료성과를 나타내는 것으로 알려져 있다.

(3) 화학요법

항암치료의 가장 큰 단점은 항암제가 혈액뇌 장벽을 잘 통과하지 못한다는 사실이다. 뇌종양 내의 혈관은 정상 뇌혈관보다 통과성이 우수하지만 원래 병변에서 전이되는 종양은 새로운 혈관이 형성되므로 정상적 혈액뇌 장벽이 가동하게 되어 항암치료에 어려움이 있다. 그러므로 혈액뇌 장벽을 극복하기 위해서 펌프를 뇌척수에 심거나, 중합체 바탕질(polymer matrix)을 이용하여 종양의 국소부위에 확산이 잘 되도록 하는 방법을 사용하기도 한다.

항암치료가 일부 소아 환자에서 무병생존율(disease-free survival)을 증가시킨다는 것이 입증되어 영유아에서 방사선치료를 미루고 항암치료를 먼저 시행함으로 신경독성을 감소시킬 수 있게 되었다. 항암치료는 저등급 신경아교종, 시신경 신경아교종, 희소돌기아교세포종 등의 크기를 감소시킬 수 있으나, 고등급 신경아교종이나 뇌실막세포종은 항암제에 저항성을 보인다.

항암치료 후에는 경도의 위축에서부터 파괴적 뇌병증에 이르기까지 다양한 변화가 있으나, 가장 심한 후유증은 진행성 괴사성 백질뇌병증(progressive necrotizing leukoencephalopathy)이다. 진행성 괴사성 백질뇌병증은 대뇌 백질 전장에 걸쳐 다발성 조영증강 병변이 나타나며, 시간이 지나면 석회화되고 지능저하, 신경행동 기능이상, 신경 내분비 기능이상이 나타난다. 각각의 항암제에 따라 다른 후유증이 나타나기도 한다.

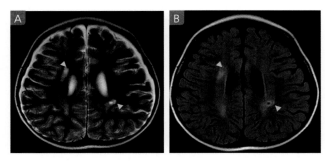

■ 그림 13-2. 방사선치료에 의하여 백질 손상(화살표)을 보이는 T2(A), FLAIR(B) MRI 소견

(4) 첨단 치료요법

종양세포와 표면 수용체의 결합을 방지하거나 세포 간 신호전달을 억제하여 종양 침범과 전이를 막고 종양의 혈관생성을 막는 최첨단 치료요법이 개발되고 있다. 소아 뇌종양은 진행할 때 많은 성장인자, β섬유모인자 성장인자(βFGF)와 α섬유모인자 성장인자 등을 필요로 하므로 성장인자를 조절하거나 혈관생성과 관련이 있는 항혈관 생성 물질들을 이용하는 임상실험들이 진행 중이다.

종양에서의 유전자 치료는 기능이상이 있는 유전자를 대체하거나, 종양에 대한 면역반응을 증가시켜 종양세포가 항암치료에 좀 더 감수성이 생기도록 돕는 치료이다(자살 유전자치료). 현재까지 유전자를 세포 내로 이동시키기에 가장 효과적인 매개체는 adenovirus, adeno-associated virus, retrovisur 등이 알려져 있다.

02

천막상 종양
Supratentorial Tumors

| 유지숙 |

소아의 천막상 종양은 소아 뇌종양의 40-50% 정도를 차지한다. 천막상 종양은 대부분 대뇌반구, 터키안 상부, 송과체 부위에서 발생하며, 그 외에 기저핵, 시상, 시상하부 및 뇌실 등에서 발생한다. 조직학적 형태로 보면 저등급 신경교종, 고등급 신경교종, 생식세포 종양, 두개인두종이 천막상 종양의 대부분을 차지한다. 종양의 발생 위치별로 보면, 대뇌반구에는 별아교세포종(astrocytoma), 천막상 원시 신경외배엽 종양(supratentorial primitive neuroectodermal tumor, SPNET). 교모세포종(glioblastoma)이 흔하고, 터키안 상부에는 두개인두종(craniopharyngioma), 시신경교종(optic glioma), 생식세포 종양(germ cell tumor)이 흔하며, 송과체 부위에는 생식세포 종양, 송과모세포종, 별아교세포종이 주로 나타나고, 기저핵 및 시상에는 별아교세포종과 교모세포종이 흔하다.

1. 대뇌반구 종양(Cerebral hemispheric tumors)

1) 대뇌반구 별아교세포종(Hemispheric astrocytoma)

별아교세포종은 아교세포에서 발생하는 종양으로, 천막상부에서 발생하는 뇌종양 중 가장 흔하다. 뇌의 전역에서 발생할 수 있으며, 천막상부에서는 시각-시신경로 및 시상하부 부위에서 호발하고, 뇌실질에서도 발생한다. 대뇌반구 별아교세포종은 소아 뇌종양의 8-12%, 천막상 종양

의 30% 정도를 차지한다. 남자에서 약간 더 호발하고, 호발연령은 7-8세이다.

별아교세포종에는 털모양 별아교세포종(pilocytic astrocytoma, PA), 미만성 별아교세포종(diffuse astrocytoma), 털모양 점액모양 별아교세포종(pilomyxoid astrocytoma), 다형성 황색 별아교세포종(pleomorphic xanthoastrocytoma, PXA) 등이 있다.

소아기에 발생하는 별아교세포종은 저등급 별아교세포종이 많으며, 그 중에서 털모양 별아교세포종이 가장 흔하다. 임상 및 병리적 특징에 따른 WHO 분류에 의하면 WHO grade I 종양에 해당된다. 현미경적으로 보면, 유사분열은 거의 없으며, Rosenthal fibers를 볼 수 있는 특징이 있다. 비교적 침습적이지 않고, 전이되는 경우가 드물지만, 시신경로에 발생한 PA의 경우에는 일부에서 진행하거나 뇌수막을 통해 전파되기도 한다. 드문 경우이기는 하지만, 좀 더 침습적인 악성종양으로 변하기도 한다. 미만성 별아교세포종은 정상 신경세포들 사이에 종양세포들이 전반적으로 침윤되어 있는 것이 특징이다. 임상병리적 소견은 양성부터 악성까지 다양해서, 저등급에 해당되는 미만성 별아교세포종(diffuse astrocytoma, WHO grade II)과 고등급에 해당되는 역형성 별아교세포종(anaplastic astrocytoma, AA, WHO grade III), 다형성 교모세포종(glioblastoma multiforma, GBM, WHO grade IV)으로 나눌 수 있다. 저등급 미만성 별아교세포종은 주로 뇌의 백질부에서 발생

해서 뇌실질의 정상조직 사이로 신경섬유를 따라 방사성 또는 손가락 모양으로 자라기 때문에 국소 기능소실이 거의 없거나 경미하고, 뇌척수액 순환경로의 폐쇄에 따른 뇌압상승 증상만 나타나는 경우가 흔하다. 저등급 미만성 별아교세포종의 일부에서 역형성 진행(anaplastic progression)을 보이며, 10% 정도에서 악성종양이 발생할 수 있다. 악성종양인 경우는 유아기보다 소아 후반기에 더 흔하다. 털모양 점액모양 별아교세포종(pilomyxoid astrocytoma)은 조직학적 소견이 털모양 별아교세포종(PA)과 유사하지만, 국소침윤이나 뇌 및 척수로의 전파위험이 더 높아 PA보다 예후가 나쁜 편이다. 유아 및 어린 소아에서 잘 발생하고, 시상하부, 시각교차 부위에서 주로 발생한다. WHO grade II 종양이다. 다형성 황색 별아교세포종(PXA)은 측두엽, 두정엽, 전두엽의 겉질 부위에서 발생하여 뇌전증을 잘 일으킨다. 기저핵, 소뇌, 또는 척수에서 발생하기도 한다. WHO grade II 종양이다. 악성 별아교세포종은 역형성 별아교세포종과 다형성 교모세포종이 해당되는데, 소아 뇌종양의 7-10%정도를 차지하고, 어른에 비해 소아 및 청소년기에는 흔하지 않으며, 어린 연령보다는 청소년기에 발생한다.

[증상]

뇌종양의 발생 위치에 따른 국소 징후가 다양하게 나타날 수 있으며, 두통, 구토, 감각이상 같은 뇌압상승 증상을 보일 수 있다. 30-60%에서 경련이 발생하고, 시각증상이나 인지기능 장애를 보이기도 한다.

[진단]

털모양 별아교세포종은 CT 또는 MRI에서 큰 낭종성 종괴를 보이고, 종괴의 벽에 저밀도-등밀도/저신호-등신호의 벽결절(mural nodule)을 볼 수 있으며, 강한 조영증강을 보이는 특징이 있다. 저등급 미만성 별아교세포종은 CT에서 불분명한 경계를 보이는 균질의 저밀도 또는 등밀도의 병소로 나타나고, 간혹 석회화를 보인다. 낭종 형성은 드물며, 조영증강은 잘 되지 않는 특징이 있다. MRI에서는 T1강조 영상에서 경계가 비교적 분명한 균질의 저신호를 보이는 병변으로 나타나고, T2강조 영상에서 고신호를 보이며, 종양 출혈이나 주변부 뇌부종은 드물다. 털모양 점액모

양 별아교세포종은 주로 터키안 상부에 커다란 U- 또는 H-모양의 종괴로 나타나고, T1강조 영상에서 저신호 또는 등신호를 보이며, T2강조 영상에서 고신호를 보인다. 주변 측두엽을 침범하기도 한다. 조영증강을 보이며, 종괴 내 출혈을 보이기도 한다. 다형성 황색 별아교세포종은 MRI의 T1강조 영상에서 저신호 또는 혼합신호를 나타내고, T2강조 영상 및 FLAIR 영상에서 고신호 또는 혼합신호를 보이며, 비교적 경계가 뚜렷하고, 중등도 이상의 조영증강을 보인다.

고등급 역형성 별아교세포종(AA)은 저등급 별아교세포종과 비슷한 CT 소견을 보이나 저밀도와 등밀도가 혼합된 밀도를 보이며, MRI에서는 T1강조 영상에서 저신호와 등신호의 혼합신호를 보이고, T2강조 영상에서 비균질적 고신호를 나타내며, 조영증강은 없거나 부분적인 조영증강을 보인다. 고등급 교모세포종(GBL, grade IV)은 CT에서 경계가 불분명한 등밀도의 고형부분이 가장자리에 있고, 중앙부에 저밀도의 괴사 낭종이 있는 형태로 나타난다. 석회화는 드물고, 출혈을 보이기도 한다. MRI의 T1강조 영상에서 저신호 또는 등신호를, T2강조 영상에서 고신호를 보이며, 주변부에 혈관성 뇌부종을 나타낸다. 조영증강은 가장자리에서 불규칙하고 강하게 나타나고, 중앙부는 조영증강이 안 되는 저신호의 큰 괴사 낭종을 보인다.

자기공명 분광법(MR spectroscopy, MRS) 소견도 질환별 차이가 있어 진단에 도움을 준다. 저등급 별아교세포종에서는 콜린, 콜린/NAA비, 콜린/크레아틴의 비가 높고, 젖산의 존재를 확인할 수 있으며, NAA와 크레아틴이 감소되어 있음을 볼 수 있다. 고등급 별아교세포종일수록 콜린/NAA비, 콜린/크레아틴 비, 젖산/물의 비가 더 커진다. 털모양 점액모양 별아교세포종에서는 PA에서보다 myoinositol/크레아틴의 비가 더 적음이 보고되기도 하였다. 확산강조 영상(DWI) 및 관류강조 영상(PWI)에서도 저등급과 고등급 별아교세포종 간에 차이를 볼 수 있어서, 고등급일수록 DWI에서 측정된 확산계수(ADC)는 낮으며, PWI에서 상대적인 종양 혈류량(rCBV)은 높다.

[치료]

대부분의 경우에 외과적 적출이 우선된다. 하지만, 저등급 별아교세포종의 경우에는 외과적 적출 후 잔존 종양

이 있더라도, 즉시 방사선치료 또는 항암 화학요법을 시행하지 않고 일정기간 관찰하다가 종양의 재성장이 보이게 되면 재수술을 하게 된다. 만약 이때에도 수술적 완전 적출을 하지 못하게 되면 방사선치료와 항암 화학요법을 시행할 수 있다. 1형 신경섬유종증 환자에서 시각교차 및 시신경로 또는 뇌간에서 저등급 별아교세포종이 우연히 발견된 경우에는 발견 즉시 수술하지 않고 일단 추적관찰을 하게 되며, 중뇌에 생긴 별아교세포종의 경우에도, 뇌실 지름 (ventricular shunting)을 통해 증상이 호전되면 경과관찰을 하게 된다.

고등급 별아교세포종(역형성 별아교세포종, 교모세포종)의 경우에는 수술적 절제가 중요해서 90% 이상의 종양이 제거되어야 보다 나은 예후를 기대할 수 있지만, 종양 자체가 침윤적이어서 완전 절제가 어려운 경우가 많다. 수술적 제거 후 방사선치료와 항암 화학요법을 시행한다. 종양을 포함하여 비교적 넓은 부위에 국소 방사선치료를 하게 되고, 화학요법을 추가하기도 한다. 국소적인 진행이 흔하여 예후가 불량하다.

[예후]

예후는 종양의 발생 위치, 조직의 악성 등급, 방사선치료 및 항암 화학요법의 시행 유무와 이에 대한 치료반응도에 따라 달라진다. 악성도가 낮아도 종양의 발생부위가 심부 또는 뇌간에 위치하고 있어 수술적 적출이 불가능한 경우에는 예후가 나빠진다. WHO grade I인 털모양 별아교세포종은 수술적 적출만으로 10년 생존율이 90% 이상에 이를 수 있지만, 수술적 적출이 80% 미만에서 가능했던 경우에는 50-90% 정도로 다양하게 보고된다. WHO II 등급 양성 별아교세포종에서 수술이 완전하게 되지 못한 경우에는 5년 생존율이 40-50% 정도이다. 악성 별아교세포종의 5년 생존율은 방사선치료를 같이 하면서 개선되기는 하였지만 20% 이내로 좋지 않다.

2) 희소돌기 아교세포종(Oligodendroglioma)

희소돌기 아교세포종은 모든 연령의 뇌종양에서 5-7%를 차지하지만, 소아기에는 드물어서 소아 뇌종양의 4% 미만을 차지한다. 대뇌반구에서 호발하며, 주로 전두엽과 측두엽을 침범한다. 10대 전후에 발생하고, 천천히 자라는 종양으로 뇌의 가장자리에 위치하며 종종 두개골 내층을 침범한다. 병리소견으로 세포질이 적은 둥근 세포들과 미세석회화를 볼 수 있다. 대부분 WHO grade II 종양에 속하지만, 저등급 희소돌기 아교세포종(WHO grade II)과 역형성 희소돌기 아교세포종(WHO grade III)으로 나눌 수 있다. 낭종성분과 고형성분을 갖고 있고, 고형성분은 T1강조 영상에서 저신호 강도를, T2강조 영상에서 고신호 강도를 보이며 조영증강은 다양하게 나타나는데, 성인에서 발생한 희소돌기 아교세포종에 비해 조영제 증강이나 석회화를 보이는 경우는 많지 않다. 주된 임상증상은 경련이다. 경련을 보이는 환자에서 CT 검사를 하였을 때 전두엽에 종양이 보이고, 석회화 및 낭종을 동반하면서, 조영증강이 없거나 미미한 경우에는 희소돌기 아교세포종을 고려해 볼 수 있다. 수술적 치료가 우선 시 되며, 방사선치료와 항암 화학요법을 병행하기도 한다. 최근 분자유전학적 발달로 인해, 뇌종양에서 여러 유전자 변이가 보고되고 있는데, 희소돌기 아교세포종에서는 1p/19q의 동반 결실, IDH1/2, CIC, FUBP1 및 TERT promoter 등의 유전자 변이를 볼 수 있다. 반면, 별아교세포종에서 볼 수 있는 ATRX와 TP53의 변이는 보이지 않는다. 유전자 변이에 따른 치료 및 이에 대한 반응도에 대한 연구도 활발히 이루어지고 있는데, 1p/19q의 동반 결실을 보이는 경우에 방사선치료 및 화학요법에 대한 반응이 좋고, 좀 더 나은 예후를 보인다는 보고도 있다.

3) 천막상 뇌실막세포종(Supratentorial ependymoma)

뇌실막세포종은 뇌실계 뇌실막 내층에서 기인하는 아교세포 종양이다. 소아기에 많이 발생하며, 소아 뇌종양의 8-10%를 차지한다. 평균 발병연령은 5-6세 이며, 40% 정도에서는 4세 미만에서 발생한다. 소아에서 발생하는 전체 뇌실막세포종의 2/3는 천막하부, 특히 제 4 뇌실의 뇌실 내에서 호발하고, 1/3 정도에서 천막상부, 주로 대뇌반구에서 발생하며, 일부에서 척수에서 발생한다. 10% 정도에서 연수막 전파를 보인다. 천막상 뇌실막세포종의 호발부위는 전두엽, 측두엽, 두정엽 및 제 3 뇌실 등이다. 2형 신경섬유종증 환자의 2-5%에서 뇌실막세포종이 발견되기도 한다. WHO grade II의 저등급 뇌실막세포종과 WHO grade III의 역형성 뇌실막세포종으로 나눌 수 있다. 보통 침습적이지 않으나, 뇌실 내로 확장되거나, 정상 조직들을 대치시키기도 하고, 의미있는 폐쇄성 수두증을 초래할 수도 있다. 저등급 뇌실막세포종에서는 조직학적으로 종양세포에서 유사분열을 보기 어렵고, 종양세포들이 혈관주위에 부채살 모양으로 배열되어 있는 혈관주위 가성 로제트(pseudorosettes)를 볼 수 있는 특징이 있다. WHO grade III의 역형성 뇌실막세포종은 소아에서 매우 드물게 발생하는데, 조직학적으로 높은 세포분열 지수 및 세포충실성, 미세혈관성 증식 및 괴사를 볼 수 있다. 분자유전학적 연구가 발달하여 뇌실막세포종의 병소 위치에 따라 여러 유전자 변이들이 밝혀지고 있는데, 종양의 위치, 유전자 변이 등에 따라 중추신경계 뇌실막세포종을 4가지 아형(천막상부, 후두개와 A, 후두개와 B 및 척수 뇌실막세포종)으로 나누기도 한다. 천막상부 뇌실막세포종에서는 11번 염색체의 전위가 흔하며, RELA-C11orf95 유전자의 융합을 보이기도 한다.

[증상]

경련, 뇌압상승 징후 및 병소의 위치에 따른 국소 징후를 보일 수 있다.

[영상소견]

CT 또는 MRI 검사에서 경계가 분명한 종괴로 나타나고, 불균질성 등밀도/등신호, 저밀도/저신호, 또는 이들의 혼합밀도/혼합신호를 보인다. 조영증강은 여러 패턴을 보이며, 낭성 변화나 석회화를 보이는 경우가 많다. MRS에서 myoinsitol (mI)의 신호가 높게 나타난다. 천막하부에서 발생한 경우에는 뇌실막세포종 외에 별아교세포종과 속질모세포종을 감별진단으로 생각해 볼 수 있는 반면에, 천막상부에서 발생한 경우에는 희소돌기 아교세포종 등과 감별진단이 필요할 수 있다.

[치료]

치료는 수술적 완전 적출을 목표로 한다. 잔류 종양이 있을 때 방사선치료와 항암 화학요법을 추가한다. 예후를 결정하는 중요한 인자로 발병연령과 종양의 위치를 생각해 볼 수 있다. 일반적으로 발병연령이 어릴수록, 종양이 후두와에 위치할수록 예후가 나쁘다. 이 외에도, 조직형이 고등급 또는 악성이거나, 종양 적출이 불완전하게 이루진 경우, 파종이 있는 경우에 불량한 예후를 가지며, 방사선치료 여부 등에 따라 예후가 달라진다. 생존률의 향상을 위해 수술 후 국소적 방사선치료를 시행하기도 한다. 어린 나이에 방사선치료를 하는 것을 피하고자 항암 화학요법을 시행하기도 한다.

[예후]

수술적으로 완전 적출을 하는 것이 중요하다. 적출이 불완전하게 되었거나 고등급 뇌실막세포종의 경우에는 부가적으로 방사선치료를 시행한다. 5년 생존율이 50% 정도로 보고되고 있고, 재발은 보통 국소적인 경우가 많다.

4) 신경세포종-혼합 신경세포 아교세포종(Neuronal-mixed neuronal glial tumors)

신경절신경아교종(ganglioglioma, GG), 배아형성장애 신경상피종(dysembryoplastic neuroepithelial tumor, DNET) 및 결합조직형성 영아 신경절신경아교종(desmoplastic infantile ganglioglioma, DIG) 등이 여기에 속한다. 이들 종양은 대부분 소아에서 발생한다. 대뇌 겉질에서 발생하기 때문에 주된 초기 증상으로 경련을 보이는 것이 특징이다. 뇌실막밑 거대세포 종양도 여기에 속한다.

신경절신경아교종(GG)은 소아에서 드문 종양으로, 소아 뇌종양의 3% 정도를 차지한다. 크기가 작고 경계가 분명한 종괴로 나타나며, 고형성분을 보이거나. 벽결절을 가진 낭종 성분, 또는 여러 작은 낭종들로 구성되어 나타난다. 소아 후기 및 젊은 성인에서 호발하고, 남자에서 좀 더 많이 발생한다. 서서히 자라기 때문에 어른이 되어 진단되기도 한다. 이 질환을 가진 환자의 50% 정도에서 경련을 보인다. 측두엽(80%)에서 호발하여 만성 측두엽 뇌전증의 원인이 될 수 있고, 전두엽(10%), 뇌간 및 척수(10%)에서도 발생하며, 시상하부, 시각교차에서 발생하기도 한다. 대뇌 겉질 또는 겉질밑 백질에서 병변이 보일 때, 별아교세포종, 희소돌기 아교세포종, 배아형성장애 신경상피종(DNET) 등과 감별을 요한다. 영상소견을 보면, CT에서 저밀도를 보이거나 저밀도의 낭종과 등밀도의 결절이 혼합되어 나타나며, 1/3 정도에서 석회화를 보인다. MRI는 T1강조 영상에서 겉질에 비해 저신호 또는 등신호를, T2

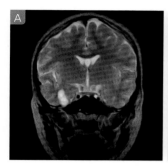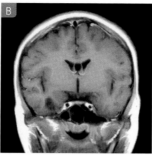

■ **그림 13-3.** 배아형성장애 신경상피종 MRI 소견
(A) T2강조 영상에서 우측 내 측두엽 부위에 낭성 종괴가 보이고, **(B)** 조영 증강은 거의 되지 않음을 확인할 수 있다.

강조 영상에서 경도 또는 중등도의 고신호를 보인다. 조영 증강은 없는 것부터 강한 것까지 다양하게 나타난다. MRS 에서 NAA는 감소되어 있고, myoinositol 신호는 증가되어 있다. WHO grade I 또는 II 에 해당된다. 종양의 완전 적출로 장기 생존이 가능하다.

배아형성장애 신경상피종(DNET)은 WHO grade I 종양이며, 대부분 소아 및 청소년기에 발생한다. 10대에서 호발하고 남아에서 더 흔하다. 소아 및 젊은 성인에서의 난치성 뇌전증과 관련이 있다. 소아 뇌종양의 1-4%를 차지하며, 측두엽(60%)에서 호발하고 전두엽(30%), 두정엽, 미상핵 주위부에서 발생한다. 병소는 대뇌 겉질부에 위치하며, 30% 정도에서 주변에 겉질형성 장애를 동반한다. 뇌전증 외에 다른 징후는 없는 편이다. 영상소견을 보면, CT에서 겉질부에 저밀도의 병소로 보이며, 대부분 조영증강은 되지 않거나, 결절성 또는 반점상 조영증강을 보인다. 석회화를 동반하기도 한다. MRI에서는 겉질에 위치한, 경계가 분명한 병소로 나타나며, T1강조 영상에서 저신호, T2강조 영상에서 고신호의 강도를 보이고, 1/3에서 희미한 점상 또는 고리모양 조영증강을 보인다. 보통 단일병소를 보이나, 드물게 여러 부위를 침범하기도 한다. 40%에서 낭종 형성을 보이고, 거품모양을 띠기도 한다. 아주 드물게 악성 전환을 보이기도 한다. 수술적 적출 후에는 재발을 일으키지 않으며, 경련도 없어진다.

결합조직형성 영아 신경절신경아교종(DIG)은 영유아기에 발생하는, 비교적 드문 신경절신경아교종의 아형이다. 주된 임상소견은 영유아기에 큰 두위 또는 복합부분발

작을 보이는 것이다. 대부분 18개월 이하에서 발생하며, 증상이 발현되는 중앙 연령이 5개월 정도로 보고되고 있다. 전두엽 또는 두정엽 부위에 뇌막에 기반을 둔 큰 낭종과 작은 고형 결절을 보이는 것이 특징적 소견이며, T2강조 영상에서 고형 성분이 등신호를 보이는 것이 털모양 별아교세포종(PA)과 구분되는 점이다.

뇌실막밑 거대세포 종양(subependymal giant cell tumor, SEGCT)은 주로 몬로구멍 근처에서 뇌실 속으로 자라는 종양으로, 서서히 자라며, 어느 나이에서나 발생할 수 있지만, 5-10세에 호발한다. 몬로구멍을 막게 되면 폐쇄성 수두증을 일으킬 수 있다. 결절경화증(TSC) 환자의 약 5-15%에서 뇌실막밑 거대세포 종양이 동반되는 것으로 알려져 있다. 결절경화증의 임상양상이 없었던 환자에서 뇌실막밑 거대세포 종양이 단독으로 발생한 경우에 유전자검사를 통해 결절경화증의 유전자 돌연변이가 증명되기도 하였다. 보통 경계가 명확하고, 석회화를 동반한 종괴의 형태로 나타나며, 종양의 동측 측뇌실이 확장되는 경우가 흔하다. MRI의 T1강조 영상에서 저신호, T2강조 영상에서 고신호를 보이고, 조영제에 대해서는 강한 조영증강을 보인다. 과거에는 뇌실막밑 거대세포 별아교세포종(subependymal giant cell astrocytoma, SEGA)으로 불렸으나, 신경세포와 아교세포 성분을 함께 갖고 있어 혼합 신경세포 아교세포 종양의 분류에 속하게 되며, 뇌실막밑 거대세포 종양으로 명명한다. WHO grade I 종양이지만, 드물게 악성 소견을 보이기도 한다.

5) 천막상 원시 신경외배엽 종양(Supratentorial primitive neuroectodermal tumors, SPNET)

천막상 원시 신경외배엽 종양은 배아세포 종양(embryonal tumor)에 속하는 악성 뇌종양이다. 배아세포 종양은 소아에서 발생하는 악성 뇌종양 중 가장 흔해서, 소아 전체 뇌종양의 20% 정도를 차지하지만, 여기에는 소뇌에서 호발하는 속질모세포종(medulloblastoma)이 대부분을 차지한다. 배아세포 종양에는 속질모세포종 외에도 천막상 원시 신경외배엽 종양, 속질상피모세포종(medulloepithelioblastoma), 비전형적 기형종/횡문근종(AT/RTs) 등이 속하며, 모두 WHO grade IV에 해당된다.

천막상 원시 신경외배엽 종양은 신경모세포 또는 교모

세포 성분(neuroblastic or glioblastic elements)을 갖고 있는 악성종양이다. 대부분 대뇌반구에서 발생하며, 전두엽, 두정엽에서 호발하고, 그 밖에 뇌량, 몬로구멍, 제3 뇌실, 시상 및 척수에서 발생한다. 전체 소아 뇌종양의 2-6%를 차지하며, 남녀 비는 보고마다 다소 차이가 있으나, 남아에서 흔하다. 대부분 유아기에 많이 발생하고, 주로 10세 이전에 발생한다. 조직학적으로 속질모세포종과 비슷하며, 미분화되거나 잘 분화되지 않은 신경상피 세포들로 구성되어 있다. 속질모세포종과 천막상 원시 신경외배엽 종양 간에는 분자생물학적 차이점이 확인되고 있는데, 천막상 원시 신경외배엽 종양의 40% 정도에서 14q, 19q의 결손이 발견되고 있고, 17q의 획득은 흔하지 않다. 2016년 WHO 분류에서는 천막상 원시 신경외배엽 종양이라는 진단명은 삭제되었고 대신 CNS embryonal tumor, NOS가 진단명에 추가되었다.

[증상]

뇌압상승 징후와 종양 위치에 따른 국소 신경학적 결손을 보인다. 대부분 반신마비, 시야장애 등의 국소증상을 보이는 경우가 많다. 증상 발현까지의 기간은 평균 6주에서 6개월 사이이고, 1개월 미만인 경우도 많아서, 갑작스럽게 증상을 보이는 경우가 많다. 환자의 1/3-1/4에서 경련을 보이며, 부모가 인지할 수 있을 정도의 두통, 구역, 구토 등이 질병 초기에 흔하게 나타난다.

[진단]

CT 또는 MRI 검사를 통해 진단을 용이하게 할 수 있지만, 때로는 천막상에 발생한 비전형적 기형종/횡문근종(AT/RTs)과 감별이 어려울 수 있고, 고등급 별아교세포종, 교모세포종, 뇌실막세포종과 감별을 요하기도 한다. 경계가 분명한 커다란 종괴를 보이는 경우가 많고, 대뇌 겉질이나 뇌실주위 심부 백질에서 기인하며, 고형 성분과 괴사 낭종 성분이 섞여 있다. 50%에서 석회화를, 20%에서 출혈을 보인다. 종양의 크기에 비해 종양주위 부종은 미미한 편이다. MRI의 T1강조 영상에서 등신호를, T2강조 영상에서 고신호를 보이고, 조영증강은 고형 성분에서 불균질하고 강하게 나타난다. 종양의 경계가 분명한 것이 고등급 신경교종과 다른 점이다. 뇌척수액을 통해 척수로 전이될 수 있어 진단 시 척수에 대한 MRI 평가가 필수적이다. 척수 외에도 폐, 임파절, 흉막, 횡격막, 간 등으로 전이될 수 있다.

[치료]

종양을 최대한 적출하는 것이 중요하며, 방사선치료 및 화학요법을 병행한다. 화학요법은 보통 속질모세포종에 준하여 시행한다.

[예후]

예후는 연령이 3세 이상인 경우, 수술적 적출을 시행하여 잔류 종양이 1.5 cm^2 미만인 경우, 연수막 파종(leptomeningeal dissemination)이 없는 경우에 양호하다고 볼 수 있으나, 고위험군에서는 예후가 현저히 나쁘고, 고용량의 항암 화학요법 및 뇌척수를 포함한 방사선치료가 필요하다.

6) 비전형적 기형종/횡문근종(Atypical teratoid/rhabdoid tumors of infancy and childhood, AT/RTs)

비전형적 기형종/횡문근종은 배아세포 종양의 한 형태이며, 유아 및 5세 미만의 어린 소아에서 주로 발생한다. 비교적 갑작스럽게 발병하여 증상이 나타난 지 1개월 이내에 진단받게 되는 경우가 대부분이다. 뇌의 어느 부위에서나 발생이 가능하지만, 천막상부보다는 소뇌교뇌각(cerebellopontine angle)에 잘 생기며, 다발성 뇌신경 마비 특히 6번, 7번 뇌신경 마비를 잘 보인다. 특징적인 조직학적, 면역조직학적 특성에 의해 진단되다가 최근에는 세포유전학, 분자유전학적 소견도 진단에 중요하다. 조직학적으로 여러 형태를 보일 수 있으나, PNET를 닮은 종양 부위에 횡문근 세포들이 섞여 있는 양상이 흔하다. 또한, 대부분 종양 조직소견에서 상피막 항원(epithelial membrane antigen), 비멘틴(vimentin), 평활근 액틴(smooth-muscle actin)에 대해 양성을 보인다. 종양에서 22번 염색체의 소실 또는 22q11.2의 부분결실을 보이기도 하는데, 이 부분은 INI1/hSNF5 (SMARCB1) 유전자를 포함하며, 이것이 종양억제 유전자 또는 종양 발생에 관계된 세포 유전자의 전사에 변화를 줄 수 있을 것으로 생각되고 있다. 이 유전자의 불활성화 돌연변이는 콩팥의 횡문근 종양 등 여러 종양을 유발할 수 있다고 알려져 있다.

[영상소견]

영상소견은 비교적 특징적이지만, SPNET에서와 비슷하여 구분이 어려울 수 있다. CT에서 고밀도 영상소견과 강한 조영증강을 보이며, 석회화를 동반하기도 한다. MRI에서는 T1강조 영상에서 병소내 출혈이 고신호로 보이는 것이 특징이며, T2강조 영상에서는 다양한 소견을 보인다. 종양의 크기가 커도, 종양주변 부종은 경미하거나 없는 경우가 많고, 중등도 이상의 비균질적인 조영증강을 볼 수 있다. 연수막 전파를 보이며, 경막을 지나 뼈 침범을 보이기도 한다.

[예후]

전반적으로 예후가 좋지 않으며, 특히 어린 연령에서 발생하면 더 예후가 불량하다. 2세 미만, 특히 1세 미만에서 예후가 나쁘다. 수술적 제거가 중요해서, 육안적으로 완전 적출을 하게 되면, 장기간 생존율이 높아진다. 다양한 화학요법을 시행하고 있으며, 3세 미만의 소아의 경우 고용량의 화학요법을 하기도 한다. 육종(sarcoma) 때 사용되는 약물에 반응을 보이기도 한다. 방사선치료를 병행하기도 한다.

이 외에도 대뇌반구에서 발생하는 종양에는 생식세포 종양(germ cell tumors), 별모세포종(astroblastoma), 신경계 과오종(neurological hamartomas or glioneuronal heterotopia), 형질세포 육아종(plasma cell granulomas, inflammatory pseudotumors), 림프증식성 질환, 수막혈관종증(meningioangiomatosis) 등이 알려져 있다.

2. 터키안 또는 터키안 상부 종양(Sellar and suprasellar tumors)

1) 두개인두종(Craniopharyngioma, CRP)

두개인두종은 소아 뇌종양의 5-10% 정도를 차지한다. 터키안 상부에서 발생하는 종양의 절반 정도를 차지한다. 조직학적 소견에 따라 사기질종(adamantinomatous) 두개인두종과 편평-유두모양(squamous-papillary) 두개인두종으로 나눌 수 있으며, 소아기에는 사기질종 두개인두종이 대부분을 차지한다. 뇌하수체 인두관(hypophyseal

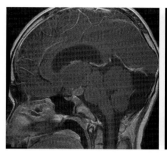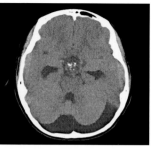

■ 그림 13-4. 두개인두종의 영상소견
(A) 터키안 상부에 다양한 크기의 낭종을 포함한 종괴가 보이고 일부 벽을 따라 조영증강이 관찰된다. (B) CT에서 종괴내에 석회화가 관찰된다.

pharyngeal duct)의 퇴화된 경로를 따라 라트케낭의 상피세포 잔유물(epithelial remnants of Rathke pouch)에서 기인한다고 생각되고 있다. 6-15세에 호발한다. 소아기에 진단된 경우에 생존율이 더 높다. 발생 부위는 다양할 수 있으나, 호발 부위인 터키안 상부에서 발생한 경우에는 시각경로 신경교종이나 생식세포 종양과의 감별이 필요할 수 있다. WHO grade I 종양이다. 보통 제3 뇌실의 공간을 채우거나, 터키안 등쪽 또는 clivus를 따라 후방 및 하방으로 진행하게 된다.

[증상]

종양의 발생 위치에 따라 국소 종괴효과 또는 뇌압상승 증상을 보일 수 있어서, 시력 또는 시야의 장애를 보일 수 있고, 두통, 구토 등의 증상을 보일 수 있다. 소아에서 발생한 두개인두종의 경우 성장부진이나 2차성징 발현지연, 요붕증이나 갑상샘 저하증 같은 내분비적 이상소견을 나타낼 수 있다.

[진단]

보통 크고 불균질한 종괴로 나타나고, 고형 성분과 낭종 성분을 함께 갖고 있으며, 터키안 상부에 호발한다. 따라서 터키안 상부에 다양한 크기의 낭종을 가진 고형종양이 석회화 소견을 보이면 두개인두종일 가능성이 가장 높다. CT에서 낭성벽이나 고형 결절 또는 피막에 석회화를 보이고, 조영증강이 되는 소견을 보이며, 폐쇄성 수두증을 흔히 동반한다. MRI의 T1강조 영상에서 등신호 또는 고신호를 보이고, T2강조 영상에서는 대부분 고신호를 보이며, 석회화 부분만 저신호를 보인다. 고형 부분은 조영증강이 강하게 된다.

[치료]

수술로 완전 적출하는 것이 치료의 목표이나, 터키안 상부에서 시각교차 후방으로 종양이 자라면서 제 3 뇌실을 채우고 있는 경우에는 완전 적출이 어려울 수 있다. 적출이 불완전한 경우에는 국소적으로 방사선치료를 추가한다. 수술 전 뿐만 아니라 수술 후에도 뇌하수체 기능부전에 대한 내분비학적 평가와 치료가 필수적이다.

[예후]

10년 생존율은 60-100% 정도로 보고되고 있다.

2) 시각경로 신경교종 또는 시각경로-시상하부 신경교종(Optic pathway glioma or Optic pathway-hypothalamic glioma)

시각경로 신경교종은 안와 내 또는 두개강 내 시신경, 시각교차, 시삭 등 시각 전달로에서 발생하는 신경교종이다. 소아기 뇌종양의 2-6%를 차지하고, 75%가 10세 미만에서 발생한다(중앙 연령 5-9세). 시각교차-시상하부에서 발생한 신경교종은 터키안 상부에서 발생한 소아 뇌종양의 25-30% 정도를 차지한다. 제1형 신경섬유종증(NF1)과 밀접한 관계가 있어 시신경에만 국한된 시신경교종의 50% 정도에서 NF1이 발견되며, 시각교차-시상하부 신경교종의 경우에는 20-50%에서 NF1을 갖고 있다. 또한 2-9세 NF1 환자의 5-15%에서 시각교차-시상하부 신경교종을 발견할 수 있는데, 이들 중 30-50%에서는 시력저하나 성조숙증 같은 임상증상을 나타낸다. 안구진탕이나 시력저하를 보이는 소아에서 커피상 반점이 발견되면 시신경교종의 가능성을 염두에 두는 것이 필요하다. NF1 환자에서의 시각교차-시상하부 신경교종은 대부분 털모양 별아교세포종이어서 조직검사가 필요한 경우는 드물며, 비교적 어린 연령에 발생하고, 시각교차 앞부분의 시신경을 침범하는 경우가 많다. 이와 달리, NF1과 관련없이 산발적으로 발생한 시각교차-시상하부 신경교종의 경우에는 시각교차를 침범하는 경우가 더 흔하며, 종종 시각경로를 넘어 후방으로 진행하고 더 공격적인 별아교세포종인 경우가

많다. 병리학적으로는 저등급 별아교세포종(grade I, II)에 속한다. 시각교차에서 발생한 별아교세포종과 시상하부에서 발생한 별아교세포종은 흔히 시각교차-시상하부 신경교종(opticochiasmatic-hypothalamic glioma)이라고 한다. 발생 부위별로 보면, 시각경로 신경교종의 10% 정도는 시신경에만 국한되어 있고, 1/3은 시신경과 시각교차, 1/3은 시각교차 자체, 그리고 약 1/4은 시상하부를 침범한다.

[증상]

시력저하, 안구 돌출, 시야결손, 안구진탕, 사시 등의 안과적 소견과, 제 3 뇌실 압박, 몬로구멍 폐쇄에 따른 뇌압상승 증상을 보인다. 시상하부가 침범된 경우에는 성장부전(failure to thrive), 간뇌증후군(diencephalic syndrome), 뇌하수체 기능부전, 비만, 요붕증, 수면과다, 성조숙증 또는 2차 성징 지연 등의 다양한 내분비적 기능이상이 나타날 수 있다.

[진단]

CT에서 터키안 상부에 균질의 저밀도 종양으로 나타나고, 강한 조영증강을 보인다. MRI의 T1강조 영상에서 등신호, T2강조 영상에서 고신호를 보이며, 균질의 조영증강을 보이는 고형종양으로 나타난다. 종양이 큰 경우에는 조영증강이 되지 않는 낭종 부분이 있을 수 있다. 시각교차부에서 후방으로 팽창 성장을 하여 제 3 뇌실이 폐쇄되면 양측 뇌실이 커지는 폐쇄성 수두증을 일으킨다. 주변 부위와 경계가 명확하고, 옆으로 성장하여 Willis환을 감싸는 소견을 보이기도 한다. 안와 내 시신경에서 발생하는 경우는 시신경이 방추형으로 팽창된 소견을 보인다. 뒤쪽으로 자라서 시신경관을 확장시키며 시각교차 부위로 자라기도 한다.

[치료]

발병연령, 발생 위치, 파급 범위, 시력손상 정도, NF1 동반 여부, 수두증 유무, 종양이 커지는 방향, 신경학적 결손의 진행 여부에 따라 관망하거나, 조직검사, 항암 화학요법, 방사선치료, 수술적 치료 중에 선택하게 된다. 동반될 수 있는 내분비적 이상 소견에 대한 평가가 필요하고, 치료가 필요할 수 있다.

[예후]

발병연령, 발생 위치, 조직학적 소견에 따라 예후가 다르다. 2세 미만에서 특히 예후가 불량하다. 시각경로의 후방에서 발생하였거나, NF1을 동반하지 않은 경우, 털모양 점액모양(pilomyxoid type)인 경우, 조직이 악성 변화를 보인 경우일 때 예후가 나쁘다. 평균 생존기간은 시신경에 생긴 경우에는 21년, 시각교차부에 발생한 경우는 15년으로 차이가 있으며, 5년 생존율은 80%, 10년 생존율은 50% 정도로 보고되고 있다.

3) 생식세포 종양(Germ cell tumors)

중추신경계에서 발생하는 생식세포 종양은 여러 종류가 있는데, 크게 종자세포종과 비종자세포종 생식세포 종양으로 나눌 수 있다. 소아 뇌종양의 3-5%를 차지하며, 10대 특히 사춘기 연령(10-14세)에 호발한다. 뇌의 중앙 구조물에서 잘 발생하여, 송과체 부위(50%), 터키안 상부(20-30%)에서 호발하며, 시상, 기저핵 등 뇌실주위(10%)에서도 발생한다. 여아에서는 터키안 상부에서 호발하고, 남아에서는 송과체 부위에서 잘 발생하며, 15%에서는 터키안 상부와 송과체 부위 모두에서 발생한다.

생식세포 종양은 방사선치료에 잘 반응하는 종자세포종(germinoma)과, 방사선치료에 잘 반응하지 않는 배아암종(embryonal carcinoma), 융모막암종(choriocarcinoma), 내배엽동 종양[endodermal sinus (yolk sac) tumor], 기형종(teratoma) 등의 비종자세포종 생식세포 종양(nongerminomatous germ cell tumor)으로 나뉜다. 기형종을 비종자세포종 생식세포 종양과는 다른 아형으로 분류하기도 한다. 가장 흔한 변종으로 혼합 생식세포 종양(mixed GCT)도 있다. 종자세포종은 송과체 안쪽이나 터키안 상부에서 발생하여, 주위 조직이나 뇌척수액을 따라 전파될 수 있다. 조직학적으로 성선에서 발생한 종자세포종과 구분되지 않는다. 기형종은 이른 나이에 발병하여 유아기에 진단되는 경우가 많으며, 2개월 이내에 발생한 뇌종양의 50% 이상을 차지한다. 남아에서 더 흔하며, 양성일 수도 있고 악성일 수도 있다. 생식세포 종양은 진단이 늦게 내려질 수 있는데, 이는 종양이 매우 서서히 자랄 수 있기 때문이고, 증상이 처음에는 미미할 수 있고, 학업성취도의 저하, 행동문제 등의 증상만을 보일 수 있다. 한국, 일본, 대만 등 동아시아 지역에서의 발생 빈도가 서구에 비해 더 높다. 성숙 기형종은 WHO grade I에 해당되고, 미성숙 기형종, 악성 기형종 및 종자세포종은 grade II, III이며, 그 밖의 생식세포 종양들은 grade IV 종양에 해당된다.

[증상]

뇌압상승 징후 및 국소 징후를 보일 수 있다. 터키안 상부에서 발생한 생식세포 종양에서는 시력장애 및 중추성 요붕증이 대표적인 국소 징후이며, 송과체 부위에서 발생한 생식세포 종양의 경우에는 두통 및 Parinaud 증후군이 나타날 수 있다. Parinaud 증후군은 상방주시 장애, 눈 모음 및 조절이 안 되는 현상을 말한다. 기저핵 부위를 침범하면 반신마비가 특징적으로 나타난다.

[진단]

종자세포종은 CT에서 등밀도-고밀도를 보이고, MRI의 T2강조 영상에서는 저-등신호를 보이는 비교적 균질의 종괴로 나타난다. MRI의 T2강조 영상에서 저-등신호를 보이는 점이 고신호를 보이는 털모양 별아교세포종과 구별되는 점이다. 강한 조영증강을 보인다. 작은 낭종이나 석회화도 볼 수 있다. 터키안 상부에 발생한 경우에는 뇌하수체 줄기가 두꺼워지고, 정상적으로 보여야 할 뇌하수체 후엽의 밝은 영상소견의 소실을 볼 수 있는데, 이런 경우에는 랑게르한스세포 조직구증(Langerhans cell histiocytosis)이나 림프구성 뇌하수체염(lymphocytic hypophysitis)과 감별이 필요할 수 있다. 기저핵과 시상하부를 침범한 소견이 보이면 종자세포종을 생각해 볼 수 있다. 배아암종과 내배엽동 종양은 CT 및 MRI에서 비특이적 소견을 보인다. 융모막암종은 종양 내 출혈을 잘 일으키는 점이 감별에 도움이 된다. 기형종과 혼합 생식세포 종양은 혼합밀도/혼합신호를 보이며 비균질성 조영증강을 보인다. 말초에서 생긴 생식세포 종양에서처럼 혈청 및 뇌척수액을 이용한 α-fetoprotein (αFP)과 ß-human chorionic gonadotropin (ßHCG) 검사가 진단 및 치료 모니터링에 유용하게 사용될 수 있다. 융모막암종은 ßHCG를, 내배엽동종양은 αFP를 분비한다. 배아암종, 미성숙 기형종, 혼합 생식세포 종양은 각각 적으나마 ßHCG, αFP를 분비하며, 성숙 기형종은 어느 것도 분비하지 않는다. 종자세포종은 태반 알칼리 인산 효소

(placental alkaline phosphatase, PLAP)를 분비하나 다른 생식세포 종양에서도 분비된다. 진단을 위해 수술적 조직검사가 추천된다.

[치료]

조직을 확인한 후에 종양형에 따라 치료계획을 세운다. 성숙 기형종은 수술적 완전 제거로 완치가 가능하다. 종자세포종에서는 화학요법과 감축 방사선치료를 시행하고, 비종자세포종 악성 생식세포 종양에서는 좀 더 강화된 화학요법과 뇌척수에 걸친 방사선치료를 병용한다. 조혈모세포 구조(blood stem cell rescue)를 동반한 고용량 항암 화학요법의 효과가 보고되기도 하였다.

[예후]

5년 생존율이 종자세포종은 90% 이상이며, 성숙 기형종은 90-100%, 미성숙 또는 악성 기형종은 70% 내외, 비종자세포종 악성 생식세포 종양은 40-70%이다. 최근 치료성적이 좋아지고 있다.

이 외에도 터키안 또는 터키안 상부에서 볼 수 있는 종양들에는 시상하부 과오종(hypothalamic hamartomas, hamartomas of the tuber cinereum)과 뇌하수체 종양(pituitary tumors) 등이 있다.

3. 송과체 부위 종양(Pineal region tumors)

송과체 부위에서는 생식세포 종양(germ cell tumors, 2.2.3 참고)이 흔하며(40-65%), 송과체 실질종양(pineal parenchymal tumors), 송과체 부위 신경교종(pineal region gliomas) 등도 발생할 수 있다.

1) 송과체 실질 종양(Pineal parenchymal tumors)

송과체 실질 종양은 송과체 부위에 생기는 악성종양 중 생식세포 종양 다음으로 흔하며, 송과체의 신경상피에서 발생한다. 송과체모세포종(pineoblastoma), 송과체종(pineocytoma), 혼합 송과체 실질 종양(mixed pineal parenchymal tumors) 등이 있으며, 소아에서는 송과체모세포종

이 가장 흔하다. 여러 치료법을 시행하고 있으며, 신경외과적 기법의 발달로 수술과 관계된 이환율 및 사망률이 현저히 감소되었다고 볼 수 있다. 진단을 위해서는 정위적 생검을 통한 조직검사가 필요한데, 보통 부가적 치료를 하기 전에 완전 적출을 시도하게 된다. 송과체모세포종은 다른 생식세포 종양처럼 남아에서 더 발생하고, 소아 뇌종양의 1% 정도를 차지한다. 15-30%에서 진단 당시 전이를 보인다.

[증상]

제 3 뇌실 압박에 따른 수두증과, 두통, 구토 등의 뇌압 상승 증상을 보일 수 있으며, Parinaud 증후군이 나타날 수 있다. Parinaud 증후군은 종양이 커지면서 중뇌 덮개(tectum of the midbrain)를 압박하거나 침범해서 생기는 것이다. 송과체모세포종이 시상까지 침범하여 운동 및 감각이상을 보일 수도 있다.

[치료 및 예후]

송과체모세포종은 치료하기가 쉽지 않다. 송과체 주위의 혈관 구조상 수술적인 완전 적출이 힘들 수 있다. 수술후 항암 화학요법을 시행하여 방사선치료를 늦추는 효과를 기대하기도 한다. 송과체모세포종은 신경축을 따라 전파되기 때문에 뇌와 척수에 방사선조사가 필요하다. 수술후 항암 화학요법과 방사선치료를 통해 5년 생존율의 발전을 가져왔으나, 송과체모세포종의 경우 5년 생존율은 아직 40-70% 정도로 보고되고 있고, 유아의 경우, 특히 진단 당시 전이를 보인 경우에는 예후가 현저히 나쁘다. 고용량의 방사선치료에 따른 후유증을 보일 수 있다. 송과체종은 수술법의 발전으로 수술적 완전 적출술이 시행되고 있다.

4. 뇌실질외 종양(Extraparenchymal tumors)

1) 맥락얼기 종양(Choroid plexus tumors)

맥락얼기 종양은 맥락얼기 상피세포에서 발생하는 뇌실내 상피세포 종양이다. 소아 뇌종양의 2-4%를 차지한다. 1세 미만 영유아에서 발생하는 뇌종양의 10-20% 정도를 차지하며, 신생아 뇌종양의 40% 정도를 차지하는 것으로 알려져 있다. 영유아에서는 대두증(macrocephaly), 국소

신경학적 결손을 보일 수 있으며, 소아의 경우에는 뇌압상승 증상 및 징후를 보인다. 이 종양들은 Li-Fraumeni 증후군과 관련이 있기도 하며, simian virus 40 (SV40)이 맥락얼기 종양의 발생과 관련이 있다는 보고도 있다. transthyretin (prealbumin)에 대한 면역 양성을 보이는 것이 맥락얼기 종양의 확진에 도움을 주기도 한다.

맥락얼기 종양에는 맥락얼기 유두종과 맥락얼기 암종이 있다. 맥락얼기 유두종(choroid plexus papilloma)은 맥락얼기 종양의 80% 정도를 차지하며, WHO grade I에 속하는 양성종양이다. 영상검사에서 경계가 분명한 뇌실내 종괴로 나타나며, 소아에서는 주로 측뇌실의 trigone에서 호발한다. 조직학적으로는 정상 맥락얼기와 매우 유사한 모습을 띠고 있다. 유년기에 많이 발생해서 평균 연령이 2세 미만이고, 12세 이상에서는 드문 것으로 되어 있다. 종양은 서서히 자라지만 뇌척수액을 과다생산해서 수두증을 일으킨다. 측뇌실에서 가장 많이 발생하지만, 드물게 제3뇌실에서도 발생한다. 양성이든 악성이든 척수강내로 전이되거나 신경계 외로 전이된 예도 보고 되고 있다.

맥락얼기 암종(choroid plexus carcinoma)은 맥락얼기 종양의 20% 정도를 차지하며, 조직학적으로 핵의 다형성, 높은 분열지수, 증가된 세포 밀도를 보이는 것이 특징이다. 뇌척수액 경로를 따라 전파될 수 있는 전이 가능성이 있는 악성종양으로, WHO grade III 종양이다.

[증상]

뇌압상승에 따른 구토, 두통 혹은 경련 발작이 나타난다. 요추천자를 하면 보통 압력이 상승되어 있고, 종종 xan-thochromic하며, ⅔에서 단백질이 증가되어 있다.

[진단]

단순 두부촬영에서 뇌압상승의 증거가 보이고 trigone에 석회화가 나타나면 맥락얼기 유두종을 의심하게 한다. 맥락얼기 유두종은 MRI의 T1강조 영상에서 등신호 또는 저신호를 보이고, T2강조 영상에서는 고신호를 보이며 강한 조영증강을 보인다. MRS에서 맥락얼기 암종에 비해 myoinositol의 신호가 높고, 크레아틴과 콜린이 감소되어 있는 편이다. CT나 MRI가 진단에 필수적이며, 혈관분포를 파악하기 위하여 혈관조영술(angiography)이 필요한 경우도 종종 있다.

[치료]

외과적으로 완전 적출술이 요구되나 종양에 혈관분포가 많아 아직도 수술 사망률이 높다. 맥락얼기 유두종의 경우, 수술로 종양이 완전히 제거되면 예후는 좋아 치료율이 100%에 근접하지만, 맥락얼기 암종의 경우에는 생존율이 30-70% 정도(5년 생존율이 50% 정도)이며, 수술적 적출이 완전하지 못하였거나 전이가 된 경우에는 장기 생존율이 30% 미만이다. 방사선치료 또는 항암 화학요법을 병행하여 좀 더 나은 치료성적을 기대해 볼 수 있다.

뇌실질외 종양에는 맥락얼기 종양 외에 수막종(meningioma), 랑게한스 세포 조직구증, 두개골 종양 등이 있다.

03

천막하 종양

Infratentorial Tumors

| 권영세 |

후두와 종양은 소아기 뇌종양의 50% 내지 55%를 차지하고 있다. 1세 미만에서는 드물지만 10세 미만에서 뇌종양이 가장 흔히 발생하는 부위이다. 이 종양들은 신경세포 혹은 신경교세포에서 유래한다. 드물게 혈관모세포종, 유피종, 지주막 낭종 등도 발생한다. 가장 흔하게 발생하는 종양으로는 속질모세포종, 소뇌 별아교세포종, 뇌실막세포종, 뇌간 교종 등이 있다. 천막하 종양은 뇌간 교종을 제외하면 뇌압상승 징후나 조화운동불능, 뇌신경 마비, 수막증, 눈떨림 같은 국소 징후가 주로 나타난다.

1. 속질모세포종(Medulloblastoma)

후두와 뇌종양중 소뇌 별아교세포종과 함께 가장 많은 빈도를 차지하여, 소아 뇌종양의 10-32%가 속질모세포종이다. 10세 이전의 소아에서 가장 흔하며, 청년기에는 드물고 신생아기에 발생한 예도 보고되었다. 남녀 비는 2:1로 어떤 다른 뇌종양보다도 남성에서 훨씬 높은 발생빈도를 보인다.

속질모세포종은 태아의 뇌의 외부 과립성 세포층 특히 제4 뇌실 저부에 흔한 속질모세포(medulloblasts)라 불리는 발생 세포 및 신경세포에서 유래되는 매우 침습적이고 빨리 자라는 교종의 일종이다. 여기에서 종양이 생겨서 소뇌 충부를 향하여 자라서 제4 뇌실이 종양으로 차서 막힐 때까지 계속 성장한다.

종양은 중앙에 위치하는 경향이 있으며, 주위 조직과 경계가 좋은 편이다. 종양은 부드럽고 혈관이 거의 없으며 출혈, 낭포형성, 석회화는 드물다. 현미경학적으로 이 종양은 세포로 꽉 차있고 이 세포들이 palisades 또는 neuroblastic rosetts 형태로 매우 많다.

다른 원시 종양들과 마찬가지로 뇌척수액로를 통해 전이를 일으킨다. 70-80%가 후두와에서 재발하며, 중추신경계외로 전이되기도 하는데, 5-30%까지 보고되고 있으며, 전이 부위로는 골격계와 골수가 가장 흔하다.

[증상]

다른 천막하부 종양과 마찬가지로 뇌압상승과 정중선 소뇌 징후로 나타난다. 환자는 뇌압상승 징후로 두통과 구토, 유두부종, 그리고 사경, 복시 등이 나타난다. 소뇌 운동실조는 거의 60%의 환자에서 나타난다. 종양이 중심선에 있기 때문에 편측 운동실조는 거의 없고 양측 사지나 체간 실조를 보여 앞쪽 또는 뒤쪽으로 떨어지는 경향이 있다.

수주 내지 수개월의 빠른 경과를 보이는 것이 소뇌의 별아교세포종과 다른 점이다. 유두부종의 유무와 상관없이 두통과 구토가 동반되는 뇌압상승은 방사선적 소견과 함께 비특이적이지만 진단에 필수적이다. 머리는 커지고 비정상적인 타진음을 들을 수 있다. 비정상적 머리자세, 때때로 경부강직이 보인다. 사지 특히 다리의 근긴장도가 떨어

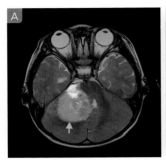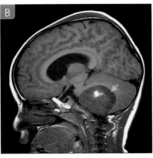

■ 그림 13-5. 소뇌의 속질모세포종 (2세, 여아)
(A) MRI T2강조 영상에서 고신호 강도를 보이는 고밀도 종괴가 소뇌 충부에 위치한다. **(B)** 종양 내부에 낭성 변화와 출혈 소견도 포함한다.

지고 심부건반사는 없거나 감소한다.

[진단]

CT에서는 조영제 주입 후 균일한 조영증강을 보이는 고밀도 종괴가 소뇌 중심선에 위치하는 특징적인 소견을 보이고, 종종 제4 뇌실을 채우는 고형 난원형 종괴와 함께 폐쇄성 수두증 소견을 보인다. 그러나 이런 전형적 소견은 약 30%에서만 관찰되고 낭성 변화, 동등 밀도, 조영증강이 되지 않는 경우도 있어 뇌실막세포종, 고형성 별아교세포종, 맥락총 유두종과 감별이 필요하다.

MRI는 T1강조 영상에서 균일한 저신호 강도이고 T2강조 영상에서는 회백질과 거의 같은 신호영상 또는 고신호 강도를 보인다. 또 치료를 시작하기 전에 척추에 대한 MRI, 뇌척수액의 병리세포 검사, 골 조사(bone scan), 골수검사 등으로 종양의 범위를 확실히 해 두어야 한다(그림 13-5).

[치료]

수술적 제거, 방사선치료 및 항암 화학요법을 병행한다. 수술은 가능한 한 많은 종양을 제거해야 한다. 최근에는 수술 현미경, 초음파 흡인과 레이저 같은 수술 장비의 비약적인 발전으로 수술 결과가 크게 개선되었다. 수술적 제거 후 방사선치료는 필수적이나 3세 이하의 어린이는 방사선치료를 피하고 항암 화학요법을 먼저 시행한다. 속질모세포종의 방사선 감수성에 대한 여부는 정확하지 않지만, 방사선치료가 생존율을 높이는데 기여한다는 것은 역학적으로 증명되었다. 방사선조사는 종양 부위만이 아니라 뇌 전체와 척추에 해야 한다.

항암 화학요법은 vincristine, prednisone, CCNU 등의 병합요법이 많이 시행되고 있으며, 그 외에도 cisplatin, nitrogen mustard, cyclophosphamide 등을 이용한 여러 형태의 병합요법이 시도되고 있다. 보조적인 화학요법의 효과에 대해서는 아직 논란이 있으나, 속질모세포종의 급속히 성장, high mitotic index, 뇌실이나 지주막하 공간보다 근위부에 위치 등 때문에 화학요법의 근거가 된다. Children's Cancer Study Group의 연구에 의하면 방사선치료와 항암 화학요법을 병행한 경우의 5년 생존율이 59%로 방사선치료만을 시행한 경우의 50%보다 높은 결과를 보였다.

[예후]

종양 발견 당시 상태에 따라 다르다. 3세 이상, 수술 후 남은 종양이 1.5cm^3 이하이거나, 지주막하 파종이 없는 경우는 5년 생존율이 80%이상이며, 최근에는 적극적인 수술과 고농도 방사선치료로 3세 이후에는 수술 후 재발이 없다는 보고도 있다. 하지만 3세 이전에 발병, 조기 파종, 종양 내 괴사, 완전 절제가 어려운 종양의 위치, 좀 더 성숙한 세포로 분화한 경우에는 예후가 나쁘다.

2. 소뇌 별아교세포종(Cerebellar astrocytoma)

성인에서는 극히 드물지만, 소아기의 뇌종양 중 10-20%를 차지하며, 속질모세포종과 비슷한 빈도를 보인다. 그 중 3/4은 청소년 털모양 별아교세포종(juvenile pilocyte astrocytoma)이며 1/4은 광범위 원섬유 별아교세포종(diffuse fibrillary astrocytoma)이다. 발생빈도의 남녀 차이는 없으며, 호발연령은 5-15세이다. 이 종양은 천천히 자라고 성인의 별아교세포종보다 양성으로, 소아기 뇌종양 중 가장 예후가 좋다.

소뇌의 어느 곳에나 발생가능하나, 소뇌 반구나 중심선 즉 충부에 많이 발생하고, 종종 양쪽 대뇌 반구나 연수까지 확장되기도 한다. 소뇌 별아교세포종의 약 80%는 낭종성으로 소뇌 반구에 많이 발생하고, 20%는 고형성으로 충부에 주로 발생한다.

조직학적으로 미세 낭포가 많은 엉성한 부위와 섬유질이 많은 별아교세포가 밀집한 부위가 섞여 보이는데, 세포 밀집부위에는 rosenthal 섬유가 방사상으로 흩어져 있다. 현미경적 소견과 예후를 연관하여 해석하는데, 전형적인 청소년 소뇌 별아교세포종과 광범위 별아교세포종으로 구분된다. 청소년 소뇌 별아교세포종이 전체의 3/4을 차지하고, 88%가 10세 이전에 흔히 나타나고, 10년 생존율이 94%나 된다. 나머지 1/4이 광범위 별아교세포종 형태로 10세 이후에 많고, 대뇌나 뇌간에도 잘 생기고 재발도 흔하며, 10년 생존율이 29% 정도로 낮다.

악성 소뇌 반구 별아교세포종은 성인에서 주로 나타나며 소아에서는 드물다.

[증상]

속절모세포종과 유사하지만 별아교세포종은 속절모세포종보다 병력이 더 길고 환자는 덜 아파 보인다. 뇌압상승 징후가 특징적이며 소뇌 증상은 종양의 위치에 따라 다르다. 만성적인 뇌압상승은 대부분 유두부종이 나타나며, 수두증의 정도는 속질모세포종에서 보다 더 심하다.

환자들은 체간실조, Romberg 양성, 일자보행 장애 등의 정중선 소뇌 징후가 주로 나타나며 한쪽 소뇌 반구에 손상을 받으면 편측 또는 비대칭의 운동실조 및 안구진탕이 보인다. 이 종양은 비침습적이고 전이는 드물지만 연수나 중뇌로 확장되어 뇌신경 마비나 긴 신경로 징후가 나타난다. 다른 교종들보다는 완해의 확률이 높다(그림 13-6).

[진단]

단순 두부촬영에서 뇌압상승의 징후로 종양주변의 후두골이 얇고 확장된 소견을 보이며 석회화를 보이기도 한다. 이때 천천히 자라는 일측성 종괴가 보이면 별아교세포종일 가능성이 높다. 확진은 CT나 MRI로 하며 61%에서 낭포가 보인다. 전형적 낭포성 별아교세포종은 낭포 벽에 큰 결절의 형태로 CT로 쉽게 볼 수 있다. 결절은 낭포 벽이 없으므로 조영증강이 필요하나 수술 후에 재발된 경우에도 CT로 쉽게 진단할 수 있다. 광범위 별아교세포종의 경우에는 MRI가 더 도움이 될 수 있다.

[치료 및 예후]

외과적으로 조영증강이 되는 낭종벽을 포함하여 벽결절(mural nodule)을 완전히 제거한다. 종양을 완전히 제거한 경우에는 거의 100%에 가까운 완치율을 보인다. 부분 적출술을 시행한 경우에 재발이 잘 되지만 병리학적 소견이 원 종양과 일치하므로 재수술 시 좋은 치료효과를 보인다. 일부에서 부분 적출술 후에 방사선치료로 생존율을 높였다는 보고는 있으나, 원칙적으로 방사선치료나 항암 화학요법은 시행하지 않는다.

예후는 뇌종양 중 가장 좋다. 5년 생존율이 94% 이상이고, 25년 생존율도 90% 정도 된다. 뇌간으로 종양이 확산된 경우에는 예후가 나쁘다.

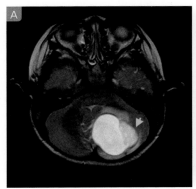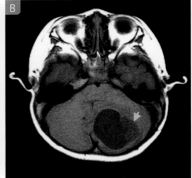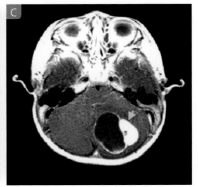

■ 그림 13-6. 소뇌의 별모양세포증 (2세, 여아)
MRI T2강조 영상에서 소뇌의 대부분을 차지하는 고신호강도의 종괴가 보이고(A), T1강조 영상에서는 뇌척수액보다는 높은 신호강도를 보인다(B). 조영증강 영상에서는 종괴의 왼쪽 측면에 조영증강되는 벽결절이 관찰된다(C).

3. 뇌실막세포종(Ependymoma)

소아 뇌종양의 8%(5-10%)를 차지한다. 어린 나이에 많이 발생하여 평균 연령은 5-6세이다. 60% 이상이 5세 미만에서 발생하고 15세 이상인 경우는 4%에 불과하다. 뇌실막세포종은 3세 미만의 소아의 악성 뇌종양 중 2번째로 흔하다.

발생 부위는 천막하 종양이 ⅔이고, 천막상 종양이 ⅓이다. 천막하 종양은 제4 뇌실 천장, 바닥과 측와(lateral recesses)에서 생겨 제4 뇌실을 채우고 자라며, 위로는 수도관, 아래로는 대공을 통하여 자라나와 상부 경수를 덮으며 압박한다. 천막상 종양은 측뇌실과 제3 뇌실에서 발견되며, 대뇌 반구의 여러 부위에서 발견되기도 한다.

보통 경계가 분명하고 균일하며, 부분적으로 피막이 덮여 있다. 또 상당히 낭포성이다. 저등급 뇌실막세포종은 일정한 정도의 세포를 갖는다. Ependymal rosettes가 진단적이며, 작고 중앙에 위치한 관내강에 종양세포가 존재한다. Pseudorosettes가 더 많이 보이기도 한다. 단순히 조직학적 소견만으로 종양의 악성 정도를 알 수는 없다.

[증상 및 진단]

종양의 위치에 따라 다른데 후두와 종양의 경우 뇌압상승 징후와 소뇌 증상으로 안구진탕, 유두부종, 운동실조 등이 나타나고, 천막상 종양인 경우 두통, 경련과 함께 반신마비, 반사항진, 시야장애 등의 국소적인 신경학적인 증상을 일으킨다. 때때로 목과 어깨가 뻣뻣함을 호소하는 경우가 있는데 이는 종양의 상부 경추강내 파급을 의미한다. 뇌신경 침범은 제6, 7 뇌신경 마비가 가장 흔해, 안면마비, 인두 및 혀의 이상이 관찰된다.

방사선 진단은 CT와 MRI가 필수적이며 조영제 검사가 중요하다. 단순 두부촬영에서 석회화가 발견되어 뇌실막세포종의 존재 가능성을 암시하기도 한다(그림 13-7).

[치료]

수술로 최대한 적출하는 것이 무엇보다 중요해서 종양을 완전히 적출한다면 생존율이 뚜렷하게 증가한다. 만일 종괴가 일부 남아있을 때에는 방사선치료를 해야 하는데, 연수막 질환이 아니라면 신경축에 대한 방사선 조사는 모든 환자에서 필요한 것은 아니다.

3세 미만의 환자에서 수술 후에 vincristine과 cyclophosphamide를 이용한 항암 화학요법으로 효과를 보았다는 보고도 있으나, 아직 항암요법의 유용성은 불확실하다. 최선의 방법은 외과적으로 완전 적출 시도한 후 국소 방사선치료가 가장 효과적인 치료법이며, 항암 화학요법에 대하여는 연구가 진행 중이다.

[예후]

치료방법에 관계없이 뇌실막세포종의 예후는 매우 불

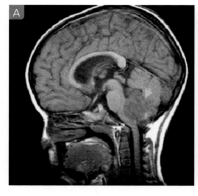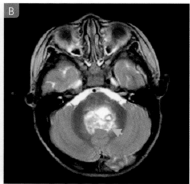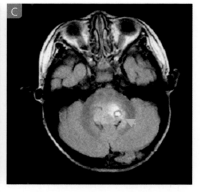

■ 그림 13-7. 뇌실막세포종 (남자, 4세)
제4뇌실의 바닥(floor)쪽에 주로 위치하는 경계가 불명확한 저밀도와 동등 밀도의 종괴(A)가 보인다. 이 종괴는 T2강조 영상에서 내부는 회백질과 동등 밀도를 보이는 국소병변을 포함한 이질적 강도(heterogeneous intensity)가 관찰되고(B), T1강조 영상에서는 저신호 강도로 보인다(C)(화살표).

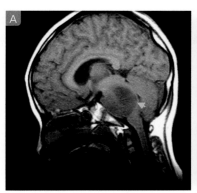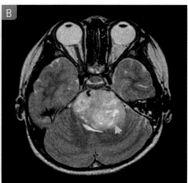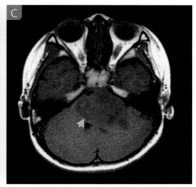

■ 그림 13-8. 뇌간 교종(여자, 5세)
뇌교에 불분명한 경계를 보이는 난원성의 종괴가 보이며(A), T2강조 영상에서 고신호강도(B) T1강조 영상에서 저신호 강도를 보인다 (C).(화살표).

량하여 5년 생존율이 28%정도이다. 2세 이하, 불완전한 적출, 증상이 있었던 기간이 짧을 때, 적은 양의 방사선치료 및 뇌간 침입 등이 있으면 예후가 좋지 않다. 뇌실막세포종의 재발은 늦게 나타나는 경향이 있으므로 예후를 빨리 판단하는 것은 금물이다.

4. 뇌간 교종(Brainstem glioma)

뇌간 교종은 소아 천막하부 종양 중 3번째로 흔하며 소아 뇌종양의 약 10%를 차지한다. 이 종양은 두 가지 형으로 나누는데, 첫째는 교뇌에서 시작하여 뇌간 전체로 광범위하게 확산되는 광범위 뇌간 교종으로 뇌간 교종의 70-80%를 차지하는 악성종양이며, 다른 하나(20-30%)는 교뇌 이외의 뇌간, 주로 중앙선이나 경수-연수 경계부에서 발생하고, 밖으로 자라나는 국소형의 뇌간 종양으로 수술만으로도 예후가 매우 좋은 양성이다.

[증상]

5-10세에 가장 흔하며, 병력은 대개 짧아서 1-5개월 정도로 세 가지 특징적 임상 징후는 다발성 뇌신경 장애, 긴 신경로 징후, 소뇌 징후이다. 대부분 말기에 이를 때까지 뇌압상승 징후가 없어 진단이 늦어질 수 있다.

다발성 뇌신경 장애로 제6 뇌신경 및 제7 뇌신경을 침범하면 복시나 안면마비가 발생하고, 구음장애, 연하곤란, 사시 등이 동반된다. 긴 신경로 징후로 반신마비가 나타날 수 있고 소뇌 징후로는 보행실조가 흔히 나타난다. 그밖에 정신장애, 행동변화(소극적, 자폐성 행동 혹은 과운동성 행동)가 있다. 지주막하 파종도 발생하는데, 악성교종 환자의 경우 사망 전 약 20%의 예에서 발견된다.

[진단]

CT로도 가능하나 MRI가 훨씬 유용하다. 특히 연수 부위에 있는 경우엔 CT에서 확인되 않을 수 있다. 따라서 조영제의 사용이 악성종양을 감별하는 데 도움이 되며, 큰 구멍 주위 병변 진단에는 MRI가 절대적이다. T1강조 영상에서는 저신호 강도, T2강조 영상에서는 고신호 강도를 보이며 종양 내 불균일성이 종종 관찰되나 낭포 형성은 드물다. 수술 시 조직을 많이 떼어내기는 어렵지만, 악성종양 감별에는 여전히 조직검사가 중요해서 정위 생검이 많이 행해진다.

[치료 및 예후]

특징적인 광범위 교뇌 교종의 경우 신경학적인 손상이 우려되므로 수술은 금기이다. 종양의 위치에 따라 예후 및 치료가 결정되는데, 수술적 치료에 효과 있는 경우는 교뇌 외의 뇌간에 있으면서 뒤쪽으로 자라나는 경우, 경수-연수 경계부에 위치해 있는 경우, 벽결절을 가진 낭종이면서 낭종벽의 조영증강이 없을 때 등이다. 그 외에도 신경섬유종증이 동반된 경우도 예후가 좋다(그림 13-8).

뇌간 종양의 일차적 치료는 방사선요법으로 5500 Gy로 5-6주간 시행한다. 방사선치료 시, 5년 생존율을 50%까지 보고한 경우도 있지만 보통 30% 이하이고, 광범위 교뇌 교종의 경우 10% 미만이다. 항암 화학요법은 효과가 없다.

예후는 뇌종양 중 가장 불량하며 5년 생존율은 20~30%이다.

척수종양

Tumors of Spinal Cord

| 권영세 |

소아기 척수종양은 뇌종양보다 드물지만, 전체 중추신경계 종양의 약 10-20%를 차지한다. 성별간 발생 비율의 차이는 없고, 대부분 7세 이전에 발생하다.

척수종양은 척수와 경막 내외의 해부학적 위치에 따라 척수내(intramedullary), 척수외 경막내(extramedullary intradural), 그리고 척수외 경막외(extramedullary extradural) 종양으로 구분할 수 있다. 척수내 종양으로는 저등급 별아교세포종(low grade astrocytoma)이 가장 흔하며, 그 다음으로 뇌실막세포종(ependymoma)이 흔하다. 척수외 경막내 종양으로는 신경섬유종, 신경절신경종(ganglioneuroma), 수막종, 기형종과 같은 양성종양들이 호발한다. 척수외 경막외 종양으로는 신경모세포종, 육종, 골종양, 림프종과 같은 전이성 종양이 많다. 척추상의 해부학적 부위로는 흉추, 경추, 흉요추, 요천추 순으로 호발한다.

[임상증상 및 징후]

척수종양의 임상증상은 병변의 위치에 따라 다르게 나타나는데, 대부분 종양들은 성장속도가 느리기 때문에 진단 전 수개월동안 무증상인 경우도 흔하다. 척수종양에서 흔한 첫 증상들로는 사지의 근력저하, 보행장애, 사지 또는 허리의 통증이 있다. 분절 근력저하, 위축, 과반사, 감각 변화는 중심 회백질 또는 신경뿌리의 침범에 의해 나타나고, 경직, 특정 영역에 국한된 신경결손, 조임근 조절장애는 신경로의 차단에 의해 나타난다. 척수내 종양에서는 주로 침

범된 신경영역의 대칭적인 근력저하, 경직, 위축, 감각증상, 조임근 조절장애, 그리고 과반사가 나타난다.

척수내 신경아교종의 경우 성장이 느리며, 진행성 보행장애와 조임근 장애가 첫 증상으로 나타날 수 있다. 경추부의 척수내 신경아교종이 있으면 상지에서 하부운동신경원 징후, 하지에서 상부운동신경원 징후가 타난다.

반면, 척수외 종양에서는 척수 앞 신경뿌리를 침범하기 때문에 신경분절을 따라 예리한 통증이 나타나는 특징이 있다. 이러한 통증은 기침, 재채기, 힘을 주는 행위 등의 발살바 운동에 의해 발생하거나 악화될 수 있고, 통증으로 인해 수면장애가 나타날 수도 있다. 또한, 척수외 종양에서는 병변이 커지기 전까지 상부운동신경원 징후가 잘 나타나지 않는데, 근력저하가 나타날 경우 보통 편측으로 나타난다. 척수외 종양에서는 때로는 Brown-Séquard 증후군이 나타날 수도 있다. 전형적인 Brown-Séquard 증후군에서는 동측의 근력저하, 경직, 실조, 반대쪽의 통각 및 온도각 소실이 나타나지만, 척수종양에서는 비전형적 형태로 나타는 경우가 흔하다. 척수외 경막외 종양은 제한된 공간 내에서의 빠른 성장 때문에 뇌척수액 통로의 급성 차단을 초래하기 쉬우며, 이완 하반신 마비, 잔뇨, 그리고 항문반사 소실이 나타날 수 있다.

종양이 있는 척추부위의 심부건반사는 감소되어 있는데, 이는 종양이 전각세포를 침입해 있기 때문이다. 병변부위 아래에서는 하행경로의 장애로 심부건반사가 증가하고

발바닥폄 반사가 나타난다. 경추부 상방의 척수내 종양에서는 팔의 심부건반사와 근긴장도가 감소하며, 다리에서 클로누스, 과다반사, 발다닥폄 반사가 나타난다. 다리의 반사가 없거나 감소하면 마미(cauda equina)에 병변이 있음을 알 수 있고, 항문반사가 없다면 천추부의 척수 혹은 척수뿌리 침범을 의미한다.

이외에도 의사표현이 원활하지 못한 어린 소아들의 경우 병변 부위 이하에서 발한이 없거나 감소할 경우 척수종양을 의심할 수 있다. 경추부에 척수종양이 있을 경우 사경이 나타날 수 있다. 간혹, 척수종양에서 현훈과 유두부종도 나타날 수 있는데, 유두부종과 수두증이 동반되었을 경우에는 척수종양 중에서도 기형종을 의심해야 한다.

[진단]

조기 수술적 치료로 비가역적 척수손상을 예방할 수 있기므로 빠른 진단이 매우 중요하다. 일반 방사선 영상에서 줄기간 거리(interpedicular distance)의 확장은 척수내 종양을 암시하고, 척추뼈의 몸통 혹은 줄기의 파괴는 전이성 종양에서 흔하게 보인다. 또한, 일반 방사선 영상에서 척추뼈 구멍의 확대는 신경섬유종 또는 척수관으로 전이하는 종양에서 볼 수 있다.

MRI는 척수종양의 확진을 위한 가장 중요한 진단적 검사이고, gadolinium으로 조영증강 촬영이 추천된다. MRI에서 척수내 종양은 척수의 방추형 종창을 일으키고, 종종 CSF의 완전 차단을 초래한다. 신경섬유종은 척수의 원형 만입(circular indentation)을 야기하는 경향이 있고, 경막외 종양들은 다양한 정도의 신경압박을 일으키는 것을 MRI를 통해 확인할 수 있다.

암종의 파종을 초래할 수 있기 때문에 척수종양이 의심되는 환자에서 요추천자는 신중히 고려되어야 한다. 뇌척수액 검사소견으로는 뇌압상승 및 뇌척수액내 백혈구 증가, 당의 감소가 있을 수 있다. 뇌척수액 단백수치도 대개는 증가 소견을 보여 세균수막염의 뇌척수액 소견과 감별하기 힘들 수 있으며, 뇌척수액 단백이 극도로 증가하여 지주막하 완전 차단을 초래할 수도 있다.

[치료]

척수종양의 치료는 척추상의 종양 발생 부위(경부, 흉부, 요부, 미부)와 종양의 해부학적 위치(intramedullary vs extramedullary), 악성도 그리고 침범된 범위(국소적, 침습적)에 따라 다르다. 완전 적출이 가능한 척수외 경막외 종양일 경우 수술후 예후가 우수하다. 심지어 부분 적출이 가능한 척수외 경막외 종양이더라도, 수술 후 방사선요법을 시행했을 경우 부분 혹은 완전한 증상 완화를 기대할 수 있다.

척수외 경막내 종양의 경우 조직학적으로 양성이더라도 완전 적출이 불가능한 경우가 많기 때문에 적립된 치료법은 없다. 이러한 종양의 치료목표는 종양을 가능한 많이 적출하면서 신경학적인 기능을 개선시키고 재발 및 전이를 방지하는데 있다.

한편, 최근 신경외과적 기술의 발달로 척수내 종양, 척수외 경막내 종양, 조직학적으로 양성인 척수외 경막외 종양의 경우에도 미세수 이용한 치료가 가능해졌다.

수술 후 방사선 및 항암요법은 종양의 종류에 따라 다르다. 경막외 공간에서의 전이로 인해 갑작스러운 하반신 마비가 초래된 원발 신경섬유종 환아의 경우, 즉각적인 방사선요법으로 불필요한 척추 후궁 절제술을 피할 수도 있다.

가짜 뇌종양

Pseudotomor Cerebri/Idiopathic Intracranial Hypertension

| 권영세 |

가짜 뇌종양은 뇌종양과 흡사한 증상과 징후가 나타나는 임상 증후군을 일컫는데, 증가된 두개내 압력(영아에서 >200 mmH$_2$O, 소아에서 250 mmH$_2$O)을 특징으로 하고, 뇌척수액 검사에서 정상 혈구수와 단백수치, MRI에서 정상적인 뇌의 해부학적 구조와 위치, 정상적인 뇌실 크기를 보인다.

[병인]

가짜 뇌종양의 병인으로는 여러 가설들이 있는데, 뇌척수액 흡수와 생산의 이상, 뇌부종, 혈관확장, 수축과 뇌혈류의 장애, 그리고 정맥폐쇄 등이 있다.

가짜 뇌종양의 원인은 무수히 많은데, 대사질환(갈락토즈혈증), 부갑상샘 기능저하증, 가성 부갑상샘 기능저하증, 저인산증, 장기간의 부신피질호르몬 치료 혹은 부신피질호르몬 치료의 급작스런 중단, 성장호르몬, 심한 영양결핍 환아에 있어서의 과영양 공급, 비타민 A 과다증, 비타민 A 결핍증, Addison병, 비만, 초경, 경구피임약, 임신, 감염(장미진, 부비동염, 만성중이염과 꼭지돌기염, Guillain-Barré 증후군), 약물(nalidixic acid, doxycycline, minocycline, tetracycline, nitrofurantoin, 여드름 치료에 사용되는 isotretinoin, 특히 tetracycline과 같이 사용 시), 혈액질환(적혈구증가증, 용혈성 빈혈, 철결핍성 빈혈, Wiskott-Aldrich 증후군), 정맥동(측정맥동 또는 하시상정맥동) 혈전으로 인한 두개내 정맥의 폐쇄, 두개손상, 상대정맥의 폐색 등이 있다.

한편, 이차적인 원인이 밝혀지지 않을 경우에는 특발성 두개내 고혈압(idiopathic intracranial hypertension)으로 분류한다.

[임상증상]

가짜 뇌종양에서 가장 흔히 발생하는 증상은 두통이다. 구토도 발생하지만 후두와 종양에서 만큼 지속되거나 심하지 않다. 일과성 시력장애, 외전신경 마비와 상관없는 복시도 흔하다. 대부분 환자들은 의식이 명료하고 다른 전신의 증상들이 없다.

[징후]

영아에서는 특징적으로 천문의 팽창과 두개골 봉합선의 분리로 인한 '깨진 항아리 소리(cracked pot sound)' 혹은 Macewen 징후(두개골 타진 시 울리는 소리가 들림)가 신체검진에서 나타난다. 돌이 지난 환자에서는 맹점 확대를 동반한 유두부종이 가장 저명한 징후이다. 시신경의 조기 부종이 보일 수 있고, 평면 시야계 검사에서는 후방 비측결손이 보일 수 있다.

국소적인 신경학적인 징후가 있으면 가짜 뇌종양이 아닌 다른 중추신경계 질환을 의심해 봐야 한다. 가짜 뇌종양이 의심되는 모든 환아에서는 MRI를 시행해야 하며, 뇌경막 정맥동 혈전증이 의심되는 환아에서는 MR angiography/MR venography 시행을 고려해야 한다.

[치료]

가짜 뇌종양 치료의 궁극적인 목표는 기저 원인을 찾아서 치료하는 데 있다. 가짜 뇌종양은 특별한 치료 없이 증상이 좋아질 수도 있고, 정기적인 경과관찰과 시력측정만을 필요로 하는 경우가 다수이지만, 시신경 위축 또는 시각소실과 같은 심각한 합병증이 발생할 수도 있다. 따라서 시력을 측정할 수 없는 연령의 환아는 정기적인 시각유발 전위검사를 시행할 수도 있다.

아직까지 가짜 뇌종양의 치료원칙은 없다. 비만이 있는 환자는 체중감량을 해야 하며, 약물이 가짜 뇌종양의 원인으로 의심된다면 약물을 중단해야 한다.

CT 또는 MRI 후에 시행하는 요추천자는 진단뿐만 아니라 치료에도 도움이 되는데, 요추천자를 통해 뇌척수액이 지주막하 공간에서 빠져나오게 되면 증가되었던 뇌압이 감소하게 된다. 추가적인 요추천자를 통해 천자압(opening pressure)을 50% 수준까지 감소시킬 만큼 충분히 뇌척수액을 배액하여 증상 완화가 가능하다. Acetazolamide을 10-30 mg/kg/일 용량으로 투여하거나 또는 부신피질호르몬 치료가 일부에서 효과적이었다. 정맥동 혈전의 경우 항응고제 치료를 고려할 수 있다.

이와같은 치료가 효과가 없으면서 시신경 위축이 초래될 경우, 드물게는 요추 지주막하-복강 지름(lumboperitoneal shunt) 혹은 측두엽하 감압술(subtemporal decompression)이 필요하다. 시력손실을 방지하기 위해 시신경초 감압술(optic nerve sheath fenestration)을 시행할 수도 있다.

여러 치료에도 불구하고 뇌압이 지속적으로 높은 경우, 느리게 성장하는 종양이나 정맥동의 폐쇄 등을 확인하기 위해 중추신경계에 대한 영상검사의 재시행을 고려한다.

참고문헌

1. Bouffet E, Tabori U, Huang A, Bartels U. Possibilities of new therapeutic strategies in brain tumors. Cancer Treat Rev 2010;36:335-41.

2. Brandão LA, Poussaint TY. Pediatric brain tumors. Neuroimaging Clin N Am 2013;23:499-525.

3. Brandão LA, Shiroishi MS, Law M. Brain tumors: a multimodality approach with diffusion-weighted imaging, diffusion tensor imaging, magnetic resonance spectroscopy, dynamic susceptibility contrast and dynamic contrast-enhanced magnetic resonance imaging. Magn Reson Imaging Clin N Am 2013;21:199-239.

4. Chintagumpala M, Gajjar A. Brain tumors. Pediatr Clin North Am 2015;62:167-78.

5. Chourmouzi D, Papadopoulou E, Marias K, Drevelegas A. Imaging of brain tumors. Surg Oncol Clin N Am 2014;23:629-84.

6. Colen RR, Hassan I, Elshafeey N, Zinn PO. Shedding Light on the 2016 World Health Organization Classification of Tumors of the Central Nervous System in the Era of Radiomics and Radiogenomics. Magn Reson Imaging Clin N Am 2016;24:741-9.

7. Dunham C. Pediatric brain tumors: a histologic and genetic update on commonly encountered entities. Semin Diagn Pathol 2010;27:147-59.

8. Grondin RT, Scott RM, Smith ER. Pediatric brain tumors. Adv Pediatr 2009;56:249-69.

9. Lequin M, Hendrikse J. Advanced MR imaging in pediatric brain tumors, clinical applications. Neuroimaging Clin N Am 2017;27:167-90.

10. Liu C, Zong H. Developmental origins of brain tumors. Curr Opin Neurobiol 2012;22:844-9.

11. Louis DN, Perry A, Reifenberger G, et al. The 2016 World Health Organization classification of tumors of the central nervous system: a summary. Acta Neuropathol 2016;131:803-20.

12. Merchant TE, Pollack IF, Loeffler JS. Brain tumors across the age spectrum: biology, therapy, and late effects. Semin Radiat Oncol 2010;20:58-66.

13. Morales H, Gaskill-Shipley M. Imaging of common adult and pediatric primary brain tumors. Semin Roentgenol 2010;45:92-106.

14. Packer RJ, Macdonald T, Vezina G. Central nervous system tumors. Hematol Oncol Clin North Am 2010;24:87-108.

15. Paldino MJ, Faerber EN, Poussaint TY. Imaging tumors of the pediatric central ner vous system. Radiol Clin North Am 2011;49:589-616.

16. Pollack IF, Agnihotri S, Broniscer A. Childhood brain tumors: current management, biological insights, and future directions. J Neurosurg Pediatr 2019;23:261-73.

17. Seeburg DP, Dremmen MH, Huisman TA. Imaging of the sella and parasellar region in the pediatric population. Neuroimaging Clin N Am 2017;27:99-121.

18. Udaka YT, Packer RJ. Pediatric brain tumors. Neurol Clin 2018;36:533-56.

19. Wang SS, Bandopadhayay P, Jenkins MR. Towards Immunotherapy for pediatric brain tumors. Trends Immunol 2019;40:748-61.

20. Yildiz AE, Oguz KK, Fitoz S. Suprasellar masses in children: Characteristic MR imaging features. J Neuroradiol 2016;43:246-59.

21. Zamora C, Huisman TA, Izbudak I. Supratentorial tumors in pediatric patients. Neuroimaging Clin N Am 2017;27:39-67.

22. Zikou AK, Xydis V, Alexiou GA, Argyropoulou MI. Supratentorial brain tumors in children. J Pediatr Neuroradiol 2016;5:70-81.

제**14**장

뇌혈관질환

Cerebrovascular Diseases

01

서론

Introduction

| 은소희 |

급성 뇌졸중은 신경학적 응급상황이나 늦게 발견되는 경우가 많고 치료의 지연이 예후를 악화시킬 수 있다. 소아기에 발생한 뇌졸중은 임상증상의 정도가 경미하여 뚜렷한 증상이 관찰되지 않는 경우가 흔하고, 두통, 경련, 보행이상, 또는 미세한 손가락 움직임 이상 등의 증상은 이 시기에는 편두통, 감염, 발작, 전환장애 등과 동반되는 경우가 더 흔하기 때문에 진단이 지연되는 경우가 많다. 소아에서 급성 국소 신경학적 결손이 있으면, 다른 진단이 내려지기 전에는 뇌졸중을 우선 생각하고 뇌영상검사를 시행해야 한다. 뇌 CT는 뇌출혈과 크고 시간이 경과한 동맥성 허혈 뇌졸중의 진단에 도움이 된다. 급성 허혈성 뇌졸중이 의심되면 확산강조영상(diffusion weighted imaging)를 포함한 뇌 MRI와 자기공명 혈관조영술을 시행해야 한다.

성인과 비교할 때 신생아와 소아의 뇌졸중은 다양한 질환에 의해 발생하며, 심장질환, 낫적혈구 빈혈, 감염, 악성종양, 경구피임제 복용, 자가면역질환, 두경부 외상 등이 뇌졸중의 위험인자이다(표 14-1). 이러한 기저질환을 가진 소아에서 국소 신경학적 결손을 보이는 경우 더 의심해야 하며 치료할 때 원인질환을 고려해야 한다.

뇌졸중이 발생한 후 2-3일 동안 신경학적 상태 변화, 신체적인 변화, 뇌압상승 징후, 뇌졸중의 재발 및 출혈, 치료에 의한 합병증 등을 집중관찰해야 한다. 이차 뇌손상을 예방하기 위한 신경보호 치료 및 원인질환에 대한 치료가 필요하다. 허혈성 뇌졸중의 예방적인 치료로 교환수혈, 항응

표 14-1. 소아 뇌졸중의 위험인자

선천성 심장질환 심실중격결손, 심방중격결손, 동맥관개존증, 대동맥협착증, 복잡 심장기형
후천성 심장질환 류마티스성 심장질환, 세균심내막염, 부정맥, 방실점액종, 심근염
전신성 혈관질환 고혈압/저혈압, 고나트륨혈증, 혈관염, 당뇨, 전신홍반루프스, 섬유근성 이형성증, 결절성 다발동맥염, Takayasu 동맥염, 자반증, 가와사키병, 류마티스성 관절염, 피부근염, 염증성 장질환, 약물남용(코카인, 암페타민 등)
혈관수축성 질환 편두통, ergot 중독, 혈관연축
혈관병증 Ehler-Danlos 증후군, 호모시스틴뇨증, moyamoya 증후군, Fabry병, NADH-CoQ reductase 결핍, Williams 증후군
혈액질환 혈색소이상– 낫적혈구빈혈, 다혈구증, 혈소판증가증, 백혈병/임파종, S and C 단백결핍증, factor V Leiden, 비타민 K 결핍, antithrombin III 결핍증, 파종성 혈관내응고증
구조적 이상 동정맥기형, Sturge-Weber 증후군, 신경섬유종증, 유전성 출혈성 모세혈관확장증
외상성 인자 소아학대, 공기 및 지방색전, 외상후 동맥박리, 양수 및 태반 색전, 시술관련(ECMO, arteriorgraphy 등)

고제, 스테로이드 등이 사용되며 대사이상에 대한 대증적인 치료도 병행된다. 항응고제의 경우 성인과 같은 치료의 근거를 제시하는 연구가 없어 일반적으로 시행하지는 않지만, 병태생리를 기준으로 동맥박리, 정맥동혈전, 응고항진 상태 등이 의심되는 경우 저분자량 헤파린 등을 시도할 수 있으며, 낫적혈구 빈혈 등이 동반되는 경우 추가적인 뇌졸중의 발병을 막기 위하여 수혈을 고려할 수 있다. 흔히 소아에서도 많이 사용하는 대표적 항혈소판제인 아스피린의 경우 영아기 이후 소아에서 장기간 사용되지만 다른 내과적 치료와 마찬가지로 치료의 근거는 확실하지 않은 상태이다. 동반되는 경련과 관련하여 현재까지 허혈성 뇌경색 환자에 대한 예방적 항뇌전증약은 추천되지 않지만, 뇌동맥류 혹은 동정맥기형으로 인한 지주막하출혈이 있는 환자에 대해서는 예방적 항뇌전증약을 투여한다. 일부 질환에서는 수술적 치료가 우선적으로 고려될 수 있는데, 적응증에 해당하는 환자 중 수술적인 치료가 어려운 경우 중재적 신경방사선적 기술의 발전과 뇌정위적 방사선 수술법의 개발로 소아기 뇌혈관질환의 치료에 비침습적 방법이 가능하다.

02

폐쇄성 뇌혈관질환

Obstructive Cerebrovascular Disorders

| 김헌민 |

폐쇄성 뇌혈관질환(허혈성 뇌혈관질환, 뇌졸중)이란 영상검사 혹은 부검을 통해 알 수 있는 갑자기 발생한 뇌조직의 국소 경색을 뜻한다. 소아에서 폐쇄성 뇌혈관질환이 발생하는 경우 직접적인 원인이 혈전에 의한 것인지 아니면 색전에 의한 것인지를 감별하는 것은 어렵다. 대개 증상의 발현이 급성일수록 색전에 의한 허혈성 경색일 가능성이 높지만 소아에서는 혈관폐쇄의 정확한 발현시점을 알기가 어려운 경우가 많다. 하지만 원인질환을 알게 되는 경우 경색의 양상을 유추하기 쉽고 향후 치료에도 중요한 영향을 미치게 되므로 허혈성 경색의 경우 원인질환을 찾으려는 노력을 세밀히 진행해야 한다. 허혈성 경색의 범위는 침범된 혈관의 해부학적 위치에 의해 결정되는데, 척추기저계 (vertebrobasilar system)보다는 앞쪽 순환의 침범이 더 흔한 것으로 알려져 있다. 특히 기저핵(basal ganglia) 부위는 곁순환(collateral circulation)이 결여되어서 가장 흔히 침범되는 부위이다. 흔한 초기 증상으로 반신마비, 감각 이상, 실어증이며 그 외에도 반신무도증, 경련 및 운동실조 등을 보일 수 있다.

1. 뇌혈전증

1) 원인질환

성인에서 혈전성 뇌동맥의 폐쇄는 동맥경화증에 의한 것이 가장 흔하지만 소아에서는 외상, 감염, 심장병, 모야모야병 등 성인과는 다른 원인질환이 주된 원인이 된다 (표 14-1). 뇌 CT 검사나 뇌혈관조영술, 뇌 MRI 등의 영상 기법의 발달로 새로운 원인들이 규명되었으며, 흔한 발병 시기는 원인에 따라 다양하다. 환자에게서 반신마비를 보이는 경우 뇌혈관조영술이나 뇌 MRI 검사를 통해 ① 비인두부의 외상으로 인해 발생하는 내경동맥 경부위의 두개외 폐쇄를 보이는 경우, ② 내경동맥의 상상돌기상 부위 (supraclinoid branch)의 양측성 폐쇄를 보이며 기저핵 부위에서 뚜렷한 곁순환(collateral circulation)을 형성하거나 전, 중대뇌동맥의 상부의 협착이나 폐쇄와 함께 외경동맥의 경막지(meningeal branch)와 대뇌 표면의 연수막 분지가 광범위한 곁순환을 형성하는 뇌혈관조영술 소견을 보이는 경우(모야모야병), ③ 동맥염이나 목, 부비동, 귀 등의 감염 후에 잘 발생하는 모세혈관확장증이 없이 기저동맥의 폐쇄가 있는 경우, ④ 내경동맥의 기시부나 중대뇌동맥의 하방부위의 한 개 또는 그 이상 분지의 폐쇄소견을 보이는 경우, ⑤ 뇌혈관조영술상 정상소견을 보이는 경우로 나눌 수 있으며 각각의 소견에 따라 감별해야 할 질환은 표 14-2와 같다.

(1) 심장질환

2세 이하의 선천성 심장질환은 전통적으로 가장 흔한 소아의 허혈성 경색의 원인으로 알려져 있으며 동반된 다

표 14-2. 편마비 환자의 감별진단

1. 혈관기형 　동정맥기형 　동맥류 　미세혈관종 2. 뇌동맥폐쇄 　동맥염 　섬유근성비후증 　모야모야병 　뇌동맥폐쇄증 　동맥경화증 　고혈압 　색전증	3. 뇌정맥폐쇄-정맥성혈전증 4. 대뇌질환 　경련전후마비 　뇌염 　뇌농양 　뇌종양 　다발성경화증 5. 경막하혈종 6. 편두통

혈구증이나 저산소증과 함께 혈액의 점도가 증가되어 혈전증이 흔히 나타나게 된다. 또한 우좌단락이 있는 경우에는 정맥색전이 폐순환을 넘어 중추신경계에 다다르는 경우가 있다. 청색증이 있는 선천성 심질환이나 류마티스 열이 있는 경우에는 심방세동과 기타 부정맥으로 인한 벽성혈전(mural thrombi)이 형성되고 떨어져나가 폐쇄가 발생한다. 세균성 심내막염과 심장내 증식물(vegetation)로부터 색전증이 형성되는 경우에도 같은 현상이 나타난다.

(2) 외상

두부외상에 따른 경막외/경막하 출혈 또는 뇌실질의 출혈로 인해 편마비가 나타날 수 있으며, 이 경우에는 두개골 골절이나 외상의 흔적이 진단에 실마리가 될 수 있다. 소아의 경우 연필이나 아이스크림 막대기 같은 이물질을 구강 내에 넣고 있다가 넘어지게 되면 편도선 주위를 찔려 내경동맥의 혈전증이 발생해서 편마비가 나타나기도 한다. 머리와 경부의 외상으로 발생한 내경동맥의 두개골 바깥부분에 생긴 외상성 혈전에 의해서 나타난다.

(3) 감염

바이러스성 뇌염은 대개 양측 뇌반구를 침범하기 때문에 편마비가 흔하지 않지만 일부 herpes 뇌염의 경우는 국소적으로 측두엽을 침범하여 편마비의 원인이 될 수 있다. 뇌척수액 소견은 단백량의 증가와 초기에는 다형 백혈구의 증가가 있고 나중에는 임파구가 증가한다. 심한 편도선염으로 인해 근접한 내경동맥에서 발생한 혈전에 의해서

도 폐쇄성 뇌혈관질환이 나타날 수 있다.

(4) 혈액질환

경색과 관련하여 가장 잘 알려진 혈액질환은 낫적혈구빈혈(sickle cell anemia)로 대표되는 혈색소병증이다. 유전적, 지역적 특성을 가지고 있어서 극동아시아에서는 드문 질환으로 알려져 있지만, 유럽 및 일부 지중해 지역에서는 그 빈도가 높은 편이다. 주로 원위부 내경동맥 및 그 분지들이 영향을 받아 뇌경색을 일으키며, 나이가 들면서 점차 경색의 발생빈도가 높아지며 특히 한번 경색을 일으킨 경우 절반 이상의 환자에서 경색이 재발하는 것으로 되어 있어 주의를 요한다.

(5) 응고이상

응고이상은 응고이상 단독 혹은 다른 원인질환의 동반증상으로 허혈성 경색의 원인으로 작용하는 것으로 알려져 있다. 많은 경우 유전적 소인을 가지고 있으며, 최근의 분자생물학적 진단기법의 발달과 더불어 점차 그 중요성이 강조되고 있다. 허혈성 경색과 관련된 흔한 응고이상은 표 14-3과 같다.

(6) 모야모야병

양측 내경동맥 말단부위에 발생하는 진행성 폐쇄성 뇌

표 14-3 허혈성 경색과 관련된 응고이상의 원인

1. 흔한 유전자 돌연변이 　factor V Leiden 돌연변이(APC resistance) 　MTHFR C677T(호모시스틴뇨증) 　prothrombin G20210A 돌연변이 2. 드문 유전적 결함 　protein C 　protein S 　antithrombin III 　plasminogen 3. 기타 　antiphospholipid antibodies 　homocysteine 　lipoprotein 　increased fibrinogen 　increased factor IX, VIIIC 　decreased factor XII

혈관질환으로 소아나 성인 초기에 급성 편마비와 일과성 뇌허혈 발작(transient ischemic attack, TIA) 등을 일으키는 질환이다. 일본에서 1950년대 처음 발표한 이후 일본과 극동아시아 지역에서 특히 많이 발생하는 질환으로 여겨졌으나, 전 세계적으로 모든 인종에 발생하는 것으로 알려졌다. 특히 국내에서는 소아기 경색의 가장 흔한 원인 중의 하나로 생각되기 때문에 중요하다. 기본적으로 허혈성 경색을 초래하지만 병의 진행에 따라 출혈성 경색을 유발하기도 한다.

모야모야병의 경우 유아기에서 학동기에 이르는 소아에게 첫 증상이 호발하며 여아에서 빈도가 높다. 가장 흔한 증상은 급성 편마비, 일과성 언어장애, 경련 발작, 뇌경색, 두통 등이다. 환자의 5%에서 불수의적인 운동이 나타나며 어른에 비해 뇌출혈은 흔하지 않다. 일과성 허혈 발작은 소아 환자의 약 20%에서 나타나며 심하게 울거나 과호흡을 하는 경우 유발될 수 있다.

모야모야병의 원인은 뇌동맥의 폐쇄를 일으키는 기전과 광범위한 곁순환을 유발하는 조건들이 잘 알려져 있지 않지만, 자가 면역성 혈관염이 가장 유력한 원인으로 추정된다. 2차적인 원인질환으로 겸상적혈구증, 신경섬유종증, 결절경화증, 결핵성 뇌수막염과 같은 다양한 중추신경계 감염성 질환 등이 모야모야병을 유발 할 수 있다. 흔히 원인질환이 뚜렷하지 않은 경우 원발 모야모야병으로, 특정 원인에 의한 증상일 경우 모야모야 증후군으로 나누기도 하며 모야모야 증후군의 위험인자는 표 14-4와 같다.

진단을 위해 MRI/MRA를 할 경우 협착된 내경동맥과 모야모야 혈관이 기저핵 부위에서 보이고 뇌 CT 검사에서 관찰되지 않았던 경색부위를 확인할 수 있으며 혈관폐쇄 직후 2-3시간 내에도 병변을 확인할 수 있다(그림 14-1). 모

야모야병의 확진을 위해 뇌혈관조영술을 시행하는데 처음에는 뇌내 내경동맥 말단부와 전 및 중대뇌동맥들의 기시부에서 시작되는 혈관의 협착이 보이고 뇌기저핵 부위에서 곁순환인 모야모야 혈관들이 양측성으로 보인다. 동시에 주된 대뇌혈관들의 확장이 보이고, 이어서 전 및 중대뇌동맥들의 소실과 함께 최종적으로 모야모야 혈관들의 감소와 소실이 나타난다. 일본어로 모야모야란 뇌혈관조영술상 보이는 미세한 그물모양의 곁순환이 마치 흐릿한 담배연기와 같다는 의미이다.

모야모야병의 치료에서 항응고제나 스테로이드 등의 내과적 치료는 효과가 입증된 바가 없다. 신경외과적 치료로 천측두동맥(superficial temporal artery)과 중대뇌동맥 분지간의 직접 문합술, 천측두동맥을 두피하에서 박리하여 개두술을 통해 좁은 선상의 경막개구부를 만들어 고정하게 함으로써 신생혈관이 자라서 곁순환을 만들어주는 간접 문합방법인 encephalo-duro-arterial synangiosis (EDAS)가 시도되어 좋은 결과를 얻고 있다. 직접 문합술은 시술

표 14-4. 모야모야 증후군의 위험인자

외상	Williams 증후군
기저수막염	낫적혈구 빈혈
결핵성 수막염	beta-thalasemia
렙토스피라증	Fanconi 빈혈
두개강내 방사선치료	Apert 증후군
신경섬유종증	factor XII 결핍
결절경화증	type I glycogenosis
뇌종양	NADH CoQ reductase 결핍
섬유근성 이형성증	신동맥협착
결절성 다발동맥염	Down 증후군
Marfan 증후군	대동맥축착
Ito 멜라닌저하증	

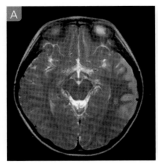
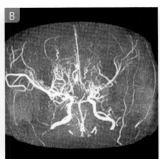
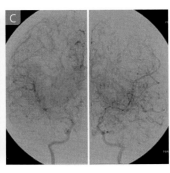

■ 그림 14-1. 모야모야병 환자의 뇌영상
(A) T2강조 영상에서 좌측 측두엽부위의 경색소견을 보인다. (B) MRA에서 중간대뇌동맥 근위부의 협착소견 및 기저부위에 발달된 모야모야 혈관을 관찰할 수 있다. (C) 뇌혈관조영술에서 MRA와 유사한 소견을 관찰할 수 있다.

즉시 허혈이 해결되는 장점이 있으니 어느 정도 혈관이 커야 가능하고 기술적으로 어려운 점이 있다.

　모야모야병을 치료하지 않는 경우 처음 4년 내에 일과성 뇌 허혈 발작이 가장 흔히 출현하며 그 이후로 점차 감소한다. 지적능력의 저하와 신경학적 결함은 나이에 따라 증가하는 경향이 있다. 발병연령이 빠르거나, 신성 고혈압을 동반할 때 예후가 불량하며 경련이 동반된 경우는 소아기 급성 편마비와 달리 예후가 나쁘지 않다. 모야모야병의 부검 소견은 대부분 지주막하출혈, 뇌실내출혈 또는 뇌실질의 출혈이며 이는 모야모야병의 사망 원인이 된다.

2) 증상

　이른 시기에 정확한 진단을 하는 것이 매우 중요하나 성인에서보다 더 소아에서는 진단이 늦게 되는 경우가 많다. 이른 시기에 진단을 해야만 뇌 손상을 줄이기 위한 치료가 일찍 시작될 수 있고 재발을 막거나 재관류를 위한 치료가 조기에 적용될 수 있기 때문에 증상에 대한 인식이 무엇보다도 중요하다.

　소아에서 발생한 급성 국소 신경학적 이상은 명확한 다른 진단이 없는 경우 경색이라고 생각하는 것이 좋다. 갑자기 시작된 편마비가 흔한 증상이며 다른 국소증상으로는 언어장애, 안면마비, 어지럼, 이상 안구운동, 감각변화 등이 나타날 수 있다. 소아에서는 성인과 달리 발작이 더 흔히 나타난다. 두통, 보챔, 의식저하와 같은 비특이 증상이 흔한데 특히 영아에서 더 자주 나타난다. 다른 여러 원인에 의해서도 이런 증상이 나타날 수 있는데 감별에 가장 도움이 되는 점은 갑자기 발생하고 발생 직후 가장 증상이 심하다는 점이다. 다른 만성 질환 혹은 편두통에 동반된 편마비와 같은 경우는 이 점에서 잘 구별이 된다.

3) 치료

　소아의 폐쇄성 경색의 치료원칙은 성인에서의 치료원칙과 대부분 일치한다. 비록 소아에서 연구결과가 부족하거나 명확하게 밝혀지지 않은 부분들도 있지만 대표적인 소아의 프로토콜에서 권유하는 내용은 유사하다.

　소아에서의 폐쇄성 경색은 모든 경우 응급상황이고 진단 즉시 적절한 치료가 가능한 곳에서의 치료가 중요하다. 호흡, 기도유지 및 순환이 잘 이루어지도록 하는 것이 기본이다. 시간이 경과하면 경과할수록 뇌 세포의 손상이 심해지므로 빠른 치료가 가장 중요하다. 혈압을 유지하고 뇌 혈류를 유지하는데 통상적으로 폐쇄성 경색 후에는 혈압이 올라갈 수도 있다. 혈당은 정상범위를 벗어나는 두 경우 모두에서 예후가 불량하므로 잘 유지하도록 한다. 체온 상승이나 발작 등이 대사 요구량을 높이므로 적극적으로 조절하여야 한다. 뇌손상을 막기 위한 다양한 약제에 대한 연구가 있지만 그 효능이 명확하게 밝혀진 것은 없다. 그렇기 때문에 보존적 치료를 통해 항상성을 유지하고 혈류량이 잘 유지되도록 하는 것이 중요하다.

　청소년의 경우 성인의 프로토콜을 확장하여 적용하는 경우가 조금씩 늘고 있지만 그 원인이 급성 혈전에 의한 경우에 효과적이다. 그 이전 연령에서는 안전성 문제로 성인의 치료를 그대로 적용하기는 어렵다. 성인에서의 연구결과는 통상 3시간 이내에 혈전 용해를 하지만 최근 분석을 통해 4.5시간까지도 혈전 용해를 할 경우 재관류를 통한 이득이 부작용 발생보다 더 높다고 보고 있다. 혈전용해 요법이 소아에서는 잘 시행되지 않지만 항혈전 치료는 혈전의 증가나 폐색의 재발을 막기 위해 최대한 빨리 시행되어야 한다. 그 방법으로는 항응고치료와 항혈소판 제제 사용이 있다.

4) 예후

　급성 편마비를 경험한 소아의 50% 이상에서 편측마비나 발작이 지속될 수 있으며, 운동장애의 후유증은 출혈성 뇌혈관질환보다는 폐쇄성 뇌혈관질환인 경우에 더 흔히 나타난다. 다발성 경련후 편마비가 있는 경우에는 75% 이상에서 경련의 재발이 있으며, 경련을 동반하지 않은 편마비 환자에서보다 경련을 동반한 경우에 운동장애, 지능장애, 행동장애로부터 완전히 회복될 가능성이 낮다.

2. 뇌색전증

　신생아기에는 양수 및 태반으로부터 색전증이 생길 수 있으며, 소아기에는 선천성 청색증형 심장병, 세균성 심내막염, 류마티스성 심장판막 질환이 중요한 원인으로 알려져 있고, 드물게 골절에 의한 지방색전증이 발생하기도 한다. 공기색전증은 심장수술이나 ECMO 등의 흉부 외과적 시술에 의해 야기될 수 있으며, 청소년기에는 잠수 후에 갑작스러운 감압으로 혈관내 공기색전증이 생길 수 있다. 임상증상은 의식의 소실, 경련, 편마비, 실어증, 반맹 등의 비특이적 신경계 증상이 다양하게 출현한다. 지방색전증은 골반이나 하지의 골절 후 48시간 내에 나타나며 의식의 변화, 경련, 편마비와 같은 신경계 이상 증상 외에 가슴상부, 얼굴, 겨드랑이 부위에 점상출혈 반점과 빈호흡, 발열이 있으며, 뇌부종의 합병증이 올 수 있다. MRI가 가장 민감한 진단방법이며, 기타 영상학적 진단도구로는 초기에 이상소견이 나타나지 않을 수 있어 주의를 요한다. 지방색전증의 경우 즉각적인 산소투여와 스테로이드를 주입을 고려하며, 공기색전증의 경우는 산소를 투여한다.

3. 뇌정맥 혈전증

뇌정맥 혈전증은 무균성과 감염성(혈전성 정맥염)으로 분류한다. 무균성 뇌정맥 혈전증은 선천성 심질환, 탈수,

외상, 겸상적혈구증, 혈액응고가 항진된 경우 즉 신증후군, 임파구성 백혈병, 선천성 C/S 단백결핍증, antithrombin III 결핍증 등의 원인질환에 대한 감별이 필요하며, 감염성 뇌정맥 혈전증은 두부의 국소적인 감염 특히 편도선염, 중이염이나 유양돌기염에 의해 횡정맥동의 화농성 혈전증이 발생하는 상황에 기인한다. 고열, 두통, 구토 및 의식의 변화가 흔히 나타나며, 편마비나 사지마비를 보인다. 증상이 매우 비특이적이어서 진단이 쉽지 않은 경우를 자주 관찰한다. 따라서 설명되지 않는 비특이적인 증상이 지속되는 경우에는 정맥 혈전증을 반드시 감별해야 한다. MRI가 가장 민감한 진단도구로 CT 검사에서 보이지 않는 정맥동 또는 정맥에 혈전을 증명할 수 있다. 소아 환자의 경우 많은 수에서 특별한 후유장애 없이 회복되지만 신생아의 경우는 후유증이 발생할 가능성이 많아 주의가 필요하며 특히, 대뇌내 정맥, Galen 정맥, 직정맥동을 침범하는 경우에 예후가 좋지 않다.

03

출혈성 뇌혈관질환

Hemorrhagic Cerebrovascular Disorders

| 이란 |

서론 및 역학

소아 뇌졸중의 반 정도는 뇌내출혈 혹은 지주막하출혈이다. 대부분의 소아 자발성 뇌출혈은 뇌혈관 기형, 종양, 감염, 혹은 혈액질환에 의해 2차적으로 발생하며, 9-23%는 기저 질환이 밝혀지지 않은 특발성이다.

초기 치료

급성기 치료의 목표는 환자를 안정시키고 2차적 뇌손상을 막는 것이다. 신경외과에 즉시 협진 요청을 하고, 신경학적 검사를 반복하여 환자의 상태 변화를 파악한다. 30도 이상 두부를 높인 상태를 유지하며 등장성 수액을 투여하고, 혈당 및 체온을 정상 범위로 유지한다. 경련 발작이 있으면 항뇌전증약을 투여한다.

급성기 치료

뇌압상승: 증상, 징후, 모니터링

소아 뇌출혈 환자에서 의식이 저하되는 소견이 있으면 뇌압감시가 필요하다. 뇌실내 도자(intraventricular catheter; IVC) 혹은 뇌실외 도자(extraventricular drain; EVD)를 주로 사용하는데 뇌압 측정과 뇌실내 혈액을 배액하여 뇌압을 조절할 수 있다. 그 외에 subdural blot 방법을 이용할 수도 있다.

뇌압상승의 내과적 치료

과호흡으로 PCO2를 25-30 mmHg로 유지한다. 환자의 머리를 정중앙 30도 올린 상태로 유지하여 정맥혈류의 흐름이 잘 되게 한다. 고장 식염수나 만니톨을 이용하여 고장성(hyperosmol) 치료를 시행한다. 부신피질 호르몬 치료는 성인연구에서 효과가 없었다.

뇌압상승의 외과적 치료

○ **뇌혈종 제거술**(intraparenchymal hemorrhage evacuation)

2010년 성인 뇌출혈 가이드라인을 따르면 임상적으로 환자 상태가 나빠지고, 뇌간이 눌리는 증상이 있거나 뇌실이 눌려서 수두증을 보이는 경우에는 즉각적인 혈종 제거술을 시행하도록 하고 있다. 소아에서는 심부 출혈보다는 lobar hemorrhage가 많다. 즉각적인 혈종 제거는 mass effect를 줄여서 뇌 헤르니아(herniation syndrome)를 막을 수 있다.

○ **대뇌반구 절제술**(hemicraniectomy)

성인에서 뇌절제를 통한 감압술은 빠르게 진행하여 환자의 상태가 악화되는 큰 동맥 허혈성 뇌졸중이나 뇌출혈에서 생명을 살리고 기능을 보존하는 효과가 있다. 관련 연구에서 소아 중대뇌동맥 경색 10명 중 7명이 대뇌반구 절제술을 받았는데 모두 생존했고 중등도의 회복을 보였다. 소아 전향적 연구에서 22명의 뇌내출혈 환아 중 3명이 감압을 위한 뇌절제술을 시행하였고 모두 독립적 기능으로 생활할 수 있었다.

○ 경련(seizures)

경련은 뇌내출혈과 지주막하출혈의 흔한 증상이다. 경련을 보이는 경우 급성기만이라도 항뇌전증약 투여를 하는 것이 바람직하다. 미국 심장학회에서는 소아 뇌졸중에서 예방적인 항뇌전증약 투여를 권고하지 않는다. 지속적 뇌파감시는 의식저하가 지속되는 경우 또는 일반적인 뇌파에서 잡히지 않으면서 경련으로 의심되는 행동이나 활력징후의 변화가 있을 경우에 시행한다.

고혈류 병변

(1) 동정맥기형(arteriovenous malfomation)

[정의 및 발병기전]

동정맥기형은 태아기에 동맥과 정맥을 분리해주는 모세혈관 조직이 제대로 형성되지 않아 발생하는 것으로 알려져 있다. 정상적으로 혈관이 형성된 경우에는 모세혈관에 의한 저항으로 뇌혈류가 감소되는데, 동정맥기형은 이러한 모세혈관이 없고 기형혈관(nidus)이 있어 비정상적으로 유출정맥으로 혈류가 증가되고 정맥압이 높아져서 상대적으로 유입동맥이 확장되고 구부러져 보이게 되며, 직접 시상정맥동이나 횡정맥동, Galen 정맥으로 혈액이 흐르게 된다. 중뇌동맥의 분지에 주로 발생하지만 뇌의 어느 부위에나 생길 수 있으며 천막상부에서 하부보다 3-4배 빈번하다. 대뇌반구에 67%, 소뇌에 13%, 뇌간에 11% 정도 분포하며 약 5%는 시상이나 기저핵에 위치한다. 기형은 피질부 수막 표면에서 시작하여 대뇌 겉질을 거쳐 뇌실까지 이르는 경우도 있으며, 크기는 1 mm에서 10 cm에 이른다. 흔히 주변 조직의 석회화를 동반하며 혈관 밖으로 누출된 혈액에 의해 hemosiderin이 확인되기도 한다.

[증상]

반 정도가 증상성으로 추정되며 10세 이전에 약 10%, 10-20대에 약 50%의 환자에서 증상이 발현된다. 남자에서 여자보다 흔하고 약 80%는 뇌출혈로 처음 발견되며, 이중

25% 정도가 수일에서 수년 내에 출혈이 재발한다. 흔한 증상은 뇌출혈, 경련 및 두통이며, 진행하는 운동장애 및 시야결손, 심부전 등이 나타난다. 출혈은 기형의 위치에 따라 주로 뇌실질내출혈로 발생는데, 지주막하출혈이나 뇌실내출혈로 발생하기도 한다. 반신마비, 시야결손, 동안신경마비 등의 국소적인 신경학적 이상이 나타나고, 신생아에서 원인을 찾지 못하는 고박출성 심부전(high-output heart failure)이 있을 경우 반드시 감별진단에 포함시켜야 하며, 영아의 경우 수두증으로 발현할 수 있다. 경련은 국소 및 전신경련의 형태로 주로 10세 이상에서 나타나며 전체 환자의 약 10-20%에서 보인다. 기타 섬망과 일측성 근긴장이상 같은 추체외로 증상, 국소적인 두통, 진행하는 지적능력의 감퇴현상이 나타나기도 한다. 드물게 척수 동정맥기형이 있을 수 있으며, 이 경우 임상증상은 침범하는 척수 부위에 따른 척수신경증후군으로 나타나므로 주의를 요한다. 또한, 안면혈관종 혹은 말초혈관 확장증이 있는 경우 Cobb 증후군이나 Osler-Weber-Rendu 증후군과 연관될 수 있으며, 일부 Klippel-Trenaunay 증후군 환자에서도 발생할 수 있다.

[진단]

두개골 상부나 안구 위의 청진에서 두개내 잡음(bruit)을 들을 수 있다. 잡음은 정상 소아에서 들을 수 있는 부드러운 잡음과 달리 진전(thrill)이 동반되고 크고 거친 특징이 있다. 환자의 10% 이상이 두개골 단순 방사선사진에서 두개내 석회화를 보이지만 뇌출혈이 의심되는 경우 1차 검

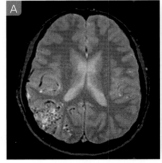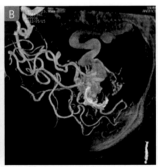

■ 그림 14-2. 7세 남자의 뇌동정맥 기형
(A) T2 강조 영상에서 우측 두정-후두엽부위에 신호공백을 보이는 혈관모양의 다발이 관찰된다. **(B)** MRA에서 확장된 동정맥기형이 보인다.

사는 뇌 CT이다. 뇌 MRI은 동정맥기형의 진단에 유용한 검사로서 동반된 혈종의 크기나 침범부위, 뇌실과 혈관종의 연관관계 등을 규명하는 데 도움을 주며 확진을 위해서는 뇌혈관조영술을 시행하여야 한다(그림 14-2). 뇌혈관조영술은 다른 혈관기형의 동반유무를 확인하기 위하여 반드시 양측의 경동맥과 척추동맥의 조영술이 필요하며 기형의 유입동맥과 유출정맥을 확인하고 병소의 크기 및 부위를 정확히 파악하는 것이 중요하다. 척수신경의 동정맥기형은 CT에서 발견되는 경우가 드물며, 오히려 MRI와 MRA가 진단에 도움이 된다.

[치료 및 예후]

치료는 수술적 제거술, 색전술, 뇌정위 방사선수술(stereotactic radiosurgery) 혹은 이들의 복합치료가 있다.

뇌 동정맥기형의 자연 경과는 좋지 않으며 70-80%에서 출혈을 초래하기 때문에 처음 발견했을 때부터 적극적인 수술적 치료를 권고한다. 처음 출혈이 있은 후 매년 2-4% 정도의 재출혈 빈도를 보이며 경련과 출혈이 함께 있는 경우에 예후가 좋지 않다. 일부 연구자들이 동정맥기형을 크기와 위치, 유입되는 정맥에 따라 분석했을 때, 예후가 나쁠 것으로 예측되고 크기가 큰 경우에는 수술 전후 색전술을 같이 시행하면서, 여러 단계에 걸쳐 수술적 제거를 할 것을 권고하고 있다. 지주막하출혈을 야기한 뇌 동정맥기형을 보인 7-20세 사이의 환자 중 처음 출혈 후 사망률은 21.2%이며, 재출혈 후의 사망률은 25%로 증가한다. 소아에서 뇌 동정맥기형이 발견된 경우는 전에 출혈이 없었다 하더라도 출혈의 위험 때문에 수술적 치료를 하는 경향이며 특히 어릴수록 적극적으로 수술을 고려하도록 권고하고 있다. 수술이 불가능하고 기형 혈관의 크기가 작은 경우에는 감마나이프를 이용한 뇌정위 방사선수술이 대안으로 고려될 수 있는데, 치료효과는 기형의 크기에 반비례하는 것으로 알려져 있다.

(2) 동정맥루

[정의]

동정맥루는 동맥과 정맥 사이에 모세혈관 없이 직접 연결된 것이다. 연결은 단수 혹은 복수로 있을 수 있다. 동정맥기형과의 차이는 기형혈관(nidus)과 유출정맥(draining vein)이 없다는 점이다.

[증상]

출혈의 위험이 높은 것과 더불어 소아에서는 고박출성 심부전, 발달지연, 인지장애, 대두증, 발작, 국소 신경증상, 수두증 등의 증상으로 발현될 수 있다. 그 외 안구돌출(proptosis), 결막부종(chemosis), 2-6번 뇌신경 장애 등으로 발현되기도 한다.

[진단]

뇌혈관 도자술로 진단한다. 뇌 자기공명영상은 유용하기는 하지만 AVF의 진단에는 제한점이 있다(그림 14-3).

[치료]

해면동(carvenous sinus)를 침범한 경막 동정맥루(dural AVF)는 치료를 고려해야한다. 특히 고혈류를 동반하거나 증상 특히 시각증상을 동반한 경우는 적극적으로 치료한다. 소아의 동정맥루 치료는 혈관내 기법(endovascular treatment)이 일차적으로 선택되는 경우가 많다.

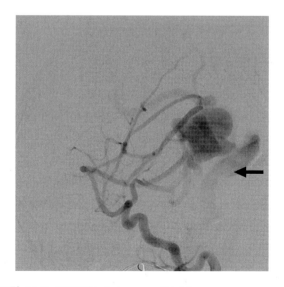

■ 그림 14-3. 동정맥루(arteriovenous fistula)
측면 내경동맥 혈관조영술(Lateral internal carotid angiogram)에서 혈류가 중대뇌동맥(middle cerebral artery)가지에서 혈류를 공급받는 pial AVF를 거쳐 sigmoid sinus로 흘러가는 것을 볼 수 있다(화살표).

(3) Galen 대정맥기형(vein of Galen malformation)

[정의]

내경동맥이나 기저동맥 분지와 Galen 정맥 사이의 직접적인 연결로 발생하며, 높은 정맥압으로 인해 정맥이 동맥류와 같은 모양으로 확장되고 동맥들은 나뉘어져 정맥주위에서 혈관망을 형성한다.

[증상]

영아기에 이런 기형으로 인하여 대량의 동정맥 지름이 형성되어 울혈성 심부전이 나타날 수 있다. 발생 연령에 따라 명확히 구분되는 3가지 형태의 임상양상을 보이는데, 신생아기에 발현하는 경우에는 울혈성 심부전이 출현하고, 남아에서 빈도가 높으며, 수축기성 심잡음과 두개내 잡음, 심비대, 간비대증, 빈맥, 호흡장애와 폐부종 등이 출현하며 진단이 늦을 경우 대부분 심부전으로 사망한다. 영아기에 발현하는 경우 심부전은 잘 나타나지 않으며 절반 가까운 환자에서 실비우스 관을 압박하여 뇌수종을 보이고 지주막하출혈이 있는 경우는 경련이 동반된다. 두피 정맥의 변화가 육안으로 확인되며 두개내 잡음을 들을 수 있다. 예후는 좋지 않으며 출혈과 뇌압상승이 발생하고, 후기에 심부전으로 진행하기도 한다. 유아기 이후에 나타나는 경우 임상양상이 다양하여 두통과 두개내 출혈 등이 경련, 국소적인 신경계 이상과 함께 나타난다.

[진단]

뇌 MRI 및 MRA로 기형혈관을 확인할 수 있으며, 뇌 CT로 기형 내에 석회화를 볼 수 있고 뇌혈관조영술로 확진할 수 있다.

[치료]

신생아기에 심부전이 있으면 조기 수술치료가 필요하다. 영아기 이후의 치료는 뇌위축과 인지기능 지연을 막기 위함이다. 기형의 위치나, 정맥주위의 혈관망, 심혈관의 취약성 때문에 수술이 어려우나 혈관내(endovascular) 기법이나, 동맥경유(transarterial) 색전술과 같은 미세 외과적 수술이 가장 추천되며, 드물게 단계별 수술을 통해 호전을 기대할 수 있다. 공급혈관을 결찰하는 수술적 치료로 영아기 환자의 약 10% 정도에서 후유증 없이 회복을 기대할 수 있으며, 대개는 신경학적 결손을 남기게 된다. 특히 양쪽 경동맥 및 척추기저동맥에서 유입되는 경우 예후가 불량하다.

저혈류 병변

(1) 해면상 혈관종(Cavernous Malformations)

[정의]

해면상 혈관종은 늘어난 혈관으로 이루어져있으며 신경 실질 없이 내피세포(endothelium)로만 혈관벽이 이루어진다. 저혈류량 병변으로 지름이 1 mm보다 작은 것으로부터 수 cm까지 다양하다.

[증상]

발작, 국소 신경증상 등

[진단]

CT나 MRI로 진단하며 일반적으로 혈관조영술로는 잘 보이지 않는다. 급성 출혈기에는 진단이 어려울 수도 있다. 낭종이나 석회화 병변이 있으면 종양과 감별해야한다(그림 14-4).

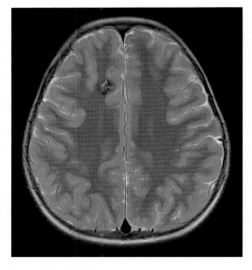

■ 그림 14-4. 해면상 혈관종(cavenous hemangioma)
Axial T2-weighed image에서 우측 전두엽부위에 전형적인 팝콘모양의 저음영(hypointense) 병변이 관찰된다.

[치료]

일반적으로 증상이 있는 병변(발작, 국소부위 두통, 국소 신경증상), 반복적 출혈, 출혈 시 신경학적 손상이 심각하다고 생각되는 부위의 병변은 수술적으로 제거한다. 무증상 병변의 수술적 치료에 대해서는 일치된 의견이 없지만, 병변부위가 접근이 용이하면 소아에서는 수술적 제거를 권하는 의견이 많다.

[예후]

수술 후의 예후는 좋은 편으로 대부분의 연구에서 0%에 가까운 사망률과 4-5%의 영구적 손상을 보고하고 있다. 완전히 절제하지 않은 경우에는 재발할 수 있다. 수술 후의 영상추적은 일치된 의견은 없지만 대개 수술 후 3-5년 동안은 1년에 1회 정도, 이후는 더 긴 간격으로 추적한다.

(2) 뇌동맥류

[역학]

뇌동맥류는 대개 후천적으로 발생하는 질환으로 어른에 비해 소아에서는 매우 드물어 발생빈도는 뇌 동정맥기형의 1/10 정도이지만 파열될 가능성이 높아 임상적으로 중요한 질환이다. 20세 미만 소아청소년 지주막하출혈의 약 40%에서 동맥류가 발견되었다고 보고된 적이 있으며, 성별 및 인종의 차이는 없는 것으로 알려져 있다. 발생부위는 성인에서는 주로 전교통동맥, 후교통동맥, 중대뇌동맥 분지부에서 발생하지만, 소아는 50%에서 내경동맥의 분지부위, 25%에서 대뇌동맥, 12.5%에서 후대뇌동맥에 발생하여, 성인에 비해 내경동맥 분지부와 후순환계에서의 발생빈도가 높다.

[발병기전]

혈관 중간층의 선천적인 결함으로 발생하며, 6-20%에서 가족력을 가진다. 가족 중 뇌동맥류 파열이 있으면 뇌동맥류의 발생빈도는 대조군과 비교하여 4배까지 증가한다는 보고도 있다. 최근에는 혈역동학적 요인이 관여한다는 주장이 있다. 동반된 질환으로 신경상피 낭종(neuroepithelial cyst), 뇌량 발육부전, 제3형 교원질 결핍으로 인한 Ehlers-Danlos 증후군(제 IV 형) 등이 있다. 매우 드물게 대동맥 축착증, 다낭신이 동반되기도 한다.

[증상 및 진단]

가장 흔한 증상은 갑작스런 대량의 두개내출혈로 심한 두통, 구토, 뇌막자극 증상과 함께 뇌압의 증가가 일어난다. 출혈이 진행되면 국소적인 신경계 이상, 경련, 의식변화, 망막의 출혈이 발생할 수 있다. 25-50%에서 두개내 혈

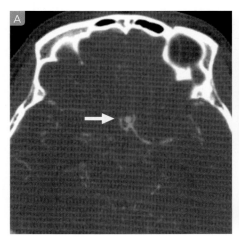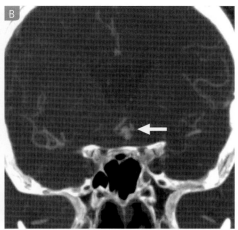

■ 그림 14-5. 동맥류(arterial aneurysm)
Axial source image(A) and coronal reformatted image(B) of 3D-CT angiography. 파열된 anterior communicating artery의 동맥류가 보인다.

종이 생기며 이로 인해 갑작스러운 뇌압의 증가와 반신마비가 나타날 수 있다. 20% 정도의 환자에서 출혈이 생기기 전 주기적인 두통의 병력이 있으며, 거의 대부분이 편두통의 일반적인 진단기준에 부합하지 않는 것으로 알려져 있어, 외래에서 최근에 진행하는 양상의 두통 환자를 진찰할 때 주의하여야 한다.

갑작스러운 두통이 구토와 눈부심을 동반할 때 즉시 뇌 CT를 시행하여 동맥류의 파열을 감별하여야 한다. 5 mm 이상의 동맥류는 뇌 MRI나 MRA로 확인이 가능하며 뇌 MRI는 동반된 합병증 즉 뇌실출혈, 경막하출혈, 대뇌혈종, 뇌수종 등을 확인하는데도 유용하다. 이상의 검사로 병소가 확인되지 않을 경우에는 뇌혈관조영술이 가장 정확한 진단 방법이다. 컴퓨터를 이용한 3차원 혈관조영술은 해부학적 부위를 잘 표현할 수 있어서 점차 이용이 증가하고 있다(그림 14-5).

[치료 및 예후]

치료에 대한 가장 큰 논란은 지주막하출혈로 인한 혈관연축과 수술시기이다. 고전적인 치료방법 즉 출혈 1-2주 후에 수술(clipping)을 하는 경우는 수술 후 사망률과 후유증을 줄일 수 있으나 수술을 기다리는 동안 재출혈이나 뇌혈관연축으로 인한 사망률이 매우 높아진다는 단점이 있어 최근에는 출혈 후 3일 이내의 조기 수술을 선택하고 있다. 수술을 기다리고 있거나 연기해야 할 경우에는 항섬유소 용해성 물질인 aminocaproic acid와 Ca 통로 억제제를 사용한다. 혈관연축은 지주막하출혈 후 4-16일에 53% 정도에서 발현되어 성인과 비슷하고, 이로 인한 허혈성 뇌손상으로 수술적 치료를 성공적으로 했음에도 불구하고 인지기능 장애 등의 후유증을 남기게 된다. 최근에는 여러 가지 혈관내 수술기법의 발전으로 수술의 적응증이 보다 확대되는 경향을 보이고 있으며, 수술 후 장애도 감소할 것으로 기대하고 있지만, 아직까지 소아에서 체계적인 근거는 부족한 실정이다.

일반적으로 동맥류가 파열되었거나 점점 커지거나 증상이 있는 경우는 수술적 치료를 고려해야한다. 위치나 환자의 상태에 따라 다르나 3 mm보다 큰 경우에는 치료를 고려한다. Mycotic aneurysm인 경우 항생제치료만으로 호전되기도 한다. 크기가 2 mm 이하이거나 지주막하 이외에 위치한 경우는 추적관찰만 하기도 한다. 보존적 치료로 허혈을 조장하는 요인인 저혈압, 혈액부족, 저나트륨혈증, 뇌압의 증가를 교정하고 예방하여야 한다. 일반적인 두통의 검진 시 우연히 발견된 동맥류의 경우, 크기가 1 cm 이상이면 수술적 치료의 적응이 된다. 소아 환자는 성인에 비해 예후가 더 좋으며, 조기 재출혈의 빈도도 낮고, 사망률도 30%로 성인의 50%에 비해 낮다. 성인에서 예후인자인 동맥류의 크기와 위치, 고혈압, 수술시기, 동반된 질환 등은 소아에서는 영향이 덜 하다.

04

뇌졸중 유사 증상의 감별진단

Differential Diagnosis of Stroke-Like Events

| 은소희 |

갑자기 발생한 국소 신경학적 결손은 뇌졸중을 먼저 생각하고 검사해야 하며 신속한 치료가 필요한 뇌졸중 유사 질환과 감별해야 한다.

편두통

편두통이 급성 신경학적 결손의 원인일 수 있으나 뇌 영상검사가 정상인 점으로 구분할 수 있다. 편두통의 전조 증상은 지속시간이 5-60분으로 짧고 완전히 회복되며, 뇌졸중에 비해 감각이상 또는 운동약화 등의 신경학적 증상이 수분에 걸쳐 서서히 진행한다. 드문 편두통의 형태인 반신마비 편두통, 뇌간조짐 편두통, 두통을 동반하지 않는 전형 조짐 등은 뇌졸중과 상당히 유사한 증상으로 나타날 수 있다. 드물게 편두통의 합병증으로 편두통 경색증이 유발될 수 있다.

발작

긴 국소발작 후 국소 신경약화(Todd 마비)가 나타날 수 있으나 대부분 1시간 이내 회복되며 뇌 영상검사와 뇌파검사로 구분할 수 있다.

감염

세균성 뇌수막염과 헤르페스 뇌염과 같은 생명의 위험을 초래하나 치료할 수 있는 중추신경계 감염이 뇌졸중으로 오인될 수 있다. 중추신경계 감염은 발열을 동반하며 뇌졸중에 비해 증상 진행이 덜 빠르고 신경학적 증상이 명확히 국소화하지 않는 차이가 있으며, 뇌 영상검사를 통해 감별할 수 있다. 세균성 뇌막염은 정맥 및 동맥성 뇌졸중의 위험요인이다.

탈수초질환

급성 파종성 뇌척수염, 다발성 경화증 등의 탈수초질환에서 급성 국소 신경학적 결손을 보일 수 있어 감별이 필요하다. 탈수초질환은 증상의 발생과 진행이 수시간 및 수일에 걸쳐 일어나며 여러 부위 결손 및 뇌기능 저하를 동반하는 점이 차이가 있다.

저혈당

급성 혈당저하는 뇌졸중과 유사한 국소 신경학적 이상을 보일 수 있다. 당뇨병, 부신기능저하증, 스테로이드 중단, 케톤식이요법 등의 저혈당의 기저요인이 있는지 확인한다.

전반적 저산소 허혈 뇌병증

전반적인 뇌관류의 감소가 비대칭적인 국소 뇌분수계 경색(watershed infarction)을 초래하여 뇌졸중과 감별이 필요할 수 있다. 뇌분수계 허혈손상은 저혈압이나 패혈증, 탈수, 또는 심장기능 이상에 의해 뇌관류 감소로 인해 초래된다.

553

고혈압성 뇌병증

후두부 가역성 백질 뇌병증이 뇌혈관의 자율조절 능력을 벗어나는 갑작스런 고혈압에 의해 발생할 수 있다. 주로 뇌내 후반구의 겉질과 인접한 겉질밑 백질에 광범위한 부종이 나타나서 시력이상, 의식저하, 발작 등이 나타날 수 있다.

유전대사질환

MELAS (mitochondrial myopathy, encephalopathy, lactic acidosis, and stroke-like episodes)등의 미토콘드리아병증이 대사성 경색(metabolic infarction)을 초래할 수 있고, 임상 병력과 뇌 MRI로 구별할 수 있다. Fabry병과 호모시스틴뇨증은 허혈성 뇌졸중을 초래할 수 있다.

전정기능 이상/조화운동불능

갑작스런 어지럼증 및 자세불안정은 뇌간 또는 소뇌 뇌졸중과 혼동될 수 있다. 감별해야 할 질환은 급성 전정신경증, 바이러스성 미로염, 양성돌발현훈, 급성 소뇌실조, 삼화실조 등으로 뇌졸중과 감별하기 위해 뇌 영상검사가 필요하다.

참고문헌

1. Kenneth F Swaiman, Pediatric Neurology: Principles and Practice, 6th ed. Elsevier, 2017

2. Kosnik-Infinger L, Carroll C, Greiner H, et al. Management of cerebral cavernous malformations in the pediatric population: a literature review and case illustrations. J Neurosurg Sci 2015;59:283-94.

3. Monagle P, Chan AK, Goldenberg NA, et al. Antithrombotic therapy in neonates and children: Antithrombotic Therapy and Prevention of Thrombosis, 9th ed: American College of Chest Physicians Evidence-Based Clinical Practice Guidelines. Chest 2012;141:e419S-96S.

4. Niimi Y. Endovascular treatment of pediatric intracranial arteriovenous shunt. Pediatr Int 2017;59:247-57.

5. Rajani NK, Pearce K, Campion T, et al. Pediatric stroke: current diagnostic and management challenges. Quant Imaging Med Surg 2018;8:984-91.

6. Roach ES, Golomb MR, Adams R, et al. Management of stroke in infants and children: a scientific statement from a Special Writing Group of the American Heart Association Stroke Council and the Council on Cardiovascular Disease in the Young. Stroke 2009;39:2644-91

7. 대한소아신경학회, 소아신경학, 2nd ed. 군자출판사, 2013

제**15**장

신경근질환

Neuromuscular Disorders

01

소아 신경근질환의 진단적 접근

Diagnostic Approach to Neuromuscular Disorders

| 채종희 |

신경근 질환은 영유아 및 소아의 근긴장 저하와 근위약의 흔한 원인이다. 정확한 진단을 위해 가장 중요한 것은 역시 침범부위(척수의 운동 신경세포/신경근 이하 말초신경/신경근 접합부 또는 근)를 정확히 알아낸 후 특이 임상양상 및 소견 등에 근거하여 진단하는 것이 일반적이다. 최근 들어 분자생물학 기술의 눈부신 발전과 더불어, 십여 년간 이루어진 신경근질환 분야, 특히 근퇴행위축, 척수근위축 분야의 연구성과는 그 동안 임상진단에 의존해 오던 진단체계를 한 단계 끌어올리는 획기적인 발판이 되었을 뿐 아니라, 기존의 임상소견에 의존하던 분류체계에서 유전 또는 분자생물학 병인에 근거한 분류체계로의 변화를 가져오는 계기를 마련하였다. 따라서 신경근질환의 진단에 있어 전통적인 방법인 임상소견, 근전도(electromyography, EMG) 및 근생검 등은 진단방법으로서의 유용성에 있어 제한적 가치를 가지지만 현재의 분자유전 진단으로 모든 신경근질환의 진단이 가능하지 않으므로 기존의 기초적인 진단체계를 바탕으로 하는 체계적 접근이 필요하다.

1. 임상적 접근

근약화, 발달장애, 저긴장증을 보이는 영유아 및 소아의 경우 진단을 위한 첫번째 단계는 상기 증상이 중추신경계 이상인지 말초 근신경계 이상인지를 감별하는 것에서 시작한다. 보통 근위축, 근다발수축(fasciculation), 근 건반사의 감소 및 소실 등은 말초 근신경계 이상을, 과다반사, 경련, 지능이상 및 뇌증 등은 중추신경계 이상을 의심할 수 있는 소견이며 이러한 임상소견에 근전도 및 근효소수치(serum creatinine kinase) 등의 검사소견 및 임상경과 등을 고려하여 진단에 접근하는 것이 일반적이다. 그러나 영유아 및 소아의 경우 발달 과정에 있고 성인과 달리 검사 도

표 15-1. 소아기의 주요 신경근질환

퇴행성 근질환	근퇴행위축 　　dystrophinopathy (DMD/BMD) 　　sarcoglycanopathy 선천 근퇴행위축 근긴장퇴행위축
대사근병증	당원축적질환 　　Pompe병 　　myophosphorylase 결핍 사립체 근병증 carnitine 결핍
선천근병증	nemaline 근병증 central core 근병증 myotubular/centronuclear 근병증 주기성 마비
후천질환	피부근염 다발근염 바이러스 근염

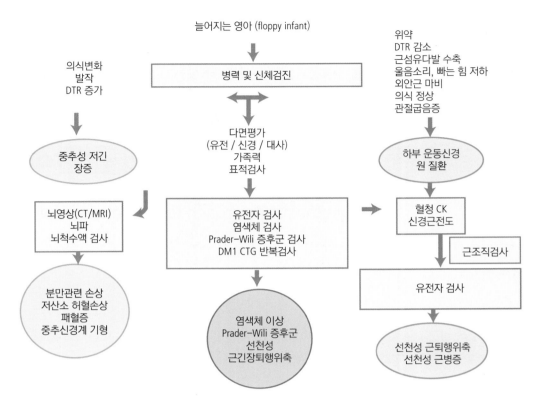

늘어지는 영아 (floppy infant)

위약
DTR 감소
근섬유다발 수축
울음소리, 빠는 힘 저하
외안근 마비
의식 정상
관절굽음증

의식변화
발작
DTR 증가

병력 및 신체검진

다면평가
(유전 / 신경 / 대사)
가족력
표적검사

중추성 저긴
장증

하부 운동신경
원 질환

뇌영상(CT/MRI)
뇌파
뇌척수액 검사

유전자 검사
염색체 검사
Prader-Wili 증후군 검사
DM1 CTG 반복검사

혈청 CK
신경근전도

근조직검사

유전자 검사

분만관련 손상
저산소 허혈손상
패혈증
중추신경계 기형

염색체 이상
Prader-Wili 증후군
선천성
근긴장퇴행위축

선천성 근퇴행위축
선천성 근병증

■ 그림 15-1. 소아 신경근질환 환자의 감별진단 흐름도

중 협조가 이루어지지 않아 신경학적 검사 및 신경근전도 검사 등에서 확실한 이상을 알아내기 어려운 경우가 있을 수 있으므로 환자에 대한 임상적 고려가 필요하다. 영유아 및 소아에서 비교적 흔한 신경근질환을 표 15-1에 정리하였다.

요약하면 근긴장 저하, 근위약, 운동발달장애, 근피로, 근경련 등의 증상을 보일 경우 신경근질환을 의심해야 한다. 자세한 병력청취, 특히 태동의 저하, 양수과다 등에 대한 산전 병력청취 및 가족력을 자세히 알아보아야 하며 근위약 및 근약화의 시작 연령, 진행 속도, 증상의 침범부위, 일과성 변동 등에 대한 병력청취 및 언어지연, 경련 등의 중추신경계 증상이 동반되었는지를 염두에 두어야 한다. 이후 의심되는 경우 혈청 CK 검사를 시행하고 신경근전도를 시행하면 감별진단에 도움을 받을 수 있다(그림 15-1).

1) 근퇴행위축(Muscular dystrophy)

근퇴행위축이란 진행성의 근위약을 보이며 근생검에서 퇴행위축(dystrophy)의 소견; 근섬유 크기의 변이, 근섬

유의 괴사 및 재생, 사이질의 섬유화를 보이는 유전 근질환이다. 가장 대표적인 질환인 Duchenne/Becker 근퇴행위축(DMD/BMD)의 유전적 원인으로 1987년 근막단백인 dystrophin 및 그 유전자가 발견된 이후, 근퇴행위축의 병태생리를 이해하는데 있어 획기적인 전환을 가져오게 되었다. 기존의 임상양상의 유형에 따라 분류되어 왔던 팔다리이음 근퇴행위축(limb girdle muscular dystrophy), 얼굴어깨위팔 근퇴행위축(facioscapulohumeral muscular dystrophy), 선천 근퇴행위축(congenital muscular dystrophy) 등의 질환들이 dystrophin연관 근막단백 또는 핵연관 단백의 결손에 의함이 점차 밝혀지게 되었고 동시에 positional cloning을 통한 유전적 접근이 함께 이루어져 현재는 원인유전자 및 그 산물인 기능단백까지 발견됨에 따라 이에 근거한 유전분류가 가능하게 되었다. 진단에 있어서도 그 원인유전자 산물 및 관련 단백을 목표로 하는 면역염색화학 방법을 통해 근에서 직접 형태학적으로 발현양상을 관찰하는 방법과 원인 유전자에 대한 유전검사가 표준 진단법으로 자리잡고 있다. 최근 들어 영유아의 경우에도 다른 원

인에 의해 일반적 혈액검사를 하는 경우가 많아 무증상이고 CK 혈증이 발견되어 진단되는 경우가 드물지 않다. 또한 일반적 혈액검사에서 간기능의 특이한 이상의 증거 없이 지속적으로 간효소 수치가 경중도로 높게 측정될 경우 여러 가지 유형의 근퇴행위축의 가능성을 염두에 두는 것이 중요하다.

2) 선천근병증(Congenital myopathy)

선천근병증은 유전원인에 의한 근병으로 천천히 진행하거나 또는 비진행성의 근질환이다. 일반적으로 출생 시부터 전신 근긴장도의 저하가 나타나며 수유장애나 호흡장애를 동반하게 되고 종류에 따라서는 얼굴기형이 나타나기도 한다.

선천근병증의 고전적 형태로 central core병, nemaline 근병증, myotubular(conetronuclear) 근병증이 잘 기술되어 있고 그 밖에 근생검 후의 병리소견에 따른 형태학적인 분류의 종류도 다양하다. 지금까지 알려진 유전적 원인으로는 centronuclear 근병증에서의 MTM1 유전자, nemalin 근병증의 NEM1, NEM2, NEM3, NEM4, central core병의 Rynodine receptor gene (RYR1) 등등이 원인 유전자로 알려졌지만 유전자의 크기가 매우 크고 각각의 임상형이 매우 다양한 유전 다양성(genetic heterogeniety)을 보여 실제 진단에 이용되는 DNA 검사법은 아직 없는 실정이다. 따라서 선천근병증의 진단에 있어서는 임상소견 및 근생검 전의 근전도가 도움이 되며 근생검을 통해 효소조직화학검사를 중심으로 하는 특수염색을 시행하고 근조직에서의 형태학적 특징을 관찰하는 것이 진단에 있어서 가장 중요하다.

3) 척수근위축증(Spinal muscular atrophy)

척수근위축증은 어린 영유아에서 비교적 빠른 시기에 사망을 초래하는 유전성 운동신경원(motor neuron) 질환이다. 임상양상의 중증도 및 발병시기에 따라 1, 2, 3 형으로 나누며 1990년대 유전자 연관분석을 통해 관련 유전자 위치가 밝혀지기 시작한 이후 현재는 염색체 5q13에 위치한 telomeric SMN 유전자(telomeric survivor motor neuron gene; SMN1)가 그 원인 유전자임이 알려져 있다. 실제 SMA 환자의 90-100%에서 SMN1 유전자의 동종 접합결

손이 확인된 상태이다. SMN1 유전자는 20 kb 정도의 크기로 9개의 exon으로 구성되어 있으며 SMN2 (centromeric SMN gene)와는 99% 상동성을 가지지만 exon7, exon8 부분에서 단일가닥구조 다형태 및 PCR 산물의 제한효소에 의한 분절 양상에 차이가 있어 이를 진단에 이용한다. 최근엔 임상적으로 SMA가 의심되는 경우, 확진을 위한 첫 단계는 SMN 유전자검사(민감도 95%)이며 이 검사에서 정상일 경우 EMG 및 근생검을 시행하는 것이 일반적인 진단 과정이다.

4) 대사근병증(Metabolic myopathy)

대사근병증은 당원근병증, 사립체근병증, 지질대사이상 등 다양한 원인에 의하며, 운동불내성(exercise intolerance), 근경련 등이 나타나는 소아에서 주로 의심할 수 있다. 그러나 그 임상양상이 다양하여 운동 시 나타나는 가벼운 근통에서 진행하는 근약화 및 신생아 초기의 심한 호흡 및 수유장애를 동반하는 근위약에 이르는 중증의 증상이 나타날 수 있다. Acid maltase 결핍(Pompe병), myophosphorelase 결핍(McArdle병), carnitine 결핍, phosphofructokinase 결핍 등이 가장 흔하며 확진을 위해서는 근육조직에서 특수 면역화학 염색을 통해 진단하거나 근에서 효소의 활성도를 측정한다. 심비대를 동반한 경우엔 주로 acid maltase 결핍이나 carnitine 결핍을 의심해야 한다.

5) 사립체근병증(Mitochondrial myopathy)

사립체질환은 그 임상양상 및 중증도가 매우 다양하고 여러 장기 특히 산화성 대사에 의존도가 높은 뇌, 골격근, 심장, 신장, 내분비 기관 등을 주로 침범한다. 즉 한 개체에서 서로 관련 없는 신체장기가 동시에 또는 연속적으로 2개 이상 침범되는 경우 사립체질환을 의심해 볼 수 있다. 사립체질환의 다양한 임상양상 및 유전-표현형의 병태생리는 핵 DNA와는 다른 polyplasmy, heteroplasmy, 문턱효과, 사립체 분리(segregation) 및 모계유전과 같은 사립체 DNA 고유의 특성에 기인한다. 진단에 있어서도 단순한 한두 가지의 검사만으로 진단하기 어려우므로 가족력을 포함한 자세한 임상 및 검사결과를 바탕으로 생화학검사, 형태학검사, 유전검사 등 여러 측면에서의 접근이 필요하다. 근조직검사는 사립체질환을 진단하는데 있어서 가

장 유용하면서 상대적으로 비침습적인 검사로서, 조직화학 검사 및 전자현미경 검사를 통한 사립체의 관찰과 같은 형태학 진단, 조직의 배양, 그를 이용한 사립체의 생화학검사 및 사립체 DNA검사 등에 가장 적절하고 유용한 검체를 제공할 수 있다.

02

척수근위축증

Spinal Muscular Atrophy

| 채종희 |

전각세포(α-motor neuron)는 척수 전각의 회백질 부위에 분포하며, 특히 경부와 허리엉치팽대(cervical and lumbosacral enlargement)에 밀집해 있다. 전각세포의 형태학적 분화는 임신 12주에서 14주 사이에 확실해진다. 정상 분화기 후에 세포예정사(programmed cell death)가 일어난다. 전각세포는 내측과 외측의 세포군으로 밀집해 있다. 내측 세포군은 배쪽안쪽 군과 등쪽가쪽 군으로 세분화한다. 배쪽안쪽 군은 표재성의 큰 근들을 지배하고 등쪽가쪽 군은 심부의 작은 근육들을 지배한다. 외측세포군 역시 두개의 세포군으로 다시 나뉘는데 배쪽가쪽 군은 폄근(extensor muscle)을 지배하고 중심등쪽 군은 굽힘근(flexor muscle)을 지배한다. 이러한 신경세포군은 비교적 좁은 지역에 몰려 있어서 해로운 영향이 있을 때 한개 이상의 세포군이 손상을 받아 근력약화가 광범위하게 나타날 수 있다.

전각세포 질환의 증상은 감각기능 이상이 없는 근위축, 심한 근약화, 근다발수축(fasciculation)등이다. 전각세포질

환과 더불어 감각장애가 있을 경우에는 근접한 척수부위나 말초신경의 기능이상이 함께 있을 수 있다.

[역학]

척수근위축증(spinal muscular atrophy, SMA)은 소아연령에서 가장 흔한 상염색체 열성 운동신경 질환으로 척수와 뇌간 운동신경의 변성으로 인해 근긴장 저하와 근약화를 보인다. 보인자의 빈도는 50-80명당 1명이며 유병률은 10,000-25,000명당 1명이다. Duchenne 근퇴행위축에 이어 두 번째로 흔한 유전 신경근질환이다.

[발병기전]

유전

1990년부터 SMA 유전자 위치를 찾기 위한 노력을 계속하였고, 1995년에 survival motor neuron (SMN)의 존재가 밝혀졌다. SMN 유전자는 몇 개의 copy가 존재하는데 한 개의

■ 그림 15-2. SMA 유전자의 유전지도
SMN 유전자 복제는 염색체 5q13 안에 있는 두 개의 inverted genomic fragments(보라색 수평선) 안에 있다. SMN1은 telomeric copy 안에 위치하고, 적어도 한 개의 SMN2는 centromeric copy 안에 위치한다. 노란색과 붉은색의 화살표 방향은 SMN 유전자와 그 근처 유전자들의 전사 방향이다.

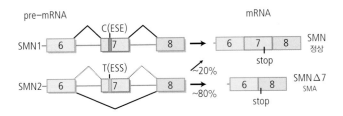

■ 그림 15-3. SMN1 유전자와 SMN2 유전자의 mRNA 전단계의 짜깁기 SMN2 pre-mRNA는 스플라이싱 효율이 떨어져 대부분 exon7이 빠진 mRNA가 만들어진다.

SMN1 (SMNT, telomeric)과 여러 개의 SMN2 (centromeric)로 이루어져 있다(그림 15-2). 두 가지 유전자는 서로 다섯 개의 뉴클레오티드만 다른데 그중 두개는 1.7-kb coding 부위 안에 위치하며 아미노산의 서열에 영향을 주지는 않는다. SMN 단백은 모든 체세포에 분포하며 효모에서 인체까지 널리 존재한다. SMN 유전자 중복은 설치류가 영장류에서 분리된 직후의 진화 단계부터 영장류에서 나타나게 된다. 생쥐의 경우 SMN이 1개의 copy이고 Smn이라 표기한다. SMN2 유전자는 인간에게만 고유하게 존재하는데 다른 영장류들은 여러 개의 SMN 유전자 copy를 가지고 있어도 SMN2는 가지고 있지 않다.

SMA 환자의 98퍼센트 이상에서 SMN1 유전자의 동종접합 결손(homozygous deletion)이나 돌연변이를 가지고 있다. 그러나 모든 SMA 환자에서 적어도 한 개 이상의 SMN2 copy를 가지고 있다. SMN2는 교대짜집기(alternative splicing)를 거쳐서 exon7이 없는 mRNA의 동형을 만든다(그림 15-3). 그 산물인 SMN7 단백은 대부분 기능이 없고 빨리 분해되지만 약 25%는 적절하게 이어져서 온전한 SMN 단백으로 만들어진다. SMN 단백이 낮게 유지되어 배아의 발달은 가능하지만 척수의 운동신경의 생존을 유지하기에는 부족한 것으로 이해하고 있다.

SMN 단백의 기능

SMN 단백이 모든 체세포에 존재하는데 SMA 환자에서 유독 척수 운동신경 세포만 취약한 이유에 대해 SMN 단백이 운동신경 세포에만 특이적인 기능을 할 것이라는 가설이 있다. SMN 단백은 최근에 일차 운동신경 세포의 신경돌기(neurite)와 성장원뿔(growth cone)에 있는 RNP

과립에 국소적으로 분포되어 있는 것으로 밝혀졌다. 이러한 과립들이 신경돌기와 성장원뿔에서 활발하게 쌍방향으로 전달되는 것을 live-cell 형광현미경으로 관찰할 수 있다. SMN 단백은 또한 비균질 핵 리보핵산 단백 R, Q와도 상호작용을 한다. 이는 β-actin mRNA의 3' untranslated region (UTR)과도 상호작용을 한다. SMN 단백의 농도가 낮아지면 축삭과 성장원뿔의 β-actin mRNA와 단백의 농도가 낮아진다. 나아가 SMN 단백은 β-actin을 포함한 RNP 복합체의 교통에 관계할 수도 있다. 두개의 신경세포 배양 모델과 SMA의 zebra fish 모델에서 β-actin 부족은 운동신경 세포 축삭의 생성(outgrowth)을 유발하고 길잡이에 결함(pathfinding defect)을 야기했다.

병리소견

척수 전체에 걸쳐 배쪽 전각세포(ventral horn cell)의 소실이 특징적이다. 뇌간에 있는 설하신경이나 삼차 운동신경의 핵도 역시 영향을 받는다. 외안근을 지배하는 뇌신경이나 요도나 직장의 괄약근을 지배하는 신경들은 선택적으로 보존된다. SMA는 상위운동신경 침범이 없어 가쪽 축삭경화증(amyotrophic lateral sclerosis)과 감별할 수 있다.

[임상양상]

SMA는 심한 근력약화와 자발적인 운동저하를 특징으로 한다. 근력약화는 대칭적이고 사지의 근위부에서 더 광범위하게 볼 수 있다. 손과 발의 소근육에서는 약간의 움직임을 관찰할 수 있다. 근력약화와 함께 근위축이 진행하는데 이 연령대에는 피하지방이 많기 때문에 근위축을 감지하지 못할 수 있다. 몸통과 목, 가슴의 근육들은 비슷한 정도로 침범하지만 횡격막은 말기까지 기능이 보존된다. 병이 진행함에 따라 연수근 침범이 더 심해지고 혀 근육의 위축과 근육 부분위축을 관찰할 수 있다. 심부건반사는 거의 없거나 미약하다. 지능저하나 괄약근 침범은 없다. 감각신경 침범은 신경전도검사에서 관찰 가능하고 장딴지신경 (sural nerve) 생검이나 부검에서 축삭의 소실을 볼 수 있다. 말이집탈락된 장딴지신경 축삭의 비후도 흔히 볼 수 있는 소견이다.

SMA는 증상발현 연령과 운동능력 성취 정도에 따라 세 개의 임상군으로 나눌 수 있다. 가장 증상이 심한 경우

■ 그림 15-4. 제1형 척수근위축증증 환자
견인반응에서 목이 뒤로 쳐지는 등 근긴장 저하의 소견을 보이고 있다.

가 1형, 중간이 2형, 약한 증상이 3형이다. 최근에는 성인에서 발병하는 4형이 추가되었다. 약 4분의 1이 1형이고 2분의 1정도가 2형이며 나머지가 3형에 속한다. 제 1형 환자의 10% 정도는 출생 시 관절구축(arthrogryposis)을 보이는데 이는 심한 태아형을 시사하는 소견으로 최근에 제0형으로 분류하기도 한다.

1형 SMA

1형 SMA (type I SMA, Werdnig-Hoffman병)은 가장 심한 임상형으로 SMA로 진단받은 환자의 약 50%를 차지한다. 발병연령은 보통 6개월 이전이고 생후 2세 이내에 사망한다. 고개 가누기를 못하고 심한 근긴장 저하, 대칭형 이완마비를 보인다(그림 15-4). 혼자 앉기가 대부분 불가능하다. 횡경막은 침범하지 않고, 갈비사이근(intercostal muscle)은 근력약화가 있어 역행호흡(paradoxical breathing)을 하고 상체가 종모양이다. 연수침범으로 혀의 근다발수축(fasciculation)을 보이며 빠는 힘이 약하고 잘 못 삼킨다. 이로 인해 기도 보호가 안 되어 흡인성 폐렴이 발생할 위험이 크다. 주 사인은 호흡기 합병증이다.

2형 SMA

2형 SMA는 중간 정도의 심한 증상을 특징으로 한다. 발병시기는 대개 생후 6개월에서 18개월 사이다. 도움 없이 혼자 앉아있을 수 있으나 혼자 걸을 수는 없다. 척추 후측만증(kyphoscoliosis)이 보통 초기에 생기고 수술적 치료가 필요하다. 삼키는 힘이 약하여 체중증가가 잘 안 될 수 있으므로 비위관 영양이 필요하다. 1형의 경우처럼 갈비사이근 근약화로 기도내 분비물 배출과 기침을 하기가 어려울 수 있다. 특히 상기도 감염시에 이런 증상이 뚜렷해진다. 호흡부전이 청소년기와 젊은 성인기의 가장 흔한 사인이다.

3형 SMA

3형 SMA는 증상이 다양하다. 근력약화는 18개월 이후에 발생하고, 어떤 환자들에서는 성인이 돼서야 뚜렷해진다. 이 환자들은 모두 혼자 걷는 능력을 습득하나 어떤 경우는 소아기에 휠체어가 필요하게 되고 어떤 경우는 근력이 약간 약하나 비교적 정상적인 생활을 할 수 있다. 척추측만증이 발생하나 2형 SMA증보다는 늦은 나이에 발생한다.

4형 SMA

4형 SMA 환자는 근력 약화를 10대나 20대에 처음 경험하게 된다. 운동장애는 미약하여 호흡곤란이나 영양장애는 없다. 이 환자들은 대부분 성인기에도 걸을 수 있다. 주로 근위부 근육을 침범하여 임상적으로 근퇴행위축과 비슷할 수 있다. 1형이나 2형과 달리 관절운동제한이 상대적으로 흔하다. 근퇴행위축에 비해 근효소의 증가가 심하지 않다.

[진단]

유전자검사

확진은 SMN 유전자의 exon7과 8의 결실을 확인하는 것이다. 결실이 한쪽에만 확인된 경우에는 염기서열 분석을 하여 점돌연변이를 확인하여야 한다. 유전자 진단이 가능해지면서 분자유전학적 검사에서 음성이 나오거나 진단받지 못한 극소수를 제외하고는 근생검을 피할 수 있게 됐다.

생화학검사

혈청 효소검사는 운동신경 질환의 감별진단에 있어 중요하지만 진단에 필수적인 검사는 아니다. 혈청 CK는 제1형

SMA에서는 정상이지만 수백 단위 정도는 상승할 수 있고, 수천 단위까지 상승하지는 않는다.

전기생리검사

근전도검사 소견은 운동신경 질환의 임상진단에 도움을 준다. 탈신경 근육(denervated muscle)은 자발적으로 수축하여 단일 근섬유수축이 일어나거나(세동, fibrillation), 운동단위의 수축(근다발수축, fasciculation)이 일어난다. 남아있는 운동단위 전위는 다상성(polyphasic)이고 진폭과 지속시간이 늘어난다. 힘을 주었을 때는 방전의 횟수와 동원(recruitment)이 감소하게 된다. 운동신경의 전달속도는 심한 경우에 감소한다.

근생검

탈신경 위축(denervation atrophy)의 소견을 보이나 주산기의 신경제거는 성숙한 근섬유의 탈신경으로 인한 위축과는 다른 특징적인 소견을 보인다. 작은 위축된 섬유로 이루어진 큰 반(patch)이 관찰되고, 흩어지거나 무리지어진 1형 근육세포들이 존재한다.

[감별진단]

제1형 SMA의 주증상은 근긴장 저하와 심한 운동발달지연이다. 늘어지는 영아로 발현되는 질환이 여러 가지가 있기 때문에 임상적으로만 감별진단하기 어려울 수도 있다. 영아 시기의 근긴장 저하의 가장 흔한 원인은 근긴장 저하 뇌성마비이며 이는 종종 소뇌 형성부전증으로 인한다. 근긴장 저하는 대뇌의 발달기형이나 주산기 장애로 인한 대뇌의 이상증으로도 일어난다. 이러한 환자들은 여러 정도의 인지장애도 동반한다. 자발적인 움직임도 있고, 건반사는 항진된다. 환자의 몸통을 들어 올렸을 때 다리가 뻣뻣해지고 신전근을 찔렀을 때 반사(extensor thrust reflex)가 과도하게 나타난다. 일부는 근긴장 저하 상태로 남아있지만, 일부는 1내지 3년 안에 이상 운동증이나 과다근육긴장으로 나타난다.

선천근병증의 대부분이 늘어지는 영아증후군으로 나타날 수 있어 감별이 필요하다. 심부건반사는 관찰할 수 있고, 자발적 움직임도 제 1형 SMA 보다는 활발하다. 호흡근은 미미하게 침범되고 보통 인지기능도 정상이다. 근생검의 조직화학적 검사나 전자현미경 검사에서 뚜렷하게 구분되는 다양한 종류로 존재하며, 특정한 돌연변이를 발견할 수 있다.

근퇴행위축은 이른 영아 시기에는 드물지만 근효소 특히 CK의 상승은 다른 질환에서는 보기 어렵고 근퇴행위축에서는 흔히 볼 수 있다. 가족력이 없다면 주로 근생검으로 진단하게 된다.

영아 보툴리누스 중독, 다운증후군, 척수절단, 선천성 다발성신경염, Marfan 증후군으로 인한 근긴장 저하, Prader-Willi 증후군, 다양한 만성질환, 영양실조, 대사질환 등이 근긴장 저하의 감별진단에 포함되어야 한다.

[치료 및 예후]

현재까지 질병에 특이적인 약물치료는 없다. 그러나 SMN의 발현을 증가시키는 약물들을 SMA의 치료표적으로 연구 중이다. 이들은 SMN2의 RNA-based modulation이나, 줄기세포 치료 등을 통해 이루어진다.

SMA의 치료는 아직까지 대증치료로, 제1형 SMA의 진행을 막을 수는 없다. 서서히 진행하는 형에서 치료는 최대한 운동성을 유지하여 독립적 생활이 가능하게 도와주고 관절구축을 막는 것을 목표로 한다. 척추후측만증을 예방하기 위해 경량의 지지대를 해 주고, 가능하면 보조기를 하고 걷도록 격려한다. 척추측만증이 계속 진행하면 수술적 치료를 하기도 한다. 운동을 통해 기능이 남아 있는 근육을 강화시킬 수 있다. 삼킴곤란은 일부에서는 말기에 나타나는 합병증이고 이런 경우 흡인의 위험이 있다.

SMA는 매우 예후가 좋지 않은 질환이므로 유전상담이 필요하다. 현재 가능한 보인자 검사는 SMN1과 SMN2 유전자의 양을 측정하는 것인데, 가족 중에 SMN 유전자 결손이 있는 경우나, SMN 유전자 결손의 보인자로 확정된 사람과 결혼을 하려는 사람은 시행해야 한다. 정상인은 염색체마다 SMN1의 single copy를 가지고 있는데 보인자의 경우 염색체 한 개는 정상 SMN1 유전자를 다른 한 개는 SMN1 유전자 결손을 가지고 있다. SMN 유전자 결손이 있는 환자에서 SMN2의 정량은 예후의 판단에 중요한데 SMN2 copy 수가 많을수록 예후는 더 좋다.

근퇴행위축

Muscular Dystrophy

| 채종희 |

근퇴행위축(muscular dystrophy)은 근육을 구성하는 단백질 결핍으로 인하여 골격근의 위약과 근세포나 조직의 괴사를 특징으로 하는 임상 및 분자유전학적으로 이질적인 유전 근질환군이다. 근퇴행위축이 다른 말초신경-근질환과 감별되는 4가지 통상적인 기준은 일차 근질환이며, 유전성이고, 진행성이면서, 병의 경과 중 어떤 시기에서도 근섬유의 변성과 괴사가 출현하는 것이다.

즉 신경원성(nerogenic)인 척수근위축증(spinal muscular atrophy), 비유전 근병증인 피부근염(dermatomyosis), 비진행성 비괴사성 선천근병증(congenital myopathy)인 nemaline 근병증 등과 비진행성 대사성 근병증은 근퇴행위축의 범주에 속하지 않는다.

근퇴행위축의 분류는 전통적으로 발병연령과 유전양식 및 위약부위의 양상에 따라 X-연관(X-linked) 근퇴행위축, 팔다리이음(limb girdle) 근퇴행위축, 선천(congenital) 근퇴행위축, 원위 근퇴행위축/근병증(distal dystrophy/ myopathy), 얼굴어깨위팔(facioscapulohumeral) 근퇴행위축, Emery-Dreifuss 근퇴행위축, 근긴장(myotonic) 근퇴행위축, 눈인두근(oculopharyngeal)을 포함한 기타 근퇴행위축과 유전 봉입체 근병증(hereditary inclusion body myopathy, IBM)로 분류한다. 최근에 같은 유전자 결손에서도 표현형이 다르게 나타나는 경우가 있어, 유전자 결손물질에 따라 dystrophinopathy, myotilinopathy, dystroglycanopathy, sarco-glycanopathy, caveolinopathy, calpainopathy, dysfer-linopathy 등으로 분류하기도 한다.

여기에서는 X-연관 근퇴행위축 중 Duchenne 근퇴행위축과 Becker 근퇴행위축은 디스트로핀병증(dystrophinopathy)으로, Emery-Dreifuss 근퇴행위축는 여러 유전 양상을 갖고 있어 별도로 설명하였다(표 15-2). 이런 다양성 때문에, 근퇴행위축에서는 발병시기, 병소(근육) 부위, 증상의 정도 및 병의 경과가 매우 다양하며, 예후도 다양하다.

[발병기전]

Dystrophin은 근육의 세포골격(cytoskeleton)을 구성하는 단백질로서 근 속막(sarcolemma)에 존재하는 dystroglycan (DG)과 sarcoglycan (SG), dystrobrevin, syntrophin, sarcospan 등 세포막 당단백들과 연결 결합되어 dystrophin 연관 단백복합체(dystrophin-associated protein complex, DAPC)를 형성한다.

DAPC는 세포내 actin 세포골격과 세포외 기저막기질(extracellular basal matrix)을 연결하는 가교역할을 함으로서 근육의 이완과 수축과정에서 근 세포막의 구조적인 안정화에 기여함은 물론, 자극에 의한 세포막 손상을 예방한다. 즉, dystrophin이 결핍되면 DAPC의 기능저하로 인해 근 속막의 불안정이 초래되고 기저막과 세포골격의 연결이 분열됨으로서 정상적인 근육의 재생-변성의 과정이 불가능해진다. 따라서 비정상적인 근육의 괴사가 지속되고 정상적인 근육의 수축과 이완의 이상을 초래하여 근력의

표 15-2. 근퇴행위축의 분류

유전적 분류			결핍물질에 따른 분류
X-연관 근퇴행위축(X-linked muscualr dystrophies, XLMD)	XR	Duchenne/Becker Emery-Dreifuss scapuloperoneal	dystrophinopathy
팔다리이음 근퇴행위축(LGMD)	AD	LGMD1A-1G	myotilinopthy caveolinopahty
	AR	LGMD2A-2O	calpainopahty dysferlinopathy sarcoglycanopathy telethoninopathy
선천 근퇴행위축(CMD)	AR	MDC1A integrin α7 결핍 CMD MCC/LGMD2I Fukuyama/LGMD2M WWS/LGMD2K MEB/LGMD2O rigid spine 증후군 Ullich/Bethlem LMNA 결핍 CMD	merosin 결핍(MDC1A) fukutinopathy laminopathy dystroglycanopathy
	AD	Bethlem	
원위 근퇴행위축/근병증(DM)	AR	Nonaka Miyoshi 1,2	
	AD	Welander Udd Markesbery-Griggs Laing	
기타 근퇴행위축(Other dystrophies)	AR	myofibrillar myopathy	
	AD	fascioscapulohumeral scapuloperoneal Emery-Dreifuss type 3, 4 oculopharyngeal myotonic dystrophy 1, 2 myofibrillar myopathy	
유전성 봉입체 근병증(Inclusion body myopathy, IBM)	AR	AR hereditary IBM	
	AD	AR hereditary IBM3	

AD. autosomal dominant; AR, autosomal recessive; CMD, congenital muscular dystrophies; DM. distal dystrophies/myopathies; IBM, inclusion body myopathy; LGMD. limb-girdle muscular dystrophy; MCC, multiple congenital contracture; MDC, congenital muscular dystrophy; MEB, muscle-eye-brain ; XR, X-linked recessive; WWS, Walker-Warburg syndrome.

약화를 초래하게 된다.

DG는 α-DG와 β-DG로 구성된 복합체이며, α-DG는 세포외 기저막 laminin-α2 (merosin)와 결합되며, β-DG는 세포내 actin 세포골격에 연결된 dystrophin과 결합한다.

SG는 6개(α, β, γ, δ, ε, ζ)의 단위로 구성된 복합체로, 세포외에서는 biglycan과 작용하여 α-DG와 교원섬유 VI와 결합하며, 세포내에서는 filamin C와 결합한다.

결과적으로 세포외막 laminin α2 변이는 선천 근퇴행위

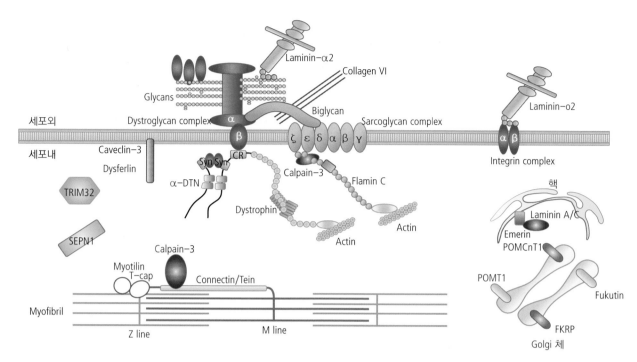

■ 그림 15-5. Dystrophin 연관 단백복합체 및 근퇴행위축에 연관된 구조 단백
α-DTN, alpha-dystrobrevin; COL VI: collagen VI; FKRT, Fukutin-related protein; POMT1, protein 0-mannosyltransferase 1; POMT2, protein 0-mannosyltransferase 2; POMGnT1, protein 0-linkedmannose β-1,2-N-acetyl glucosaminyltransferase 1; Syn, syntrophin; TMP32, tripartite motif protein 32.

축을, 근 속막 sarcoglycan 변이는 팔다리이음 근퇴행위축을, 세포질내 dystrophin 변이는 DMD와 BMD 등의 디스트로핀병증을 발생시킨다(그림 15-5).

[임상양상]

골격근 약화

근퇴행위축과 다른 신경근질환을 진찰하는데 가장 중요한 것은 근위약의 양상을 규명하는 것이다. 대부분의 근퇴행위축 환자는 원위보다 근위 근육에 위약을 보이는 limb-girdle 양상을 보이지만, 일부 근퇴행위축에서는 특이한 양상(눈-인두, 얼굴어깨위팔 및 어깨종아리 근의 병발)을 보여 감별진단에 도움이 될 수 있다. 얼굴근육 위약(얼굴어깨위팔 근퇴행위축), 날개모양의 어깨뼈 돌출(scapular winging)(FSHMD, LGMD2A), 장딴지 비대(디스트로핀병증, LGMD2C-F, LGMD2I), 장딴지 위축(LGMD2B/Miyoshi), 현저한 근력 비대칭(FSHMD), 잔물결 모양의 근육(LGMD1C) 등의 소견이 있는지를 관찰하여야 한다.

근긴장증이 있는 환자가 백내장, 앞머리 탈모, 측두근 위약이 있다면 근긴장퇴행위축 1형 또는 2형을 의심해 볼 수 있다. 심각한 근위약이 있는 근퇴행위축 환자에서는 대부분 구축이 발생지만, 현저한 근위약이 없는데도, 조기에 구축이 있다면 EDMD, Ullrich/Bethlem 근병증을 의심해야 한다. 척추 근육의 위약이 있으면 척추측만증이 진행하게 되며, 점차 휠체어 생활을 하게 된다.

다른 근육 침범

EDMD, LGMD1B, sarcoglycanopathy, 근긴장 근퇴행위축, 근섬유성 근병증 등은 골격근 뿐만 아니라 다른 근육들에도 침범하여 심한 부정맥이나 울혈성 심부전 등의 심근병증이 동반될 수 있다. 또한 LGMD2I와 근섬유근병증 등을 포함한 많은 근퇴행위축에서 호흡근의 약화가 동반될 수 있으며, 조기에 호흡근의 침범한 경우에는 Pompe병의 가능성도 고려해 보아야 한다. 근퇴행위축 환자의 주요 사망원인은 주로 호흡부전이 차지한다. 위장관의 평활근이 침범되면, 위장관의 운동성 저하 등의 문제로 변비가 발생하거나 연하곤란이 발생하기도 한다.

[진단]
근효소
대부분의 근퇴행위축 환자에서 혈청 CK가 정상의 20배 또는 그 이상 상승되어 있지만, Ullrich/ Bethlem 근병증, 눈인두 근퇴행위축, EDMD 등의 질환에서는 CK 수치는 정상이거나 약간만 상승되어 있다. Aldose, alanine transferase, aspartate aminotransferase, lactate dehydrogenase 수치도 상승될 수 있으나, CK가 근손상에 가장 민감하고, 특이적인 지표이다.

신경생리(근전도)
근퇴행위축이 의심되는 환자에서 전기생리학 검사는 진단에 도움이 될 수 있어, 척수근위축증, 신경근 접합부 질환, 심한 신경병증, 또는 근병증을 광범위하게 감별진단하는 데에 유용하다. 신경병증에서는 motor unit action potential(MUAP)의 수가 감소되어 있으나, 근병증에서는 MUAP의 조기 동원의 소견을 볼 수 있다. Lamin A/C 유전자의 돌연변이로 인한 LGMD1A와 EDMD에서는 근병증과 신경병증의 소견이 모두 나타날 수 있다. Merosin 결핍에 동반된 CMD에서도 신경전달 속도의 감소 소견이 나타나며 근섬유성 근병증의 일부에서도 말초신경병증의 소견이 동반될 수 있다.

근생검
근생검을 통하여 근퇴행위축의 조직병리학 소견 및 결핍단백의 항체를 이용한 면역조직화학 검사를 시행할 수 있어 여러 근퇴행위축의 감별진단에 크게 도움이 된다.

조직병리학 검사소견에서는 괴사되고 재생되는 근섬유들이 산재해 있고, 그 주위에는 결체조직이 증가되어 있는 소견이 특징적이다. 근섬유의 크기는 다양해지고, 작고 둥근 모양의 재생되는 근섬유가 전형적으로 보인다. 근막 내로 염증세포의 침윤이 나타나는 것이 근병증의 특징적인 소견이다. Dysferlinopathy, 얼굴어깨위팔 근퇴행위축, calpainopathy 등에서는 염증세포의 침윤이 심하여 종종 다발근염(polymyositis)으로 오인되기도 한다.

면역조직화학 검사 중 dystrophin, sarcoglycan(α, β, γ, δ), merosin, α-dystroglycan, dysferlin 면역화학 염색이 일반적으로 감별진단에 유용하다. EDMD가 의심되는 환자에서는 emerin 염색을 한다. 섬유성 근병증이 의심되는 환자에서는 myotilin과 desmin 염색이 유용하다. 근조직 immunoblot 또는 western blot 검사로 dystrophin, calpain-3, dysferlin의 양과 크기를 평가할 수 있다. Dysferlinopathy가 의심되는 경우 말초 단핵구에서 western blot 검사를 시행한다.

유전자검사
일반적으로, 임상양상과 근생검의 소견으로 특정 근퇴행위축이 강하게 의심되면 유전자 검사를 통해 확진하게 된다. 유전자 검사는 침습적인 근생검이나 근전도 검사를 피할 수 있다. 그러나 모든 질환에서 유전자를 통한 진단이 가능하지는 않다.

근퇴행위축과 관련된 많은 유전자 결손에 대해 유전자 패널에 의한 검사를 고려할 수도 있으나(표 15-3), 성별과 인종, 유전양식, 근육 침범의 양상 등을 고려하여 가능성이 높은 것부터 검사를 시행한다. 예를 들면, 남아가 양측 대칭적인 팔다리이음 근위약과 장딴지 근비대가 있고, 성

표 15-3. 근퇴행위축과 관련된 유전자 물질 결핍

기전	결핍된 단백질 혹은 효소
근속막(sarcolemmal)	dystrophin sarcoglycan (α, β, γ, δ, ε, ζ) dysferlin, caveolin-3
기저막(basement membrane)	merosin (laminin α2) integrin α7, collagen 6A1,2,3
근절(sarcomeric)	myotilin, titin, telethonin filamin C, desmin, FHL1 myosin heavy chain (MyHC)
핵	emerin, lamin A/C, nesprin 1,2 poly(A) binding protein 2(PABP2) valosin-containing protein, martrin
효소	calpain-3, TRIM 32, fukutin fukutin-related protein (FKRT) POMGnT1, POMT1, LARGE, GNE
RNA 스플라이싱	myotonic dystrophy 1,2 FSHMD, selenoprotein N

염색체 열성의 가족력이 있으면 디스트로핀병증을, 팔다리이음 근위약과 장딴지 근위축을 보이는 십대 후반이나 이십대의 남여에서, CK 수치가 현저한 상승을 보인다면 dysferlinopathy에 대한 검사를 시행한다. 날개모양으로 어깨뼈가 돌출되고 팔다리 이음근 위약이 있는 환자는, 동유럽이나 남아메리카에서는 calpainopathy를, 영국이나 북유럽에서는 fukutin-related protein (FKRP)을 의심하게 되어 이에 대한 검사를 한다.

[치료]

Corticosteroid

Duchenne 근퇴행위축 환자를 대상으로 한 연구에서 근약화의 진행을 늦출 수 있다고 입증된 유일한 치료약제이다. 다른 근퇴행위축에서 스테로이드 치료의 효과는 확실하지 않으나, 소아기에 발병하는 saroglycanopathy, fukutinopathy에서는 효과가 있는 것으로 보인다.

유전자치료

Myoblast 이식에 대한 연구결과는 현재까지는 부정적이며, 줄기세포 이식은 아직 동물실험 단계에 있다. 근 변형된 바이러스 연관 벡터를 이용한 직접적인 유전자 전달기법이 시도되고 있으나 아직 해결할 문제가 많다. 또한 stop codon 변이를 해독하는 RNA transcriptase의 기능을 가진 여러 물질들에 대해 연구가 진행 중이며, missing protein을 전사하기 위한 antisense oligonulceotide를 통해 reading frame을 재건하는 기법도 최근 연구 중이다.

지지요법

근퇴행위축 환자들은 여러 분야의 전문가(신경, 유전학 및 정신과 의사를 포함한, 물리, 작업, 언어 및 호흡기 치료사, 영양사) 팀에서 다각적인 치료를 받아야 한다. 질병이 진행되면서 관절구축이 발생하기 때문에 적절한 스트레칭 운동을 포함한 물리치료가 초기부터 시작되어야 한다.

대부분의 근육퇴행위축 환자에서 사망원인은 호흡부전에 따른 이차 합병증에 기인한다. LGMD2I와 같은 경우에는 호흡근 위약이 초기 임상증상으로 나타날 수도 있어 초기에 폐기능을 측정하고, 이후 감시하는 것이 중요하다. 또한 심근병증이 발생하기 때문에, 진단 시에 기초적인, 그리

고 최소 매 2년마다 정기적인 심초음파 검사를 시행하여야 한다. 일부 환자에서는 인공 심박동기나 제세동기가 필요하다. 심부전이 있는 환자에서는 후부하를 감소시켜 주는 처치(angiotensin 전환효소 억제제 등)가 도움이 된다. 척추측만증은 근퇴행위축 환자에서 흔한 합병증이다. 35도 이상의 척추측만증 환자에서 수술적 치료는 통증을 방지할 수 있다. 수술을 통해 호흡기능을 향상시키지 못할지라도, 삶의 질은 향상될 수 있다.

1. 디스트로핀병증(Dystrophinopathies)

디스트로핀병증이란 dystrophin 단백을 만드는 DMD 유전자의 이상에 의하여 발생하는 근질환으로서, 근퇴행위축 중 가장 심한 Duchenne형 근퇴행위축(Duchenne type muscular dystrophy, DMD)으로부터 Becker형 근퇴행위축(Becker type muscular dystrophy, BMD), 근경련과 근육통만을 보이는 형태, X-연관 확장 심근병증(X-linked dilated cardiomyopathy, XLDCM)과 증상은 없으면서 단지 혈청 CK만 증가하는 경우까지 광범위한 형태가 있다.

[병태생리]

DMD/BMD의 원인 유전자 물질인 dystrophin의 유전자 위치는 X21.2이며, X-연관 열성유전이지만, 30%는 보인자 없이 새로운 변이에 의하여 발생한다. 결핍 유전자인 dystrophin은 427-kd 세포골격 단백으로서 79 exon으로 구성되어 있으며, 유전자의 결실, 중복 및 점돌연변이 등에 의하여 근퇴행위축이 발생한다. 결실은 DMD/BMD의 65/85%에서, 중복은 7-10/6-10%, 점돌연변이 등은 25-30/5-10%를 차지한다.

Dystrophin 유전자 결손은 두 곳의 hot spot이 있는데, 5' 끝부분에서 500 kb 이내에 위치한 최초 20개의 exon 부위(exon2-19), 첫번째 exon으로부터 1,200 kb에 위치한 exon44-55 부위이다. 일반적으로 결손부위가 해독틀 전위(reading frame shift)를 일으킬 때, out of frame 전위에 의하여 전사(transcript)가 조기에 종식하게 되면 dystrophin 단백이 형성되지 않아 증상이 심한 DMD가 발현된다. 그러나 결손이 있더라도 해독틀이 보존(inframe shift)될 경우에

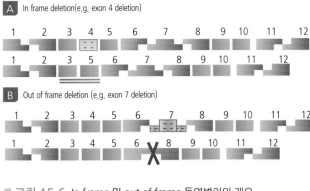

■ 그림 15-6. In frame 및 out of frame 돌연변이의 개요
In frame 돌연변이의 경우 일부 exon의 결실이 있어도 해독틀이 유지되어 정상보다 짧지만 기능할 수 있는 dystrophin 단백이 생성되나**(A)**, out of frame 돌연변이의 경우 해독틀이 깨져 조기에 전사가 종료되어 dystrophin 단백이 생성되지 못한다**(B)**.

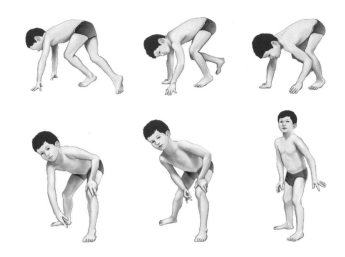

■ 그림 15-7. DMD환자의 Gower 징후
사지를 바닥에 대고 힘을 주어 몸을 일으켜 양손을 발 가까이 가져간 후 양손을 허벅지에 대고 지탱하여 일어선다.

는 분자량이 작거나, 비정상적인 기능을 가진 단백질이 생성되어 DMD에 비하여 증상이 경한 BMD가 발현하게 된다(그림 15-6). 그러나 예외적인 경우도 있다. 점돌연변이 등은 대부분 nonsense 돌연변이로, 일부는 missense 돌연변이로 발생한다.

근섬유의 괴사가 일어나는 기전은 기계적 손상 가설(mechanical hypothesis: dystrophin의 결핍에 의해 dystrophin 연관 복합체의 비국지화[delocalization]를 일으켜 막 구조의 현저한 변화로 막의 불안전성을 초래)이나 혈관손상(vascular)설, 유전자 조절(gene regulation)설, 당화(glycosylation)설, 조직재형성(tissue remodeling)설, 염증설과 칼슘설 등으로 설명된다. 이 중 칼슘항상성(homeostasis)설이 가장 유력한 것으로, 이는 근 세포막의 dystrophin이 결핍(DMD)되거나 농도가 감소(BMD)되어 근 세포막의 이상을 일으켜 칼슘이 세포내로 과도하게 유입됨으로서 근세포가 과수축하게 되고, 이로 인하여 칼슘활성 단백분해 효소가 활성화됨으로서 근 구조단백들(Z-band)이 분해되어 2차적으로 자유기(free radical)와 CK가 증가하고, 근세포가 괴사되어 근위약 및 근위축을 초래하게 된다는 것이다. 즉, 정상적인 근의 재생과 변성과정의 불균형을 초래하여, 병이 진행함에 따라 근세포의 재생능력은 떨어지고, 변성과 괴사는 증가되어 점차 섬유조직이나 지방으로 대치되어 근육의 거짓비대(pseudohypertrophy)가 발생한다.

[임상양상]

DMD

디스트로핀병증 중 가장 심한 질환이다. 출생 시나 영아 초기에는 운동 및 언어발달의 지연이 아주 미미하여 목가누기, 뒤집기, 앉기, 서기 등 조기의 발달과정은 정상이거나 약간 지연된다. 대개는 걷기가 시작된 후에 발견되는 경우가 많으며, 서서히 진행되므로 언제 발병했는지를 확실히 인지하기 어렵지만, 주의 깊게 관찰하면 생후 1년이나 1년 반 사이에는 진단이 가능하며 대개는 2-4세경 진단된다. 걷는 것은 정상 12개월 연령에 이르는 경우도 있지만, 1세 반이나 2세에 이르러 가능하게 되지만, 뛰거나 뛰어넘기는 대부분에서 할 수 없다.

병변은 주로 근위 근육을 침범하여 서 있는 자세는 전만위(lordotic)며, 걷기 발달은 초기에는 toe walking하며, 점차 다리를 벌려 허리를 흔들면서 걷는 오리걸음(waddling gait)과 점차 복부를 앞으로 내민 전만위 자세로 걷는다. 점차적으로 계단을 오르내리는 것이 불가능하게 되며, 이후 누운 상태에서 일어서려면, 먼저 손을 사용하여 옆으로 누운 다음, 다시 손을 사용하여 앉은 후, 손을 뻗쳐 엉덩이를 쳐든 후, 손으로 무릎을 짚고 점차 손을 조금씩 대퇴부 쪽으로 옮기면서 일어서는 등반성 기립을 볼 수 있는데, 이것을 Gower 징후라고 한다(그림 15-7). 이때 원위 근육인 장딴

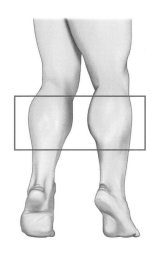

■ 그림 15-8. 장딴지 근의 거짓비대
정상 근육이 지방 및 결체조직으로 대치되어 발생한다(사각형).

지(gastrocnemius) 근육을 주로 사용함으로서 근육이 섬유조직으로 대치되어 딱딱하고 비대해지는 거짓비대가 4-5세에 되면 특징적으로 나타난다(그림 15-8). 이 징후는 팔다리이음 근퇴행위축과 다발근염 등에서도 볼 수 있다. 근위 근육인 팔 및 다리이음 근육들의 근력저하 및 근위축으로 어깨가 불안정하여 환자의 겨드랑이를 양손으로 들어 올리면 어깨가 빠져나가는 현상도 볼 수 있다.

보행기능의 상실은 임상진단의 중요한 지표로서, 치료하지 않을 경우 10-13세 전에 상실되고, 스테로이드 치료와 함께 정형외과 중재(보조기구 또는 수술 등)가 있으면 13-16세경에 상실되며, 16세 이상에서 상실되면 BMD를 시사한다. 휠체어를 타기 시작하는 나이가 예후와 관계가 있어, 늦을수록 예후는 좋다. 보행이 불가능해지면서 관절구축과 척추측만이 나타난다.

수면관련 호흡장애는 DMD 환자에서 정상아의 10배 정도 빈도가 높으며, 제한성 폐질환(restrictive pulmonary disease)은 병 초기에는 야간 호흡저하(nocturnal hypoventilation)로 나타나고 8세에 이르면 1/3에서 호흡곤란 증상이 나타난다. 척추측만증이 진행되면서 흉곽기형이 진행되며, 흉벽의 탄성은 감소하게 됨으로서 호흡장애가 초래되고, 말기에는 환기부전에 의하여 CO_2 혼수 등 호흡부전 등을 초래하여, 비침습환기(noninvasive ventilation)나 측만

증 수술, 스테로이드 치료 등을 하지 않으면 20대에 사망하게 된다.

심장의 초기 변화는 빈맥이며, 심근의 침범은 6세 이후에 나타나는 경우가 대부분 이다. 14세 이후에는 30% 환자에서, 24세 이후에는 100%에서 심장의 이상을 보인다. 심전도는 빈맥과 V1 혹은 V2에서 높은 R파와 낮은 S파, V5-6에서 깊은 Q파 등의 변화와 전도장애가 나타난다. 심장 침범의 중증도는 근위약의 정도와는 관계가 없다. 확장 심근병증이나 울혈 심부전으로 갑자기 사망하기도 한다.

지능의 평균은 80-90로, 정상 분포의 1SD 정도 이동된 경한 지능장애로, 신체장애의 정도와는 관계가 없으며, 진행성도 아니다. 활동지능 보다는 언어지능이 더 지연된다.

기대수명은 초기에는 폐렴으로 16-18세 정도이었으나, 최근 호흡기 치료의 발달과 외과적인 기술발달로 평균 25세까지 상승되었다.

BMD

임상증상이 DMD와 유사하지만, 차이점은 발병시기가 늦어 5-25세 경이며, 서서히 병이 진행되어, 청소년기 후반까지도 보행이 가능하며, 사망 연령은 20대 중반 혹은 후반이지만, 반 정도 환자에서는 40세까지 생존하며, 학습장애는 드물다.

휠체어에 의존하는 나이가 16세 이후이면 임상적으로 BMD로 진단한다. 거짓비대, CK상승, 심장의 변화는 DMD와 유사하다.

XLDCM

골격근의 침범 없이 혈청 CK만 증가되거나 임상경과가 양성 혹은 무증상이다. 남자에서는 10대에 급속히 진행되어 심부전으로 1-2년 내에 사망하기도 하며, 대부분에서는 20대에서 40대 발생한 심실부정맥과 연관하여 급속히 진행되어 급사할 수 있으며, 여자에서는 40-50대에 서서히 진행되는 경한 확장 심근병증이 발병하는 것이 특징이다. 골격근의 침범이 미미한 소견을 보이는 환자에서도 33%에서 심부전이 발생했다는 보고도 있다.

여자 DMD

DMD 유전좌의 X 염색체의 재배열에 의하여 DMD의

임상증상을 보이는 것이며, 다른 예에서는 Turner 증후군이나 비무작위 X-염색체 불활성에 의하여 DMD의 가벼운 증상을 보이지만, Turner 증후군을 동반하는 경우에는 증상이 정도가 심하다.

여자 보인자

보인자는 증상이 없는 경우가 80% 정도이며, 근력저하나 근육통은 15% 정도, 좌심실 비대 16-19%, 확장성 심근병증은 0-8% 정도에서 나타난다.

[진단]

DMD/BMD의 정확한 진단은 가족 내 유전상담은 물론 예후를 결정하는 데에 필수적이다. 과거에는 혈청 CK, 근전도, 및 근생검이 필수적이었지만, 분자유전학이 발달됨으로서 최근에는 혈청 CK와 유전자검사로 근생검 없이도 확진이 가능하다.

혈청 CK

DMD/BMD 증상이 나타나기 전이나 출생 시에도 진단할 만큼 상당히 증가되어 있다. DMD에서는 정상의 10배 이상, BMD는 정상의 5배 이상 증가하여, 15,000-35,000 IU/L정도이다. DMD/BMD의 여자 보인자의 약 30-50% 정도에서 정상의 2-10배 이상 증가하며, XLDCM에서는 증가되거나 정상 수치이다. 연령이 증가할수록 변성되는 근이 감소하기 때문에 CK 농도는 점차 저하된다.

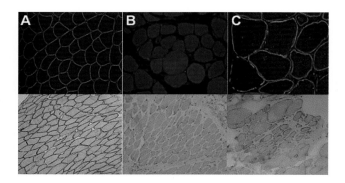

■ 그림 15-9. Dystrophin 면역조직화학 염색 소견
정상(A)에 비해 DMD 환자(B)는 dystrophin 염색이 전혀되지 않으며 BMD 환자(C)는 부분적으로 염색이 빠져 있는 모자이크 모양을 보인다.

근전도

휴지기에는 자발적인 활동이 없으며, 저진폭과 전위의 지속시간 단축 등 근병증의 소견을 보이며, 탈신경(denervation) 소견은 없다. 운동 및 감각신경 전달속도는 정상이다.

근생검

과거에는 진단에 필수적인 검사였지만, 최근에 유전자검사가 발전하면서 근생검의 중요성이 상대적으로 감소하였다. 유전자검사로 확진할 수 없는 상황일 경우 가족내 첫 번째 환자일 때에는 임상증상이 전형적일지라도 다른 근병증을 감별하기 위하여 근생검을 통한 확진이 필요할 수도 있다.

조직병리학 검사소견은 근병증의 특징적인 변화를 보인다. Dystrophin 면역조직화학 염색으로 근 세포막에 존재하는 dystrophin의 유무를 진단한다. DMD에선 전혀 염색되지 않으며, BMD에서는 일부 혹은 모자이크 양상으로 염색된다(그림 15-9).

유전자검사

전체 돌연변이의 2/3를 차지하는 결실 및 중복을 진단하기 위해 여러 가지 검사방법이 개발되었다. 과거에는 다발 중합연쇄반응(multiplex PCR)을 사용하였으나 중복은 진단할 수 없고, 일부 결실도 진단이 어려워 최근에는 결실 및 중복 모두 진단이 가능하며, 보인자 검사에도 사용할 수 있는 MLPA (multiple ligation dependent probe amplification)방법이 보편화되어 있다.

점돌연변이가 주원인인 나머지 1/3에 해당하는 환자는 과거에는 근생검을 통하여 진단하였으나, 최근에는 직접 염기서열 분석이 가능해졌다.

[치료]

DMD로 진단받으면 환자와 보호자에게 이 질환에 대해 설명하고 환자와 보호자, 의료진이 함께 치료에 대해 상의하고 결정하는 한 팀을 이루어 치료한다. DMD의 치료에는 관절구축에 대한 물리치료나 수술치료, 질병 후기에 나타날 수 있는 호흡기, 심장, 영양 등의 합병증에 대하여 다각적인 대증치료와 질병의 진행속도를 늦추기 위한 약물치료가 있으며, 최근에는 유전자치료 연구가 활발하게 진행되고 있다.

물리치료와 정형 보조기구

DMD 환자에서 발생하는 관절의 구축을 예방하고, 보행 기능을 유지시키기 위하여서는 물리치료를 통해 관절의 운동범위를 좌우 대칭적으로 유지하는 것이 중요하다. 물리치료 및 보조기구를 사용함으로서 보행기능을 18개월에서 2년 정도 연장할 수 있다.

하지 관절구축에 대한 수술

적절한 운동과 부목을 하여도 하지 구축이 발생한다면, 수술치료를 고려해 볼 수 있다. 수술교정에 가장 효과가 좋은 관절은 발목, 무릎, 그리고, 고관절 순이다. 수술에 대한 선택은 보행 가능성 등 개개인의 상황에 따라 달라져야 한다. 수술을 통해 1-3년간 보행 기간을 연장할 수 있다.

운동요법

DMD 환자에서 지나친 운동은 과도한 근수축에 의한 근섬유 손상을 야기하여 근육의 수명을 단축시키게 되며, 전혀 운동을 하지 않으면 근육이 모두 위축되어 이차 합병증이 발생한다. 따라서 보행기와 보행이 불가능한 초기에 해당하는 환자들에서는 정기적인 적절한 강도의 스트레칭 운동이 권장되며, 수영장에서 하는 물놀이나, 놀이를 통한 가벼운 운동이 추천된다.

골격계 관리

환자가 보행이 불가능지면 척추 방사선촬영을 통해 척추측만증에 대해 평가해야 한다. 15-20° 이하의 변형은 1년에 한 번씩, 20° 이상의 변형에서는 6개월에 한 번씩 척추방사선촬영을 시행한다. 수술 전 폐기능검사는 필수적이다.

호흡기 관리

점차 횡격막과 호흡근의 약화로 야간 무호흡 및 주간 호흡부전을 일으킬 수 있다. 10대에 이르면, 수면장애로 REM 수면과 관련된 저산소증과 폐쇄성 호흡 때문에 아침 졸음, 식욕부진, 두통, 구역과 구토, 피곤, 집중력 결여 등의 증상이 나타나기도 한다. DMD 환자에서 호흡기계 관리의 목적은, 합병증을 예방하고 이를 치료하는 것이다. 기침유도와 야간 호흡기 적용은 DMD 환자에서 수명을 연장시키는 효과가 있다.

환자가 호흡곤란의 증상이 있거나 FVC가 50% 이하가 되면 야간에 비침습적 자가 기계환기(non-invasive ventilator, NIV)를 적용하기 시작하고, 근위약이 더 진행되어 NIV를 적용하여도 불충분한 경우에 기관절개술과 인공호흡기를 시행한다.

심장관리

DMD 환자의 대부분 심근병증이나 심부정맥이 나타난다. DMD와 BMD의 주요 사망 원인은 과거에는 호흡부전이었으나, 호흡기능의 유지가 발전되고 근질환의 치료가 발전된 이후로는 진행성 심근병증으로 변화하는 추세이다. 최근에는 DMD 진단 즉시, 또는 6세경에 심초음파검사를 하고, 장기적인 심혈관계 관리를 해야 한다. 심장기능의 이상이 발견되면, 좌심실 기능향상을 위하여 ACE 억제제(angiotensin converting enzyme inhibitor)를 투여할 수 있다.

소화기계와 영양관리

DMD 환자들은 연령이나 상황에 따라서 영양실조가 될 수도 있고 과체중/비만이 될 수도 있다. 질병의 후기에는 인두근의 약화로 삼킴곤란이 생겨 영양실조를 악화시키며 점차 호흡근 악화, 음식섭취 부족, 심각한 체중감소로 인해, 관급식이 필요하게 된다.

마취와 수면유도 관리

DMD 환자에서 전신마취는 악성 고체온증과 유사한 치명적인 반응(횡문근 용해나 심독성 등)을 일으킬 수 있다. 따라서 근골격계에 영향을 줄 수 있는 모든 약물들에 대해 주의가 필요하다. DMD 환자는 수술 전 마취과에 의뢰하고 폐기능, 심장, 영양상태에 대해 평가하여야 한다. 거대혀나 턱과 경추의 구축 때문에 기관삽관이 어려울 수도 있다. Halothane, isoflurane 등의 흡입 마취제는 피해야 하고, succinylcholine은 절대금기이다.

약물치료

스테로이드가 현재 사용되는 유일한 약물로서, DMD 환자에서 근력이나 근육의 기능을 6개월에서 2년 정도 더 안정화시키고 이로 인해 척추측만증의 위험을 감소시키고, 폐기능과 심장기능도 안정화시킨다. Prednisone (0.75 mg/kg) 혹은 deflazacort (0.9 mg/kg) 일일요법을 함으로써 보행능력을 연장시키며, 호흡기능을 보존하고, 척추측만증과 심근병증의 빈도를 낮춘다. 스테로이드의 교대요법 (alternate)치료는 부작용은 줄일 수 있으나, 일일요법보다 효과가 못하다는 보고가 있다. 또한 고용량인 1.5 mg/kg/일을 사용하여도 0.75 mg/kg/일보다 더 효과적인 것은 아니다.

현재 운동기능이 발달하고 있는 환자, 특히 2세 이하에서는 스테로이드 치료는 추천되지 않으며, 4-8세 이르러 운동기능의 발달이 정체되면 이 시기부터 스테로이드 치료를 시작하는 것을 추천한다. 환자가 성장하면서는 부작용을 모니터링하면서 30-40 mg/일까지 증량한다.

유전자치료

최근 분자생물학의 발전으로 인해, DMD에서 여러 가지 유전자치료가 시도되고 있다. 그 중에서 재조합 아데노바이러스 연관 벡터(adenovirus-associated vector)를 이용하여 기능적 미세(mini-, micro-) 디스트로핀 물질을 운반하는 기법(gene transfer)과, antisense oligonucleutides을 이용한 exon-skipping 기법 등이 주목받고 있다.

2. 팔다리이음 근퇴행위축(Limb-girdle muscular dystrophy, LGMD)

LGMD는 초기에는 골반과 어깨이음구조(shoulder girdle)의 근위부 근육에 제한된 근약화를 보이지만 질환 말기에는 원위 근육의 위축이나 근위약을 초래하는 진행성 유전성 근질환 군으로, X-연관 퇴행위축과는 다르게 소아기 혹은 성인에서 발생하는 것이 특징이다.

유전자 아형에 따라 예외는 있지만, 대부분의 환자에서는 연수 근육이나 심장 근육은 침범하지 않는다. 발병시기, 병의 진행 및 침범부위의 분포는 개인이나 유전 아형에 따라 다양하다.

현재까지 다양한 유전자 결손과 유전좌가 확인된 LGMD가 보고되고 있으며, 유전양식에 따라 상염색체 우성(LGMD1A-G)과 열성(LGMD2A-O)으로 분류하며, 일반적으로 열성 LGMD가 우성 LGMD보다 발병연령은 빠르고, 빈도도 높으며, 증상의 중증도가 심하다. 동일 유전자의 결핍이 있어도 표현형이 다른 근퇴행위축도 볼 수 있다. 즉 lamin A/C 결핍은 LGMD1B와 EDMD의 표현형을 보이며, CMD의 일부도 여기에 포함되어, 예로서 fukutin 관련 단백결핍은 표현형에 따라 LGMD2I와 Walker-Warburg 증후군 등으로 발현할 수 있다.

[임상증상]

발생시기는 소아에서 성인에 걸쳐 다양하며, 일반적으로 상염색체 우성인 경우에는 성인에서, 열성유전인 경우는 소아청소년기에 주로 발병한다. 임상 증상의 진행 및 중증도는 유전형에 따라 다양하여 일반적으로 서서히 진행하지만 DMD같이 급속히 진행하는 경우도 있다. 상염색체 우성인 경우에는 증상의 중증도가 열성유전 경우보다 가벼우며, 양성의 경과를 취하고 기능적 손실도 적다. 심장이나 연수 증상은 드물지만, 유전양상에 따라 다르다. 일반적으로 사지를 제한적으로 침범하고 주로 근위 근육을 침범하지만, 원위 근육도 침범하여 장딴지 가성비대와 발목관절의 구축이 있어 BMD와 혼동되기도 한다. 얼굴근육을 침범하는 경우는 매우 드물다.

Calpainopathy

표현형은 근위약 및 발병연령에 따라 골반-대퇴(pelvi-femoral) LGMD, 어깨-위팔(scapulo-humeral) LGMD, 고CK혈증 등 3가지 형이 있다. 골반-대퇴 LGMD가 가장 흔하며, 근위약은 처음에는 골반대(pelvic girdle)에서 시작하여 어깨이음(shoulder girdle)으로 진행되며, 발병연령은 12세 이전이나 30세 이후이다.

Dysferlinopathy

LGMD2B 및 Miyoshi 근병증 등 주로 2가지의 표현형을 보인다. Miyoshi 근병증은 청소년기에 다리(장딴지 및 가자미 근육)의 원위에 현저한 근위약과 위축이 특징으로

점차 넓적다리 및 둔부 근육의 위약과 위축을 보인다.

Sarcoglycanopathies

심장 침범은 다양하여 심근병은 γ,β,δ-sarcoglycanopa-thies에서는 흔하지만, α-sarcoglycanopathy에서는 드물다.

Telethoninopathy (LGMD 2H)

1/2 정도에서 심장 병발을 볼 수 있다. 남자가 여자보다 증상이 심하다.

LGMD2I

표현형은 심한 DMD와 유사한 것부터 무증상의 골격 근의 병발만 있는 경우이다. 심근병증은 골격의 병발 없이 오는 경우도 있으며, 1세 전에 병발한다면 20대부터 걷기는 불가능해진다. 경한 경우에는 BMD와 유사하여 30대까지 보행이 가능하다. 반 정도의 환자에서 호흡근을 침범한다.

[진단]

LGMD의 아형을 진단하는 것이 임상경과 및 유전상담

에 유용할 수 있다. 이를 위하여서는 신체검진 및 가족력, 혈청 CK를 포함한 검사실 검사, 조직병리검사 및 근단백 검사(면역조직화학 염색)를 위하여 근생검을 시행한다. 면역조직화학 염색으로 진단하여도 분자유전 검사가 필요한 경우도 있다.

3. 선천근퇴행위축(Congenital muscular dystrophy, CMD)

CMD는 출생 시부터 근긴장 감소와 근위약, 눈 및 중추 신경계 등 다양한 임상 증상을 보이는 다양한 유전 근질환 군을 말한다. 이 질환의 일부는 출생 1세 전에 사망하는 심한 증상을 보이는 반면에 성인까지 생존하는 경한 증상을 보이기도 한다.

그림 15-5에서 설명한 바와 같이 세포외 기저막 기질(ex-tracelluar basal matrix)에 있는 laminin α2, collagen VI 등이 dystrophin-glycoprotein complex(DGC)을 매개로 세포내 actin 세포골격과 연결되어 있다. CMD의 원인에 관련된 많은 단백질의 구조변화, 당화결손, 세포질 세망결손, 핵막

표 15-4 선천근퇴행위축의 분류

아형	유전자/단백	유전자 위치	다른 병명 혹은 표현형
Laminin α2 결핍 CMD (MDC1A)	LAMA2/Laminin α2	6q22-q23	Merosin-결핍 CMD
Collagen VI 결핍 CMD	COL6A1/COL6 COL6A2/COL6 COL6A3/COL6	21q22.3 21q22.3 2q37	UCMD
Integrin α7 결핍	ITGA7/Integrin α7	12q13	
Dystrophinopathies	POMT1/POMT1 POMT2/POMT2 FCMD/fukutin FKRP/FKRP LARGE/LARGE POMGnT1/POMGnT1	9q34 14q24 9q31-q33 19q13.3 22q12.3-13.1 1p32-p34	WWS, LGMD2K WWS, LGMD2N WWS, MEB, FCMD, LGMD2M WWS, MEB, MDC1C, LGMD2I WWS, MDC1D MEB, LGMD2O, 2D(?)
SEPN1-realted myopathy	SEPN1/Selenoprotein N1	1p35-p36	Rigid spine 증후군
LMNA-related CMD	LMNA/LaminA/C	1q21.2	Dropped-head 증후군

ANO5, anoctamin 5; LGMD, limb-girdle muscular dystrophy; FKRT, Fukutin-related protein; POMT1, protein 0-mannosyltransferase; POMT2, protein O-mannosyl transferase-2; SG, sarcoglycan; POMGnT, protein O-linked mannose β-1,2- N-acetyl glucosaminyltransferase; TMP, tripartite motif protein32; UCMD, Ullich CMD.

결손에 의하여 CMD가 발생한다(표 15-4).

최근 20년간 많은 원인 유전자를 발견하였지만 현재까지 완전한 CMD의 분류는 없으며, 변이를 일으킨 단백의 기능과 유전자에 따라 분류한다. 동일 유전자의 결핍일지라도 증상의 발생시기 및 병의 중증도가 다른 표현형을 볼 수 있다. 예로서 fukutin의 결핍은 CMD의 Walker-Warburg 증후군(WWS) 및 FCMD와 LGMD2M의 표현형을, fukutin연관 단백은 WWS와 LGMD2I의 표현형 등을 보인다.

근긴장 저하 및 위약이 출생 시부터 영아기에 발병하며, 운동기능이 미약하며, 운동발달이 지연되어 전형적인 floppy 양상을 보이며, 기타 척추기형, 관절구축, 심장, 중추신경계 및 결체조직 등의 다양한 이상증상을 보인다. CMD의 공통된 3가지 주 증상은 ① 근력저하 등의 근퇴행위축 증상, ② 고도근시, 망막 형성장애 및 백내장 등의 눈의 이상, ③ 다소뇌회증(polymicrogyria), cobble stone 기형과 수두증을 비롯한 뇌 겉질 이주이상에 의한 증상 등이다.

1) Merosin결핍 선천 근퇴행위축(Merosin-deficient CMD, MDC1A)

Laminin α2 중쇄에 관련된 LAMA2 유전자 결손에 의하여 발생한다.

[임상증상]

선천 근퇴행위축 중에서 가장 흔한 질환 중 하나이다. 15-30 세에 이르면 호흡부전에 의하여 사망한다. 출생 시 혹은 생후 1개월부터 시작되는 근위약 및 근긴장도 저하로 시작하며, 원위 근육 보다 근위 근육을 더 침범한다. 장딴지 근비대 및 때로는 위축 양상을 보이며, 관절구축을 보이지만, 심한 관절구축증은 드물다. 운동발달 지연이 있어 25% 정도에서만 독립 보행이 가능하다.

뇌 MRI에서 백질의 변화가 나타나며, 인지기능은 심한 구조적 이상이나 후두부 무뇌회증이 없다면 유지된다. 지능은 6% 정도에서 지연되고, 8-20%에서 발작(비정형적 결신발작 혹은 복합부분발작)을 보인다.

VEP 및 SSEP 이상을 보일 수 있으나, 외안근 기능은 정상이다. 기타, 수유곤란, 성장부진, 야간 환기부전을 볼 수 있다.

[진단]

고 CK혈증의 정도는 신생아기 이후부터 점차 감소하며, 근생검에서는 근병증의 소견이나 영아에서는 다발근염(polymyositis)과 유사하기도 하다. 뇌 MRI에서는 백질의 말이집 형성 저하증(hypomyelination), 신경세포의 뇌겉질 이주장애, 교-소뇌 형성 부전증(pontocerebellar hypoplasia)을 보인다.

근생검을 시행하여 면역조직화학 염색을 시행하면 laminin α2가 결핍된 양상을 볼 수 있다. 다른 보고에 의하면 α-dystroglycan 및 laminin β2 integrin α7도 상당히 감소된다고 하였다.

2) Ullich 선천 근퇴행위축(Ullich CMD, UCMD)

교원섬유(collagen) VI 결손에 의하여 발생하는 상염색체 우성 유전질환이다.

[임상증상]

신생아기부터 근긴장 저하, 근위 관절의 선천구축, 사경, 척추후측만증, 원위 관절의 과탄력(hyperelasticity), 다리 만곡증(talipes), 고관절 탈구 등이 특징이다.

대부분 걷기가 불가능하나, 일부는 4세경에 보행이 가능하기도 한다. 10-20대에 이르면 환기부전에 의한 호흡기 합병증이 발생하며, 심장 병발은 드물다.

[진단]

혈청 CK는 약간 증가하거나 정상이며, 근생검 소견은 근병증의 소견을 보이며, 면역조직화학 검사에서 교원섬유 VI 감소 혹은 결핍된 소견을 보인다.

3) Walker-Warburg 증후군(Walker-Warburg syndrome, WWS)

[임상증상]

출생 시부터 심한 근긴장 저하를 보이며, 기대 수명은 3세이다.

근긴장 저하 및 위약, 근육양은 감소되어 있으며, 관절구축이 온다. 뇌류(encephalocele), 폐쇄성 수두증. type II 무뇌회증의 이주장애, 교-소뇌 형성 저하증, 뇌량 형성 저하/무형성증, Dandy-Walker 기형과 발작을 볼 수 있다.

눈은 작은 각막, 백내장, 녹내장, 시신경 무형성/저형성증, 망막 이형성이 나타난다. 기타, 작은 성기, 항문 막힘증, 잠복고환 등을 볼 수 있다.

[진단]

고 CK혈증, 뇌 MRI상 type II 무뇌회증/뇌이랑결여증, 교소뇌 형성 저하증, 지주막 낭종 등을 볼 수 있다. 근생검에서는 근병증 혹은 퇴행위축의 전형적인 소견이며, 면역조직화학 검사에선 α-dystroglycan의 결핍 혹은 감소 및 laminin α2 농도도 감소된 소견을 보인다. 원인 유전자는 α-dystroglycan의 당화에 연관된 POMT1, POMT2, FKRP, LARGE 등이 알려져 있다.

4) 근육-눈-뇌 병(Muscle-Eye-Brain disease, MEB)

[임상증상]

신생아기부터 심한 근긴장 저하와 시력저하, 운동발달지연, 평생 앉지 못하며 1세 전후 사망한다. 경한 경우에는 발작이나 자폐증을 보이기도 한다. 중추신경계에는 이주장애, type II cobble stone 무뇌회증/뇌이랑결여증, 뇌량 형성 저하/무형성증, 폐쇄 수두증, 뇌간편평화, 소뇌낭포, 발작이 나타난다.

눈 증상으로는 시력저하, 고도근시, 백내장, 녹내장, 망막 이형성 등이 나타난다.

[진단]

고 CK혈증, 면역조직화학 염색에서 α-dystroglycan 및 lamin α2 이상을 보인다. 원인 유전자로 POMGnT1, FKTN, FKRP 등이 알려져 있다.

5) Fukuyama 선천 근퇴행위축(Fukuyama CMD)

[역학]

일본에서는 근퇴행위축 중 DMD 다음으로 흔한 질환으로 우리나라에서도 다수의 증례가 보고되었다.

[임상증상]

임상증상의 중증도의 범위가 심한 것부터 경한 것까지 있다. 전통적인 증상은 신생아기부터 전신 근위약, 뇌 기형, 발작, 지능저하, 눈 기능의 이상 등이며, 태아 때부터 태동이 약한 것으로 증상이 시작된다고 할 수 있다. 대부분의 환자는 서기까지 가능하지만 때로는 보행도 가능한 환자도 있다. 기대수명은 15세이며 때로는 20대까지 생존 가능하다. 9세가 되면 혼자 스스로 앉기 기능은 소실된다. 뇌 병변은 WWS나 MEB와 유사하다(그림 15-10). 약 50%의 환자에서 이상 눈운동, 고도근시 등의 눈 증상을 보인다. 이 외에도 호흡부전(10대 중반), 진행성 관절구축, 심장 병발. 자폐증을 볼 수 있다.

[진단]

고 CK혈증, 뇌 MRI에서 큰뇌이랑증, 교뇌 형성부전, 백질 말이집 형성 저하, 소뇌 낭종 등을 볼 수 있다. 근의 면역조직화학 염색에서 α-dystroglycan 결핍을 관찰할 수 있다.

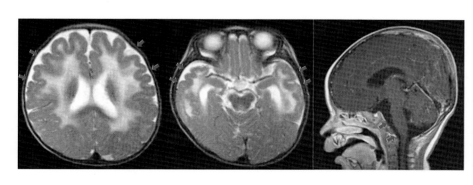

■ 그림 15-10. Fukuyama 선천 근퇴행위축 환자의 뇌 MRI 소견
양측 전두엽과 측두엽의 다소뇌회증(polymicro-gyria)(A)과 양측 측두엽의 cobble stone lissencephaly(B) 및 교뇌와 소뇌충부의 형성부전 소견(C)이 각각 보인다.

4. Emery-Dreifuss 근퇴행위축(Emery-Dreifuss muscular dystrophy, EDMD)

EDMD는 초기에 관절구축과 어깨를 구성하는 근육과 상지 근 및 하지, 즉 어깨-종아리 근육의 진행성 위약과 전도장애를 가진 심근병증이 특징인 질환이다. 이런 이유로 어깨-종아리(scapuloperoneal) 혹은 어깨-위팔(scapulo-humeral) 근퇴행위축으로 부르기도 한다.

[역학 및 유전]
가장 흔한 유전양식은 X-연관 열성유전이며, 상염색체 우성유전과 드물게는 열성유전한다. X-연관 열성유전 EDMD는 핵에 위치한 emerin 결핍으로, 상염색체 우성 및 열성 EDMD는 lamin A/C 결핍(LMNA), Nesprin-1, Nesprin-2 결핍에 의하여 발생한다. 임상적으로 이들을 감별하는 것은 불가능할 정도로 유사한 증상을 보인다.

[임상증상]
증상은 5-15세 사이에 시작하며, 초기 증상은 아킬레스건의 경직으로 toe-walking이며, 초기부터 목, 팔꿈치 및 발꿈치 관절구축과 견갑상완비골근(sacpulohumeroperoneal)의 위약 및 위축이 특징이다. 서서히 진행하는 근위축 및 위약으로 성인 후반까지 생존하지만, 드물게는 중증 영아형이 보고되기도 한다. 가성비대나 얼굴근육 병발이 없는 것이 신경원성 견갑상완과 견갑비골 증후군과의 감별점이다. 심장의 방실차단 및 심근병증으로 급사할 수 있는 것이 특징이다. 지능은 정상이며 가성비대는 없다.

[진단]
혈청 CK는 디스트로핀 근병증과는 다르게 약간만 증가하며, 근생검의 소견은 근병증의 특징적인 소견을 보인다. 확진은 근생검을 통해 면역세포화학 검사로 emerin의 결핍을 확인하는 것이며, 또한 혈액에서 단백의 immunoblot에 의하여 검출할 수 있다. 또한 western blot에서 emerin band의 결핍에 의하여 진단할 수 있다.

[치료]
보존적이며, 심장의 전도장애에 대한 약물과 심박동기가 필요할 수 있다.

5. 얼굴어깨위팔 근퇴행위축(Facioscapulohumeral muscular dystrophy, FSHMD)

얼굴과 어깨근육이 일차적으로 침범되어 서서히 진행되는 근퇴행위축으로서, Landouzy- Dejerine병으로도 알려져 있으며, 하나의 질병이 아니고 유사한 임상증상을 가진 질환 군이다.

[역학 및 유전]
상염색체 우성유전되며, 임상증상은 95% 이상에서 20세가 지나서 나타나며, 30% 정도는 새로운 변이에 의하여 발생한다. 발생빈도는 20,000명당 1명이며, 유병률은 100,000명당 4.4명이다. 수명에 대한 영향은 적다. 유전자 좌는 4q35-qter(4번 염색체 telomeric region)로 유전자 말단부의 결실에 의한 것이며, 관련 유전자는 DUX4이다.

[임상증상]
발병연령은 6-20세에 주로 발병하고, 성인에서도 발병하는 경우도 있다. 초기에 가장 심한 증상은 얼굴 및 어깨근육의 위약으로, 얼굴근육의 위약은 근긴장 근퇴행위축에서 보는 뒤집어진 V 모양 윗입술과는 다르게 입술이 불룩하게 나오며, 둥글게 주름진 입술을 보이며, 얼굴의 표정이 없어 가면 같은 얼굴을 한다. 수면 중에 눈을 완전히 감지 못하며, 어깨근육의 근력저하로 팔을 들어 올리지 못하며, 돌출된 모양의 어깨(scapular winging)가 나타나는 것이 특징이다. 점차 눈을 감고 뜨는 것이 힘들어지지만, 일상생활을 수행하는 운동기능은 평생 유지하는 경우가 많다. 청력손실과 얼굴근육의 근력저하로 언어의 표출이 힘들어져 언어발달 지연으로 오인되는 경우도 있다. 소아기에 심한 경우에는 청력손실, 망막혈관 이상이 나타난다. 30%의 환자에서는 무증상이거나, 심부건반사가 감소되는 정도이다.

[진단]
임상 진단기준은 상염색체 우성으로 유전하며, 얼굴 혹

은 어깨근육부터 발병하고, 외안근, 인두근 및 혀 근육의 병발이 없으며, 심한 팔꿈치의 구축, 심근병증, 원위 양측 감각소실이 없어야 하며, 근전도상 근긴장증이나 신경원성의 전위가 없어야 한다는 것이다. 기타 고빈도 청력소실, 망막혈관병증 등을 보인다. 혈청 CK는 정상이거나 약간 상승하며, 4q35에 대한 유전자에 검사를 시행할 수 있다.

[치료]

약물치료는 prednisone, albuterol, diltiazepam, MYO-029 (recombinant human neutralizing antibody to myostatin, inhibitor of muscle growth)를 사용하지만 효과는 아직 미지수이며, 물리치료는 진행되는 근의 위약이나 위축에는 효과가 없는 것으로 알려져 있으며, 기타 유산소 운동이 도움이 되며, 척추측만증은 정형외과적인 처치가 필요하다. 필요시에는 환기 보조요법이 필요하다.

선천근병증
Congenital Myopathies

| 채종희 |

선천근병증은 근조직의 형태이상에 의해 근약화를 보이는 일련의 다양한 질환군으로 그 유병률은 인종, 지역에 따라 차이가 있지만 약 10,000명당 3.5-5명이라고 추측된다. 대부분의 환자들은 출생 직후 또는 출생 후 수개월 내의 어린 나이에 근긴장 저하 및 근력저하, 운동발달의 지연 등을 보이는 경우가 많지만, 일부 유형의 경우 다소 늦은 유아기 또는 성인 연령에 증상을 보이는 경우도 있다. 혈청 CK는 정상이거나 경도의 상승을 보이고 근전도에서는 짧고 낮은 활동파를 보이는 것이 특징이며 선천근병증의 분류를 위해서는 근생검이 필수적이다. 근병리소견상의 공통적인 특징은 제1형 근섬유의 우위 또는 저형성이며 근괴사 또는 근섬유 퇴행, 섬유화, 지방침윤 등의 근퇴행위축에서 보이는 소견은 관찰되지 않는다. 일반적으로 완치는 불가능하며 삶의 질을 유지하고 수명연장을 위해 다양한 보조치료가 중요하다. 가장 흔하고 잘 알려진 선천근병증으로는 central core병, nemaline 근병증, centronuclear 또는 myotubular 근병증 등이 비교적 흔하며 잘 알려진 유형이며 최근 분자생물학, 유전체학, 전자현미경 기술의 발달로 인해 매우 드물지만 다양한 유형의 선천근병증 및 유전자 이상 등이 밝혀지고 있다.

1. Central core병 (central core disease)

Central core병은 Magee와 Shy 등에 의해 기술된 첫번째 유형의 선천근병증으로 제1형 근섬유 내에 원형의 산화효소의 결핍부위를 보이는 형태이상 소견이 그 특징이다.

[임상양상]

근긴장 저하 및 골반대를 특징적으로 침범하는 근위약, 발달지연 등이 특징적인 임상소견이며 영유아 연령에 척추측만, 선천 고관절탈구, 오목발 같은 골격이상을 동반하는 경우도 드물지 않다. 안면근 위약은 경미하여 눈을 힘주어 감기 곤란한 정도의 안면근 저하가 일반적이다. 주로 영아 또는 유아기에 증상을 보이는 경우가 대부분이지만 드물게는 성인 연령에 증상이 서서히 나타나거나 증상을 보이지 않는 경우도 있다. 근력저하는 매우 서서히 진행하며 대부분의 환자가 보행능력을 유지할 수 있다. 드물게 근경련 등의 증상을 보이는 환자가 보고된 적이 있으며 혈청 CK 수치는 정상 또는 경미한 상승을 보인다.

[진단]

근생검 상 제1형 근섬유의 우위를 보이며 Core 구조는 대부분 제1형 근섬유에서 관찰된다. Nicotinamide adenine dinucleotide-tetrazolium reductase (NADH-TR) 염색에서 가장 쉽게 관찰된다(그림 15-11). 1995년 마련된 European Neuromuscular Center (ENMC)의 진단기준에 따르면 Core 구조는 중심에 위치하지만 중심에서 다소 벗어나거나 또는 다수가 관찰될 수 있고 그 경계가 명확하며 제1형의 근섬유에서만 관찰되어야 한다. Core 내부에 침착될

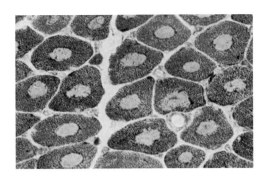

■ 그림 15-11. Central core병 환자의 NADH- TR 염색
근섬유의 중심에 경계가 비교적 명확한 oxidase activity 결핍을 보이는 core 구조물이 관찰된다.

표 15-5. Core 구조 내에 침착되는 단백

Central Core	Multi-mini core
Actin	αB Crystalin
α-Actin	Desmin
α1-Antichymotrypsin	γ-Filamin/filamin2C
β-Amyloid precursor protein	Myozenin/Calsarcin
β2-microglobulin	Telethonin
Caveolin	
Desmin	
Dysferlin	
Dystrophin	
Gelsolin	
Myosin(slow)	
Nebulin	
Neural cell adhesion molecule	
Tau	
Tubulin	
Ubiquitin	
Utrophin	
Vimentin	

수 있는 단백은 매우 다양하며 단백의 종류에 따라 central core병과 multi-mini core병을 감별하는데 도움이 된다(표 15-5).

Central core병은 대부분 상염색체 우성유전을 보이고 다양한 침투도가 특징적이지만 드물지 않게 산발 증례인 경우가 있다. 원인 유전자는 염색체 19q12-p13.1에 위치하며 악성 고열증(malignant hyperthermia)과 연관된 유전자 위치로 칼슘통로인 rynodine 수용체(RYR1)와 연관되어 있다. RYR1 유전자의 돌연변이는 악성 고열증 또는 Central core병, 또는 양자 모두를 일으키며 central core병의 약 80%가 상기 유전자의 돌연변이에 의해 발생한다. 이외에 악성 고열증의 동반 없이 심근병증을 보이며 β-myosin heavy chain의 돌연변이에 의해 발생하는 central core병이 보고되어 있다.

2. Multi-mini core병 (multi-mini core disease)

Multi-mini core 병의 조직소견은 central core병과 유사하지만 근섬유 배열의 이상을 보이는 다수의 크고 작은 core 구조가 특징적으로 관찰되고 core 내의 산화활성이 결핍되어 있는 것이 특징이다.

[임상양상]

4가지의 임상형이 특징적인데 모든 임상형에서 혈청 CK 수치는 정상이며 심장은 침범하지 않는 것이 공통점이다. 증상은 출생 시부터 또는 생후 18개월 내에 시작되는 경우가 전형적이다. 4가지 유형 중 가장 전형적인 임상형(1형)은 중증의 신생아 근긴장 저하 특히 목의 굴근과 같은 몸의 중심에 있는 근위약이 특징적이며, 운동발달의 지연, 심한 척추측만, 중증의 호흡근 위약이 동반되어 congenital muscular dystrophy with rigid spine (RSMD1)과 임상적으로 매우 유사해 보인다. 또 다른 임상유형으로는 전형적인 임상유형의 특징에 안근마비 및 심한 안면근 위약이 동반되는 유형(2형, 안근마비유형), 조기 관절구축이 특징적인 유형(3형) 및 천천히 진행하는 근위약과 손근육의 위축을 특징으로 하는 임상유형(4형) 등이 보고되어 있다.

[진단]

Central core병과는 몇 가지 차이점이 있다. multi-mini core병의 경우 core의 경계부위가 불분명하며 근육의 종단 면상에서의 core의 길이가 짧은 것이 특징이므로 근조직 처리 시에 종단면에 대한 검사가 감별진단에 유용하다. 또한 mini fore 구조가 제1형과 2형 섬유 모두에서 관찰되는 것이 차이점이며 core 내에 축적되는 단백의 종류도 차이가 있다(그림 15-12).

거의 대부분이 상염색체 열성유전을 보이며 앞서 언급

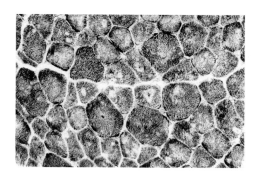

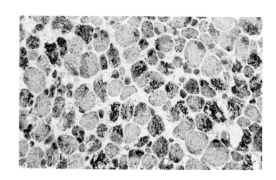

■ 그림 15-12. Multi-mini core병 환자의 NADH-TR 염색
많은 수의 근섬유에서 다양한 크기의 다수의 core like 구조물이 관찰되며
그 경계가 불분명한 것이 특징이다.

■ 그림 15-13. Nemaline 근병증 환자의 modified gomori-trichrome 염색
전체적으로 제1형 근섬유의 크기가 작아져 있으며 Rods 모양의 소체가 주로 근섬유의 근막하 부위에서 관찰되고 있다

한 임상유형의 3번째 유형과 4번째 유형에서 RYR1 유전자의 돌연변이가 보고된 경우가 있다. 전형적인 첫번째 임상형의 경우 태아 근조직 및 분열세포에서 발현되는 세포질 그물 내의 selenoprotein N 유전자와 RSMD1 유전자 이상이 밝혀진 가족례가 있다.

3. Nemaline 근병증 (nemaline myopathy)

Nemaline 근병증의 경우 선천근병증 중 두 번째로 많이 보고된 경우이다. 분자유전학의 발전과 더불어 분류체계가 가장 빠르게 변화한 근병증으로 현재 6가지의 임상형으로 분류한다.

[임상양상]

중증의 선천형의 경우 출생 시부터 자발 움직임 및 호흡이 거의 없고 선천 골절 및 관절구축이 동반된 경우가 드물지 않다. 임신 시에도 태동이 거의 없고 높은 구개 및 심근병증, 안근마비 등이 자주 동반된다. 중도-선천성형의 경우 출생 시에 호흡 및 자발 움직임은 있으나 근위약이 진행하여 영아기에 혼자 숨쉬기가 어려워지고 앉거나 걷는 것은 불가능하며 조기 관절구축이 동반된다. 전형적인 임상형의 경우는 유아기에 근위부 근약화로 시작되며 목의 굴근, 안면근, 호흡근, 삼킴근 위약도 동반된다. 원위부 근은 나중에 침범하며 다소 늦긴 하지만 운동발달은 진행하며 근약화 속도는 매우 서서히 진행하고 일부의 경우 진행하지

않는 환자도 있다. 경증의 유아형 또는 청소년 유형은 전형적인 임상형과 유사하지만 안면근위약을 동반하지 않는다. 성인 연령에 발병하는 임상유형의 경우 여러 가지 다양한 부위 및 비전형적인 부위의 근위약을 동반하는 경우가 많다.

[진단]

특징적으로 Gomori 염색에서 붉게 염색되는 2-7 mm 길이의 막대(rod)가 주로 근막하 부위에서 관찰된다(그림 15-13). Rod 구조물은 근섬유 사이 또는 핵 내에서도 관찰될 수 있으며 alpha actin에 반응하는 것이 특징이다. Rod의 수가 임상증상의 중증도와는 관련이 없으며 제1형 근섬유에서만 관찰되는 경우도 있고 1형 및 2형 근섬유 모두에서 관찰될 수도 있다. 다른 선천근병증과 유사하게 제1형 근섬유의 우위 및 저형성증이 관찰된다

상염색체 우성 및 열성 모두 알려져 있고, 미세섬유를 암호화하는 5개의 유전자 이상이 밝혀져 있다. 가장 흔한 돌연변이는 α-actin과 nebulin 유전자의 돌연변이이며 그 중 alpha-actin 유전자의 이상이 10-20%를 차지하고 중증의 환자에서 자주 발견된다. α-actin 유전자의 경우 염색체 1q42.1에 위치하고 대부분이 산발 증례이다. 염색체 2q21.2-22에 위치하는 Nebulin 유전자의 경우 보통 열성 유전 형태로 전형적인 임상유형에서 가장 많이 연관되어 있지만 중증의 선천성 유형에서 보고된 경우도 있다. 염

색체 1q21-q23에 위치하는 α-tropomyosin 유전자가 가장 처음에 발견된 유전자이며 이는 β-tropomyosin 유전자(염색체 9p13.2-13.1에 위치)가 만드는 골격근 섬유단백인 β-tropomyosin과 연결되어 있다. Alpha tropomyosin이 beta 형에 비해 돌연변이 빈도가 더 높고 경증의 임상유형에서 자주 나타난다. 그 밖에 Amish 집단에서 보고되었고 치명적인 영아형 근병증을 초래하는 troponin T 1 유전자와 서서히 진행하며 core 유사형 병리소견이 동반되는 상염색체 우성유전을 보이는 네덜란드 가족에서 보고된 유전자좌 (염색체 15q21-q23)가 알려져 있다.

[치료]

선천근병증 중 다른 유형과 달리 보조적 수단 외의 치료가 일부에서 이루어지고 있는 선천근병증이다. L tyrosine 이 일부의 환자에서 증상의 완화를 보이는 것이 보고되어 있으며 침흘림이 호전되고 식욕이 증가하면서 운동능력이 일정부분 향상되는 효과를 보이며 이는 L tyrosine을 중단할 경우 사라지고 다시 투여하면 증상의 호전을 보이게 된다. Tyrosine은 비필수아미노산으로 catecholamine 합성에 필요하며 이 과정에서 상기 효과를 보이는 것으로 짐작되며 현재 일부 환자에서 임상시도 중이다.

4. Centronuclear (myotubular) 근병증
(centronuclear myopathy myotublar myopathy)

Centronuclear 근병증은 X염색체 연관 myotubular 근병증과 영유아 발병 및 성인형의 상염색체 연관 centronuclear 근병증을 모두 포함한다. 병리소견상 다수의 근섬유에서 핵이 중심에 위치하며 이는 근섬유의 미성숙시기의 myotube 형태와 유사하다고 myotubular 근병증이라 명명하기 시작하였고 현재는 centronuclear 근병증이라고 부른다.

[임상양상]

가장 많은 임상유형은 X염색체 연관 유형으로 심한 호흡부전으로 1세 전에 사망하거나 인공환기가 필요한 중증의 유형이다. 임신 시에 양수과다증과 태동의 감소 또는 무태동이 동반되며 출생 시부터 심한 근긴장 저하와 외안근

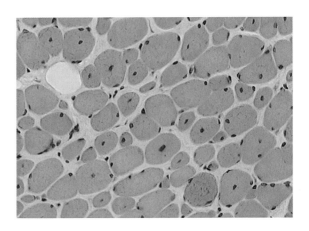

■ 그림 15-14. Centronuclear 근병증 환자의 Hematoxilin-Eosin 염색
많은 수의 근섬유에서 중심부위에 핵이 위치하고 있음이 관찰된다.

운동의 제한이 동반된다. 일부의 환자에서 자발호흡이 가능한 정도의 다소 경한 경우도 있지만 대부분의 환자는 근위약의 정도가 심하여 운동발달이 전혀 이루어지지 않는다. 여자의 경우는 대부분 무증상 보인자이지만 일부에서 사지의 근위약 및 2차적 척추측만을 보이는 경우도 보고되어 있다. 또 다른 임상유형으로는 영유아기에 외안근 위약 및 운동발달 지연 등을 특징으로 하는 환자와 경증 또는 중등도의 사지 근위약이 성인기에 시작되는 유형의 환자도 보고되어 있다.

[진단]

근섬유의 핵은 정상적으로 중심이 아닌 근섬유의 바깥쪽에 위치하는데 이 핵의 위치가 중심부에 위치하는 것이 centronuclear 근병증의 특징이다. 또한 중심에 위치하는 핵주위로 myofilament가 존재하지 않으므로 핵주위테가 빈공간의 띠로 관찰된다. 다른 유형의 선천근병증과 마찬가지로 제1형 근섬유의 우위 및 저형성증이 관찰되며 중심핵은 제1형 근섬유 또는 2가지 유형의 근섬유 모두에서 관찰될 수 있다(그림 15-14).

가장 심한 임상유형의 경우는 X chromosome Xq28에 위치하는 myotularin 유전자 이상에서 기인하며 전체 환자의 약 80%를 차지한다. Myotubularin은 tyrosine phsphatase로서 세포의 지질량을 조절함으로써 근육생성 과정에서 2차 전령역할을 담당하는 역할을 하는 단백질이다. 대

부분의 돌연변이가 myotularin의 형성을 억제하거나 없앰으로써 병을 유발하며 8개의 서로 다른 myotularin 유형이 존재한다고 알려져 있으며 이 중 한 가지는 Charcot-Mrie-Tooth병의 탈수초 유형 중 한가지의 원인으로 알져져 있기도 한다.

상염색체 우성 유전형의 경우 비교적 증상의 증증도가 낮고 일생에 걸쳐 서서히 증상이 나타나며 열성 유전형의 경우 어린 연령에 시작되는 중증의 유형부터 경미한 정도의 전신 근위약을 보이는 경우까지 매우 다양한 임상 증상을 보인다. Myogenic factor-6 (MYF6)와 dynamin-2 (DNM2) 유전자는 상염색체 우성 유전형의 원인 유전자로 알려져 있고 amphiphysin2 (BIN 1)는 dynamin 2와 상호 작용하는 단백으로 상염색체 열성 유전형의 centro-nuclear 근병증의 원인으로 알려져 있다.

5. Fiber type disproportion 근병증(Congenital fiber-type disproportion)

임상적으로 선천근병증과 유사한 임상증상과 함께 근병리소견상 제1형 근섬유의 크기가 제2형 근섬유에 비해 적어도 12% 이상 작아져 있는 환자를 1960-70년대에 처음 보고하면서 명명된 유형이다. 그러나 이후 다양한 다른 유형의 선천근병증, 근긴장 근퇴행위축, 신경병증, 타 근병증 심지어는 중추성 신경질환에서도 유사한 소견이 관찰됨이 알려지면서 현재는 제외진단으로만 역할을 하고 있다(표 15-6).

표 15-6 **근섬유 크기의 이상을 보이는 다양한 원인**

Congenital myopathies
Muscular dystrophies
Mitochondrial myopathies
Arthrogryposis multiplex congenita
Peripheral neuropathies
Spinal muscular atrophy
Cerebral malformations
Spinocerebellar degeneration
Peripheral asphyxia
Globoid cell leukodystrophy

[임상양상]

일반적으로 근위부 특히 사지의 진행하지 않는 근위약 및 근병증의 특징적인 얼굴과 고구개를 보인다. 대부분의 환자에서 경증 또는 중등도의 경과를 보이지만 일부에서 중증의 임상경과를 보이는 경우도 보고된 바 있다.

6. 기타 근병증

1) Desminopathy

Desmin은 골격근 및 심장근에 존재하는 52 KDa의 중간 미세섬유의 주요 구성 단백으로 myofibrillar 근병증으로 알려진 환자군에서 축적됨이 밝혀졌다. Desmin이 축척될 경우 이는 cytoplasmic, sarcoplasmic, spheroid 소체 등의 침착물과 매우 유사하게 보인다. 임상양상은 전형적으로 원위부 근위약이 특징적이고 심부정맥 및 심근병증을 초래하며 말초신경병증이 동반될 수 있다.

상염색체 우성 및 열성 유형이 보고되어 있고 desmin 유전자는 염색체 2q35 위치에 존재하며 desmin 유전자 결여 쥐모델이 개발되어 있다.

2) Alpha B-crystallinopathy

임상유형이 desminopathy와 유사하며 작은 범위의 수정체 혼탁이 동반되는 유형의 프랑스 가계가 발견되었고 이 가계에서 염색체 11번에 alpha B-crystallin을 암호화하는 유전자를 발견하면서 알려지게 되었다.

3) Myosin related myopathy

현재까지 Myosin heacy chain을 암호화하는 유전자들의 이상과 관련된 질환은 2가지가 알려져 있다. 첫번째는 진행성의 근병증과 병리소견상 테를 가진 공포, 세관 미세섬유 응집, mini-core 유사 병변 등을 보이는 특징을 가진 스웨덴 가족 환자와 두 번째는 유전 심근병증을 일으키는 증례이다. 이 중 첫번째 가족 증례의 경우 염색체 17번에 관련 유전자가 연관되어 있음이 알려져 있다.

4) Hyaline body myopathy

이전에 myofibrillar lysis 근병증이라고 알려진 유형으로서 non-membrane-bound subsarcolemmal aggregation을 보이는 특징을 가지는 근병증이다. Hyaline 소체는 제1형 근섬유의 10-30%에서 관찰되며 myosin 면역활성을 보이고 acid myosin adenosine triphosphatase에 강양성으로 염색되는 특징이 있다. 임상양상은 어린 연령의 소아에서 비진행성의 견갑근 및 비골근의 근약화 및 근위축을 보이는 것이 특징이다. 대부분이 산발 증례이고 상염색체 우성 및 열성 유전양식이 모두 보고되어 있다.

5) Tubular aggregate myopathy

Tubular aggregate는 sarcoplasmic reticulum에서 기원했을 것으로 추측되는 호염기성 침착물의 형태이다. 엉덩허리근, 삼각근, 삼두근, 복장빗장꼭지근 등에 천천히 진행하는 근약화가 특징적인 가족 증례에서 처음 발견되었고 이는 상염색체 우성 유전양식을 보인다. 그러나 근섬유내 다양한 침착물을 형성하는 다른 근병증과 마찬가지고 주기성 마비 증후군, 근육통증 등의 타 신경질환 환자에서도 비특이적으로 관찰되는 경우가 있다.

6) Vacuolar 근병증 (vacuolar myopathy)

X 염색체 연관성 유전양식을 보이며 정신지연, 심근병증, vacuolar 근병증의 소견을 보이는 가족 증례들이 보고되어 있다. 이환된 남자 아이의 경우 10대에 근위부 또는 중심축에 위치하는 근육을 침범하며 20대에는 심근병증이 동반된다. 대부분의 환자에서 중등도 또는 중증의 인지기능 장애를 동반하고 혈청 CK가 중등도로 상승되며 근생검에서는 많은 수의 근섬유에서 심한 vacuolar 병변 및 중심핵이 관찰되는 것이 특징이다.

05

근무력증

Myasthenias

| 채종희 |

근무력증이란 비정상적인 근약화 혹은 근피로를 통칭하는 증상으로 소아기에는 선천적 혹은 후천적 원인에 의해 근무력증이 발생할 수 있다. 그 예로 근무력증(myasthenia gravis), Lambert-Eaton 근무력 증후군(LAMS), 선천근무력증(congenital myasthenic syndrome)을 들 수 있다.

1. 중증근무력증(Myasthenia gravis)

발병기전이 가장 잘 알려진 신경계의 자가면역질환으로 신경근 접합부의 아세틸콜린 수용체에 대한 자가면역 반응에 의해 발생한다. 소아기에 나타나는 중증근무력증은 유소년기형(juvenile type)과 신생아기의 일과성(neunatal transient) 중증근무력증이 있다.

[역학]

발병률은 100만명당 125명으로 11-24%의 환자는 소아기 혹은 청소년기에 발병한다. 약 3:2의 비율로 여자에서 더 호발한다.

[발병기전]

여러 연구를 통해 신경근 접합부의 아세틸콜린 수용체에 대한 자가항체가 발견되었고 이 항체가 수용체와 결합 시 막공격 복합체가 형성되어 수용체를 파괴하는 것이 밝혀졌다(그림 15-15). 또한 자가항체가 수용체에 결합하여 신경전달을 방해하기도 하며 항체가 결합된 수용체는 더 빨리 교체된다. 상기 반응에 의해 신경근 접합부의 아세틸콜린 수용체가 감소하며 연접 이후 부분의 연접 굴곡의 수와 길이가 감소하여 신경전도가 잘 이루어지지 않아 근약화와 근피로가 쉽게 나타나게 된다.

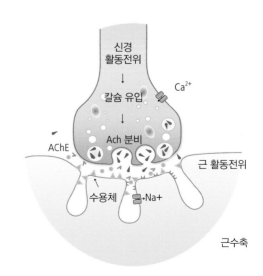

■ 그림 15-15. 신경-근 연접부 모식도
신경 활동전위가 신경말단 부위에 도달하면 칼슘이 유입되고 Ach를 함유한 소포가 시냅스전 막과 융합 후 Ach가 분비된다. Ach가 시냅스후 근막의 수용체와 결합하면 종판전압(end-plate potential)을 형성하고, 이것이 합쳐지면 근육동 전위가 형성되어 근수축이 일어나게 된다.
Ach, acetylcholine; AchE, acetylcholinesterase

[임상양상]

가장 특징적인 증상은 근약화와 근육피로로 눈근육, 구근육, 그리고 팔다리 근위부의 가로무늬 근에서 가장 뚜렷하게 나타난다. 눈근육 침범 시 눈꺼풀 처짐과 복시가, 구근육 침범 시 구음장애, 연하곤란, 호흡곤란, 저작장애가 주된 증상으로 나타난다. 사지근육의 경우 근위부 근육 침범이 더 흔하다. 이런 증상은 스트레스 혹은 반복적인 근육 사용에 의해 악화된다. 하루 중에는 휴식을 많이 취한 아침보다는 근육을 많이 사용하여 시간이 지날수록 증상이 점점 더 심해지지만 이런 양상이 모든 환자에서 관찰되지는 않는다. 근무력증 위기(myasthenic crisis)는 호흡근 위약과 타액 등 분비물을 삼키지 못할 정도의 연하곤란이 나타나는 응급상황이다. 침범된 근육의 분포에 따라 크게 안근형(ocular type)과 전신형(generalized type)으로 나누며 이전의 역학 연구를 통해 다음과 같은 경과가 밝혀졌다.

① 대부분의 경우(85%) 안근형으로 시작한다.
② 첫 증상은 주로 눈꺼풀 처짐(32%), 복시(14%), 눈꺼풀 처짐과 복시(36%)였다.
③ 환자 중 전신화하는 경우 대부분은 조기에 증상이 나타났다(1년 내에 88%).
④ 발병 후 증상이 가장 심해지는 기간도 대부분의 경우 1년 이내로 관찰되었다.

가장 흔한 소견인 눈꺼풀 처짐을 관찰할 수 있고 쉽게 눈꺼풀 올림 근육이 피로해지는 것을 검사할 수 있지만, 소아에서는 관찰이 쉽지는 않다. 외안근의 근력약화나 피로를 관찰할 수도 있다. 눈둘레 근육의 근력과 피로를 측정하는 것이 중요하다. 볼에 바람을 불어 넣어 안면근의 근력을 측정할 수 있으며 설근도 평가할 수 있다. 근육의 피로도를 측정할 때 지속적으로 근육을 수축시켜 얼마 동안 피로 없이 수축할 수 있는지 시간으로 측정할 수도 있다. 구음장애가 있는지 확인이 필요하고 사지의 근력도 반드시 측정하여 증상이 전신화되어 있는지 확인해야 한다.

[진단]

Tensilon검사

Edrophonium(Tensilon®) 검사는 작용시간이 매우 짧은 항콜린 에스테라아제제를 투여하여 증상이 호전되는지를 확인하는 검사로 주사 후 눈꺼풀 처짐, 외안근 근력약화,

복시, 사지 근력약화 등의 증상의 호전 여부를 판단한다. 0.01 mg/kg의 시험용량을 정맥주사한 뒤 근다발수축, 발한, 구역의 부작용이 없으면 바로 0.01-0.02 mg/kg 단위로 투여량을 늘리되 총량이 0.1 mg/kg(<30kg) 혹은 0.2 mg/kg(>30kg)을 초과하지 않도록 한다. 소아에서는 약효 지속시간이 조금 더 긴 neostigmine을 근육주사하여 검사하기도 한다. 근육주사시 0.015 mg/kg의 용량으로 투여한다. 10-15분이 경과하면 반응을 관찰할 수 있고 최대 반응은 20분에 나타나며 최고 2-3시간까지 증상의 변화를 관찰한다. 기관지 연축, 구역, 복통, 서맥, 어지러움의 부작용에 주의하며 심전도 감시를 하면서 투약하고 증상이 발생을 대비해 atropin을 준비하고 검사한다.

반복 신경자극 검사

반복 신경자극 검사에서는 운동신경을 낮은 빈도(2-3 Hz)로 4-5회 반복 자극하여 복합근 활동전위(compound motor action potential, CMAP)의 감소반응을 확인한다. 4-5회 반복 자극하였을 때 진폭이 정상인에 비해 10% 이상의 감소를 보이는 경우 양성으로 판단한다. 위의 두 가지 검사는 임상적으로 증상이 확실하며 항아세틸콜린 수용체 항체가 있는 경우 반드시 필요한 검사는 아니다.

단일섬유 근전도

단일섬유 근전도는 중증근무력증 진단에 가장 민감한 검사이지만 검사자의 숙련도가 중요하며 검사가 매우 길어 어린 소아에서 하기는 어려운 검사이다.

항아세틸콜린 수용체

항아세틸콜린 수용체 검사는 중증근무력증 진단에서 가장 특이도가 높은 검사이다. 하지만 모든 환자에서 항체가 검출되는 것은 아니고 성인 전신형의 경우 85%에서 검출되지만 소아의 경우 청소년기의 사춘기 전 환자의 경우 50%에서만 양성을 보인다. 증상의 경중과 항체가는 관련이 없고 치료 후 증상이 없더라도 항체가 검출되기도 한다. 항체가 검출되지 않은 전신형 중증근무력증 환자의 40-70%에서 항MuSK (muscle specific receptor tyrosine kinase) 항체가 검출되기도 한다.

흉부 CT

소아 환자의 10%에서 흉선종이 관찰되므로 치료에 반응하지 않는 경우 흉부 전산화 단층촬영을 시행하여 흉선종을 확인한다.

[감별진단]

자가면역성 중증근무력증이 의심될 때 약물 혹은 갑상샘 중독증으로 인한 근약화를 감별하여야 한다. 다발근염의 30%에서 구근육 침범이 있어 감별을 요한다. 드물지만 진행성 외안근마비, 안인두 근퇴행위축, Guillain-Barre 증후군과도 감별이 필요하다. 이른 나이에 발병할 경우 선천근무력증과도 증상이 유사하여 감별이 필요하다.

[치료]

항콜린에스테라아제

중증근무력증의 치료는 아세틸콜린 에스테라아제 억제제(항콜린에스테라아제)를 근간으로 하며 필요시 면역 억제 치료를 추가로 할 수 있다. 항콜린 에스테라아제는 아세틸콜린을 분해하는 효소를 억제하여 그 작용을 지속시켜 효과를 나타낸다. 증상에 따라 조절하며 pyridostigmine의 경우 하루 최대 7 mg/kg을 5-6회 증상이 심한 시간에 맞춰 나눠서 복용한다. 청소년 혹은 성인에서는 60 mg을 하루 3-5회 복용한다. 부작용으로 무스카린성 수용체 증상으로 위장관 경련, 설사, 발한, 서맥의 증상이 흔한데 증상에 맞춰 용량을 조절하고 필요시 대증요법을 추가할 수 있다. 하루 300 mg 이상의 투약이 필요한 경우 스테로이드 등의 면역억제제 치료를 고려한다.

면역억제제

Corticosteroid로는 prednisolone이 가장 많이 쓰이며 정확한 기전은 밝혀지지 않았지만 helper T세포 기능과 항체 형성을 억제하여 치료효과를 나타낸다. 보통 1.5-2 mg/kg/일의 용량으로 시작하여 4주 정도 후 관해가 이루어지면 격일 요법으로 변경하여 6-8개월간 투여한다. 경우에 따라서 관해가 유지되는 최저용량으로 유지할 수도 있다. 고용량으로 치료를 시작하는 경우 치료 직후 증상이 악화될 수도 있는데 이 경우 입원하여 주의 깊게 관찰하는 것이 좋다. 증상이 호전되더라도 빨리 줄여서 끊지 않고 지속적으로 사용하여 관해를 유지한 후 서서히 줄여서 중단한다. 스테로이드의 장기 사용 부작용인 골감소증, 고혈압, 성장저하, 체중증가, 당뇨, 백내장의 합병증에 주의해야 한다

T 림프구의 증식과 기능을 억제하는 azathioprine을 사용할 수 있는데 장기간 스테로이드 사용으로 발생하는 부작용을 줄이기 위해 사용이 증가하고 있다. 통상 1-2 mg/kg/일의 용량으로 시작하여 2-3 mg/kg/일까지 증량하며 소아에서는 시작할 때 처음 1주일간은 하루 25-50 mg의 용량을 초과하지 않는다. 부작용으로 독감 유사증상을 보일 수 있고 장기간 사용 시 간독성 및 백혈구 감소가 나타날 수 있어 정기적인 추적관찰과 필요시 감량 혹은 중단할 수도 있다. 그 외 사용가능한 면역억제제로 cyclophospha-mide, cyclosporine, mycophenolate mofetil, tacrolimus 등이 있다.

혈장교환술

혈장교환술은 혈장 내의 항아세틸콜린 수용체를 제거하여 증상을 호전시키는 치료로 증상이 심한 정도에 따라 기간 및 횟수를 결정한다. 대부분의 환자에서 시행 1주일 후 증상의 호전이 나타나고 2주 후에 최대에 이르고 효과는 4-6주간 지속되지만 침습적이고 혈역학적 불안정을 초래할 수 있고 감염, 기흉, 폐색전증을 일으킬 수 있는 고비용의 치료 방법이다.

면역글로불린

면역글로불린은 혈장교환술과 같은 치료기전을 기대할 수 있으면서 덜 위험한 치료로 2 g/kg의 면역글로불린을 2-5일에 걸쳐 투여할 수 있다. 이후 0.5-1 g/kg의 용량으로 2-4주 간격으로 2-3회 더 투여할 수 있다.

흉선절제술

흉선절제술은 T 림프구와 관련된 병인을 제거하기 위해 시행한다. 일반적으로 항콜린 에스테라아제에 반응하지 않는 전신형 근무력증에 고려한다. 절제로 인한 치료효과는 양호한 편이나 무작위 비교 대조군 연구결과 수술로 얻는 이익이 다른 치료와 비교해서 크지는 않았다. 흉선종이 동반되었을 경우에는 수술을 시행한다. 성인의 경우와 달리 소아에서는 면역계의 성숙에 관여하므로 수술 가능

한 나이와 관련하여서는 아직 논란이 있다.

일부 약제는 근무력증을 악화시킬 수 있는데 strepto-mycin, tetracycline, clindamycin, ciprofloxacin, ampicillin, gentamycin 등의 항생제와 베타차단제, 칼슘통로차단제, phenytoin 등의 약물을 예로 들 수 있다.

[예후]

일반적으로 소아의 경우 치료에 대한 반응은 양호한 편이며 발병연령이 중요한 예후인자이다. 사춘기 이전에 발병할수록 관해율이 높다. 하지만 일부 환자에서는 증상 조절이 안되며 근무력증 위기가 오는 등 난치성인 경우도 있다.

2. 일시적 신생아근무력증(Neonatal transient myasthenia)

이미 중증근무력증을 앓고 있는 산모에게서 태어난 신생아에서 모체로부터 넘어온 항아세틸콜린 수용체로 인해 일시적으로 근무력증이 나타나는 경우이다. 약 20%에서 발생하며 출생 직후 근긴장도가 떨어지며 자발 움직임이 적고 잘 빨지 못하며 울음소리도 약하고 심한 경우 호흡도 약하다. 호흡근 약화와 연수 근육 약화가 있는 경우 치료가 필요하고 pyridostigmine 0.5-1 mg/kg를 하루 4-6회 투여하고 총 7 mg/kg/일을 초과하지 않는다. 연하 곤란이 있어 경구투여가 어려운 경우 neostigmine을 근육주사를 할 수 있으나 이 경우 무스카린성 부작용이 나타날 수 있다. 대부분 4-6주 후에 증상이 호전된다.

3. Lambert-Eaton myasthenic 증후군 (Lambert-Eaton myasthenic syndrome, LEMS)

Lambert-Eaton 근무력 증후군은 후천적인 신경근 접합부의 이상으로 연접 전 신경종말의 이상에서 기인한다. 중증 근무력증과는 달리 이른 아침부터 증상이 나타날 수 있고 운동을 통해 증상이 감소할 수 있다. 근력약화 및 근육피로의 분포는 사지 연결근 분포를 보인다. 경한 정도의 눈꺼풀 처짐, 복시, 연하곤란, 구음장애를 보이고 일부에서 입마름, 눈마름, 발기부전, 흐려보임의 자율신경계 증상도 관찰된다. 약 50%의 경우에서 악성종양이 발견되며 소아에서는 매우 드물다.

4. 선천근무력증(Congenital myasthenic syndrome)

선천근무력증은 비면역성 기전으로 발생하는 근무력증으로 발병기전이 중증근무력증, LEMS와는 다르다. 아세틸콜린 수용체의 구조 및 기능의 이상으로 발생하며 그 원인은 매우 다양하다. 대부분 2세 이전에 증상이 발현하며 많은 경우 신생아기 혹은 이른 영아기에 증상이 나타난다. 대표적인 증상으로 섭식장애, 호흡곤란, 안근마비, 눈꺼풀 처짐, 근긴장 저하, 사지 피로를 들 수 있다. 먼저 근전도검사를 시행하며 다른 질환과 감별을 위해 항아세틸콜린 수용체를 확인한다. 확진은 개별 원인에 맞춰 특수검사를 시행하여 할 수 있고 원인질환은 그 위치에 따라 연접 전, 연접 내, 연접 후 이상으로 분류할 수 있다. 가족성 영아기근무력증, 선천 아세틸콜린 수용체결핍, 아세틸콜린 에스터라제결핍, slow channel 증후군이나 시냅스주름 부족증 등이 있다.

06

근긴장질환

Myotonic Disorders

| 채종희 |

근긴장증(myotonia)은 특정 질병이 아닌 몇몇 근질환에서 보이는 증상이다. 수의적, 기계적 혹은 전기적 자극이 끝난 후에도 지속되는 근육의 능동수축을 의미하며 근육이 수축된 후에도 이완이 용이하게 되지 않는 현상으로 나타난다. 원인은 근육 자체에 있다고 보이며 임상적으로는 파악 근긴장증(grip myotonia: 주먹을 꽉 쥐었다가 놓을 때 잘 펴지지 않는 증상), 타진 근긴장증(percussion myotonia: 혀 근육이나 엄지 두덩이나 손가락 폄 근육을 타진한 후 수축이 잘 일어나지 않는 현상)을 관찰할 수 있다. 증상은 매우 심한 경우부터 미약한 경우까지 다양하다. 근긴장질환에는 근긴장 퇴행위축(myotonic dystrophy), 선천근긴장증(myotonia congenita), 선천근긴장 실조증(paramyotonia congenita), 그리고 근긴장 연골퇴행위축(myotonic condro-dystrophy)이 포함된다.

1. 근긴장 퇴행위축(Myotonic dystrophy)

근긴장 퇴행위축은 상염색체 우성으로 유전되는 눈, 심장, 뇌, 내분비, 소화기, 자궁, 피부 등의 다기관을 침범하는 질환으로 근긴장증, 근력약화, 이른 시기에 발병하는 백내장이 주증상인 질환이다. 유전적 원인에 따라 제1형과 제2형으로 분류한다. 발생률은 8,000명당 1명으로 흔한 유전질환이다. 성인기에 발병하는 근퇴행위축이지만 매우 다양한 양상의 임상형으로 나타난다. 임상증상은 DM2의 경우 일반적으로 DM1보다 경한 것으로 알려져 있다.

1) 제1형 근긴장퇴행위축(Myotonic dystrophy type 1, DM1)

[역학 및 임상양상]

발생률은 8,000명당 1명으로 흔한 유전질환이다. 소아에서는 증상이 심한 조기 선천성 근긴장퇴행위축과 조기 학동기에 주로 발병하는 경한 형태로 나타날 수 있다. 조기 선천성 형에서는 출생 시 호흡부전, 수유장애, 근긴장 저하, 만곡족 등의 증상으로 나타난다. 산전에는 약한 태동, 양수감소증의 병력이 흔히 동반되며 분만 시 진행이 잘 되지 않는 경우도 드물지 않게 발생한다. 출생 후에는 인공호흡기 보조가 필요할 수도 있는데 이 경우 예후가 불량하다. 생후 2년까지는 잦은 흡인성 폐렴과 수유 및 섭식 곤란이 문제가 될 수 있다. 이른 학동기에 증상이 나타나는 경한 형태의 근긴장퇴행위축의 경우 오히려 인지기능 저하, 표현언어 혹은 수용언어 발달 지연, 둔한 움직임 등 근육외의 증상이 먼저 나타나기도 한다.

주로 원위부 근위약이 주된 증상으로, 보행이나 손을 사용하는 세밀한 작업에 장애가 발생한다. 특징적인 얼굴형태는 얼굴근육 및 눈꺼풀 올림근의 위약으로 인하여 발생한다(그림 15-16). 선천성 백내장 및 심장 전도장애가 거의

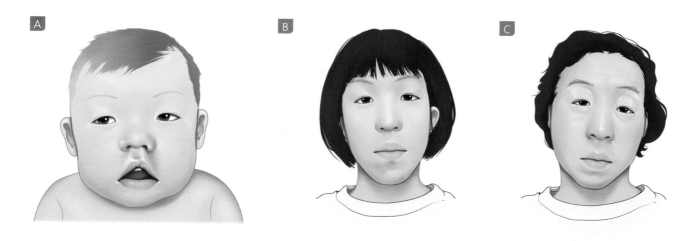

■ 그림 15-16. 제1형 근긴장퇴행위축 환자의 얼굴소견
신생아기부터 근위약에 동반된 수유 및 호흡곤란 증상을 보인 환자로 1,120개의 CTG 반복이 확인 (A). 경도의 정신지체 및 보행장애를 주소로 내원한 환자 (B)와 어머니(C)로 560개의 CTG 반복이 확인

모든 환자에서 동반되기 때문에 진단 시부터 자세한 검사 및 경과관찰이 필요하다. 당뇨도 동반될 수 있어 관리가 필요하다.

[진단]

제 1형 근긴장퇴행위축의 경우 19번 염색체(19q13.3)의 DMPK (serine/threonine protein kinase) 유전자의 3' 비해독부위(untraslated region, UTR)의 CTG 3 염기서열 반복 증폭이 원인으로 밝혀져 있다. 이 증폭은 대를 거칠수록 증폭수가 증가하고 증폭수는 임상증상의 심한 정도와 비례하는 소견을 보인다(anticipation). 출생 시부터 증상을 보이는 경우 증폭수가 1500 이상이며 증상이 중등도인 성인의 경우 300-1,000, 증상이 매우 약한 경우 증폭수가 50-200 정도로 나타난다. 진단은 DMPK 유전자검사로 확진하며 근전도에서 관찰되는 근긴장증의 소견은 진단에 도움이 되나 어린 소아에서는 관찰되지 않을 수도 있다. CK 수치는 정상이거나 약간 상승되어 있어서 1차적인 진단적 가치는 없고 근조직 검사도 다른 질환의 감별을 위해서만 시행된다. 조기에 백내장이 발생하여 안과적 검진을 통해 백내장 동반 여부를 반드시 확인하여야 한다.

[치료]

적절한 보조구 착용을 포함한 재활치료가 필수적이다. 동반된 백내장, 심장 부정맥, 내분비질환에 대한 치료가 필요하다. 정규 심전도 혹은 24시간 심전도검사 및 공복 혈당과 당화 혈색소를 매년 시행하는 것이 좋다. Statin 등 혈중 콜레스테롤 조절 약제는 근위약이나 통증을 유발할 수 있어서 주의해야 하고, 전신마취 시 vecuroinum을 사용할 경우 심장 부정맥과 무호흡 발생에 주의하여야한다.

2) 제2형 근긴장퇴행위축(Myotonic dystrophy type 2, DM2)

[임상양상]

성인에서 다양한 양상으로 나타나고 소아에서는 조기 발생 백내장, 다양한 정도의 파악 근긴장증, 대퇴근육 경직 및 근위부 근육의 동통과 위약이 주된 임상양상으로 나타난다. 어린 소아의 경우 계단을 뛰어 오르는 등의 운동을 할 때 경직과 근력약화를 호소하기도 한다. 증상은 간헐적으로 나타나며 심한 정도가 변동하며 기간은 하루에서 수주간 지속되기도 한다. 소아에서 매우 이른 시기에 발병하는 경우 근위부 근육의 미약한 위약으로만 나타나기도 한다.

[진단 및 검사]

이전에 근위부 근긴장성 근육병증(proximal myotonic dystrophy)으로 불렸으나, 3번 염색체의 3q21 위치에 있는 zinc finger protein 9 (ZNF9) 유전자의 1번 intron의 CCTG

4 염기 서열 반복의 증폭이 원인으로 밝혀지면서 myotonic dystrophy type 2 (DM2)로 분류되었다. 제1형 근긴장퇴행위축과 같이 유전자검사로 확진하며 백내장을 진단하기 위해 안과검진이 필요하다. CK의 상승이 관찰되는 환자는 그렇지 않은 환자에 비해 마취로 인한 합병증을 겪을 위험이 더 높다.

[치료]

제1형 근긴장 퇴행위축과 유사하게 보존적 치료가 주를 이룬다.

2. 선천근긴장증(Myotonia congenita)

근긴장증을 주증상으로 하는 질환으로 근긴장 퇴행위축에서 관찰되는 지능저하 및 내분비 이상이 나타나지 않으며 근력저하가 덜 흔하다. 증상은 흔히 영아기에 시작되며 울거나 재채기를 하면서 눈을 감는 경우에 다시 눈을 뜨는데 어려움을 보이며 수유곤란과 목이 조이는 듯한 울음소리를 나타내기도 한다. 일부에서는 증상 발현이 늦어서 10-20세 경에 발현하기도 한다. 활발한 움직임을 시작하는데 어려움이 있고 갑자기 동작을 시작할 때 근긴장증이 관찰되기도 한다. 빠르게 위쪽을 주시하게 할 경우 눈 움직임보다 눈꺼풀이 늦게 움직이는 myotonic lid-lag이 관찰되기도 한다. 원인으로 염색체 7q35와 연관이 되어있으며 대부분 상염색체 우성 유전양식을 보인다. 우성유전 형태에서 추울 때 증상 악화가 더 뚜렷하며 마취로 인해 악성 고열이

나타날 확률이 더 높다.

3. 선천근긴장실조증(Paramyotonia congenita)

근퇴행위축의 특징이 없이 이완성 마비발작을 동반한 근긴장증을 보이는 질환이다. 상염색체 우성유전을 보이며 원인 유전자의 위치는 17q13.1-13.3으로 밝혀졌다. 일반적으로 소아기에 발생하며 추위에 노출시 증상이 심해지며 운동을 하는 경우 근긴장증이 증가하는 경향을 보인다. 많은 환자에서 근비대가 관찰되고 이들 중 일부에서는 지속적인 근력저하가 관찰된다.

4. 근긴장 연골퇴행위축(Myotonic condrodystrophy)

드문 질환으로 출생 시부터 나타나는 전신의 근비대와 근력약화를 주증상으로 보인다. 독특한 얼굴형과 장골의 영상의학검사 변화가 특징적으로 모르퀴오병에서와 유사한 양상을 보인다. 왜소증, 관절이상, 검련축소(실눈증)가 나타난다. 몇몇 환자에서 근친결혼의 가족력이 있어 상염색체 열성 유전양식을 보일 가능성을 시사한다. SJS1 유전자에 의해 전사되는 근육단백인 prelecan의 이상이 관찰된다. 일부 예에서 근육의 과도한 흥분 및 연골이형성증이 관찰된다. 근전도에서는 근긴장 이상 환자에서 보이는 소견이 같게 나타나다. 근조직 검사에서는 비특이적인 근병증의 소견이 가볍게 나타난다.

기타 근병증

Other Myopathies

| 채종희 |

1. 대사근병증(Metabolic myopathies)

대사근병증이란 유전자 이상에 의해 특정 효소의 기능 저하 및 결핍으로 인해 발생하는 유전 근병증이다. 특정 효소의 기능에 문제가 있을 때 전구물질이 침착되기도 하고 대사산물이 생성이 되지 않아 문제를 일으키기도 한다.

1) Pompe병(Glycogen storage disease type II)

[임상양상]

폼페병은 리소좀 안에서 글리코겐 분해에 작용하는 효소인 acid alpha-glucosidase의 결핍에 의해 발생하는 당대사 근병증이다. 환자들에서 글리코겐 기질이 표적 장기에 축적되는 현상이 공통적으로 나타나지만 효소의 결핍 정도에 따라 다양한 중증도의 임상양상을 보인다.

증상 발현시기에 따라서 영아형, 연소형, 성인형으로 분류한다. 영아형의 경우 빠르게 진행하는 비후 심근병증, 간비대, 근력약화, 근긴장도 저하, 반복되는 호흡기 감염을 보이며 대부분의 경우 1세 이전에 사망하는 치명적인 경과를 보인다. 연소형 혹은 성인형의 경우 모든 연령대에서 증상 발생이 가능하고 주로 근력약화가 주된 증상이며 소아의 경우 흔히 발달지연이 동반된다.

영아기에 심한 근긴장 저하와 심부전이 있을 때 폼페병을 강하게 의심할 수 있다. 심전도에서 심실비대 등 이상 소견을 발견할 수 있어 심한 근긴장 저하 환자에서 흉부 X선사진 혹은 심전도를 시행하여 심장 침범을 확인하는 것이 더 확실한 진단적 검사를 시행하는데 도움이 된다. 연소형과 성인형 환자의 경우 흔히 근전도의 이상소견을 보인다.

[진단 및 치료]

혈청 CK 수치는 흔히 높게 측정되고 근조직 검사에서 acid alpha-glucosidase의 활성도가 떨어진 것을 확인할 수 있다. 현재 acid alpha-glucosidase 효소치료가 가능하기 때문에 조기에 증상을 발견하여 치료하는 것이 매우 중요하다.

2) McArdLe병(Glycogen storage disease type V)

[임상양상]

근육에서 글리코겐을 분해하는 효소인 myophosphorylase의 유전자 이상으로 인해 이 효소의 기능에 문제가 생겨 발생하는 병이고 효소의 기능저하는 오직 근육에서만 관찰되어 주로 운동 불내성이 주 증상이다.

과격한 운동을 하고 나서 운동을 한 근육의 심한 통증을 호소하고 적색뇨가 있어서 검사하면 myoglobulinuria가 발견되기도 한다. 일부 환자에서는 잠시 휴식을 취할 경우 다시 운동을 할 수 있는 경우도 있다. 따라서 격한 운동을 할 경우 반복적으로 심한 근육통증이 유발되며 적색뇨가 동반될 때 진단을 의심할 수 있다. 통증은 운동을 하고 나서 바로 나타나고 수시간이 지나면 저절로 좋아진다. 일부 환자에서는 진행하는 근력약화로 증상이 나타나기도 한다.

[진단]

근전도는 대부분 정상이고 혈청 CK가 상승해 있고 소변에서 myoglobulin을 검출할 수 있다. 근조직 검사에서 글리코겐을 포함하며 인산분해효소가 결핍된 소포를 관찰할 수 있다. 최근 상완 허혈 젖산검사(forearm ischemic lactate test)를 시행하여 의심이 될 경우 유전자검사를 시행하는 경우도 있다.

[치료]

적절한 수준의 유산소 운동으로 운동능력을 향상시킬 수 있고 creatine 보조요법이 근 기능을 향상시킨다는 보고도 있다. 증상이 심하지 않는 경우 일부 환자들은 증상에 적응해서 운동을 하며 문제없이 지내기도 한다.

3) Carnitine palmitoyltransferase II 결핍(CPT II deficency)

Carnitine palmitoyltransferase는 사립체의 내막에서 palmitoyl-CoA를 palmitoylcarnitine으로 변환시키는 효소로 지방산을 사립체 막을 통해 이동시키는 역할을 하는데 필수적인 효소이다. 상염색체 열성 유전양식으로 유전되며 1번 유전자 단완(1p32)에 유전자가 위치하는 것으로 알려져 있다. 증상이 심할 경우 비케톤성 저혈당 의식변화를 나타내고 증상이 심하지 않은 경우 운동 불내성과 myoglobulinuria만 나타나는 경우도 있다.

발병연령은 1세부터 성인까지 매우 다양하며 잠깐 동안 큰 힘을 사용하는 운동은 가능하나 오랜 시간 유산소 운동을 하게 될 경우 근육통증과 부종이 나타나게 된다. CPT II 결핍이 있는 경우 악성 고열이 발생할 위험이 있어 마취할 때 각별한 주의가 요구된다. 잦은 탄수화물 섭취와 장시간의 유산소 운동을 피할 경우 근육 손상을 줄일 수 있다.

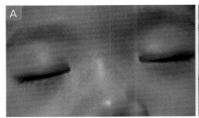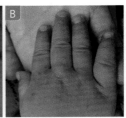

■ 그림 15-17. 청소년형 피부근염 환자의 피부소견
(A) 눈꺼풀 주변의 보라색 발진(heliotropicrash) **(B)** 오른손 관절 주변의 gottron구진

2. 청소년형 피부근염(Juvenile dermatomyosis, JDM)

[발병기전]

자가면역 반응에 의한 다발근염(polymyositis)으로 피부와 근의 모세혈관을 공격하는 자가항체에 대한 반응으로 피부염과 근염이 발생하는 질환이다. 청소년형 피부근염은 염증성 근염의 대부분을 차지하는 가장 흔한 형태이다.

[임상양상]

가장 주된 증상은 근력약화로 서서히 진행하는 대칭성 근위형 근력약화가 가장 흔히 나타난다. 또한 특징적인 발진이 나타나는데 윗 눈꺼풀의 보라색 발진(heliotropic rash)이 나타날 수 있고 손가락 관절 바깥부분(knuckle)에 gottron구진과 함께 발진이 나타나기도 한다(그림 15-17). 일부 환자에서 전신증상으로 발열이 나타나기도 한다. 증상이 심한 경우 피부에 궤양이 발생할 수도 있고 석회화가 발생하기도 한다. 특징적인 근력저하는 서서히 진행하면서 동시에 근육통증을 호소한다. 드물게 근육침범이 없는 청소년형 피부근염(amyopathic JDM)이 발생하는 경우도 있다. 일부 환자에서 소화기, 호흡기의 말초혈관을 침범하여 내부 장기출혈을 일으키는 경우가 있어 각별한 주의를 요한다.

[진단]

특징적인 증상인 근력약화, 근육통, 피부병변이 있는 경우 쉽게 진단을 의심할 수 있다. 혈청 CK는 상승되어 있고 근육 특이효소인 aldolase도 상승되어 있다. 과거 진단을 위

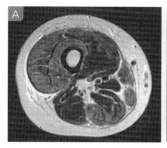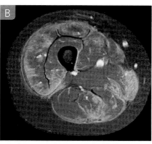

■ 그림 15-18. 청소년형 피부근염 환자의 근 MRI 소견
환자의 대퇴부 근 MRI에서 T2 신호증가(**A**)와 조영증강(**B**)을 관찰할 수 있다.

해서 근조직 검사를 시행하여 모세혈관 주위의 위축을 관찰하기도 하였으나, 최근에는 근육의 지방조직의 신호강도를 억제한 MRI 검사를 시행하여 T2 신호강도 증가와 조영 증강을 밝혀 비침습적 방법으로 진단을 할 수 있게 되었다(그림 15-18).

[치료]

치료의 목표는 염증성 근병증을 호전시키는 것과 동시에 치료 및 질병경과에서의 부작용을 최소화하는 것이다. 면역억제치료가 주된 치료가 되며 처음 스테로이드 pulse 혹은 경구 스테로이드로 치료를 시작해서 증상이 완전히 호전되었다고 판단되면 점차 감량하여 장기간 소량의 스테로이드를 유지하는 것이 치료의 주된 근간이 된다. 첫 치료에서 과량의 methylprednisolone pulse 치료를 할 수도 있고 경구 prednisolone을 2 mg/kg(30 mg/m^2)으로 시작할 수 있는데 두 경우에서 치료에 대한 반응에는 유의할 만한 차이는 없다는 보고가 있다. 관해가 오지 않고 염증활동이 지속되는 경우 면역글로불린이나 다른 면역억제제를 시도해 볼 수 있다. 관해가 온 후 재발하는 경우 초기 치료를 다시 할 수 있고 다른 치료제를 시도할 수 있다. 일부 환자에서는 발병 이후 치료에도 반응을 하지 않아서 여러 가지 다른 면역억제제를 사용하여도 증상의 호전이 없는 경우도 있다. 주요 치료가 스테로이드와 같은 면역억제제이고 이를 장기간 사용하여야 하므로 스테로이드의 오랜 사용으로 발생할 수 있는 부작용을 감시하고 부작용이 발생할 경우 적절한 대처를 하는 것도 매우 중요하다.

[예후]

약 1/3의 환자에서 단발성의 경과를 보이고 이 경우 초기 치료에 대한 반응도 양호한 것으로 되어있다. 나머지 2/3의 환자에서는 재발을 반복하거나 처음 발병후 증상의 호전이 없어서 석회화 및 심한 근력약화로 장애를 초래하는 경우가 많다. 치료로 인해 증상이 호전된 후 다시 재발하거나 증상이 악화될 때 혈청 aldolase가 조기 발견할 수 있는 지표라는 보고가 있다.

3. 주기성마비(Periodic paralysis, PP)

평소 건강하던 환자에서 갑자기 발생하는 이완마비가 간헐적으로 반복되는 질환으로 증상은 주기적이기 보다는 불규칙하게 간헐적으로 일어난다. 대부분 이온통로의 기능이상에서 기인하고 유전양식, 혈중 칼륨수치, 근긴장증의 유무에 따라서 고칼륨 주기성마비(hyperkalemic PP), 정상 칼륨 주기성마비(normokalemic PP), 저칼륨 주기성마비(hypokalemic PP), 선천 이상근긴장(paramyotonia congenita), Anderson-Tawil 증후군, 갑상샘중독 주기성마비(thyrotoxic PP)로 분류할 수 있다. 원인이 되는 이온통로로는 나트륨통로, 칼륨통로, 칼슘통로를 들 수 있다. 정확한 기전이 밝혀져 있지는 않지만 특정 상황에서 근육에 있는 이 이온통로의 기능에 이상이 발생하여 간헐적인 이완성 마비가 나타나는 것으로 알려져 있다.

1) 저칼륨 주기성마비(Hypokalemic PP)

원인이 되는 이온통로에 따라 1형(Ca 통로)과 2형(Na 통로)으로 나눌 수 있다. 증상을 유발하는 상황이 있는데 증상 발생전 탄수화물이 많은 음식을 먹고 자거나 격한 운동을 한 경우에도 발생할 수 있다. 이 경우 아침에 자고 일어났을 때 사지를 움직이지 못하는 이완성 마비를 알게 된다. 검사를 하고 저칼륨혈증을 발견하게 되는데 이 때 혈액 및 소변검사를 통해 저칼륨혈증이 다른 원인에 의한 것이 아님을 확인해야 한다. 증상이 매우 심할 때 조심해서 정맥으로 칼륨을 주사하는데 과량을 단시간에 주사할 경우 심정지가 일어날 수 있다는 것을 알고 반드시 조심해서 투여한다. 그렇지 않을 경우 경구 칼륨보충으로도 증상의 호전이 나타난다. 일부 환자에서는 반복되는 마비로 인해 근력약화가 지속적으로 진행하기도 한다. 증상이 자주 발생하거나 매우 심한 경우 평소 경구 칼륨보충 요법을 시행할 수 있다. 예방을 위해 acetazolamide나 이뇨제인 spironolactone을 사용할 수 있다. 대부분의 환자에서는 매번 정상으로 근력이 회복되는데 일부 환자에서는 지속적으로 근력이 약화되기도 한다.

2) 고칼륨 주기성마비(Hyperkalemic PP)

과격한 운동을 하거나 금식을 하고 난 후 사지의 근육에 마비가 오는 경우로 혈중 칼륨농도를 측정하면 상승해 있다. 증상이 매우 심하지는 않고 대부분 경구로 탄수화물을 섭취하면 증상이 호전된다. 수치가 너무 높을 경우 약으로 수치를 낮출 수도 있는데 심전도 감시를 통해 항상 주의하며 투약하여야 한다. Thiazide 항이뇨제나 carbonic anyhdrosis 억제제를 사용하여 증상을 예방하기도 한다.

3) Anderson-Tawil 증후군(Anderson-Tawil syndrome)

주기성마비, 부정맥, 이상형태의 세 가지가 있을 때 앤더슨-타윌 증후군으로 진단할 수 있다. 동반되는 이상형태로는 작은 키, 양안 과다격리, 낮은 귀, 소악증, 새끼손가락 측만지와 척추측만증이 있을 수 있다. QT 연장과 심실성 부정맥을 흔히 관찰할 수 있는데 주기성마비 환자가 얼굴의 이상형태를 보이는 경우 심부정맥에 대한 평가를 시행하여 진단할 수 있다.

4) 갑상샘중독 주기성마비(Thyrotoxic PP)

가장 흔한 2차 주기성마비로 갑상샘항진증과 관련해서 주기성마비가 나타나는 경우이다. 대부분 근위부 근력약화만 호소하지만 심할 경우 구근육의 침범이 있는 경우 호흡곤란까지도 나타날 수 있다. 고인슐린혈증, 탄수화물 과다복용, 심한 운동의 위험인자가 있을 때 더 잘 나타난다.

참고문헌

1. Angelini C, Semplicini C. Metabolic myopathies: the challenge of new treatments. Curr Opin Pharmacol 2010;10:338-45.

2. Burr mL, Roos JC, Ostor AJ. Metabolic myopathies: a guide and update for clinicians. Curr Opin Rheumatol 2008;20:639-47.

3. Denny-Brown D, Pennybacker JB. Fibrillation and fasciculation in voluntary muscle. Brain 1938;61:311-38

4. Dubowitz V. Muscle Biopsy, A parctical approach, 2nd ed. Bailliere Tindall, 1985

5. Finsterer J. Primary periodic paralyses. Acta Neurol Scand 2008;117:145-58.

6. Ford FR. Congenital laxity of ligaments. In: Ford FR, editor. Diseases of the Nervous system in infancy, childhood and adolescence. 5th ed. Charles C Thomas; 1966. p.1219-21.

7. John H. Menkes, Harvey B, Sarnat, Bernard L, Maria, Child Neurology, 7th ed. Lippincott Williams and Wilkins, 2005

8. Kenneth F. Swaiman, Stephen Ashwal, Donna M. Ferriero, Pediatric Neurology: Principles and Practice, 5th ed. Elsevier, 2012

9. Kurihara T. New classification and treatment for myotonic disorders. Intern Med 2005;44:1027-32.

10. Lorson CL, Hanhen E, Androphy EJ, et al. A single nucleotide in the SMN gene regulates splicing and is responsible for spinal muscular atrophy. Proc Natl Acad Sci USA 1999;96:6307-11.

11. Matthews E, Fialho D, Tan SV, et al. The non-dystrophic myotonias: molecular pathogenesis, diagnosis and treatment. Brain 2010;133(Pt1):9-22.

12. McMillan HJ, Darras BT, Kang PB. Autoimmune neuromuscular disorders in childhood. Curr Treat Options Neurol 2011;13:590-607.

13. Moosa, Dubowitz V. Motor nerve conduction velocity in spinal muscular atrophy of childhood. Arch Dis Child 1976;51:974-7

14. Oppenheim H. Uber allgemeine und localisierte Atonie der Muskulatur (Myotonia) in fruhen Kindesalter. Monatsschr Psychatr Neuol 1900;8:232-3

15. Parr JR, Jayawant S. Childhood myasthenia: clinical subtypes and practical management. Dev Med Child Neurol 2007;49:629-35.

16. Robert B. Daroff, Gerald M Fenichel, BradLey's Neurology in Clinical Practice, 6th ed. Elsevier, 2012

17. Robinson AB, Reed AM. Clinical features, pathogenesis and treatment of juvenile and adult dermatomyositis. Nat Rev Rheumatol 2011;7:664-75.

18. Sarnat HB. Research strategies in spinal muscular atrophy. In: Gamstorp I, Sarnat HB, editor. Progressive spinal muscular atrophies. Raven Press; 1984. p.225-33.

19. Sicot G, Gourdon G, Gomes-Pereira M. Myotonic dystrophy, when simple repeats reveal complex pathogenic entities: new findings and future challenges. Hum Mol Genet 2011;20(R2):R116-23.

20. van der Steege G, Grootscholten PM, van der Vlies P, et al. PCR-based DNA test to confirm clinical diagnosis of autosomal recessive spinal muscular atrophy. Lancet 1995;345:985-6.

제**16**장

말초신경계 질환

Disorders of Peripheral Nervous System

급성 염증성 탈수초 다발신경병증

Acute Inflammatory Demyelinating Polyneuropathy, Guillain-Barre Syndrome

| 이윤진 |

Guillain-Barre 증후군은 가장 흔한 후천성 면역매개 말초신경병증이며, 세계적으로 급성 이완성 마비의 가장 흔한 원인이다. Guillain-Barre 증후군의 전형적인 아형인 염증성 탈수초 다발신경병증(acute inflammatory demyelinating polyneuropathy, AIDP)은, 말초신경과 척수신경근에 수초(myelin sheath)의 염증성 손상으로 나타난다. 급성 또는 아급성 진행으로 최대 28일 동안 지속될 수 있고, 이후 수주에서 수개월에 걸쳐 회복되는 경과이다. 2001년에 운동신경과 감각신경섬유의 침범여부 및 수초 또는 축삭(axons)의 손상여부를 시사하는 임상병리 및 신경전기생리 결과에 근거하여 4가지 주요 아형으로 재분류되었다(표 16-1): (1) 급성 염증성 탈수초 다발신경병증(acute inflammatory demyelinating polyneuropathy, AIDP); (2) 급성 운동축삭 신경병증(acute motor axonal neuropathy, AMAN); (3)

표 16-1. Guillain-Barre 증후군의 아형들의 상대적 빈도와 관련된 자가항체들

	빈도	IgG-Antiganglioside Antibodies
아형(subtypes)		
• 급성 염증성 탈수초 다발신경병증(Acute Inflammatory Demyelinating Polyneuropathy)	흔함(특히 서양)	None/GM1 (~10%)
• 급성 운동축삭 신경병증(acute motor axonal neuropathy)	흔함(특히 개발도상국)	GM1, GD1a
• 급성 운동-감각축삭 신경병증(acute motor-sensory axonal neuropathy)	드묾	GM1, GM1b, GD1a
• Miller-Fisher 증후군	드물지 않음	GQ1b, GT1a
변이형(variants)		
• Bickerstaff 뇌간뇌염	드묾	GQ1b, GT1a
• 뇌신경 다발신경염(polyneuritis cranialis)	드묾	GQ1b, GT1a
• 인두경부상완 변이형(pharyngeal-cervical-brachial variant)	드묾	GT1a〉GQ1b〉〉GD1a
• 급성 감각신경병증(acute sensory neuropathy)	매우 드묾	GQ1b, GT1a
• 급성 전자율신경 기능이상(acute pandysautonomia)	매우 드묾	
• 급성 안근마비(acute ophthalmoparesis)	매우 드묾	GQ1b, GT1a
• 하반신마비(paraparesis)	매우 드묾	

급성 운동-감각축삭 신경병증(acute motor-sensory axonal neuropathy, AMSAN); (4) 밀러 피셔 증후군(Miller-Fisher syndrome, MFS). 그 외 비정형적 형태가 매우 드문 빈도로 있다.

[역학]

Guillain-Barre 증후군의 발병률은 전 세계적으로 매년 100,000명당 0.26-4명의 빈도로 발생하며, 남자가 여자보다 1.5배 흔하다. 0-15세 사이 소아에서는 100,000명당 0.34-1.34명으로 성인보다 낮고, 소아의 호발연령은 4-9세이다. 2세 미만과 80세 이상에서는 드물다.

[병인]

(1) 선행감염

Guillain-Barre 증후군의 초기 증상은 일반적으로 호흡기 또는 위장관 감염과 예방접종 후 1-6주 후에 나타나며 소아 환자의 26-85%와 성인의 약 60%에서 이런 병력을 보인다. 다양한 병원균과의 관련이 보고되었는데 가장 흔한 균은 Campylobacter이며 이 외에 cytomegalovirus, Epstein-Barr virus, Hemophilus influenzae, Mycoplasma pneumoniae, enterovirus, hepatitis A와 B, herpes simplex, adenovirus, measles, mumps, rubella, varicella-zoster virus, Chlamydophilia pneumoniae 등이 알려져 있다. 가장 흔한 유발원인으로 알려진 C. jejuni는 선행요인의 30%까지 보고되고 있으며, 가금류 또는 오염된 물에서 유래된다. Campylobacter 감염 후 발생한 Guillain-Barre 증후군은 예후가 불량하고 후유증이 많은데 수초와 Schwann 세포의 침범보다 축삭초(axolemma)와 Ranvier절의 침범으로 인한 축삭변성을 잘 일으키기 때문이다.

(2) 예방접종

예방접종과의 관련성은 보고에 따라 인과관계가 일치하지 않는다. 1990-2003년에 미국 인플루엔자 백신 캠페인과 함께 Guillain-Barre 증후군 발생이 감소하였으나, 1992-1994년에는 인플루엔자 백신 접종 후 발생이 소폭 증가하였다. 예방접종 후 Guillain-Barre 증후군의 재발 위험은 낮다. 그러나 Guillain-Barre 증후군의 병력이 있을 경

우, 특히 예방접종 후 6주 이내에 발생한 경우에는 주의가 필요하다.

[병리소견]

선행감염에 의해 이상 면역반응이 시작된다. 미생물, 특히 O19, O41 혈청형 campylobacter 균주와 말초신경 사이에 항원결정 인자(epitope)가 공유되면서, 교차반응성 T-세포 및 GM1 ganglioside에 대한 항체가 형성된다. 이후 대식세포가 Fc 수용체에 결합하고 자극된 대식세포는 클론성 T-세포 확장, 사이토카인 방출 및 내피세포로 유착증가를 일으킴으로써 수초로 T-세포 이동을 유발하고 탈수초가 진행된다. 급성 염증성 탈수초 다발신경병증은 말초신경의 수초를 표적으로 하는 T-세포 면역반응으로 알려져 있다. 원인이 밝혀지지 않은 수초 항원에 항체가 형성된 후 보체가 활성화되고 Schwann 세포 표면에 막공격 복합체(membrane-attack complexes, MAC)를 형성하면서 수초의 손상이 일어난다. 병리소견은 탈수초된 신경분절에 T-세포 및 대식세포의 염증성 침윤이 손상 시작 1주 이내에 관찰되고, 이차적인 변화로 척수근의 축삭손상도 생길 수 있다. 급성 운동축삭 신경병증은 축삭을 둘러싸는 수초가 주요 손상부위로서 GM1과 GD1a gangliosides의 항원항체 반응이 대부분 Ranvier절에서 발현한다. 일차적인 면역반응으로 대식세포가 Ranvier절을 공격하면서 축삭과 Schwann 세포 사이로 침입하여 축삭손상을 일으킨다. 운동신경형은 운동신경의 전측 신경근과 말초신경이 침범되며 운동-감각신경형은 운동신경 뿐 아니라 감각신경이 같이 침범된다.

[임상증상]

Guillain-Barre 증후군의 가장 흔한 형태인 급성 염증성 탈수초 다발신경병증은 소아와 성인에서 유사하게 나타난다. 발가락 또는 손가락의 가벼운 이상감각으로 시작하여 양측 근력저하가 하지에서 상지로 상행성으로 진행하는 특징을 보인다. 대부분 대칭적으로 마비가 진행되나 일부 비대칭적 진행도 나타난다. 소아에서 하지의 통증과 함께 걷기 힘들어하는 보행장애가 병원을 찾는 가장 흔한 증상이다. 이러한 하지마비는 2-4주 이내에 상행성으로 팔, 얼굴 및 호흡기 근육마비로 진행하면서 최고조에 이르게 된

다. 소아의 80%는 발병 후 2주 이내에 전체 90-98%는 4주까지 최고 중증도에 도달하게 되는데 급속히 진행하는 경우 24시간 내에 연수마비까지 나타나기도 한다. 심부건반사는 대개 초기부터 소실되지만 상당 기간 유지되기도 한다. 통증은 질병 초기부터 두드러질 수 있고 일부에서는 근력저하보다 선행해서 나타날 수 있다. 허리와 하지의 통증은 6세 미만에서 흔한 통증형태(83%)이다. 특히 다리를 올릴 때 허리에서 다리로 뻗어나가는 통증이 악화된다.

7-10일 후 약 60%의 소아 및 성인에서 보행불능이 나타나고 호흡기 마비는 소아의 15%(4.4-24), 성인의 17-30%에서 발생한다. 신경통이 79%, 자율신경계 장애가 51%, 뇌신경 침범이 46-50%에서 동반된다. 연수침범(bulbar involvement)은 약 50%에서 발생하며 호흡부전을 유발할 수 있다. 연하곤란, 안면근육 마비, 상지 삼두박 및 심부건반사의 소실은 호흡부전의 임박징후로서 기계호흡을 적극적으로 고려해야 한다.

뇌신경 침범은 약 30%에서 초기에 발생하고 진행하면서 50% 정도에서 발생한다. 안면신경 마비가 흔하고 대개 양측성이다. 이외 연하장애, 비음, 안검하수, 복시 및 외안근 마비가 나타날 수 있다. 안저의 유두부종이 관찰될 수 있지만 대부분 시력장애는 동반하지 않는다. 감각신경도 흔히 침범되는데 이상감각 혹은 감각소실을 호소한다. 감각소실이 동반되는 경우 위치감각, 진동감각, 통각, 촉각 장애의 빈도순을 보인다.

환자의 절반에서 자율신경계 이상으로 인한 동성빈맥, 서맥, 심장무수축, 심방성 및 심실성 부정빈맥과 같은 부정맥, 불안정한 혈압이 발생하여 일부에서는 생명을 위협할 수 있다. 특히 어린 연령과 심한 마비환자들에서 더 흔하다. 그 외에도 장마비와 방광기능 장애가 나타날 수 있는데, 심한 경우에는 카테터 삽입이 필요할 수 있다. 변비, 땀분비 장애 및 혈관운동 불안정도 동반될 수 있다.

병이 최고조에 이른 1-2주 후부터 수개월에 거쳐 발병 순서의 반대방향으로 회복되기 시작한다. 소아는 성인에 비해 회복이 빠르며 후유증이 적다. 대부분은 2-18개월 이내에 회복된다. 만약 2개월 이상 질환이 진행하거나, 치료에 반응을 보였더라도 재발을 보인다면 만성 염증성 탈수초 다발신경병증을 고려해야 한다. Guillain-Barre 증후군은 전형적인 증상이 잘 알려져 있지만 침범부위에 따라 다

표 16-2. Guillain-Barre 증후군 진단에 합당한 임상소견들

I. 필수조건(required for diagnosis) • 한군데 이상 사지의 진행성 근력약화 • 심부건반사 소실(areflexia): 발목반사 소실과 감소된 무릎 및 이두근반사
II. 강력한 지지소견(strongly supportive of the diagnosis) • 진행양상: 근력약화가 4주까지 진행 가능, 이후 중단 (약 50%는 2주이내, 80%는 3주, 90%는 4주 후엔 정체기) • 비교적 대칭적 진행 • 경한 감각증상 또는 징후 • 뇌신경 침범: 약 절반에서 안면마비 발생 • 자율신경계 장애 • 신경학적 징후 발생 당시, 동반된 발열 없음 • 회복: 일반적으로 진행이 멈춘 후 2-4주에 회복이 시작됨(몇 달 동안 지연될 수 있음) • 괄약근 긴장: 대개 괄약근 긴장은 유지됨(일시적인 방광마비는 가능) • 중추신경계 침범
III. 의문을 제시하는 소견(features casting doubt on the diagnosis) • 뚜렷이 지속되는 비대칭성 운동기능 • 지속적인 장운동 혹은 방광기능 장애 • 증상 발현시점부터 장 혹은 방광기능 장애 • 감각레벨의 비일치 소견(discrete sensory level)
IV. 진단을 배제할 수 있는 소견(features that exclude the diagnosis) • 최근 헥사카본(hexacarbon) 남용의 병력 • 포르피린혈증(porphyria)의 증거 • 최근 디프테리아 병력 • 납 신경병증(lead neuropathy) 및 납중독(lead intoxication)과 일치하는 특징 • 순수한 감각증후군 • 대안적인 마비장애(alternate paralytic disorder)의 확진

양한 증상과 경과를 보이기 때문에, 진단에 합당한 임상소견 및 배제되는 특징을 알아야 한다(표 16-2).

[Guillain-Barre 증후군의 아형]

Guillain-Barre 증후군은 단일질환 형태가 아닌 다양한 아형으로 발현되는 증후군으로 각 아형은 특징적인 임상 및 병리소견을 보인다(표 16-1).

(1) 급성 염증성 탈수초 다발신경병증(acute inflammatory demyelinating polyneuropathy)

Guillain-Barre 증후군의 원형으로 전체 Guillain-Barre 증후군의 90%를 차지한다.

(2) 급성 운동축삭 신경병증(acute motor axonal neuropathy)

운동신경을 주로 침범하며 전기생리검사에서 축삭손상의 소견을 보인다. C. jejuni 선행감염과 연관되어 중국 북부에서 급성 마비로 발생하였다. C. jejuni 장염에 따라 유병율이 나라별로 차이가 있는데, 중국 북부, 일본, 멕시코, 남미에서 흔히 발생한다. 급성 염증성 탈수초 다발신경병증과 비교해서 뇌신경 침범이 덜하고 주로 운동신경 축삭을 침범하는 순수한 운동신경병증이다. 전기생리검사에서 축삭손상 소견을 보인다. 감각신경검사는 정상이지만 약 10%의 환자가 말초사지에 감각이상을 호소하며 반복적인 신경전도검사에서 감감신경손상 소견을 보인다. 급성 염증성 탈수초 다발신경병증과는 달리 최고 악화시점이나 초기 회복기에 심부건반사가 유지되거나 항진반응을 일으킬 수 있어 진단이 지연되기도 하며, 자율신경 침범이 거의 없고, 병의 진행속도가 빠르다.

(3) 급성 운동-감각축삭 신경병증(acute motor-sensory axonal neuropathy)

급성 운동축삭 신경병증과 비슷하나 감각신경 증상이 동반되는 차이가 있다. 전기생리검사에서 축삭의 손실로 인해 신경전달 속도가 느려지고 감각 및 운동신경 활동전위 진폭의 감소 또는 소실을 보인다. 소아는 감각신경 증상의 진찰이 어렵고 전기생리검사를 실시하지 않으면 진단이 힘들어 보고가 드물다.

(4) Miller-Fisher 증후군

외안근 마비, 운동실조, 근력저하, 심부건반사의 소실이 나타나며 전형적인 선행감염(C. jejuni, Haemophilus influenzae, M. pneumoniae)이 있는 양성 질환이다. Guillain-Barre 증후군 소아의 2-9.3%에 해당하며 동아시아와 일본에서 흔하다. 뇌척수액과 전기생리검사 결과는 급성 염증성 탈수초 다발신경병증과 유사하다. 대부분에서 말초신경계만 영향을 받으나, 일부에서 뇌간 병변이 발견되기도 한다. 양성 경과를 보이면서 대개 완전히 회복하지만, 중증 근무력증, 소뇌 및 뇌간 병변과 감별해야 한다.

(5) 뇌신경 다발신경염(polyneuritis cranialis)

여러 뇌신경이 급성 및 양측성으로 침범되며 심한 말초 감각소실이 동반된다. 양측 안면마비, 연하곤란, 발성장애, 근력감소, 심부건반사 소실이 나타나지만 시신경은 침범하지 않는다. 다른 아형에 비해 어린 나이에 발생하며 거대세포바이러스 선행감염과 관련이 있다. 뇌척수액과 전기생리검사 결과는 급성 염증성 탈수초 다발신경병증과 유사하다. 뇌 MRI에서 여러 뇌신경의 조영증강이 관찰된다. 기계환기 치료를 받는 경우가 많으나 대부분 완전히 회복된다.

(6) 선천 Guillain-Barre 증후군

매우 드물며 신경근 질환이 없는 산모에서 출생한 신생아에서 발생한다. 전반적인 근긴장 및 근력저하, 무반사의 특징을 보인다. 전기생리검사에서 Guillain-Barre 증후군의 특징적인 소견을 보인다. 치료는 필요치 않으며 생후 수개월에서 1년 사이에 서서히 자연 호전된다.

[진단]

(1) 신경생리검사

특이도와 민감도가 가장 높은 검사이다. 질병이 경과하면서 척수근과 말초신경에 다발성 탈수초가 진행됨에 따라 부분적 운동전도 차단, 신경전도속도 감소, 복합 운동신경 활동전위(compound muscle action potentials, CMAP)의 시간적 분산(temporal dispersion) 및 원위 잠복기 연장(prolonged distal latency)이 관찰되는데, 이 중 전도차단이 가장 초기에 나타난다. 신경전도속도 감소는 분절성 탈수초 소견을 반영한다. 또한 F파의 최소 잠복기 및 H 반사 잠복기의 비정상적 연장 혹은 소실을 보일 수 있는데, 이는 근위부 신경근의 침범을 의미한다. Guillain-Barre 증후군이 의심되는 환자에서 발병 2주까지의 신경전도검사 결과가 정상이라면, 다른 감별 질환을 생각해야 한다. 운동신경형과 운동-감각신경형 Guillain-Barre 증후군에서는 복합 운동신경 활동전위의 진폭 감소를 보이고, 이후 추적검사에서 탈수초 소견이 관찰된다. 하지만, 운동축삭 신경증의 초기에 급성 염증성 탈수초 다발신경병증과 유사한 소견을 일시적으로 보일 수도 있다.

(2) 뇌척수액 검사

특징적으로 염증의 증거가 없이(단핵구 <10/mm³) 단백만이 증가(>45 혹은 80-200 mg/dL)하는 단백세포해리(albuminocytologic dissociation)가 관찰된다. 그러나 발병 첫 1-2주 동안 환자의 50% 미만에서 단백 증가가 나타나므로 초기 검사가 정상일 때 반복검사가 필요할 수 있다. 뇌압은 정상범위이다. 세포수가 10/mm³ 이상인 경우에는 중추신경계 감염, 종양, 자가면역질환 등을 감별해야 한다.

(3) 척추 MRI

척수근과 말총(cauda equina)에서 조영증강이 발병 첫 수주(평균 13일) 동안 관찰될 수 있다. 조영증강은 후측 신경근보다 전측 신경근 또는 전후측 모두 침범하는 미만성 증강을 주로 보인다. 일부는 초기에 정상이다가 반복검사에서 관찰되기도 하며, 일부는 뇌신경 다발신경염 소견이 관찰되기도 한다. 주의해야 할 점은 척수근 및 말총의 조영증강은 HIV 감염, 거대세포바이러스 감염, 만성 염증성 탈수초 신경병증, 지주막염, 유육종증(sarcoidosis), 림프종성 뇌수막염, 그리고 일부 대사질환에서도 비슷하게 관찰될 수 있는 비특이적인 소견이므로 MRI만으로 Guillain-Barre 증후군을 진단해서는 안 된다.

[감별진단]

횡단척수염, 소뇌병변, 소아마비, 만성 염증성 탈수초 다발신경병증, 독성 신경병증, 급성 근염, 중증근무력증, 주기성 마비, 전해질이상, 양측성 뇌졸중 등을 감별해야 한다(표 16-3).

[치료]

경과의 최고조에 이른 후 회복될 때까지 입원 관찰이 필수적이다. 특히 자율신경계 이상과 호흡부전 발생을 예측하기 위해 모든 활력징후, 운동기능, 자율신경기능, 호흡기능을 주의 깊게 관찰해야 한다. 급속한 사지마비의 진행, 안면약화, 기침불능, 자율신경계 장애 또는 뇌척수액 단백 >800 mg/dL 소견은 기계환기의 고위험 요인에 해당한다. 폐기능검사에서 폐활량(vital capacity) ≤20 mL/kg, 최대 흡기압(maximum inspiratory pressure) ≤30 cmH₂O, 최대 호기압(maximum expiratory pressure) ≤40 cmH₂O, 환

표 16-3. Guillain-Barre 증후군과의 감별질환들

대뇌병변
- 양측성 뇌졸중(bilateral strokes)
- 히스테리(hysteria)

소뇌병변
- 급성 소뇌운동실조(acute cerebellar ataxia, multiple etiologies)
- 후두개와 병변(posterior fossa structural lesion)

척수병변
- 소아마비(poliomyelitis)
- 압박성 척수증(compressive myelopathy)
- 횡단척수염(transverse myelitis)
- 앞척수동맥 증후군(anterior spinal artery syndrome)

말초신경질환
- 만성 염증성 탈수초 다발신경뿌리염증(CIDP)
- 독성 신경병증: amitriptyline, dapsone, glutethimide, hydralazine, isoniazid, NO 등
- 중증질환 신경병증(critical illness neuropathy)
- 혈관염(vasculitis)
- 디프테리아(diphtheria)
- 진드기 마비증(tick paralysis)
- 포르피린증(porphyria)

신경근접합부 질환
- 보툴리눔독소증(botulism)
- 중증근무력증(myasthenia gravis)
- 신경근 차단약물(neuromuscular-blocking agents)

근육질환
- 급성 바이러스성 근염(acute viral myositis)
- 급성 염증성 근병증: 다발근염(polymyositi), 피부근염(dermatomyositis)
- 대사성 근병증(metabolic myopathies)
- 주기성 마비(periodic paralysis)
- 저칼륨혈증, 고칼륨혈증
- 중증질환 근병증(critical illness myopathy)

기량(tidal volume) ≤5 mL/kg을 보이는 경우에는 호흡부전이 임박한 소견이므로 기도삽관이 필요하다. 그러나, 6세 미만은 협조가 되지 않아서 폐기능검사를 시행하기 힘들기 때문에 호흡곤란을 임상증상으로 판단해야 한다. 이산화탄소 분압이 지속적으로 50 mmHg 이상, 호흡수 증가, 산소필요도 증가, 폐포-동맥 산소차 증가(정상: 5-10 mmHg), 보조 호흡근 사용 증가, 횡격막 운동 감소, 두경부의 땀분비 증가, 수축기와 이완기 혈압차이 증가, 반동맥반(bounding pulse)이 나타나면 기도삽관을 시행해야 한다. 소아는 대사와 근육의 여유가 성인에 비해 적기 때문에 호

흡부전이 급속하게 진행될 수 있다.

장마비, 요저류 및 저나트륨혈증은 정기적으로 확인해서 치료해야 한다. 비스테로이드 항염제, carbamazepine 및 gabapentin이 통증조절에 유용하다. Opioids는 통증을 완화시키지만 장운동 장애를 악화시킬 수 있다. 또한 재활 관리 시작을 고려할 수 있다.

(1) 정맥내 면역글로불린(intravenous immunoglobulin, IVIG) 주사

면역글로불린 치료가 지지요법만으로 치료하는 경우보다 회복 속도가 빠른 것으로 알려져 있다. 저용량보다는 고용량에서 더 나은 증상 개선을 보였다는 결과가 있다. 표준 용량으로 발병 첫 2주 이내에 치료 시작을 권고하고 있다. 2일, 3일, 또는 5일 동안 투여할 수 있는데, 하루 400 mg/kg씩 5일간 투여하는 방법이 가장 널리 사용되고 있다.

(2) 혈장교환술

급속히 진행되는 상행성 마비, 호흡곤란 및 기계환기가 필요한 경우, 연수침범 소견 및 면역글로불린 치료효과가 미미한 경우에, 혈장교환술 치료를 고려할 수 있다. 증상 발현 후 2주 이내 시행하면 효과적이며 발병 후 3-4주가 지나면 큰 효과를 기대할 수 없다. 격일로 1주 동안 시행하며, 효과 여부에 따라 격주로 추가 시행할 수 있다.

정맥내 면역글로불린이 안정성과 용이한 투여방법 때문에 소아에서 우선적으로 선호된다. 처음부터 면역글로불린과 혈장교환술의 병합치료가 더 효과적인 것은 아니다. 스테로이드 단독치료 효과는 없으므로 현재 사용되지 않는다. 잠재적인 치료법으로 면역 흡착과 뇌척수액 여과가 효과적이라는 성인 연구가 있지만, 아직 증거가 불충분하다.

[예후]

소아는 성인에 비해 예후가 좋아서 소아 환자의 약 85-95%는 치료와 무관하게 6개월에서 12개월 이내에 완전히 회복된다. 운동축삭형과 운동-감각축삭형은 염증성 탈수초 신경병증보다 느리게 회복된다. 불량한 예후를 예측하게 하는 요인은 어린 나이, 발현 당시부터 최고 장애 상태, 10일째 사지마비 지속, 기계호흡기의 필요, 뇌신경 침범 및 신경전도검사에서 운동신경의 무반응 또는 저반응 소견이다. 이런 경우에는 15%에서 보행불능 혹은 보행장애와 같은 영구적인 후유증이 남고, 5%는 호흡부전, 인후두마비, 심장 합병증으로 사망하게 된다.

02

만성 염증성 탈수초성 다발신경뿌리염증

Chronic Inflammatory Demyelinating Polyradiculopathy, CIDP

| 유수정 |

1. 정의

만성 염증성 탈수초성 다발신경뿌리염증(chronic inflammatory demyelinating polyradiculoneuropathy, CIDP)은 2개월 이상의 기간 동안 재발 또는 악화되는 진행성 경과를 보이는 후천적 자가면역성 감각운동 신경병증을 말한다. 만성 신경병증이 탈수초 양상을 보이고 유전경향이 없을 경우에는 반드시 고려해야 하는 질환이다.

2. 원인

면역반응이 CIDP의 발병에 직접 관여한다는 몇 가지 증거가 있지만 아직 정확한 발병원리는 알려져 있지 않다. 그러나 활성화된 T-세포, 대식세포, 보체, 자가항체들이 Ranvier절, paranode, juxtaparanode, internode를 포함하는 수초화된 신경섬유에 표현된 Neurofascin-155 (NF 155), contactin-1 (CNTN1), contactin-associated protein 1 (CASPR1)에 대해 면역학적으로 공격하여 발생한다고 생각되고 있다(그림 16–1).

3. 증상

주로 근육쇠약, 근육위축, 감각저하 등으로 시작되며 다양한 경과를 보인다. 가장 흔한 초기 증상은 하지 근력약화이다. 진찰에서는 무반사 또는 반사저하를 보인다. 일부는 만성적으로 진행되는 경과를 보이는 반면, 관해와 재발을 반복하는 경우도 있다. 운동신경과 감각신경 증상이 모두 나타나고, 사지의 근력약화는 대부분 대칭적이지만 때로는 비대칭적으로 나타난다. 약 10%의 환자에게서 진전이 나타나기도 한다.

4. 동반질환

당뇨병, HIV 감염, 만성 활동성 간염, 전신홍반루프스, 갑상선샘 질환 등에 동반될 수 있다.

5. 진단기준

특징적인 임상양상과 진찰소견, 전기진단검사 및 뇌척수액 소견 등으로 진단한다. 일부 환자에서 다른 말초신경 질환의 가능성을 배제하기 위해 신경 생검을 시행하기도 한다. 진단기준은 임상증상 및 전기진단검사를 주요 항목

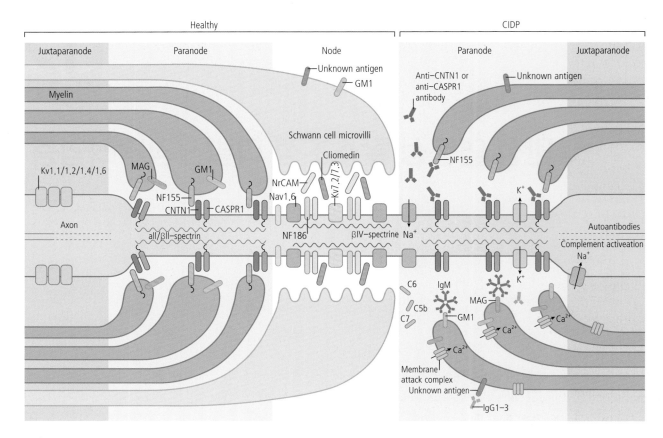

■ 그림 16-1. 만성 만성 염증성 탈수초성 다발신경뿌리염증과 관련된 면역학적 병태생리

CIDP, chronic inflammatory demyelinating polyradiculoneuropathy; CNTN1, contactin-1; CASPR1, CNTN1-contactin-associated protein 1; NF155, neurofascin splice variant 155; GM1, monosialotetrahexosylganglioside; MAG, myelin-associated glycoprotein; NrCAM, neuronal cell adhesion molecule.

으로 그리고 뇌척수액의 단백 상승, MRI에서 말총, 허리 엉치 및 목신경 뿌리, 위팔 또는 허리엉치 신경총의 조영증 가 또는 비대, 적어도 한 개 이상의 신경에서 비정상적인 감각신경 검사소견, 면역학적 치료 이후 임상적인 호전, 신 경 조직검사의 전자현미경 소견에서 탈수초 또는 재수초 (remyelination) 의심소견을 보조항목으로 포함하고 있다 (표 16-4).

따라서 CIDP를 진단하기 위해서는 전기진단검사, 뇌 척수액 검사(단백과 세포수), MRI, 신경조직 검사 등이 필 요하고, 증상이 유사한 다른 신경병증을 감별하기 위해 부 모 및 형제에 대한 검사, PMP22 유전자 중복 또는 결실, Charcot-Marie-Tooth 1형 또는 유전성 신경병증의 유전자 검사를 시행해야하며, CIDP와 동반될 수 있는 질환들에 대한 검사가 이루어져야 한다.

6. 치료 및 예후

CIDP는 치료하면 점차 증상이 호전되는 경향을 보이 며, 발병 수년 후에는 약 75%의 환자가 상당한 기능회복을 보인다. 하지만 기능회복을 보이더라도 상당수는 어느 정 도의 장애를 가지고 살아간다. 그러므로 치료의 목표는 근 력약화를 호전시키고, 장애를 방지하고, 관해를 유지하는 것이다.

처음 사용하는 치료는 고용량의 면역글로불린 정맥주 사(단기치료: 2 g/kg, 장기치료: 3주마다 1 g/kg을 2일에 걸 쳐 투여), 혈장분리교환술(단기치료: 5회, 10일 동안 격일 로 3-4L/회 시행, 장기치료: 1-2주마다 1회 시행), 그리고 스테로이드(prednisolone: 0.75-1 mg/kg, 최대 60 mg) 투여 이다. 최근에는 정맥용 주사 면역글로불린을 대체하여 피

표 16-4. 만성 염증 탈수초성 다발신경뿌리염증의 진단기준

임상기준

1. 포함기준
   1) 전형적
      대칭적인 팔다리 근위 및 말단 쇠약과 감각이상이 최소 2개월 이상 만성적으로 진행 또는 재발; 뇌신경 침범; 심부건반사 감소 또는 소실
   2) 비전형적
      다음 중 하나 외에는 전형적 기준에 합당
      – 주로 말단부의 쇠약
      – 운동 또는 감각신경 단독 침범
      – 비대칭적 증상
      – 국소증상
      – 중추신경계 침범
2. 제외기준
   신경병증을 유발할 수 있는 디프테리아, 약물, 또는 독극물에 노출
   유전 탈수초화 신경병증
   괄약근 기능이상
   다발성 운동신경병증
   말이집연관 당단백 항체

전기생리기준

1. 확실
   다음 중 하나 이상에 해당
   1) 2개의 신경에서 운동말단 잠복기 50% 이상 연장
   2) 2개의 신경에서 운동 전달속도 30% 이상 감소
   3) 2개의 신경에서 F파 잠복기 20% 이상 연장
   4) 말단 음성 최고 CMAP 진폭이 정상의 20% 이상인 경우, 2개의 신경에서 F파 소실+ 다른 신경 하나 이상에서 말이집탈락 소견
   5) 운동전달 부분차단: 1–2 개 신경에서 근위 CMAP 진폭 50% 이상 감소 + 다른 신경 하나 이상에서 말이집탈락 소견 또는 2개 이상의 신경에서 시간 산포이상
   6) 한 신경에서 말단 CMAP 기간 최소 9 msec + 다른 신경 하나 이상에서 말이집탈락 소견
2. 의심
   1–2 개 신경에서 진폭이 정상의 20% 이상인 경우, 근위 CMAP 진폭 30% 이상 감소(정강신경 제외) + 다른 신경 하나 이상에서 말이집탈락 소견
3. 가능
   하나의 신경에서만 확실

보조기준

1. 뇌척수액 단백 상승 (백혈구는 <10/mm3)
2. MRI에서 말총, 허리엉치/목신경 뿌리, 위팔/허리엉치 얼기의 조영 증가 ± 비대
3. 신경생검 전자현미경 소견에서 말이집탈락 ± 재형성 의심
4. 면역조절 치료 후 임상적 호전

진단기준

확진
  임상기준 1과 2 + 전기생리기준 1
  진단의심 + 보조기준 하나 이상
  진단가능성 + 보조기준 2개 이상
진단의심
  임상기준 1과 2 + 전기생리기준 2
  진단가능성 + 보조기준 하나 이상
진단가능성
  임상기준 1과 2 + 전기생리기준 3

하 면역글로불린 제제도 사용되고 있다. 치료 방법마다 각각의 부작용이 있기 때문에 환자에게 적합한 치료를 선택한다. CIDP 환자의 50%는 초기 치료에 적절한 반응을 보이지 않거나 부작용으로 인하여 다른 종류의 치료법을 시도해야 하는 경우도 있다. 이 경우 면역억제제로 azathioprine, mycophenolate mofetil, rituximab, cyclophosphamide 등이 사용될 수 있다. 적극적인 치료에도 불구하고 환자의 30-40%만이 완전 관해를 이룰 수 있다.

유전신경병증

Hereditary Neuropathies

| 이준화 |

유전신경병증은 흔히 샤르코-마리-투스병으로 일컬어지기도 하지만, 다른 신경병도 포함된 질환군이다. 1984년 Dyck's는 임상적, 유전적, 생화학적인 특징을 근거로 크게 세 가지로 분류하였다. 그것은 유전 운동감각 신경병증 또는 샤르코-마리-투스병(hereditary motor-sensory neuropathies; HMSN, Charcot-Marie-Tooth disease; CMT), 말단 유전 운동신경병증(distal hereditary motor neuropathies; dHMN), 그리고 유전 감각자율 신경병증(hereditary sensory and autonomic neuropathies; HSAN)으로 불리워졌던 유전 감각신경병증(hereditary sensory neuropathy; HSN)이다(표 16-5).

1. 유전 운동감각 신경병증 (Charcot-Marie-Tooth disease; CMT)

CMT로 더 잘 알려진 유전 운동감각 신경병증은 1886년 프랑스인 Jean-Martin Charcot와 Pierre Marie 및 영국인

표 16-5. CMT와 다른 유전신경병증의 기본 분류

유전신경병증 아형	유전형태	신경생리적 특징
CMT1	상염색체 우성	NCV < 38 m/s
CMT2	상염색체 우성	NCV < 38 m/s와 축삭(axonal)형
CMTX	X-연관성	느림/중간형 속도
CMT4	상염색체 열성	다양함
CMT5	상염색체 우성	NCV < 38 m/s와 축삭(axonal)형
CMT6	상염색체 우성	NCV < 38 m/s와 축삭(axonal)형
중간형 CMT	상염색체 우성 또는 열성	NCV < and > 38 m/s
말단유전운동신경병증	상염색체 우성 또는 열성	NCV > 338 m/s 및 축삭-운동(axonal-motor only)
유전감각자율신경병증	상염색체 우성 또는 열성	NCV > 338 m/s 및축삭-감각(axonal-sensory only)

NCV (nerve conduction velocity): 신경전도속도

Howard Henny Tooth에 의해 처음 보고되었다. CMT는 특정 유전자의 돌연변이에 의해 운동신경과 감각신경이 손상되어 발생하는 유전성 말초신경질환이다. 다양한 원인 유전자들에 의해 양측성으로 발생하여 매우 느리게 진행하는 임상적 및 전기생리학적으로 다른 여러 질환들의 질환군이다.

[역학 및 분류]

전 세계적으로 나타나며, 발병률은 2,500명 중 1명이다. CMT의 분류는 1975년 Dyck와 Lambert가 신경전도 속도에 근거하여 CMT1과 CMT2로 분류한 이후 현재까지도 많은 연구가 진행 중이다. 최근에는 병리학에 근거하여 탈수초(demyelinating), 축삭(axonal) 및 중간형(intermediate)의 3가지 범주로 나누며, 중간형 CMT는 말초신경 생검 검사상 탈수초 변성과 축삭변성의 특성을 같이 보인다. 정중운동신경(median motor nerve)의 전도속도가 탈수초형 CMT는 38 m/sec 이하, 축삭형 CMT는 38 m/sec 이상인 것으로 대개 구별한다. 탈수초형 CMT의 아형에는 CMT1, CMT3 및 CMT4가 있으며, 축삭형 CMT 신경병증에는 CMT2, CMT5 및 CMT6이 포함된다. 중간형 CMT 신경병증의 아형에는 CMTD, CMTR, CMTX 등이 있다.

[임상 증상]

말초신경의 만성적인 변성으로 주로 운동신경이 손상되고, 팔다리 근력이 약해져 손작업과 보행이 어렵다. 특히 하지가 심하여 무릎 이하 근육이 위축되고 망치발가락(hammer toes) 및 오목발(pes cavus) 등으로 발모양이 변형되어 보행장애가 나타난다. 감각신경 장애로 통증, 떨림, 피부궤양 등이 발생할 수 있다. 증상의 심한 정도는 일상생활에 장애가 없는 경미한 수준부터 어린 나이에 사망에 이르는 경우까지 매우 다양하다. 몇몇 아형에서는 추체 증상(pyramidal features), 성대마비, 청력소실 또는 시신경위축 등의 특이한 임상증상이 나타나기도 한다.

[진단]

가족력, 임상증상, 신경학적 진찰소견, 신경생리학적 검사 후에 의심되는 후보 유전자를 검사하여 진단한다. 분자 유전학의 발전으로 현재까지 90개 이상의 CMT 원인유전자가 발견되었다.

2. 말단 유전 운동신경병증(Distal hereditary motor neuropathies; dHMN)

임상증상이 CMT와 비슷하며, 감각소실이 없는 말단 근육 약화가 특징이다. 정의상 이 질환은 운동신경만 침범해야 하지만, 실제로는 약한 감각이상을 가지는 경우가 있다. 임상적으로 심부건반사의 감소 또는 소실, 말단 근육의 위축 및 약화 소견을 보인다. 신경생리검사에서는 감각은 이상 없이 운동진폭전위(motor amplitude potentials)가 감소되고, 근전도검사에서는 주로 말단 탈신경 소견을 보인다. DHMN I-VII형, DHMN/ALS4, DHMN-J, 선천성 말단 척수근위축증이 이에 속한다.

3. 유전 감각신경병증(Hereditary sensory neuropathies; HSN)

유전 감각신경병증은 일차적으로 감각신경만 침범하는 유전신경병증, 유전 운동감각 신경병증의 아형 및 유전 감각자율 신경병증이 포함된 질환군이다. 감각소실은 말단 저림부터 통증을 완전히 느끼지 못해 무통증 손상과 족부 궤양에 이르기까지 다양하다. 심한 감각신경병증인 경우에는 신경병 관절병증(neuropathic arthropathy)이나 자연골절의 위험성이 높아진다. 감각신경병증이란 이름에도 불구하고, 운동신경이 침범된 경우도 흔히 있다. 유전학적 원인과 임상적 표현형에 따라 HSN I-VII 아형으로 분류하며, I형 및 VII형은 상염색체 우성, II-VI형은 상염색체 열성으로 유전된다.

[감별 진단]

후천적 신경병증과 감별진단해야 한다. 비슷한 임상증상을 보이는 유전 경직 하반신마비(hereditary spastic paraplegia)와 같은 중추신경계의 유전장애와 감별하여야 한다. 또한 신경병증은 백질뇌증(leukoencephalopathies) 같은 전신적인 대사장애나 프리드리히 조화운동불능(Friedrich's ataxia)와 같은 광범위한 신경장애 질환의 한 부분으로 나타날 수 있다.

4. 치료

유전신경병증에 대한 생물학적 이해가 큰 진전을 이루었고, 치료약물을 개발하기 위한 많은 노력에도 불구하고 근본적인 치료는 아직 없다. 전문적인 발관리, 작업치료, 물리치료, 통증관리, 맞춤형 보조기구 사용, 심한 발기형의 수술 등이 생활의 질을 높이고 신체기능을 향상시킬 수 있다. 상세한 가족력과 가족 구성원들을 자주 진찰하는 것이 환자의 예후와 유전상담을 위해 필요하다.

참고 문헌

1. Asbury AK, Cornblath DR. Assessment of current diagnostic cri\-teria for Guillain-Barré syndrome. Ann Neurol 1990;27:S21-S24.

2. Dalakas MC. Advances in the diagnosis, pathogenesis and treat\-ment of CIDP. Nat Rev Neurol. 2011;7:507-17.

3. Dimachkie MM, Saperstein DS. Acquired immune demyelinat\-ing neuropathies. Continuum (Minneap Minn) 2014;20:1241-60.

4. Harding AE, Thomas PK. The clinical features of hereditary mo\-tor and sensory neuropathy types I and II. Brain 1980;103:259-80.

5. Hughes RA, Cornblath DR. Guillain-Barré syndrome. Lancet 2005;366:1653-66.

6. Hughes RA, Wijdicks EF, Benson E, et al. Supportive care for pa\-tients with Guillain–Barre syndrome. Multidisciplinary Consen\-sus Group. Arch Neurol 2005;62:1194-8.

7. Joint Task Force of the EFNS and the PNS. European Federation of Neurological Societies/Peripheral Nerve Society Guideline on man-agement of chronic inflammatory demyelinating Polyradicu\-lo-neuropathy Journal of the Peripheral Nervous System 2010;15:1-9.

8. Patel K, Bhanushali M, Muley SA. Management strategies in chronic inf lammatory demyelinating Polyradiculoneuropathy. Neurol India. 2010;58:351-60.

9. Kenneth FS, Stephen A, Donna MF, et al. Swaiman's Pediatric Neurology Principles & Practice. In: Stephen AS, Robert O edi\-tors. Genetic Peripheral Neuropathies. 6th ed. China: Elsevier Saunders Inc; 2017. p1073-80.

10. Köller H, Kieseier BC, Jander S, et al. Chronic inflammatory de\-myelinating polyneuropathy. N Engl J Med. 2005;352:1343-56.

11. Korinthenberg R. Acute polyradiculoneuritis: Guillain-Barré syndrome. Handb Clin Neurol 2013;112:1157-62.

12. Korinthenberg R, Schessl J, Kirschner J. Clinical presentation and course of childhood Guillain–Barré syndrome: a prospective multicentre study. Neuropediatrics 2007;38:10-7.

13. Kuwabara S, Yuki N. Axonal Guillain-Barré syndrome: con\-cepts and controversies. Lancet Neurol 2013;12:1180-8.

14. Kuwabara S, Ogawara K, Misawa S, et al. Sensory nerve conduc\-tion in demyelinating and axonal Guillain-Barré syndromes. Eur Neurol 2004;51:196-8.

15. Lauria G, Hsieh ST, Johansson O, et al. European Federation of Neurological Societies/Peripheral Nerve Society Guideline on the use of skin biopsy in the diagnosis of small fiber neuropathy. Re\-port of a joint task force of the European Federation of Neurologi\-cal Societies and the Peripheral Nerve Society. Eur J Neurol. 2010;17:903-12.

16. Markvardsen LH, Sindrup SH, Christiansen I, et al. Subcutane\-ous immunoglobulin as first-line therapy in treatment-naive pa\-tients with chronic inflammatory demyelinating polyneuropathy: randomized controlled trial study. Eur J Neurol. 2017;24:412-8.

17. Mendell JR, Kolkin S, Kissel JT, et al. Evidence for central ner\-vous system demyelination in chronic inflammatory demyelinat\-ing polyradiculoneuropathy. Neurology. 1987;37:1291-4.

18. Nicholson G, Myers S. Intermediate forms of Charcot-Marie-Tooth neuropathy: a review. Neuromolecular Med 2006;8:123-30.

19. Pareyson D, Marchesi C. Diagnosis, natural history, and manage\-ment of Charcot-Marie-Tooth disease. Lancet Neurol 2009;8:654-67.

20. Querol L, Devaux J, Rojas-Garcia R, et al. Autoantibodies in chronic inflammatory neuropathies: diagnostic and therapeutic implications. Nat Rev Neurol 2017;13:533-47.

21. Rabie M, Nevo Y. Childhood acute and chronic immune-mediat\-ed polyradiculoneuropathies. Eur J Paediatr Neurol 2009;13:209-18.

22. Schroder JM. Neuropathology of Charcot-Marie-Tooth and relat\-ed disorders. Neuromolecular Med 2006;8:23-42.

23. Skre H. Genetic and clinical aspects of Charcot-Marie-Tooth's disease. Clin Genet 1974;6:98-118.

24. Soo Hyun Nam, Byung-Ok Choi. Clinical and genetic aspects of Charcot-Marie-Tooth disease subtypes. Precision and future medicine 2019;3:43-68.

25. Vallat, J. M., Sommer, C. Magy, L. Chronic inflammatory de\-myelinating polyradiculoneuropathy: diagnostic and therapeutic challenges for a treatable condition. Lancet Neurol 2010;9:402-12.

26. Ye Y, Wang K, Deng F, et al. Electrophysiological subtypes and prognosis of Guillain-Barré syndrome in northeastern China. Muscle Nerve 2013;47:69-71.

27. Yuki N, Hartung HP. Guillain-Barré syndrome. N Engl J Med. 2012;366:2294-304.

제17장

신경질환을 앓는 소아의 돌봄

Care of Child with Neurologic Disorders

01

소아신경학에서의 윤리적 문제들

Ethical Issues in Child Neurology

| 문진화 |

윤리(ethics)란 인간이 다른 사람들과 또 사회와 관련하여 어떻게 행동하여야 하는지를 이해하는 것이며, 무엇이 옳고 무엇이 그른지를 아는 것이다. 도덕(morality)은 사회에서 일반적으로 받아들여지는 일련의 규칙과 행동지침들로 윤리와 함께 옳고 그름에 대한 일반 도덕률(common morality)을 구성한다. 철학으로서의 윤리는 보편적 진리를 추구하며 도덕성의 합리적 근거를 찾고자 하는 노력이지만, 현실 사회에서 윤리적 행동과 도덕적 행동은 다를 수 있으며, 양자를 명확히 구분하기 어려운 경우도 있다.

윤리는 인간행동의 모든 면을 다루며, 생명윤리(bioethics)는 생물학과 윤리의 상호작용을 다룬다. 생명윤리는 '생명과학과 보건의료의 도덕적 측면에 대한 학문체계'라고 정의할 수 있으며, 공중보건(public health), 환경위생(environmental health), 인구윤리(population ethics) 및 동물보호(animal care) 등에 있어서 보건과 과학에 관련된 도덕적 사안을 다루는 분야이다. 임상윤리(clinical ethics)란 생명윤리의 하위항목으로 일상적으로 도덕적 의사결정을 하는 것, 즉 환자를 돌보며 발생하는 도덕적 문제를 찾아내서 분석하고 해결하는 것이다. 의학윤리(medical ethics)는 임상윤리의 하위항목으로(간호윤리, 사회복지윤리나, 목회윤리로 구별되는) 의사의 도덕적 행위를 의미한다. 신경윤리(neuroethics)는 이와 같은 분야들이 만나는 지점에 놓여 있다. 생명윤리적 측면에서는 신경과학, 임상신경학과 생명윤리의 상호작용에 관한 것이며, 임상적으로는 신경학적 질환이 있는 환자를 다루고, 의학윤리적 측면에서는 신경과 의사들과 신경외과 의사들의 도덕적 행위를 가리킨다. 소아신경 의사들은 임상현장 및 연구과정에서 윤리 및 도덕과 관련된 여러 가지 문제들에 직면할 수 있다. 그러므로 소아신경 의사들은 윤리학에 대한 일반적 지식과 생명윤리에 대해서 잘 알고 있어야 하며, 의학, 간호학 등 다른 건강관련 종사자들의 윤리적 접근에 대해서도 알아둘 필요가 있다.

1. 윤리학 이론들

1) 공리주의(功利主義, Utilitarianism)

공리주의란 어떤 행위의 도덕성은 결과에 의해 결정된다는 이론으로, 가장 좋은 결과를 초래하는 행동이 바로 도덕적으로 옳은 행동이라는 생각이다. 어떤 행동의 결과는 복합적인 면이 있어서, 한 사람을 돕는 행위가 다른 사람에게는 해로울 수 있다. 예를 들어, 식물상태의 어린이의 연명치료를 중단하는 것은 환자 자신에게는 해롭지만, 가족이 더 이상 괴로워하지 않아도 된다던가, 나아가서 의료자원을 다른 환자를 돕는데 활용할 수 있다는 이점이 있다는 식이다.

이 이론은 다수의 행복을 증진시키는 행위를 정당화하므로, 정치인이나 법률가들이 사회의 전반적인 정의와 공정성을 추구하는 근거로 사용되곤 한다. 하지만 개인의 삶의 질이나 만족을 침해할 수 있으며, 공리주의가 이론적으로는 옳더라도 윤리에 배척될 수 있고, 또 다수의 이익을 위하여 소수를 보호하지 못하는 결과를 초래할 수 있다. 예를 들어 기형아의 낙태 시술을 합리화 한다던가, 의료자원이 한정된 경우 흔한 질환을 가진 환자들에게 우선적으로 공급하기 위하여 희귀질환을 앓고 있는 어린이들이 무시될 수 있다.

2) 도의론(道義論, Deontology)

도의론은 의무 또는 책임의 중요성을 강조하는 이론으로, 어떤 행동의 결과보다는 그 행동으로 이끈 의도에 무게를 둔다. 공리적 사고는 상황에 따라 달라질 수 있으나, 도의적 생각은 더 보편적으로 모든 상황에 적용될 수 있는 결정이라 할 수 있다.

사람을 수단으로 여기는 것은 도의적이지 않으므로 모든 사람을 목표에 이르기 위한 수단이 아닌 목표 그 자체로 대해야 한다. 예를 들어 장기기증의 공여자를 수여자의 생존을 위한 수단으로만 생각한다면 도덕적이지 못하다. 우리는 누구나 장기이식을 하거나 받을 가능성이 있으므로, 수여자뿐 아니라 공여자의 권리와 가치도 존중하는 것이 도의적인 생각이다. 하지만 책임을 중시하는 도의적 생각과 이에 따른 규칙은 실생활과 인간관계의 복잡성을 일일이 반영하기 어려우므로 갈등의 소지가 있음을 알아야 한다.

3) 일반도덕과 자연법(Common morality and natural law)

도의적이면서도 보편적인 규칙이란 인간성에 대한 합리적이고 논리적인 생각에서 유래하며, 사회에서 개개인의 도덕적 행위를 결정하고 유도하는 규범이라 할 수 있다. 즉 '일반도덕'이란 사회적으로 받아들여지는 인간의 행동규범으로서 윤리적인 것이다.

자연법이란 합리적이면서도 보편적인 규칙을 추구하기 위한 오래된 이론으로, 신의 섭리를 인간이 지성과 이성을 가지고 행한다는 것이며, 모든 것은 좋은 것을 갈망한다는 원칙이다. 따라서 선을 추구하고 악을 피해야 하며, 선이란 우리의 삶이나 가족, 사회 등과 같이 자연스럽게 이끌리는 것들이다. 선을 추구하기 위해 우리는 올바르게 행동하고

서로 사랑해야 하는데, 십계명 같은 가르침도 이 원칙을 따르는 것이라 할 수 있다.

일반도덕을 실행하는 구체적인 규칙들은 절대적인 것은 아니나 일반적으로 다음과 같은 4가지 원칙으로 설명할 수 있는데, 이 원칙들은 자연법의 가르침과도 일치한다: ① 좋은 일을 하라(선행, beneficence), ② 나쁜 일은 하지 마라(비악행, nonmaleficence), ③ 공정하게 행동하라(정의, justice), ④ 서로 사랑하라(자율, autonomy).

4) 원칙주의(Principlism)

원칙주의란 윤리적 문제를 선행(beneficence), 비악행(nonmaleficence), 정의(justice), 자율(autonomy)의 4원칙에 적용하는 실용적인 방법론으로 가장 널리 알려진 것이다. 자율적으로 선택을 하기 위해서는 충분한 지식을 가져야 하고, 상황을 잘 이해하며 타인의 간섭이 배제되어야 한다. 자율선택과 관련된 가장 중요한 의학적 문제는 동의서(informed consent)이다. 환자(또는 보호자)는 의사결정을 하기 위하여 충분한 능력이나 자격이 있어야 하고, 환자(또는 보호자)에게 모든 관련사항을 알려야 하며, 결정을 하는 데 어떤 강제도 없어야 한다. 일반적으로 18세 이하의 소아 및 청소년은 자율적인 선택을 할 능력이 없는 것으로 간주된다. 또 성인이라 하더라도 지적장애가 있다면 문제가 될 수 있으므로, 환자 본인이 자율적인 선택을 하지 못할 것으로 판단되면 추가적인 조치가 필요할 것이다.

선행이란 의사는 환자의 이익을 위하여 환자가 좋아하는 쪽으로 행동하라는 것으로, 예를 들면 환자의 삶의 질을 향상시키도록 장려하는 것이다. 삶의 질을 측정하는 방법에 있어서도 타인이 객관적으로 측정하는 것보다는 가능하면 환자 본인이 주관적으로 측정하는 방법이 권장된다.

비악행이란 히포크라테스 선서에도 있듯이 환자를 해롭지 않게 하라는 것으로, 선행과도 관련되는데 의사는 환자의 이익과 부담 사이에 균형을 맞추라는 것이다. 이것은 의사의 행위가 환자에게 좋고 나쁜 영향을 동시에 미칠 수 있는 경우에 특히 문제가 되는데, 대표적인 예가 호흡을 억제할 수 있다는 것을 알면서도 통증을 줄이기 위하여 충분한 진정제를 투여 하는 것이다. 이를 이중효과(situation of double effect)라 하며, 가톨릭 교리에서는 이중효과를 초래하는 행위는 다음을 모두 만족하는 경우에만 도덕적으로

정당화될 수 있다: ① 행위 자체가 도덕적으로 잘못되지 않았다, ② 악영향이 예상될 지라도 좋은 의도로 시행하였다, ③ 악영향을 먼저 초래함으로써 후에 좋은 결과를 얻고자 하지 않았다, ④ 발생 가능한 위험보다 이익이 크다. 하지만 실제 의료에서 이런 개념이 적용되기는 어렵고, 상황에 따라 논란의 여지가 있음을 알아야 한다.

정의란 모두가 동등하게 치료받아야 한다는 원칙이지만, 의료자원을 동등하게 분배한다는 것은 무엇에 근거하여 동등 하게 분배할 것인지 공리주의, 자유주의, 공산주의 그리고 평등주의 등 어떤 원칙에 따를 것인지에 따라 논란의 여지가 있다. Rawls는 자연경과를 개선하는 방향으로 그리고 뽑기처럼 단순한 불운을 배제하는 쪽으로 자원이 분배되어야 한다고 하였는데, 예를 들면 선천적인 장애가 있거나 가난한 가정에서 태어나는 것은 단순한 불운이므로, 환자의 책임이 아니고 사회가 책임을 져야 한다는 주장이다. 또 이에 따르면 자원은 불운한 상황보다 불공정한 상황에 우선적으로 분배되어야 하지만, 이 경우에도 재분배 정책이 나머지 사회에는 불이익을 초래할 수 있다는 한계가 있음을 알아야 한다.

Jonsen 등은 다음과 같은 네 가지 점을 기준으로 윤리적 문제를 분석하자고 제시하였다: ① 의학적 적응증은?(선행) ② 환자가 선호하는 것은?(자율) ③ 삶의 질에 미치는 영향은?(선행) ④ 가족과 사회에 미치는 이익이나 부담은?(정의 및 비악행).

5) 미덕 또는 인격윤리(Virtue or character ethics)

미덕이란 도덕적 또는 사회적 가치를 갖는 특성으로, 올바른 동기를 가질 뿐 아니라 행위도 올바르게 해야 덕행이라 할 수 있다. 이는 도의적 사고와는 일치하지 않을 수 있는데, 보편적 규칙을 따라 행동했지만 결과가 좋지 않거나 올바르게 행동했지만 동기가 좋지 않았다면 덕행이라 할 수 없다. 건전한 의료를 위해 필요한 8가지 미덕은 다음과 같다: ① 신뢰성, ② 환자의 감정을 이해하는 동정심, ③ 의사결정 시의 신중함, ④ 이타적이고 사랑에 충만한 정의, ⑤ 어려움이나 절망 속에서 지속적인 용기를 갖는 불굴의 의지, ⑥ 자신의 삶에서 균형을 잡는 절제와 평정, ⑦ 개인적인 성실과 완전함, ⑧ 환자의 이익을 우선하는 자기 양보.

6) 돌봄윤리(Ethics of care)

돌봄이란 간호에서는 중요시되나 의사들에게는 익숙하지 않은 개념으로, 원칙을 완고하게 따르고 규칙을 중요시하는 도의적 방식의 대안이라 할 수 있다. 돌봄은 감정과 상호관계를 고려하는 보다 여성적인 접근 방법이지만, 여성(또는 간호사)만의 전유물이 아니며 규칙을 따르는 방식만으로는 해결하기 어려운 윤리적 문제에 대한 대책이 될 수 있다. 돌봄윤리에는 어떤 정해진 규칙이 없으며, 각 환자의 개별적이고 구체적인 의료 상황을 꼼꼼히 찾아서 해결하게 된다. 특히 감정을 이해하는 것이 중요하며, 환자의 인간관계를 주의 깊게 생각하고, 환자, 가족 및 의료진의 상호의존도 중시하는 개념이다.

7) 사례주의(Casuistry)

사례주의 또는 증례중심 접근법은 공리주의 같은 규칙에 근거한 방식의 또 다른 대체 방법이 될 수 있다. 이 방식은 추상적 논리에 토대를 두고 도덕적으로 계산(moral calculus)하는 것에 반대한다. 즉 논리적인 하향식(top-down) 방식 대신에 상향식(bottom-up) 접근을 통하여 개별적인 증례가 갖는 특징을 중시한다. 또 도덕에 대한 직감이 원칙을 고수하는 것보다 중요하다고 생각하는데, 사실 이런 도덕적 직감은 일반도덕의 영향을 반영하곤 한다. 전후 관계 및 개별적 차이에 민감하며, 과거의 주요 증례들과 비교하여 유사점을 찾는다는 점에서 미국식 증례법과 유사한 방법이기도 하다. 하지만 과거 증례의 어떤 경험을 선택할 지 그리고 어떻게 비교할 지에 있어서 보다 신중해야 한다. 사실상 각 증례는 모두 다르지만 그래도 과거 경험으로부터 배울 수 있는 점이 많이 있으므로, 사례주의는 윤리적 문제를 해결하는 또 다른 윤리 기반이 될 수 있다.

8) 영성(Spirituality)

영성이란 우리 삶의 활력과 의미를 부여하는 무형의 요소에 대한 믿음이며, 신념이나 신앙에 기초한 것이기 때문에 논리로는 증명할 수 없다. 대부분 종교적인 것으로 궁극적으로는 우리 삶이 중요하고 살 가치가 있다고 믿게 한다. 대부분의 사람들은 특히 아플 때 영성을 찾게 되므로, 의사들은 환자의 영성에 대하여 좀 더 이해하는 것이 필요하다. 환자의 영성을 이해하기 위하여 봐야 할 세 가지(three ways of looking)는: ① 환자를 객관적으로만 대하지 말고, 하나의 인격체로서 좀 더 가까이 주관적으로 보고 이해하는 것이다. ② 삶, 자유, 인내, 존중, 행복 그리고 만족 등과 같이 스스로 인생에 있어서 중요하다고 생각하는 것들을 환자에게 떠올리게 하고 환자 스스로 그것들을 보호하도록 하는 것이다. ③ 타인과의 관계를 통하여 우리 영적 존재의 근본이 되는 초월적이고 신성한 것을 파악하는 것으로, 이것은 우리가 좌절하고 상처받았을 때 예상치 못하게 통찰과 충만함과 지침이 떠오르게 되는 것 같은 것이다.

세 가지 보는 법은 의학윤리를 영적으로 파악하는 방법이 될 수 있으며, 이로부터 다음과 같은 세 가지 가르침을 얻을 수 있다: ① 스스로를 존중하듯 타인을 존중하라, ② 가장 사랑하는 일을 가능하게 하라, ③ 깊은 성찰, 기도, 조언 및 공유 등을 통하여 나 자신과 타인으로부터 지침을 찾아라. 이 가르침은 특정 종교의 가르침이 아니며, 어떤 문화에도 적용 가능하다. 영성은 강요할 수 있는 것이 아니고 강요해서도 안되지만, 영성의 역할에 대해 아는 것은 의사에게 매우 유용할 것이다.

2. 윤리적 책임

1) 의사로서의 의무(Duties as a physician)

대한의사협회의 의사윤리강령 및 의사윤리지침은 2001년에 제정되어 2006년에 1차 개정되었고, 2017년 4월에 다시 개정되었다. 개정된 의사윤리강령 및 지침은 10개의 윤리강령과 총 45조의 윤리지침으로 이루어져 있다. 의사윤리지침은 다음과 같은 내용을 다룬다(표 17-1): 목적, 지침에 대한 의무, 의사의 사명과 본분, 최선의 의료행위 및 교육이수, 공정한 의료제공, 품위유지, 진료에 임하는 의사의 정신적, 육체적 상태, 의사의 사회적 책무, 의무기록 등의 정확한 기록, 의료인 양성의 의무, 의사와 환자의 상호신뢰, 환자의 인격과 사생활 존중, 환자의 선택권 존중, 진료의 거부금지, 환자의 알 권리와 의사의 설명의무, 회복불능 환자의 진료중단, 환자 비밀의 보호, 응급의료 및 이송, 동료 의료인 등의 존중, 정당한 지시 조언 존중, 근무환경 개선, 불공정 경쟁금지, 동료 의사의 잘못에 대한 대응, 의사의 사회적 책무, 보건의료 위기상황 시 구호활동,

인권보호 의무, 의료자원의 적절한 사용, 부당이득 추구 금지, 이해상충의 관리, 과잉/부당진료 금지, 허위과대 광고 금지, 대중매체의 부당한 이용 금지, 태아관련 윤리, 보조생식술 관련, 연명의료, 안락사 등 금지, 뇌사의 판정, 장기이식술과 공여자의 권리보호, 장기 등 매매금지, 의학연구, 연구의 진실성, 연구결과의 발표, 윤리위원회 설치, 윤리위원회 역할, 징계.

의료윤리가 잘 발달된 선진국에서는 각 해당 학회 별로 세분화된 윤리지침이 있으나, 국내의 사정은 아직 그렇지 못한 실정이다.

2) 소아청소년과 의사로서의 의무(Duties as a pediatrician)

성인과는 달리 소아청소년 진료에서는 환자의 이익에 중심을 두고 결정하는 선행의 원칙이 중요하며, 부모의 바람과는 달리 독립적으로 판단할 의무가 있다. 즉 환자의 상태에 대한 부모나 보호자의 책임과 권한은 존중하면서, 환자의 발달단계에 따른 능력과 자율성 및 사회문화적, 종교적 요인도 함께 고려하여야 한다. 생존이 거의 어려운 심한 복합적 문제를 가지고 태어난 신생아에게서 과중한 치료비의 부담과 제도의 뒷받침이 없는 상황 등, 때로는 환자, 부모, 의사 사이에 결정하기 힘든 윤리적인 문제가 발생할 수 있으며, 여러 가지 가치가 얽혀 있어 어떠한 결정을 내리더라도 만족스럽지 못한 경우가 있을 수 있다.

3) 소아신경과 의사로서의 의무(Duties as a pediatric neurologist)

소아신경과 의사는 소아신경학 분야를 전공하는 세부전문의로, 급성 또는 만성 신경학적 문제를 가진 소아와 청소년 환자들에 대하여 진단 및 치료에 관한 일련의 진료를 외래와 병동에서 수행한다. 또한 다른 분야 환자들의 신경학적 문제에 대한 자문을 한다. 이 과정에서 특히 윤리적 문제가 관련된 경우에는, 보다 윤리적인 의사 결정을 내리기 위하여 공정하며, 치우치지 않고, 정확하며, 최대한 과학적 증거에 근거한 보다 정확한 정보를 제공하여야 한다.

하지만 소아신경과 의사가 윤리 전문가는 아니므로 윤리적 문제가 있는 경우에 전문적 자문을 수행하는데 한계가 있음을 인지하고, 신경학적 자료와 윤리적 사안을 명확

표 17-1. 의사윤리지침(2017개정)

제1조(목적)
이 〈의사윤리지침〉은 대한의사협회가 제정, 공포한 〈의사윤리강령〉의 기본정신을 구체적으로 규정하여 의사가 신뢰와 존경을 받으면서 학문에 기초하여 양심과 전문적 판단에 따라 환자를 진료하며 윤리적인 의료를 펼칠 수 있도록 함으로써 인류의 생명과 건강을 보호하고 인권을 신장하는데 기여함을 목적으로 한다.

제2조(지침에 대한 의무)
대한의사협회 및 회원은 의사윤리지침을 준수하여야 한다.

제3조(의사의 사명과 본분)
의사는 고귀한 사람의 생명과 건강을 보전하고 증진하는 숭고한 사명의 수행을 삶의 본분으로 삼아, 모든 의학 지식과 기술을 인류의 복리 증진을 위하여 사용하여야 한다.

제4조(최선의 의료행위 및 교육이수)
① 의사는 주어진 상황에서 최선의 의료를 시행하도록 노력하여야 한다.
② 의사는 새로운 의학 지식과 기술을 끊임없이 습득하고 연마하며, 그에 따르는 사회적, 윤리적 문제를 이해하고, 그 해결을 위하여 노력하여야 한다.

제5조(공정한 의료 제공)
① 의사는 의료가 모든 사람에게 공정하게 제공될 수 있도록 최선의 노력을 기울여야 한다.
② 의사는 환자의 인종과 민족, 나이와 성별, 직업과 직위, 경제상태, 사상과 종교, 사회적 평판 등을 이유로 의료에 차별을 두어서는 안 된다.
③ 의사는 진료 순위를 결정하거나 의료자원을 배분할 때 의학적 기준 이외에 정치적·경제적·사회적 조건 등을 고려하여서는 안 된다.

제6조(품위 유지)
① 의사는 의사윤리지침을 준수하고, 사회 상규를 지키며, 의료의 전문성을 지키는 등 의료인으로서 품위를 유지하여야 한다.
② 의사는 의료행위뿐 아니라, 인터넷, 소셜 미디어, 저서, 방송활동 등을 통한 언행에 있어 품위를 유지하여야 한다.

제7조(진료에 임하는 의사의 정신적, 육체적 상태)
① 의사는 마약, 음주, 약물 등으로 인하여 환자의 생명과 신체에 위해를 가져올 수 있는 상태에서 진료를 하여서는 안 된다.
② 의사는 자신의 정신적 또는 육체적 질병으로 인하여 환자의 생명과 신체에 위해를 가져올 수 있는 상태에서 진료를 하여서는 안 된다.

제8조(의사의 사회적 책무)
의사는 인간의 생명, 건강, 삶의 질 향상을 위하여 노력하여야 하며, 법과 제도를 개선하여 바람직한 의료환경과 사회체계를 확립하는데 이바지한다.

제9조(의무기록 등의 정확한 기록)
① 의사는 의무기록과 진단서를 정확하고 성실하게 작성하여야 한다.
② 의사는 환자가 요청하는 경우, 환자의 진료를 위하여 불가피한 경우 이외에는 의무기록을 확인할 수 있게 하여야 한다.
③ 의사는 환자의 동의나 법률적 근거 없이 제3자에게 환자의 진료에 관한 사항을 알게 하여서는 안 된다.
④ 의사는 의무기록을 고의로 위조, 변조, 누락, 추가 등 사실과 다르게 기재하여서는 안 된다.

제10조(의료인 양성의 의무)
의사는 후학들의 교육 및 임상능력 증진과 전문적 덕성 함양을 위하여 노력하여야 한다.

제11조(의사와 환자의 상호 신뢰)
① 의사는 환자와 서로 신뢰하고 존중하는 관계가 유지되도록 노력하여야 한다.
② 의사는 환자의 자율적인 의사를 최대한 존중하고, 환자의 권익이 보장될 수 있도록 최선의 노력을 다하여야 한다.
③ 의사는 환자가 본인의 의사를 표명하기 어려운 심각한 정신질환이나 의식불명의 상태인 경우, 가족 등 환자 대리인의 의사와 판단을 존중하되, 환자의 평소 의사와 이익이 최대한 존중되고 보장되도록 노력하여야 한다.
④ 의사는 환자가 미성년자인 경우 환자 본인 및 환자 대리인의 의사를 확인하여, 환자의 이익이 최대한 존중되고 보장되도록 노력하여야 한다.
⑤ 의사는 환자의 의사와 이익을 최대한 존중·보장하기 위하여 삶과 죽음에 대한 환자의 가치관과 태도를 미리 알고자 하는 노력을 하여야 한다.

제12조(환자의 인격과 사생활 존중)
① 의사는 환자를 단순히 치료의 대상으로 여기는 것이 아니라 인격을 가진 존재로 대우하여야 한다.
② 의사는 환자의 사생활을 존중하여야 하며, 치료목적 이외에 불필요하게 침해해서는 안 된다.
③ 의사는 성적으로 수치심을 느낄 수 있는 신체 부위를 진찰할 때 환자가 원하는 경우 제3자를 입회시켜야 한다.
④ 의사는 진료 관계가 종료되기 이전에는 환자의 자유의사에 의한 경우라 할지라도 환자와 성적 접촉을 비롯하여 애정관계를 가져서는 안 된다.

제13조(환자의 선택권 존중 등)
① 의사는 자신의 환자를 기망하여 다른 의사에게 진료를 맡겨서는 안 된다.
② 의사는 진료의 일부를 다른 의사에게 맡길 경우에는 그 필요성과 해당 의사의 전문분야, 경력 등에 관하여 환자에게 설명해주어야 한다.

제14조(진료의 거부금지 등)
① 의사는 진료의 요구를 받은 때에는 이를 거부해서는 안 된다. 다만, 진료에 지속적으로 협조하지 않거나 의학적 원칙에 위배되는 행위를 요구하는 등 정당한 사유가 있을 경우에는 그러하지 아니하다.
② 의사는 환자의 진료에 필수적인 인력, 시설 등을 갖추지 못한 경우 환자를 타 의료기관으로 전원해야 한다.
③ 의사는 환자를 진료하기 위하여 상당한 시간이 지체될 것으로 예상되는 경우에는 환자 또는 보호자에게 충분한 설명을 한 후 타 의료기관으로 전원을 권유할 수 있다

제15조(환자의 알 권리와 의사의 설명 의무)
① 의사는 긴급한 경우나 환자에게 기타 특별한 상황이 없는 한, 진료를 시행함에 있어서 질병상태, 예후, 치료의 필요성, 의료행위의 내용, 효과, 위험성 및 후유증 등에 대하여 설명하여야 한다.
② 의사는 환자 진료 중에 예상하지 못한 문제나 결과가 발생하였을 경우 이에 대해 환자나 보호자에게 설명하여야 한다.
③ 의사는 환자가 결정하기 어려운 경우에는 제1항의 내용을 가족 등 환자의 대리인에게 설명하여야 한다.
④ 의사가 제1항의 설명을 환자에게 하는 것으로 인하여 환자의 불안감을 가중하는 등의 정서적 문제를 일으킬 수 있고, 이로 인하여 향후 치료 진행이나, 건강 회복에 나쁜 영향이 미칠 수 있다고 판단되는 경

우에는 가족 등 대리인에게 설명할 수 있다.

제16조(회복불능 환자의 진료중단)

① 의사는 의학적으로 회생의 가능성이 없는 환자의 경우라도 생명유지 치료를 비롯한 진료의 중단이나 퇴원을 결정하는 데 신중하여야 한다.

② 의학적으로 회생의 가능성이 없는 환자나, 가족 등 환자의 대리인이 생명유지 치료를 비롯한 진료의 중단이나 퇴원을 명시적으로 요구하는 경우, 의사가 의학적으로 무익하거나 무용하다고 판단하는 생명유지 치료에 대하여 그러한 요구를 받아들이는 것은 허용된다. 그러나 통증완화를 위한 의료행위와 영양분 공급, 물 공급, 산소의 단순공급은 시행하지 않거나 중단되어서는 안 된다.

③ 의사의 충분한 설명과 설득 이후에도 환자, 또는 가족 등 환자 대리인이 회생의 가능성이 없는 환자에 대하여 의학적으로 무익하거나 무용한 진료를 요구하는 경우, 의사는 그것을 받아들이지 않을 수 있다.

제17조(환자 비밀의 보호)

① 의사는 그 직무상 알게 된 환자의 비밀을 보호하여야 한다.

② 의사가 환부 촬영 등 의무기록상 필요한 사항 이외의 진료장면을 촬영하는 경우에는 사전에 환자의 동의를 받아야 한다.

③ 의사는 미성년 환자의 진료에 필요하다고 판단하는 경우 부모 나이에 준하는 보호자에게 진료에 관한 사항을 알릴 수 있다.

④ 의사는 환자가 자신이나 다른 사람에게 심각한 위해를 가할 명백한 의도를 가지고 있고, 그 계획이 구체적인 경우 위해를 방지하기 위하여 불가피하다고 판단되는 경우에는 환자의 비밀을 제3자에게 알릴 수 있다.

⑤ 의사는 의학적 조사 및 연구 등을 수행함에 있어 환자의 개인정보를 보호하여야 한다.

제18조(응급의료 및 이송)

의사는 응급환자에 대하여 자신의 능력 범위 내에서 필요한 최선의 의료를 시행하여야 한다. 다만, 자신의 능력과 시설로는 그 환자에 대하여 적정한 응급의료를 행할 수 없다고 판단한 때에는 지체없이 그 환자를 치료가 가능한 다른 의료기관으로 이송하여야 한다.

제19조(동료 의료인 등의 존중)

① 의사는 환자에 대한 최선의 진료를 위해 의료 현장에 함께 일하는 모든 사람을 존중하고 신뢰하여야 한다.

② 의사는 동료 의료인이 수행하는 직무의 가치와 내용을 이해하여야 하며, 상호간에 협력적인 직무관계를 이루도록 노력을 다하여야 한다.

제20조(정당한 지시 · 조언 존중)

의사는 의료행위와 관련하여 상급자와 동료의 정당한 지시나 조언을 존중하여야 한다.

제21조(근무환경 개선)

의사는 환자와 의료진의 안전을 위하여 의료현장의 근무환경과 근로조건을 적절히 유지하고 개선하는데 노력하여야 한다.

제22조(불공정 경쟁금지 등)

① 의사는 영리를 목적으로, 다른 의료기관을 이용하려는 환자를 자신의 의료기관으로 유인하거나 대가를 지급하고 제3자로부터 소개 · 알선을 받는 행위를 하여서는 안 된다.

② 의사 및 의료기관은 환자를 유치할 목적으로 차량 운행, 진료비 할인 등 진료와 직접적인 관계가 없는 편의 제공과 같은 불공정한 행위를 하여서는 안 된다.

제23조(동료 의사의 잘못에 대한 대응)

① 의사는 동료 의사가 의학적으로 인정되지 않는 의료행위를 시행하거나 이 지침에서 금지하고 있는 행위를 하는 경우 그것을 바로잡도록 노력하여야 한다.

② 전 항의 노력에는 의료기관, 의사회, 전문학회 등의 윤리위원회나 대한의사협회 윤리위원회에 알리는 것이 포함된다.

③ 대한의사협회 등은 제보자가 불이익을 받지 않도록 보호하여야 한다.

제24조(의사의 사회적 책무)

① 의사는 지역사회, 국가, 인류사회와 그 구성원들의 생명보전, 건강증진, 삶의 질 향상을 위하여 최선의 노력을 다하여야 한다.

② 의사는 의료자원의 편성과 배분에 능동적으로 참여하여 보건의료체계를 유지 · 발전시키는데 기여하여야 하며, 사회의 안녕을 증진하고 미래 의료변화에 대응해야 한다.

제25조(보건의료 위기상황 시 구호활동)

① 의사는 대규모의 감염병이나 천재지변과 재난 등으로 다수의 환자가 발생하는 경우 개인적 또는 집단적으로 환자의 구호를 위해 가능한 자원을 동원하여 적극적인 활동을 벌여야 한다.

② 의사는 공중보건 위기상황이 발생하였을 때 지역사회 구성원 및 이해관계자를 대상으로 적절하게 소통하고 상호 협력할 수 있어야 한다.

제26조(인권보호 의무)

의사는 진료시 고문, 아동학대, 가정폭력, 성폭력 등 인간의 신체와 정신을 침해하는 행위를 알게 된 경우 피해자의 인권을 보호하기 위한 조치를 취하여야 한다.

제27조(의료자원의 적절한 사용)

의사는 보건의료분야에 적정한 자원이 투입되도록 하여야 하며, 투입된 의료자원이 불필요하게 소모되지 않도록 노력하여야 한다.

제28조(부당이득 추구 금지)

① 의사는 자신이나 자신이 소속한 의료기관의 부당한 영리 추구를 목적으로 의료행위를 하여서는 안 된다.

② 의사는 진료비 이외의 금품 등을 부당하게 요구하거나 받아서는 안된다.

③ 의사는 어떤 이유에서든지 비의료인에게 고용되어 환자의 이익보다 사적인 이익을 추구하는 목적으로 하는 진료행위에 가담하여서는 안 된다.

제29조(이해상충의 관리)

① 의사는 제약회사나 의료기기회사 등으로부터 진료약제와 의료기기 등의 채택 및 사용과 관련하여 금품과 향응 등 부당한 이득을 취해서는 안 된다.

② 의사는 제약회사나 의료기기회사 등으로부터 연구비나 국내외 학술대회와 관련된 후원을 받을 때 그 방법과 절차가 공정하고 공개적이어야 한다.

③ 의사는 자신이 직접 운영하거나, 운영에 관여하는 회사에서 생산하는 물품(의약품, 건강식품, 진료재료, 장비 등), 혹은 자신의 고안이나 특허를 이용하여 생산되는 물품을 자신의 진료에 사용하거나 광고할 경우, 자신이 이러한 행위를 통해서 이익을 얻고 있음을 공개해야 한다.

제30조(과잉 · 부당진료 금지)

① 의사는 경제적 이득을 위하여 환자에게 의학적으로 불필요한 진료를 하여서는 안 된다.

② 의사는 환자나 진료비 지급기관에 허위 또는 과다한 진료비를 청구하여서는 안 된다.

제31조(허위 · 과대광고 등 금지)

① 의사는 법령이 허용하는 한도에서 신문, 방송, 유인물, 통신, 인터넷 등과 같은 대중매체를 이용하여 의료정보를 제공할 수 있다.

② 의사는 허위 · 과대광고, 다른 의사를 비방 · 비하하는 광고, 의사와 의료의 품위를 훼손하는 저속한 광고를 하여서는 안 된다.

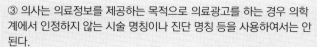

③ 의사는 의료정보를 제공하는 목적으로 의료광고를 하는 경우 의학계에서 인정하지 않는 시술 명칭이나 진단 명칭 등을 사용하여서는 안 된다.

④ 의사는 의사 또는 의사 아닌 사람이나 단체가 국민의 건강을 해치는 허위 · 과장 정보를 전파하거나 광고할 경우 이를 지적하고 바로 잡을 수 있도록 노력하여야 한다.

제32조(대중매체의 부당한 이용 금지)

① 의사는 방송 등 대중매체 참여 과정에서 그 목적, 내용 등을 신중하게 고려하여 전문가의 품위를 유지할 수 있도록 해야 한다.

② 의사는 의학적 지식을 정확하고 객관적으로 전달해야 하며, 의학적으로 검증되지 않은 의료행위를 안내해서는 안 된다.

③ 의사는 방송 등 대중매체 참여를 영리 목적으로 이용하거나 광고 수단으로 이용해서는 안 된다.

④ 의사는 방송 등 대중매체 참여의 대가로 금품 등을 주어서는 안 된다.

제33조(태아 관련 윤리)

① 의사는 태아의 생명보전과 건강증진에 최선을 다하여야 한다.

② 의사는 의학적으로 적절하고 합당한 경우라도 인공 임신중절 수술을 시행하는데 신중하여야 하며, 산모의 건강과 태아의 생명권에 특별한 주의를 기울여야 한다.

제34조(보조생식술 관련)

① 의사는 의학적으로 질병을 회피하기 위한 경우와 같은 특별한 사유가 있는 경우를 제외하고 적극적 유전 선택을 하면 안된다 .

② 의사는 정자와 난자의 매매행위에 관여하여서는 안 된다.

③ 의사는 정자 또는 난자를 제공하는 사람의 신원을 누설하거나 공개하여서는 안 된다.

제35조(연명의료)

① 의사는 죽음을 앞둔 환자의 신체적, 정신적 고통을 줄이고 삶의 질을 향상시키는데 최선의 노력을 다하여야 한다

② 의사는 말기환자가 품위있는 죽음을 맞이할 수 있도록 노력하여야 한다.

③ 의사는 말기환자의 의사를 존중하여 치료가 이루어지도록 노력하여야 하며, 적절한 시기에 환자 및 가족과 함께 연명의료 결정 및 호스피스 · 완화의료 등에 관한 논의를 하도록 노력하여야 한다.

제36조(안락사 등 금지)

① 의사는 감내할 수 없고 치료와 조절이 불가능한 고통을 겪는 환자에게 사망을 목적으로 물질을 투여하는 등 인위적, 적극적인 방법으로 자연적인 경과보다 앞서 환자가 사망에 이르게 하는 행위를 하여서는 안 된다.

② 의사는 환자가 자신의 생명을 끊는데 필요한 수단을 제공함으로써 환자의 자살을 도와주는 행위를 하여서는 안 된다.

제37조(뇌사의 판정)

의사는 뇌사를 판정하는 경우 그 환자의 보호자에게 충분한 설명을 하고, 적법한 절차를 거쳐 신중하게 하여야 한다.

제38조(장기이식술과 공여자의 권리보호)

① 의사는 자발적인 장기 및 신체조직 기증을 권장하는 노력을 해야 한다.

② 의사는 잠재적 장기기증자로부터 장기 및 조직을 적출하고자 하는 경우 동의 여부를 확인하고, 유가족 등 기증 결정자가 경제적, 사회적 유인으로부터 자유롭게 의사결정을 할 수 있도록 보호해야 한다.

③ 의사는 정당한 의료행위의 대가외에는 장기기증 및 이식에 따른 경제적 이득을 취해서는 안 된다.

④ 의사는 기증장기의 수혜자를 선택함에 있어서 의학적인 적합성과

시급성에 기초해야 하며, 어떠한 사회, 경제, 종교, 인종적 배경이 개입해서는 안 된다.

제39조(장기 등 매매금지)

① 의사는 장기 등 매매에 관여하거나 이를 교사 · 방조하여서는 안 된다.

② 의사는 진료시 장기 등의 매매행위를 알게 된 경우 그러한 사실을 묵인하거나 은폐해서는 안 된다.

제40조(의학연구)

① 의사는 사람을 대상으로 연구를 함에 있어서, 연구참여자의 권리, 안전, 복지를 최우선으로 고려하여야 한다.

② 의사는 사회경제적 약자들의 취약점을 이용하여 의학연구의 대상으로 삼아서는 안 된다.

③ 의사는 기관생명윤리위원회에서 연구계획을 승인을 받은 후에 연구를 수행해야 하고, 연구과정에서 위원회와 지속적인 협조관계를 유지하여야 한다.

④ 의사는 제약회사나 의료기기회사 등의 지원으로 연구하는 경우, 연구결과와 이의 발표에 대한 간섭을 허용해서는 아니되며 정당한 보상 이외에 연구결과와 관련하여 보상을 받아서는 안된다. 연구결과를 발표할 때에는 연구비 지원기관을 공개하여야 한다.

제41조(연구의 진실성)

의사는 연구할 때에 정확하고 검증된 연구자료에 의거하여 연구를 수행하고 진실에 부합하는 연구결과를 도출하여 발표하여야 하며, 위조, 변조, 표절, 부당한 중복게재 등의 행위를 해서는 안 된다.

제42조(연구결과의 발표)

의사는 관련 학계에서 충분히 검증되지 않은 연구결과를 학술발표 이외의 방법으로 대중에게 광고하거나 환자의 진료에 사용하여서는 안 된다.

제43조(윤리위원회 설치)

① 의료기관, 의사회, 전문학회 등은 각각의 소임에 걸맞은 윤리위원회를 두도록 한다.

② 윤리위원회는 상호간에 유기적이고 협조적인 관계를 유지하여야 한다.

③ 윤리위원회의 구성 등에 관한 사항은 대한의사협회 정관에 규정한다.

제44조(윤리위원회 역할)

① 윤리위원회의 역할은 의사들에 대한 징계보다 의료윤리의 제고에 역점을 두며, 나아가 국민의 건강권과 의사들의 진료권 신장에 이바지하여야 한다.

② 윤리위원회는 변화하는 의료환경에 대응하기 위하여 의사윤리강령 및 지침 등을 지속적으로 연구하고, 적절한 제안을 하여야 한다.

③ 윤리위원회는 회원의 윤리의식 제고를 위해 의료윤리교육 계획을 수립하여 정기적으로 교육하여야 한다.

④ 윤리위원회는 회원에 대한 자격심사 및 징계에 관한 사항을 심의한다.

제45조(징계)

① 의사윤리지침에서 금지하는 행위를 한 의사는 대한의사협회 정관 및 징계 규정에 따라 징계할 수 있다.

② 본 지침에 기술되지 아니한 내용에 대하여는, 의료계 전반에 걸친 합의와 건전한 논의에 기초한 일반적 가치판단 기준을 적용할 수 있다.

③ 윤리위원회에서 징계를 하는 경우 해당 의사에게 충분한 소명의 기회를 주어야 한다.

④ 윤리위원회는 징계 결정이 내려질 때까지 해당 의사의 신원을 비밀로 하여야 한다.

⑤ 윤리위원 등은 징계 심의과정에서 취득한 모든 정보에 대해 비밀유지의 의무를 진다.

히 구별하여야 한다. 이 경우 문제해결을 위하여 소아신경과 의사의 의견을 가장 중요시하기보다는 다른 여러 가지 정황을 모두 감안하여 결정을 해야 한다. 윤리적 사안에 대해서는 일반적으로 가족의 의견이 가장 중요할 것이나, 때로는 확장가족이나 종교적 신념이 중요할 수 있으며, 환자와 오랜 기간 밀접한 개인적 관계를 형성한 친구, 돌봄 제공자 등의 관점을 고려하여야 할 경우도 있다.

4) 연구(Research)

임상연구를 병행하고 있는 소아신경과 의사들에게는 윤리적 의무가 추가로 부여된다. 임상시험을 하는 소아신경과 의사들이 마주치는 문제점은 연구의 대상이 대개 본인이 진료하는 환자들이므로, 연구자로서의 윤리적 의무와 의사로서의 윤리적 의무를 분리해야 한다는 것이다. 이 문제는 생각보다 어려운 문제로, 연구윤리는 앞에서 언급된 자율, 선행 및 정의의 원칙에 따라야 한다.

일반적으로 연구자의 주된 윤리적 의무는 피험자의 권익을 보호하는 것이다. 잘못 설계된 연구는 건전하고 과학적인 결과를 생산하기 어렵고, 따라서 피험자의 권익을 보호하기보다 위험에 노출시킬 가능성이 크므로 당연히 비윤리적일 수밖에 없다. 연구자로서 연구를 잘 설계하여 과학적으로 수행하여야 하는 의무보다 피험자를 보호하는 윤리적 의무가 더 중요하다. 즉, 소아신경과 의사로서 환자에 대한 임상적 책임이 연구자로서 연구대상을 모집하는 의무보다 중요하다.

연구들은 피험자 보호에 대하여 IRB (Institutional Review Board)의 심사와 승인을 받아야만 한다. 임상시험에 참여하는 소아신경과 의사들은 규정을 준수하여야 하며 법적 윤리적 책임을 진다. 일반적으로 윤리적 사안들은 IRB의 심사와 승인을 받기 훨씬 이전에 연구를 설계하는 단계에서부터 고려되어야 한다. 연구자들은 연구윤리에 대해 잘 알아야 하며, 연구설계나 연구계획서 작성 시 윤리적 사안에 대하여 의문이 있으면 IRB의 자문을 받는 것이 좋다. 연구 초기부터 윤리를 강조하여야 IRB의 심사와 승인 과정뿐 아니라 연구를 진행하는 동안에 드러나는 문제들을 예방할 수 있다.

3. 윤리적 문제

1) 인격(Personhood)

생명윤리의 가장 중요한 문제들 중의 하나는 인격(인성 또는 인간 존엄성)에 대한 문제이다. 인격의 개념에 대해서는 아주 오래 전부터 논의되어 왔으며 많은 의문들이 제시되고 있다. 모든 인간이 도덕적으로 사람으로 취급될 수 있으며, 동일한 도덕적 의무를 가지는지? 무뇌증 영아 같은 경우에는 사람이 아니라고 생각하여 다르게 치료받아도 되는지? 인격이란 절대적인 것인지? 아니면 측정하거나 평가할 수 있는 척도가 있어서 그 정도에 따라 윤리적 의무에도 차등이 있는지? 인간으로 존재는 하지만 지속적 식물상태처럼 인격이 상실될 수 있는지? 고대 철학자들은 이성과 영성의 통합을 중시했으며, 현재의 종교도 이 점을 견지한다. Kant 같은 계몽주의 철학가들은 자기의식(self-consciousness) 또는 스스로를 유일한 존재로 자각하여 자율이나 자유의지를 행사할 수 있는 합리적 능력을 강조하였다. 이 정의에 따르면 위의 능력이 없는 인간은 도덕적 의미에서 완전한 인간이 아니라고 할 수 있다. Fletcher 같은 현대 사상가들은 다른 몇 가지 기준을 제시했는데, 예컨대 자기인지(self-awareness), 자기제어(self-control), 자신의 과거와 미래에 대한 관념, 타인과 관계를 맺는 능력, 그리고 의사를 전달하는 능력 등이다. 예를 들면, 인성을 측정하는 척도로 IQ가 사용될 수 있으며, IQ 20 이하는 사람이 아니라고 한다는 식이다. 이는 공리주의 이론과 합치하며, 인격을 측정하는 기준을 만든다는 것은 철학적으로도 논란의 여지가 많다.

인류학적 및 역사적인 관점에서 생각하는 인격에 대하여 Fernandez-Armesto는 다음과 같은 6가지 문제점들을 제시하였다. ① 인류와 비인간 영장류는 유사하다. ② 다른 동물도 언어나 도구와 같은 인간적인 재능을 가지고 있다. ③ Homo sapiens 같은 현생 인류와 Neanderthal 같은 선사 종들 사이의 경계가 불확실하다. ④ 모든 종은 진화를 통하여 변한다. ⑤ 인공지능이나 인간을 닮은 인조인간이 있다. ⑥ 인간 유전체를 조작하여 어떤 특성이나 능력을 조작할 수 있다. 이런 난제들을 생각하면, 우리가 인간 또는 인간성이라고 생각하는 것의 경계는 인류학적 관점에서 볼 때 불명확하다고 할 수 있다.

소아신경과 의사에게 인격이란 어떤 의미일까? 심한 신경학적 장애를 가진 영아, 지적 장애가 아주 심한 소아 그리고 지속적 식물상태인 청소년 환자들은 Fletcher가 제시한 인격의 기준에 못 미친다. 이런 환자들에 대한 의사의 윤리적 책임은 다른 정상적인 환자들에게 보다 덜한 것인가? 아니면 그들이 사회에서 보다 역할을 잘 할 수 있도록 의사들이 추가적인 자원을 지원하는 것이 정의인가? 의사의 생각과 다르더라도 환자 자신이 느끼는 삶의 질을 향상시키고 보호하는 것이 선행이라고 할 수 있다. 임상에서 볼 때, 심한 장애를 가진 환자의 부모가 자신들의 아이를 인간이 아니라고는 생각하지 않으며, 소아신경과 의사들도 아이와 가족을 위해서 최선을 다하길 원한다. 도덕적 지위(moral status)와 도덕적 행위자(moral agency)로 생각할 때, 환자의 인격이 제한되어 도덕적 지위가 문제되더라도 이들은 여전히 인권을 가진 도덕적 행위자로서, 도덕적 지위가 보다 나은 사람들은 인간 사회 구성원으로서 도덕적 책임을 가져야 한다.

2) 안락사(Euthanasia)

안락사는 오늘날 의료 특히 신경학 분야에서 가장 중요한 윤리적 문제로, 보통 소극적 안락사(passive euthanasia, 생명연장을 위한 노력을 하지 않는 것)와 적극적 안락사(active euthanasia, 생명을 종료하기 위하여 시행)로 구분된다. 소극적 안락사가 특정한 의료 상황에서는 받아들여지는데 반하여, 적극적 안락사는 그렇지 않으며 대부분의 경우 불법이지만, 이런 구분은 모호하며 어떤 경우에는 혼동을 일으킨다. 소극적 안락사는 지속적 식물상태(persistent vegetative state, PVS)의 환자들에게 간혹 고려되곤 한다. 소아와 성인의 식물상태에 대한 의학적 의견의 일치(consensus)는 있지만, 그럼에도 불구하고 윤리적 및 법적인 논란은 있다. 예를 들자면, 소아와 청소년에 있어서: ① 식물상태의 진단기준에 정확히 맞지 않는 경우에는 어떻게 할 것인가? ② 식물상태인 환자의 예후에 대해 얼마나 자신이 있는가? 조산 영아에게는 식물상태 개념을 적용할 수 없고, 진성 무뇌아(true anencephaly) 영아가 명확히 식물상태일 때를 제외하면 생후 3개월 이전에는 식물상태의 진단은 어렵다. 최소 의식상태(minimally conscious state)는 식물상태와는 명백히 다르며 진단기준도 다르고 예후의 차이에 대

한 자료도 있지만, 최소 의식상태에서 움직임이 조금이라도 가능한 경우와 전혀 불가능한 경우의 차이에 대해서는 잘 알려져 있지 않다. 식물상태 또는 최소 의식상태의 소아라도 의학의 발전에 의하여 생명이 더 연장될 가능성도 있다.

영양과 수액을 포함한 생명연장 치료를 중단하는 것은 지속적 식물상태 환자에서는 법적·윤리적으로 적절하다고 생각되지만, 이에 대한 반대도 있는데 대표적인 예가 가톨릭계의 의견이다. 최소 의식상태 환자에서 연명치료를 중단하는 법적·윤리적 기준에 대해서는 훨씬 불명확하다. 의학적 무익(medical futility)이란 하고자 하는 치료나 활동이 양적(성공 가능성)이나 질적(삶의 질 향상)으로 환자에게 하등의 이득도 미치지 못할 때를 의미한다. 가끔 환자나 가족들이 적절한 수준 이상의 치료를 요구하는 경우가 있는데, 이럴 때 의사들은 지침이나 정책을 엄격히 따르기보다는 모든 사람이 납득할만한 공정하고 투명한 과정을 통하여 의사결정을 하는 것이 권장된다.

자발적이고 적극적인 안락사는 소극적 안락사에 비하여 훨씬 더 논란의 소지가 있으며, 자비로운 살인(mercy killing) 또는 의사 방조 자살(physician-assisted suicide)이라 불리기도 하는데 미국에서는 불법(오리건 주는 제외)이지만 네덜란드 같은 나라에서는 일부 합법적으로 인정받고 있다. 의료와 관련해서건 아니건 죽음을 선택하는 데 있어서는, 사람들은 타인의 강압이 없이 스스로 자기가 알아서 신중히 고려하여 결정을 하는 자율권을 행사할 수 있기를 바란다. 자율권이 없는 소아나 청소년의 경우 이런 결정을 다른 사람이 대신 내리는 것이 윤리적인가 하는 것은 매우 어려운 문제로 아직까지 충분히 결론이 나지 않았다.

3) 장기기증(Organ donation)

생명연장을 위한 치료의 포기에 대한 결정은 장기기증이 가능할 경우에 특히 긴급한 문제가 된다. 장기기증은 대개 뇌사판정 이후에 고려되지만 뇌사 증례가 드물기 때문에, 최근 선진국에서는 장기기증을 늘리기 위하여 심장사 후 장기기증(donation after cardiac death, DCD)을 하는 방침과 절차를 강화하고 있다. 인공 환기기와 같은 생명연장 치료를 하는 환자 중 이전에 생명연장 치료를 제거하기로 결정한 환자는 DCD의 대상이 되지만, 식물상태이더라도

자발호흡을 하는 환자는 DCD의 대상이 되진 못하는데, 영양과 수액공급을 차단하더라도 너무 천천히 사망에 이르게 되어 장기기증에 부적합하기 때문이다. 하지만 현재의 DCD 정책은 생명연장을 포기하는 결정에 대해서는 평가를 하지 않으며, 또한 DCD 절차가 생명연장 포기를 이미 결정한 이후에 시작되므로 이 결정이 윤리적인가 하는 것을 고려하지 않는다. 그러므로 DCD에 있어서 핵심 윤리사안은 DCD 이전에 생명연장 포기 결정을 하는 과정을 신중히 조사하는 것이고, 따라서 환자의 진단과 예후를 판정하는 소아신경학 전문의의 역할이 핵심적이다.

4) 완벽주의와 신경윤리학(Perfection and neuroethics)

부모가 자식을 더 낫게 만들려는 생각을 가지는 것은 있을 수 있는 일이다. 어떤 부모는 불완전한 자식을 원하지 않을 수도 있으며, 설사 아이의 불완전을 받아들였을지라도 가능하다면 완전해지기를 바랄 수 있다. 하지만 어떤 부모들은 평생 지속될 심한 장애와 같은 불완전함을 견디지 못하고, 예후가 명확해지기 이전에 연명치료를 포기할 지도 모른다. 진단과 예후에 대해 정확한 정보를 가족에게 제공하여 결정을 유도해야 할 소아신경과 의사들에게 이것은 매우 당혹스런 상황이 될 수 있다.

완벽주의 문제는 정상 기능을 향상시키고자 하는 소위 '미용 신경학'(cosmetic neurology)을 생각할 때 더 심각하다. Cosmetic neurology의 예는 건강한 사람의 인지기능을 향상시키기 위해 리탈린(Ritalin)과 같은 약물을 사용하는 것과 같은 것이다. 의료의 목표는 질병을 치료하는 것과 정상 기능을 항진시켜 삶의 질을 향상시키는 두 가지라 할 수 있다. 하지만, 신경학적으로 정상인 사람에게 체력, 주의, 학습, 기억, 기분이나 감정을 증진시키기 위해 과연 약을 처방을 해야 하는 것일까? 미용 신경학의 4가지 윤리적 난점은: ① 정상 뇌기능을 향상시키기 위해 어느 정도까지 위험을 감수할 수 있는가? ② 정상 뇌기능의 향상이 우리의 관점을 얼마나 바꿀 것인가? ③ 정상 뇌기능의 향상이란 우리 모두에게 가능한지 아니면 소수에만 해당되는가? ④ 뇌기능을 향상시키는 것이 가치가 있다고 생각하는 고용주들이 고용원들에게 강요를 하면서 그에 대하여 보상을 하겠다고 한다면 어떻게 할 것인가 등이다. 미용 신경학이 앞으로 불가피한 것이라면, 환자들이 요구할 때 신경과 의사

들이 어떻게 대응할 것인지에 대해서 윤리적으로 많이 생각해야 한다. 특히 소아신경학 의사들은 부모가 자식들에 대하여 미용 신경학적 요구를 하는 경우 더 큰 윤리적 문제에 직면하게 될 수 있다. 부모는 신경학적 장애를 가진 아이들을 바꾸려고 노력해야 하는지? 만일 그렇다면 얼마나 바꾸려고 해야 하는지? 뛰어난 효과와 상당한 위험성을 동시에 가진 약이 있다면 부모들이 이런 약을 선택해도 되는지? 이런 것들은 매우 어려운 문제들이며, 일반적으로 의견이 일치된 대답은 없을 것이다.

신경윤리학의 또 다른 문제는 신경유전 질환들의 진단 및 치료에 최신 유전학 지식을 사용하는 것이다. 유전학적 진단은 낙인(stigma)과 사생활(privacy) 문제라는 윤리적 문제를 안고 있으며, 유전자 치료에는 미용 신경학과 유사한 윤리적 문제가 있다. 과학의 발전은 필연적이며 바람직하지만, 신경 윤리학적 문제들은 점점 더 중요해질 것이므로, 모든 신경과 의사들은 이러한 윤리 문제들을 잘 알아야 하고 적절하게 대응할 수 있어야 한다.

소아신경과 의사들은 옳은 일을 하고 잘못은 피하기 위해 여러 가지 다른 의견들을 듣고 참고해야 한다. 내적으로는 환자의 문제에 가장 적합한 윤리 이론을 검토해볼 수 있다. 하지만, 임상윤리는 획일적일 수 없으며, 각각의 증례가 모두 다르므로 모든 임상 상황에 맞는 이론은 없다. 그러므로 환자의 곁에서 오랫동안 지내야만 알 수 있는 경험뿐 아니라 윤리에 대하여 깊이 공부하여 얻은 지식을 조화하여, 결정을 잘 할 수 있도록 노력해야 한다. 외적으로는 환자의 가족, 이전에 비슷한 상황에 있었던 다른 환자나 그 가족, 그리고 간호사 등 다른 의료진의 의견을 참조한다. 이런 상황을 종합하기란 쉽지 않은데, 미국의 유명한 소아신경학자인 John Freeman은 자신의 오랜 경륜에 비추어 다음과 같이 말했다. "의사결정이란 하나의 과정이어야 하며, 결론에 도달하기까지의 과정이 결론 자체보다 훨씬 중요하다. 이 과정은 의사에게만 맡겨도 안되지만, 편견과 선입관을 가지고 있는 가족, 친척이나 친구들에게만 맡겨도 안 된다. 의사와 가족이 함께 아이를 위한 계획을 세워나가야 한다."

02

소아의 진정요법

Sedation in Children

| 이종화 |

1. 서론 및 배경

진정요법이란 주로 약물을 이용하여 환자의 흥분이나 불안을 줄여서 영상검사나 진단 및 치료적 시술을 용이하게 하는 요법을 말한다. 오늘날 단기작용 진정제와 정확한 비침습적 감시장비의 이용이 가능해지면서 보다 효과적이고 안전한 진정요법이 가능해졌다. 또한 발달장애와 신경학적 장애를 가진 아이들이 더 오래 생존하게 되면서 진단 및 치료적 중재를 요구하는 경우가 늘어나고 있고, 의사들은 이러한 경우에 진정요법을 보다 안전하고 성공적으로 수행할 수 있기를 요청받고 있다. 발달장애나 신경학적 장애가 있는 아이들에서는 진정 후 호흡기 합병증의 위험이 더 크기 때문에 잠재적 유해사건에 대한 철저한 이해가 필요하고, 진정제 투여 시 발생할 수 있는 잠재적 합병증을 피할 수 있는 지식과 기량이 요구된다.

2. 적응증

정확한 영상검사(CT, MRI, scan, 초음파 등)를 위해 단순 움직임 제어만 필요한 경우, 통증은 심하지 않지만 불안을 야기할 수 있는 시술(경증 외상처치, 봉합, 요추천자 등)의 경우, 그리고 통증과 불안이 심한 시술(골절/탈골 정복, 골수검사 등)을 할 때 진정이 필요하다고 판단되면 각각의

상황에 맞는 적절한 약물을 선택하여 사용한다.

3. 절차

진정 절차는 크게 진정 전, 진정 중, 그리고 진정 후 3단계로 나눌 수 있다. 진정 전 단계에서는 환자를 평가하고 진정 계획을 수립하며 환자/보호자에게 설명 후 진정 동의서를 취득한다. 진정 중 단계에서는 약물을 잘 확인하고 안전하게 투여하며 적절한 장비를 이용하여 환자에게 이상이 없는지 잘 감시한다. 진정 후 단계에서는 검사 및 시술 후에 의식이 완전히 회복되는 것을 확인하고 돌려보낸다.

4. 약물

1) 벤조디아제핀(benzodiazepines)

벤조디아제핀은 진정, 불안해소, 근이완, 전향기억상실 등의 다면 발현성을 가지고 있기 때문에 발달장애와 신경학적 장애가 있는 소아 환자들의 진정에 아주 유용하다. 벤조디아제핀은 또한 신경전달물질인 γ-Aminobutyric acid (GABA)의 효과를 향상시켜서 항경련 효과를 나타내기 때문에 뇌전증을 가진 아이들의 진정에 이상적이다. 벤조디아제핀이 기관계에 미치는 중요한 효과로는 혈압의 저하,

표 17-2. 진정요법 약물(Drugs for sedation)

Midazolam (IV)	0.05-0.1 mg/kg (6mo-5yrs) 0.025-0.05 mg/kg (6-12yrs) Titrate dose carefully
Pentobarbital (IV)	1-2 mg/kg Additional doses of 1-2 mg/kg every 3-5 min to desired effect
Etomidate (IV)	0.1-0.3 mg/kg Lower dose in children with renal or hepatic insufficiency
Ketamine (IV)	1-2 mg/kg When given with propofol, reduce initial dose to 0.5 mg/kg
Propofol (IV)	1-2 mg/kg (6mo-2yrs) 0.5-1 mg/kg (2yrs~)
Dexmedetomidine (IV)	1-3 mcg/kg loading dose (over 10 min), followed by 0.5-1 mcg/kg/hr continuous infusion
Chloral hydrate (PO)	50-100 mg/kg (maximum dose 1 g/dose)

환기억제, 대뇌 대사율 저하 등이 있다(표 17-2).

미다졸람(midazolam)은 벤조디아제핀계 약물 중 진정 요법에 가장 많이 사용되는 단기-작용의 수용성 벤조디아 제핀으로 소아의 진정에 흔히 사용된다. 미다졸람은 주사 후 국소 자극을 초래하지 않고 정맥내, 근육내, 경구, 비강, 직장 투여가 가능하다. 미다졸람은 뇌로부터 다른 조직으 로의 재분포가 빨리 일어나고 간에서의 대사도 빠르기 때 문에 작용시간이 짧고 제거 반감기도 1-2시간으로 짧다. 미다졸람은 호흡억제나 무호흡을 초래할 수 있는데 특히 펜타닐이나 모르핀 같은 아편유사제와 함께 사용할 때 그 렇다.

2) 바비튜레이트(barbiturates)

티오펜탈(thiopental)과 펜토바르비탈(pentobarbital) 같 은 바비튜레이트는 오랫동안 신경학적 장애를 가진 환자 들의 진정에 효과적인 것으로 여겨져 왔다. 바비튜레이트 는 대뇌 혈류와 대뇌 대사율을 용량-의존 형식으로 저하시 키지만 자동조절(autoregulation) 기능은 유지시킨다. 대뇌 혈류와 대뇌 대사율의 저하는 두개내압의 저하를 초래하

므로 두개내압 상승이 있는 급성 뇌졸중이나 두개내출혈 을 가진 환자뿐만 아니라 외상성 뇌손상 환자에게 유용하 다. 바비튜레이트는 심근억제와 저혈압 외에 호흡억제의 부작용을 가지고 있어서 저산소증을 초래할 수도 있다. 그 리고 이러한 부작용은 발달장애가 있는 아이들에서 더욱 악화될 수 있으므로 주의를 요한다.

펜토바르비탈은 진단적 영상검사를 받는 소아의 진정 에 흔히 사용되었다.

티오펜탈은 초단기-작용의 바비튜레이트로 정맥내 형 태가 기도삽관을 위한 유도제로 흔히 사용된다. 유도 시작 이 빠르고 약효 지속시간이 짧다는 점이 매력이다. 하지만 작용 지속시간이 짧아서 긴 스캔시간이 필요한 MRI 촬영 을 위해서는 잘 사용되지 않는다.

3) 에토미데이트(etomidate)

에토미데이트는 진정, 불안해소, 기억상실 등을 야기하 는 단기-작용 정맥주사약이다. 부작용으로는 호흡억제, 저 혈압, 근경련, 아드레날린성 억제 등이 있다. 에토미데이트 는 대뇌 혈류와 대뇌 대사율의 저하로 인해 두개내압을 낮 춰주는 점과 바비튜레이트나 프로포폴보다 심혈관 저하가 덜하다는 점, 그리고 대뇌 관류압을 유지한다는 장점이 있 다. 에토미데이트는 진단적 CT촬영을 위한 진정에 역할을 할 수 있지만 긴 스캔시간을 요구하는 MRI에는 짧은 지속 시간 때문에 불리하다.

4) 케타민(ketamine)

케타민은 N-Methyl-D-Aspartate (NMDA) 수용체 길 항제로서 해리성 진정작용을 나타낸다. 케타민은 최면같 은 상태를 만들고 진정, 진통, 기억상실, 고정 효과를 나타 낸다. 이 때 상기도 근육긴장, 기도 보호반사, 자발호흡은 유지된다. 작용시작이 빠르고 지속시간이 상대적으로 짧 으면서 진정과 진통효과가 좋아 통증이 있는 짧은 시간 시 술에 잘 사용된다. 흔한 부작용으로는 약물의 효과가 사라 지면서 나타나는 불안, 혼란, 환각 등이 있다. 혈압상승, 근 육떨림 같은 부작용이 있을 수 있고, 드물게 후두경련이 올 수 있다. 3개월 미만 영아와 정신병 환자에게 사용하는 것 은 금기로 되어있다.

5) 프로포폴(propofol)

프로포폴은 중등도 혹은 깊은 진정을 제공하기 위해 사용될 수 있는 단기-작용의 진정-수면 정맥내 약물이다. 프로포폴은 깊은 상태의 수면을 신속하게 유도할 수 있고 효과 지속시간이 짧으며 진정으로부터의 회복도 빠르다. 프로포폴은 신경학적 장애를 가진 소아 환자들에서 CT 혹은 MRI같이 비침습적인 진단 영상검사의 진정에 사용된다. 투여 후의 빠른 시작과 빠른 회복 때문에 반복적인 신경학적 검사를 하기에도 좋다. 프로포폴은 또한 항경련 특성을 가지고 있고 두개내압을 줄이기 때문에 뇌전증을 가진 환자 혹은 뇌실복강 지름의 이상으로 인한 폐쇄성 수두증의 우려가 있는 환자에서 진단 신경영상을 얻는데 유리하다. 프로포폴의 유해효과로는 주사부위 통증, 무호흡 혹은 호흡억제, 저혈압, 그리고 뇌허혈의 위험이 있는 환자에게 치명적일 수 있는 서맥 등이 있다. 프로포폴은 진통작용을 나타내지는 않는다.

6) 덱스메데토미딘(dexmedetomidine)

덱스메데토미딘은 중추작용의 알파2 아드레날린성 약물로 최근 미국 식품의약국(FDA)으로부터 기도삽관을 하고 있는 성인에서 단기간(24시간 미만) 진정 목적의 지속 정맥내 사용을 허가받은 약물이다. 프로포폴처럼 빠른 시작과 비교적 빠른 제거 반감기를 가지고 있고 먼저 부하용량으로 투여 후 지속 정맥내 주입으로 투여한다. 한 가지 장점은 다른 많은 진정제에 비해 호흡억제의 위험이 낮다는 것이다. 기도삽관을 하고 있지 않은 아이들에서 비침습적 신경영상검사를 위한 진정제로 사용하기 위한 관심이 증가하고 있다.

덱스메데토미딘의 가장 흔한 유해 부작용은 심혈관성인 것으로 보인다. 서맥과 드물게 동성정지 또는 심정지가 보고되었고 고혈압뿐만 아니라 저혈압도 보고되었다.

7) 클로랄 수화물(chloral hydrate)

1832년에 처음 합성된 클로랄 수화물은 시술용 진정을 위해 여전히 자주 사용되는 약물이다. 이 약물의 꾸준한 인기는 투약의 용이함, 의료인에게 익숙함, 안전성에 대한 오해 때문이다. 경구 혹은 직장 투여 후 클로랄 수화물은 신속하게 흡수되어 간에서 대사되며 활성 대사물인 트리클로로에타놀(trichloroethanol, TCE)로 환원되어 GABAA 수용체에서 바비튜레이트 같은 효과를 나타낸다. 일반적으로 통증이 없는 방사선 시술을 위해 일회성으로 사용할 때는 효과적이지만 반복적으로 주거나 과도한 용량을 주게 될 경우 9-40시간에 이르는 가변적인 반감기와 활성 대사물의 축적으로 인해 과도하고 지연되는 중추신경계 기능 저하와 호흡억제 등의 문제를 초래할 수 있다. 클로랄 수화물은 단백결합 위치를 놓고 빌리루빈과 경쟁을 하기 때문에 신생아에서는 상대적 금기약물이다. 또한 TCE는 삼환계 항우울제를 복용하거나 부정맥이 있는 환자에서 심실 부정맥을 초래할 수도 있기 때문에 주의가 필요하다. 통증이 없는 방사선 영상검사를 위해서 사용될 때의 용량은 50-100 mg/kg(1회 최대 용량 1 g)으로 경구투여한다.

03

소아의 통증치료

Pain Management in Children

| 이종화 |

발달장애나 신경학적 장애를 가진 소아에서 통증은 흔한 증상이지만 종종 그 표현이 모호하여 임상적 의사결정이 어렵거나 주관적인 경우가 많다. 근래 들어 새로운 평가 도구와 구체적인 관리기술이 사용가능해지고, 통증, 기저 질환, 그리고 임상약리학에 대한 지식이 향상됨에도 불구하고, 장애가 있는 소아의 통증을 이해하고 관리하는 것은 여전히 어려운 부분이 많다. 또한 환자, 가족 그리고 의료 전문가 사이의 효과적인 소통을 포함해서 조직화된 통증관리 접근이 치료에 필수적이다.

1. 정의 및 분류

국제통증학회에서는 통증을 '실질적 혹은 잠재적 조직 손상 또는 그러한 손상 측면에서 기술된 상황과 관련한 불쾌한 감각 및 감정의 경험'으로 정의하고 있다. 여기서 강조하고 있는 것은 (1) 통증은 말초 생리적 요소와 중추 인지/감정적 요소를 모두 포괄한다는 점 (2) 통증은 실질적인 조직 손상과 연관될 수도 있지만 증명할 수 있는 신체병리가 없이도 존재할 수 있다는 점이다.

통증은 크게 체성, 내장성, 신경병성 통증으로 분류할 수 있다. 체성 통증은 조직의 손상 혹은 염증으로 인한 통증으로, 피부와 표피 구조물에서는 날카롭고, 국소화가 잘되는 통증을 나타낸다. 내장성 통증은 내장의 손상 혹은 염

증으로 인한 통증으로, 쑤시고 경련성이고 국소화가 잘 안되고 전이되는 통증이 나타난다. 신경병성 통증은 말초 혹은 중추신경계의 손상, 염증 혹은 기능장애로 인한 통증으로, 화끈거리고 찌르는 것처럼 아프거나 이상감각, 과통증, 무해자극 통증 등이 있고 보통 신경분포 경로와 상응하는 통증을 보여준다.

2. 평가 및 측정

통증의 평가는 단순히 통증을 수량화하는 것 그 이상이며 실행할 수 있을 때마다 환자에게 통증의 특징, 위치, 특질, 지속기간, 빈도 그리고 강도를 확인해야 한다. 일부 아이들은 두려움 등의 이유로 인해 통증을 보고하지 않는다. 영아나 말을 잘하지 못하는 아이들의 경우 그 행동이 통증, 두려움, 배고픔, 혹은 일련의 다른 자각이나 감정을 나타내는 것인지 해석하는데 어려움을 겪게 된다.

임상적으로 유용한 통증 평가도구로는 행동지표들, 다중모드 도구, 통증의 자기보고 등이 있다. 다중모드 도구로는 FLACC (Face, Legs, Activity, Cry, Consolability) system이 있으며 말을 하기 전 아이, 기계환기를 하거나 인지장애가 있는 환자에게 사용될 수 있다.

3. 치료

통증을 관리하는데 있어서 약물학적 및 비약물학적 접근 모두 치료계획에 고려되어져야 한다. 심리적 및 발달상 동반된 질병이 아이의 통증 경험과 통증을 견디고 대처하는 능력에 영향을 미친다. 아이의 통증을 적절하게 치료하고 수술, 외상, 침습적인 의료시술 후에 지속되는 통증이 일어날 위험을 줄이기 위해 모든 동반질병들이 밝혀지고 다루어져야 한다.

1) 약물치료

진통제의 약동학과 약역학은 나이에 따라 변하는 것으로 영아와 어린 아이들에서의 약물반응은 큰 아이들이나 성인들과는 다르다. 신생아에서는 간 효소계 미숙, 신혈류, 사구체 여과, 세뇨관 분비의 감소, 그리고 낮은 알부민과 알파1-산 당화단백의 농도 등으로 인해 성인과 다른 약물반응을 나타내게 된다.

(1) 아세트아미노펜(acetaminophen)

표 17-3. 통증치료 약물 (Drugs for pain control)

Nonopioid analgesics	
Acetaminophen (PO)	10–15 mg/kg/dose q 4–6 hour
Ibuprofen (PO)	5–10 mg/kg/dose q 6–8 hour
Ketorolac (IV)	0.5 mg/kg/dose q 6 hour
Opioids	
Morphine (IV)	Initial: 0.05 mg/kg/dose Usual range: 0.1–0.2 mg/kg/dose every 2 to 4 hours as needed
Fentanyl (IV)	1–2 mcg/kg/dose
Non-traditional analgesics (for migraine prophylaxis)	
Amitriptyline (PO)	0.25 mg/kg/day, given at bedtime Increase dose by 0.25 mg/kg/day every 2 weeks
Valproic acid (PO)	Initial 10–15 mg/kg/day in 2 divided doses
Topiramate (PO)	25 mg/day once daily at night Increase at weekly intervals at 25 mg/day increments

비교적 안전한 비아편유사성 진통제 및 해열제로서 경구 및 직장 투여의 장점이 있다. 아세트아미노펜은 아스피린이나 비스테로이드성 항염증제의 위장관 혹은 항혈소판 작용과 관련되지 않아서 특히 암환자에 유용하다. 아스피린과 non-steroidal anit-inflammatory drugs (NSAIDs)와는 다르게 아세트아미노펜은 아주 약한 항염작용만 있다. 아세트아미노펜의 독성은 일회성 고용량에 의해서 또는 수일에서 수주에 걸친 과다용량에 의해서 초래될 수 있다. 독성은 영아, 소아, 성인에서 전격성 간괴사와 부전으로 나타난다. 대사 차이의 결과로 어린 소아는 성인보다 아세트아미노펜 유도 간독성에 더 잘 견딘다(표 17-3).

(2) 비스테로이드성 항염증제(NSAIDs)

소아에서 통증과 발열을 치료하기 위해 널리 사용된다. NSAIDs는 수술환자에서 아편유사제 필요량을 많게는 35-40%까지 줄일 수 있다. 주사용 NSAIDs의 하나인 케토롤락(ketololac)은 중등도 혹은 중증 급성통증이 있는 환자로서 경구 NSAIDs를 삼킬 수 없거나 삼키기를 거부하는 사람의 치료에 유용하다. NSAIDs의 부작용은 드물지만 발생하면 심각할 수도 있다. 부작용으로는 통증과 출혈을 동반한 위염; 신혈류 감소로 인한 사구체 여과감소와 나트륨 재흡수 상승, 일부 케이스에서는 신세뇨관 괴사; 간기능이상과 간부전; 혈소판 기능억제 등이 있다. 비록 출혈의 전체적인 빈도는 아주 낮지만 출혈성 경향이 있는 아이에서나 출혈의 위험이 있는 경우 혹은 편도절제술 후와 같이 수술적 지혈이 중요한 관심사인 경우에 NSAIDs는 사용되지 말아야 한다. 저혈량증 혹은 심장기능 이상이 있는 경우의 사용은 부작용의 위험을 증가시킬 수 있다.

(3) 아편유사제(opioids)

아편유사제는 아편과 비슷한 화학적 구조와 작용기전을 가지도록 합성된 진통 물질로 급성 수술 후 통증, 겸상적혈구 위기 통증, 암 통증 등의 중등도와 중증 통증에 투여된다. 아편유사제는 뇌, 뇌간, 척수, 그리고 말초신경계에 있는 수용체에 결합함으로써 내생적 오피오이드 펩타이드와 비슷하게 작용해 유해자극의 억제를 유도한다. 아편유사제는 용량-결정식 호흡억제 효과를 가지고 있고 환기반응을 둔화시켜서 저산소증과 과이산화탄소혈증을 초래하는데 이러한 호흡억제 효과는 벤조디아제핀 또는 바비튜레이트 같은 다른 진정제와 같이 투여했을 때 더 증가하게 된다.

(4) 국소마취제

국소마취제는 국부적용, 피부침투, 말초신경 차단, 경막외 차단, 척추강내 주입, 정맥내 주입 등의 용도로 뛰어난 안정성과 효과를 가지며 소아에서 사용될 수 있다. 하지만 지나치게 과도한 전신 농도는 경련, 중추신경계 쇠약, 부정맥 혹은 심장쇠약을 초래할 수 있다. 리도카인과 프릴로카인의 혼합물인 EMLA는 손상되지 않은 피부를 마취시키는데 사용되는 것으로 정맥천자, 요추천자 그리고 주사바늘 시술에 주로 적용된다. 한편 5% 리포솜 리도카인 크림도 많은 소아센터에서 사용되고 있다.

(5) 비전통적 진통제

비전통적 진통제란 다른 적응증으로 개발된 약물이지만 이후 진통 특성도 가진 것으로 밝혀진 다양한 약물들로 일부 항우울제, 항경련제, 향신경성 약물 등이 포함된다.

삼환계 항우울제(tricyclic antidepressant, TCA)는 신경병성 통증, 기능성 복통, 편두통 등에서 통증을 완화하는데 효과적인 것으로 알려져 있다. 통증조절 목적으로는 보통 0.25 mg/kg을 넘지 않는 적은 용량의 아미트리프틸린(amitriptyline)이나 노트리프틸린(nortriptyline)을 취침 전 한 번 복용한다. 선택적 세로토닌 재흡수 억제제(SSRI)는 TCA보다 부작용이 훨씬 적고 항콜린성 부작용이 없다. 플루옥세틴(fluoxetine)은 SSRI 중 미국 식품의약국으로부터 소아청소년 사용을 허가받은 유일한 약이다.

카바마제핀(carbamazepine)과 발프로익산(valproic acid)은 신경세포 수준에서 칼슘채널을 차단함으로써 만성 통증을 완화시키는 것으로 생각되며 특히 정서장애와 신경병성 통증이 있는 환자에서 유용하다. 가바펜틴(gabapentin)은 신경병성 통증이 있는 환자들을 치료하는데 효과가 있다. 토피라메이트(topiramate)는 성인의 삼차신경통을 치료하거나 편두통을 예방하는데 있어서 전통적 항경련제보다 성공적이다.

벤조디아제핀은 항불안 약물로서 근이완 효과도 가지고 있다. 거의 모든 입원 환아들이 불안을 경험하고 수면에 방해를 받게 되면서 통증지각이 강화되기 때문에 벤조디아제핀은 특별히 입원환자의 통증을 관리하는 데 있어서 효과적이다.

2) 비약물치료

비약물치료로는 이완기술, 분산, 최면치료, 생체되먹임, 요가, 마사지치료, 개별적 정신치료, 가족교육 혹은 정신치료, 물리치료, 침치료, 피부전기 신경치료, 음악 및 예술치료, 춤, 운동, 애완치료, 향기치료 등이 있다.

3) 침습적 중재술

침습적 중재술에는 두경부 차단, 상지차단, 체간과 복부 장기차단, 하지차단, 교감신경 차단, 경막외 차단, 척추강내 진통, 신경절제와 파괴 등이 있다.

참고 문헌

1. Ahn HA, Shin HY, Text book of Pediatrics,11th ed. Mirae-N Co, 2016;5-9.

2. Ahn Hyo Seop. Hong Chang Yee Textbook of Pediatrics. 10th ed. Seoul: Mirae-N Co. 2012;14-9.

3. American Medical Association : Code of medical ethics: Current opinions with annotations. Chicago, American Medical Association, 2009.

4. Ashwal S, Ferriero DM, et al. editors. Swaiman's Pediatric Neurology Principles and Practice. 5th ed. Elsvier Saunders, 2012;e264-75.

5. Beauchamp TL, Childress JF, 2012. Principles of biomedical ethics, 7th ed. Oxford university press, 2012

6. Bernat JL, 2008. Ethical issues in neurology, 3rd ed. Lippincott, Williams & Wilkins, 2008

7. Coté CJ, Wilson S, American Academy of Pediatrics, American Academy of Pediatric Dentistry. Guidelines for Monitoring and Management of Pediatric Patients Before, During, and After Sedation for Diagnostic and Therapeutic Procedures. Pediatrics 2019;143:e20191000.

8. Coulter DL. Online Charpters, Ethical issues in child neurology. In : Swaiman KF, Gert B.: The relevance of moral theory to pediatric neurology. Semin Pediatr Neurol 2002; 9:2-6.

9. Coulter DL. Ethical issues in child neurology. In : Swaiman KF, Ashwal S, Ferriero DM, and Schor NF et al., editor. Pediatric Neurology. 6th ed. Elsevier; 2018;1263-9.

10. Cravero JP, Blike GT. Review of pediatric sedation. Anesth Analg 2004; 99:1355-64.

11. Howard RF. Current status of pain management in children. JAMA 2003;290:2464-9.

12. Kilbaugh TJ, Friess SH, Raghupathi R, et al. Sedation and analgesia in children with developmental disabilities and neurologic disorders. Int J Pediatr 2010;189142:1-9.

13. Krauss B, Green SM. Procedural sedation and analgesia in children. Lancet 2006;367:766-80.

14. Lee SH. Nerve emergence of ethics and issues. Sogang J philosophy 2009;19:100-28.

15. Mori K, Basauri L. Ethical issues in managed and rationed care for children with severe neurological disabilities: a questionnaire survey. Child's Nerv Syst 1999;15:342-6.

16. Prescilla RP. Pharmacology and Clinical Application of Sedatives, Analgesics, and Adjuncts. In: Mason KP ed. Pediatric Sedation Outside of the Operating Room. New York: Springer, 2011;93-122.

17. Shevell M. Ethical Issues in Pediatric Critical Care Neurology. Semin Pediatr Neurol 2004;11:179-84.

18. Siden H, Oberlander TF. Pain management for children with a developmental disability in a primary care setting. In: Walco GA, Goldschneider KR ed. Pain in children: a practical guide for primary care. New Jersey: Humana Press, 2010:29-37.

19. Tobias JD. Sedation in the intensive care unit: challenges, outcomes, and future strategies. In: Mason KP ed. Pediatric Sedation Outside of the Operating Room. New York: Springer, 2011:199-248.

20. Zeltzer LK, Krane EJ. Pediatric Pain Management. In: Kliegman RM ed. Nelson textbook of pediatrics. 19th Eds. Philadelphia: Elsevier Saunders, 2011:360-75.

21. Zempsky WT, Cravero JP, American Academy of Pediatrics Committee on Pediatric Emergency Medicine and Section on Anesthesiology and Pain Medicine. Relief of pain and anxiety in pediatric patients in emergency medical systems. Pediatrics 2004;114:1348-56.

소 아 신 경 학
PEDIATRIC NEUROLOGY

Index

국문 찾아보기

영문 찾아보기